KB084590

세계의 대배심 규정들 ③

Grand Juries of the World

세계의
대배심 규정들 ❸

Grand Juries of the World

머리말

2020년 6월에 1, 2권을 낸 데 힘입어 비교적 단기간 내에 3, 4권을 내게 되었다. 용어의 번역에서 두어 가지가 바뀌었는데, Discovery를 "증거개시(證據開示)"로 옮기던 것을 이번 책들에서는 "증거캐기"로 옮긴 것이 그 하나이고, state grand jury를 statewide grand jury에 더불어 "주 전체관할 대배심"으로 옮기던 것을 구분하여 "스테이트 대배심"으로 옮긴 것이 그 둘이다.

2018년 6월에 대배심 연구에 착수한 지 2년 10개월만에 미국의 연방과 콜럼비아 특별구 및 50개 주의 대배심 규정들이, 그리고 라이베리아와 일본의 대배심 규정들이, 이로써 전체 네 권으로 대략 옮겨진 것이 되었다.

회원들과 연구회의 존재가 이 연구를 및 출간을 가능하게 하여 준 원동력임을 거듭 밝히며, 두루 감사를 표한다. 아울러, 이 책들을 내 준 한올 출판사의 임순재 회장 이하 관계자들에게도 감사드린다. 대배심에 관한 이해를 돕기 위하여 부록으로 필자가 쓴 대배심 개설을 붙인다.

2021. 4. 8.

배심제도연구회 회장 박 승 옥

차 례

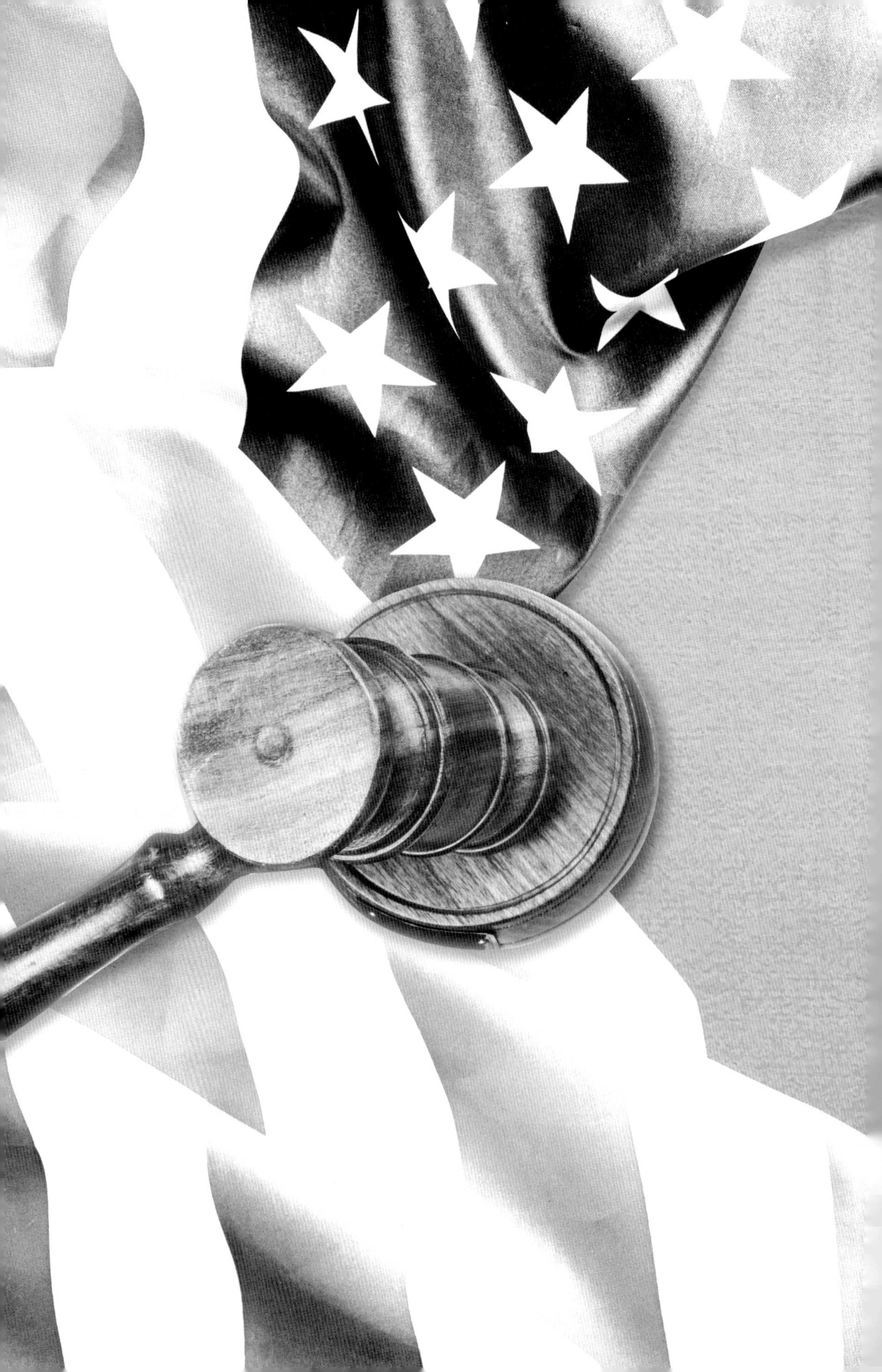

네바다주 배심 규정

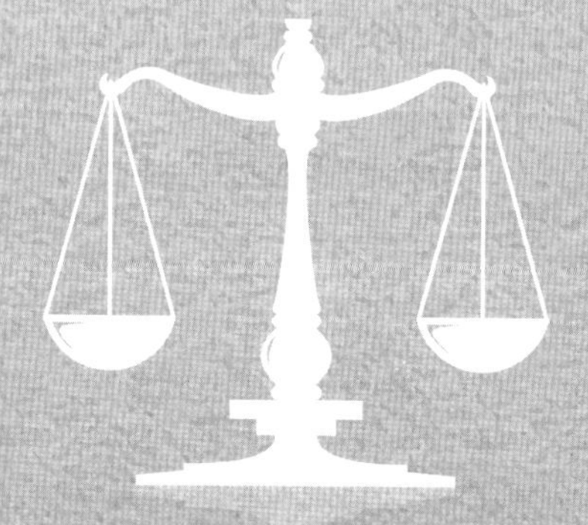

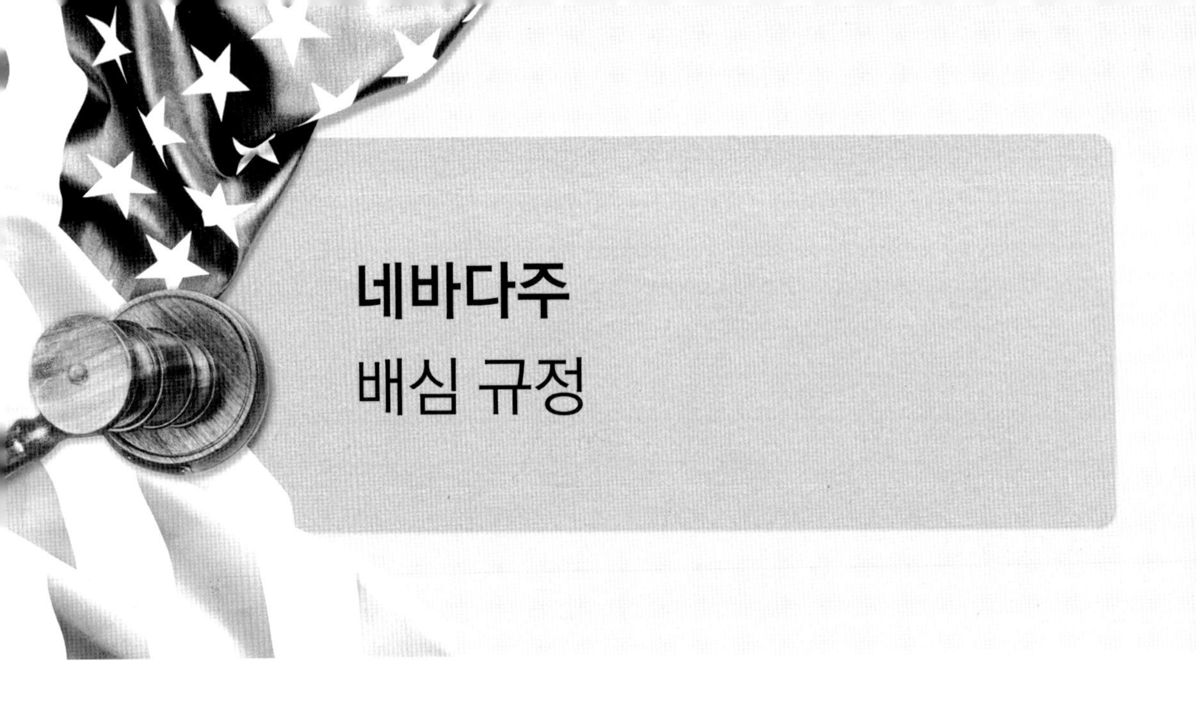

https://codes.findlaw.com/nv/title-1-state-judicial-department/nv-rev-st-6-010.html

Nevada Revised Statutes Title 1. State Judicial Department § 6.010. Persons qualified to act as jurors

배심원들로서 행동할 자격이 있는 사람들

Except as otherwise provided in this section, every qualified elector of the State, whether registered or not, who has sufficient knowledge of the English language, and who has not been convicted of treason, a felony, or other infamous crime, and who is not rendered incapable by reason of physical or mental infirmity, is a qualified juror of the county in which the person resides. A person who has been convicted of a felony is not a qualified juror of the county in which the person resides until the person's civil right to serve as a juror has been restored pursuant to NRS 176A.850 , 179.285 , 213.090 , 213.155 or 213.157.

이 절에서 달리 규정되는 경우에를 제외하고는, 투표권자로서 등록되어 있는지 등록되어 있지 않은지 여부에 상관없이 주(State)의 유자격 투표권자이면서 영어에 대한 충분한 지식을 지니는, 반역죄로, 중죄로, 또는 여타의 파렴치한 범죄로 유죄판정 되어 있지 아니한, 및 신체적 내지는 정신적 장애로 인하여 무능력한 상태로 되어 있지 아니한, 모든 사람은 그 사람이 거주하는 카운티의 자격 있는 배심원이다. 중죄로 유죄판정 되어 있는 사람의, 한 명의 배심원으로서 복무할 시민적 권리가 네바다주 현행법률집 제176A.850절에, 제179.285절에, 제213.090절에, 제213.155절에 또는 제213.157절에 따라서 회복되어 있기까지는, 그 사람은 그 거주하는 카운티의 자격 있는 배심원이 아니다.

https://codes.findlaw.com/nv/title-1-state-judicial-department/nv-rev-st-6-020.html

Nevada Revised Statutes Title 1. State Judicial Department § 6.020. Exemptions from service

복무로부터의 제외 사유들

1. Except as otherwise provided in subsections 2 and 3 and NRS 67.050, upon satisfactory proof, made by affidavit or otherwise, the following-named persons, and no others, are exempt from service as grand or trial jurors:

   소절 2에서, 3에서 및 네바다주 현행법률집 제67.050절에서 달리 규정되는 경우에를 제외하고는, 선서진술서에 의하여 만들어지는 또는 여타의 방법으로 만들어지는 납득할 만한 증거 위에서, 대배심원들로서든 정식사실심리 배심원들로서든 배심복무로부터 아래에 규정되는 사람들은, 그리고 그 사람들만이, 제외된다.

(a) While the Legislature is in session, any member of the Legislature or any employee of the Legislature or the Legislative Counsel Bureau;

입법부가 회기 중에 있는 동안의 입법부의 구성원, 또는 입법부의 내지는 입법활동지원국의 피용자;

(b) Any person who has a fictitious address pursuant to NRS 217.462 to 217.471, inclusive; and

가공의 주소를 네바다주 현행법률집 제217.462절에서부터 제217.471절(포함)까지에 따라서 지니는 사람; 그리고

(c) Any police officer as defined in NRS 617.135.

네바다주 현행법률집 제617.135절에 개념정의 되는 경찰관.

2. All persons of the age of 70 years or over are exempt from serving as grand or trial jurors. Whenever it appears to the satisfaction of the court, by affidavit or otherwise, that a juror is over the age of 70 years, the court shall order the juror excused from all service as a grand or trial juror, if the juror so desires.

대배심원으로 또는 정식사실심리 배심원으로 복무함으로부터 70세 이상인 모든 사람들은 제외된다. 한 명의 배심원(후보)이 70세를 넘었음이 선서진술서에 의하여 또는 그 밖의 자료에 의하여 법원이 납득할 만큼 드러나는 때에는 언제든지, 대배심원으로서든 정식사실심리 배심원으로서든 모든 복무로부터 그 배심원(후보)을 면제조치 하도록, 그 배심원(후보)이 원할 경우에, 법원은 명령하여야 한다.

3. A person who is the age of 65 years or over who lives 65 miles or more from the court is exempt from serving as a grand or trial juror. Whenever it appears to the satisfaction of the court, by affidavit or otherwise, that a juror is the age of 65 years or over and lives 65 miles or more from the court, the court shall order the juror excused from all service as a grand or trial juror, if the juror so desires.

법원으로부터 65마일 이상 떨어져서 사는 65세 이상인 사람은 대배심원으로 또는 정식사실심리 배심원으로 복무함으로부터 제외된다. 한 명의 배심원(후보)이 65세 이상임이 및 법원으로부터 65마일 이상 떨어져서 거주함이 선서진술서에 의해서든 또는 여타의 자료에 의해서든 법원이 납득할 만큼 드러나는 때에는 언제든지, 대배심원으로서든 정식사실심리 배심원으로서든 모든 복무로부터 그 배심원(후보)을 면제조치 하도록, 그 배심원(후보)이 원할 경우에, 법원은 명령하여야 한다.

https://codes.findlaw.com/nv/title-1-state-judicial-department/nv-rev-st-6-030.html

Nevada Revised Statutes Title 1. State Judicial Department § 6.030. Grounds for excusing jurors

배심원들을 면제조치 하기 위한 이유들

1. The court may at any time temporarily excuse any juror on account of:

배심원(후보)을 아래의 사유에 따라서 언제든지 법원은 일시적으로 면제조치 할 수 있다:

(a) Sickness or physical disability.

질병 또는 신체적 장애.

(b) Serious illness or death of a member of the juror's immediate family.

당해 배심원(후보)의 직계가족 구성원의 중대한 질병 또는 사망.

(c) Undue hardship or extreme inconvenience.

부당한 곤경 또는 극도의 불편.

(d) Public necessity.

공중의 필요.

2. In addition to the reasons set forth in subsection 1, the court may at any time temporarily excuse a person who provides proof that the person is the primary caregiver of another person who has a documented medical condition which requires the assistance of another person at all times.

소절 1에 규정되는 이유들을 제시함에 추가하여, 다른 사람의 조력을 항상 요구하는, 문서에 의하여 증명되는 의학적 상태를 지니는 타인에 대하여 자신이 주된 돌보미라는 증거를 제시하는 사람을 언제든지 법원은 일시적으로 면제조치 할 수 있다.

3. A person temporarily excused shall appear for jury service as the court may direct.

일시적으로 면제조치 되는 사람은 법원이 명령하는 바에 따라서 배심복무를 위하여 출석하여야 한다.

4. The court shall permanently excuse any person from service as a juror if the person is incapable, by reason of a permanent physical or mental disability, of rendering satisfactory service as a juror. The court may require the prospective juror to submit a physician's certificate concerning the nature and extent of

the disability and the certifying physician may be required to testify concerning the disability when the court so directs.

한 명의 배심원으로서의 만족스러운 복무를 영구적인 신체적 내지는 정신적 장애로 인하여 제공할 수 없는 어느 누구든지를 한 명의 배심원으로서의 복무로부터 법원은 영구적으로 면제조치 할 수 있다. 그 장애의 성격에 및 정도에 관한 의사의 증명서를 제출하도록 당해 배심원후보에게 법원은 요구할 수 있으며, 법원이 명령할 경우에는 그 장애에 관하여 증언하도록, 증명서 발급 의사는 요구될 수 있다.

https://codes.findlaw.com/nv/title-1-state-judicial-department/nv-rev-st-6-040.html

Nevada Revised Statutes Title 1. State Judicial Department § 6.040. Penalty for failing to attend and serve as a juror

배심원으로서의 출석하기의 및 복무하기의 불이행에 대한 벌칙

Any person summoned as provided in this chapter to serve as a juror, who fails to attend and serve as a juror, shall, unless excused by the court, be ordered by the court to appear and show cause for his or her failure to attend and serve as a juror. If the person fails to show cause, the person is in contempt and shall be fined not more than $500.

한 명의 배심원으로서 복무하도록 이 장에 규정되는 대로 소환되고서도 한 명의 배심원으로서 출석하기를 또는 복무하기를 불이행하는 사람은, 법원에 의하여 면제조치 되는 경우에를 제외하고는, 출석하도록 및 그 출석하기에 및 배심원으로서의 복무하기에 대한 그의 내지는 그녀의 불이행의 이유를 제시하도록 법원에 의하여 명령되어야 한다. 이유를 제시하기를 만약 그 사람이 불이행하면, 그 사람은 법원모독을 범하는 것이 되어 500불 이하의 벌금에 처해져야 한다.

https://codes.findlaw.com/nv/title-1-state-judicial-department/nv-rev-st-6-045.html

Nevada Revised Statutes Title 1. State Judicial Department § 6.045. Designation by rule of district court; administrative duties; selection of trial jurors

재판구 지방법원의 규칙에 의한 지명; 행정상의 의무들; 정식사실심리 배심원들의 선정

1. The district court may by rule of court designate the clerk of the court, one of the clerk's deputies or another person as a jury commissioner, and may assign to the jury commissioner such administrative duties in connection with trial juries and jurors as the court finds desirable for efficient administration.

   법원서기를, 서기의 대리인들 중 한 명을, 또는 다른 사람을 한 명의 배심위원으로 법원 규칙에 의하여 재판구 지방법원은 지명할 수 있고, 정식사실심리 배심들에 관련되는 및 배심원들에 관련되는 행정상의 의무들을, 효율적 행정을 위하여 바람직하다고 법원이 인정하는 바에 따라서 배심위원에게, 재판구 지방법원은 부여할 수 있다.

2. If a jury commissioner is so selected, the jury commissioner shall from time to time estimate the number of trial jurors which will be required for attendance on the district court and shall select that number from the qualified electors of the county not exempt by law from jury duty, whether registered as voters or not. The jurors may be selected by computer whenever procedures to assure random selection from computerized lists are established by the jury commissioner. The jury commissioner shall keep a record of the name, occupation and address of each person selected.

   그렇게 한 명의 배심위원이 선정되면, 재판구 지방법원에의 출석을 위하여 요구될 정식사실심리 배심원(후보)들의 숫자를 그 배심위원은 수시로 산출하여야 하고, 법에 의하여 배심의무로부터 제외되어 있지 아니한 카운티 유자격 투표권자들로부터 - 투표권자로서 등록되어 있는지 여부에 상관없이 - 그 숫자를 배심위원은 선정하여야 한다. 컴퓨터 처리된 명부들로부터의 무작위 선정을 보장하기 위한 절차들이 당해 배심위원에 의하여 확정되는 때에는 언제든지, 컴퓨터에 의하여 배심원(후보)들은 선정될 수 있다. 그 선정되는 개개 사람의 이름의, 직업의 및 주소의 기록을 배심위원은 보관하여야 한다.

3. The jury commissioner shall not select the name of any person whose name was selected the previous year, and who actually served on the jury by attending in court in response to the venire from day to day until excused from further attendance by order of the court, unless there are not enough other suitable jurors in the county to do the required jury duty.

직전 연도에 그 이름이 선정된 사람의 이름을, 또는 추후의 출석으로부터 법원의 명령에 의하여 면제조치 될 때까지 그날그날의 배심소집영장에 응하여 법원에 출석함으로써 실제로 배심에 복무한 사람의 이름을, 배심위원은 선정하여서는 안 되는바, 다만 그 요구되는 배심의무를 수행할 당해 카운티 내의 여타의 적당한 배심원(후보)들이 충분히 있지 아니한 경우에는 그러하지 아니하다.

https://codes.findlaw.com/nv/title-1-state-judicial-department/nv-rev-st-6-090.html

Nevada Revised Statutes Title 1. State Judicial Department § 6.090. Procedures for forming panel; duties of sheriff and jury commissioner

배심원(후보)단을 구성하기 위한 절차들; 집행관의 및 배심위원의 의무들

1. Whenever trial jurors are selected by a jury commissioner, the district judge may direct the jury commissioner to summon and assign to that court the number of qualified jurors the jury commissioner determines to be necessary for the formation of the petit jury. The jurors may be selected by computer whenever procedures to assure random selection from computerized lists have been established by the jury commissioner.

배심위원에 의하여 정식사실심리 배심원(후보)들이 선정되는 때에는 언제든지, 소배심의 구성을 위하여 필요할 것으로 당해 배심위원이 판단하는 숫자의 유자격 배심원(후보)들을 재판구 지방법원에 소환하도록 및 배정하도록 배심위원에게 그 법원의 판사는 명령할 수 있다. 컴퓨터 처리된 명부들로부터의 무작위 선정을 보장하기 위한 절차들이 당해 배심위원에 의하여 확정되고 난 때에는 언제든지 컴퓨터에 의하여 배심원(후보)들은 선정될 수 있다.

2. Every person named in the venire must be served by the sheriff personally or by the sheriff or the jury commissioner by mailing a summons to the person, commanding the person to attend as a juror at a time and place designated therein. Mileage is allowed only for personal service. The postage must be paid by the sheriff or the jury commissioner, as the case may be, and allowed him or her as other claims against the county. The sheriff shall make return of the venire at least the day before the day named for their appearance, after which the venire is subject to inspection by any officer or attorney of the court.

배심소집영장에 그 이름이 실린 모든 사람에게는 그에 대한 소환장이 집행관에 의하여 직접, 또는 한 개의 소환장을 그 사람에게 우송함으로써 집행관에 의하여 또는 배심위원에 의하여, 송달되어야 하는바, 거기에 지정된 때에 및 장소에 배심원(후보)으로서 출석하도록 그 사람에게 명령하여야 한다. 여비수당은 직접의 송달을 위해서만 지급된다. 우편요금은 사안에 따라서 집행관에 의하여 또는 배심위원에 의하여 지급되지 않으면 안 되는바, 카운티를 상대로 하는 여타의 청구들이 지급되는 방법에 준하여 그에게 또는 그녀에게 지급되지 않으면 안 된다. 배심원소집영장의 반환을 늦어도 그들의 출석을 위하여 정해진 날의 전날에 집행관은 하여야 하는바, 그 뒤에 그 배심소집영장은 법원의 공무원 누구나에 의한 또는 법원의 변호사 누구나에 의한 점검에 처해진다.

https://codes.findlaw.com/nv/title-1-state-judicial-department/nv-rev-st-6-100.html

Nevada Revised Statutes Title 1. State Judicial Department § 6.100. Discharge of excess trial jurors

잉여인 정식사실심리 배심원(후보)들의 임무해제

When at any time there shall be a larger number of trial jurors in attendance upon any court than are required for the business of the court, or for the time being, the court may discharge or excuse, temporarily, a sufficient number of those who have served longest to reduce the panel to the number required.

법원의 업무를 위하여 요구되는 숫자의보다도 더 많은 숫자의 정식사실심리 배심원(후보)들이 법원에 출석한 경우에는 언제든지, 또는 당분간, 배심원(후보)단을 그 요구되는 숫자로 줄

이기 위한 충분한 숫자의 사람들을 가장 오래 복무해 온 사람들 순으로 법원은 일시적으로 임무해제 할 수 또는 면제조치 할 수 있다.

https://codes.findlaw.com/nv/title-1-state-judicial-department/nv-rev-st-6-110.html

Nevada Revised Statutes Title 1. State Judicial Department § 6.110. Counties whose population is 100,000 or more: Selection of jurors and alternate jurors; listing and summoning jurors

인구 100,000명 이상의 카운티들의 경우; 배심원(후보)들의 및 예비배심원(후보)들의 선정; 배심원(후보)들의 명부등재 및 소환

1. In any county having a population of 100,000 or more, the selection of persons as proposed grand jurors must be made in the manner prescribed in this section upon notice from any district judge as often as the public interest may require and at least once in each 4 years. The clerk of the court under the supervision of the district judge presiding over the impaneling of the grand jury shall select at random the names of at least 500 persons to be called as prospective grand jurors. The clerk shall prepare and mail to each person whose name was selected a questionnaire prepared by the district judge stating the amount of pay, the estimated time required to serve and the duties to be performed. Each recipient of the questionnaire must be requested to complete and return the questionnaire, indicating on the questionnaire his or her willingness and availability to serve on the grand jury. The clerk shall continue the selection of names and mailing of questionnaires until a panel of 100 qualified persons who are willing to serve is established.

   인구 100,000명 이상인 카운티에서 대배심원후보들의 선정은 재판구 지방법원 판사 어느 누구로부터든지의 통지 위에서 이 절에 규정되는 방법에 따라서 공공의 이익이 요구하는 만큼 빈번히 및 적어도 4년마다 한 차례 이루어지지 않으면 안 된다. 대배심원후보들로서 소환될 적어도 500명의 이름들을 대배심의 충원구성을 주재하는 재판구 지방법원 판사의 감독 아래에 있는 법원서기는 무작위로 선정하여야 한다. 보수액수를, 그 복무함에 요구될 것으로 예상되는 시간을, 그리고 그 수행되어야 할 의무들을 설명하는 재판구

지방법원 판사에 의하여 작성된 한 개의 질문서를 서기는 작성하여야 하고 그 선정된 이름의 개개 사람에게 우송하여야 한다. 대배심에 복무함에 대한 그의 내지는 그녀의 의사를 및 복무가능 여부를 질문서 위에 표시하여 질문서를 완성하도록 및 돌려보내도록 질문서의 개개 수령인은 요청되지 않으면 안 된다. 복무할 의사를 지니는, 자격이 인정되는 100명의 후보단이 구성되기까지 이름들의 선정을 및 질문서들의 우송을 서기는 계속하여야 한다.

2. A list of the names of persons who indicated their willingness to serve as grand jurors must be made by the clerk of the court and a copy furnished to each district judge. The district judges shall meet within 15 days thereafter and shall, in order of seniority, each select one name from the list until at least 50 persons have been selected. A list of the names of the persons selected as proposed grand jurors must be made by the clerk, certified by the chief judge of the district court and filed in the clerk's office. The clerk shall immediately issue a venire, and the court shall summon the proposed grand jurors to attend in court at such time as the district judge directs.

대배심원들로서 복무할 자신들의 의사를 밝힌 사람들의 이름들의 명부가 법원서기에 의하여 작성되지 않으면 안 되고 그 등본이 재판구 지방법원의 개개 판사에게 제공되지 않으면 안 된다. 그 뒤 15일 내에 재판구 지방법원 판사들은 회합하여야 하고, 그 명부로부터의 한 명의 이름을 적어도 50명이 선정되었을 때까지 선임자 서열 순으로 각자는 선정하여야 한다. 대배심원후보들로 선정된 이름들의 명부가 서기에 의하여 작성되지 않으면 안 되고 재판구 지방법원의 법원장에 의하여 인증되지 않으면 안 되며, 서기의 사무소에 하달되지 않으면 안 된다. 배심소집영장을 서기는 즉시로 발부하여야 하고, 재판구 지방법원 판사가 명령하는 때에 법원에 출석하도록 그 대배심원후보들을 법원은 소환하여야 한다.

3. The court shall summon the proposed grand jurors, and the district judge presiding over the impaneling of the grand jury shall select at random from their number 17 persons to constitute the grand jury and 14 persons to act as alternate grand jurors. If for any reason an insufficient number of proposed grand jurors fail to appear, additional proposed grand jurors sufficient to

complete the panel of grand jurors and alternates must be selected from the list of prospective grand jurors by the district judge presiding over the impaneling, and the persons so selected must be summoned to appear in court at such time as the district judge directs.

대배심원후보들을 법원은 소환하여야 하고, 대배심을 구성할 17명을 및 예비 대배심원들로서 활동할 14명을 그들 가운데서 무작위로, 대배심의 충원구성을 주재하는 재판구 지방법원 판사는 선정하여야 한다. 만약 어떤 이유에서든 그 출석한 대배심원후보들의 숫자가 충분하지 아니하면, 대배심원단을 및 예비배심원단을 채우기에 충분한 추가적 배심원후보들이 그 충원구성을 주재하는 재판구 지방법원 판사에 의하여 대배심원후보 명부로부터 선정되지 않으면 안 되는바, 당해 재판구 지방법원 판사가 명령하는 때에 법원에 출석하도록, 그렇게 선정되는 사람들은 소환되지 않으면 안 된다.

4. Every person named in the venire as a grand juror must be served by the court mailing a summons to the person commanding the person to attend as a juror at a time and place designated in the summons. The summons must be registered or certified and deposited in the post office addressed to the person at his or her usual mailing address. The receipt of the person so addressed for the registered or certified summons must be regarded as personal service of the summons upon the person and no mileage may be allowed for service.

한 명의 대배심원(후보)으로서 배심소집영장에 그 이름이 들어 있는 모든 사람에게는 소환장에 명시된 시간에 및 장소에 한 명의 배심원(후보)으로서 출석하도록 그 사람에게 명령하는 소환장을 그에게 우송하는 법원에 의하여 송달이 이루어지지 않으면 안 된다. 소환장은 등기우편에 내지는 배달증명 우편에 의하지 않으면 안 되고 그의 내지는 그녀의 일상의 우편주소를 기재하여 우체국에 맡겨지지 않으면 안 된다. 그 등기우편으로 내지는 배달증명우편으로 발송되는 소환장에 대한 그렇게 주소가 적힌 사람에 의한 수령은 그 소환장의 그 사람에 대한 직접의 송달로 간주되지 않으면 안 되는바, 송달을 위한 여비수당은 지급되어서는 안 된다.

5. If for any reason a person selected as a grand juror is unable to serve on the grand jury until the completion of its business, the district judge shall select one of the alternate grand jurors to serve in his or her place.

한 명의 대배심원으로 선정된 사람이 당해 대배심의 임무 완료 때까지 어떠한 이유에서든지 당해 대배심에 복무할 수 없으면, 그 대신에 내지는 그녀 대신에 복무하도록 예비대배심원들 중 한 명을 재판구 지방법원의 판사는 선정하여야 한다.

https://codes.findlaw.com/nv/title-1-state-judicial-department/nv-rev-st-6-120.html

Nevada Revised Statutes Title 1. State Judicial Department § 6.120. Counties whose population is less than 100,000: Selection of jurors and alternate jurors; listing and summoning jurors

인구 100,000명 미만인 카운티들의 경우; 배심원(후보)들의 및 예비배심원(후보)들의 선정; 배심원(후보)들의 명부등재 및 소환

1. In any county having a population of less than 100,000, the county clerk under the supervision of the district judge, shall randomly select the names of 50 qualified persons to serve as prospective grand jurors. The county clerk shall then prepare and mail to each person whose name was selected a questionnaire drawn up by the district judge or presiding district judge, where applicable, stating the amount of pay, the estimated time required to serve, and the duties to be performed. Each recipient of the questionnaire shall be requested to return the questionnaire, indicating on it his or her willingness to serve on the jury. The county clerk shall continue the selection of names and mailing of questionnaires until a panel of 36 persons who are willing to serve is established. The requirement of subsection 1 of NRS 6.110 that a grand jury must be called at least once in every 4 years does not apply to the county unless the district judge otherwise directs. A list of the names of the 36 persons who indicate their willingness to serve as grand jurors must be made and certified by the county clerk and filed in the county clerk's office, and the clerk shall immediately issue a venire, directed to the sheriff of the county, commanding the sheriff to summon the persons willing to serve as grand jurors to attend in court at such time as the district judge may have directed.

인구 100,000명 미만인 카운티에서는 대배심원후보들로서 복무할 50명의 유자격자들

의 이름들을, 재판구 지방법원 판사의 감독 아래에 있는 법원서기는 무작위로 선정하여야 한다. 보수액수를, 그 복무함에 요구될 것으로 예상되는 시간을, 그리고 그 수행되어야 할 의무들을 설명하는, 재판구 지방법원 판사에 의하여, 또는 그 적용 가능한 경우에는 재판구 지방법원의 법원장에 의하여, 입안된 한 개의 질문서를 그 때에 서기는 작성하여야 하고 그 선정된 이름의 개개 사람에게 우송하여야 한다. 배심에 복무함에 대한 그의 내지는 그녀의 의사를 그 위에 표시하여 질문서를 돌려보내도록 질문서의 개개 수령인은 요청되어야 한다. 복무할 의사를 지니는 36명의 후보단이 확정되기까지 이름들의 선정을 및 질문서들의 우송을 카운티 서기는 계속하여야 한다. 한 개의 대배심이 매 4년마다 적어도 1회 소집되지 않으면 안 된다는 네바다주 현행법률집 제6.110절의 소절 1의 요구는, 재판구 지방법원 판사가 달리 명령하는 경우에를 제외하고는, 그 카운티에 적용되지 아니한다. 대배심원들로서 복무하겠다는 그들의 의사를 표시하는 36명의 이름들의 명부가 카운티 서기에 의하여 작성되지 않으면 안 되고 인증되지 않으면 안 되며 카운티 서기의 사무소에 편철되지 않으면 안 되는바, 재판구 지방법원 판사가 명령해 놓은 때에 법원에 출석하도록 대배심원들로서 복무할 의사를 밝힌 사람들을 소환할 것을 카운티 집행관에게 명령하는 카운티 집행관 앞으로의 한 개의 배심소집영장을 서기는 즉시 발부하여야 한다.

2. The sheriff shall summon the grand jurors, and out of the number summoned each district judge in rotation according to seniority, shall select one name from the venire until 17 persons to constitute the grand jury and 12 persons to act as alternate grand jurors are chosen.

   대배심원(후보)들을 집행관은 소환하여야 하는바, 그 소집된 배심원후보단으로부터 한 명을 재판구 지방법원의 개개 판사가 선임자 서열 순으로 돌아가면서 선정하기를, 그 대배심을 구성할 17명이 및 예비대배심원들로서 활동할 12명이 그 소환된 숫자로부터 선정될 때까지, 계속하여야 한다.

3. Every person named in the venire as a grand juror shall be served by the sheriff mailing a summons to that person commanding the person to attend as a juror at a time and place designated therein, which summons shall be registered or certified and deposited in the post office addressed to the person at his or her usual post office address. The receipt of the person addressed for the registered or certified summons must be regarded as personal service of

the summons upon that person and no mileage may be allowed for service. The postage and fee for registered or certified mail must be paid by the sheriff and allowed him or her as other claims against the county.

한 명의 대배심원(후보)으로서 배심소집영장에 그 이름이 들어 있는 모든 사람에게는, 거기에 명시된 시간에 및 장소에 한 명의 배심원(후보)으로서 출석하도록 그 사람에게 명령하는 소환장을 그에게 우송하는 집행관에 의하여, 송달이 이루어져야하는바, 그 소환장은 등기우편에 내지는 배달증명 우편에 의하여야 하고 그의 내지는 그녀의 일상의 우편주소를 기재하여 우체국에 맡겨져야 한다. 그 등기우편으로 발송되는 소환장에 대한 내지는 배달증명우편으로 발송되는 소환장에 대한 그 수령할 사람으로 주소가 적힌 사람에 의한 수령은 그 소환장의 그 사람에 대한 직접의 송달로 간주되지 않으면 안 되는바, 송달을 위한 여비수당은 지급되어서는 안 된다. 등기우편의 및 배달증명 우편의 요금은 및 보수는 집행관에 의하여 지급되지 않으면 안 되는바, 카운티를 상대로 하는 여타의 청구들이 지급되는 방법에 따라서 그에게 또는 그녀에게 지급되지 않으면 안 된다.

4. If for any reason a person selected as a grand juror is unable to serve on the grand jury until the completion of its business, the district judge shall select one of the alternate grand jurors to serve in his or her place. The alternate shall be served by the sheriff in the manner provided in subsection 3.

한 명의 대배심원으로 선정된 사람이 당해 대배심의 임무 완료 때까지 어떠한 이유에서든지 당해 대배심에 복무할 수 없으면, 그 대신에 내지는 그녀 대신에 복무하도록 예비대배심원들 중 한 명을 재판구 지방법원의 판사는 선정하여야 한다. 당해 예비대배심원에게는 소절 3에 규정되는 방법으로 집행관에 의하여 송달이 이루어져야 한다.

https://codes.findlaw.com/nv/title-1-state-judicial-department/nv-rev-st-6-130.html

Nevada Revised Statutes Title 1. State Judicial Department § 6.130. Permissible summoning of grand jury by filing of affidavit or petition by taxpayer

납세자의 선서진술서의 또는 청구서의 제출에 의하여 허용되는 대배심소환

1. In any county, if the statute of limitations has not run against the person offending, the district judge may summon a grand jury after an affidavit or verified petition by any taxpayer of the county accompanied by and with corroborating affidavits of at least two additional persons has been filed with the clerk of the district court, setting forth reasonable evidence upon which a belief is based that there has been a misappropriation of public money or property by a public officer, past or present, or any fraud committed against the county or state by any officer, past or present, or any violation of trust by any officer, past or present. The district judge shall act upon the affidavit or petition within 5 days. If he or she fails or refuses to recall or summon a grand jury, the affiant or petitioner may proceed as provided in NRS 6.140.

어떤 카운티에서든, 과거의든 현재의든 공무원에 의한 공금의 내지는 공공재산의 착복이, 또는 카운티에 대하여 내지는 주에 대하여 저질러진 과거의든 현재의든 공무원에 의한 기망이, 또는 과거의든 현재의든 공무원에 의한 신탁위반이 발생해 있다는 한 개의 믿음의 근거가 되는 합리적 증거를 제시하는 카운티의 납세자 누구나에 의한 선서진술서가 또는 그 진정함이 증명되는 청구서가, 적어도 두 명의 추가적 사람들의 보강 선서진술서들을 동반하여, 당해 재판구 지방법원 서기에게 제출되고 난 뒤에 한 개의 대배심을, 만약 그 위반자에 대한 공소시효가 경과되지 아니하였으면, 재판구 지방법원 판사는 소환할 수 있다. 선서진술서에 대하여 또는 청구서에 대하여 5일 내에 재판구 지방법원 판사는 처분하여야 한다. 한 개의 대배심을 재소환하기를 내지는 소환하기를 만약 그가 또는 그녀가 불이행하면 내지는 거부하면, 네바다주 현행법률집 제6.140절에 규정된 바에 따라서 절차를 선서진술인은 내지는 청구인은 진행할 수 있다.

2. If there is a grand jury in recess, the court shall recall that grand jury. If there is not a grand jury in recess, a new grand jury must be summoned.

만약 휴회 중인 대배심이 있으면, 그 대배심을 법원은 재소환하여야 한다. 만약 휴회 중인 대배심이 없으면, 한 개의 새로운 대배심이 소환되지 않으면 안 된다.

https://codes.findlaw.com/nv/title-1-state-judicial-department/nv-rev-st-6-132.html

Nevada Revised Statutes Title 1. State Judicial Department § 6.132. Summoning of grand jury by filing of petition by committee of registered voters

등록 유권자들의 위원회의 청구서의 제출에 의한 대배심의 소환

1. A committee of petitioners consisting of five registered voters may commence a proceeding to summon a grand jury pursuant to this section by filing with the clerk of the district court an affidavit that contains the following information:

   아래의 정보를 포함하는 한 개의 선서진술서를 재판구 지방법원의 서기에게 제출함에 의하여, 이 절에 따라서 한 개의 대배심을 소환하기 위한 한 개의 절차를 다섯 명의 등록유권자들로 구성되는 청구인들의 위원회는 개시할 수 있다:

(a) The name and address of each registered voter who is a member of the committee.

위원회의 구성원인 개개 등록유권자의 이름 및 주소.

(b) The mailing address to which all correspondence concerning the committee is to be sent.

위원회에 관한 모든 통신이 그 앞으로 발송되어야 할 우편주소.

(c) A statement that the committee will be responsible for the circulation of the petition and will comply with all applicable requirements concerning the filing of a petition to summon a grand jury pursuant to this section.

청구서의 배포에 대하여 위원회가 책임을 지겠다는, 및 이 절에 따라서 한 개의 대배심을 소환하여 주기를 구하는 청구서의 제출에 관하여 적용되는 모든 요구들을 준수하겠다는, 진술서.

(d) A statement explaining the necessity for summoning a grand jury pursuant to this section.

이 절에 따른 한 개의 대배심의 소환의 필요성을 설명하는 진술서.

2. A petition to summon a grand jury must be filed with the clerk by a committee of petitioners not later than 180 days after an affidavit is filed pursuant to subsection 1. The petition must contain:

한 개의 대배심을 소환할 것을 구하는 한 개의 청구서는, 소절 1에 따라서 한 개의 선서진술서가 제출되고 난 뒤 180일 이내에 청구인들의 위원회에 의하여 서기에게 보내지지 않으면 안 된다. 아래의 것들을 청구서는 포함하지 않으면 안 된다:

(a) The signatures of registered voters equal in number to at least 25 percent of the number of voters voting within the county at the last preceding general election. Each signature contained in the petition:

직전 총선거 때에 카운티 내에서 투표한 투표자들의 숫자의 적어도 25퍼센트에 맞먹는 숫자의 등록유권자들의 서명들. 청구서에 포함되는 개개의 서명은:

(1) May only be obtained after the affidavit required pursuant to subsection 1 is filed;

소절 1에 따라서 요구되는 선서진술서가 제출된 뒤에만 얻어질 수 있다;

(2) Must be executed in ink; and

잉크로 작성되지 않으면 안 된다; 그리고

(3) Must be followed by the address of the person signing the petition and the date on which the person is signing the petition.

청구서에 서명한 사람의 주소가, 및 그 청구서에 그 사람이 서명한 날짜가, 달려 있지 않으면 안 된다.

(b) A statement indicating the number of signatures of registered voters which were obtained by the committee and which are included in the petition.

위원회에 의하여 얻어진 및 청구서에 포함되는 등록유권자들의 서명들의 숫자를 밝히는 진술서.

(c) An affidavit executed by each person who circulated the petition which states that:

아래 사항을 서술하는, 청구서를 배포한 개개 사람에 의하여 작성된 선서진술서.

(1) The person circulated the petition personally;

청구서를 그 사람이 직접 배포하였다는 점;

(2) At all times during the circulation of the petition, the affidavit filed pursuant to subsection 1 was affixed to the petition;

청구서의 배포 동안 내내, 소절 1에 따라서 제출되는 선서진술서가 당해 청구서에 붙어 있었다는 점;

(3) Each signature obtained by the person is genuine to the best of his or her knowledge and belief and was obtained in his or her presence; and

그 사람에 의하여 얻어진 개개 서명은 그의 내지는 그녀의 최선의 지식의 및 믿음의 한도껏 진정한 것이라는 점 및 그의 내지는 그녀의 면전에서 얻어졌다는 점; 그리고

(4) Each person who signed the petition had an opportunity before signing the petition to read the entire text of the petition.

청구서의 전체 문장을 읽어볼 기회를 청구서에 서명하기 전에 청구서에 서명한 개개 사람이 지녔다는 점.

3. A petition filed pursuant to this section may consist of more than one document, but all documents that are included as part of the petition must be assembled into a single instrument for the purpose of filing. Each document that is included as part of the petition must be uniform in size and style and must be numbered.

이 절에 따라서 제출되는 청구서는 한 개를 넘는 문서로 구성될 수 있는바, 그러나 청구서의 부분으로서 포함되는 모든 문서들은 편철의 목적상으로 한 개의 단일한 문서로 모아지지 않으면 안 된다. 청구서의 부분으로서 포함되는 개개 문서는 크기에 및 형태에 있어서 통일되지 않으면 안 되고 숫자가 먹여지지 않으면 안 된다.

4. A person shall not misrepresent the intent or content of a petition circulated or filed pursuant to this section. A person who violates the provisions of this subsection is guilty of a misdemeanor.

이 절에 따라서 배포되는 내지는 제출되는 청구서의 의도를 내지는 내용을 사람은 거짓되게 설명하여서는 안 된다. 이 소절의 규정들을 위반하는 사람은 한 개의 경죄를 범하는 것이 된다.

5. The clerk shall issue a receipt following the filing of a petition pursuant to this section. The receipt must indicate the number of:

이 절에 따르는 한 개의 청구서의 제출 뒤에 영수증을 서기는 발부하여야 한다. 아래의 숫자를 영수증은 표시하여야 한다:

(a) Documents included in the petition;

청구서에 포함된 문서들;

(b) Pages in each document; and

개개 문서의 페이지들; 그리고

(c) Signatures which the committee indicates were obtained and which are included in the petition.

그 얻어졌다고 위원회가 표시하는 및 청구서에 포함되는 서명들.

6. Within 20 days after a petition is filed pursuant to this section, the clerk shall:

이 절에 따라서 청구서가 제출된 뒤 20일 내에 서기는:

(a) Prepare a certificate indicating whether the petition is sufficient or insufficient, and if the petition is insufficient, include in the certificate the reasons for the insufficiency of the petition; and

당해 청구서가 충분한지 또는 불충분한지 여부를 밝히는 검정서를 작성하여야 하고, 만약 당해 청구서가 불충분하면 청구서의 불충분함의 이유들을 검정서 안에 포함시켜야 한다; 그리고

(b) Transmit a copy of the certificate to the committee by certified mail.

검정서 등본을 위원회에 배달증명우편으로 송부하여야 한다.

7. A petition must not be certified as insufficient for lack of the required number of valid signatures if, in the absence of other proof of disqualification, any signature on the face thereof does not exactly correspond with the signature appearing on the official register of voters and the identity of the signer can be ascertained from the face of the petition.

만약 자격결여의 여타의 증거가 부재하면, 공식의 유권자등록부 위에 나타나는 서명에 비록 그 문면 상의 서명이 정확하게 일치하지 아니하더라도, 그 요구되는 유효한 서명들의 숫자의 부족을 이유로 하여서는 청구서가 불충분한 것으로 검정되어서는 안 되는바, 서명자의 동일성은 청구서의 문면으로부터 확인될 수 있다.

8. If a petition is certified as:

만약 한 개의 청구서가:

(a) Sufficient, the clerk shall promptly present a copy of the certificate to the court, and the court shall summon a grand jury. If there is a grand jury in recess, the court shall recall that grand jury. If there is not a grand jury in recess, a new grand jury must be summoned.

충분한 것으로 검정되면, 검정서 등본을 법원에 서기는 신속하게 제출하여야 하고, 한 개의 대배심을 법원은 소환하여야 한다. 만약 휴회 중인 대배심이 있으면, 그 대배심을 법원은 재소환하여야 한다. 만약 휴회 중인 대배심이 없으면, 한 개의 새로운 대배심이 소환되지 않으면 안 된다.

(b) Insufficient, the committee may, within 2 days after receipt of the copy of the certificate, file a request with the court for judicial review of the determination by the clerk that the petition is insufficient. In reviewing the determination of the clerk, the court shall examine the petition and the certificate of the clerk and may, in its discretion, allow the introduction of oral or written testimony. The determination of the clerk may be reversed only upon a showing that the determination is in violation of any constitutional or statutory provision, is arbitrary or capricious, or involves an abuse of discretion. If the court finds that the determination of the clerk was correct, the committee may commence a new proceeding to summon a grand jury pursuant to this section or may proceed as provided in NRS 6.140. If the court finds that the determination of the clerk must be reversed, the court shall summon a grand jury. If there is a grand jury in recess, the court shall recall that grand jury. If there is not a grand jury in recess, a new grand jury must be summoned.

불충분한 것으로 검정되면, 당해 청구서가 불충분하다는 서기의 판정에 대한 법원의 검토를 구하는 요청서를 검정서 등본의 수령 뒤 2일 내에 법원에 위원회는 제출할 수 있다. 서기의 판정을 검토함에 있어서 청구서를 및 서기의 검정서를 법원은 검사하여야 하는바, 그 재량으로 구두의 내지는 서면의 증거의 제출을 법원은 허용할 수 있다. 서기의 판정이 헌법상의 내지는 제정법상의 규정에 위반된다는 점에 대한, 자의적이라는 내지는 변덕스러운 것이라는 점에 대한, 또는 재량권의 남용을 포함한다는 점에 대한 증명 위에서만, 서기의 판정은 취소될 수 있다. 서기의 판정이 정확하였음을 만약 법원이 인정하면, 위원회는 이 절에 따라서 한 개의 대배심을 소환하기 위한 새로운 절차를 개시할 수 있거나 또는 네바다주 현행법률집 제 6.140절에 규정된 바에 따라서 절차를 취할 수 있다. 서기의 판정이 파기되지 않으면 안 된다고 만약 법원이 판단하면, 한 개의 대배심을 법원은 소환하여야 한다. 만약 휴회 중인 대배심이 있으면, 그 대배심을 법원은 재소환하여야 한다. 만약 휴회 중인 대배심이 없으면, 한 개의 새로운 대배심이 소환되지 않으면 안 된다.

https://codes.findlaw.com/nv/title-1-state-judicial-department/nv-rev-st-6-135.html

Nevada Revised Statutes Title 1. State Judicial Department § 6.135. Impaneling of grand juries to investigate state affairs; payment of expenses

주(state) 업무들을 조사할 대배심들을 충원구성하기; 비용들의 지급

1. Upon request of the Governor, or of the Legislature by concurrent resolution, the district judge of any county shall cause a grand jury to be impaneled in the same manner as other grand juries are impaneled, except that the sole duty of a grand jury impaneled under the provisions of this section shall limit its investigations to state affairs, and to the conduct of state officers and

employees. The report of such grand jury shall be transmitted to the Governor and the Legislature.

주지사의 요청에 의한 요청에 따라서 또는 입법부의 찬성결의에 의한 요청에 따라서, 여타의 대배심들이 충원구성되는 방법에의 동일한 방법으로 한 개의 대배심이 충원구성 되게끔 어느 카운티든지의 재판구 지방법원의 판사는 조치하여야 하는바, 다만 이 절의 규정들에 따라서 충원구성되는 한 개의 대배심의 유일한 의무가 그 자신의 조사들을 주(state) 업무들에 대하여로, 주 공무원들의 및 피용자들의 행위에 대하여로 제한하게 될 경우에는 그러하지 아니하다. 그러한 대배심의 보고서는 주지사에게 및 입법부에게 송부되어야 한다.

2. The expenses of a grand jury impaneled under the provisions of this section shall be a charge against the General Fund of the State, to be certified by the district judge and paid on claims.

이 절의 규정들에 따라서 충원구성되는 한 개의 대배심의 비용들은 주 일반기금의 부담이 되어야 하는바, 재판구 지방법원 판사에 의하여 검정되어야 하고 청구들에 따라서 지급되어야 한다.

https://codes.findlaw.com/nv/title-1-state-judicial-department/nv-rev-st-6-140.html

Nevada Revised Statutes Title 1. State Judicial Department § 6.140. Application to appellate court for order directing selection and impaneling of grand jury
대배심의 선정을 및 충원구성을 지시하는 명령을 위한 항소법원에의 신청

In any county, if the district judge for any reason fails or refuses to select a grand jury when required, any interested person resident of the county may apply to the appellate court of competent jurisdiction pursuant to the rules fixed by the Supreme Court pursuant to Section 4 of Article 6 of the Nevada Constitution for an order directing the selection of a grand jury. The application must be supported by affidavits setting forth the true facts as known to the applicant, and the certificate of the county clerk that a grand jury has not been selected within the time fixed or otherwise as the facts may be. The appellate court of competent jurisdiction pursuant to the rules fixed by the Supreme Court shall issue its order, if satisfied that a grand jury should be called, directing the county clerk to select and impanel a grand jury, according to the provisions of NRS 6.110 to 6.132, inclusive.

한 개의 대배심을 선정하기를 그 요구되는 경우인데도 어느 카운티에서든 만약 재판구 지방법원 판사가 어떤 이유에서든 불이행하면 또는 거부하면, 카운티에 거주하는 이에 이해관계를 지니는 누구든지는 한 개의 대배심의 선정을 지시하는 명령을, 네바다주 헌법 제6조 제4절에 따라서 대법원에 의하여 정해지는 규칙들에 의한 자격 있는 관할을 지니는 항소법원에 신청할 수 있다. 신청인에게 알려진 것으로서의 진실한 사실관계를 개진하는 선서진술서들에 의하여, 그리고 그 정해진 시간 내에든 또는 사실관계 여하에 따라 그 밖의 점에서든 한 개의 대배심이 선정되어 있지 아니하다는 카운티 서기의 확인서에 의하여 신청은 뒷받침되지 않으면 안 된다. 대법원에 의하여 정해진 규칙들에 따르는 자격 있는 관할권을 지니는 항소법원은 만약 한 개의 대배심이 소환되어야 함을 납득하면 한 개의 대배심을 카운티 서기로 하여금 네바다주 현행법률집 제6.110절에서부터 제6.132절(포함)까지에 따라서 선정하도록 및 충원구성하도록 지시하는 자신의 명령을 내려야 한다.

https://codes.findlaw.com/nv/title-1-state-judicial-department/nv-rev-st-6-145.html

Nevada Revised Statutes Title 1. State Judicial Department § 6.145. Recess of grand jury

대배심의 휴회

Upon the completion of its business for the time being, the court may, at the request of or with the concurrence of the grand jury, recess the grand jury subject to recall at such time as new business may require its attention.

그 자신의 업무의 당분간의 완수에 따라서 법원은 대배심의 요청에 따라서 또는 대배심의 동의를 얻어서 대배심을 휴회조치 할 수 있는바, 대배심의 관심을 새로운 업무가 요구하는 때에 이를 재소환함을 조건으로 한다.

https://codes.findlaw.com/nv/title-1-state-judicial-department/nv-rev-st-6-150.html

Nevada Revised Statutes Title 1. State Judicial Department § 6.150. Grand jurors and trial jurors in district and justice court
재판구 지방법원에서의 및 치안재판소에서의 대배심원들 및 정식사실심리 배심원들

1. Each person summoned to attend as a grand juror or a trial juror in the district court or justice court is entitled to a fee of $40 for each day after the second day of jury selection that the person is in attendance in response to the venire or summons, including Sundays and holidays.

   재판구 지방법원에서의 내지는 치안재판소에서의 한 명의 대배심원(후보)으로서 또는 정식사실심리 배심원(후보)으로서 출석하도록 소환되는 개개 사람은, 배심소집영장에 내지는 소환장에 응하여 그 자신이 출석하는, 배심선정의 두 번째 날 - 일요일들을 및 공휴일들을 포함한다 - 뒤의 하루마다 40불의 보수를 수령할 권리를 지닌다.

2. Each grand juror and trial juror in the district court or justice court actually sworn and serving is entitled to a fee of $40 a day as compensation for each day of service.

   실제로 선서절차를 거친 및 복무하는 재판구 지방법원에서의 또는 치안재판소에서의 개개 대배심원은 및 정식사실심리 배심원은 매 하루의 복무에 대한 보상으로서 40불의 보수를 지급받을 권리를 지닌다.

3. In addition to the fees specified in subsections 1 and 2, a board of county commissioners may provide that, for each day of such attendance or service, each person is entitled to be paid the per diem allowance and travel expenses provided for state officers and employees generally.

   주 공무원들을 및 피용자들을 위하여 일반적으로 규정되는 일당을 및 여행경비들을, 소절 1에 및 2에 규정되는 보수들을에 추가하여, 그러한 출석의 내지는 복무의 하루마다 지급받을 권리를 개개 사람은 지니는 것으로 카운티 위원들의 위원회는 규정할 수 있다.

4. Each person summoned to attend as a grand juror or a trial juror in the district court or justice court and each grand juror and trial juror in the district court or justice court is entitled to receive 36.5 cents a mile for each mile necessarily and actually traveled if the home of the person summoned or serving as a juror is 30 miles or more from the place of trial.

   재판구 지방법원에 또는 치안재판소에 대배심원(후보)으로서 또는 정식사실심리 배심원(후보)으로서 출석하도록 소환되는 개개 사람은 및 재판구 지방법원에서의 또는 치안재판소에서의 개개 대배심원(후보)은 및 개개 정식사실심리 배심원(후보)은 한 명의 배심원(후보)으로서 소환되는 또는 복무하는 그 자신의 주거가 정식사실심리 장소로부터 30마일 이상 떨어져 있을 경우에는 그 필수적으로 및 실제로 경유되어야 하는 마일 당 36.5센트를 수령할 권리를 지닌다.

5. If the home of a person summoned or serving as such a juror is 65 miles or more from the place of trial and the selection, inquiry or trial lasts more than 1 day, the person is entitled to receive an allowance for lodging at the rate established for state employees, in addition to his or her daily compensation for attendance or service, for each day on which the person does not return to his or her home.

   만약 그러한 배심원(후보)으로서 소환된 내지는 복무하는 사람의 주거가 정식사실심리의 및 선정의 장소로부터 65마일 이상의 거리에 있으면, 그리고 조사가 내지는 정식사실심리가 하루를 초과하여 계속되면, 그의 내지는 그녀의 출석을 내지는 복무를 위한 일당을에 추가하여, 그 자신의 내지는 그녀 자신의 집에 그 사람이 돌아가지 못하는 하루마다에 대하여 숙박을 위한 급여를, 주 피용자들을 위하여 정해진 요율에 따라서 수령할 권리를 그 사람은 지닌다.

6. In civil cases, any fee, per diem allowance, travel expense or other compensation due each juror engaged in the trial of the cause must be paid each day in advance to the clerk of the court, or the justice of the peace, by the party who has demanded the jury. If the party paying this money is the prevailing party, the money is recoverable as costs from the losing party. If the jury from any

cause is discharged in a civil action without finding a verdict and the party who demands the jury subsequently obtains judgment, the money so paid is recoverable as costs from the losing party.

민사사건들에서 그 사건의 정식사실심리에 복무하는 개개 배심원에게 지급되어야 할 보수는, 일당은, 급여는, 여행경비는 또는 그 밖의 보상은 배심을 요구한 당사자에 의하여 그날그날 선급으로 법원서기에게 또는 치안판사에게 지급되지 않으면 안 된다. 만약 이 돈을 지급한 당사자가 승소하면, 그 돈은 비용들로서 패소 당사자로부터 회복할 수 있다. 만약 한 개의 평결을 내림이 없이 어떤 이유로든 배심이 임무해제 되면 및 배심을 요구한 당사자가 나중에 승소 판결주문을 얻게 되면, 그렇게 지급된 돈은 비용들로서 패소 당사자로부터 회복할 수 있다.

7. The money paid by the clerk of the court to jurors for their services in a civil action or proceeding, which the clerk of the court has received from the party demanding the jury, must be deducted from the total amount due them for attendance as such jurors, and any balance is a charge against the county.

   민사적 사건에서의 내지는 절차에서의 그들의 복무들을 위하여 배심원들에게 법원원서기에 의하여 지급된, 배심을 요구하는 당사자로부터 법원서기가 수령하였던 돈은 배심원들로서의 출석을 위하여 그들에게 지급되어야 할 총액으로부터 공제되지 않으면 안 되는 바, 그 차액은 카운티의 부담이 되어야 한다.

https://codes.findlaw.com/nv/title-1-state-judicial-department/nv-rev-st-6-155.html

Nevada Revised Statutes Title 1. State Judicial Department § 6.155. Establishment of program to allow juror to donate money to which juror is entitled for juror's services and expenses to local agency for prevention of child abuse and neglect

배심원의 복무들의 및 지출들의 대가로서 수령할 권리를 배심이 지니는 돈을 아동에 대한 학대의 및 방치의 방지를 위한 지역기관에 기부하도록 배심원에게 허용하는 사업계획의 수립

1. Each board of county commissioners may establish and maintain a program whereby a person may forfeit any money that the person is entitled to receive pursuant to NRS 6.150 for his or her services and expenses and have that money donated to an agency which provides child welfare services and that is located in the county in which the person is serving as a juror. Any money donated through a program established pursuant to this section must be used only for a program or activity which is designed to prevent the abuse or neglect of a child or to benefit an abused or neglected child.

그의 내지는 그녀의 복무들의 및 지출들의 대가로서 수령할 권리를 네바다주 현행법률집 제6.150절에 따라서 그가 지니는 돈을 사람이 포기하고서, 한 명의 배심원으로서 그 사람이 복무하고 있는 당해 카운티에 소재하는 아동복지 사업을 제공하는 한 개의 기관에 그 돈이 기부되도록 할 수 있는 사업계획을 카운티 위원들의 개개 위원회는 수립할 수 있고 운영할 수 있다. 이 절에 따라서 수립되는 사업계획을 통하여 기부되는 돈은 아동에 대한 학대를 및 방치를 방지함을 목적으로 하는 또는 학대 당한 내지는 방치된 아동을 이롭게 함을 목적으로 하는 사업을 내지는 활동을 위하여서만 사용되지 않으면 안 된다.

2. As used in this section:

이 절에서 사용되는 것으로서의:

(a) "Abuse or neglect of a child" has the meaning ascribed to it in NRS 432B.020.

"아동에 대한 학대 또는 방치"는 네바다주 현행법률집 제432B.020절에서 이에 부여되는 바로서의 의미를 지닌다.

(b) "Agency which provides child welfare services" has the meaning ascribed to it in NRS 432B.030.

"아동복지 사업을 제공하는 기관"은 네바다주 현행법률집 제432B.030절에서 이에 부여되는 바로서의 의미를 지닌다.

https://codes.findlaw.com/nv/title-1-state-judicial-department/nv-rev-st-6-160.html

Nevada Revised Statutes Title 1. State Judicial Department § 6.160. Payment of jurors

배심원들에 대한 지급

The clerk of the court in cases in the district court and the deputy clerk of the justice court in cases in the justice court shall keep a payroll, enrolling thereon the names of all jurors, the number of days in attendance and the actual number of miles traveled by the shortest and most practical route in going to and returning from the place where the court is held, and at the conclusion of a trial may:

재판구 지방법원 사건들에서의 법원서기는 및 치안재판소 사건들에서의 치안재판소 부서기는 모든 배심원들의 이름들을, 그들의 출석일수를, 및 법원이 소재하는 장소를 오감에 있어서의 최단의 및 가장 실용적인 경로에 의하여 경유된 실제의 마일 수를, 그 위에 기록하는 한 개의 급여대장을 관리하여야 하고, 한 개의 정식사실심리의 종결 때에:

1. Give a statement of the amounts due to the jurors to the county auditor, who shall draw warrants upon the county treasurer for the payment thereof; or

   배심원들에게 지급되어야 할 액수들의 명세서를 카운티 회계감사관에게 교부할 수 있는 바, 그 지급을 위한 권한증서들을 카운티 출납관에게 카운티 회계감사관은 발행하여야 한다; 또는

2. Make an immediate payment in cash of the amount owing to each juror.

   개개 배심원에게 지급되어야 할 금액에 대한 즉시의 현금지급을 할 수 있다.

These payments must be made from and to the extent allowed by the fees collected from the demanding party, pursuant to the provisions of NRS 6.150, and from and to the extent allowed by any other fees which have been collected pursuant to law. The clerk shall obtain from each juror so paid a receipt signed by him or her and indicating the date of payment, the date of service and the amount paid. A duplicate of this receipt must be immediately delivered to the appropriate county auditor, county recorder or county comptroller.

배심을 요구한 쪽 당사자로부터 네바다주 현행법률집 제6.150절의 규정들에 따라서 징수된 보수들로부터 및 이에 의하여 허용되는 한도 내에서, 그리고 법에 따라서 징수되어 있는 여타의 보수들로부터 및 이에 의하여 허용되는 한도 내에서, 지급들은 이루어지지 않으면 안 된다. 그에 내지는 그녀에 의하여 서명된, 및 지급일자를, 복무일을 및 그 지급된 액수를 표시하는 한 개의 영수증을, 그렇게 지급되는 개개 배심원으로부터 서기는 받아야 한다. 이 영수증 부본은 즉시 적절한 카운티 회계감사관에게, 카운티 부동산거래증명등록관에게 또는 카운티 회계검사담당관에게 교부되지 않으면 안 된다.

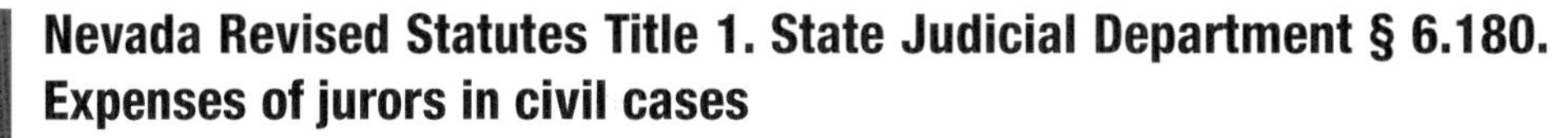
https://codes.findlaw.com/nv/title-1-state-judicial-department/nv-rev-st-6-180.html

Nevada Revised Statutes Title 1. State Judicial Department § 6.180. Expenses of jurors in civil cases
민사사건들에서의 배심원들의 지출경비들

In all cases when a jury is kept together by order of the court during a trial, or by failure to agree upon a verdict, after the cause has been submitted to them by the court, the expenses of their board and lodging shall be taxed as other disbursements and expenses in favor of the prevailing party; no verdict shall be entered or judgment rendered thereon until the same is paid or tendered. The clerk shall receive and properly disburse all money paid for the expenses of jurors, as in this section provided to be paid.

한 개의 정식사실심리 도중의 법원의 명령에 따라서 배심이 함께 붙들리는 경우에의, 또는 법원에 의하여 배심에게 사건이 맡겨지고 난 뒤에 뒤에 평결에 합의하지 못함으로 인하여 배심이 함께 붙들리는 경우에의, 모든 사건들에서 그들의 식사의 및 숙박의 지출경비들은 승소 측 당사자를 위하여 여타의 지출들이 및 경비들이 청구되듯이 청구되어야 한다; 그것들이 지급되기까지 내지는 제공되기까지 그 사건들에 대하여 평결은 기입되어서는 안 되고 판결주문은 교부되어서는 안 된다. 배심원들의 지출경비들을 위하여 지급되는 모든 돈을 서기는 수령하여야 하는바, 그 지급되도록 이 절에서 규정되는 바에 따라서 정확하게 지급하여야 한다.

https://codes.findlaw.com/nv/title-1-state-judicial-department/nv-rev-st-6-190.html

Nevada Revised Statutes Title 1. State Judicial Department § 6.190. Terminating or threatening to terminate employment because of jury duty prohibited; civil action for unlawful termination; requiring employee to use sick leave or vacation time or to work certain hours prohibited; notice to employer; dissuasion from service as juror

배심의무를 이유로 고용관계를 종료시키는 행위의 내지는 종료시키겠다고 위협하는 행위의 금지; 불법적 종료처분에 대한 민사소송; 병가를 또는 휴가를 사용하도록 또는 일정시간을 근무하도록 피용자에게 요구함의 금지; 고용주에게의 통지; 배심원으로서의 복무를 말리기

1. Any person, corporation, partnership, association or other entity who is:

사람이면서, 법인이면서, 조합이면서, 사단이면서, 또는 그 밖의 법주체이면서 그 배심의무를 위하여 출석하라는 소환장을 수령한 배심원(후보)인 사람의

(a) An employer; or

고용주인 자가; 또는

(b) The employee, agent or officer of an employer, vested with the power to terminate or recommend termination of employment,

고용관계를 종료시킬 또는 고용관계의 종료를 권고할 권한이 부여된 고용주의 피용자인 자가, 대리인인 자가 또는 이사인 자가,

of a person who is a juror or who has received a summons to appear for jury duty, and who deprives the juror or person summoned of his or her employment, as a consequence of the person's service as a juror or prospective juror, or who asserts to the juror or person summoned that his or her service as a juror or prospective juror will result in termination of his or her employment, is guilty of a gross misdemeanor.

그 고용관계를 당해 소환된 배심원(후보)에게서 내지는 사람에게서 배심원으로서의 내지는 배심원후보로서의 그 사람의 복무를 이유로 박탈하면, 또는 그의 내지는 그녀의 고용관계의 종료를 배심원으로서의 내지는 배심원후보로서의 그의 내지는 그녀의 복무가 초래할 것임을 당해 소환된 배심원(후보)에게 또는 사람에게 주장하면, 한 개의 중경죄를 범하는 것이 된다.

2. A person discharged from employment in violation of subsection 1 may commence a civil action against his or her employer and obtain:

고용관계로부터 소절 1에의 위반 속에서 해고된 사람은 아래의 것을 얻기 위한 그의 내지는 그녀의 고용주를 상대로 하는 한 개의 민사소송을 개시할 수 있다:

(a) Wages and benefits lost as a result of the violation;

위반의 결과로서 상실한 임금 및 급부금;

(b) An order of reinstatement without loss of position, seniority or benefits;

직책의, 선임자 지위의 내지는 급부금의 상실 없는 복직명령;

(c) Damages equal to the amount of the lost wages and benefits;

상실된 임금액수에 및 급부금 액수에 맞먹는 손해액;

(d) Reasonable attorney's fees fixed by the court; and

법원에 의하여 정하여지는 합리적인 변호사 보수; 그리고

(e) Punitive or exemplary damages in an amount not to exceed $50,000.

50,000불을 초과하지 아니는 징벌적 내지는 본보기적 손해배상.

3. If a person is summoned to appear for jury duty, the employer and any employee, agent or officer of the employer shall not, as a consequence of the person's service as a juror or prospective juror:

만약 배심의무를 위하여 출석하도록 사람이 소환되면 그 고용주는, 및 고용주의 피용자는, 대리인은 내지는 임원은 그 사람의 배심원으로서의 내지는 배심원후보로서의 복무의 결과로서:

(a) Require the person to use sick leave or vacation time; or

병가를 또는 휴가를 사용하도록 그 사람에게 요구하여서는 안 되고; 또는

(b) Require the person to work:

그 근무하도록 아래의 시간범위 내에서 그 사람에게 요구하여서는 안 된다:

(1) Within 8 hours before the time at which the person is to appear for jury duty; or

배심의무를 위하여 그 사람이 출석하여야 할 시각 전 8시간 내; 또는

(2) If the person's service has lasted for 4 hours or more on the day of his or her appearance for jury duty, including the person's time going to and returning from the place where the court is held, between 5 p.m. on the day of his or her appearance for jury duty and 3 a.m. the following day.

배심의무를 위한 그의 내지는 그녀의 출석일에 법원이 열리는 장소를 그 사람이 오간 시간을 포함하여 4시간 이상 동안 그 사람의 복무가 지속되었으면, 배심의무를 위한 그의 내지는 그녀의 출석일의 오후 5시부터 다음날 오전 3시까지의 사이.

Any person who violates the provisions of this subsection is guilty of a misdemeanor.

이 소절의 규정들을 위반하는 사람은 한 개의 경죄를 저지르는 것이 된다.

4. Each summons to appear for jury duty must be accompanied by a notice to the employer of the person summoned. The notice must inform the employer that the person has been summoned for jury duty and must include a copy of the provisions of subsections 1, 2 and 3. The person summoned, if the person is employed, shall give the notice to his or her employer at least 3 days before the person is to appear for jury duty.

배심의무를 위하여 출석하라는 개개 소환장에는 그 소환되는 사람의 고용주에게의 통지서가 동봉되지 않으면 안 된다. 배심의무를 위하여 그 사람이 소환되어 있음을 고용주에게 통지서는 고지하지 않으면 안 되고 소절 1의 및 2의 및 3의 규정들 한 부를 통지서는 포함하지 않으면 안 된다. 그 소환되는 사람이 만약 고용되어 있으면, 그의 내지는 그녀의 고용주에게의 통지를 배심의무를 위하여 자신이 출석하여야 할 날로부터 늦어도 3일 전에 그 사람은 제공하여야 한다.

5. Except as otherwise provided in this section, any person who in any manner dissuades or attempts to dissuade a person who has received a summons to appear for jury duty from serving as a juror is guilty of a misdemeanor.

이 절에서 달리 규정되는 경우에를 제외하고는, 배심의무를 위하여 출석하라는 소환장을 수령한 터인 사람으로 하여금 배심원으로서 복무하지 말도록 여하한 방법으로든 말리는 내지는 말리고자 시도하는 사람은 한 개의 경죄를 저지르는 것이 된다.

https://codes.findlaw.com/nv/title-14-procedure-in-criminal-cases/nv-rev-st-172-005.html

Nevada Revised Statutes Title 14. Procedure in Criminal Cases § 172.005. Definitions

개념정의들

As used in this chapter, unless the context otherwise requires:

맥락이 달리 요구하는 경우에를 제외하고는, 이 장에서 사용되는 것으로서의

1. An indictment is an accusation in writing, presented by a grand jury to a competent court, charging a person with a public offense.

   한 개의 대배심 검사기소장은 자격 있는 법원에 대배심에 의하여 제출되는, 한 명의 사람을 범죄로 기소하는 기소고발장이다.

2. A presentment is an informal statement in writing, by the grand jury, representing to the court that a public offense has been committed, which is triable within the district, and that there is reasonable ground for believing that a particular person, named or described, has committed it.

   한 개의 대배심 독자고발장은 당해 재판구 내에서 정식사실심리될 수 있는 한 개의 범죄가 저질러져 있음을, 그리고 그것을 그 거명된 내지는 특징설명 된 한 명의 특정인이 저질렀다고 믿을 합리적 근거가 있음을 법원에 주장하는 대배심에 의한 의한 비공식의 서면진술이다.

https://codes.findlaw.com/nv/title-14-procedure-in-criminal-cases/nv-rev-st-172-015.html

Nevada Revised Statutes Title 14. Procedure in Criminal Cases § 172.015. Prosecution of public offenses
범죄들의 소추

Every public offense must be prosecuted by indictment or information, except:

아래의 경우에를 제외하고는 모든 범죄들은 대배심 검사기소장에 또는 검사 독자기소장에 의하여 소추되지 않으면 안 된다:

1. Where proceedings are had for the removal of a civil officer.

   한 명의 민간 공무원의 해임을 위하여 절차들이 취해지는 경우.

2. Offenses arising in the militia when in actual service in time of war, or which this State may keep, with the consent of Congress, in time of peace.

   전시에 실제의 복무 상태에 있는 민병대에서, 내지는 평화 시에 의회의 동의를 얻어서 이 주가 보유하는 민병대에서, 발생하는 범죄들의 경우.

3. Offenses tried in municipal or Justice Courts, which shall be prosecuted by complaint.

   시군법원들에서 또는 치안재판소들에서 정식사실심리 되는 범죄들로서 소추청구장에 의하여 소추되어야 할 범죄들의 경우.

https://codes.findlaw.com/nv/title-14-procedure-in-criminal-cases/nv-rev-st-172-025.html

Nevada Revised Statutes Title 14. Procedure in Criminal Cases § 172.025. Prosecution by accusation
기소고발장에 의한 소추

When proceedings are had for the removal of district, county, municipal or township officers, they may be commenced by accusation, in writing, as provided in chapter 283 of NRS.

지구의, 카운티의, 시군의 또는 타운의 공무원들의 해임을 위한 절차들이 취해지는 경우에, 네바다주 현행법률집 제283장에 규정되는 바로서의 기소고발장에 의하여 그것들은 개시될 수 있다.

https://codes.findlaw.com/nv/title-14-procedure-in-criminal-cases/nv-rev-st-172-035.html

Nevada Revised Statutes Title 14. Procedure in Criminal Cases § 172.035. Accusations, indictments and informations to be found or filed in district court

재판구 지방법원에서 평결되어야 할 및 그 법원에 제출되어야 할 기소고발장들, 대배심 검사기소장들 및 검사 독자기소장들

All accusations, informations and indictments against district, county, municipal and township officers must be found or filed in the district court.

지구의, 카운티의, 시군의 및 타운의 공무원들에 대한 모든 기소고발장들은 또는 검사 독자기소장들은 및 대배심 검사기소장들은 재판구 지방법원에서 평결되지 않으면 안 되고 또는 그 법원에 제출되지 않으면 안 된다.

https://codes.findlaw.com/nv/title-14-procedure-in-criminal-cases/nv-rev-st-172-045.html

Nevada Revised Statutes Title 14. Procedure in Criminal Cases § 172.045. Impaneling grand juries

대배심들의 충원구성

Grand juries shall be impaneled as provided in chapter 6 of NRS.

대배심들은 네바다주 현행법률집 제6장에 규정되는 바에 따라서 충원구성 되어야 한다.

https://codes.findlaw.com/nv/title-14-procedure-in-criminal-cases/nv-rev-st-172-055.html

Nevada Revised Statutes Title 14. Procedure in Criminal Cases § 172.055. Challenges to grand jury and to grand jurors: How made and tried

대배심에 및 대배심원들에 대한 기피신청들 ; 어떻게 제기되고 어떻게 심리되는가

The district attorney or a defendant who has been held to answer in the district court may challenge the array of jurors on the ground that the grand jury was not selected, drawn or summoned in accordance with law, and may challenge an individual juror on the ground that the juror is not legally qualified. Challenges may be oral or in writing and shall be tried by the court.

재판구 지방검사는 또는 그 답변하도록 재판구 지방법원에 붙들린 터인 피고인은, 법에 부합되게 당해 대배심(후보)단이 선정되지 않았음을, 추출되지 않았음을 또는 소환되지 않았음을 이유로 딩해 대배심원(후보)단에 대하여 기피신청을 할 수 있고, 당해 배심원(후보)이 법적으로 자격을 갖추지 아니하고 있음을 이유로 개개 배심원(후보)에 대하여 기피신청을 할 수 있다. 기피신청들은 구두로 또는 서면으로 제기될 수 있는바, 법원에 의하여 심리되어야 한다.

https://codes.findlaw.com/nv/title-14-procedure-in-criminal-cases/nv-rev-st-172-047.html

Nevada Revised Statutes Title 14. Procedure in Criminal Cases § 172.047. Grand jury impaneled for specific limited purpose

특정의 제한된 목적을 위한 대배심의 충원구성

A district judge may impanel a grand jury to inquire into a specific limited matter among those set forth in NRS 172.175. In that case, the judge shall charge the grand jury as to its limited duties and give it such information as the judge deems necessary. A grand jury that is impaneled for a specific limited purpose shall not inquire into matters not related to that purpose. A grand jury impaneled for a specific limited purpose may be discharged after the grand jury completes its investigation and submits its report. If the grand jury has not completed its investigation and submitted its report within 1 year after it was impaneled, it shall, in a closed hearing, show cause to the judge why it should not be discharged. If the judge determines that it is in the public interest for the grand jury to continue its investigation, the grand jury may continue for a period which does not exceed 1 year.

네바다주 현행법률집 제172.175절에 규정된 문제들 중에서의 특정의 제한된 문제를 파헤치도록 한 개의 대배심을 재판구 지방법원 판사는 충원구성할 수 있다. 그 경우에는 그 제한된 임무들에 관하여 대배심에게 판사는 설명하여야 하고 그 필요하다고 자신이 간주하는 정보를 판사는 제공하여야 한다. 한 개의 특정된 제한적 목적을 위하여 충원구성되는 대배심은 그 목적에 관련되지 아니한 사항들을 조사해 들어가서는 안 된다. 한 개의 특정된 제한적 목적을 위하여 충원구성되는 대배심은 그 조사를 당해 대배심이 완수하고서 그 자신의 보고서를 제출하고 난 뒤에 임무해제 될 수 있다. 만약 대배심이 충원구성 뒤 1년 내에 그 자신의 조사를 마치지 못한 상태이면 및 그 자신의 보고서를 제출하지 못한 상태이면, 어째서 그 자신이 임무해제 되어서는 안 되는지의 이유를 판사에게 한 개의 비공개 심리에서 그 대배심은 제시하여야 한다. 조사를 그 대배심이 계속함이 공익에 부합된다고 만약 판사가 판단하면, 1년을 초과하지 아니하는 기간 동안 조사를 그 대배심은 계속할 수 있다.

https://codes.findlaw.com/nv/title-14-procedure-in-criminal-cases/nv-rev-st-172-065.html

Nevada Revised Statutes Title 14. Procedure in Criminal Cases § 172.065. Motion to dismiss presentment or indictment based on objections to grand jurors

대배심원들에 대한 이의들에 터잡는, 대배심 독자고발장을 또는 대배심 검사기소장을 각하하여 달라는 신청

A motion to dismiss the presentment or indictment may be based on objections to the array or on the lack of legal qualification of an individual juror, if not previously determined upon challenge. A presentment or indictment shall not be dismissed on the ground that one or more members of the grand jury were not legally qualified if it appears from the record kept pursuant to NRS 172.075 that 12 or more jurors, after deducting the number not legally qualified, concurred in finding the presentment or indictment.

배심원단에 대한 이의들이, 또는 개별적 배심원의 법적 자격의 결여의 점이 기피신청에 따라서 미리 판정되어 있지 아니하면, 배심원단에 대한 이의들에 근거하여, 또는 개별적 배심원의 법적 자격의 결여에 근거하여, 대배심 독자고발장을 또는 대배심 검사기소장을 각하하여 달라는 신청이 제기될 수 있다. 네바다주 현행법률집 제172.075절에 따라서 보관되는 기록으로부터, 법적으로 자격을 갖추지 못한 숫자를 빼고서도 12명 이상의 배심원들이 대배심 독자고발을 또는 대배심 검사기소를 평결함에 찬성하였음이 만약 나타나면, 당해 대배심의 한 명 이상의 구성원들이 법적으로 자격을 지니지 아니하였음을 이유로 해서는, 그 대배심 독자고발장은 또는 대배심 검사기소장은 각하되어서는 안 된다.

https://codes.findlaw.com/nv/title-14-procedure-in-criminal-cases/nv-rev-st-172-075.html

Nevada Revised Statutes Title 14. Procedure in Criminal Cases § 172.075. Officers of grand jury

대배심의 임원들

The jury shall elect one of its members to be foreman, another to be deputy foreman and a third to be secretary. The foreman shall have power to administer oaths and affirmations and shall sign all presentments and indictments. The secretary shall keep a record of the number of jurors concurring in the finding of every presentment or indictment and shall file the record with the clerk of the court, but the record shall not be made public except on order of the court. During the absence of the foreman, the deputy foreman shall act as foreman, and if both are absent, the jury shall elect a temporary foreman.

자신의 구성원들 중 한 명을 배심장으로, 다른 한 명을 부배심장으로, 그리고 또 다른 한 명을 서기로 배심은 선정하여야 한다. 선서들을 및 무선서확약들을 실시할 권한을 배심장은 지니는바, 모든 대배심 독자고발장들에 및 대배심 검사기소장에 그는 서명하여야 한다. 모든 대배심 독자고발의 또는 대배심 검사기소의 평결에 찬동하는 배심원들의 숫자에 대한 기록을 대배심 서기는 보관하여야 하고, 그 기록을 법원서기에게 대배심 서기는 제출하여야 하는바, 그러나 법원의 명령에 의하여를 제외하고는 그 기록은 공개되어서는 안 된다. 배심장의 부재 동안에 부배심장은 배심장을 대행하여야 하고, 만약 그 둘 다가 부재이면 한 명의 임시 배심장을 배심은 선정하여야 한다.

https://codes.findlaw.com/nv/title-14-procedure-in-criminal-cases/nv-rev-st-172-085.html

Nevada Revised Statutes Title 14. Procedure in Criminal Cases § 172.085. Oath of grand jurors

대배심원들의 선서

The following oath must be administered to the grand jury:

대배심에게는 아래의 선서가 실시되지 않으면 안 된다:

> You, as grand jurors, will diligently inquire into, and true presentment make, of all offenses against the State of Nevada committed or triable within this county, (or city, in the case of Carson City) of which you shall have or can obtain legal evidence. You will keep your own counsel, and that of your fellows and the Government, and will not, except when required in the due course of judicial proceedings, disclose the testimony of any witness examined before you, nor anything which you or any other grand juror may have said, nor the manner in which you or any other grand juror may have voted on any matter before you. You will present no person through malice, hatred, or ill will, nor leave any unpresented through fear, favor, or affection, or for any reward, or the promise or hope thereof; but in all your presentments you will present the truth, the whole truth, and nothing but the truth, according to the best of your skill and understanding, so help you God.
>
> 그 법적 증거를 귀하가 지니게 될 내지는 귀하가 얻을 수 있는, 이 카운티 내에서 (또는 카슨 시티의 경우에는 시티 내에서) 저질러진 및 정식사실심리 될 수 있는, 네바다주에 대한 모든 범죄들을 대배심원들로서 귀하들은 근면하게 파헤쳐야 하고, 그것들에 관하여 진실한 고발을 하여야 합니다. 귀하 자신의 의논을 및 귀하의 동료들의 및 정부의 의논을 비밀로 귀하는 간직하여야 하며, 사법절차들의 정당한 과정 속에서 요구되는 경우에를 제외하고는 귀하 앞에서 신문되는 그 어떤 증인의 증언을이라도, 또는 귀하가 또는 여타의 대배심원 어느 누구가라도 말한 그 무엇을이라도, 또는 귀하 앞의 그 어떤 문제에 대하여라도 귀하가 또는 여타의 대배심원이 투표한 방법을 귀하는 공개하여서는 안 됩니다. 어느 누구를이라도 악의를, 원한을, 또는 해의를 가지고서 귀하는 고발하여서는 안

되고, 어느 누구를이라도 두려움 때문에, 호의 때문에, 또는 애정 때문에, 또는 보수를 바라고서 내지는 그 약속에 따라서 또는 그 기대를 지니고서 미고발 상태로 귀하는 남겨두어서는 안 됩니다; 귀하의 최선껏의 기량에 및 이해에 따라서 진실을, 완전한 진실을, 그리고 오직 진실만을 귀하의 모든 고발들에서 귀하는 고발하여야 합니다. 하오니 신께서는 귀하를 도우소서.

https://codes.findlaw.com/nv/title-14-procedure-in-criminal-cases/nv-rev-st-172-095.html

Nevada Revised Statutes Title 14. Procedure in Criminal Cases § 172.095. Charges to be given to grand jury by court; district attorney to inform grand jury of specific elements of public offense considered as basis of indictment

대배심에게 법원에 의하여 제공되어야 할 임무설명들; 대배심 검사기소장의 토대로 간주되는 범죄들의 구체적 요소들을 대배심에게 알려 주어야 할 재판구 지방검사의 의무

1. The grand jury being impaneled and sworn, must be charged by the court. In doing so, the court shall:

충원구성되어 선서절차에 처해지고 난 대배심에게는 법원에 의하여 임무가 설명되지 않으면 안 된다. 그렇게 함에 있어서 법원은:

(a) Give the grand jurors such information as is required by law and any other information it deems proper regarding their duties and any charges for public offenses returned to the court or likely to come before the grand jury.

법에 의하여 요구되는 정보를, 및 그들의 의무들에 관련하여, 및 법원에 제출된 내지는 당해 대배심 앞에 올 가능성이 있는 범죄고발들에 관련하여, 그 적합하다고 자신이 간주하는 그 밖의 정보를, 대배심원들에게 제공하여야 한다.

(b) Inform the grand jurors of the provisions of NRS 172.245 and the penalties for its violation.

네바다주 현행법률집 제172.245절의 규정들을 및 그 위반에 대한 벌칙들을 대배심원들에게 고지하여야 한다.

(c) Give each regular and alternate grand juror a copy of the charges.

임무설명 자료 한 부를 개개 정규 대배심원에게 및 예비 대배심원에게 교부하여야 한다.

(d) Inform the grand jurors that the failure of a person to exercise the right to testify as provided in NRS 172.241 must not be considered in their decision of whether or not to return an indictment.

네바다주 현행법률집 제172.241절에 규정된 것으로서의 증언할 권리를 행사하기에 대한 사람의 불이행은 한 개의 대배심 검사기소장을 제출할지 말지 여부에 대한 그들의 판단에서 고려되어서는 안 됨을 대배심원들에게 고지하여야 한다.

2. Before seeking an indictment, or a series of similar indictments, the district attorney shall inform the grand jurors of the specific elements of any public offense which they may consider as the basis of the indictment or indictments.

한 개의 대배심 검사기소를 내지는 일련의 유사한 대배심 검사기소들을 얻으려면 그 전에, 당해 대배심 검사기소의 내지는 대배심 검사기소들의 근거로서 대배심원들이 고려할 수 있는 범죄의 구체적 요소들을 그들에게 재판구 지방검사는 고지하여야 한다.

https://codes.findlaw.com/nv/title-14-procedure-in-criminal-cases/nv-rev-st-172-097.html

Nevada Revised Statutes Title 14. Procedure in Criminal Cases § 172.097. Supervision of grand jury by impaneling judge; limitations on and review of expenditures; monthly statement by county treasurer

충원구성 판사에 의한 대배심에 대한 감독; 지출들에 대한 제한들 및 심사; 카운티 회계출납관에 의한 월례보고서

1. The district judge impaneling a grand jury shall supervise its proceedings.

한 개의 대배심을 충원구성하는 재판구 지방법원 판사는 당해 대배심의 절차들을 감독하여야 한다.

2. The grand jury shall submit an itemized list of its expenditures no less often than every 3 months or a fraction thereof to the judge who impaneled it.

   자신의 지출사항들의 항목별로 기재된 목록을 자신을 충원구성한 판사에게 3개월마다에 또는 그 우수리 기간에 한 번 이상 대배심은 제출하여야 한다.

3. The grand jury shall not spend money or incur a debt exceeding the amount of money budgeted for its use unless it first obtains the approval of the judge who impaneled it. The judge shall inform the board of county commissioners of any expenditure or indebtedness the judge so approves.

   자신을 충원구성한 판사의 승인을 먼저 대배심이 얻는 경우에를 제외하고는, 대배심은 자신의 사용을 위한 예산으로 책정된 액수를 초과하여서 돈을 지출하여서는 내지는 채무를 발생시켜서는 안 된다. 판사 자신이 승인하는 지출에 내지는 채무발생에 관하여 카운티 위원들의 위원회에 판사는 고지하여야 한다.

4. The county treasurer shall provide to the grand jury a monthly statement of its expenditures for the preceding month and the balance remaining of the money appropriated for its use.

   직전 달 동안의 대배심의 지출사항들에 대한 및 대배심의 사용을 위하여 할당된 예산잔액에 대한 월례보고서를 대배심에 카운티 회계출납관은 제공하여야 한다.

https://codes.findlaw.com/nv/title-14-procedure-in-criminal-cases/nv-rev-st-172-105.html

Nevada Revised Statutes Title 14. Procedure in Criminal Cases § 172.105. Powers

권한들

The grand jury may inquire into all public offenses triable in the district court or in a Justice Court, committed within the territorial jurisdiction of the district court for which it is impaneled.

그 복무를 위하여 자신이 충원구성된 터인 재판구 지방법원의 토지관할 내에서 저질러진, 당해 재판구 지방법원에서 또는 치안재판소에서 정식사실심리 될 수 있는 모든 범죄들을 대배심은 파헤칠 수 있다.

https://codes.findlaw.com/nv/title-14-procedure-in-criminal-cases/nv-rev-st-172-107.html

Nevada Revised Statutes Title 14. Procedure in Criminal Cases § 172.107. Limitations on use of grand jury

대배심의 사용에 대한 제한들

A district attorney shall not use a grand jury to discover tangible, documentary or testimonial evidence to assist in the prosecution of a defendant who has already been charged with the public offense by indictment or information.

대배심 검사기소장에 의하여 또는 검사 독자기소장에 의하여 범죄로 이미 기소되어 있는 한 명의 피고인에 대한 소송추행을 조력하여 줄 유형적인, 문서적인 또는 증언적인 증거를 발견하기 위하여 한 개의 대배심을 재판구 지방검사는 사용하여서는 안 된다.

https://codes.findlaw.com/nv/title-14-procedure-in-criminal-cases/nv-rev-st-172-135.html

Nevada Revised Statutes Title 14. Procedure in Criminal Cases § 172.135. Evidence receivable before grand jury

대배심 앞에서 수령될 수 있는 증거

1. In the investigation of a charge, for the purpose of either presentment or indictment, the grand jury can receive no other evidence than such as is given by witnesses produced and sworn before them or furnished by legal documentary evidence or by the deposition of witnesses taken as provided in this title, except that the grand jury may receive any of the following:

   그들 앞에 제출되는 및 그들 앞에서 선서절차에 처해진 증인들에 의하여 제공되는 증거 이외의 증거를, 또는 적법한 문서증거에 의하여 또는 이 편에서 규정되는 바에 따라서 취해진 증인들에 대한 법정 외 증언녹취 절차에 의하여 제공되는 증거 이외의 증거를, 대배심 독자고발을 위하여든 대배심 검사기소를 위하여든 한 개의 고발에 대한 조사에서, 대배심은 수령할 수 없는바, 다만 아래의 것들 중 어느 것이든지를 대배심은 수령할 수 있다:

(a) An affidavit or declaration from an expert witness or other person described in NRS 50.315 in lieu of personal testimony or a deposition.

전문가 증인으로부터의 내지는 네바다주 현행법률집 제50.315절에 규정된 그 밖의 사람으로부터의, 직접의 증언에 갈음하는 내지는 법정외 증언녹취에 갈음하는 선서진술서 내지는 선언.

(b) An affidavit of an owner, possessor or occupant of real or personal property or other person described in NRS 172.137 in lieu of personal testimony or a deposition.

부동산의 내지는 동산의 소유자의, 소지자의 또는 점유자의 내지는 네바다주 현행법률집 제172.137절에 규정된 그 밖의 사람의, 직접의 증언에 갈음하는 내지는 법정외 증언녹취에 갈음하는 선서진술서.

2. Except as otherwise provided in this subsection, the grand jury can receive none but legal evidence, and the best evidence in degree, to the exclusion of hearsay or secondary evidence. The grand jury can receive hearsay evidence consisting of a statement made by the alleged victim of an offense if the defendant is alleged to have committed one or more of the following offenses:

이 소절에서 달리 규정되는 경우에를 제외하고는, 적법한 증거만을, 그리고 등급에서 최상인 증거만을 대배심은 수령할 수 있는바, 전문증거는 내지는 이차적 증거는 배제된다. 아래의 범죄들 중 한 개 이상을 피고인이 저지른 것으로 주장되면, 그 범죄의 주장되는 피해자에 의하여 이루어진 진술로 구성되는 전문증거를 대배심은 수령할 수 있다:

(a) A sexual offense committed against a child who is under the age of 16 years if the offense is punishable as a felony. As used in this paragraph, "sexual offense" has the meaning ascribed to it in NRS 179D.097.

16세 미만의 아동에 대하여 저질러진 성범죄로서 당해 범죄가 한 개의 중죄로 처벌될 수 있는 경우. 네바다주 현행법률집 제179D.097절에서 그것에 부여되는 의미를, 이 단락에서 사용되는 것으로서의 "성범죄"는 지닌다.

(b) Abuse of a child pursuant to NRS 200.508 if the offense is committed against a child who is under the age of 16 years and the offense is punishable as a felony.

네바다주 현행법률집 제200.508절에 따른 아동학대로서 당해 범죄가 16세 미만의 아동에 대하여 저질러진 것이면서 한 개의 중죄로 처벌될 수 있는 경우.

(c) An act which constitutes domestic violence pursuant to NRS 33.018, which is punishable as a felony and which resulted in substantial bodily harm to the alleged victim.

네바다주 형행법률집 제33.108절에 따른 가정폭력을 구성하는 한 개의 행동으로서 당해 범죄가 한 개의 중죄로 처벌될 수 있는 및 그 주장되는 피해자에게의 중대한 신체적 위해에 귀결된 경우.

3. A statement made by a witness at any time that is inconsistent with the testimony of the witness before the grand jury may be presented to the grand jury as evidence.

한 명의 증인의 대배심 앞에서의 증언에 모순되는, 그 증인에 의하여 언제든지 작성된 진술서는 당해 대배심에 증거로서 제출될 수 있다.

https://codes.findlaw.com/nv/title-14-procedure-in-criminal-cases/nv-rev-st-172-137.html

Nevada Revised Statutes Title 14. Procedure in Criminal Cases § 172.137. Use of affidavit before grand jury: When permitted; notice by district attorney; circumstances under which district attorney must produce person who signed affidavit; continuances

선서진술서의 대배심 앞에서의 사용; 언제 허용되는가; 재판구 지방검사에 의한 통지; 선서진술서에 서명한 사람을 재판구 지방검사가 제출하지 않으면 안 되는 상황들; 연기속행들

1. If a witness resides outside this State or more than 100 miles from the place of a grand jury proceeding, the witness's affidavit may be used at the proceeding if it is necessary for the district attorney to establish as an element of any offense that:

주 바깥에, 또는 대배심 절차의 장소로부터 100마일을 초과한 거리에, 만약 한 명의 증인이 거주하면, 아래의 어느 것에든 해당하는 범죄의 요소를 재판구 지방검사가 증명하는 데에 그것이 필요한 경우에, 그 절차에서 그 증인의 선서진술서는 사용될 수 있다:

(a) The witness was the owner, possessor or occupant of real or personal property; and

그 증인이 부동산의 내지는 동산의 소유자인, 소지자인 또는 점유자인 범죄;

(b) The defendant did not have the permission of the witness to enter, occupy, possess or control the real or personal property of the witness.

그 증인의 부동산에 내지는 동산에 내지는 부동산을 내지는 동산을, 진입하기 위한, 점유하기 위한 또는 소지하기 위한 내지는 통제하기 외한 증인의 허가를 피고인이 지니지 아니한 범죄;

2. If a financial institution does not maintain any principal or branch office within this State or if a financial institution that maintains a principal or branch office within this State does not maintain any such office within 100 miles of the place of a grand jury proceeding, the affidavit of a custodian of the records of the financial institution or the affidavit of any other qualified person of the financial institution may be used at the proceeding if it is necessary for the district attorney to establish as an element of any offense that:

만약 한 개의 금융기관이 주사무소를 내지는 지점사무소를 이 주 내에 운영하지 아니하면 내지는, 설령 주 사무소를 내지는 지점사무소를 이 주 내에 운영하는 한 개의 금융기관이라 하더라도 그러한 사무소를 대배심 절차가 열리는 장소로부터 100마일 내에 운영하지 아니하면, 아래에 해당하는 범죄의 요소를 재판구 지방검사가 증명하는 데에 그것이 필요한 경우에 당해 금융기관의 기록들의 보관자의 선서진술서는 내지는 당해 금융기관의 그 밖의 자격있는 어느 누구든지의 선서진술서는 그 절차에서 사용될 수 있다:

(a) When a check or draft naming the financial institution as drawee was drawn or passed, the account or purported account upon which the check or draft was drawn did not exist, was closed or held insufficient money, property or credit to pay the check or draft in full upon its presentation; or

당해 금융기관을 지급인으로 하는 한 개의 수표가 내지는 환어음이 발행된 내지는 유통된 당시에, 당해 수표의 내지는 환어음의 발행의 전제인 계좌가 내지는 그러한 계좌라고 칭해진 계좌가 존재하지 아니한 경우, 폐쇄된 경우, 또는 당해 수표를 내지는 환어음을 그 제시 즉시에 완전히 지급하기에 충분하지 못한 돈을, 재산을 내지는 신용을 보유한 경우; 또는

(b) When a check or draft naming the financial institution as drawee was presented for payment to the financial institution, the account or purported account upon which the check or draft was drawn did not exist, was closed or held insufficient money, property or credit to pay the check or draft in full.

당해 금융기관을 지급인으로 하는 한 개의 수표가 또는 환어음이 지급을 위하여 당해 금융기관에 제시된 당시에, 당해 수표의 내지는 환어음의 발행의 전제인 계좌가 또는 그러한 계좌라고 칭해진 계좌가 존재하지 아니한 경우, 폐쇄된 경우, 또는 당해 수표를 내지는 환어음을 완전히 지급하기에 충분하지 못한 돈을, 재산을 내지는 신용을 보유한 경우.

3. If the defendant has been subpoenaed to appear before the grand jury or if the defendant has requested to testify pursuant to NRS 172.241, the district attorney shall provide either written or oral notice to the defendant, within a reasonable time before the scheduled proceeding of the grand jury, that an affidavit described in this section will be used at the proceeding.

대배심 앞에 출석하도록 만약 피고인이 벌칙부로 소환되었으면 내지는 증언하겠다고 네바다주 현행법률집 제172.241절에 따라서 피고인이 요청하였으면, 이 절에서 규정되는 한 개의 선서진술서가 당해 절차에서 사용될 것임에 대한 서면상의 또는 구두상의 통지를 당해 대배심의 예정된 절차기일 전에 합리적인 시간적 여유를 두고서 피고인에게 재판구 지방검사는 제공하여야 한다.

4. If, at or before the time of the proceeding, the defendant establishes that:

아래의 점을 만약 절차 때에든 그 전에든 피고인이 증명하면:

(a) There is a substantial and bona fide dispute as to the facts in an affidavit described in this section; and

이 절에서 규정되는 한 개의 선서진술서 안에 담긴 사실관계에 관한 한 개의 중대한 및 선의의 다툼이 있다는 점; 그리고

(b) It is in the best interests of justice that the person who signed the affidavit be examined or cross-examined,

당해 선서진술서에 그렇게 서명한 사람이 신문됨이 내지는 반대신문됨이 사법의 최선의 이익들에 부합한다는 점,

the grand jury may request that the district attorney produce the person who signed the affidavit and may continue the proceeding for any time it deems reasonably necessary in order to receive such testimony.

당해 선서진술서에 서명한 사람을 제출하도록 재판구 지방검사에게 당해 대배심은 요청할 수 있고, 그러한 증언을 수령하기 위하여 합리적으로 필요하다고 자신이 간주하는 기간 동안 당해 절차를 대배심은 연기속행할 수 있다.

https://codes.findlaw.com/nv/title-14-procedure-in-criminal-cases/nv-rev-st-172-138.html

Nevada Revised Statutes Title 14. Procedure in Criminal Cases § 172.138. Use of audiovisual technology to present live testimony before grand jury: Requirements

생생한 증언을 대배심 앞에 제출하기 위한 시청각 기술의 사용; 요구사항들

1. If a witness resides more than 100 miles from the place of a grand jury proceeding or is unable to attend the grand jury proceeding because of a medical condition, or if good cause otherwise exists, the district judge supervising the proceedings

of the grand jury must allow a witness to testify before the grand jury through the use of audiovisual technology.

대배심절차의 장소로부터 100마일 넘게 떨어진 곳에 만약 한 명의 증인이 거주하면 또는 의학적 상태로 인하여 그 대배심 절차에 그가 출석할 수 없으면, 또는 달리 타당한 이유가 존재하면, 그 증인으로 하여금 시청각 기술의 사용을 통하여 대배심 앞에서 증언하도록 대배심의 당해 절차들을 감독하는 재판구 지방법원 판사는 허용하지 않으면 안 된다.

2. If a witness testifies at the grand jury proceeding through the use of audiovisual technology:

시청각 기술의 사용을 통한 대배심 절차에서 만약 한 명의 증인이 증언하면:

(a) The testimony of the witness must be transcribed by a certified court reporter appointed pursuant to NRS 172.215 in accordance with the provisions of NRS 172.225; and

네바다주 현행법률집 제172.225절의 규정들에의 부합 속에서 네바다주 현행법률집 제172.215절에 따라서 지명되는 공인된 법원 속기사에 의하여 그 증인의 증언은 녹취되지 않으면 안 된다; 그리고

(b) Before giving testimony, the witness must be sworn and must sign a written declaration, on a form provided by the district judge, which acknowledges that the witness understands that he or she is subject to the jurisdiction of the courts of this state and may be subject to criminal prosecution for the commission of any crime in connection with his or her testimony, including, without limitation, perjury, and that the witness consents to such jurisdiction.

증언을 하기 전에 선서절차에 증인은 처해지지 않으면 안 되고, 이 주 법원들의 관할에 그 자신이 또는 그녀 자신이 종속된다는 점을, 및 그 자신의 내지는 그녀 자신의 증언에 관련한, 위증의 범행에를 포함하되 이에 한정되지 아니하는 어떤 범죄의 범행에 대하여도, 형사소추에 자신이 처해질 수 있다는 점을 증인 자신이 이해함을, 그리고 그러한 관할권에 증인 자신이 동의함을 시인하는, 재판구 지방법원 판사에 의하여 제공되는 서식 위에의 서면에 의한 선언에 증인은 서명하지 않으면 안 된다.

3. Audiovisual technology used pursuant to this section must ensure that the witness may be:

아래에 당해 증인이 해당되게 할 것을 이 절에 따라서 사용되는 시청각 기술은 보장하지 않으면 안 된다:

(a) Clearly heard and seen; and

명확하게 청취될 수 있을 것 및 관찰될 수 있을 것; 그리고

(b) Examined.

신문될 수 있을 것.

4. As used in this section, "audiovisual technology" includes, without limitation, closed-circuit video and videoconferencing.

폐쇄회로에 의한 비디오를 및 영상통화를 이 절에서 사용된 것으로서의 "시청각 기술"은 포함하되 이에 한정되지 아니한다.

https://codes.findlaw.com/nv/title-14-procedure-in-criminal-cases/nv-rev-st-172-139.html

Nevada Revised Statutes Title 14. Procedure in Criminal Cases § 172.139. District attorney and grand jury prohibited from questioning attorney regarding matters learned for client or issuing subpoena for work done by attorney for client

의뢰인을 위하여 지득된 사항들에 관련하여 변호사를 신문함으로부터, 내지는 의뢰인을 위하여 변호사에 의하여 이루어진 직무활동을 위한 벌칙부소환장을 발부함으로부터, 재판구 지방검사는 및 대배심은 금지됨

During a grand jury proceeding, the district attorney and the grand jurors shall not:

아래의 행위를 대배심 절차 동안에 재판구 지방검사는 및 대배심원들은 하여서는 안 된다:

1. Question an attorney or an attorney's employee regarding matters which were learned during a legitimate investigation for a client.

의뢰인을 위한 적법한 조사 동안에 지득된 사항들에 관련하여 변호사를 내지는 변호사의 피용자를 신문하는 행위.

2. Issue a subpoena for the production of the private notes or other matters representing work done by the attorney or the attorney's employee regarding the legal services which the attorney provided for a client.

   의뢰인을 위하여 변호사가 제공한 법률서비스에 관련한, 변호사에 의한 내지는 변호사의 피용자에 의한 직무활동을 나타내는 사적 기록들의 내지는 여타의 자료들의 제출을 요구하는 벌칙부소환장을 발부하는 행위.

https://codes.findlaw.com/nv/title-14-procedure-in-criminal-cases/nv-rev-st-172-145.html

Nevada Revised Statutes Title 14. Procedure in Criminal Cases § 172.145. Defendant entitled to submit statement regarding preliminary hearing which grand jury must receive; grand jury required to hear and district attorney required to submit known evidence which will explain away charge; invitations and issuance of process for witnesses

대배심이 수령하지 않으면 안 되는 예비심문에 관련한 진술서를 제출할 권리를 피고인은 지님; 혐의를 해명하여 없애 줄 알려진 증거를 청취하도록 대배심은 요구되고 이를 제출하도록 재판구 지방검사는 요구됨; 증인들을 위한 초청들 및 영장의 발부

1. The grand jury is not bound to hear evidence for the defendant, except that the defendant is entitled to submit a statement which the grand jury must receive providing whether a preliminary hearing was held concerning the matter and, if so, that the evidence presented at the preliminary hearing was considered insufficient to warrant holding the defendant for trial. It is their duty, however, to weigh all evidence submitted to them, and when they have reason to believe that other evidence within their reach will explain away the charge, they shall order that evidence to be produced, and for that purpose may require the district attorney to issue process for the witnesses.

   당해 사안에 관한 한 개의 예비심문이 실시되었는지 여부를 밝히는, 및 만약 그 실시되었

다면 정식사실심리를 위하여 피고인을 붙듦을 정당화하기에 그 예비심문에 제출된 증거가 불충분한 것으로 판단되었음을 밝히는, 대배심이 수령하지 않으면 안 되는 한 개의 진술서를 제출할 권리를 피고인이 지니는 경우에를 제외하고는, 피고인 측 증거를 청취하여야 할 의무가 대배심에게는 없다. 그러나 그들에게 제출되는 모든 증거를 평가함은 그들의 의무이고, 그들의 도달범위 내의 여타의 증거가 혐의를 해명하여 없애줄 것으로 믿을 이유를 그들이 지니는 경우에는 그 증거가 제출되게 하도록 그들은 명령하여야 하는바, 그 목적을 위하여 증인들을 위한 영장을 발부하도록 재판구 지방검사에게 그들은 요구할 수 있다.

2. If the district attorney is aware of any evidence which will explain away the charge, the district attorney shall submit it to the grand jury.

 혐의를 해명하여 없애줄 증거에 관하여 만약 재판구 지방검사가 알면, 그것을 대배심에 재판구 지방검사는 제출하여야 한다.

3. The grand jury may invite any person, without process, to appear before the grand jury to testify.

 대배심 앞에 출석하여 증언하도록 누구든지를 영장 없이 대배심은 초청할 수 있다.

https://codes.findlaw.com/nv/title-14-procedure-in-criminal-cases/nv-rev-st-172-155.html

Nevada Revised Statutes Title 14. Procedure in Criminal Cases § 172.155. Degree of evidence to warrant indictment; objection

대배심 검사기소를 정당화하는 증거의 정도; 이의

1. The grand jury ought to find an indictment when all the evidence before them, taken together, establishes probable cause to believe that an offense has been committed and that the defendant has committed it.

 한 개의 범죄가 저질러져 있다고 및 그것을 피고인이 저질렀다고 믿을 상당한 이유를 그들 앞의 모두어진 전체 증거가 입증하는 경우에 한 개의 대배심 검사기소를 대배심은 평결하여야 한다.

2. The defendant may object to the sufficiency of the evidence to sustain the indictment only by application for a writ of habeas corpus.

당해 대배심 검사기소를 뒷받침하는 증거의 충분성에 대하여는 오직 한 개의 인신보호영장의 청구에 의하여서만 피고인은 이의할 수 있다.

https://codes.findlaw.com/nv/title-14-procedure-in-criminal-cases/nv-rev-st-172-165.html

Nevada Revised Statutes Title 14. Procedure in Criminal Cases § 172.165. Grand juror must declare knowledge as to commission of public offense; investigation

범죄의 범행에 관한 지식을 대배심원은 선언하지 않으면 안 됨; 조사

If a member of the grand jury knows or has reason to believe that a public offense has been committed, which is triable within the jurisdiction of the district court which has impaneled such grand jury, the member must declare such knowledge or belief to the member's fellow jurors, who shall thereupon investigate the alleged offense.

당해 대배심을 충원구성하여 놓은 재판구 지방법원의 관할 내에서 정식사실심리 될 수 있는 한 개의 범죄가 저질러져 있음을 대배심의 한 명의 구성원이 알면 내지는 그렇게 믿을 이유를 대배심의 한 명의 구성원이 지니면, 그러한 지식을 내지는 믿음을 자신의 동료 배심원들에게 그 구성원은 선언하지 않으면 안 되는바, 그 주장되는 범죄를 이에 따라서 그들은 조사하여야 한다.

https://codes.findlaw.com/nv/title-14-procedure-in-criminal-cases/nv-rev-st-172-175.html

Nevada Revised Statutes Title 14. Procedure in Criminal Cases § 172.175. Matters into which grand jury shall and may inquire

대배심이 파헤쳐야 할 및 파헤칠 수 있는 사항들

1. Each grand jury that is not impaneled for a specific limited purpose shall inquire into:

특정의 제한적 목적을 위하여 충원구성되지 아니한 개개 대배심은 아래의 사항들을 파헤쳐야 한다:

(a) The case of every person imprisoned in the jail of the county, on a criminal charge, against whom an indictment has not been found or an information or complaint filed.

형사고발에 따라서 카운티의 감옥에 구금된, 그러나 한 개의 대배심 검사기소가 평결되어 있지 아니한, 또는 한 개의 검사 독자기소장이 내지는 소추청구장이 제출되어 있지 아니한 모든 사람의 사건.

(b) The condition and management of any public prison located within the county.

카운티 내에 소재하는 공공감옥의 상태 및 운영.

(c) The misconduct in office of public officers of every description within the county which may constitute a violation of a provision of chapter 197 of NRS.

네바다주 현행법률집 제197장의 규정에 대한 위반을 구성할 수 있는 카운티 내의 모든 형태의 공무원들의 직무상의 위법행위.

2. A grand jury that is not impaneled for another specific limited purpose may inquire into any and all matters affecting the morals, health and general welfare of the inhabitants of the county, or of any administrative division thereof, or of any township, incorporated city, irrigation district or town therein.

카운티의, 그 행정지구 어느 것이든지의, 또는 타운쉽 어느 것이든지의, 법인체 시티 어느 것이든지의, 그 안의 관개지구 어느 것이든지의 내지는 타운 어느 것이든지의 주민들의 도덕에, 건강에 및 일반적 복지에, 영향을 미치는 모든 사항들을, 별도의 특정의 제한적 목적을 위하여 충원구성되지 아니한 한 개의 대배심은 파헤칠 수 있다.

https://codes.findlaw.com/nv/title-14-procedure-in-criminal-cases/nv-rev-st-172-185.html

Nevada Revised Statutes Title 14. Procedure in Criminal Cases § 172.185. Grand jury entitled to enter jails and examine records

감옥들에 들어갈 권리를 및 기록들을 검사할 권리를 대배심은 지님

The grand jury shall be entitled to free access, at all reasonable times, to all public prisons and to the examination without charge of all public records within its district.

모든 합리적 시간대에의, 모든 공공감옥들에 대한 자유로운 접근에의 권리를 및 그 재판구 내의 모든 공공기록들에 대한 무료의 검사에의 권리를 대배심은 지닌다.

https://codes.findlaw.com/nv/title-14-procedure-in-criminal-cases/nv-rev-st-172-195.html

Nevada Revised Statutes Title 14. Procedure in Criminal Cases § 172.195. Issuance of subpoenas by grand jury; subpoenaed witnesses must be informed of general nature of inquiry

대배심에 의한 벌칙부소환장들의 발부; 벌칙부로 소환되는 증인들에게는 조사의 일반적 성격이 고지되지 않으면 안 됨

1. Except as otherwise provided in NRS 172.139, the grand jury may issue subpoenas, subscribed by the foreman or by the deputy or temporary foreman when acting for the foreman, for witnesses within the State and for the production of books, papers or documents.

   배심장에 의하여 또는 배심장을 대행하는 경우에의 부배심장에 또는 임시배심장에 의하여 서명되는, 주 내의 증인들을 위한 및 장부들의, 서류들의 내지는 문서들의 제출을 위한 벌칙부소환장들을, 네바다주 형행법률집 제172.139절에 달리 규정되는 경우에를 제외하고는, 대배심은 발부할 수 있다.

2. The grand jury shall orally inform any witness so subpoenaed of the general nature of the grand jury's inquiry before the witness testifies. Such a statement must be included in the transcript of the proceedings.

그렇게 벌칙부로 소환된 증인이 증언하기 전에 당해 대배심의 조사의 일반적 성격에 관하여 그 증인에게 대배심은 구두로 고지하여야 한다. 그러한 설명은 절차들의 녹취록에 포함되지 않으면 안 된다.

https://codes.findlaw.com/nv/title-14-procedure-in-criminal-cases/nv-rev-st-172-197.html

Nevada Revised Statutes Title 14. Procedure in Criminal Cases § 172.197. Procedure when person subpoenaed to appear before grand jury intends to assert constitutional privilege against self-incrimination

대배심 앞에 출석하도록 벌칙부로 소환된 사람이 헌법상의 자기부죄 금지특권을 주장하려는 의도를 나타내는 경우에의 절차

1. If a person who has been subpoenaed to appear before a grand jury informs the district attorney that the person intends to refuse to testify and to assert the person's constitutional privilege against self-incrimination, the district attorney shall:

만약 대배심 앞에 출석하도록 벌칙부로 소환된 사람이 그 증언하기를 거부하고자 하는 의도를 또는 그의 자기부죄 금지의 헌법적 특권을 주장하고자 하는 의도를 재판구 지방검사에게 고지하면, 재판구 지방검사는:

(a) Move for an order of immunity pursuant to NRS 178.572;

네바다주 현행법률집 제178.572절에 따른 한 개의 면제명령을 신청하여야 한다;

(b) Challenge the existence of a valid privilege by filing in any court of record a motion to compel the testimony of the person; or

그 사람의 증언을 강제하여 달라는 한 개의 신청을 정식기록 법원 어디에든지 제출함에 의하여 그 유효한 특권의 존재를 다투어야 한다; 또는

(c) Withdraw the subpoena.

당해 벌칙부소환장을 취소하여야 한다.

2. All proceedings which are held on a motion filed pursuant to subsection 1 must be closed.

소절 1에 따라서 제출되는 신청에 터잡아서 열리는 모든 절차들은 방청이 금지되지 않으면 안 된다.

3. If the existence of the privilege is challenged, the court shall hear the evidence of both parties and determine whether or not a valid privilege exists and to which matters, if any, it extends.

만약 특권의 존재가 다투어지면, 법원은 양쪽 당사자들의 증거를 심리하여야 하고 한 개의 유효한 특권이 존재하는지 존재하지 아니하는지 여부를 및 만약 존재한다면 어떠한 사항들에 그것이 미치는지를 판단하여야 한다.

4. The district attorney shall not call a person to testify before a grand jury regarding matters which have been so determined to be within the person's constitutional privilege against self-incrimination.

사람의 자기부죄 금지의 헌법적 특권의 범위 내에 있다고 판단된 바 있는 사항들에 관련하여 대배심 앞에서 증언하도록 그 사람을 재판구 지방검사는 소환하여서는 안 된다.

https://codes.findlaw.com/nv/title-14-procedure-in-criminal-cases/nv-rev-st-172-205.html

Nevada Revised Statutes Title 14. Procedure in Criminal Cases § 172.205. Power to engage services of skilled persons

숙련을 지닌 사람들의 용역을 고용할 권한

The grand jury shall have the power, with the consent of the board of county commissioners, to engage the services of an attorney other than and in addition to the district attorney, certified or registered public accountants, and such other skilled persons as may be necessary in the performance of its inquisitorial powers.

재판구 지방검사의 용역을 이외의, 및 재판구 지방검사의 용역을에 더하여, 한 명의 변호사의 용역을, 공인된 내지는 등록된 회계사들의 용역을, 그리고 자신의 조사적 권한들의 수행에 필요한 그 밖의 숙련된 사람들의 용역을 카운티 위원들의 위원회의 동의를 얻어 고용할 권한을 대배심은 지닌다.

https://codes.findlaw.com/nv/title-14-procedure-in-criminal-cases/nv-rev-st-172-215.html

Nevada Revised Statutes Title 14. Procedure in Criminal Cases § 172.215. Certified court reporter: Appointment; compensation; material required for and prohibited from inclusion in notes

공인된 법원속기사; 지명; 보수; 메모들에의 포함이 요구되는 및 메모들에의 포함이 금지되는 자료

1. Whenever criminal causes are being investigated by the grand jury, it shall appoint a certified court reporter. If the certified court reporter is not an official reporter of the district court, the certified court reporter shall, before entering upon his or her duties, take and subscribe the constitutional oath of office. The certified court reporter is entitled to receive the same compensation for services as an official reporter of the district court.

   한 명의 공인된 법원속기사를, 대배심에 의하여 형사적 사건들이 조사되는 중인 때에는 언제든지, 대배심은 지명하여야 한다. 만약 그 공인된 법원속기사가 당해 재판구 지방법원의 공무원인 속기사가 아니면, 그 공인된 법원속기사는 그의 내지는 그녀의 임무들에 들어가기 전에, 헌법상의 취임선서를 하여야 하고 이에 서명하여야 한다. 당해 재판구 지방법원의 공무원인 속기사가 지급받는 보수에의 동일한 보수를 역무에 대하여 수령할 권리를 공인된 법원속기사는 지닌다.

2. Except as otherwise provided in subsection 3, the certified court reporter shall include in the notes taken of a grand jury proceeding all criminal matters which come before the grand jury including:

   소절 3에서 달리 규정되는 경우에를 제외하고는, 당해 대배심 앞에 오는 모든 형사적 사항들을 한 개의 대배심 절차에서 속기된 메모들에, 공인된 법원속기사는 포함시켜야 하는 바, 아래의 것들을 이는 포함한다:

(a) The charge by the impaneling judge;

충원구성 판사에 의한 임무설명;

(b) Any subsequent instructions or statements made by the judge;

판사에 의하여 이루어진 나중의 지시사항들 내지는 발언들;

(c) Each statement made by the district attorney;

재판구 지방검사에 의하여 이루어진 개개 발언;

(d) Each question asked of and response given by the witnesses who appear before the grand jury; and

당해 대배심 앞에 출석한 증인들에게 물어진 개개 질문 및 그 증인들에 의하여 이루어진 답변; 그리고

(e) Any statements made by the grand jurors during the proceeding.

당해 절차 동안에 대배심원들에 의하여 이루어진 발언들.

3. The certified court reporter shall not include in his or her notes:

아래의 것들을 그의 내지는 그녀의 메모들에 공인된 법원속기사는 포함시켜서는 안 된다:

(a) Any confidential communication between a witness and the witness's legal counsel, if the legal counsel is allowed to accompany the witness before the grand jury; or

대배심 앞의 증인을 동반하도록 변호사가 허용된 경우에의 한 명의 증인의 및 그 증인의 변호사의 그 둘 사이의 비밀대화; 또는

(b) The deliberations and voting of the grand jury.

대배심의 숙의들 및 표결.

https://codes.findlaw.com/nv/title-14-procedure-in-criminal-cases/nv-rev-st-172-225.html

Nevada Revised Statutes Title 14. Procedure in Criminal Cases § 172.225. Transcripts: Preparation; public record

녹취록들; 작성; 공공기록

1. If an indictment has been found or accusation presented against a defendant, the stenographic reporter shall certify and file with the county clerk an original transcription of his or her notes and a copy thereof and as many additional copies as there are defendants.

   피고인을 상대로 하여 만약 한 개의 대배심 검사기소가 평결되어 있으면 내지는 한 개의 기소고발장이 제출되어 있으면, 그 자신의 내지는 그녀 자신의 메모들의 녹취록 원본을 및 그 등본 한 개를 및 피고인들 수만큼의 추가적 등본들을 카운티 서기에게 속기사는 인증하여 제출하여야 한다.

2. The reporter shall complete the certification and filing within 10 days after the indictment has been found or the accusation presented unless the court for good cause makes an order extending the time.

   기한을 연장시키는 명령을 타당한 이유에 따라서 법원이 내리는 경우에를 제외하고는, 녹취록 인증을 및 그 제출을, 당해 대배심 검사기소가 평결되고 난 뒤 또는 기소고발장이 제출되고 난 뒤 10일 내에 속기사는 완료하여야 한다.

3. The county clerk shall:

   카운티 서기는:

(a) Deliver a copy of the transcript so filed with the county clerk to the district attorney immediately upon receipt thereof;

그렇게 자신에게 제출된 녹취록 한 부를 그 수령 즉시 재판구 지방검사에게 교부하여야 한다;

(b) Retain one copy for use only by judges in proceedings relating to the indictment or accusation; and

당해 대배심 검사기소장에 관련되는 또는 기소고발장에 관련되는 절차들에서의 판사들만에 의한 사용을 위한 한 부를 보관하여야 한다; 그리고

(c) Deliver a copy of the transcript to each defendant who is in custody or has given bail or to the defendant's attorney.

녹취록 한 부를 구금된 또는 보석금을 납부한 피고인마다에게 또는 피고인의 변호사에게 교부하여야 한다.

4. Any defendant to whom a copy has not been delivered is entitled upon motion to a continuance of the defendant's arraignment until a date 10 days after the defendant actually receives a copy.

녹취록 한 부를 교부받지 못한 피고인은 그 등본을 자신이 실제로 수령한 뒤 10일까지 자신의 기소인부 신문의 연기속행을 누릴 권리를 신청에 따라서 지닌다.

5. If several criminal charges against a defendant are investigated on one investigation and thereafter separate indictments are returned or accusations presented upon the several charges, the delivery to the defendant or his or her attorney of one copy of the transcript of the investigation is a compliance with this section as to all of the indictments or accusations.

만약 한 개의 조사에서 피고인의 범죄혐의들 여럿이 조사되면, 및 그리하여 그 뒤에 그 여럿의 혐의들에 대하여 따로따로인 대배심 검사기소장들이 내지는 기소고발장들이 제출되면, 그 조사의 녹취록 등본 한 부의 피고인에게의 내지는 그의 내지는 그녀의 변호사에게의 교부는 그 대배심 검사기소장들의 내지는 기소고발장들의 전부에 관하여 이 절에 대한 준수에 해당된다.

6. Upon the filing of such a transcript with the county clerk, the transcript and any related physical evidence exhibited to the grand jury become a matter of public record unless the court:

그러한 녹취록의 카운티 서기에게의 제출이 있으면, 그 녹취록은 및 대배심에게 제시된

이에 관련되는 물적 증거 어느 것이든지는, 아래의 조치를 법원이 취하는 경우에를 제외하고는, 한 개의 공공기록물이 된다:

(a) Orders that the presentment or indictment remain secret until the defendant is in custody or has been given bail; or

피고인이 구금되기까지 또는 보석금을 납부하고 났을 때까지 대배심 독자고발장을 내지는 대배심 검사기소장을 비밀의 것으로 남겨 두도록 명령하는 경우; 또는

(b) Upon motion, orders the transcript and evidence to remain secret until further order of the court.

당해 녹취록을 및 증거를 법원의 추후의 명령 때까지 비밀의 것으로 남겨두도록 신청에 따라서 명령하는 경우.

https://codes.findlaw.com/nv/title-14-procedure-in-criminal-cases/nv-rev-st-172-235.html

Nevada Revised Statutes Title 14. Procedure in Criminal Cases § 172.235. Who may be present when grand jury is in session
대배심이 회합 중일 때 출석해 있을 수 있는 사람

1. Except as otherwise provided in subsection 2, the following persons may be present while the grand jury is in session:

소절 2에서 달리 규정되는 경우에를 제외하고는, 대배심이 회합 중인 동안에는 아래의 사람들이 출석해 있을 수 있다:

(a) The district attorney;

재판구 지방검사;

(b) A witness who is testifying;

증언하는 중인 증인;

(c) An attorney who is accompanying a witness pursuant to NRS 172.239;

네바다주 현행법률집 제172.239절에 따라서 증인을 동반하는 변호사;

(d) Any interpreter who is needed;

그 필요한 경우에의 통역인;

(e) The certified court reporter who is taking stenographic notes of the proceeding;

절차의 속기록들을 작성하고 있는 공인된 법원속기사;

(f) Any person who is engaged by the grand jury pursuant to NRS 172.205; and

네바다주 현행법률집 제172.205절에 따라서 대배심에 의하여 고용된 사람; 그리고

(g) Any other person requested by the grand jury to be present.

그 출석해 있도록 대배심에 의하여 요청되는 그 밖의 사람.

2. No person other than the jurors may be present while the grand jury is deliberating or voting.

대배심이 숙의 중인 내지는 표결 중인 동안에는 배심원들이를 제외한 어느 누구가도 출석해 있을 수 없다.

https://codes.findlaw.com/nv/title-14-procedure-in-criminal-cases/nv-rev-st-172-239.html

Nevada Revised Statutes Title 14. Procedure in Criminal Cases § 172.239. Legal counsel for certain persons who appear before grand jury

대배심 앞에 출석하는 특정인들을 위한 변호인

1. A person whose indictment the district attorney intends to seek or the grand jury on its own motion intends to return may be accompanied by legal counsel during any appearance before the grand jury.

대배심 검사기소장을 재판구 지방검사가 얻고자 의도하는 대상인, 또는 대배심 검사기소장을 대배심이 그 자신의 발의로 제출하고자 의도하는 대상인, 사람은 대배심 앞에의 어떤 출석 동안에도 변호인을 동반시킬 수 있다.

2. The legal counsel who accompanies a person pursuant to subsection 1 may advise his or her client but shall not:

소절 1에 따라서 사람을 동반하는 변호인은 그의 내지는 그녀의 의뢰인을 조언할 수 있으나, 아래의 행위를 하여서는 안 된다:

(a) Address directly the members of the grand jury;

대배심 구성원들을 향하여 직접적으로 발언하는 행위;

(b) Speak in such a manner as to be heard by the members of the grand jury; or

대배심의 구성원들에 의하여 청취될 만한 방법으로 말하는 행위; 또는

(c) In any other way participate in the proceedings of the grand jury.

대배심의 절차들에 그 밖의 어떤 방법으로든 참여하는 행위.

3. The court or the foreman of the grand jury may have the legal counsel removed if the legal counsel violates any of the provisions of subsection 2 or in any other way disrupts the proceedings of the grand jury.

소절 2의 규정들 어느 것을이라도 변호인이 위반하면 또는 대배심의 절차들을 여타의 방법으로 어지럽히면 그 변호인을 법원은 또는 대배심의 배심장은 퇴실시킬 수 있다.

4. The district attorney or the foreman of the grand jury shall give a person entitled to legal counsel notice of the provisions of this section at the time the person is served with a subpoena to appear before the grand jury. If such a person is invited without process to appear, the grand jury shall include with the invitation notice of the provisions of this section.

대배심 앞에 출석하라는 벌칙부소환장을 변호인의 조력을 받을 권리를 지닌 사람에게 송달하는 때에는 그 사람에게 이 절의 규정들에 대한 고지를 재판구 지방검사는 또는 대배심의 배심장은 제공하여야 한다. 그 출석하도록 만약 그러한 사람이 영장 없이 요청되면, 이 절의 규정들의 고지를 그 요청통지에 대배심은 포함시켜야 한다.

Nevada Revised Statutes Title 14. Procedure in Criminal Cases § 172.241. Right of certain persons to appear before grand jury; notice of consideration of indictment; withholding of notice; effect of inadequate notice

대배심 앞에 출석할 일정한 사람들의 권리; 대배심 검사기소에 대한 검토의 통지; 통지의 보류; 불충분한 통지의 효과

1. A person whose indictment the district attorney intends to seek or the grand jury on its own motion intends to return, but who has not been subpoenaed to appear before the grand jury, may testify before the grand jury if the person requests to do so and executes a valid waiver in writing of the person's constitutional privilege against self-incrimination.

   대배심 검사기소장을 얻어내고자 재판구 지방검사가 의도하는 대상인, 또는 대배심 검사기소장을 대배심이 그 자신의 발의로 제출하고자 의도하는 대상인, 그러나 대배심 앞에 출석하도록 벌칙부로 소환되어 있지 아니한 사람은, 대배심 앞에서 증언하기를 만약 그 자신이 요청하면 및 그 자신의 자기부죄 금지의 헌법적 특권에 대한 유효한 포기를 서면으로 작성하면, 그렇게 할 수 있다.

2. A district attorney or a peace officer shall serve reasonable notice upon a person whose indictment is being considered by a grand jury unless the court determines that adequate cause exists to withhold notice. The notice is adequate if it:

   통지를 보류할 충분한 이유가 존재한다고 법원이 판단하는 경우에를 제외하고는, 대배심에 의하여 대배심 검사기소가 검토되는 대상인 사람에게 합리적 통지서를 재판구 지방검사는 또는 경찰관은 송달하여야 한다. 아래의 요건을 구비하면 통지는 충분하다:

(a) Is given to the person, the person's attorney of record or an attorney who claims to represent the person and gives the person not less than 5 judicial days to submit a request to testify to the district attorney; and

그 사람에게, 그 사람의 정식기록 변호사에게 또는 그 사람을 대변함을 주장하는

변호사에게 그 통지가 부여될 것 및 그 증언하겠다는 요청을 재판구 지방검사에게 제출할 수 있도록 다섯 차례 이상의 법원 개정일들을 그 통지가 부여할 것; 그리고

(b) Advises the person that the person may testify before the grand jury only if the person submits a written request to the district attorney and includes an address where the district attorney may send a notice of the date, time and place of the scheduled proceeding of the grand jury.

서면요청을 재판구 지방검사에게 그 사람이 제출하는 경우에 한하여 대배심 앞에서 그 사람은 증언할 수 있음을 그 사람에게 그 통지가 고지할 것 및 그 일정 잡힌 대배심 절차의 날짜에, 시간에 및 장소에 대한 통지를 재판구 지방검사가 발송할 수 있는 주소를 그 통지가 포함할 것.

3. The district attorney may apply to the court for a determination that adequate cause exists to withhold notice if the district attorney:

만약 재판구 지방검사에게 아래의 사유가 있으면, 통지를 보류할 충분한 이유가 존재한다는 판정을 법원에 재판구 지방검사는 신청할 수 있다:

(a) Determines that the notice may result in the flight of the person whose indictment is being considered, on the basis of:

대배심 검사기소가 검토되는 대상인 사람의 도주를 통지가 초래할 수 있다고 아래의 근거에 의하여 판단하는 경우:

(1) A previous failure of the person to appear in matters arising out of the subject matter of the proposed indictment;

그 검토 대상인 대배심 검사기소의 소송물로부터 발생하는 사항들에 있어서의 출석하기에 대한 그 사람의 과거의 불이행;

(2) The fact that the person is a fugitive from justice arising from charges in another jurisdiction;

그 사람이 여타의 관할에서의 고발들로부터 발생한 사법으로부터의 한 명의 도망자라는 사실;

(3) Outstanding local warrants pending against the person; or

그 사람에 대하여 걸려 있는 미변제의 지역 금전지불증권들; 또는

(4) Any other objective factor;

종류 여하를 불문한 그 밖의 객관적 요소;

(b) Determines that the notice may endanger the life or property of other persons; or

타인들의 생명을 내지는 재산을 위태롭게 통지가 만들 수 있다고 판단하는 경우; 또는

(c) Is unable, after reasonable diligence, to notify the person.

합리적 근면 뒤에도 그 사람에게 통지할 수가 없는 경우.

4. If a district attorney applies to the court for a determination that adequate cause exists to withhold notice, the court shall hold a closed hearing on the matter. Upon a finding of adequate cause, the court may order that no notice be given.

통지를 보류할 충분한 이유가 존재한다는 판정을 법원에 만약 재판구 지방검사가 신청하면, 그 문제에 대한 비공개 심문을 법원은 열어야 한다. 통지가 부여되지 않게 하도록, 충분한 이유의 인정 위에서, 법원은 명령할 수 있다.

5. If notice required to be served upon a person pursuant to subsection 2 is not adequate, the person must be given the opportunity to testify before the grand jury. If the person testifies pursuant to this subsection, the grand jury must be instructed to deliberate again on all the charges contained in the indictment following such testimony.

소절 2에 따라서 사람에 대하여 송달될 것이 요구되는 통지가 만약 충분하지 않으면, 그 사람에게는 대배심 앞에서 증언할 기회가 부여되지 않으면 안 된다. 이 소절에 따라서 만약 그 사람이 증언하면, 대배심 검사기소장에 포함되는 모든 공소사실들에 대하여 그러한 증언 뒤에 다시 숙의하도록 대배심은 지시되지 않으면 안 된다.

Nevada Revised Statutes Title 14. Procedure in Criminal Cases § 172.245. Secrecy of proceedings of grand jury; permitted disclosures; penalty

대배심 절차들의 비밀성; 공개가 허용되는 경우들; 벌칙

1. The disclosure of:

(a) Evidence presented to the grand jury;

대배심에 제출된 증거의 공개는;

(b) Information obtained by the grand jury;

대배심에 의하여 얻어진 정보의 공개는;

(c) The results of an investigation made by the grand jury; and

대배심에 의하여 이루어진 조사의 결과들의 공개는; 그리고

(d) An event occurring or a statement made in the presence of the grand jury other than its deliberations and the vote of a juror,

발생한 사건의 전후경과의 공개는, 또는 대배심의 숙의들의 공개를 제외한, 및 대배심원의 표결의 공개를 제외한, 대배심의 면전에서 이루어진 진술의 공개는,

may be made to the district attorney for use in the performance of the district attorney's duties.

재판구 지방검사의 임무들의 수행에 있어서의 사용을 위하여 재판구 지방검사에게 이루어질 수 있다.

2. Except as otherwise provided in subsection 3, the Attorney General or a member of the Attorney General's staff, a grand juror, district attorney or member of the district attorney's staff, peace officer, clerk, stenographer, interpreter, witness or other person invited or allowed to attend the proceedings of a grand jury shall not disclose:

소절 3에서 달리 규정되는 경우에를 제외하고는, 검찰총장은 내지는 검찰총장 직원진 구성원은, 대배심원은, 재판구 지방검사는 또는 재판구 지방검사 직원진의 구성원은, 경찰관은, 서기는, 속기사는, 통역인은, 또는 대배심 절차들에 출석하도록 초청된 내지는 허용된 증인은 내지는 그 밖의 사람은 아래의 것들을 공개하여서는 안 된다:

(a) Evidence presented to the grand jury;

대배심에 제출된 증거;

(b) An event occurring or a statement made in the presence of the grand jury;

대배심의 면전에서 발생한 사건의 전후경과 또는 대배심의 면전에서 이루어진 진술;

(c) Information obtained by the grand jury; or

대배심에 의하여 얻어진 정보; 또는

(d) The results of an investigation made by the grand jury.

대배심에 의하여 이루어진 조사의 결과들.

3. A person may disclose his or her knowledge concerning the proceedings of a grand jury:

한 개의 대배심의 절차들에 관한 그의 내지는 그녀의 지식을 아래의 경우에 사람은 공개할 수 있다:

(a) When so directed by the court preliminary to or in connection with a judicial proceeding;

한 개의 사법절차의 준비로서 또는 한 개의 사법절차에의 연관 속에서 법원에 의하여 그렇게 명령되는 경우;

(b) When permitted by the court at the request of the defendant upon a showing that grounds may exist for a motion to dismiss the presentment or indictment because of matters occurring before the grand jury;

대배심 독자고발장을 내지는 대배심 검사기소장을, 당해 대배심 앞에서 발생한 사항들을 이유로 각하하여 달라는 신청을 위한 사유들이 존재할 수 있음에 대한 증명에 근거한 피고인의 요청에 따라서 법원에 의하여 허가되는 경우;

(c) If the person was a witness before the grand jury and is disclosing his or her knowledge of the proceedings to the person's own attorney; or

그 사람이 대배심 앞에서의 한 명의 증인이었던 경우에로서 절차들에 대한 그의 내지는 그녀의 지식을 그 사람 자신의 변호사에게 공개하는 경우; 또는

(d) As provided in NRS 172.225.

네바다주 현행법률집 제172.225절에 규정되는 바에 따르는 경우.

4. No obligation of secrecy may be imposed upon any person except in accordance with this section. The court may direct that a presentment or indictment be kept secret until the defendant is in custody or has been given bail, and the clerk shall seal the presentment or indictment. It is unlawful for any person to disclose the finding of the secret presentment or indictment except when necessary for the issuance and execution of a warrant or summons.

이 절에의 부합 속에서를 제외하고는 어느 누구에게도 비밀의무는 부과되어서는 안 된다. 한 개의 대배심 독자고발장을 내지는 한 개의 대배심 검사기소장을 피고인이 구금되기까지 또는 보석금을 납부하고 났을 때까지 비밀의 것으로 보관하도록 법원은 명령할 수 있는바, 당해 대배심 독자고발장을 내지는 대배심 검사기소장을 그 경우에 서기는 봉인하여야 한다. 그 비밀의 대배심 독자고발의 내지는 대배심 검사기소의 평결을 어느 누구든지가 공개함은, 영장의 내지는 소환장의 발부를 및 집행을 위하여 필요한 경우에를 제외하고는, 불법이다

5. A person who violates any of the provisions of this section is guilty of a gross misdemeanor and contempt of court.

이 절의 규정들 중 어느 것이든지를 위반하는 사람은 한 개의 중경죄를 및 법원모독을 저지르는 것이 된다.

6. The Attorney General or district attorney shall investigate and prosecute a violation of this section.

이 절에 대한 위반을 검찰총장은 또는 재판구 지방검사는 조사하여야 하고 소추하여야 한다.

7. The grand jury shall inform each person who appears before the grand jury of the provisions of this section and the penalties for its violation.

이 절의 규정들을 및 그 위반에 대한 벌칙들을 자신 앞에 출석하는 개개 사람에게 대배심은 고지하여야 한다.

https://codes.findlaw.com/nv/title-14-procedure-in-criminal-cases/nv-rev-st-172-255.html

Nevada Revised Statutes Title 14. Procedure in Criminal Cases § 172.255. Finding and return of presentment or indictment; effect of failure to indict

대배심 독자고발의 내지는 대배심 검사기소의 평결 및 제출; 대배심 검사기소에 처하지 아니함의 효과

1. A presentment or indictment may be found only upon the concurrence of 12 or more jurors.

대배심 독자고발은 또는 대배심 검사기소는 오직 12명 이상의 배심원들의 찬성 위에서만 평결될 수 있다.

2. The jurors shall vote separately on each person and each count included in a presentment or indictment.

한 개의 대배심 독자고발장에 포함된 또는 대배심 검사소장에 포함된 개개 사람에 대하여 및 개개 소인에 대하여 따로따로 배심원들은 표결하여야 한다.

3. The presentment or indictment must be returned by the grand jury to a judge in open court or, in the absence of the judge, to the clerk of the court in open court, who shall determine that 12 or more jurors concurred in finding a

presentment or indictment. If the defendant has been held to answer and 12 jurors do not concur in finding a presentment or indictment, the foreman shall so report to the court in writing forthwith.

대배심 독자고발장은 및 대배심 검사기소장은 공개법정에서 대배심에 의하여 판사에게, 또는 판사의 부재 시에는 공개법정에서 법원서기에게 제출되지 않으면 안 되는바, 한 개의 대배심 독자고발을 내지는 대배심 검사기소를 평결하는 데에 12명 이상의 배심원들이 찬성하였음을 그들은 판정하여야 한다. 그 답변하도록 만약 피고인이 구금된 바 있으면 및 한 개의 대배심 독자고발을 내지는 대배심 검사기소를 평결함에 12명의 배심원들이 찬성하지 아니하면, 배심장은 즉시 서면으로 법원에 그렇게 보고하여야 한다.

4. The failure to indict does not prevent the same charge from being again submitted to a grand jury if resubmission is approved by the court.

   동일한 혐의에 대한 대배심에의 재제출이 만약 법원에 의하여 승인되면, 그것이 다시 대배심에 제출됨을 대배심 검사기소에 처하기의 불이행은 금지하지 아니한다.

https://codes.findlaw.com/nv/title-14-procedure-in-criminal-cases/nv-rev-st-172-259.html

Nevada Revised Statutes Title 14. Procedure in Criminal Cases § 172.259. Publication of fact that no indictment was issued by grand jury

대배심에 의하여 대배심 검사기소장이 발부되지 아니하였다는 사실의 공표

After a grand jury investigation is concluded:

한 개의 대배심 조사가 종결된 뒤에:

1. A person who was the subject of the investigation but against whom an indictment was not returned; or

   그 조사의 대상이었던, 그러나 그 자신을 상대로 하는 한 개의 대배심 검사기소장이 제출되지 아니한 사람은; 또는

2. A district attorney, with the permission of that person,

그 사람의 허락을 얻은 재판구 지방검사는,

may make public the fact that no indictment was issued as a result of the grand jury's investigation.

당해 대배심의 조사의 결과로서 대배심 검사기소장이 발부되지 아니하였다는 사실을 공표할 수 있다.

https://codes.findlaw.com/nv/title-14-procedure-in-criminal-cases/nv-rev-st-172-265.html

Nevada Revised Statutes Title 14. Procedure in Criminal Cases § 172.265. Names of witnesses inserted or endorsed at foot of indictment

대배심 검사기소장의 말미에 기재되는 내지는 기입되는 증인들의 이름들

When an indictment is found, the names of the witnesses examined before the grand jury shall be inserted at the foot of the indictment, or endorsed thereon before it is presented to the court.

한 개의 대배심 검사기소가 평결되는 때에는 대배심 앞에서 신문된 증인들의 이름들은 그 말미에 삽입되어야 하거나 당해 대배심 검사기소장이 법원에 제출되기 전에 그 위에 기입되어야 한다.

https://codes.findlaw.com/nv/title-14-procedure-in-criminal-cases/nv-rev-st-172-267.html

Nevada Revised Statutes Title 14. Procedure in Criminal Cases § 172.267. Report of grand jury: Scope; purpose; limitations

대배심의 보고서; 범위; 목적; 제한들

1. A grand jury may issue a report concerning a matter into which it may lawfully inquire.

그 자신이 적법하게 파헤친 사안에 관련한 한 개의 보고서를 대배심은 발부할 수 있다.

2. The report must be issued for the sole purpose of reporting on the matter. The report must not:

당해 사안에 관하여 보고함이라는 유일한 목적을 위하여서만 보고서는 발부되지 않으면 안 된다. 보고서는

(a) Contain material the sole effect of which is to ridicule or abuse a person or otherwise subject the person to public disgrace or embarrassment;

사람을 조롱함이 또는 능욕함이, 또는 달리 그 사람을 공개의 수모에 내지는 곤혹에 처함이 그 유일한 효과인 자료를 포함하여서는 안 된다;

(b) Contain material which is personal in nature and does not relate to any lawful inquiry; or

그 성격상 개인적인, 그리하여 조금이라도 적법한 조사에는 관련되지 아니하는, 자료를 포함하여서는 안 된다; 또는

(c) Accuse a named or unnamed person directly or by innuendo, imputation or otherwise of an act that, if true, constitutes an indictable offense unless the report is accompanied by a presentment or an indictment of the person for the offense mentioned in the report.

보고서에 언급된 범죄에 관한 특정인에 대한 내지는 부특정인에 대한, 한 개의 대배심 독자고발장이 내지는 대배심 검사기소장이 당해 보고서에 첨부되는 경우에를 제외하고는, 만약 그 진실이라면 한 개의 대배심 검사기소 대상인 범죄를 구성할 만한 행동을 저지른 것으로, 직접적으로 또는 풍자에 의하여, 비방에 의하여 또는 그 밖의 방법으로, 특정인을 또는 부특정인을 비난하여서는 안 된다.

3. The judge impaneling a grand jury shall include the provisions of this section in the judge's charge to the grand jury.

이 절의 규정들을 그 자신의 대배심에 대한 임무설명 안에, 한 개의 대배심을 충원구성하는 판사는 포함시켜야 한다.

https://codes.findlaw.com/nv/title-14-procedure-in-criminal-cases/nv-rev-st-172-269.html

Nevada Revised Statutes Title 14. Procedure in Criminal Cases § 172.269. Report of grand jury: Inclusion of recommendations to public officers or agencies; criticism must be constructive; positive statement of no indictable activity required, if applicable

대배심의 보고서; 공무원들에 내지는 공공기관들에 대한 권고들의 포섭; 비판은 건설적인 것이지 않으면 안 됨; 대배심 검사기소 대상인 활동이 인정되지 아니하였음에 대한 적극적 서술이 그 적절한 경우에 요구됨

A grand jury may include in its report recommendations to a public officer or agency for actions which will reduce costs, increase efficiency or result in better service to the public. Any criticism made therein must be constructive and made in support of the recommendations. If such recommendations and criticism are included in a report and the report is not accompanied by a related indictment or presentment, the report must include a positive statement that no indictable criminal activity was found.

비용들을 절감시켜 줄, 효율성을 제고시켜 줄, 내지는 공중에게의 더 나은 복무를 가져다 줄, 조치들을 위한, 공무원에 내지는 공공기관에 대한, 권고들을 자신의 보고서에 대배심은 포함시킬 수 있다. 그 안에서 이루어지는 비판은 건설적인 것이지 않으면 안 되고 권고들을 뒷받침하기 위하여 이루어지지 않으면 안 된다. 만약 한 개의 보고서에 그러한 권고들이 및 비판이 포함되면, 및 그 보고서에 그 관련의 대배심 검사기소장이 또는 대배심 독자고발장이 첨부되지 아니하면, 대배심 검사기소 대상인 범죄적 활동이 발견되지 아니하였다는 한 개의 적극적 서술을 그 보고서는 포함하지 않으면 안 된다.

https://codes.findlaw.com/nv/title-14-procedure-in-criminal-cases/nv-rev-st-172-271.html

Nevada Revised Statutes Title 14. Procedure in Criminal Cases § 172.271. Report of grand jury: Revised Statutes Preliminary review by court; notification of identified persons; procedure to expunge improper material; filing and distribution

대배심의 보고서: 법원에 의한 사전심사를 규정하는 현행제정법들; 신원이 기재된 사람들에 대한 통지; 부적절한 자료를 삭제하기 위한 절차; 제출 및 배포

1. The grand jury shall submit a draft of the report that it wishes to make to the court which impaneled it.

   그 발부하기를 자신이 바라는 보고서의 초안을 자신을 충원구성한 법원에 대배심은 제출하여야 한다.

2. The court shall review its contents and, if it contains any material which violates paragraph (a) of subsection 2 of NRS 172.267, require the grand jury to expunge that material from the draft.

   보고서의 내용들을 법원은 검토하여야 하고, 네바다주 현행법률집 제172.267절의 소절 2의 단락 (a)를 위반하는 자료를 보고서가 담고 있으면, 그 자료를 초안으로부터 삭제하도록 대배심에게 법원은 요구하여야 한다.

3. The court shall send to any person identified in the draft in violation of paragraph (b) of subsection 2 of NRS 172.267 the pertinent part of the draft and notify the person that the person has been identified in the draft of the report of the grand jury in connection with possible criminal conduct. The person may, within 5 days after receiving the notice and the portion of the draft, submit a written request to the court for a hearing in chambers to consider a motion to expunge that portion of the draft from the final report.

   네바다주 현행법률집 제172.267절의 소절 2의 단락 (b)에 위반되게 초안에 그 신원이 기재된 사람 어느 누구에게든지, 초안의 관련부분을 법원은 송부하여야 하고, 범죄행위일 수 있는 행위에 관련하여 대배심의 보고서 초안에 그 사람의 신원이 표시되어 있음을 그 사람에게 법원은 통지하여야 한다. 초안의 해당 부분을 최종 보고서로부터 삭제하여 달라는 신청을 검토하기 위한 판사실들에서의 심문을 위한 서면요청을, 통지서를 및 초안의 해당 부분을 수령한 뒤 5일 내에 법원에, 그 사람은 제출할 수 있다.

4. The court shall rule on any such motion to expunge material within 20 days after the completion of the hearing on the motion.

   자료를 삭제하여 달라는 신청에 대하여 당해 신청의 심문 종료 뒤 20일 내에 법원은 결정하여야 한다.

5. If the court determines that the draft:

자료가 아래의 경우에 해당한다고 만약 법원이 판정하면:

(a) Violates in its entirety a provision of NRS 172.267; or

네바다주 현행법률집 제172.267절의 규정을 그 전체에 있어서 위반하는 경우; 또는

(b) After the removal of a portion pursuant to NRS 172.267, is so incomplete that it is meaningless,

네바다주 현행법률집 제172.267절에 따른 일정부분의 삭제 뒤에는 너무도 불완전하여 무의미한 것이 되는 경우,

it shall not file the report with the clerk of the district court but shall file instead a written statement describing, generally, its action and the basis for it.

그 보고서를 재판구 지방법원 서기에게 법원은 하달하여서는 안 되고, 그 대신에 자신의 조치를 및 그 근거를 일반적으로 설명하는 한 개의 설명서를 법원은 하달하여야 한다.

6. The court shall file either the draft, the draft as corrected or the statement with the clerk of the district court within 60 days after receiving the draft from the grand jury. Upon filing, the draft becomes the final report of the grand jury.

초안을, 또는 교정된 것으로서의 초안을, 또는 설명서를 중 어느 한 가지를 재판구 지방법원의 서기에게 대배심으로부터의 초안의 수령 뒤 60일 내에 법원은 하달하여야 한다. 그 하달에 따라서 초안은 당해 대배심의 최종보고서가 된다.

7. Within 5 days after the report is filed, the clerk shall mail a copy of the pertinent portion of the report to each person or governmental entity mentioned in the report.

보고서의 관련부분 한 부를 보고서에 언급된 사람에게마다 또는 정부기관에게마다, 보고서가 하달된 뒤 5일 내에 서기는 우송하여야 한다.

https://codes.findlaw.com/nv/title-14-procedure-in-criminal-cases/nv-rev-st-172-275.html

Nevada Revised Statutes Title 14. Procedure in Criminal Cases § 172.275. Discharge of grand jury; discharge or excuse of juror

대배심의 임무해제; 배심원의 임무해제 내지는 면제

1. A grand jury shall serve until discharged by the court and may be so discharged at any time after the expiration of 1 year. At any time for cause shown the court may excuse a juror either temporarily or permanently, and in the latter event the court may impanel an alternate grand juror in place of the juror excused.

   대배심은 법원에 의하여 임무해제 될 때까지 복무하여야 하는바, 1년의 기간의 만료 뒤에는 언제든지 임무해제 될 수 있다. 한 명의 배심원을 일시적으로든 또는 영구적으로든 그 증명되는 이유에 따라서 언제든지 법원은 면제할 수 있으며, 영구적으로 면제하는 경우에는 예비대배심원을 그 면제되는 배심원에 갈음하여 법원은 충원할 수 있다.

2. Where the court is composed of more than one judge, any judge may discharge or excuse a juror; but if any other judge notifies the judge so acting, in writing within 24 hours after the action is taken, that the judge objects, the action stands rescinded and is not effective unless the concurrence of a majority of the judges composing the court is obtained.

   한 명을 넘는 판사들로 법원이 구성되는 경우에 배심원을 판사 누구나는 임무해제 할 수 있고 또는 면제할 수 있다; 그러나 자신이 반대함을 그 조치가 취해진 뒤 24시간 내에, 그렇게 행동하는 판사에게 만약 다른 판사가 서면으로 고지하면, 그 조치는 취소된 상태가 되고, 따라서, 당해 법원을 구성하는 판사들 과반수의 찬성이 얻어지는 경우에를 제외하고는, 효력이 없다.

https://codes.findlaw.com/nv/title-14-procedure-in-criminal-cases/nv-rev-st-172-285.html

Nevada Revised Statutes Title 14. Procedure in Criminal Cases § 172.285. Warrant on presentment

대배심 독자고발장에 따른 영장

1. If the court deems that the facts stated in a presentment constitute a public offense triable:

한 개의 대배심 독자고발장에 서술된 사실관계가:

(a) In the district court of the county, it shall direct the clerk to issue a warrant for the arrest of the defendant.

당해 카운티의 당해 재판구 지방법원에서 정식사실심리 될 수 있는 한 개의 범죄를 구성한다고 만약 법원이 간주하면, 서기로 하여금 피고인의 체포를 위한 영장을 발부하도록 법원은 명령하여야 한다.

(b) In another court of the county, it shall forward the presentment to such court.

당해 카운티의 다른 법원에서 정식사실심리 될 수 있는 한 개의 범죄를 구성한다고 만약 법원이 간주하면, 그 대배심 독자고발장을 그 다른 법원에 법원은 송부하여야 한다.

2. The clerk, or justice of the peace in a case forwarded to the justice of the peace, may accordingly at any time thereafter issue a warrant under the signature and seal of the court, if it has a seal.

서기는, 또는 치안판사에게 제출된 사건에서의 치안판사는 각각, 서명 아래서의, 및 법원의 관인을 서기가 또는 치안판사가 지니고 있으면 그 관인 아래서의, 영장을 그 뒤에 언제든지 발부할 수 있다.

3. The magistrate before whom the defendant is brought shall proceed to examine the charge contained in the presentment and hold the defendant to answer such charge, or discharge the defendant, in the same manner as upon a warrant of arrest on complaint.

피고인이 그 앞에 데려다 놓이는 치안판사는 당해 대배심 독자고발장에 포함된 공소사실을 신문하는 데 착수하여야 하고, 그러한 공소사실에 대하여 답변하도록 피고인을 붙들어 두거나 또는 피고인을 석방하여야 하는바, 소추청구장에 근거한 체포영장에 따라서 취해지는 방법에의 동일한 방법에 의한다.

https://codes.findlaw.com/nv/title-14-procedure-in-criminal-cases/nv-rev-st-172-295.html

Nevada Revised Statutes Title 14. Procedure in Criminal Cases § 172.295. Review by person of person's prior testimony before testifying before grand jury again

대배심 앞에서 다시 증언하기에 앞서서의, 증인 자신의 과거의 증언에 대한 그 증인 자신에 의한 검토

A person who:

1. Is called to testify before a grand jury; and

   대배심 앞에서 증언하도록 소환된; 그리고

2. Has testified regarding the same matter at another time before the same or another grand jury,

   그 동일한 사안에 관하여 그 동일한 또는 상이한 대배심 앞에서 다른 때에 증언한 터인 사람은

may, upon request, review the transcript or recording of the person's prior testimony before testifying again.

그 자신의 과거의 증언에 대한 녹취록을 또는 녹음물을, 그 다시 증언하기에 앞서서 요청에 따라서 검토할 수 있다.

https://codes.findlaw.com/nv/title-14-procedure-in-criminal-cases/nv-rev-st-172-305.html

Nevada Revised Statutes Title 14. Procedure in Criminal Cases § 172.305. Failure to disclose subject of grand jury's inquiry to defendant not cause for dismissal of subsequent presentment or indictment

대배심 조사의 소송물을 피고인에게 공개하기에 대한 불이행은 뒤이은 대배심 독자 고발장의 또는 대배심 검사기소장의 각하를 위한 사유가 되지 아니함

A presentment or indictment may not be dismissed on the ground that the specific subject of the inquiry was not disclosed to the defendant pursuant to NRS 172.195 or subsection 5 of NRS 174.315.

네바다주 현행법률집 제172.195절에 따라서 또는 네바다주 현행법률집 제174.315절의 소절 5에 따라서 피고인에게 조사의 특정 소송물이 공개되지 아니하였음을 이유로 하여서는 대배심 독자고발장은 또는 대배심 검사기소장은 각하되어서는 안 된다.

https://codes.findlaw.com/nv/title-14-procedure-in-criminal-cases/nv-rev-st-178-572.html

Nevada Revised Statutes Title 14. Procedure in Criminal Cases § 178.572. Order of immunity releasing material witness from prosecution or punishment on motion of State

중요증인을 주(State)의 신청에 따라서 소추로부터 내지는 처벌로부터 해방시키는 면제명령

1. In any investigation before a grand jury, or any preliminary examination or trial in any court of record, the court on motion of the State may order that any material witness be released from all liability to be prosecuted or punished on account of any testimony or other evidence the witness may be required to produce.

   그 제출하도록 중요증인이 요구당할 수 있는 증언에 실마리 잡혀 내지는 여타의 증거에 실마리 잡혀 소추에 내지는 처벌에 처해질지도 모르는 모든 책임으로부터 중요증인 어느 누구든지를 해방되게 하도록, 대배심 앞의 여하한 조사에서도, 또는 여하한 정식기록법원에서든지의 예비심문에서도 또는 정식사실심리에서도, 주(State)의 신청에 따라서 법원은 명령할 수 있다.

2. Any motion, hearing or order regarding the immunity of a grand jury witness must not be made public before an indictment or presentment is issued in the case.

   당해 사건에서의 한 개의 대배심 검사기소장이 내지는 대배심 독자고발장이 발부되기 전에는 대배심 증인의 면제에 관한 신청은, 심리는 또는 명령은 공개되어서는 안 된다.

https://codes.findlaw.com/nv/title-14-procedure-in-criminal-cases/nv-rev-st-178-574.html

Nevada Revised Statutes Title 14. Procedure in Criminal Cases § 178.574. Order of immunity bar to prosecution; exception
면제명령은 소추를 막는 장해사유임; 예외

Such order of immunity shall forever be a bar to prosecution against the witness for any offense shown in whole or in part by such testimony or other evidence except for perjury committed in the giving of such testimony.

그러한 면제명령은 영구히, 그러한 증언에 의하여 또는 여타의 증거에 의하여 전체로든 부분으로든 증명되는 범죄에 대한 당해 증인의 소추를 막는 장해사유인바, 그러한 증언을 함에 있어서 저질러진 위증에 대하여를 제외한다.

https://codes.findlaw.com/nv/title-14-procedure-in-criminal-cases/nv-rev-st-178-576.html

Nevada Revised Statutes Title 14. Procedure in Criminal Cases § 178.576. Failure of witness granted immunity to testify is contempt
면제를 부여받은 증인의 증언 불이행은 법원모독임

Any witness who having been granted immunity refuses to testify or produce other evidence is in contempt of court.

면제를 부여받고 나서도 그 증언하기를 내지는 여타의 증거를 제출하기를 거부하는 증인은 법원모독을 저지르는 것이 된다.

https://codes.findlaw.com/nv/title-14-procedure-in-criminal-cases/nv-rev-st-178-578.html

Nevada Revised Statutes Title 14. Procedure in Criminal Cases § 178.578. Denial of motion
신청의 기각

The court shall deny the motion of the State under NRS 178.572 if it reasonably appears to the court that such testimony or evidence would subject the witness to prosecution, except for perjury committed in the giving of such testimony, under the laws of another state or of the United States.

그러한 증언을 함에 있어서 저질러진 위증에 대하여를 제외하고도 당해 증인을 다른 주(State)의 내지는 합중국의 법들 아래서의 소추에 처해지도록 그러한 증언이 내지는 증거가 만들 것임이 법원에게 합리적으로 만약 드러나면, 네바다주 현행법률집 제178.572절 아래서의 주(State)의 신청을 법원은 기각하여야 한다.

https://codes.findlaw.com/nv/title-23-public-officers-and-employees/nv-rev-st-283-300.html

Nevada Revised Statutes Title 23. Public Officers and Employees § 283.300. Accusation against certain public officers for willful or corrupt misconduct in office: Presentment by grand jury

의도적인 내지는 부패한 직무상의 위법행위를 이유로 하는 일정한 공무원들에 대한 기소고발장; 대배심에 의한 제출

1. An accusation in writing against any district, county, township or municipal officer for willful or corrupt misconduct in office, may be presented by the grand jury of the county for or in which the officer accused is elected or appointed.

   의도적인 내지는 부패한 직무상의 위법행위를 이유로 하는 재판구 공무원에 대한, 카운티 공무원에 대한, 타운쉽 공무원에 대한, 시군자치체 공무원에 대한 기소고발장은 당해 기소고발 된 공무원이 선출된 내지는 지명된 카운티의 대배심에 의하여 제출될 수 있다.

2. As used in this section, “district, county, township or municipal officer” does not include:

   이 절에서 사용되는 것으로서의 “재판구 공무원”은, “카운티 공무원”은, “타운쉽 공무원”은, 또는 “시군자치체 공무원”은 아래의 사람들을 포함하지 아니한다:

(a) A justice or judge of the court system;

법원조직의 치안판사 또는 판사;

(b) A state officer removable from office only through impeachment pursuant to Article 7 of the Nevada Constitution; or

네바다주 헌법 제7조에 따른 탄핵을 통하여서만 직무로부터 해임될 수 있는 주(state) 공무원; 또는

(c) A State Legislator removable from office only through expulsion by the State Legislator's own House pursuant to Section 6 of Article 4 of the Nevada Constitution.

네바다주 헌법 제4조 제6절에 따라서 주 입법부 구성원들 스스로의 의회에 의한 제명을 통하여서만 직무로부터 해임될 수 있는 주 의회 의원.

https://codes.findlaw.com/nv/title-2-civil-practice/nv-rev-st-22-110.html

Nevada Revised Statutes Title 2. Civil Practice § 22.110. Imprisonment until performance if contempt is omission to perform an act; penalty for failure or refusal to testify before grand jury

법원모독이 한 개의 행위를 이행하기에 대한 부작위인 경우에의 이행 때까지의 구금; 대배심 앞에서 증언하기의 불이행에 대한 내지는 거부에 대한 벌칙

1. Except as otherwise provided in subsection 2, when the contempt consists in the omission to perform an act which is yet in the power of the person to perform, the person may be imprisoned until the person performs it. The required act must be specified in the warrant of commitment.

   소절 2에서 달리 규정되는 경우에를 제외하고는, 그 행할 그 사람의 권한 내에 아직 남아 있는 한 개의 행위를 행하기에 대한 부작위로써 법원모독이 구성되는 경우에, 그것을 그 사람이 행할 때까지 그 사람은 구금될 수 있다. 그 요구되는 행위는 구금영장에 명시되지 않으면 안 된다.

2. A person so imprisoned as a result of his or her failure or refusal to testify before a grand jury may be imprisoned in the county jail for a period not to exceed 6 months or until that grand jury is discharged, whichever is less.

대배심 앞에서 증언하기에 대한 그의 내지는 그녀의 불이행의 내지는 거부의 결과로서 그렇게 구금되는 사람은 6개월 이하의 기간 동안의, 또는 당해 대배심이 임무해제 될 때까지의, 둘 중에서 더 짧은 기간 동안 카운티 감옥에 구금될 수 있다.

네브라스카주 대배심 규정

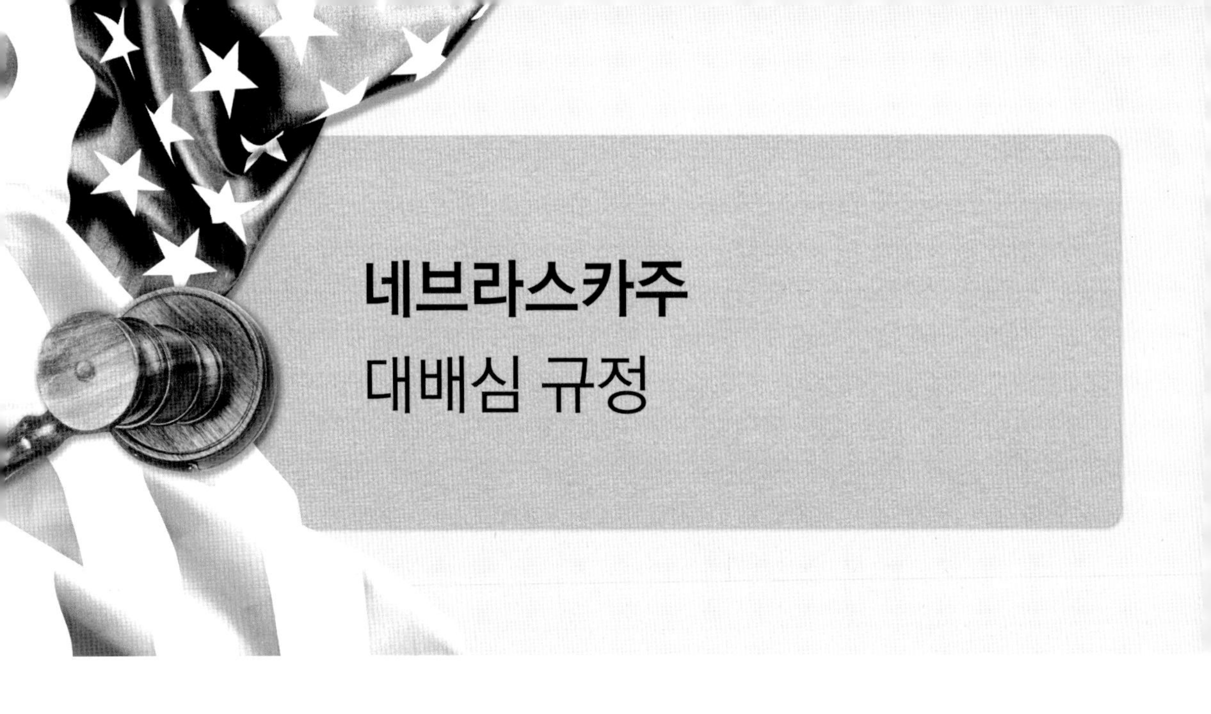

네브라스카주 대배심 규정

https://codes.findlaw.com/ne/chapter-29-criminal-procedure/ne-rev-st-sect-29-1401.html

Nebraska Revised Statutes Chapter 29. Criminal Procedure § 29-1401. Grand jury; when called; death while being apprehended or in custody; procedures

대배심; 언제 소집되는가; 체포되어 있는 도중의 또는 구금되어 있는 도중의 사망; 절차들

(1) The district courts are hereby vested with power to call grand juries.

대배심들을 소집할 권한은 재판구 지방법원들에게 이로써 부여된다.

(2) A grand jury may be called and summoned in the manner provided by law on such day of a regular term of the district court in each year in each county of the state as the district court may direct and at such other times and upon such notice as the district court may deem necessary.

법에 의하여 규정되는 방법으로 재판구 지방법원이 명령하는 바에 따라서 주(state)의 카운티마다에서 매년 재판구 지방법원의 정규 개정기의 날에, 또는 그 필요하다고 재판구 지방법원이 간주하는 다른 때에 및 통지 위에서, 대배심은 소집될 수 및 소환될 수 있다

(3) District courts shall call a grand jury in each case that a petition meets the

requirements of section 32-628, includes a recital as to the reason for requesting the convening of the grand jury and a specific reference to the statute or statutes which are alleged to have been violated, and is signed not more than ninety days prior to the date of filing under section 29-1401.02 by not less than ten percent of the registered voters of the county who cast votes for the office of Governor in such county at the most recent general election held for such office.

제32-628절의 요구들을 한 개의 청구서가 충족하는 경우의, 대배심의 소집을 요청하는 이유에 관한 한 개의 서술을 그 청구서가 포함하는 경우의 및 그 위반되었다고 주장되는 제정법에 대한 내지는 제정법들에 대한 명시적 원용을 그 청구서가 포함하는 경우의, 그리고 주지사 선출을 위한 가장 최근의 선거에서 카운티 내에서 투표한 카운티의 등록유권자들의 10 퍼센트 이상에 의하여 제29-1401.02절 아래서의 제출일 전 90일 내에 그 청구서가 서명된 경우의, 사건마다에서 한 개의 대배심을 재판구 지방법원들은 소집하여야 한다.

(4) District courts shall call a grand jury in each case upon certification by the county coroner or coroner's physician that a person has died while being apprehended by or while in the custody of a law enforcement officer or detention personnel. In each case subject to this subsection:

법집행 공무원에 의하여 내지는 구금담당 요원에 의하여 체포되어 있는 도중에 또는 구금되어 있는 도중에 한 명이 사망하였음이 카운티 검시관의 내지는 검시관의 의사의 확인서에 의하여 증명되는 사건마다에서, 한 개의 대배심을 재판구 지방법원들은 소집하여야 한다. 이 소절의 적용을 받는 사건마다에서:

(a) Law enforcement personnel from the jurisdiction in which the death occurred shall immediately secure the scene, preserve all evidence, and investigate the matter as in any other homicide. The case shall be treated as an open, ongoing matter until all evidence, reports, and other relevant material which has been assembled are transferred to a prosecuting attorney selected pursuant to subdivision (b) of this subsection;

당해 사망이 발생한 관할에 속하는 법집행 요원은 즉시 현장을 확보하여야 하고, 모든 증거를 보전하여야 하며, 여타의 살인사건에서 그러하듯 사안을 조사하여야 한다. 이 소절의 소부 (b)에 따라서 선정되는 한 명의 소추검사에게 모든 증거가, 보고서들이, 그리고 그 수집된 여타의 관련 자료가 송부될 때까지 마치 한 개의 미해결의, 진행 중인 사안이 취급되듯이 사건은 취급되어야 한다.

(b) The county attorney or a member of his or her staff shall be the prosecuting attorney. Except as provided in subdivision (d) of this subsection, the prosecuting attorney shall, as soon as practicable, select a team of three peace officers trained to investigate homicides. At least two of such investigators shall be from agencies other than the agency under which the death occurred. The team shall examine all evidence concerning the cause of death and present the findings of its investigation to the prosecuting attorney;

카운티 검사는 내지는 그의 내지는 그녀의 직원진 구성원은 소추검사가 되어야 한다. 이 소절의 소부 (d)에 규정된 바에 따라서를 제외하고는, 살인사건들을 조사하도록 훈련된 세 명의 경찰관들로 구성되는 한 개의 조사팀을 소추검사는 가능한 한 신속하게 선정하여야 한다. 그러한 조사관들 중 적어도 두 명은 당해 사망이 발생한 기관 이외의 기관들에 소속되어야 한다. 조사팀은 사망원인에 관한 모든 증거를 검토하여야 하고 자신의 조사의 결과들을 소추검사에게 제출하여야 한다.

(c) A grand jury shall be impaneled within thirty days after the certification by the county coroner or coroner's physician, unless the court extends such time period upon the showing of a compelling reason; and

카운티 검시관의 내지는 검시관의 의사의 증명 뒤 30일 내에 대배심은 충원구성되어야 하는바, 다만 그러한 기한을 불가피한 이유의 증명 위에서 법원이 연장하는 경우에는 그러하지 아니하다; 그리고

(d) In those cases in which the death has been certified by a licensed practicing physician to be from natural causes, the county attorney or a member of his or her staff may present such finding to a grand jury without selecting a three-member team of peace officers to investigate.

자연적 원인들로 인한 사망임이 면허를 지닌 의사에 의하여 확인되어 있는 사건들에서는, 세 명의 경찰관들로 구성되는 조사팀을 선정함이 없이 그러한 판단을 대배심에 카운티 검사는 내지는 그의 내지는 그녀의 직원진 구성원은 제출할 수 있다.

https://codes.findlaw.com/ne/chapter-29-criminal-procedure/ne-rev-st-sect-29-1401-02.html

Nebraska Revised Statutes Chapter 29. Criminal Procedure § 29-1401.02. Grand jury by petition; procedure; failure to call; filing
청구서에 의한 대배심; 절차; 소집불이행; 제출

The procedure for calling a grand jury by petition of the registered voters of the county shall be as follows:

대배심을 카운티 등록유권자들의 청구에 의하여 소집하는 절차는 아래에 따른다:

(1) The petitions shall be filed in the office of the clerk of the district court, comply with the requirements in section 29-1401, and be filed without a filing fee;

청구서들은 재판구 지방법원 서기의 사무소에 제출되어야 하고, 제29-1401절에서의 요구들을 준수하여야 하며 제출 수수료 없이 제출되어야 한다;

(2) Upon receipt of such petitions, the clerk of the district court shall forthwith certify the petitions so filed to the county clerk or election commissioner in the county in which the signers of such petitions are registered to vote and shall request that the signatures on such petitions be validated according to the list of registered voters;

그러한 청구서들의 수령에 따라서 재판구 지방법원 서기는 즉시로, 그렇게 제출된 청구서들을 그러한 청구서들의 서명자들이 투표권자로서 등록되어 있는 카운티 서기에게 또는 카운티 내의 선거위원에게 증명하여 보내야 하며, 그러한 청구서들 위의 서명들을 등록유권자들의 명부에 따라서 확인해 달라고 요청하여야 한다;

(3) The county clerk or election commissioner shall, within thirty days after receipt of such petitions, determine the number of valid signatures appearing on such petitions and certify the findings along with the total vote cast for Governor at the most recent election for such office in such county to the presiding judge of the district court in which the petitions were filed;

카운티 서기는 내지는 선거위원은 그러한 청구서들 위에 나타나는 유효한 서명들의 숫자를 그러한 청구서들의 수령 뒤 30일 내에 판정하여야 하고, 그러한 판정들을, 가장 최근의 주지사 선거에서의 당해 카운티에서의 전체 투표수를에 더불어, 그 청구서들이 제출된 재판구 지방법원의 법원장 판사에게 증명하여 보내야 한다;

(4) The presiding judge of the district court shall, upon receipt of the certificate from the county clerk or election commissioner, examine the petitions and within fifteen days after the receipt thereof shall determine: (a) Whether the requisite number of valid signatures appear on such petitions; and (b) whether the formal requirements as to the form of the petition have been satisfied;

재판구 지방법원의 법원장은 카운티 서기로부터의 내지는 선거위원으로부터의 증명서의 수령에 따라서 청구서들을 검토하여야 하고 그 수령 뒤 15일 내에 아래 사항들을 판정하여야 한다: (a) 필요한 숫자의 유효한 서명들이 그러한 청구서들 위에 나타나는지 여부; 그리고 (b) 청구서 양식에 관한 형식상의 요구들이 충족되어 있는지 여부;

(5) The determination of sufficiency of the petitions by the presiding judge shall be based solely upon the certification of valid signatures by the county clerk or election commissioner and upon the presiding judge's personal examination of the form of the petitions. No additional evidence shall be considered by the presiding judge in making the determination of sufficiency and under no circumstances shall any petitioner be required to testify or otherwise present evidence relating to allegations contained in the petitions;

법원장 판사에 의한 청구서들의 충분성의 판정은, 그 근거를 유효한 서명들에 대한 서기에 의한 내지는 선거위원에 의한 증명에만, 그리고 청구서들의 형식에 대한 법원장 판사의 직접의 검토에만 두어야 한다. 충분성의 판정을 내림에 있어서 추가적 증거가 법원장 판사에 의하여 검토되어서는 안 되며, 청구서들에 포함되는 주장들에 관련하여 증언하도록 내지는 증거를 제출하도록 어떤 상황에서도 청구인 어느 누구가도 요구되어서는 안 된다;

(6) Upon a determination that the requisite number of valid signatures appeared

on the petitions and that the petitions otherwise were sufficient as to form, the presiding judge shall call a grand jury forthwith;

청구서들 위에 필요한 숫자의 유효한 서명들이 나타나 있다는 판정이, 그리고 형식에 관련하여 여타의 점들에서도 청구서들이 충분하다는 판정이 내려지면, 한 개의 대배심을 즉시 법원장 판사는 소집하여야 한다;

(7) If the presiding judge of the district court fails to make a determination as to the sufficiency of the petitions and fails to call a grand jury within fifteen days after the date of delivery of the petitions to the presiding judge, the clerk of the district court shall immediately call a grand jury pursuant to law, notwithstanding the fact that the presiding judge of the district court failed to determine sufficiency of the petitions and did not call the grand jury; and

청구서들의 그에게의 교부일 뒤 15일 내에 재판구 지방법원의 법원장 판사가 청구서들의 충분성에 관하여 판정을 내리기를 만약 불이행하면 및 한 개의 대배심을 소집하기를 불이행하면, 청구서들의 충분성을 판정하기를 재판구 지방법원의 법원장 판사가 불이행하였다는 사실에 및 대배심을 그가 소집하지 아니하였다는 사실에 상관없이, 한 개의 대배심을 법에 따라서 재판구 지방법원의 서기는 즉시 소집하여야 한다.

(8) If the presiding judge or clerk of the district court fails to call a grand jury, the petitioners may file an immediate request with the Chief Justice of the Supreme Court, or in his or her absence, with any judge thereof, and request that the Chief Justice or judge review the petitions and certifications and call a grand jury. If the Chief Justice or judge of the Supreme Court determines sufficiency of the petitions according to law, the Chief Justice or judge shall order the clerk of the district court to call a grand jury.

한 개의 대배심을 소집하기를 재판구 지방법원의 재판장 판사가 또는 서기가 불이행하면, 즉시의 요청을 대법원장에게, 또는 그의 내지는 그녀의 부재 중에는 대법원 판사 어느 누구에게든지, 청구인들은 제출할 수 있고, 대법원장더러 내지는 대법원 판사더러 청구서들을 및 증명서들을 검토하여 달라고 및 한 개의 대배심을 소집하여 달라고 청구인들은 요청할 수 있다. 청구서들의 충분함을 법에 따라서 만약 대법원장이 또는 대법원의 판사가 결정지으면, 한 개의 대배심을 소집하도록 대법원장은 내지는 대법원 판사는 재판구 지방 법원 서기에게 명령하여야 한다.

https://codes.findlaw.com/ne/chapter-29-criminal-procedure/ne-rev-st-sect-29-1402.html

Nebraska Revised Statutes Chapter 29. Criminal Procedure § 29-1402. Grand jury; convening; no limitation on right to prosecute by information

대배심; 소집; 검사 독자기소장에 의하여 소추할 권한에는 제한이 없음

The convening of a grand jury shall in no way limit the right of prosecution on information or complaint during the time the grand jury is in session.

대배심이 회합 중인 동안에도 검사 독자기소장에 내지는 소추청구장에 의하여 소추할 권리를, 한 개의 대배심의 소집은 결코 제한하지 아니한다.

https://codes.findlaw.com/ne/chapter-29-criminal-procedure/ne-rev-st-sect-29-1403.html

Nebraska Revised Statutes Chapter 29. Criminal Procedure § 29-1403. Foreman; appointment

배심장; 지명

When the grand jury shall be impaneled the court shall appoint one of the number foreman.

한 개의 대배심이 충원구성 되는 때에 그들 중 한 명을 배심장으로 법원은 지명하여야 한다.

https://codes.findlaw.com/ne/chapter-29-criminal-procedure/ne-rev-st-sect-29-1404.html

Nebraska Revised Statutes Chapter 29. Criminal Procedure § 29-1404. Foreperson; oath or affirmation; form

배심장; 선서 내지는 무선서확약; 형식

(1) Except as provided in subsection (2) of this section, when the foreperson shall be appointed, an oath or affirmation shall be administered to him or her in the following words: Saving yourself and fellow jurors, you, as foreperson of this grand inquest, shall diligently inquire and true presentment make, of all such matters and things as shall be given you in charge or otherwise come to your knowledge, touching the present service. The counsel of the state, your own and your fellows, you shall keep secret, unless called on in a court of justice to make disclosures. You shall present no person through malice, hatred, or ill will, nor shall you leave any person unpresented through fear, favor, or affection, or for any reward or hope thereof; but in all your presentments you shall present the truth, the whole truth, and nothing but the truth, according to the best of your skill and understanding.

이 절의 소절 (2)에 규정되는 바에 따라서를 제외하고는, 배심장이 지명되는 때에 아래의 문언에 의한 선서가 내지는 무선서확약이 그에게 또는 그녀에게 실시되어야 한다: 귀하께와 동료 배심원들께 경의를 표하는바, 귀하는 이 대배심의 배심장으로서 현재의 복무에 관하여 귀하에게 맡겨지는 내지는 여타의 경로로 귀하의 지식 내에 들어오는 모든 사안들을 및 사항들을 근면하게 파헤쳐야 하고 그것들에 관하여 진실한 고발을 하여야 합니다. 그 공개들을 하도록 법원에 소환되는 경우에를 제외하고는, 주(state)의 의논을, 귀하 자신의 및 귀하의 동료들의 의논을, 귀하는 비밀로 간직하여야 합니다. 그 어떤 사람을이라도 악의에, 원한에, 또는 해의에 영향을 받아서 귀하는 고발하여서는 안 되고; 그 어떤 사람을이라도 두려움에, 호의에, 애정에 또는 조금이라도 보상에 내지는 보상의 기대에 편승하여 미고발 상태로 귀하는 남겨두어서도 안 되는바; 귀하의 모든 고발들에서 귀하의 최선껏의 기량에 및 이해에 따라서 진실을, 온전한 진실을, 그리고 오직 진실만을 귀하는 고발하여야 합니다.

(2) For grand juries impaneled pursuant to subsection (4) of section 29-1401, when the foreperson shall be appointed, an oath or affirmation shall be administered to him or her in the following words: Saving yourself and fellow jurors, you, as foreperson of this grand inquest, shall diligently inquire and true presentment make, of all such matters and things as shall be given you in charge or otherwise come to your knowledge, touching the present service.

The counsel of the state, your own and your fellows, you shall keep secret during the course of the impaneled grand jury's investigation and deliberations, unless called on in a court of justice to make disclosures. You shall present no person through malice, hatred, or ill will, nor shall you leave any person unpresented through fear, favor, or affection, or for any reward or hope thereof; but in all your presentments you shall present the truth, the whole truth, and nothing but the truth, according to the best of your skill and understanding.

제29-1401절의 소절 (4)에 따라서 충원구성되는 대배심들을 위하여서는 배심장이 지명되는 때에 그에게 내지는 그녀에게 아래의 문언에 의한 선서가 내지는 무선서확약이 실시되어야 한다: 귀하께와 동료 배심원들께 경의를 표하는바, 귀하는 이 대배심의 배심장으로서 현재의 복무에 관하여 귀하에게 맡겨지는 내지는 여타의 경로로 귀하의 지식 내에 들어오는 모든 사안들을 및 사항들을 근면하게 파헤쳐야 하고 그것들에 관하여 진실한 고발을 하여야 합니다. 그 공개들을 하도록 법원에 소환되는 경우에를 제외하고는, 주(state)의 의논을, 귀하 자신의 및 귀하의 동료들의 의논을, 그 충원구성된 대배심의 조사절차 동안에 및 숙의들 동안에 그 귀하는 비밀로 간직하여야 합니다. 그 어떤 사람을이라도 악의에, 원한에, 또는 해의에 영향을 받아서 귀하는 고발하여서는 안 되고; 그 어떤 사람을이라도 두려움에, 호의에, 애정에 또는 조금이라도 보상에 내지는 보상의 기대에 편승하여 미고발 상태로 귀하는 남겨두어서도 안 되는바; 귀하의 모든 고발들에서 귀하의 최선껏의 기량에 및 이해에 따라서 진실을, 온전한 진실을, 그리고 오직 진실만을 귀하는 고발하여야 합니다.

https://codes.findlaw.com/ne/chapter-29-criminal-procedure/ne-rev-st-sect-29-1405.html

Nebraska Revised Statutes Chapter 29. Criminal Procedure § 29-1405. Jurors; oath or affirmation; form

배심원들; 선서 내지는 무선서확약; 형식

Thereupon the following oath or affirmation shall be administered to the other grand jurors: The same oath which A. B., your foreman, hath now taken before you on his part, you, and each of you, shall well and truly observe and keep on your respective parts.

그 후 즉시로 여타의 대배심원들에게 아래의 선서가 또는 무선서확약이 실시되어야 한다: 귀하들의 배심장 A. B.가 방금 귀하들 앞에서 그의 쪽에서 한 바 있는 바로 그 선서를 귀하들은 및 귀하들 각자는 귀하들 각자의 쪽에서 충실히 및 진실되게 준수하여야 하고 지켜야 합니다.

https://codes.findlaw.com/ne/chapter-29-criminal-procedure/ne-rev-st-sect-29-1406.html

Nebraska Revised Statutes Chapter 29. Criminal Procedure § 29-1406. Judge; charge to jury; instruction as to powers and duties

판사; 배심에게의 임무설명; 권한들에 및 의무들에 관한 지시

(1) The grand jury, after being sworn, shall be charged as to their duty by the judge, who shall call their attention particularly to the obligation of secrecy which their oaths impose, and to such offenses as he or she is by law required to specially charge.

대배심이 선서절차를 거치고 난 뒤에 그들의 의무에 대한 설명이 판사에 의하여 이루어져야 하는바, 특별히 그들의 선서들이 부과하는 비밀준수 의무에 대하여, 그리고 그 특별히 설명하도록 법에 의하여 그가 또는 그녀가 요구되는 범죄들에 대하여, 그들의 주의를 판사는 환기해야 한다.

(2) Upon impanelment of each grand jury, the court shall give to such grand jury adequate and reasonable written notice of and shall assure that the grand jury reasonably understands the nature of:

대배심마다의 충원구성에 따라서 아래의 사항들에 대한 적절한 및 합리적인 서면고지를 그러한 대배심에게 법원은 부여하여야 하고 그것들의 성격을 당해 대배심으로 하여금 합리적으로 이해하도록 법원은 보장하여야 한다:

(a) Its duty to inquire into offenses against the criminal laws of the State of Nebraska alleged to have been committed or, in the case of a grand jury impaneled pursuant to subsection (4) of section 29-1401, its duty to inquire into offenses against the criminal laws of the State of Nebraska regarding the death of a person who has died while being apprehended or while in the custody of a law enforcement officer or detention personnel;

그 저질러져 있는 것으로 주장되는 네브라스카주 형사법들에 대한 범죄들을 파헤칠 대배심의 의무 내지는 제29-1401절의 소절 (4)에 따라서 한 개의 대배심이 충원구성되는 경우에는 법집행 공무원에 의하여 내지는 구금담당 요원에 의하여 체포되어 있는 도중에 또는 구금되어 있는 도중에 사망한 사람의 사망에 관련한 네브라스카주 형사법들에 대한 범죄들을 파헤칠 대배심의 의무;

(b) Its right to call and interrogate witnesses;

증인들을 소환할 및 신문할 대배심의 권리;

(c) Its right to request the production of documents or other evidence;

문서들의 내지는 여타의 증거의 제출을 요청할 대배심의 권리;

(d) The subject matter of the investigation and the criminal statutes or other statutes involved, if these are known at the time the grand jury is impaneled;

대배심이 충원구성되는 시점에서 알려진 것들인 경우에의 조사의 소송물 및 관련되는 형사 제정법들 또는 여타의 제정법들;

(e) The duty of the grand jury by an affirmative vote of twelve or more members of the grand jury to determine, based on the evidence presented before it, whether or not there is probable cause for finding indictments and to determine the violations to be included in any such indictments;

대배심 구성원들 중 열두 명 이상의 찬성투표에 의하여, 대배심 검사기소들을 평결하기 위한 상당한 이유가 있는지 없는지 여부를 그 앞에 제출된 증거에 터잡아 판단할, 그리고 그러한 대배심 검사기소장들에 포함되어야 할 위반행위들을 판단할, 대배심의 의무;

(f) The requirement that the grand jury may not return an indictment in cases of perjury unless at least two witnesses to the same fact present evidence establishing probable cause to return such an indictment; and

위증 사건들에서의 한 개의 대배심 검사기소장을 제출할 상당한 이유를 입증하는 증거를, 바로 그 사실에 대한 적어도 두 명의 증인들이 제출하는 경우에를 제외하고는, 그러한 대배심 검사기소장을 대배심이 제출하여서는 안 된다는 요구; 그리고

(g) In the case of a grand jury impaneled pursuant to subsection (4) of section 29-1401, if the grand jury returns a no true bill:

제29-1401절의 소절 (4)에 따라서 충원구성되는 대배심의 경우에 한 개의 불기소평결을 만약 대배심이 제출하면:

(i) The grand jury shall create a grand jury report with the assistance of the prosecuting attorney. The grand jury report shall briefly provide an explanation of the grand jury's findings and any recommendations the grand jury determines to be appropriate based upon the grand jury's investigation and deliberations; and

한 개의 대배심 보고서를 소추검사의 조력을 얻어서 당해 대배심은 작성하여야 한다. 대배심의 조사결과들에 대한 설명을, 및 그 적절하다고 자신의 조사에 및 숙의들에 터 잡아서 당해 대배심이 판단하는 어떤 권고사항들이든지를, 대배심 보고서는 간략하게 제공하여야 한다; 그리고

(ii) The no true bill and the grand jury report shall be filed with the court, where they shall be available for public review, along with the grand jury transcript provided for in subdivision (2)(b) of section 29-1407.01.

불기소평결은 및 대배심 보고서는 법원에 제출되어야 하는바, 제29-1407.01절의 소부 (2)(b)에 규정되는 대배심 녹취록이에 더불어 그것들은 거기서 공중의 검토에 제공되어야 한다.

https://codes.findlaw.com/ne/chapter-29-criminal-procedure/ne-rev-st-sect-29-1407.html

Nebraska Revised Statutes Chapter 29. Criminal Procedure § 29-1407. Grand jury; duties

대배심; 의무들

After the charge of the court, the grand jury shall retire with the officer appointed to attend to them, and shall proceed to inquire of and present all offenses whatever committed within the limits of the county in and for which they were impaneled and sworn or affirmed.

법원에 의한 임무설명 뒤에, 자신들을 수행하도록 지명된 공무원을 따라서 대배심은 물러가야 하고, 자신들이 충원구성 되어 선서절차에 처해진 내지는 무선서확약에 처해진 복무대상 카운티의 경계들 내에서 저질러진 모든 범죄들을 파헤치는 데 및 고발하는 데 대배심은 착수하여야 한다.

https://codes.findlaw.com/ne/chapter-29-criminal-procedure/ne-rev-st-sect-29-1407-01.html

Nebraska Revised Statutes Chapter 29. Criminal Procedure § 29-1407.01. Grand jury proceedings; reporter; duties; transcript; statements; availability

대배심 절차들; 속기사; 의무들; 녹취록; 진술서들; 제공

(1) A certified or authorized reporter shall be present at all grand jury sessions. All grand jury proceedings and testimony from commencement to adjournment shall be reported.

모든 대배심 회합들에는 한 명의 공인된 내지는 허가된 속기사가 출석하여야 한다. 시작부터 폐회까지의 모든 대배심 절차들은 및 증언은 기록되어야 한다.

(2) (a) Except as provided in subdivision (2)(b) of this section, the reporter's notes and any transcripts which may be prepared shall be preserved, sealed, and filed with the court. No release or destruction of the notes or transcripts shall occur without prior court approval.

이 절의 소부 (2)(b)에 규정되는 바에 따라서를 제외하고는, 속기사의 기록들은 및 그 작성되는 녹취록들은 보전되어야 하고, 봉인되어야 하고, 법원에 제출되어야 한다. 그 기록들의 내지는 녹취록들의 공개는 내지는 파괴는 법원의 사전승인 없이 이루어져서는 안 된다.

(b) In the case of a grand jury impaneled pursuant to subsection (4) of section 29-1401, a transcript, including any exhibits of the grand jury proceedings, shall be prepared at court expense and shall be filed with the court where it shall be available for public review. Such transcript shall not include the names of grand jurors or their deliberations.

제29-1401절의 소절 (4)에 따라서 충원구성 되는 대배심의 경우에, 당해 대배심 절차들의 증거물들이를 포함하는 한 개의 녹취록이 법원의 비용으로 작성되어야 하고 법원에 제출되어야 하며 거기서 공중의 검토를 위하여 제공되어야 한다. 대배심원들의 이름들을 내지는 그들의 숙의들을 그러한 녹취록은 포함하여서는 안 된다.

(3) Upon application by the prosecutor, or by any witness after notice to the prosecutor, the court, for good cause, may enter an order to furnish to that witness a transcript of his or her own grand jury testimony, or minutes, reports, or exhibits relating thereto.

검사에 의한, 또는 검사에게의 고지 뒤의 증인 누구나에 의한 신청이 있으면, 그 자신의 내지는 그녀 자신의 대배심 증언의 녹취록을, 또는 의사록을, 보고서들을, 내지는 이에 관련되는 증거물들을 당해 증인에게 제공하라는 명령을 타당한 이유에 따라서 법원은 기입할 수 있다.

(4) Any witness summoned to testify before a grand jury, or an attorney for such witness with the witness's written approval, shall be entitled, prior to testifying, to examine and copy at the witness's expense any statement in the possession of the prosecuting attorney or the grand jury which such witness has made that relates to the subject matter under inquiry by the grand jury. If a witness is proceeding in forma pauperis, he or she shall be furnished, upon request, a copy of such transcript and shall not pay a fee.

대배심 앞에서 증언하도록 소환되는 증인은, 또는 그러한 증인의 서면승인을 얻은 그러한 증인의 변호사는 당해 대배심에 의한 조사의 대상인 소송물에 관련되는 그러한 증인이 한 바 있는 소추검사의 내지는 대배심의 점유 내의 그 어떤 진술을이든 당해 증인의 비용으로 증언에 앞서서 검사할 및 복사할 권리를 지닌다. 만약 소송구조 결정에 의하여 절차를 한 명의 증인이 진행 중이면, 그는 내지는 그녀는 그러한 녹취록 사본을 요청에 따라서 제공받아야 하는바, 수수료를 그는 또는 그녀는 지급하여서는 안 된다.

https://codes.findlaw.com/ne/chapter-29-criminal-procedure/ne-rev-st-sect-29-1408.html

Nebraska Revised Statutes Chapter 29. Criminal Procedure § 29-1408. County attorney; powers; special prosecutor; when appointed
카운티 검사; 권한들; 특별검사; 언제 지명되는가

The county attorney or the assistant county attorney shall be allowed at all times to appear before the grand jury for the purpose of giving information relative to any matter cognizable by such jury, or giving such jury advice upon any legal matter the jury may require, and such county attorney or assistant county attorney may interrogate witnesses before the jury when the grand jurors, the county attorney, or the assistant county attorney shall deem it necessary; except that no person shall be permitted to remain in the room with such jury while the grand jurors are expressing their views or giving their votes on any matter before the jury; Provided, whenever it shall be made to appear to the judge or judges of the district court that investigation should be made regarding official acts of county officials, the foreman shall forthwith notify the Governor of the state, who shall forthwith appoint a special prosecutor to appear and act in the place of the county attorney or the assistant county attorney in all matters relating thereto before such grand jury in like manner as though county attorney; and the county attorney or the assistant county attorney shall be excluded from the presence of the grand jury during all proceedings which relate to the subject matter for which the special prosecutor was appointed; except that nothing in this section shall prevent the county attorney or assistant county attorney from appearing as a witness before a grand jury for which a special prosecutor has been appointed.

대배심에 의하여 심리될 수 있는 그 어떤 사안에 대하여든 관련되는 정보를 제공함을 위하여 내지는 대배심이 요구할 수 있는 그 어떤 법 문제에 관하여든 대배심에게 조언을 제공함을 위하여 대배심 앞에 출석하도록 카운티 검사는 또는 카운티 검사보는 항상 허용되어야 하는바, 그 필요하다고 대배심원들이, 카운티 검사가, 카운티 검사보가 간주하는 경우에는 대배심 앞의 증인들을 그러한 카운티 검사는 내지는 카운티 검사보는 신문할 수 있다; 그러나 대배심 앞의 어떤 사안에 대하여든지 그들의 견해들을 대배심원들이 표명하고 있는 동안에는 내지는 그들의 투표들을 행하고 있는 동안에는 그 방 안에 대배심이에 더불어 남아 있도록 어느 누구가도 허용되어서는 안 된다; 다만, 카운티 공무원들의 공무상의 행위들에 관하여 조사가 이루어져야 한다는 점이 재판구 지방법원의 판사에게 내지는 판사들에게 드러나도록 상황이 만들어지는 경우에는 언제든지, 즉시 주 지사에게 배심장은 통지하여야 하는바, 이에 관련되는 모든 사안들에 대하여 카운티 검사를 내지는 카운티 검사보를 대신하여 대배심 앞에, 카운티 검사가 출석하는 및 행동하는 방법에의 유사한 방법으로 출석하도록 및 행동하도록 한 명의 특별검사를 주 지사는 즉시 지명하여야 한다; 그리고 그러한 특별검사가 지명된 대상인 당해 소송물에 관련되는 모든 절차들 동안 대배심의 면전으로부터 카운티 검사는 내지는 카운티 검사보는 배제되어야 한다; 다만 한 명의 특별검사가 지명되어 있는 한 개의 대배심 앞의 한 명의 증인으로서 카운티 검사로 하여금 내지는 카운티 검사보로 하여금 출석하지 못하도록 이 절 안의 것은 금지하지 아니한다.

https://codes.findlaw.com/ne/chapter-29-criminal-procedure/ne-rev-st-sect-29-1409.html

Nebraska Revised Statutes Chapter 29. Criminal Procedure § 29-1409. Subpoenas; issuance; advisement of rights; form; effect
벌칙부소환장들; 발부; 권리들의 고지; 형식; 효과

(1) Whenever required by the grand jury, or the prosecuting attorney, the clerk of the court in which such jury is impaneled shall issue subpoenas and other process to bring witnesses to testify before such grand jury.

대배심에 의하여 또는 소추검사에 의하여 요구되는 때에는 언제든지, 대배심 앞에서 증언하도록 증인들을 데려오기 위한 벌칙부소환장들을 및 여타의 영장을 대배심이 충원구성된 법원의 서기는 발부하여야 한다.

(2) At the option of the prosecuting attorney, a grand jury subpoena may contain an advisement of rights. If the prosecuting attorney determines that an

advisement is necessary, the grand jury subpoena shall contain the following prominently displayed on the front of the subpoena:

권리사항들에 대한 한 개의 고지를 소추검사의 선택에 따라서 한 개의 대배심 벌칙부소환장은 포함할 수 있다. 한 개의 고지가 필요하다고 만약 소추검사가 판단하면, 당해 벌칙부소환장의 전면에 두드러지게 표시된 아래의 문구를 대배심 벌칙부소환장은 포함하여야 한다:

NOTICE

알림

(a) You have the right to retain an attorney to represent you and to advise you regarding your grand jury appearance.

귀하의 대배심 출석에 관하여 귀하를 대변할 및 귀하에게 조언할 한 명의 변호사를 선임할 권리를 귀하는 지닙니다.

(b) Anything you say to the grand jury may be used against you in a court of law.

대배심에게 귀하가 말하는 그 어느 것이든지는 법원에서 귀하에게 불리하게 사용될 수 있습니다.

(c) You have the right to refuse to answer questions if you feel the answers would tend to incriminate you or to implicate you in any illegal activity.

유죄를 귀하에게 씌우는 데에 내지는 조금이라도 불법적 활동에 귀하를 휩쓸려들게 하는 데에 답변들이 보탬이 되리라고 만약 귀하가 생각하면 질문들에 대하여는 그 답변하기를 거부할 권리를 귀하는 지닙니다.

(d) If you cannot afford or obtain an attorney, you may consult with the public defender's office, or request the court to appoint an attorney to represent you.

한 명의 변호사를 만약 귀하가 선임할 수 없으면 내지는 얻을 수 없으면, 국선변호인 사무소에 귀하는 상의할 수 있거나 또는 귀하를 대변하도록 한 명의 변호사를 지명하여 달라고 법원에 귀하는 요청할 수 있습니다.

(3) Any witness who is not advised of his or her rights pursuant to subsection (2) of this section shall not be prosecuted or subjected to any penalty or forfeiture for or on account of any transaction, matter, or thing concerning which he or she testifies or any evidence he or she produces, nor shall any such testimony or evidence be used as evidence in any criminal proceeding, except for perjury, against him or her in any court.

이 절의 소절 (2)에 따르는 그의 내지는 그녀의 권리들에 관하여 고지받지 못한 증인 누구든지는 그의 내지는 그녀의 증언하는 바가 관련을 지니는 그 어떤 행위를, 사안을, 또는 사항을 이유로 해서도 내지는 그가 내지는 그녀가 제출하는 그 어떤 증거를 이유로 해서도 소추되어서는 내지는 벌칙에 내지는 몰수에 처해져서는 안 되고, 그러한 증언은 내지는 증거는 위증을 이유로 하는 경우에를 제외한 그를 내지는 그녀를 겨냥하는 어떤 법원에서의 어떤 형사절차에서도 증거로 사용되어서는 안 된다.

https://codes.findlaw.com/ne/chapter-29-criminal-procedure/ne-rev-st-sect-29-1410.html

Nebraska Revised Statutes Chapter 29. Criminal Procedure § 29-1410. Witness; oath or affirmation; administration

증인; 선서 또는 무선서확약; 실시

Before any witness shall be examined by the grand jury, an oath or affirmation shall be administered to him by the clerk truly to testify of such matters and things as may be lawfully inquired of before the jury, a certificate whereof the clerk shall make and deliver to such witness, who shall present the same to the foreman of the grand jury when he is admitted for examination.

대배심 앞에서 적법하게 물어지는 사안들에 및 사항들에 대하여 진실하게 증언하겠다는 한 개의 선서가 내지는 무선서확약이 당해 대배심에 의하여 증인이 신문되기 전에 서기에 의하여 그에게 실시되어야 하고, 서기는 그 증명서를 작성하여 그러한 증인에게 교부하여야 하며, 그러한 증인은 신문을 위하여 그가 받아들여질 때에 그것을 대배심의 배심장에게 제출하여야 한다.

https://codes.findlaw.com/ne/chapter-29-criminal-procedure/ne-rev-st-sect-29-1410-01.html

Nebraska Revised Statutes Chapter 29. Criminal Procedure § 29-1410.01. Request to testify or appear; denial; how treated
증언하게 하여 달라는 또는 출석하게 하여 달라는 요청; 거부; 어떻게 처리되는가

Any person may approach the prosecuting attorney or the grand jury and request to testify or retestify in an inquiry before a grand jury or to appear before a grand jury. The prosecuting attorney or the grand jury shall keep a record of all denials of such requests to that prosecuting attorney or grand jury, including the reasons for not allowing such person to testify or appear. If the person making such request is dissatisfied with the decision of the prosecuting attorney or the grand jury, such person may petition the court for hearing on the denial by the prosecuting attorney or the grand jury. If the court grants the hearing, then the court may permit the person to testify or appear before the grand jury if the court finds that such testimony or appearance would serve the interests of justice.

어느 누구가든 소추검사에게 내지는 대배심에게 연락할 수 있고 대배심 앞의 조사에서 증언하겠다고 내지는 다시 증언하겠다고 또는 대배심 앞에 출석하겠다고 요청할 수 있다. 그 증언하도록 내지는 출석하도록 그러한 사람들에게 허용하지 아니한 이유들의를 포함하여, 소추검사에게의 내지는 대배심에게의 그러한 요청들에 대한 모든 거부들의 기록을, 소추검사는 내지는 대배심은 보관하여야 한다. 만약 그러한 요청을 하는 사람이 소추검사의 내지는 대배심의 결정에 납득하지 못하면, 소추검사에 의한 내지는 대배심에 의한 그러한 거부에 대한 심문을 법원에 그러한 사람은 청구할 수 있다. 심문을 만약 법원이 허가하고서, 사법의 이익을 그러한 증언이 내지는 출석이 촉진하리라고 법원이 판단하면, 그 사람으로 하여금 대배심 앞에서 증언하도록 내지는 출석하도록 그 경우에 법원은 허가할 수 있다.

https://codes.findlaw.com/ne/chapter-29-criminal-procedure/ne-rev-st-sect-29-1411.html

Nebraska Revised Statutes Chapter 29. Criminal Procedure § 29-1411. Witness; privilege against self-incrimination; immunity; right to counsel; refusal to answer; procedure

증인; 자기부죄 금지특권; 면제; 변호인의 조력을 받을 권리; 답변거부; 절차

(1) In any proceeding before the grand jury, if the prosecuting attorney has written notice in advance of the appearance of a witness that such witness intends to exercise his or her privilege against self-incrimination, such witness shall not be compelled to appear before the grand jury unless a grant of immunity has been obtained.

대배심 앞의 어떤 절차에서든, 그 자신의 내지는 그녀 자신의 자기부죄 금지특권을 한 명의 증인이 행사하고자 한다는 서면통지를 그러한 증인의 출석에 앞서서 만약 소추검사가 받으면, 한 개의 면제의 부여가 얻어져 있는 경우에를 제외하고는, 대배심 앞에 출석하도록 그러한 증인은 강제되어서는 안 된다.

(2) Any witness subpoenaed to appear and testify before a grand jury or to produce books, papers, documents, or other objects before such grand jury shall be entitled to assistance of counsel during any time that such witness is being questioned in the presence of such grand jury, and counsel may be present in the grand jury room with his or her client during such questioning. Counsel for the witness shall be permitted only to counsel with the witness and shall not make objections, arguments, or address the grand jury. Such counsel may be retained by the witness or may, for any person financially unable to obtain adequate assistance, be appointed in the same manner as if that person were eligible for appointed counsel. An attorney present in the grand jury room shall take an oath of secrecy. If the court, at an in camera hearing, determines that counsel was disruptive, then the court may order counsel to remain outside the courtroom when advising his or her client. No attorney shall be permitted to provide counsel in the grand jury room to more

than one witness in the same criminal investigation, except with the permission of the grand jury.

대배심 앞에 출석하도록 및 증언하도록, 내지는 장부들을, 서류들을, 문서들을, 또는 여타의 물건들을 대배심 앞에 제출하도록 벌칙부로 소환되는 증인 누구든지는 그러한 대배심의 면전에서 그러한 증인이 신문되는 도중의 어느 때에든지 변호인의 조력을 받을 권리를 지니는바, 그러한 신문 동안에 대배심실 내의 그의 내지는 그녀의 의뢰인 곁에 변호인은 출석해 있을 수 있다. 증인의 변호인은 당해 증인을 자문하도록만 허용되어야 하는 바, 이의들을, 주장들을 제기하여서는, 내지는 대배심에게 말을 걸어서는 안 된다. 당해 증인에 의하여 그러한 변호인은 선임될 수 있고, 또는 적절한 조력을 재정상의 이유로 확보할 수 없는 어떤 사람을 위하여서든, 지정 변호인을 지정받을 자격이 있는 사람을 위한 방법에의 동일한 방법으로, 그러한 변호인은 지정될 수 있다. 대배심실에 출석하는 변호사는 비밀준수 선서를 하여야 한다. 변호인이 질서를 어지럽혔음을 판사실에서의 심문에서 만약 법원이 판정하면, 그의 내지는 그녀의 의뢰인을 조언할 때에 법정 밖에 머물도록 그 경우에 변호인에게 법원은 명령할 수 있다. 대배심의 허가를 얻은 경우에를 제외하고는, 동일한 범죄조사에서의 한 명을 넘는 증인에게 조언을 대배심실에서 제공하도록 변호사는 허용되어서는 안 된다.

(3) If any witness appearing before a grand jury shall refuse to answer any interrogatories during the course of his or her examination, the fact shall be communicated to the court in writing, in which the question refused to be answered shall be stated, together with the excuse for the refusal, if any be given by the person interrogated. The court shall thereupon determine whether the witness is bound to answer or not, and the grand jury shall be immediately informed of the decision.

그의 내지는 그녀의 신문 동안에 그 답변하기를 신문들 어느 것에 대하여든지 만약 한 개의 대배심 앞에 출석하는 증인이 거부하면, 그 사실은 서면으로 법원에 보고되어야 하는 바, 그 서면에는 답변 거부의 대상인 질문이, 피신문자에 의하여 제시된 경우에의 거부의 이유가에 더불어, 서술되어야 한다. 답변할 의무를 그 증인이 지는지 지지 아니하는지 여부를 법원은 판정하여야 하고 그 결정에 대하여 대배심에게 즉시 고지가 이루어져야 한다.

https://codes.findlaw.com/ne/chapter-29-criminal-procedure/ne-rev-st-sect-29-1412.html

Nebraska Revised Statutes Chapter 29. Criminal Procedure § 29-1412. Witness; refusal to testify or provide other information; contempt; right to counsel; penalty; hearing; confinement; limitation

증인; 증언하기에 내지는 여타의 정보를 제공하기에 대한 거부; 법원모독; 변호인의 조력을 받을 권리; 벌칙; 심문; 구금; 제한

(1) (a) Whenever a witness in any proceeding before any grand jury refuses, without just cause shown, to comply with an order of the court to testify or provide other information, including any book, paper, document, record, recording, or other material, the prosecuting attorney may submit an application to the court for an order directing the witness to show why the witness should not be held in contempt. After submission of such application and a hearing at which the witness may be represented by counsel, the court may, if the court finds that such refusal was without just cause, hold the witness in contempt and order the witness to be confined or to pay a fine of not to exceed five hundred dollars. Such confinement shall continue until such time as the witness is willing to give such testimony or provide such information, except that the court may release the witness from confinement if the court determines that further confinement will not cause the witness to give such testimony or provide such information. No period of such confinement shall exceed the term of the grand jury, including extensions, before which such refusal to comply with the court order occurred, and in no event shall such confinement exceed six months.

증언하라는, 내지는 장부를을, 서류를을, 문서를을, 기록을을, 녹음물을을, 또는 여타의 자료를을 포함하는 여타의 정보를 제공하라는 법원의 명령에 복종하기를 그 제시되는 정당한 이유 없이 어떤 대배심 앞의 어떤 절차에서든지의 한 명의 증인이 거부하는 때에는 언제든지, 법원모독으로 그가 붙들려서는 어째서 안 되는지 이유를 제시하도록 당해 증인에게 지시하는 명령을 구하는 한 개의 신청을 소추검사는 법원에 제출할 수 있다. 그러한 신청서의 제출 뒤에 및 변호인에 의하여 당해 증인이 대변될 수 있는 한 개의 심문 뒤에, 그러한 거부가 정당한 이유 없는 것이었음을 법원이 인정하는 경우에 당해 증인을 법원모

독으로 법원은 붙들 수 있고 당해 증인을 구금조치 하도록 또는 100불 이하의 벌금을 당해 증인더러 지불하도록 법원은 명령할 수 있다. 당해 증인이 그러한 증언을 하겠다고 내지는 그러한 정보를 제공하겠다고 할 때까지 그러한 구금은 계속되어야 하는바, 다만 당해 증인으로 하여금 증언하게끔 만드는 결과를 또는 정보를 제공하게끔 만드는 결과를 더 이상의 구금이 초래하지 못하리라고 만약 법원이 판단하면 당해 증인을 구금으로부터 법원은 석방할 수 있다. 법원 명령에의 복종거부가 발생한 당해 대배심의 복무기한을, 그 연장기간들을을 포함하여, 그러한 구금기간이 초과하여서는 안 되고, 어떤 경우에도 6개월을 그러한 구금기간이 초과하여서는 안 된다.

(b) If a witness has been confined in accordance with subsection (1)(a) of this section, he or she may, upon petition filed with the court, request a hearing to be held within ten days to review the contempt order at which hearing he or she shall have the right to be represented by counsel. The court, at the hearing, may rescind, modify, or affirm the order.

이 절의 소절 (1)(a)에의 부합 속에서 만약 한 명의 증인이 구금되어 있으면, 법원모독 명령을 재검토하기 위한, 변호인의 대변을 누릴 권리를 그가 또는 그녀가 지니는 한 개의 심문을 10일 내에 실시하여 달라고, 법원에 제출되는 청구서 위에서 그는 내지는 그녀는 요청할 수 있다. 그 명령을 심문에서 법원은 취소할 수 있고 변경할 수 있고 또는 인가할 수 있다.

(c) In any proceeding conducted under this section, counsel may be appointed for a person financially unable to obtain adequate assistance.

이 절에 따라서 실시되는 어떤 절차에서도, 적절한 조력을 얻기가 재정적으로 불가능한 사람을 위하여 변호인은 지정될 수 있다.

(2) No person who has been confined or fined by a court for refusal to testify or provide other information concerning any criminal incident or incidents in any proceeding before a grand jury impaneled before any district court shall again be confined or fined for a subsequent refusal to testify or provide other information concerning the same criminal incident or incidents before any grand jury.

어떤 재판구 지방법원 앞에든 충원구성된 한 개의 대배심 앞의 어떤 절차에서도, 그 증언하기에 대한 내지는 형사적 사건에 내지는 사건들에 관한 여타의 정보를 제출하기에 대한, 거부를 이유로 법원에 의하여 구금되어 있는 내지는 벌금에 처해져 있는 사람은, 어떤 대배심 앞에서의이든 증언하기에 대한, 내지는 그 동일한 형사적 사건에 내지는 사건들에 관한 여타의 정보를 제공하기에 대한, 추후의 거부를 이유로 하여, 다시 구금되어서는 내지는 벌금에 처해져서는 안 된다.

https://codes.findlaw.com/ne/chapter-29-criminal-procedure/ne-rev-st-sect-29-1412-01.html

Nebraska Revised Statutes Chapter 29. Criminal Procedure § 29-1412.01. Grand jury; subpoena to testify or produce documents; not required to comply; when

대배심; 증언하라는 내지는 문서들을 제출하라는 벌칙부소환장; 준수가 요구되지 아니하는 경우; 요건

No person subpoenaed to testify or to produce books, papers, documents, or other objects in any proceeding before any grand jury shall be required to testify or to produce such objects, or be confined as provided in section 29-1412, for his or her failure to so testify or produce such object if, upon filing a motion and, upon an evidentiary hearing before the court which issued such subpoena or a court having jurisdiction under this section, the court finds that:

한 개의 신청서의 제출에 따라서, 및 그러한 벌칙부소환장을 발부한 법원 앞에서의 내지는 이 절 아래서의 관할을 지니는 법원 앞에서의 증거조사에 따라서, 아래의 사실들을 만약 법원이 인정하면, 그 증언하게 하고자 내지는 장부들을, 서류들을, 문서들을, 또는 그 밖의 물건들을 제출하게 하고자 어떤 대배심 앞에서의 어떤 절차에서든 벌칙부로 소환된 사람은, 그 증언하도록 내지는 그러한 물건들을 제출하도록 요구되어서도 안 되고, 또는 그렇게 증언하기에 대한 내지는 그러한 물건을 제출하기에 대한 그의 내지는 그녀의 불이행을 이유로 제29-1412절에 규정된 바에 따라서 구금되어서도 안 된다:

(1) A primary purpose or effect of requiring such person to so testify or to produce such objects before the grand jury is or will be to secure testimony for trial for

which the defendant has already been charged by information, indictment, or criminal complaint;

검사 독자기소장에 의하여, 대배심 검사기소장에 의하여, 또는 형사 소추청구장에 의하여 이미 당해 피고인이 기소되어 있는 사건의 정식사실심리를 위한 증언을 확보하는 데에, 당해 대배심 앞에서 그렇게 증언하도록 내지는 그러한 물건들을 제출하도록 그러한 사람에게 요구함의 주된 목적이 또는 취지가 있는 경우 내지는 있게 될 만한 경우;

(2) Compliance with a subpoena would be unreasonable or oppressive;

한 개의 벌칙부소환장에의 복종이 부당한 것이 내지는 압제적인 것이 될 만한 경우;

(3) A primary purpose of the issuance of the subpoena is to harass the witness;

당해 증인을 애먹이는 데에 당해 벌칙부소환장의 발부의 주된 목적이 있는 경우;

(4) The witness has already been confined or fined under this section for his or her refusal to testify before any grand jury investigating the same transaction, set of transactions, event, or events; or

바로 그 동일한 행위를, 일련의 행위들을, 사건의 경위를 내지는 경위들을 조사하는 대배심 앞에서 증언하기에 대한 그의 내지는 그녀의 거부를 이유로 이 절 아래서 당해 증인이 이미 구금된 바 내지는 벌금에 처해진 바 있는 경우; 또는

(5) The witness has not been advised of his or her rights as specified in subsection (2) of section 29-1409.

제29-1409절의 소절 (2)에 명시된 것들로서의 그의 내지는 그녀의 권리들에 관하여 당해 증인에게 고지가 이루어진 바 없는 경우.

https://codes.findlaw.com/ne/chapter-29-criminal-procedure/ne-rev-st-sect-29-1413.html

Nebraska Revised Statutes Chapter 29. Criminal Procedure § 29-1413. Vacancy; how filled

궐위; 어떻게 채워지는가

In case of the sickness, death, discharge or nonattendance of any grand juror, after the grand jury shall be affirmed or sworn, it shall be lawful for the court, at its discretion to cause another to be sworn or affirmed in his stead.

무선서확약에 또는 선서에 대배심이 처해진 뒤의 대배심원 어느 누구든지의 질병의, 사망의, 임무해제의 내지는 불출석의 경우에는, 그의 대신에 다른 사람으로 하여금 선서에 또는 무선서확약에 처해지도록 법원이 그 자신의 재량으로 조치함은 적법하다.

https://codes.findlaw.com/ne/chapter-29-criminal-procedure/ne-rev-st-sect-29-1414.html

Nebraska Revised Statutes Chapter 29. Criminal Procedure § 29-1414. Disclosure of indictment; when prohibited

대배심 검사기소장의 공개; 금지되는 경우

No grand juror or officer of the court shall disclose that an indictment has been found against any person not in custody or under bail, except by the issuing of process, until the indictment is filed and the case docketed.

구금되어 있지 아니한 내지는 보석 아래에 있지 아니한 사람에 대하여 한 개의 대배심 검사기소가 평결된 터임을, 당해 대배심 검사기소장이 제출되어 당해 사건이 심리예정표에 등재되기까지는, 영장의 발부에 의하는 경우에를 제외하고는, 대배심원은 내지는 법원 공무원은 공개하여서는 안 된다.

https://codes.findlaw.com/ne/chapter-29-criminal-procedure/ne-rev-st-sect-29-1415.html

Nebraska Revised Statutes Chapter 29. Criminal Procedure § 29-1415. Disclosure of juror's vote or opinion; prohibited

배심원의 투표의 내지는 의견의 공개; 금지됨

No grand juror shall be allowed to state or testify in any court in what manner he or other members of the grand jury voted on any question before them, or what opinion was expressed by any juror in relation to such question.

그들 앞의 어떤 문제에 대하여든 어떤 방법으로 그 자신이 내지는 대배심의 다른 구성원들이 투표하였는지를, 또는 그러한 문제에 관하여 배심원 어느 누구에 의하여든지 어떤 의견이 표명되었는지를 진술하도록은 내지는 증언하도록은 그 어떤 법원에서도 대배심원은 허용되어서는 안 된다.

https://codes.findlaw.com/ne/chapter-29-criminal-procedure/ne-rev-st-sect-29-1416.html

Nebraska Revised Statutes Chapter 29. Criminal Procedure § 29-1416. Indictment; how found; endorsement; no true bill; effect
대배심 검사기소; 어떻게 평결되는가; 기입; 불기소평결; 효과

(1) At least twelve of the grand jurors must concur in the finding of an indictment; when so found the foreman shall endorse on such indictment the words A true bill, and subscribe his or her name thereto as foreman.

한 개의 대배심 검사기소의 평결에는 대배심원들 중 적어도 열두 명이 찬성하지 않으면 안 된다; 그렇게 평결되면 "대배심 검사기소 평결"을 그러한 대배심 검사기소장 위에 배심장은 기입하지 않으면 안 되고 배심장으로서의 그의 내지는 그녀의 이름을 거기에 서명하지 않으면 안 된다.

(2) Once a grand jury has returned a no true bill based upon a transaction, set of transactions, event, or events, a grand jury inquiry into the same transaction or events shall not be initiated unless the court finds, upon a proper showing by the prosecuting attorney, that the prosecuting attorney has discovered additional evidence relevant to such inquiry.

한 개의 행위에, 일련의 행위들에, 한 개의 사건의 경위에, 또는 사건의 경위들에 터잡은 한 개의 불기소평결을 일단 한 개의 대배심이 제출하였으면, 그러한 조사에 관련되는 추가적 증거를 소추검사가 발견한 터임을 소추검사에 의한 적절한 증명 위에서 법원이 인정하는 경우에를 제외하고는, 그 동일한 행위에 내지는 사건의 경위들에 대한 대배심 조사는 개시되어서는 안 된다.

https://codes.findlaw.com/ne/chapter-29-criminal-procedure/ne-rev-st-sect-29-1417.html

Nebraska Revised Statutes Chapter 29. Criminal Procedure § 29-1417. County jail; examination; report

카운티 감옥; 조사; 보고

The grand jury may at each term of the court at which they may be in attendance, visit the county jail, and examine and report its condition, as required by law.

대배심은 그들이 출석하는 법원의 개정기에마다 법에 의하여 요구되는 바에 따라서 카운티 감옥을 방문할 수 있고 그 상황을 조사할 수 있고 보고할 수 있다.

https://codes.findlaw.com/ne/chapter-29-criminal-procedure/ne-rev-st-sect-29-1418.html

Nebraska Revised Statutes Chapter 29. Criminal Procedure § 29-1418. Indictments; presentation; docketing; finding of probable cause; dismissal; motions

대배심 검사기소장들; 제출; 심리예정표에의 등재; 상당한 이유의 평결; 각하; 신청들

(1) Indictments returned by a grand jury shall be presented by their foreman to the court, and shall be filed with the clerk, who shall endorse thereon the day of their filing, and shall enter each case upon the appearance docket, and also upon the trial docket of the term, as soon as the parties indicted have been arrested.

대배심에 의하여 평결되는 대배심 검사기소장들은 그들의 배심장에 의하여 법원에 제출되어야 하고 서기에게 보내져야 하는바, 서기는 그것들의 제출일자를 그 위에 기입하여야 하고, 대배심 검사기소에 처해진 당사자들이 체포되는 즉시로 개개 사건을 출석일람표 위에, 그리고 당해 개정기의 정식사실심리 예정표 위에도 아울러, 기입하여야 한다.

(2) Any grand jury may indict a person for an offense when the evidence before such grand jury provides probable cause to believe that such person committed such offense.

그러한 범죄를 그러한 사람이 저질렀다고 믿을 상당한 이유를 그러한 대배심 앞의 증거가 제공하는 경우에 그 사람을 그 범죄로 대배심 검사기소에 대배심은 처할 수 있다.

(3) The district court before which the indicted defendant is to be tried shall dismiss any indictment of the grand jury if such district court finds, upon the filing of a motion by the indicted defendant based upon the grand jury record without argument or further evidence, that the grand jury finding of probable cause is not supported by the record.

상당한 이유에 대한 대배심 평결이 기록에 의하여 뒷받침되지 아니함을, 대배심 검사기소에 처해진 피고인의 신청서의 제출에 따라서, 그리고 변론 없이 및 추가적 증거 없이 대배심 기록에 터잡아서, 당해 대배심 검사기소에 처해진 피고인을 정식사실 심리할 재판구 지방법원이 인정하면, 대배심의 어떤 대배심 검사기소장을이든 그러한 재판구 지방법원은 각하하여야 한다.

(4) Any other motions testing the validity of the indictment may be heard by the court based only on the record and argument of counsel, unless there is cause shown for the need for additional evidence.

대배심 검사기소장의 유효성을 다투는 여타의 신청들은, 추가적 증거를 필요로 하는 증명되는 사유가 있는 경우에를 제외하고는, 오직 기록에 및 변호인의 주장에 터잡아서만 심리될 수 있다.

https://codes.findlaw.com/ne/chapter-29-criminal-procedure/ne-rev-st-sect-29-1419.html

Nebraska Revised Statutes Chapter 29. Criminal Procedure § 29-1419. Trial of indictments; recognizances; undisposed indictments; trial by special prosecutor; when

대배심 검사기소장들에 대한 정식사실심리; 출석담보금증서들; 처리되지 아니한 대배심 검사기소장들; 특별검사에 의한 정식사실심리; 요건

The court shall assign such indictments for trial at as early a time in such term as is practicable. And the recognizances of parties and witnesses shall, in all such causes, be taken for their appearance at the time so assigned; and in case of the continuance of any cause to the next term of court, such recognizances shall be for the appearance of the parties and witnesses on such day thereof as the court may direct. At the end of the term the clerk shall deliver the indictments undisposed of to the prosecuting attorney for safekeeping; Provided, however, that where a special prosecutor shall have been appointed by the Governor of the state for the assistance of such grand jury, then the trials of indictments growing out of matters concerning which he has been appointed shall be conducted by such special prosecutor so appointed in all respects as though such special prosecutor were such county attorney; and all provisions relating to the acts of county attorneys shall be deemed to apply to such special prosecutor.

그러한 대배심 검사기소장들을 그러한 개정기 내의 가능한 한 빠른 시점에서의 정식사실심리에 법원은 배정하여야 한다. 그리고 그러한 모든 사건들에서 그렇게 배정된 시간에의 그들의 출석을 위하여 당사자들의 및 증인들의 출석담보금증서들이 수령되어야 한다; 그리고 어떤 사건의이든지 차회 법원 개정기로의 연기의 경우에는, 그러한 출석담보금증서들은 법원이 명령하는 그 차회 법원 개정기 날짜에의 그 당사자들의 및 증인들의 출석을 위한 것이 된다. 처리되지 아니한 대배심 검사기소장들을 소추검사에게 그 보관을 위하여 개정기 끝에 서기는 교부하여야 한다; 그러나 다만, 주지사에 의하여 그러한 대배심의 조력을 위한 한 명의 특별검사가 지명되어 있는 경우에는, 그의 지명에 관련되는 사안들로부터 발생하는 대배심 검사기소장들의 정식사실심리들은 모든 점들에 있어서, 마치 그러한 특별검사가 그러한 카운티 검사였을 경우에 준하여, 그렇게 지명된 특별검사에 의하여 수행되어야 한다; 그리고 카운티 검사들의 행위들에 관련되는 모든 규정들은 그러한 특별검사에게 적용되는 것으로 간주되어야 한다.

https://codes.findlaw.com/ne/chapter-29-criminal-procedure/ne-rev-st-sect-29-1420.html

Nebraska Revised Statutes Chapter 29. Criminal Procedure § 29-1420. Report; made public; when; transfer of evidence

보고서; 공개; 요건; 증거의 송부

(1) Except as provided in subdivision (2)(g) of section 29-1406, the report of the grand jury shall not be made public except when the report is filed, including indictments, or when required by statute or except that all of the report or a portion thereof may be released if the judge of the district court finds that such a release will exonerate a person or persons who have requested such a release.

제29-1406절의 소부 (2)(g)에 규정되는 바에 따라서를 제외하고는, 대배심의 보고서는 공개되어서는 안 되는바, 다만 대배심 검사기소장들이를 포함하여 당해 보고서가 제출되는 경우에는, 또는 제정법에 의하여 요구되는 경우에는 그러하지 아니하며, 또한 보고서 전체의 또는 일부의 공개를 요청한 터인 사람의 내지는 사람들의 결백을 그러한 공개가 증명하여 줄 것이라고 재판구 지방법원 판사가 인정하면 보고서의 전체는 또는 일부는 공개될 수 있다.

(2) A district judge under whose direction a grand jury has been impaneled may, upon good cause shown, transfer to a court of competent jurisdiction in another county or jurisdiction any evidence gathered by the grand jury that offenses have been committed in such other county or jurisdiction.

한 개의 대배심을 자신의 명령으로 충원구성 시킨 바 있는 한 명의 재판구 지방법원 판사는, 다른 카운티 내에서 또는 관할 내에서 범죄들이 저질러져 있음에 관하여 자신의 대배심에 의하여 수집된 증거 어느 것이든지를, 그 증명되는 타당한 이유에 따라서 그러한 다른 카운티 내의 내지는 관할 내의 자격 있는 관할법원에 송부할 수 있다.

노스다코타주
대배심 규정

노스다코타주 대배심 규정

https://law.justia.com/codes/north-dakota/2019/title-29/

2019 North Dakota Century Code

Title 29 Judicial Procedure, Criminal

- Chapter 29-10.1 Grand Jury
- Chapter 29-10.2 State Grand Jury
- Chapter 29-11 Proceedings on Information and Indictment [Superseded by North Dakota Rules of Civil Procedure]
- Chapter 29-12 Process Upon Information and Indictment

https://law.justia.com/codes/north-dakota/2019/title-29/chapter-29-10-1/

Chapter 29-10.1
Grand Jury
대배심

29-10.1-01. Grand jury defined - Formation - Functions.
대배심의 개념규정 - 구성- 기능들

A grand jury must consist of not less than eight nor more than eleven persons of the county possessing the qualifications of jurors prescribed by law, and impaneled and sworn to inquire into all crimes or public offenses against laws of this state triable within the county and, if the evidence warrants, present them to the district court by written indictment.

법에 의하여 규정되는 배심원들의 자격조건들을 보유하는, 및 당해 카운티 내에서 정식사실 심리 될 수 있는 이 주 법들에 대한 모든 범죄들을 내지는 위반행위들을 캐들어가도록, 그리하여 만약 증거가 뒷받침되면 그것들을 서면의 대배심 검사기소에 의하여 재판구 지방법원에 고발하도록 충원구성되는 및 선서절차에 처해지는, 카운티 주민들 8명 이상으로 및 11명 이하로 대배심은 구성되지 않으면 안 된다.

29-10.1-02. When grand jury may be called.
언제 대배심은 소집될 수 있는가.

No grand jury may be drawn, summoned, or convened in any county within this state unless the district judge thereof shall so direct by a written order filed with the clerk of the court in the county wherein the said grand jury is required to attend. Any judge of the district court for any county must direct, in the manner herein provided, that a grand jury be drawn and summoned to attend whenever:

그 출석하도록 대배심이 요구되는 카운티의 재판구 지방법원 서기에게 하달되는 서면에 의한 명령으로 그 법원 판사가 지시하는 경우에를 제외하고는 이 주 내의 어느 카운티에서도 대배심은 추출되어서도, 소환되어서도, 또는 소집되어서도 안 된다. 한 개의 대배심을 추출하도록 및 소환하여 출석시키도록 아래의 경우에는 언제든지 카운티의 재판구 지방법원 판사 아무나는 여기에 규정되는 방법으로 명령하지 않으면 안 된다:

1. The judge deems the attendance of a grand jury necessary for the due enforcement of the laws of the state;

   주 법들의 정당한 시행을 위하여 한 개의 대배심의 출석이 필요하다고 당해 판사가 간주하는 경우;

2. The state's attorney of the county wherein the court is to be held, in writing, requests the judge so to do; or

   법원이 개정되어야 할 카운티 관할의 검사(주 측 변호사)가 판사에게 서면으로 요청하는 경우; 또는

3. A petition in writing requesting the same is presented to the judge, signed by qualified electors of the county equal in number to at least twenty-five percent of the total vote cast in the county for the office of governor of the state at the last general election, but the number of signatures required may not be fewer than two hundred twenty-five nor exceed five thousand.

   주지사를 위한 직전의 총선거에서의 카운티 내의 전체 투표수의 적어도 25 퍼센트에 해당하는 숫자의 카운티 유자격 유권자들에 의하여 서명된 이를 요청하는 청구서가 판사에게 제출되는 경우. 다만, 그 요구되는 서명자들의 숫자는 225명에 미달하여서도 안 되고 5,000명을 초과하여서도 안 된다.

29-10.1-03. Judge to summon grand jury.
대배심을 소환할 판사의 의무

Upon presentment of the request of petition, the judge shall promptly summon and convene the grand jury.

청구서에 의한 요청의 제출이 있으면 그 대배심을 신속하게 판사는 소환하지 않으면 및 소집하지 않으면 안 된다.

29-10.1-04. Petition for grand jury - Petitioners - Number – Session.
대배심 청구 – 청구인들 – 숫자 - 회기.

The petition for a grand jury prescribed by section 29-10.1-02 must be verified on information and belief by at least three of the petitioners. The formation of a grand jury under this chapter may not be invalidated should it appear or be proven after the grand jury has been summoned that any of the petitioners were not qualified electors or that the petition was not signed by the required number of qualified electors. No grand jury may remain in session in excess of ten calendar days, unless the judge by written order filed with the clerk of the court extends the session as may be necessary. Unless extended, the grand jury must be discharged at the close of the tenth day of its session. Saturdays, legal holidays, and days in recess must be excluded in computing the duration of the initial or extended session.

제29-10.1-02절에 의하여 규정된 대배심 청구는 정보에 및 믿음에 근거한 것임이 청구인들 중 적어도 3명에 의하여 확인되지 않으면 안 된다. 청구인들 중 어느 한 명이든지가 자격 있는 선거인들이 아니었다는 점이 내지는 그 요구되는 숫자의 유자격 선거인들에 의하여 청구서가 서명되지 아니하였다는 점이 그 대배심이 소환되고 난 뒤에 드러나더라도 또는 증명되더라도 이 장 아래서의 대배심 구성은 무효화되어서는 안 된다. 그 필요한 바에 따라서 회기를 법원 서기에게 보내지는 서면에 의한 명령으로 판사가 연장하는 경우에를 제외하고는, 10 역일을 초과하여 개회 상태로 대배심은 남아서는 안 된다. 그 연장되는 경우에를 제외하고는 그 회기의 10일째 날의 종료 때에 대배심은 임무해제 되지 않으면 안 된다. 본래의 회기의 내지는 연장된 회기의 기간을 계산함에 있어서 토요일들은, 법정공휴일들은, 그리고 휴회 중의 날들은 제외되지 않으면 안 된다.

29-10.1-05. Challenges by state, when, and causes.
주에 의한 기피신청들, 언제 제기될 수 있는가, 그 사유들.

1. The state may challenge the panel of a grand jury or an individual grand juror at any time before the grand jury is impaneled and sworn.

   기피신청을 대배심원단에 대하여 또는 개개 배심원에 대하여 당해 대배심이 충원구성되어 선서절차에 처해지기 전에 언제든지 주는 제기할 수 있다.

2. A challenge to the panel may be asserted by the state upon the ground only that the grand jurors were not selected according to law.

   법에 따라서 대배심원들이 선정되지 않았다는 사유에 터잡아서만 주에 의하여 배심원단에 대한 기피는 주장될 수 있다.

3. A challenge to an individual grand juror may be asserted by the state upon the ground only that the person is not a qualified juror.

   그가 한 명의 자격을 갖춘 배심원이 아니라는 사유에 터잡아서만 주에 의하여 개개 대배심원에 대한 기피는 주장될 수 있다.

29-10.1-06. Challenge may be oral or written.
기피신청은 구두상으로든 서면상으로든 가능함.

A challenge to the panel or to an individual grand juror may be oral or in writing and must be tried to the court.

배심원단에 대한 내지는 개개 배심원에 대한 기피신청은 구두상의 것이어도 되고 또는 서면상의 것이어도 되는바, 법원의 심리에 그것은 회부되지 않으면 안 된다.

29-10.1-07. Challenge allowed or disallowed - Entry by clerk.
기피신청에 대한 인용 또는 기각 - 서기에 의한 기입.

The court shall allow or disallow a challenge to the panel of a grand jury or to an individual grand juror, and the clerk shall enter its decision upon the minutes.

배심원단에 대한 내지는 개개 배심원에 대한 기피신청을 법원은 인용하거나 기각하거나 하여야 하며, 법원의 결정을 의사록 위에 서기는 기입하여야 한다.

29-10.1-08. Challenge allowed – Procedure.
기피신청의 인용 - 절차.

Whenever a challenge to the panel or to an individual grand juror is allowed, the court shall make an order to the jury commission to summon without delay a sufficient number of persons to complete or to form a grand jury.

한 개의 대배심을 완성하기에 내지는 구성하기에 충분한 숫자의 사람들을 지체없이 소환하라는 명령을, 배심원단에 대한 내지는 개개 배심원에 대한 한 개의 기피신청이 인용되는 때에는 언제든지 배심위원회에게 법원은 내려야 한다.

29-10.1-09. Jury discharged if challenge to panel allowed.
배심원단에 대한 기피신청이 인용되는 경우에의 배심의 임무해제.

If a challenge to the panel is allowed, the grand jury must be discharged in which event the judge may order another grand jury to be summoned and convened.

만약 배심원단에 대한 기피신청이 인용되면 당해 대배심은 임무해제 되지 않으면 안 되는바, 그 경우에 다른 대배심이 소환되도록 및 소집되도록 판사는 명령할 수 있다.

29-10.1-10. Challenge to panel after indictment presented.
대배심 검사기소장이 제출된 뒤의 배심원단에 대한 기피신청.

At any time prior to pleading to the indictment, the person against whom an indictment has been found and presented may move the court to dismiss the indictment upon the ground that the jurors were not selected or impaneled according to law.

자신에 대한 대배심 검사기소가 평결되어 제출된 사람은 그 배심원들이 법에 따라서 선정되지 내지는 충원구성되지 아니하였음을 이유로 당해 대배심 검사기소장을 각하하여 달라고 대배심 검사기소장에 대한 주장에 앞서서 언제든지 법원에 신청할 수 있다.

29-10.1-11. Court to appoint foreman and vice foreman.
배심장을 및 부배심장을 지명할 법원의 의무.

When the grand jury is completed, the court shall appoint one of the jurors to be foreman and another to act as foreman in case of the absence of the foreman.

대배심이 구성되면, 배심원들 중 한 명을 배심장으로 및 다른 한 명을 배심장의 부재 시에 배심장을 대행할 사람으로 법원은 지명하여야 한다.

29-10.1-12. Oath of grand jurors.
대배심원들의 선서

Superseded by N.D.R.Ct. 6.10.

노스다코타주 법원규칙 6.10에 의하여 대체됨. [1]

---

1) https://casetext.com/rule/north-dakota-court-rules/north-dakota-rules-of-court/trials/rule-610-courtroom-oaths

Rule 6.10 - Courtroom Oaths

참정선서들

(a) Oath.

선서.

(6) To a Grand Jury. Do you solemnly swear to listen to, examine, and consider all of the evidence, to follow all of the Court's instructions, and to decide matters placed before you in accordance with the law and evidence presented? So help you God.

대배심에 대하여. 모든 증거를 청취하기로, 조사하기로, 그리고 검토하기로, 법원의 지시사항들 전부를 준수하기로, 그리고 귀하들 앞에 놓이는 사안들을 법에 및 그 제출되는 증거에 따라서 판단하기로 귀하들은 엄숙히 선서합니까? 하오니 신께서는 귀하들을 도우소서.

29-10.1-13. Court shall charge grand jury - Duty of court to advise.
대배심에게 임무를 설명할 법원의 의무 - 조언을 제공할 법원의 의무.

After the grand jury is impaneled and sworn, the court shall charge the jurors concerning the offenses that may be considered by them or that are likely to come before them, and concerning their duties as prescribed by law. The court, upon request of the grand jurors and at all reasonable times, shall advise them regarding their duties.

배심원들에 의하여 검토될 수 있는 내지는 그들 앞에 올 가능성이 있는 범죄들에 관하여, 그리고 법에 의하여 규정되는 바에 따른 그들의 임무들에 관하여, 대배심이 충원구성되고 선서절차에 처해진 뒤에 그들에게 법원은 설명하여야 한다. 대배심원들의 요청에 따라서 및 모든 합리적인 때에 그들에게 그들의 임무들에 관하여 법원은 조언하여야 한다.

29-10.1-14. Retirement of grand jurors.
대배심원들의 대배심실로의 물러가기.

After the charge by the court, the grand jurors shall retire to a private room which must be provided for by the county commissioners and perform their duties as prescribed by law.

카운티 배심위원들에 의하여 제공되지 않으면 안 되는 한 개의 비밀실로 법원에 의한 임무설명 뒤에 대배심원들은 물러가야 하고 법에 의하여 규정되는 바에 따른 그들의 임무들을 수행하여야 한다.

29-10.1-15. Clerk appointment by grand jurors – Duty.
대배심원들에 의한 서기 지명 - 임무.

The grand jury, unless a competent reporter is appointed, shall appoint a member of the jury as clerk, who shall preserve minutes of all the proceedings of the jurors, and exhibits presented, except of the votes of the individual members, and of the evidence given before them. Upon the conclusion of the grand jury session, all exhibits must be placed in the custody of the state's attorney unless otherwise directed by the court.

한 명의 자격 있는 속기사가 지명되는 경우에를 제외하고는 자신의 구성원 한 명을 서기로 대배심은 지명해야 하는바, 개개 배심원들의 투표들의를 제외한 배심원들의 모든 절차들의, 그리고 그 제출되는 증거물들의, 그리고 그들 앞에 제출되는 증거의 의사록을 그는 보전하여야 한다. 법원에 의하여 달리 명령되지 않는 한 모든 증거물들은 대배심 회합의 종료 때에 검사(주 측 변호사)의 보관에 맡겨져야 한다.

29-10.1-16. Reporter – Transcript.
속기사 - 녹취록.

1. Unless otherwise directed by the court, the grand jury shall appoint a competent reporter who must be sworn and who shall record in shorthand or stenotype notes, the testimony given in matters before the grand jury. Whenever an indictment is returned, and if so directed by the court, the reporter shall cause the testimony to be transcribed.

   선서절차에 처해지지 않으면 안 될, 및 대배심 앞의 사안들에 관하여 이루어지는 증언을 속기에 의하여 내지는 스테노타이프 기호들에 의하여 기록할 한 명의 자격 있는 속기사를, 법원에 의하여 달리 명령되는 경우에를 제외하고는, 대배심은 지명하여야 한다. 한 개의 대배심 검사기소장이 제출되는 때에는 언제든지, 그리고 만약 법원에 의하여 명령되는 경우에는, 증언이 녹취되게끔 속기사는 조치하여야 한다.

2. Whenever the court directs the testimony to be transcribed, the reporter shall certify and file with the clerk of court the original and sufficient copies of the transcript so as to provide a copy for each person indicted and one for the state's attorney or prosecutor. The reporter shall complete the certification of the transcript within thirty days after the date of the order unless a different period of time is specified by the court.

증언을 녹취하도록 법원이 명령하는 때에는 언제든지 속기사는 그 원본을, 및 대배심 검사기소에 처해진 사람마다에게 및 검사(주 측 변호사)에게 내지는 검찰관에게 한 권씩을 제공하기에 충분한 권수의 녹취록을 증명하여 법원서기에게 제출하여야 한다. 별도의 기한이 법원에 의하여 명시되는 경우에를 제외하고는 녹취록 인증을 명령일로부터 30일 내에 속기사는 완성하여야 한다.

3. All exhibits presented to the grand jury must be placed in the custody of the state's attorney or prosecutor unless otherwise directed by the court.

   법원에 의하여 달리 명령되는 경우에를 제외하고는 대배심에 제출되는 모든 증거물들은 검사(주 측 변호사)의 또는 검찰관의 보관에 맡겨지지 않으면 안 된다.

29-10.1-17. Selection of jurors.
배심원들의 선정.

Before accepting a person drawn as a grand juror, the court must be satisfied that such person is duly qualified to act as such. A person drawn as a juror may be excused for good cause by the court before the person is sworn.

한 명의 대배심원으로서 행동할 자격을 한 명의 추출된 사람이 적법하게 갖추었음을 그를 한 명의 대배심원으로 받아들이기 전에 법원은 납득하지 않으면 안 된다. 한 명의 대배심원(후보)으로 추출된 사람은 선서절차에 처해지기 전에 타당한 이유에 따라서 법원에 의하여 면제될 수 있다.

29-10.1-18. Expenses.
필요경비들.

All necessary expenses of the grand jury incurred in its official capacity must be paid by the state out of funds appropriated to the supreme court.

대배심의 공무상의 권한에 따라서 발생하는 대배심의 모든 필요경비들은 대법원에 배정되는 기금으로부터 주에 의하여 지불되지 않으면 안 된다.

29-10.1-19. Subpoenas.
벌칙부소환장들.

The grand jury may issue subpoenas or subpoenas duces tecum to any witness within the state. Subpoenas may also be issued by the state's attorney or prosecutor in the manner provided in the statutes or North Dakota Rules of Criminal Procedure.

벌칙부소환장들을 또는 문서제출명령 벌칙부소환장들을 주 내의 어떤 증인에게도 대배심은 발부할 수 있다. 제정법들에 내지는 노스다코타주 형사소송규칙에 규정되는 방법으로 검사(주 측 변호사)에 내지는 검찰관에 의하여도 또한 벌칙부소환장들은 발부될 수 있다.

29-10.1-20. Filling vacancies.
결원들의 보충

Whenever the membership of a grand jury is reduced in number for any reason, after the grand jury has been impaneled, the judge may direct that the vacancy be filled, and shall so direct if necessary to maintain the minimum number required, in the same manner as the original members were selected. No person selected as a grand juror to fill a vacancy may vote on any matter upon which evidence has been taken prior to the time of the person's selection.

대배심이 충원구성되고 난 뒤에 어떤 이유에서든 대배심의 구성원 숫자가 감소하는 때에는 언제든지, 최초의 구성원들이 선정된 방법에의 동일한 방법으로 그 결원을 보충하도록 판사는 명령할 수 있는바, 만약 그 요구되는 최소한도의 숫자를 유지하기 위하여 필요하면 그렇게 판사는 명령하여야 한다. 결원을 보충하기 위한 대배심원으로 선정되는 사람은 그의 선정 시점에보다 앞서서 청취된 증거에 터잡는 사안에 관하여 표결하여서는 안 된다.

29-10.1-21. General duties of grand jury.
대배심의 일반적 의무들.

Each grand jury impaneled within any county shall inquire into offenses against the criminal laws of the state alleged to have been committed within that county. The alleged offenses may be brought to the attention of the grand jury by the court or by any state's attorney or the state's attorney's designee. The state's attorney or the state's attorney's designee shall inform the grand jury of the alleged offense, the identity of the alleged offender, and the state's attorney or state's attorney's designee's action or recommendation. As to any offense committed while the grand jury is in session, the state's attorney or prosecutor may proceed with a preliminary examination or the filing of an information, as provided for by law, and prosecute the charge, and, under such conditions, the grand jury is not required to inquire into such offense. The presentment of an indictment against a person does not preclude the prosecution of such person for the same offense upon a criminal complaint or information previously filed with the court.

당해 카운티 내에서 저질러진 것으로 주장되는 주 형사법들에 대한 범죄들을 카운티 내에 충원 구성되는 개개 대배심은 캐 들어가야 한다. 법원에 의하여 또는 검사(주 측 변호사)에 의하여 또는 검사(주 측 변호사)의 피지명자에 의하여 대배심의 주의 앞에 그 주장되는 범죄들은 제시될 수 있다. 그 주장되는 범죄를, 그 주장되는 범인의 신원을, 그리고 검사(주 측 변호사)의 내지는 검사(주 측 변호사)의 피지명자의 조치를 내지는 권고를 대배심에게 검사(주 측 변호사)는 또는 검사(주 측 변호사)의 피지명자는 고지하여야 한다. 대배심이 회기 중에 있는 동안에 저질러지는 범죄에 관하여는 법에 의하여 정해지는 바에 따라서 예비심문으로써 내지는 검사 독자기소장의 제출로써 검사(주 측 변호사)는 내지는 검찰관은 절차를 진행할 수 있고 당해 공소를 추행할 수 있는바, 그러한 상황들 아래서는 그러한 범죄를 캐 들어가도록 대배심은 요구되지 아니한다. 한 명에 대한 대배심 검사기소장의 제출은 그 이전에 법원에 제출된 형사 소추청구장에 내지는 검사 독자기소장에 의한 그러한 사람에 대한 소추를 방해하지 아니한다.

29-10.1-22. Subjects of grand jury inquiry.
대배심 조사의 소송물들.

Whenever directed by the district court, the grand jury shall inquire into:

아래 사항들을 재판구 지방법원에 의하여 명령되는 때에는 언제든지 대배심은 캐 들어가야 한다:

1. The condition and management of the public prisons in the county; and

   카운티 내의 감옥들의 상황 및 운영; 그리고

2. Willful and corrupt felonious misconduct in office of public officials of every description in the county.

   카운티 내의 모든 종류의 공무원들의 직무상의 고의의 및 부패한 중죄적 위법행위.

29-10.1-23. Grand jurors entitled to access to prisons and public records.

감옥들에 및 공공기록들에 접근할 대배심원들의 권한.

Grand jurors are entitled to free access, at all reasonable times, to public prisons, and to the examination, without charge, of all public records in the county.

감옥들에의 모든 합리적인 시간대에의 자유로운 접근을 누릴 권한을 및 카운티 내의 모든 공공기록들에의 무료의 검사를 누릴 권한을 대배심원들은 지닌다.

29-10.1-24. Member must report known offense and must give evidence.

자신이 아는 범죄를 신고하지 않으면 안 될 및 증거를 제출하지 않으면 안 될 구성원의 의무.

If a member of a grand jury knows or has reason to believe that a public offense which is triable in the county has been committed, the member shall declare such fact to the member's fellow jurors, who shall investigate the same. In such investigation, the grand juror may be sworn as a witness.

당해 카운티 내에서 정식사실심리 될 수 있는 한 개의 범죄가 저질러졌음을 만약 대배심의 구성원 한 명이 알면 내지는 그렇게 믿을 이유를 지니면, 그러한 사실을 자신의 동료 대배심원들에게 그 구성원은 선언하지 않으면 안 되는바, 그것을 그들은 조사하여야 한다. 그러한 조사에서 그 대배심원은 한 명의 증인으로서 선서절차에 처해질 수 있다.

29-10.1-25. Oath or affirmation to witness.
선서절차의 또는 무선서확약 절차의 증인에게의 실시.

Superseded by N.D.R.Ct. 6.10.

노스다코타주 법원규칙 6.10에 의하여 대체됨. [2)]

29-10.1-26. Reception of evidence.
증거의 수령.

1. Subject to subsection 2, the grand jury shall receive only evidence which is:

   소절 2의 적용을 받는 가운데서 오직 아래의 증거만을 대배심은 수령하여야 한다:

a. Given by witnesses produced and sworn before the grand jury;

   대배심 앞에 출석한 및 선서절차에 처해진 증인들에 의하여 제출된 것일 것;

b. Furnished by writings, material objects, or other things perceivable through the senses; or

---

2) https://casetext.com/rule/north-dakota-court-rules/north-dakota-rules-of-court/trials/rule-610-courtroom-oaths

Rule 6.10 - Courtroom Oaths

법정선서들

(a) Oath.

선서.

(3) To a Witness. Do you solemnly swear to tell the truth, the whole truth, and nothing but the truth? So help you God.

증인에 대하여. 진실을, 온전한 진실을, 그리고 오직 진실만을 말하기로 귀하는 엄숙히 선서합니까? 하오니 신께서는 귀하를 도우소서.

문서들에 의하여, 유형물들에 의하여, 또는 그 밖의 오감을 통하여 지각될 수 있는 사물들에 의하여 제공되는 것일 것;

c. Contained in a deposition or transcript that is admissible under the North Dakota Rules of Criminal Procedure.

노스다코타주 형사소송규칙 아래서 증거능력이 있는 법정 외 증언녹취록에 또는 녹취록에 포함되어 있는 것일 것.

2. The grand jury shall receive only evidence that would be admissible over objection at the trial of a criminal action, but the fact the evidence inadmissible at the trial was received by the grand jury does not render the indictment void if sufficient competent evidence to support the indictment was received by the grand jury.

오직 한 개의 형사소송의 정식사실심리에서 이의를 물리치고서 증거능력이 인정될 만한 증거만을 대배심은 수령해야 하는바, 다만 대배심 검사기소를 뒷받침하는 충분한 자격 있는 증거가 그 대배심에 의하여 수령된 경우에는, 정식사실심리에서 증거능력이 부정된 증거가 그 대배심에 의하여 수령되었다는 사실은 그 대배심 검사기소장을 무효로 만들지 아니한다.

29-10.1-27. Exculpatory evidence.
무죄임을 해명하여 주는 증거.

The grand jury shall weigh all the evidence submitted to it, and when it has reason to believe that there is exculpatory evidence within its reach, it shall order the evidence to be produced, and for that purpose may require the state's attorney or prosecutor to issue process for the production of such evidence.

자신에게 제출되는 모든 증거를 대배심은 비교교량하여야 하는바, 무죄임을 해명하여 주는 증거가 자신의 권한범위 내에 있다고 믿을 이유를 자신이 지니는 경우에는 그 증거가 제출되게 하도록 대배심은 명령하여야 하고, 그러한 증거의 제출을 위한 영장을 발부하도록 그 목적을 위하여 검사(주 측 변호사)에게 내지는 검찰관에게 대배심은 요구할 수 있다.

29-10.1-28. Who may be present during sessions of grand jury.
대배심 회합들 도중에 출석해 있을 수 있는 사람.

No person may be present at a session of the grand jury, other than the witnesses under examination, the judge while giving advice requested by the grand jury, the state's attorney or prosecutor, the attorney general, and the reporter, or interpreter, if any. No person other than the grand jurors may be present while the grand jurors are deliberating or voting, nor may the grand jurors deliberate or vote while any other persons are present. Whenever the grand jury is investigating the state's attorney or any person connected with the state's attorney's office, neither the state's attorney nor any of the state's attorney's assistants or staff may be present before such grand jury during the time of such investigation, except as a witness and, after such appearance as a witness, shall leave the place where the grand jury is in session.

대배심의 회합에는 그 있을 경우에의 신문 대상인 증인들 이외의, 대배심에 의하여 요청된 조언을 제공하는 동안의 판사 이외의, 검사(주 측 변호사) 이외의 내지는 검찰관 이외의, 검찰총장 이외의, 그리고 속기사 이외의, 또는 통역인 이외의 사람은 출석해 있을 수 없다. 대배심원들이 숙의 중인 내지는 표결 중인 동안에는 대배심원들 이외의 사람은 출석해 있을 수 없는바, 또한 조금이라도 여타의 사람이 출석해 있는 동안에는 대배심원들은 숙의할 수 내지는 표결할 수 없다. 검사(주 측 변호사)를 내지는 검사(주 측 변호사)의 직무에 연결되는 누구든지를 대배심이 조사하고 있는 때에는 언제든지, 그러한 조사기간 동안에 그러한 대배심 앞에 당해 검사(주 측 변호사)는 내지는 당해 검사(주 측 변호사)의 보조자들의 내지는 직원진의 어느 누구든지는, 한 명의 증인으로서의 경우에를 제외하고는 출석해 있어서는 안 되는바, 그나마 한 명의 증인으로서의 그러한 출석 뒤에는 당해 대배심이 회합 중인 장소를 그는 떠나야 한다.

29-10.1-29. Duty of state's attorney.
검사(주 측 변호사)의 의무.

The state's attorney or prosecutor, upon the request of the grand jurors, shall advise them regarding their duties. The state's attorney or prosecutor, at all reasonable times, may appear before them on the person's own motion for the purpose of giving the grand jurors information or advice regarding any matter cognizable by them and may interrogate witnesses before them whenever the state's attorney or prosecutor believes it necessary.

대배심원들의 임무사항들에 관하여 그들의 요청에 따라서 그들에게 검사(주 측 변호사)는 내지는 검찰관은 조언하여야 한다. 검사(주 측 변호사)는 내지는 검찰관은 대배심원들에 의하여 심리될 수 있는 어떤 사항에 관하여든지 정보를 내지는 조언을 대배심원들에게 제공함을 목적으로 그 자신의 발의에 따라서 모든 합리적인 시간대에 그들 앞에 출석할 수 있고 그 필요하다고 검사(주 측 변호사)가 또는 검찰관이 간주하는 경우에는 언제든지 대배심원들 앞의 증인들을 신문할 수 있다.

29-10.1-30. Secrecy of things said and votes - Limited disclosure by certain persons and under certain conditions.

발언된 사항들의 내지는 표결들의 비밀성 - 공개는 특정인들에 의하여로 및 특정한 상황들 아래서로 제한됨.

1. Every member of a grand jury shall keep secret whatever that member or any other grand juror may have said, or in what manner that member or any other grand juror may have voted on a matter before the jurors.

   대배심원들 앞의 사안에 관하여 특정의 대배심원 자신이 내지는 다른 대배심원이 발언한 그 무엇이든지를 및 어떤 방법으로 그 자신이 내지는 여타의 대배심원이 투표하였는지를 비밀로 대배심의 모든 구성원은 유지하여야 한다.

2. Matters other than the deliberations and vote of any grand juror may be disclosed by the state's attorney, prosecutor, or attorney general solely in the performance of the person's duties.

   숙의들 이외의 및 대배심원의 투표 이외의 사안들은 검사(주 측 변호사)에 의하여, 검찰관에 의하여, 또는 검찰총장에 의하여 오직 그의 임무들의 수행에 있어서만 공개될 수 있다.

3. Otherwise a juror, attorney, interpreter, reporter, or public servant, having

official duties in or about a grand jury room or proceeding, may disclose matters occurring before the grand jury only when so directed by the court pursuant to section 29-10.1-31.

그 밖에도 대배심실에서의 내지는 대배심실에 관한, 내지는 대배심 절차에서의 내지는 대배심 절차에 관한, 공무상의 임무들을 지니는 배심원은, 검사/변호사는, 통역인은, 속기사는, 또는 공무원은 대배심 앞에서 발생하는 사항들을 제29-10.1-31절에 따라서 법원에 의하여 명령되는 경우에 한하여 공개할 수 있다.

4. A witness may not disclose any matter about which the witness is interrogated, or any proceedings of the grand jury had in the witness's presence, except to the witness's attorney or when so directed by the court, until an indictment is filed and the accused person is in custody.

   증인은 자신이 신문된 어떠한 사항에 관하여도, 내지는 자신의 출석 가운데서 이루어진 어떤 대배심 절차들에 관하여도 자신의 변호사에게를 내지는 법원에 의하여 명령되는 경우에를 제외하고는 한 개의 대배심 검사기소장이 제출되기까지 및 그 피고인이 구금되기까지 공개하여서는 안 된다.

29-10.1-31. When juror may disclose testimony upon order of the court.
증언을 법원의 명령에 의하여 배심원이 공개할 수 있는 경우.

A member of a grand jury or its reporter or interpreter may be required by any court to disclose the testimony of a witness examined before the grand jury for the purpose of impeachment of the witness before the court, or to disclose the testimony given before them by any person, upon a charge against the person for perjury in giving the person's testimony, or upon the person's trial in a criminal prosecution.

대배심 앞에서 신문된 한 명의 증인의 증언을, 법원 앞에서의 그 증인의 탄핵을 위하여 공개하도록, 또는 대배심 앞에서 이루어진 어느 누구든지의 증언을 그 사람의 증언과정에서 저질러진 그 사람의 위증범행에 대한 고발에 따라서, 내지는 형사 소추에서의 그 사람의 정식사실심리 때에, 공개하도록 어떤 법원에 의하여도 대배심의 구성원은 내지는 대배심의 속기사는 내지는 통역인은 요구될 수 있다.

29-10.1-32. Grand juror cannot be questioned.
대배심원에게 신문할 수 없는 사항.

A grand juror cannot be questioned for anything the grand juror may say, or any vote the grand juror may give, in a session of the grand jury, relative to a matter legally pending before the jurors, except upon a charge against the grand juror for perjury in giving the person's testimony to the person's fellow jurors.

대배심원들 앞에 적법하게 계속되어 있는 사안에 관련되는, 대배심의 회합에서 한 명의 대배심원이 발언한 그 어떤 것에 관련하여서도 내지는 그 대배심원이 던질 수 있는 그 어떤 투표에 관련하여서도 그 대배심원은 신문될 수 없는바, 다만 동료 대배심원들에게의 당해 대배심원의 증언 과정에서 저질러진 위증범행에 대한 고발에 터잡는 경우에는 그러하지 아니하다.

29-10.1-33. When indictment ought to be found.
대배심 검사기소가 평결되어야 하는 경우.

The grand jurors shall find an indictment charging a person with the commission of an offense when all the evidence before them, taken together, is such as in their judgment would warrant a conviction by the trial jury.

정식사실심리 배심에 의한 한 개의 유죄판정을 자신들 앞의 함께 모두어진 전체 증거가 뒷받침할 것이라는 것이 그들의 판단인 경우에는 한 명을 한 개의 범죄의 범행으로 기소하는 대배심 검사기소를 대배심원들은 평결하여야 한다.

29-10.1-34. Finding indictment - Number of jurors required.
대배심 검사기소의 평결 - 요구되는 배심원들의 숫자.

An indictment cannot be found without the concurrence of at least six grand jurors. Whenever so found, it must be endorsed "a true bill" and the endorsement must be signed by the foreman of the grand jury. The names of the witnesses known to the grand jury must be endorsed thereon before the indictment is presented to the court.

적어도 여섯 명의 대배심원들의 찬성 없이는 한 개의 대배심 검사기소는 평결될 수 없다. 그렇게 평결되는 경우에는 언제든지 "대배심 검사기소 평결부 기소장안"이라는 문구가 기입되지 않으면 안 되고 그 기입은 당해 대배심의 배심장에 의하여 서명되지 않으면 안 된다. 대배심에게 알려진 증인들의 이름들은 당해 대배심 검사기소장이 법원에 제출되기 전에 그 위에 기입되지 않으면 안 된다.

29-10.1-35. Presentment of indictment to court by foreman.
대배심 검사기소장의 배심장에 의한 법원에의 제출.

An indictment found by the grand jurors must be presented by the foreman, in their presence, to the court, and must be filed with the clerk.

대배심원들에 의하여 평결된 한 개의 대배심 검사기소장은 그들의 면전에서 배심장에 의하여 법원에 제출되지 않으면 안 되고 서기에게 하달되지 않으면 안 된다.

29-10.1-36. Persons indicted - How arrested.
대배심 검사기소의 피고인 – 어떻게 체포되는가.

Whenever an indictment is found and presented against a person, the proceedings prescribed in chapter 29-12 govern when necessary to secure the person's appearance before the court.

한 명에 대한 한 개의 대배심 검사기소장이 평결되어 제출되는 때에는 언제든지 그 사람의 법원 앞에의 출석을 확보함에 필요한 경우에 제29-12장에 규정된 절차들이 적용된다.

29-10.1-37. Jurors to be discharged upon completion of business.
임무완수에 따르는 배심원들의 임무해제.

Upon the completion of the business before them, or whenever the court is of opinion that the public interests will not be served by further continuation of their sessions, the grand jurors must be discharged by the court.

그들 앞의 임무의 완수에 따라서, 또는 그들의 회합들의 더 이상의 지속에 의하여 공익들에 소용이 되지 아니하리라는 것이 법원의 의견인 경우에는 언제든지, 법원에 의하여 대배심원들은 임무해제 되지 않으면 안 된다.

29-10.1-38. Transcript demand - Waiver of transcript and preliminary examination, when.
녹취록 제공의 요구 - 녹취록의 및 예비심문의 포기, 언제 포기되는가.

Within five days after a first appearance before a magistrate, the person against whom an indictment has been found and presented may make a written demand to the district judge for a copy of the transcript of the testimony given before the grand jury as it relates to that person and the charges against that person. Upon receipt of such written demand, the judge shall issue an appropriate order. If the judge for any reason determines that a copy of a transcript of the testimony cannot be obtained, the person indicted is entitled, but not otherwise, to a preliminary examination, as provided by the statutes or North Dakota Rules of Criminal Procedure for persons otherwise charged with a crime. Under such conditions, the preliminary examination must be had before a judge of the district court serving the county in which the crime was committed or is triable. Failure to make such demand within the time prescribed constitutes a waiver of the right to the transcript or to a preliminary examination.

한 개의 대배심검사기소의 평결이 내려진 및 그 기소장이 법원에 제출된 사람은 대배심 앞에서 이루어진 자신에게 관련되는 증언의 녹취록 등본을 및 자신에 대한 공소장들의 등본을 달라는 서면요구를, 치안판사 앞에의 최초의 출석 뒤 닷새 이내에 재판구 지방법원 판사에게

할 수 있다. 적절한 명령을 그러한 서면요구의 수령에 따라서 판사는 발부하여야 한다. 증언의 녹취록 등본이 얻어질 수 없다고 어떤 이유에서든 만약 판사가 결정하면, 여타의 방법으로 범죄로 고발된 사람들을 위한 노스다코타주 제정법들에 의하여 내지는 형사소송규칙에 의하여 규정되는 바에 따라서, 예비심문을 거칠 권리를 대배심 검사기소에 처해진 사람은 지니는 바, 여타의 권리를 그는 지니지 아니한다. 그러한 조건들 아래서, 당해 범죄가 저질러진 내지는 정식사실심리 될 수 있는 당해 카운티를 관할하는 재판구 지방법원 판사 앞에서 예비심문은 이루어지지 않으면 안 된다. 녹취록을 제공받을 권리의 내지는 예비심문을 거칠 권리의 포기를 그 규정된 기간 내의 그러한 요구의 불이행은 구성한다.

29-10.1-39. Violation constitutes contempt.
위반은 법원모독을 구성함.

Any person who willfully violates any provision of this chapter is guilty of contempt of court.

이 장의 규정을 고의로 위반하는 사람은 누구든지 법원모독을 범하는 것이 된다.

https://statecodesfiles.justia.com/north-dakota/2019/title-29/chapter-29-10-2/chapter-29-10-2.pdf?ts=1580323781

CHAPTER 29-10.2
STATE GRAND JURY
스테이트 대배심

29-10.2-01. Definition.
개념정의.

As used in this chapter, “organized crime” means racketeering, as defined in section 12.1-06.1-01, or any combination or conspiracy of two or more persons to engage in criminal activity as a significant source of income or livelihood, or to violate, aid, or abet the violation of criminal laws relating to prostitution, gambling, loansharking, drug abuse, illegal alcohol or drug distribution, counterfeiting, extortion, or corruption of law enforcement officers or other public officers or employees.

제12.1-06.1-01절에 정의된 공갈행위를, 내지는 수입의 내지는 생계의 중요한 원천으로서의 범죄활동을 실행하기 위한, 또는 매춘에 관한, 도박에 관한, 고리대금업에 관한, 약물남용에 관한, 불법적 알콜 내지 마약 유통에 관한, 위조에 관한, 재물강요에 관한, 법집행 공무원들의 내지는 여타의 공무원들의 내지는 공공 피용자들의 부패행위에 관한 형사법들을 위반하기 위한, 그 위반을 조력하기 위한, 또는 교사하기 위한, 두 명 이상의 결합을 또는 공모를 이 장에서 사용되는 것으로서의 "조직적 범죄"는 의미한다.

29-10.2-02. Attorney general to request state grand jury - District court to impanel jury.

스테이트 대배심을 요청할 검찰총장의 의무 - 배심을 충원구성할 재판구 지방법원의 의무.

Whenever the attorney general considers it to be in the public interest to convene a grand jury with jurisdiction extending beyond the boundaries of any single county, the attorney general shall petition a judge of the district court for an order impaneling a state grand jury. The judge shall, upon good cause shown, order the impaneling of a state grand jury which has jurisdiction to investigate and indict for crimes committed anywhere within the state. In determining good cause for impaneling a state grand jury, the judge shall require a showing that the matter concerns multicounty criminal activities which involves organized crime as that term is defined herein or corruption of law enforcement officers or other public officers, officials, or employees. The authority and powers granted to the attorney general by this chapter do not supplant or diminish the authority and powers as set out in chapter 29-10.1.

한 개의 스테이트 대배심을 충원구성하라는 명령을, 단일 카운티의 경계들 너머로까지 미치는 관할권을 지니는 한 개의 대배심을 소집함이 공익에 부합한다고 검찰총장이 간주하는 때에는 언제든지, 재판구 지방법원 판사에게 검찰총장은 청구하여야 한다. 주 내의 어디서든지 저질러진 범죄들을 조사할 및 이를 대배심 검사기소에 처할 관할권을 지니는 한 개의 스테이트 대배심의 충원구성을 그 소명되는 타당한 이유에 터잡아 판사는 명령하여야 한다. 여기에 개념정의되는 용어로서의 조직적 범죄를, 또는 법집행 공무원들의 내지는 여타의 공무원들의, 공직자들의, 또는 공공 피용자들의 부패행위에를 포함하는 복수카운티 범죄활동들에 당해 사안이 관련된다는 점의 소명을, 한 개의 스테이트 대배심을 충원구성하기 위한 타당한 이유를 판단함에 있어서 판사는 요구하여야 한다. 제29-10.1장에 규정된 권능을 및 권한들을, 이 장에 의하여 검찰총장에게 부여되는 권능은 및 권한들은 밀어내지도 감소시키지도 아니한다.

29-10.2-03. Impaneling state grand jury - Selection – Composition.
스테이트 대배심의 충원구성 – 선정 - 구성.

The judge granting the order to impanel a state grand jury shall determine the counties from which the grand jurors are to be selected with due regard for the expense involved and the inconvenience of travel. The judge granting the order for a state grand jury shall notify the clerk of district court of each county from which the judge intends to select the members of the state grand jury. Upon receipt of the notice to impanel a state grand jury, each clerk of district court shall prepare a list of nine prospective state grand jurors from existing county jury lists in the manner provided by chapter 27-09.1, and forward the clerk's state grand jury list to the clerk of district court of the county in which the order to impanel a state grand jury was granted. The judge granting the order shall impanel the state grand jury from such lists. A state grand jury must be composed of not less than eight nor more than eleven persons and each grand juror shall possess the qualifications of jurors within their respective counties as provided by law. However, not more than one-half of the members may be residents of one county. The members of the state grand jury must be selected and the foremen appointed in the manner provided by chapter 29-10.1 and shall serve a term or terms as provided therein.

배심원들이 선정되어야 할 카운티들을 결정함에 있어서 그 초래되는 비용에 대한 및 여행의 불편에 대한 정당한 배려를, 한 개의 스테이트 대배심을 충원구성하라는 명령을 내리는 판사는 기울여야 한다. 한 개의 스테이트 대배심을 위한 명령을 내리는 판사는 당해 스테이트 대배심의 구성원들을 선정하고자 자신이 의도하는 해당 개개 카운티의 재판구 지방법원 서기에게 통지하여야 한다. 한 개의 스테이트 대배심을 충원구성하라는 통지의 수령 즉시로 아홉 명의 스테이트 대배심원후보들의 명부를 기존의 카운티 배심명부들로부터 제27-09.1장에 규정되는 방법에 따라서 개개 재판구 지방법원 서기는 작성하여야 하고 당해 서기의 스테이트 대배심 명부를, 한 개의 스테이트 대배심을 충원구성하라는 명령이 내려진 카운티의 재판구 지방법원 서기에게 제출하여야 한다. 명령을 내린 판사는 스테이트 대배심을 그러한 명부들로부터 충원구성하여야 한다. 8명 이상으로 및 11명 이하로 스테이트 대배심은 구성되지 않으면 안 되고 법에 의하여 규정되는 각각의 카운티들에서의 배심원들의 자격조건들을 개개 대배심원은 보유하여야 한다. 그러나, 카운티 한 개의 주민들은 그 구성원들의 2분의 1 이하여야 한다. 제29-10.1장에 의하여 규정되는 방법으로 스테이트 대배심의 구성원들은 선정되지 않으면 안 되고 배심장은 지명되지 않으면 안 되는바, 그들은 거기에 규정되는 기간을 내지는 기간들을 복무하여야 한다.

29-10.2-04. Summoning jurors - Presentation of evidence - Return of indictments.

배심원들의 소환- 증거의 제출 - 대배심 검사기소장들의 제출.

1. State grand jurors must be summoned in the same manner and must be governed by the same provisions as jurors of county grand juries. Judicial supervision of the state grand jury must be maintained by the judge who granted the order impaneling the state grand jury in the same manner as with county grand juries. All indictments or other formal returns of any kind made by the state grand jury must be returned to that judge. An indictment may be found only upon the concurrence of at least six jurors.

   스테이트 대배심원들은 카운티 대배심들의 배심원들이 소환되는 방법에의 동일한 방법으로 소환되지 않으면 안 되고 카운티 대배심들의 배심원들이 규율되는 규정들에의 동일한 규정들에 의하여 규율되지 않으면 안 된다. 스테이트 대배심에 대한 법원의 감독은 스테이트 대배심을 충원구성하라는 명령을 내린 판사에 의하여, 카운티 대배심들에 대하여 이루어지는 방법에의 동일한 방법으로 유지되지 않으면 안 된다. 스테이트 대배심에 의하여 이루어지는 모든 대배심 검사기소장들은 내지는 종류 여하를 불문한 여타의 공식적 보고들은 그 판사에게 제출되지 않으면 안 된다. 적어도 여섯 명의 대배심원들의 찬성 위에서만 한 개의 대배심 검사기소장은 평결될 수 있다.

2. The presentation of the evidence must be made to a state grand jury by the attorney general, an assistant attorney general, or special counsel appointed by the attorney general.

 증거의 제출은 스테이트 대배심에게 검찰총장에 의하여, 검찰총장보에 의하여, 또는 검찰총장이 지명하는 특별검사에 의하여 이루어지지 않으면 안 된다.

3. Any indictment by a state grand jury must be returned to the supervising judge without any designation of venue. Thereupon the judge shall designate the county of venue for the purposes of trial.

 스테이트 대배심에 의한 대배심 검사기소장은 감독판사에게 재판지의 지정 없이 제출되지 않으면 안 된다. 정식사실심리의 목적들을 위한 재판지 카운티를 이에 따라서 판사는 지정하여야 한다.

29-10.2-05. Grand jury investigations - Confidentiality – Exceptions.
대배심 조사들 – 비밀의무 - 예외들.

1. In addition to its power of indictment, a state grand jury impaneled under this chapter may, at the request of the attorney general, cause an investigation to be made into the extent of multicounty criminal activity which involves organized crime as defined herein or corruption of law enforcement officers or other public officers, officials, or employees.

 그 자신의 대배심 검사기소의 권한을에 추가하여, 여기에 개념정의되는 조직적 범죄를 내지는 법집행 공무원들의 내지는 여타의 공무원들의, 공직자들의, 또는 공공 피용자들의 부패행위를 포함하는 복수카운티 범죄활동의 범위에 대한 한 개의 조사가 이루어지도록, 이 장 아래서 충원구성되는 스테이트 대배심은 검찰총장의 요청에 따라서 조치할 수 있다.

2. Disclosure of any matters occurring before a state grand jury, other than its deliberation and the vote of any juror, may be made to the attorney general for use in the performance of the attorney general's duties. The attorney general may disclose so much of the state grand jury's proceedings to law enforcement agencies as the attorney general considers essential to the public interest and effective law enforcement.

스테이트 대배심의 숙의의를 및 배심원 어느 누구든지의 투표의를 제외한 그 앞에서 발생하는 사안들의 공개는 검찰총장의 임무들의 수행에서의 사용을 위하여 검찰총장에게 이루어질 수 있다. 공익에 및 효율적인 법 집행에 불가결하다고 검찰총장이 간주하는 범위 내의 스테이트 대배심의 절차들을 법 집행기관들에게 검찰총장은 공개할 수 있다.

3. A report or presentment of a state grand jury relating to an individual which is not accompanied by a true bill of indictment may not be made public or be published until the individual concerned has been furnished a copy of the report and given thirty days to file with the district court a motion to suppress or seal the report or a portion that is improper and unlawful. The motion, whether granted or denied, automatically acts as a stay of public announcement of the report, or portion of the report, until the district court's ruling on the motion is either affirmed or denied by an appellate court, or until the time in which the order may be appealed has expired, whichever occurs first. The report or portion of the report which is suppressed or sealed may not be opened even by order of the court.

기소 평결부 대배심 검사기소장이 동반되지 아니하는 한 명의 개인에 관한 스테이트 대배심의 보고서는 내지는 독자고발장은 그 관련된 개인에게 보고서의 등본이 제공되고 났을 때까지는 및 보고서를 내지는 그 부적절한 및 부적법한 부분을 삭제해 달라는 내지는 봉인해 달라는 신청을 재판구 지방법원에 제출하기 위한 30일이 부여되고 났을 때까지는 공개되어서는 내지는 공표되어서는 안 된다. 신청은 그 받아들여지든 받아들여지지 않든 상관없이, 신청에 대한 재판구 지방법원의 결정이 항소법원에 의하여 인가되든지 파기되든지 할 때까지의 또는 그 명령이 항소될 수 있는 기한이 종료하였을 때까지의 중에서 더 빠른 시점 때까지, 자동적으로 보고서의 내지는 보고서의 일부분의 공표에 대한 한 개의 정지로서 작용한다. 삭제되는 내지는 봉인되는 보고서는 내지는 보고서의 부분은 심지어 법원의 명령에 의하더라도 공개되어서는 안 된다.

29-10.2-06. Juror fees and expenses.
배심원 보수들 및 필요경비들.

1. State grand jurors, in addition to receiving the juror fee provided by law for petit jurors, must be reimbursed for necessary expenses on a per diem basis in the same manner and at the same rate as state employees.

   소배심원들을 위하여 법에 규정되는 배심원 보수를 수령함에 더하여 주(state) 피용자들에의 동일한 방법으로 및 동일한 요율에 따라서 일당기준으로 필요경비들을 스테이트 대배심원들은 변상받지 않으면 안 된다.

2. The costs and expenses incurred in impaneling a state grand jury and in the performance of its functions and duties must be paid by the state out of funds appropriated to the attorney general.

   한 개의 스테이트 대배심을 충원구성함에 있어서 및 그 기능들의 및 임무들의 수행에 있어서 초래되는 비용들은 및 필요경비들은 검찰총장에게 배정된 기금으로부터 주에 의하여 지불되지 않으면 안 된다.

https://statecodesfiles.justia.com/north-dakota/2019/title-29/chapter-29-12/chapter-29-12.pdf?ts=1580323782

CHAPTER 29-12
PROCESS UPON INFORMATION AND INDICTMENT
검사 독자기소장에 및 대배심 검사기소장에 터잡는 절차

29-12-01. Presence enforced by direction of court.
법원의 명령에 의하여 강제되는 출석.

Superseded by N.D.R.Crim.P., Rule 10.

노스다코타주 형사소송규칙 Rule 10 [3]에 의하여 대체됨.

---

3) https://www.ndcourts.gov/legal-resources/rules/ndrcrimp/10

RULE 10. ARRAIGNMENT

기소인부 신문

Effective Date: 10/1/2016

발효: 2016년 10월 1일

(a) In General. Unless the defendant has waived presence under Rule 43, arraignment must be conducted in open court and consists of:

일반원칙. 출석을 Rule 43에 따라서 피고인이 포기한 경우에를 제외하고는 기소인부 신문은 공개법정에서 이루어지지 않으면 안 되고, 아래로 구성되지 않으면 안 된다:

(1) ensuring the defendant has a copy of the indictment, information, or complaint;

대배심 검사기소장의, 검사 독자기소장의, 또는 소추청구장의 등본을 피고인이 소지함을 확인할 것;

(2) reading the indictment, information, or complaint to the defendant or stating to the defendant the substance of the charge; and then

대배심 검사기소장을, 검사 독자기소장을, 또는 소추청구장을 피고인에게 낭독해 줄 것 또는 공소사실의 내용을 피고인에게 설명해 줄 것; 그리고 그 뒤에

(3) asking the defendant to plead to the indictment, information or complaint.

대배심 검사기소장에, 검사 독자기소장에 또는 소추청구장에 대하여 주장하도록 피고인에게 요청할 것.

If the defendant appears at the arraignment without counsel, the defendant must be informed of the right to counsel as provided in Rule 44.

기소인부 신문에 만약 변호인 없이 피고인이 출석하면, Rule 44에 규정되는 바에 따른 변호인의 조력을 받을 권리가 피고인에게 고지되지 않으면 안 된다.

(b) Reliable Electronic Means. Contemporaneous audio or audiovisual transmission by reliable electronic means may be used to arraign a defendant as permitted by N.D. Sup. Ct. Admin. R 52.

믿을 만한 전자적 방법. 피고인에 대하여 기소인부 신문을 실시하기 위하여는 노스다코타주 대법원 시행규칙 Rule 52에 의하여 허용되는 믿을 만한 전자적 방법에 의한 동시적 음성송신 장비가 내지는 음성 및 영상 송신 장비가 사용될 수 있다.

29-12-02. Warrant of arrest.
체포영장.

Superseded by N.D.R.Crim.P., Rule 46.

노스다코타주 형사소송규칙 Rule 46 [4]에 의하여 대체됨.

---

4) https://www.ndcourts.gov/legal-resources/rules/ndrcrimp/46-3

Rule 46 - Release from Custody

구금으로부터의 석방

(a) Release Before Trial.

정식사실심리 전 석방.

(1) In General. At the initial appearance before a magistrate of a person charged with an offense, the magistrate must order the person released pending trial on the person's personal recognizance or on execution of an unsecured appearance bond in an amount specified by the magistrate, unless the magistrate determines, in the exercise of the magistrate's discretion, that unconditional release will not reasonably assure the appearance of the person as required.

일반원칙. 범죄로 고발된 사람의 치안판사 앞에의 최초의 출석 때에 그 사람으로 하여금 정식사실심리를 기다리는 동안 치안판사에 의하여 정해지는 액수의 그 자신의 서약보증서를 담보로 하여 또는 무보증 출석 담보금증서를 담보로 하여 석방되어 있게 하도록 치안판사는 명령하지 않으면 안 되는바, 다만 그 요구되는 대로의 그 사람의 출석을 무조건의 석방이 합리적으로 확보하지 못할 것이라고 치안판사 자신의 재량권의 행사에 있어서 치안판사가 판단하는 경우에를 제외한다.

(2) Setting Release Conditions. If the magistrate concludes that unconditional release is not appropriate, release conditions may be imposed, either in lieu of or in addition to the methods of release specified in Rule 46(a)(1). The magistrate may impose any release condition that will reasonably assure the appearance of the person for trial including:

석방조건들의 설정. 무조건의 석방이 적절하지 아니하다고 만약 치안판사가 결론지으면, Rule 46(a)(1)에 명시된 석방 방법들에 갈음하여서든지 또는 이에 추가하여서든지, 석방조건들이 부과될 수 있다. 정식사실심리를 위한 그 사람의 출석을 합리적으로 보장할 것으로 판단되는 어떤 석방조건을이든 치안판사는 부과할 수 있는바, 아래의 것들을 이는 포함한다:

(A) placing the person in the custody of a designated person or organization agreeing to supervise the person;

그 사람을 감독하기로 동의하는 특정인의 내지는 특정기관의 보호에 그 사람을 맡기는 조치;

(B) requiring the person to maintain employment, or, if unemployed, to actively seek employment;

취업 상태를 유지하도록, 내지는 만약 그가 실직 상태에 있으면 취업을 적극적으로 구하도록 그 사람에게 요구하는 조치;

(C) requiring the person to maintain or begin an educational program;

교육과정을 유지하도록 또는 시작하도록 그 사람에게 요구하는 조치;

(D) placing restrictions on the travel, association, or place of abode of the person during the period of release;

석방기간 동안의 그 사람의 여행에, 교제에, 또는 거주장소에 대한 제한들을 설정하는 조치;

(E) requiring the person to avoid all contact with an alleged victim of the crime or with a potential witness who may testify concerning the offense;

주장되는 범죄 피해자에게의 내지는 그 범죄에 관련하여 증언할 수 있는 잠재적 증인에게의 모든 접촉을 피하도록 그 사람에게 요구하는 조치;

(F) requiring the person to report on a regular basis to a designated law enforcement agency, or any other agency;

특정의 법 집행기관에 내지는 그 밖의 기관에 정규적으로 보고하도록 그 사람에게 요구하는 조치;

(G) requiring the person to comply with a specified curfew;

특정의 통행금지 시간을 준수하도록 그 사람에게 요구하는 조치;

(H) requiring the person to refrain from possessing a firearm, destructive device, or other dangerous weapon;

총기를, 파괴력 있는 수단을, 또는 그 밖의 흉기를 소유하기를 삼가도록 그 사람에게 요구하는 조치;

(I) requiring the person to refrain from any use of alcohol, or any use of a narcotic drug or other controlled substance, as defined in N.D.C.C. ch. 19-03.1, without a prescription by a licensed medical practitioner;

알콜의 사용을, 또는 노스다코타주 통합법률집 제19-03.1장에 규정된 마약의 내지는 그 밖의 금제물의 면허된 의사에 의한 처방 없는 사용을 삼가도록 그 사람에게 요구하는 조치;

(J) requiring the person to undergo available medical, psychological, or psychiatric treatment, including treatment for drug or alcohol dependency, and to remain in a specified institution if required for that purpose;

알콜중독의 내지는 마약중독의 치료를을 포함하여 이용 가능한 의학적, 심리학적, 또는 정신과적 치료를 받도록, 그리고 그 목적을 위하여 요구되는 경우에는 특정의 시설 안에 머물도록 그 사람에게 요구하는 조치;

(K) requiring the execution of an appearance bond in a specified amount and the deposit with the court of cash or other security as directed, in an amount not to exceed ten percent of the amount of the bond, which deposit must be returned on performance of the release conditions;

특정액수의 출석담보금증서의 작성을 및 그 증서 액면의 10%를 초과하지 아니하는 금액의 명령되는 대로의 현금의 내지는 그 밖의 담보의 법원에의 공탁을 요구하는 조치- 다만, 석방조건들의 이행에 따라서 그 공탁금은 반환되지 않으면 안 된다.

(L) requiring the execution of a bail bond with sufficient solvent sureties, or the deposit of cash in lieu of a bail bond; or

지불 가능한 충분한 보증인들을 대동하는 출석담보금증서의 작성을 내지는 출석담보금증서를에 갈음하는 현금공탁을 요구하는 조치; 또는

(M) imposing any other conditions reasonably necessary to assure appearance as required, including a condition requiring the return of the person to custody after a specified time of day.

하루 중의 특정시각 뒤의 구금에의 복귀를 요구하는 조건을을 포함하는, 그 요구되는 대로의 출석을 확보함에 합리적으로 필요한 그 밖의 조건들을 부과하는 조치.

(3) Release Condition Factors. In determining conditions of release that will reasonably assure appearance of a person, the magistrate, on the basis of available information, must consider:

석방조건의 요소들. 사람의 출석을 합리적으로 확보할 만한 석방조건들을 결정함에 있어서는 그 입수 가능한 정보의 토대 위에서 아래 사항들을 치안판사는 고려하지 않으면 안 된다:

(A) the nature and circumstances of the offense charged;

고발된 범죄의 성격 및 상황들;

(B) the weight of the evidence against the person;

그 사람에게 불리한 증거의 증명력;

(C) the person's family ties, employment, financial resources, character and mental condition;

그 사람의 가족에의 유대관계, 고용관계, 재정적 자력, 성격 및 정신상태;

(D) the length of the person's residence in the community;

지역사회에서의 그 사람의 거주의 기간;

(E) the person's record of convictions;

그 사람의 유죄판정 기록;

(F) the person's record of appearance at court proceedings or of flight to avoid prosecution or failure to appear voluntarily at court proceedings; and

법원절차들에의 그 사람의 출석기록 내지는 소추를 회피하기 위한 도주기록 내지는 법원절차들에 자발적으로 출석하기에 대한 불이행 기록; 그리고

(G) the nature and seriousness of the danger to any person or the community posed by the person's release.

그 사람의 석방에 의하여 초래되는 어느 누구든지에게 내지는 지역사회에 가해지는 위험의 성격 및 중대성.

(4) Release Order. A magistrate authorizing the release of a person under Rule 46(a) must:

석방명령. 사람의 석방을 Rule 46(a) 아래서 허가하는 치안판사는 다음의 조치를 취하지 않으면 안 된다:

(A) issue an order containing a statement of the release conditions imposed, if any;

그 있을 경우에의 부과된 석방조건들의 명시가 포함된 명령을 내리는 조치;

(B) inform the person of the penalties applicable to violations of the release conditions; and

석방조건들의 위반행위들에 적용되는 벌칙들을 그 사람에게 고지하는 조치; 그리고

(C) advise the person that a warrant for the person's arrest will be issued immediately upon any violation.

위반행위가 있으면 즉시 그 사람의 체포를 위한 영장이 발부될 것임을 그 사람에게 고지하는 조치.

(5) Review of Release Conditions. A person for whom release conditions are imposed who continues to be detained 48 hours after the release hearing because of an inability to meet the conditions may, upon request, have the conditions reviewed by a magistrate.

석방조건들의 재검토. 석방조건들을 부과받은 사람으로서 그 조건들을 충족할 수 없음으로 인하여 석방심문 뒤 48시간 뒤에도 구류상태가 계속되는 사람은 요청에 따라서 그 석방조건들을 치안판사에 의하여 재검토받을 수 있다.

(6) Amending Release Conditions. A magistrate ordering the release of a person on any condition specified in a release order may amend the order at any time to impose additional or different conditions of release.

석방조건들의 변경. 사람의 석방을 석방명령에 명시된 조건 위에서 명령하는 치안판사는 추가적 석방조건들을 내지는 별개의 석방조건들을 부과하도록 그 명령을 언제든지 변경할 수 있다.

(7) Release Information. Information stated in, or offered in connection with, an order entered under Rule 46(a) need not conform to the North Dakota Rules of Evidence.

석방에 관한 정보. Rule 46(a)에 따라서 기입된 한 개의 명령에 명시된 내지는 그 명령에 관련하여 제공된 정보는 노스다코타주 증거규칙에 부합될 필요가 없다.

(8) Collateral Security. Rule 46(a) does not prevent the disposition of any case or class of cases by forfeiture of collateral security when that disposition is authorized by the court.

부담보(副擔保). 부담보의 몰수에 의한, 사건의 내지는 사건집단의 처분을 법원에 의하여 그 처분이 허가되는 경우에 Rule 46(a)은 금지하지 아니한다.

(b) Release During Trial. A person released before trial continues on release during trial under the same terms and conditions. But the court may order different terms and conditions or terminate the release if necessary to ensure that the person will be present during trial or that the person's conduct will not obstruct the orderly and expeditious progress of the trial.

정식사실심리 동안의 석방. 정식사실심리 전에 석방된 사람은 정식사실심리 동안에 계속 동일한 조건들 아래서 석방 상태에 놓인다. 그러나 정식사실심리 동안에 그 사람이 출석함을 확보하는 데에 내지는 정식사실심리의 규율 있는 및 급속의 진행을 그 사람의 행동이 방해하지 아니함을 확보하는 데에 만약 필요하면 법원은 다른 조건들을 명령할 수 있고 석방을 종료시킬 수 있다.

(c) Motion for Release.

석방신청.

(1) Motion to District Court. A person must make any application for release, modification of release conditions, or revocation of release after a notice of appeal from a judgment of conviction has been filed, to the district court before the motion may be made to the supreme court. If the district court refuses release pending appeal, or imposes conditions of release, or revokes release, the court must state in writing the reasons for the action taken.

재판구 지방법원에의 신청. 석방을 위한, 석방조건들의 변경을 위한, 유죄판정의 판결주문에 대한 항소통지가 제출되고 난 뒤의 석방에 대한 취소를 위한 신청이 대법원에 제출될 수 있으려면 이에 앞서서그 신청을 재판구 지방법원에 사람은 제기하지 않으면 안 된다. 만약 재판구 지방법원이 항소심을 기다리는 동안의 석방을 거부하면, 또는 석방조건들을 부과하면, 또는 석방을 취소하면, 그 취해지는 조치들을 위한 이유들을 서면으로 법원은 명시하지 않으면 안 된다.

(2) Motion to Supreme Court. After first making a motion to the district court under Rule 46(c)(1), a person may make a motion for release, or for modification of the conditions of release, or for revocation of release, pending review to the supreme court or to one of its justices. After reasonable notice to the appellee, the supreme court or one of its justices must decide the motion promptly on the documents, affidavits, and portions of the record the parties present. The supreme court or one of its justices may order the release of the appellant pending disposition of the motion.

대법원에의 신청. Rule 46(c)(1)에 따라서 재판구 지방법원에 신청을 먼저 제기한 뒤에 재검토를 기다리는 동안의 석방을 위한, 석방조건들의 변경을 위한, 석방의 취소를 위한 신청을 대법원에 또는 대법관들 중 한 명에게 사람은 제기할 수 있다. 피항소인에게의 합리적 통지 뒤에 당사자들이 제출하는 문서들에, 선서진술서들에, 그리고 기록의 부분들에 터잡아서 신청을 신속하게 대법원은 내지는 대법관들 중 한 명은 결정하지 않으면 안 된다. 신청에 대한 처분을 기다리는 동안의 항소인의 석방을 대법원은 내지는 대법관들 중 한 명은 명령할 수 있다.

(d) Release of Material Witness. A magistrate may issue a warrant for detention of a person if:

중요증인의 석방. 사람의 구류를 위한 영장을 아래의 경우에 치안판사는 발부할 수 있다:

(1) it appears by affidavit that the testimony of the person is material in any criminal proceeding; and

형사절차에서 그 사람의 증언이 중요함이 선서진술서에 의하여 드러나는 경우; 그리고

(2) it is shown that it may be impracticable to secure the person's presence by subpoena. The magistrate may impose release conditions as specified in Rule 46(a) on a detained material witness. A material witness may not be detained because of inability to comply with any release condition if the testimony of the witness can adequately be secured by deposition, and if further detention is not necessary to prevent a failure of justice. Release may be delayed for a reasonable time until the deposition of the witness is taken.

그 사람의 출석을 벌칙부소환장에 의하여 확보하기가 실행 불가능함이 소명되는 경우. Rule 46(a)에 규정된 석방조건들을 구금된 중요증인에게 치안판사는 부과할 수 있다. 법정 외 증언녹취에 의하여 중요증인의 증언이 적절하게 확보될 수 있으면, 그리고 사법의 고장을 방지함에 더 이상의 구금이 필요하지 아니하면 중요증인은 석방조건의 준수 불가능을 이유로 구금되어서는 안 된다. 당해 증인에 대한 법정 외 증언녹취 절차가 취해지기까지의 합리적 기간 동안 석방은 지연될 수 있다.

(e) Surety.

보증인.

(1) Approval. The court must not approve a bond unless the surety appears to be qualified. Every surety, except a legally approved corporate surety, must demonstrate by affidavit that its assets are adequate. The court may require the affidavit to describe the following:

승인. 보증인이 자격을 지니는 것으로 나타나는 경우에를 제외하고는 출석담보금증서를 법원은 승인하여서는 안 된다. 법적으로 승인된 법인체 보증인인 경우에를 제외하고는 자신의 자산들이 충분함을 선서진술서에 의하여 모든 보증인은 증명하지 않으면 안 된다. 아래의 사항들을 선서진술서가 기술할 것을 법원은 요구할 수 있다:

(A) the property that the surety proposes to use as security;

담보로 사용하겠다고 보증인이 제의하는 재산;

(B) any encumbrance on that property;

그 재산 위의 부담;

(C) the number and amount of any other undischarged bonds and bail undertakings the surety has issued; and

당해 보증인이 발부한 바 있는 여타의 해제되지 아니한 출석담보금증서들의 및 보석보증서들의 숫자 및 금액

(D) any other liability of the surety.

보증인의 여타의 책임.

(2) Suspension. If a surety fails to make payment on forfeited bail within ninety days, the surety and its agent will be suspended automatically from writing further bonds. The suspension will continue for a period of thirty days from the date the principal amount of the bond is deposited in cash with the clerk of court.

정지. 몰수된 보석금에 대한 지불을 90일 내에 만약 보증인이 불이행하면, 더 이상의 출석담보금증서들을 작성할 보증인의 및 그 대리인의 권리는 자동적으로 정지된다. 당해 출석담보금증서의 원금이 현금으로 법원서기에게 공탁되는 날로부터 30일의 기간 동안 정지는 지속된다.

(f) Bail Forfeiture.

보석금 몰수.

(1) Declaration.

선언.

(A) The court must declare the bail forfeited if a condition of the bond is breached.

보석금이 몰수됨을 출석담보금증서 상의 조건이 위반되는 경우에 법원은 선언하지 않으면 안 된다.

(B) If the court declares bail forfeited, the clerk of court must notify any surety in writing and direct the surety to make payment under the terms of the bond within ninety days of the date of the forfeiture order. The clerk must send a copy of the forfeiture order with the notice.

보석금이 몰수됨을 만약 법원이 선언하면, 법원서기는 보증인에게 서면으로 통지하지 않으면 안 되고 몰수명령일로부터의 90일 내의 출석담보금증서의 조건들 아래서의 지급을 보증인에게 명령하지 않으면 안 된다. 몰수명령 등본을 통지서를에 더불어 서기는 발송하지 않으면 안 된다.

(2) Setting Aside.

취소.

(A) The court may set aside in whole or in part a bail forfeiture upon any condition the court may impose if it appears justice does not require bail forfeiture.

보석금 몰수를 사법이 요구하지 아니하는 것으로 나타나면, 자신이 부과하는 조건 위에서 보석금 몰수의 전부를 내지는 일부를 법원은 취소할 수 있다.

(B) Any motion for a bail forfeiture to be set aside must be filed with the clerk of court within ninety days of the date of the order of forfeiture.

보석금 몰수를 취소하여 달라는 신청은 몰수명령일로부터 90일 내에 법원서기에게 하달되지 않으면 안 된다.

(3) Enforcement.

집행.

(A) Default and Execution. If it does not set aside a bail forfeiture, the court must, upon the prosecution's motion, enter a default judgment.

결석 및 집행. 보석금 몰수를 법원이 취소하지 아니하면 한 개의 결석판결을 검사의 신청에 따라서 법원은 기입하지 않으면 안 된다.

(B) Jurisdiction and Service. By entering into a bond, each surety submits to the court's jurisdiction and irrevocably appoints the clerk of court as its agent to receive service of any filings affecting its liability.

관할 및 송달. 개개 보증인은 한 개의 출석담보금증서에 기입함에 의하여 당해 법원의 관할을 감수하며 자신의 책임에 영향을 미치는 제출물들의 송달을 수령할 자신의 대리인으로 법원서기를 취소불능적으로 지정한다.

(C) Motion to Enforce. The court may, upon the prosecution's motion, enforce the surety's liability without an independent action. The prosecution must serve any motion, and notice as the court prescribes, on the clerk of court. If so served, the clerk must promptly mail or send by third-party commercial carrier a copy to the surety at its last-known address.

집행신청. 보증인의 책임을 검사의 신청에 따라서 독립의 소송 없이 법원은 집행할 수 있다. 어떤 신청을이든, 그리고 법원이 규정하는 어떤 통지를이든 법원서기에게 검사는 송달하지 않으면 안 된다. 만약 그렇게 송달되면, 그 등본을 제3자 상업 운송편에 의하여 보증인에게 그 알려진 최후의 주소지로 서기는 신속하게 우송하지 않으면 내지는 보내지 않으면 안 된다.

(4) Remission. After entering a judgment under Rule 46(f)(3), the court may remit in whole or in part the judgment under the same conditions specified in Rule 46(f)(2)(A).

면제. Rule 46(f)(3) 아래서의 판결주문의 기입 뒤에 그 판결주문의 전부를 또는 일부를 Rule 46(f)(2)(A)에 규정된 조건들에의 동일한 조건들 아래서 법원은 면제할 수 있다.

(g) Exoneration. The court must exonerate the surety and release any bail when a bond condition has been satisfied or when the court has set aside or remitted the forfeiture. The court must exonerate a surety who deposits cash in the amount of the bond or timely surrenders the defendant into custody.

해방. 출석담보금증서의 조건이 충족되고 났을 때에 내지는 몰수를 법원이 취소하고 났을 때에 내지는 면제하고 났을 때에 법원은 보증인을 해방시키지 않으면 안 되고 보석금을 해제하지 않으면 안 된다. 출석담보금증서 상의 액수의 현금을 공탁하는 보증인을, 내지는 피고인을 적시에 구금에 내놓는 보증인을, 법원은 해방시키지 않으면 안 된다.

(h) Supervising Detention Pending Trial. To eliminate unnecessary detention, a court must supervise the detention of defendants it orders held awaiting trial and of persons it orders held as material witnesses.

정식사실심리를 기다리는 동안의 구금의 감독. 정식사실심리를 기다리면서 구금되어 있도록 자신이 명령하는 피고인들의 및 중요증인들로서 구금되어 있도록 명령하는 사람들의 구금을, 불필요한 구금의 방지를 위하여 법원은 감독하지 않으면 안 된다.

29-12-03. Warrant, clerk to issue.
영장, 서기의 발부권한.

Superseded by N.D.R.Crim.P., Rule 9.

노스다코타주 형사소송규칙 Rule 9 [5]에 의하여 대체됨.

---

5) https://casetext.com/rule/north-dakota-court-rules/north-dakota-rules-of-criminal-procedure/indictment-and-information/rule-9-warrant-or-summons-upon-indictment-or-information

Rule 9 - Warrant or Summons upon Indictment or Information

대배심 검사기소장에 또는 검사 독자기소장에 터잡는 영장 내지는 소환장

(a) Issuance. The court must issue an arrest warrant for each defendant named in the indictment or information, if it is supported by a showing of probable cause as required in Rule 4(a). The court need not issue a warrant for any defendant who has been held to answer for any offense charged. After a showing of probable cause, the court may issue a summons instead of a warrant on its own motion or at the request of the prosecuting attorney. On like request or on its own motion, the court may issue more than one warrant or summons for the same defendant. The court must issue the arrest warrant or summons to the sheriff or other person authorized by law to execute or serve it. If a defendant fails to appear in response to a summons, the court must issue a warrant.

발부. 대배심 검사기소장에서 내지는 검사 독자기소장에서 거명된 개개 피고인을 위한 체포영장을, Rule 4(a)에 의하여 요구되는 상당한 이유의 소명에 의하여 그것이 뒷받침되는 경우에 법원은 발부하지 않으면 안 된다. 기소대상 범죄에 대하여 답변하도록 구금되어 있는 피고인을 위한 영장을 법원은 발부할 필요가 없다. 상당한 이유의 소명 뒤에 영장을에 갈음하는 한 개의 소환장을 그 자신의 직권으로 내지는 검찰관의 신청에 따라서 법원은 발부할 수 있다. 동일한 피고인을 위한 한 개를 넘는 영장을 내지는 소환장을 검찰관의 신청에 따라서 내지는 그 자신의 직권으로 법원은 발부할 수 있다. 체포영장을 내지는 소환장을 집행관에게 내지는 이를 집행할 내지는 송달할 권한이 법에 의하여 부여된 여타의 사람에게 법원은 발부하지 않으면 안 된다. 만약 소환장에 응하여 출석하기를 피고인이 불이행하면, 영장을 법원은 발부하지 않으면 안 된다.

(b) Form.

형식.

(1) Warrant. The warrant must conform to Rule 4(b)(1), describe the offense charged in the indictment or information, and command that the defendant be arrested and brought before the court. The court may fix the amount of bail and endorse it on the warrant.

영장. 영장은 Rule 4(b)(1)에 부합되지 않으면 안 되고, 대배심 검사기소장에서 내지는 검사 독자기소장에서 기소되는 범죄를 기술하지 않으면 안 되며, 피고인을 체포하여 법원 앞에 데려오도록 명령하지 않으면 안 된다. 법원은 보석금의 액수를 정할 수 있고, 그것을 영장 위에 기입할 수 있다.

29-12-04. Warrant, form – Felony.
영장, 형식 - 중죄.

Superseded by N.D.R.Crim.P., Rules 9, 58. [6)]

노스다코타주 형사소송규칙 Rule 9, 58에 의하여 대체됨.

---

(2) Summons. The summons must be in the same form as a warrant except that it must require the defendant to appear before the court at a stated time and place.

소환장. 소환장은 특정의 시간에 및 장소에 법원 앞에 출석하도록 피고인에게 요구하지 않으면 안 되는 점을 제외하고는 영장의 형식에의 동일한 형식이지 않으면 안 된다.

(c) Execution or Service; and Return.

집행 내지는 송달; 그리고 반환.

(1) Execution or Service. The warrant must be executed or the summons served as provided in Rule 4(c)(1) and (2).

집행 내지는 송달. Rule 4(c)(1)에 및 (2)에 규정된 바에 따라서 영장은 집행되지 않으면 안 되거나 소환장은 송달되지 않으면 안 된다.

(2) Return. A warrant or summons must be returned in accordance with Rule 4(d).

반환. 영장은 내지는 소환장은 Rule 4(d)에의 부합 속에서 반환되지 않으면 안 된다.

(d) Warrant or Summons by Telephone or Other Means. In accordance with Rule 4.1, the magistrate may issue a warrant or summons based on information communicated by telephone or other reliable electronic means.

전화에 내지는 여타의 수단에 의한 영장 내지는 소환장. 전화에 의하여 내지는 그 밖의 믿을 만한 전자적 수단에 의하여 전달되는 정보에 터잡는 영장을 내지는 소환장을 Rule 4.1에의 부합 속에서 치안판사는 발부할 수 있다.

6) https://casetext.com/rule/north-dakota-court-rules/north-dakota-rules-of-criminal-procedure/general-provisions/rule-58-appendix-of-forms

Rule 58 - Appendix of Forms

형식들의 부록

The forms contained in the appendix of forms are illustrative and not mandatory.

형식들의 부록에 포함된 것들은 예시적인 것들일 뿐 의무적인 것들이 아니다.

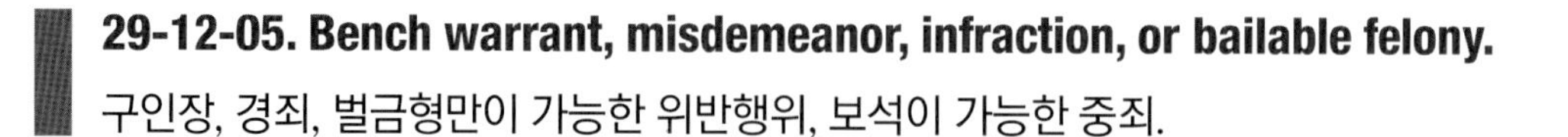

29-12-05. Bench warrant, misdemeanor, infraction, or bailable felony.
구인장, 경죄, 벌금형만이 가능한 위반행위, 보석이 가능한 중죄.

If an offense is a misdemeanor, an infraction, or a bailable felony, the bench warrant issued must be in a form similar to form 12 as contained in the appendix to the North Dakota Rules of Criminal Procedure but must add to the body thereof a direction to the following effect: "or if the person requires it, that you take the person before any magistrate of that county or in the county in which you arrest the person, that the person may give bail to answer the information (or indictment)".

만약 한 개의 범죄가 경죄이면, 벌금형만이 가능한 위반행위이면, 또는 보석이 가능한 중죄이면, 그 발부되는 구인장은 노스다코타주 형사소송규칙 부록에 포함된 형식 12에 유사한 형식이 되지 않으면 안 되는바, 다만 아래 취지의 명령을 그 본문에 추가하지 않으면 안 된다: "또는 그것을 만약 그 사람이 요구하면 그 사람을 그 카운티의 내지는 그 사람을 귀하가 체포하는 카운티 내의 어느 치안판사 앞에도 귀하는 데려갈 수 있다는 점, 및 검사 독자기소장에 (내지는 대배심 검사기소장에) 답변하기 위한 보석금을 그 사람은 납부할 수 있다는 점".

29-12-06. Court must fix amount of bail.
보석금의 액수를 법원은 정하지 않으면 안 됨.

Superseded by N.D.R.Crim.P., Rule 9.

노스다코타주 형사소송규칙 Rule 9에 의하여 대체됨.

29-12-07. Arrest upon bench warrant offense not bailable – Custody.
보석이 가능하지 아니한 범죄로 인한 구인장에 의한 체포 - 구금.

A defendant, when arrested under a bench warrant for an offense not bailable, must be held in custody by the sheriff of the county in which the information is filed or the indictment found.

보석이 가능하지 아니한 범죄로 구인장에 따라서 체포되는 피고인은 당해 검사 독자기소장이 제출된 내지는 대배심 검사기소가 평결된 카운티의 집행관에 의한 구금 속에 유치되어야 한다.

29-12-08. Warrant served in any county.
영장은 어느 카운티에서도 송달 가능함.

Superseded by N.D.R.Crim.P., Rule 9.

노스다코타주 형사소송규칙 Rule 9에 의하여 대체됨.

29-12-09. Magistrate taking bail – Procedure.
치안판사의 보석금 수령 - 절차.

If a defendant is brought before a magistrate of another county under a bench warrant for the purpose of giving bail, the magistrate shall proceed in respect thereto in the same manner as if the defendant had been brought before the magistrate upon a warrant of arrest, and the same proceedings may be had thereon.

보석금 납부의 목적을 위한 한 개의 구인장에 따라서 다른 카운티의 치안판사 앞에 만약 피고인이 데려다 놓이게 되면, 한 개의 체포영장에 따라서 그 치안판사 앞에 그 피고인이 데려다 놓였을 경우에 취하였을 방법에의 동일한 방법으로 이에 관하여 절차를 그 치안판사는 취해야 하는바, 그 동일한 절차들이 이에 관하여 취해질 수 있다.

29-12-10. Felony, bail given - Increased amount.
중죄, 납부된 보석금 - 증액.

When an information or indictment is for a felony, and the defendant, before the filing or finding thereof, has given bail for the defendant's appearance to answer the charge, the court to which the information or indictment is presented, or sent, or removed for trial, may order the defendant to be committed to actual custody either without bail, or until the defendant gives bail in an increased amount, to be specified in the order.

한 개의 검사 독자기소장이 내지는 대배심 검사기소장이 한 개의 중죄에 대한 것인 경우에로서 그 공소사실에 답변하기 위한 피고인의 출석을 담보하는 보석금을 그 기소장의 제출 이전에 내지는 평결 이전에 피고인이 납부한 상태인 경우에, 정식사실심리를 위하여 그 검사 독자기소장을 내지는 대배심 검사기소장을 제출받는 내지는 송부받는 내지는 이송받는 법원은 피고인을 보석 없는 실제의 구금에 처하도록 또는 증액된 보석금을 피고인이 납부할 때까지 구금에 처하도록 명령할 수 있는바, 그 내용은 명령에 명시되어야 한다.

29-12-11. Procedure - Defendant present, defendant absent.
절차 - 피고인의 출석의 경우, 피고인의 결석의 경우.

If a defendant is present when an order for a bench warrant is made, the defendant must be committed forthwith. If the defendant is not present, a bench warrant must be issued and proceeded upon in the manner provided in this chapter.

구인장을 위한 명령이 내려지는 경우에 만약 피고인이 출석하면 피고인은 즉시로 구금되지 않으면 안 된다. 만약 피고인이 출석하지 아니하면, 구인장은 발부되지 않으면 안 되고, 이 장에 규정되는 방법으로 절차가 취해지지 않으면 안 된다.

29-12-12. Appearance of corporation charged with offense – Pleas.
범죄로 기소된 법인의 출석 - 답변들.

Superseded by N.D.R.Crim.P., Rule 43.

노스다코타주 형사소송규칙 Rule 43 [7]에 의하여 대체됨.

---

7) https://www.ndcourts.gov/legal-resources/rules/ndrcrimp/43
RULE 43. DEFENDANT'S PRESENCE

피고인의 출석

Effective Date: 10/1/2016

발효일: 2016년 10월 1일

(a) When Required.

언제 요구되는가.

(1) In General. Unless this rule provides otherwise, the defendant must be present at:

일반원칙. 이 규칙이 달리 규정하는 경우에를 제외하고는 아래의 때에 피고인은 출석하지 않으면 안 된다:

(A) the initial appearance, the arraignment, and the plea;

최초의 출석, 기소인부신문, 그리고 답변;

(B) every trial stage, including jury impanelment and the return of the verdict; and

배심의 충원구성에를 및 평결의 제출에를 포함하는 정식사실심리의 모든 단계; 그리고

(C) sentencing.

형선고.

(2) Reliable Electronic Means. Presence permitted by contemporaneous audio or audiovisual transmission by reliable electronic means is presence for the purposes of this rule.

믿을 만한 전자적 방법. 믿을 만한 전자적 방법에 의한 동시적 음성 송신에 내지는 동시적 음성영상 송신에 의하여 허용되는 출석은 이 규칙의 목적 상으로서의 출석에 해당한다.

(3) Jury Question.

배심의 질문.

(A) In General. If, after beginning deliberations, the members of the jury request information on a point of law or request to have testimony read or played back to them, they must be brought into the courtroom. The court's response must be provided in the presence of counsel and the defendant.

일반원칙. 숙의들을 시작한 뒤에 만약 배심의 구성원들이 법의 문제에 관한 정보를 요청하면 내지는 자신들에게 증언을 낭독하여 달라고 또는 녹음 테이프를 되돌려 틀어달라고 요청하면, 그들은 법정에 보내지지 않으면 안 된다. 법원의 응답은 변호인의 및 피고인의 면전에서 제공되지 않으면 안 된다.

(B) Agreed Manner of Response. In the alternative, after consultation with counsel in the presence of the defendant, the court may respond to a jury's question or request for testimony in a manner other than in open court if agreed to by counsel and the defendant.

합의된 응답방법. 배심의 질문에 대하여 내지는 증언을 들려달라는 요청에 대하여 택일적으로, 피고인의 면전에서의 변호인에게의 상의 뒤에, 만약 변호인에 및 피고인에 의하여 동의되면, 공개법정에서가 아닌 방법으로 법원은 응답할 수 있다.

(b) When Not Required. If the court permits, a defendant need not be present under any of the following circumstances:

출석이 요구되지 아니하는 경우. 만약 법원이 허가하면, 아래의 상황들 중의 어느 경우에도 피고인은 출석할 필요가 없다:

(1) Felony Offense. The offense is punishable by imprisonment for more than one year, and with a

represented defendant's written consent, and written acknowledgment that the defendant was advised of the rights listed in Rules 5(b)(1) and (2) and 5(c), the preliminary hearing, the arraignment, and entry of a not guilty plea may occur in the defendant's absence.

중죄범죄. 범죄가 1년 초과의 구금에 의하여 처벌될 수 있는 것이면, 그리고 변호인에 의하여 대변되는 피고인의 서면동의가 및 Rule 5(b)(1)에 및 Rule 5(b)(2)에 및 Rule 5(c)에 목록화된 권리들에 관하여 피고인 자신이 고지받았다는 점에 대한 피고인의 서면승인이 있으면, 예비심문은, 기소인부 신문은, 그리고 무죄답변의 기입은 피고인의 결석 상태에서 이루어질 수 있다.

(2) Misdemeanor Offense or Infraction. The offense is punishable by fine or by imprisonment for not more than one year, or both, and with the defendant's written consent and written acknowledgment that the defendant was advised of the rights listed in Rules 5(b)(1) and (3) and 11(b), the arraignment, plea, trial, or sentencing may occur in the defendant's absence.

경죄 및 벌금으로만 처벌될 수 있는 위반행위. 범죄가 벌금에 의하여 내지는 1년 이하의 구금에 의하여 또는 그 병과에 의하여 처벌될 수 있는 것이면, 그리고 피고인의 서면동의가 및 Rule 5(b)(1)에 및 Rule 5(b)(3)에 및 Rule 11(b)에 목록화된 권리들에 관하여 피고인 자신이 고지받았다는 점에 대한 피고인의 서면승인이 있으면, 기소인부 신문은, 답변은, 정식사실심리는, 또는 형선고는 피고인의 결석 상태에서 이루어질 수 있다.

(3) Conference or Hearing on Legal Question. The proceeding involves only a conference or hearing on a question of law.

법적 문제에 관한 협의 또는 심문. 오직 법 문제에 관한 협의만을 내지는 심문만을 절차가 포함하는 경우.

(4) Sentence Correction. The proceeding involves the correction or reduction of sentence under Rule 35.

판결경정. Rule 35 아래서의 형의 경정을 내지는 감경을 절차가 포함하는 경우.

(c) Waiving Continued Presence. The further progress of the trial, including the return of the verdict and the imposition of sentence, may not be prevented and the defendant waives the right to be present if the defendant, initially present at trial or having pleaded guilty:

지속적 출석의 포기. 처음에 정식사실심리에 출석한 내지는 유죄답변을 한 피고인이 아래의 행위를 하면, 평결의 제출이를 및 형의 부과가를 포함하는 정식사실심리의 향후의 절차는 이로써 방해받지 아니할 수 있는 바, 출석의 권리를 피고인은 포기한다:

(1) is voluntarily absent after the trial has begun (whether or not the defendant has been informed by the court of the obligation to remain during the trial);

정식사실심리가 시작되고 난 뒤에 자발적으로 결석하는 경우 (정식사실심리 동안에 남아 있어야 할 의무에 관하여 법원에 의하여 피고인이 고지되었는지 여부는 상관이 없음);

(2) is voluntarily absent at the imposition of sentence; or

형 선고 때에 자발적으로 결석하는 경우; 또는

(3) after being warned by the court that disruptive conduct will cause the removal of the defendant from the courtroom, persists in conduct that justifies the defendant's exclusion from the courtroom.

법정으로부터의 피고인의 퇴정조치를 교란적 행위가 초래할 것임을 법원으로부터 경고받은 뒤에도 법정으로부터의 피고인의 배제를 정당화하는 행동을 피고인이 고집하는 경우.

29-12-13. Information filed or indictment returned – Summons.
검사 독자기소장의 제출 내지는 대배심 검사기소장 제출 - 소환장.

If an information is filed without a preliminary examination, or an indictment is returned against a corporation or limited liability company, the clerk of the district court shall issue a summons in the corporate name of the corporation or limited liability company in the form prescribed in rule 4 of the North Dakota Rules of Criminal Procedure commanding it to appear and answer the information or indictment. Such summons must be served as a summons in a civil action is served.

만약 예비심문 없이 법인에 대한 내지는 유한책임 회사에 대한 한 개의 검사 독자기소장이 제출되면 또는 한 개의 대배심 검사기소장이 제출되면, 그 출석하도록 및 당해 검사 독자기소장에 내지는 대배심 검사기소장에 답변하도록 명령하는 당해 법인의 내지는 유한책임 회사의 법인 이름으로 된 소환장을 노스다코타주 형사소송규칙 Rule 4에 규정된 형식에 따라서 재판구 지방법원의 서기는 발부하여야 한다. 민사소송에서의 소환장이 송달되는 방법에의 동일한 방법으로 그러한 소환장은 송달되지 않으면 안 된다.

29-12-14. Default of a corporation or limited liability company - Plea - Fine collected.
법인의 내지는 유한책임 회사의 결석- 답변 - 벌금의 징수.

Whenever a sheriff or other officer returns a summons issued as is provided in section 29-12-13 with the officer's certificate showing due service thereof, the corporation or limited liability company, if it does not appear on and after the day appointed in such summons for its appearance, must be considered in default and the court shall order the clerk to enter a plea of not guilty for said corporation or limited liability company in the minutes of the court, and all further proceedings must be had in said action as if the corporation or limited liability company had appeared and pleaded not guilty to the information or indictment. If upon the trial the corporation or limited liability company is found guilty, the court shall impose a fine upon it as prescribed by law and shall enter judgment for the amount of such fine and the costs of said action in the same manner as on a judgment in a civil action.

제29-12-13절에 규정된 바에 따라서 발부된 소환장을, 그 적법한 송달을 증명하는 당해 공무원의 증명서를에 더불어 집행관이 내지는 그 밖의 공무원이 반환하는 경우에로서 그 출석을 위하여 그러한 소환장에 지정된 날짜에 및 그 뒤에 당해 법인이 내지는 유한책임 회사가 출석하지 아니하는 경우에는 언제든지 당해 법인은 내지는 유한책임 회사는 결석으로 간주되지 않으면 안 되고, 그 경우에 당해 법인을 내지는 유한책임 회사를 위한 무죄답변을 법원 의사록에 기입하도록 서기에게 법원은 명령하여야 하는바, 당해 소송에서의 향후의 모든 절차들은 만약 당해 법인이 내지는 유한책임 회사가 출석하여 당해 검사 독자기소장에 내지는 대배심 검사기소장에 대하여 무죄답변을 하였더라면 이루어졌을 절차에 준하여 이루어지지 않으면 안 된다. 만약 정식사실심리의 결과로서 당해 법인이 내지는 유한책임 회사가 유죄로 인정되면, 이에 대하여 법에 규정된 대로의 벌금을 법원은 부과하여야 하고 그러한 벌금액을 및 그 소송의 비용들을 위한 판결주문을 민사소송에서의 판결주문의 경우에 준하여 법원은 기입하여야 한다.

노스캐럴라이나주 대배심 규정

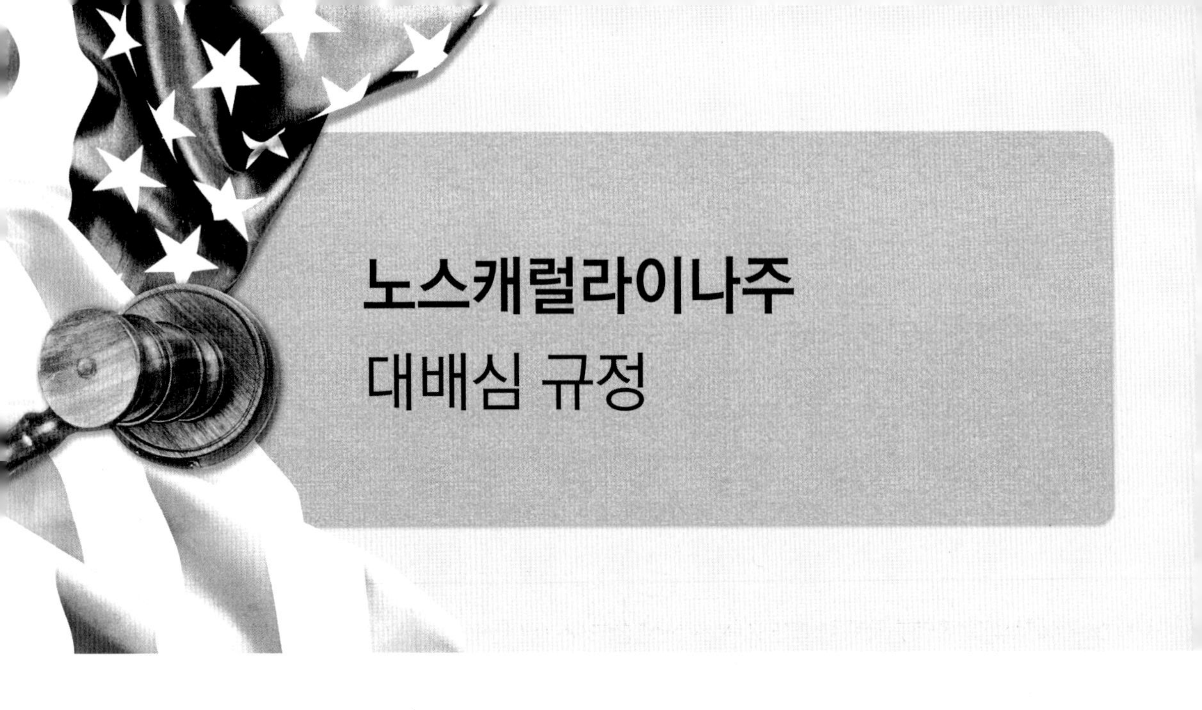

https://codes.findlaw.com/nc/north-carolina-constitution/nc-const-art-i-sect-26.html

North Carolina Constitution Art. I, § 26. Jury service
노스캐럴라이나주 헌법 제1조, § 26. 배심복무

No person shall be excluded from jury service on account of sex, race, color, religion, or national origin.

성별을, 인종을, 피부색을, 종교를, 또는 출신국을 이유로 해서는 배심복무로부터 사람은 배제되지 아니한다.

https://codes.findlaw.com/nc/chapter-7a-judicial-department/nc-gen-st-sect-7a-315.html

North Carolina General Statutes Chapter 7A. Judicial Department § 7A-315. Liability of State for witness fees in criminal cases when defendant not liable
사법부. § 7A-315. 피고인에게 책임이 없는 형사사건들에서의 증인보수들을 부담할 주의 책임

In a criminal action, if no prosecuting witness is designated by the court as liable for the costs, and the defendant is acquitted, or convicted and unable to pay, or a nolle prosequi is entered, or judgment is arrested, or probable cause is not found, or the grand jury fails to return a true bill, the State shall be liable for the witness fees allowed per G.S. 7A-314 and any expenses for blood tests and comparisons incurred per G.S. 8-50.1(a).

형사소송들에서 검찰측 증인에게 비용들에 대하여 책임이 있는 것으로 만약 법원에 의하여 판정되지 아니하면, 그리고 피고인이 무죄로 방면되면, 또는 유죄로 판정되고도 지불능력이 없으면, 또는 공소취하가 기입되면, 또는 판결이 저지되면, 또는 상당한 이유가 인정되지 아니하면, 또는 기소평결을 대배심이 제출하지 아니하면, 일반공법집 7A-314에 의하여 인용되는 증인보수들을 및 일반공법집 8-50.1(a)에 의하여 초래되는 혈액 검사들을 및 대조들을 위한 비용들을 지급할 책임은 주에게 있다.

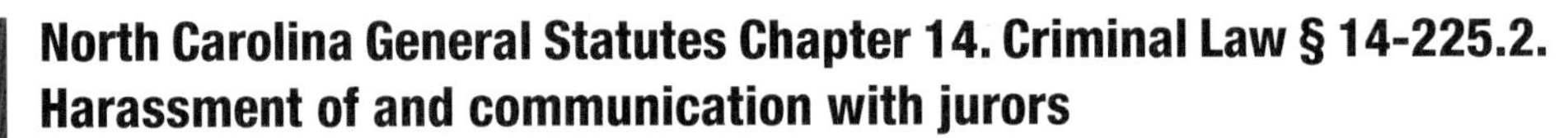

North Carolina General Statutes Chapter 14. Criminal Law § 14-225.2. Harassment of and communication with jurors

배심원들에 대한 괴롭히기 및 연락하기

(a) A person is guilty of harassment of a juror if he:

아래의 행위를 하는 사람은 배심원 괴롭히기 죄를 범하는 것이 된다:

(1) With intent to influence the official action of another as a juror, harasses, intimidates, or communicates with the juror or his spouse; or

배심원으로서의 타인의 직무상의 행위에 영향을 가할 의도를 지니고서 그 배심원을 내지는 그의 배우자를 괴롭히는, 을러대는 행위 내지는 그 배심원에게 또는 그의 배우자에게 연락하는 행위; 또는

(2) As a result of the prior official action of another as a juror in a grand jury proceeding or trial, threatens in any manner or in any place, or intimidates the former juror or his spouse.

대배심 절차에서의 내지는 정식사실심리에서의 배심원으로서의 타인의 과거의 직무상의 행위를 이유로 방법 여하에 내지는 장소 여하에 상관없이 그 과거의 배심원을 내지는 그의 배우자를 위협하는 행위.

(b) In this section "juror" means a grand juror or a petit juror and includes a person who has been drawn or summoned to attend as a prospective juror.

이 절에서 "배심원"은 대배심원을 내지는 소배심원을 의미하는바, 배심원후보로서 출석하도록 뽑혀 있는 내지는 소환되어 있는 사람을 포함한다.

(c) A person who commits the offense defined in subdivision (a)(1) of this section is guilty of a Class H felony. A person who commits the offense defined in subdivision (a)(2) of this section is guilty of a Class I felony.

이 절의 소부 (a)(1)에 규정된 범죄를 저지르는 사람은 H 등급의 중죄를 범하는 것이 된다. 이 절의 소부 (a)(2)에 규정된 범죄를 범하는 사람은 I 등급의 중죄를 저지르는 것이 된다.

https://codes.findlaw.com/nc/chapter-14-criminal-law/nc-gen-st-sect-14-227-2.html

North Carolina General Statutes Chapter 14. Criminal Law § 14-227.2. Secret listening to deliberations of grand or petit jury

대배심의 내지는 소배심의 숙의들에 대한 비밀청취

It shall be unlawful for any person willfully to overhear, or procure any other person to overhear, or attempt to overhear the investigations and deliberations of, or the taking of votes by, a grand jury or a petit jury in a criminal case, by using any electronic amplifying, transmitting, or recording device, or by any similar or other mechanical or electrical device or arrangement, without the consent or knowledge of said grand jury or petit jury.

당해 대배심의 내지는 소배심의 동의 없이 내지는 인식 없이 전자적 증폭장비를, 송출장비를, 또는 녹음장비를 사용함에 의하여 내지는 유사한 내지는 그 밖의 기계적 내지는 전자적 장비에 내지는 설비에 의하여 형사사건에서의 대배심의 내지는 소배심의 조사들을 내지는 숙의들을 또는 대배심에 의한 내지는 소배심에 의한 표결행위를 누구든지가 의도적으로 엿들음은 내지는 다른 사람으로 하여금 엿듣도록 야기함은 내지는 엿듣고자 시도함은 불법이다.

https://codes.findlaw.com/nc/chapter-15a-criminal-procedure-act/nc-gen-st-sect-15a-133.html

North Carolina General Statutes Chapter 15A. Criminal Procedure Act § 15A-133. Waiver of venue; motion for change of venue; indictment may be returned in other county

재판지의 포기; 재판지 변경의 신청; 다른 카운티에 대배심 검사기소장은 제출될 수 있음

(a) A waiver of venue must be in writing and signed by the defendant and the prosecutor indicating the consent of all parties to the waiver. The waiver must specify what stages of the proceedings are affected by the waiver, and the county to which venue is changed. If the venue is to be laid in a county in another prosecutorial district, the consent in writing of the prosecutor in that district must be filed with the clerks of both counties.

재판지의 포기는 서면에 의하지 않으면 안 되고 피고인에 의하여 및 검사에 의하여 서명되지 않으면 및 그리하여 포기에 대한 모든 당사자들의 동의를 나타내는 것이지 않으면 안 된다. 당해 포기에 의하여 절차들의 어떤 단계들이 영향을 받는지를, 그리고 그 새로운 재판지가 될 카운티를 포기서는 명시하지 않으면 안 된다. 다른 검찰청 지구 소재의 카운티에 만약 그 재판지가 놓이게 되면, 그 지구 내의 검사의 서면동의가 양쪽 카운티들의 서기들에게 다 같이 하달되지 않으면 안 된다.

(b) Repealed by Laws 1989, c. 688, § 2.

1989년 법률집 c. 688, § 2에 의하여 폐지됨.

(c) Motions for change of venue by the defendant are made under G.S. 15A-957. If venue is laid in a county in another prosecutorial district by order of the judge ruling on the motion, no consent of any prosecutor is required.

피고인에 의한 재판지 변경을 위한 신청들은 일반공법집 15A-957에 따라서 이루어진다. 만약 신청을 판단하는 판사의 명령에 의하여 다른 검찰청 지구 내의 카운티에 재판지가 놓이면, 검사의 동의는 요구되지 아니한다.

(d) If venue is changed to a county in another prosecutorial district, whether upon waiver of venue or by order of a judge, the prosecutor of the prosecutorial district where the case originated must prosecute the case unless the prosecutor of the district to which venue has been changed consents to conduct the prosecution.

다른 검찰청 지구 내의 카운티로 만약 재판지가 변경되면, 재판지 포기에 의한 것인지 또는 판사의 명령에 의한 것인지에 상관없이, 당해 소송추행을 새로운 재판지가 되어 있는 지구의 검사가 맡기로 동의하는 경우에를 제외하고는, 당해 사건이 시작된 검찰청 지구의 검사가 그 사건을 추행하지 않으면 안 된다.

(e) If venue is changed, whether upon waiver of venue or by order of a judge, the grand jury in the county to which venue has been transferred has the power to return an indictment in the case. If an indictment has already been returned before the change of venue, no new indictment is necessary and prosecution may be had in the new county under the original indictment.

만약 재판지가 변경되면, 재판지 포기에 의한 것이든 또는 판사의 명령에 의한 것이든 상관없이, 당해 사건에서 대배심 검사기소장을 제출할 권한을 새로운 재판지가 되어 있는 카운티 내의 대배심은 지닌다. 재판지 변경 이전에 만약 대배심 검사기소장이 이미 제출되어 있으면, 새로운 대배심 검사기소장은 필요하지 아니하며, 본래의 대배심 검사기소장 아래서 새로운 카운티에서 소송추행은 이루어질 수 있다.

https://codes.findlaw.com/nc/chapter-15a-criminal-procedure-act/nc-gen-st-sect-15a-294.html

North Carolina General Statutes Chapter 15A. Criminal Procedure Act § 15A-294. Authorization for disclosure and use of intercepted wire, oral, or electronic communications

도청된 전신상의, 구두상의, 또는 전자적인 통신들의 공개를 및 사용을 위한 허가

(a) Any investigative or law enforcement officer who, by any means authorized by this Article or Chapter 119 of the United States Code, has obtained knowledge of the contents of any wire, oral, or electronic communication, or evidence derived therefrom, may disclose such contents to another investigative or law enforcement officer to the extent that such disclosure is appropriate to the proper performance of the official duties of the officer making or receiving the disclosure.

전신상의, 구두상의, 또는 전자적인 통신의 내용들에 대한 지식을 내지는 그것들로부터 파생된 증거를 이 조에 의하여 또는 합중국 법전집 제119장에 의하여 허가되는 어떤 방법으로든 획득한 수사관은 내지는 법 집행 공무원은, 그러한 내용들의 공개를 행하는 내지는 수령하는 당해 공무원의 직무상의 의무들의 정당한 수행에 그 공개가 적합한 한도 내에서, 그러한 내용들을 다른 수사관에게 내지는 법 집행 공무원에게 공개할 수 있다.

(b) Any investigative or law enforcement officer, who by any means authorized by this Article or Chapter 119 of the United States Code, has obtained knowledge of the contents of any wire, oral, or electronic communication, or evidence derived therefrom, may use such contents to the extent such use is appropriate to the proper performance of the officers' official duties.

전신상의, 구두상의, 또는 전자적인 통신의 내용들에 대한 지식을 내지는 그것들로부터 파생된 증거를 이 조에 의하여 또는 합중국 법률집 제119장에 의하여 허가되는 어떤 방법으로든 획득한 수사관은 내지는 법 집행 공무원은, 당해 공무원들의 직무상의 의무들의 정당한 수행에 그러한 내용들의 사용이 적합한 한도 내에서, 그러한 내용들을 사용할 수 있다.

(c) Any person who has received, by any means authorized by this Article or Chapter 119 of the United States Code, any information concerning a wire, oral, or electronic communication, or evidence derived therefrom, intercepted in accordance with the provisions of this Article, may disclose the contents of that communication or such derivative evidence while giving testimony under oath or affirmation in any proceeding in any court or before any grand jury in this State, or in any court of the United States or of any state, or in any federal or state grand jury proceeding.

이 조의 규정들에의 부합 속에서 도청된 전신상의, 구두상의, 내지는 전자적인 통신에 관련한 정보를 내지는 그것들로부터 파생된 증거를 이 조에 의하여 내지는 합중국 법률집 제119장에 의하여 허가되는 어떤 방법으로든 수령한 사람은, 그 통신의 내용들을 내지는 그러한 파생증거를, 이 주 내의 어느 법원에서의 내지는 어느 대배심 앞에서의 어떤 절차에서든, 내지는 합중국의 내지는 어느 주의 어느 법원에서든, 또는 어떤 연방 대배심 절차에서든 내지는 어떤 주 대배심 절차에서든, 선서 아래서 내지는 무선서 확약 아래서 증언하는 동안에 공개할 수 있다.

(d) Within a reasonable time, but no later than 90 days after the filing of an application for an order or the termination of the period of an order or the extensions thereof, the issuing judicial review panel must cause to be served on the persons named in the order or the application and such other parties as the panel in its discretion may determine, an inventory that includes notice of:

합리적 기간 내에, 그러나 명령을 구하는 신청서의 제출 뒤 내지는 명령의 기간 종기 뒤 내지는 그것의 연장들 뒤 90일 내에, 발령 사법심사 합의부는, 그 명령에 내지는 신청서에 특정된 사람들에게 및 합의부가 그 재량으로 결정하는 여타의 당사자들에게, 아래 사항들의 통지를 포함하는 목록이 송달되도록 조치하지 않으면 안 된다:

(1) The fact of the entry of the order or the application;

당해 명령의 내지는 신청서의 기입 사실;

(2) The date of the entry and the period of the authorized interception; and

기입의 날짜 및 허가되는 도청기간; 그리고

(3) The fact that during the period wire, oral, or electronic communications were or were not intercepted.

그 기간 내에 전신상의, 구두상의, 또는 전자적인 통신들이 도청되었다는 또는 도청되지 아니하였다는 사실.

(d1) The notification required pursuant to G.S. 15A-294(d) may be delayed if the judicial review panel has probable cause to believe that notification would substantially jeopardize the success of an electronic surveillance or a criminal investigation. Delay of notification shall be only by order of the judicial review panel. The period of delay shall be designated by the judicial review panel and may be extended from time to time until the jeopardy to the electronic surveillance or the criminal investigation dissipates.

전자적 감시의 내지는 범죄수사의 성공을 통지가 중대하게 위협할 것이라고 믿을 상당한 이유를 만약 사법심사 합의부가 지니면, 일반공법집 15A-294(d)에 따라서 요구되는 통지는 연기될 수 있다. 통지의 연기는 사법심사 합의부의 명령에 의하여서만 이루어질 수 있다. 연기의 기한은 사법심사 합의부에 의하여 특정되어야 하는바, 전자적 감시에 대한 내지는 범죄수사에 대한 위협이 사라질 때까지 수시로 연장될 수 있다.

(e) The issuing judicial review panel, upon the filing of a motion, may in its discretion, make available to such person or his counsel for inspection, such portions of the intercepted communications, applications, and orders as the panel determines to be required by law or in the interest of justice.

신청서의 제출이 있으면, 그 도청된 통신들 중에서, 신청서들 중에서, 및 명령들 중에서 법에 의하여 요구된다고 내지는 사법의 이익에 부합한다고 당해 합의부가 판단하는 부분들에 대한 점검을 위하여 그 부분들이 그 사람에게 내지는 그의 변호인에게 제공되도록 발령 사법심사 합의부는 그 재량으로 조치할 수 있다.

(f) The contents of any intercepted wire, oral, or electronic communication, or evidence derived therefrom, may not be received in evidence or otherwise disclosed in any trial, hearing, or other proceeding in any court of this State unless each party, not less than 20 working days before the trial, hearing, or other proceeding, has been furnished with a copy of the order and accompanying application, under which the interception was authorized.

도청된 전신상의, 구두상의, 내지는 전자적인 통신의 내용들은, 또는 그것들로부터 파생된 증거는 이 주의 어떤 법원에서의 어떤 정식사실심리에서도, 심문에서도, 또는 그 밖의 절차에서도 증거로서 수령되어서는 내지는 여타의 방법으로 공개되어서는 안 되는바, 다만 당해 도청이 허가된 근거인 명령서 사본을 및 이에 첨부된 신청서를 당해 정식사실심리 전에, 심문 전에, 또는 여타의 절차 전에 20 근무일 이상의 여유를 두고서 개개 당사자가 제공받은 경우에는 그러하지 아니하다.

(g) Any aggrieved person in any trial, hearing, or proceeding in or before any court, department, officer, agency, regulatory body, or other authority of this State, or a political subdivision thereof, may move to suppress the contents of any intercepted wire, oral, or electronic communication, or evidence derived therefrom, on the grounds that:

조금이라도 이 주 내의 법원에서의 내지는 법원 앞에서의, 부서에서의 내지는 부서 앞에서의, 공무원에게서의 내지는 공무원 앞에서의, 기관에서의 내지는 기관 앞에서의, 규제기구에서의 내지는 규제기구 앞에서의, 또는 이 주의 여타의 당국에서의 내지는 당국 앞에서의 내지는 이 주의 정치적 하부단위에서의 또는 이 주의 정치적 하부단위 앞에서의 정식사실심리에서의, 심문에서의, 또는 절차에서의 피해자는 그 도청된 전신상의, 구두상의, 또는 전자적인 통신의 내용들을 또는 그것들로부터 파생된 증거를 증거에서 배제하여 달라고 아래의 사유들에 따라서 신청할 수 있다:

(1) The communication was unlawfully intercepted;

당해 통신이 불법적으로 도청되었을 것;

(2) The order of authorization under which it was intercepted is insufficient on its face; or

도청의 근거가 된 허가명령이 그 문면상으로 불충분할 것; 또는

(3) The interception was not made in conformity with the order of authorization.

그 허가명령에 따라서 그 도청이 이루어지지 아니하였을 것.

Such motion must be made before the trial, hearing, or proceeding unless there was no opportunity to make such motion or the person was not aware of the grounds of this motion. If the motion is granted, the contents of the intercepted wire, oral, or electronic communication, or evidence derived therefrom, must be treated as having been obtained in violation of this Article.

그러한 신청은 정식사실심리 전에, 심문 전에, 또는 절차 전에 제기되지 않으면 안

되는바, 다만 그러한 신청을 제기할 기회가 없었을 경우에는 내지는 이 신청의 사유들을 그 사람이 알지 못하였을 경우에는 그러하지 아니하다. 만약 신청이 받아들여지면, 그 도청된 전신상의, 구두상의, 또는 전자적인 통신의 내용들은 및 그것들로부터 파생된 증거는 이 조에의 위반 속에서 획득되었던 것으로 취급되지 않으면 안 된다.

(h) In addition to any other right to appeal, the State may appeal:

항소할 여타의 권리를 지님에 추가하여, 아래에 대하여 주는 항소할 수 있다:

(1) From an order granting a motion to suppress made under subdivision (1) of this subsection, if the district attorney certifies to the judge granting the motion that the appeal is not taken for purposes of delay. The appeal must be taken within 30 days after the date the order of suppression was entered and must be prosecuted as are other interlocutory appeals; or

이 소절의 소부 (1) 아래서 이루어진 증거를 배제하여 달라는 신청을 인용하는 명령에 대한 항소로서, 당해 항소가 지연의 목적으로 제기되는 것이 아님을 신청을 인용하는 판사에게 재판구 지방검사가 증명하는 경우. 항소는 증거배제 명령이 기입된 날 뒤 30일 내에 제기되지 않으면 안 되고 여타의 중간항소들이 추행되는 방법에 따라서 추행되지 않으면 안 된다; 또는

(2) From an order denying an application for an order of authorization, and the appeal may be made ex parte and must be considered in camera and in preference to all other pending appeals.

허가명령을 구하는 신청을 기각하는 명령에 대한 항소로서, 항소는 일방절차로 이루어질 수 있는바, 판사실에서 및 여타의 모든 계속 중인 항소들을 제치고서 우선적으로 검토되지 않으면 안 된다.

(i) The requirements of G.S. 15A-293(b)(2) and G.S. 15A-293(a)(4) relating to the specification of the facilities from which, or the place where, the communication is to be intercepted do not apply if:

통신도청을 실행할 기지가 되어야 할 시설들의 내지는 장소의 특정에 관한 일반공법집

15A-293(b)(2)의 및 15A-293(a)(4)의 요구들은 아래의 경우에는 적용되지 아니한다:

(1) In the case of an application with respect to the interception of an oral communication:

구두상의 통신에 대한 도청에 관련한 신청의 경우:

a. The application is by a State investigative or law enforcement officer and is approved by the Attorney General or his designee;

신청이 주 수사관에 또는 주 법 집행 공무원에 의한 것일 것 및 검찰총장에 또는 그의 피지명자에 의하여 승인될 것;

b. The application contains a full and complete statement as to why the specification is not practical and identifies the person committing the offense and whose communications are to be intercepted; and

특정이 실현가능하지 아니한 이유에 관한 충분한 및 완전한 진술을 신청서가 포함할 것 및 범죄를 저지르는 및 도청대상인 통신들을 행하는 사람을 신청서가 특정할 것; 그리고

c. The judicial review panel finds that the specification is not practical.

특정이 실행가능하지 아니함을 사법심사 합의부가 인정할 것.

(2) In the case of an application with respect to a wire or electronic communication:

전신상의 또는 전자적인 통신에 관한 신청의 경우:

a. The application is by a State investigative or law enforcement officer and is approved by the Attorney General or his designee;

신청이 주 수사관에 또는 주 법 집행 공무원에 의한 것일 것 및 검찰총장에 또는 그의 피지명자에 의하여 승인될 것;

b. The application identifies the person believed to be committing the offense and whose communications are to be intercepted, and the applicant makes a showing that there is probable cause to believe that the person's actions could have the effect of thwarting interception from a specified facility;

범죄를 저지르고 있다고 믿어지는 및 그 통신들이 도청되어야 할 대상인 사람을 신청서

가 특정할 것 및 특정된 시설로부터의 도청을 좌절시키는 결과를 그 사람의 행위들이 지닐 수 있다고 믿을 상당한 이유가 있다는 증명을 신청인이 할 것;

c. The judicial review panel finds that the showing has been adequately made; and

증명이 충분히 이루어졌음을 사법심사 합의부가 인정할 것; 그리고

d. The order authorizing or approving the interception is limited to interception only for such time as it is reasonable to presume that the person identified in the application is or was reasonably proximate to the instrument through which the communication will be or was transmitted.

당해 통신이 송신될 또는 송신된 기구에 그 신청서에 특정된 사람이 근접해 있다고 또는 합리적으로 근접해 있었다고 추정함이 합리적인 기간 동안만의 도청에, 그 도청을 허가하는 내지는 승인하는 명령이 한정될 것.

(j) An interception of a communication under an order with respect to which the requirements of G.S. 15A-293(b)(2) and G.S. 15A-293(a)(4) do not apply by reason of subdivision (i)(1) of this section shall not begin until the place where the communication is to be intercepted is ascertained by the person implementing the interception order. A provider of wire or electronic communications service that has received an order as provided for in subdivision (i)(2) of this section may move the court to modify or quash the order on the grounds that its assistance with respect to the interception cannot be performed in a timely or reasonable fashion. The court, upon notice to the government, shall decide such a motion expeditiously.

이 절의 소부 (i)(1)로 인하여 일반공법집 15A-293(b)(2)의 및 15A-293(a)(4)의 요구사항들이 적용되지 아니하는 명령 아래서의 통신의 도청은 당해 도청명령을 실행하는 사람에 의하여 당해 통신이 도청될 장소가 확인되기까지는 시작되어서는 안 된다. 이 절의 소부 (i)(2)에 규정된 명령을 수령한 전신의 내지는 전자적 통신용역의 사업자는 도청에 관한 자신의 조력이 적시의 내지는 합리적 방법으로 수행될 수 없음을 들어 명령의 변경을 내지는 취소를 법원에 신청할 수 있다. 그러한 신청을 법원은 정부에게의 통지 위에 급속으로 결정하여야 한다.

https://codes.findlaw.com/nc/chapter-15a-criminal-procedure-act/nc-gen-st-sect-15a-211.html

North Carolina General Statutes Chapter 15A. Criminal Procedure Act § 15A-211. Electronic recording of interrogations

신문들에 대한 전자적 녹음

(a) Purpose. -- The purpose of this Article is to require the creation of an electronic record of an entire custodial interrogation in order to eliminate disputes about interrogations, thereby improving prosecution of the guilty while affording protection to the innocent and increasing court efficiency.

목적. -- 신문들을 둘러싼 다툼들의 제거를 위하여 전체 구금신문에 대한 전자적 녹음의 조제를 요구하는 데에, 이로써 죄 없는 사람에게 보호를 제공하는 한편으로 범인에 대한 소추를 향상시키는 데에 및 법원의 효율성을 증진시키는 데에 이 조의 목적은 있다.

(b) Application. -- The provisions of this Article shall apply to all custodial interrogations of juveniles in criminal investigations conducted at any place of detention. The provisions of this Article shall also apply to any custodial interrogation of any person in a criminal investigation conducted at any place of detention if the investigation is related to any of the following crimes: any Class A, B1, or B2 felony, and any Class C felony of rape, sex offense, or assault with a deadly weapon with intent to kill inflicting serious injury.

적용. -- 어떤 구금장소에서 실시되는지에 상관없이 범죄수사들에 있어서의 소년들에 대한 모든 구금신문들에 이 조의 규정들은 적용된다. 아래 범죄들 중 어느 한 개에 당해 수사가 관련되는 경우에는 어떤 구금장소에서 실시되는지에 상관없이 범죄수사에서의 어느 누구에 대한 어떤 구금신문에도 이 조의 규정들은 적용된다: A 등급의, B1 등급의, 또는 B2 등급의 중죄, 그리고 강간의, 성범죄의, 또는 중상을 가한 살해목적 흉기소지 폭행의 C 등급의 중죄.

(c) Definitions. -- The following definitions apply in this Article:

개념정의들. -- 아래의 개념정의들은 이 조에 적용된다:

(1) Electronic recording. -- An audio recording that is an authentic, accurate, unaltered record; or a visual recording that is an authentic, accurate, unaltered record. A visual and audio recording shall be simultaneously produced whenever reasonably feasible, provided that a defendant may not raise this as grounds for suppression of evidence.

전자적 녹음. -- 진정한, 정확한, 변개되지 아니한 녹음인 오디오 녹음; 또는 진정한, 정확한, 변개되지 아니한 녹음인 영상녹화. 영상녹화는 및 오디오 녹음은 합리적으로 가능한 경우에는 언제든지 동시적으로 제출되어야 하는바, 이것을 증거배제 사유들로서 피고인은 주장할 수 없다.

(2) In its entirety. -- An uninterrupted record that begins with and includes a law enforcement officer's advice to the person in custody of that person's constitutional rights, ends when the interview has completely finished, and clearly shows both the interrogator and the person in custody throughout. If the record is a visual recording, the camera recording the custodial interrogation must be placed so that the camera films both the interrogator and the suspect. Brief periods of recess, upon request by the person in custody or the law enforcement officer, do not constitute an "interruption" of the record. The record will reflect the starting time of the recess and the resumption of the interrogation.

전체에 대한 것일 것. -- 구금된 사람의 헌법적 권리들에 관한 법 집행 공무원의 그 사람에게의 조언으로 시작하는 및 이를 포함하는, 그리고 면담이 완전히 종결되고 났을 때 끝나는, 그리고 그 전과정을 통하여 신문자를 및 구금된 사람을 다 같이 명확하게 보여주는 끊기지 아니하는 녹음. 만약 녹음이 영상녹화이면, 당해 구금신문을 녹화하는 카메라는 신문자를 및 용의자를 다 같이 찍도록 놓이지 않으면 안 된다. 구금된 사람의 내지는 법 집행 공무원의 요청에 따르는 짧은 휴식기간들은 녹음의 "끊김"을 구성하지 아니한다. 휴식의 및 신문재개의 시간을 그 녹음은 나타내게 된다.

(3) Place of detention. -- A jail, police or sheriff's station, correctional or detention facility, holding facility for prisoners, or other facility where persons are held in custody in connection with criminal charges.

구금의 장소. -- 감옥, 경찰서 또는 집행관 사무소, 교정시설 또는 구금시설, 죄수들을 위한 억류시설, 또는 범죄고발들에 관련하여 사람들이 구금되는 그 밖의 시설.

(d) Electronic Recording of Interrogations Required. -- Any law enforcement officer conducting a custodial interrogation in an investigation of a juvenile shall make an electronic recording of the interrogation in its entirety. Any law enforcement officer conducting a custodial interrogation in an investigation relating to any of the following crimes shall make an electronic recording of the interrogation in its entirety: any Class A, B1, or B2 felony; and any Class C felony of rape, sex offense, or assault with a deadly weapon with intent to kill inflicting serious injury.

신문들에 대한 전자적 녹음이 요구됨. -- 소년에 대한 수사에서 구금신문을 실시하는 법집행 공무원 누구든지는 신문 전체에 대한 전자적 녹음을 하여야 한다. 아래 범죄들 중의 한 가지에라도 관련되는 수사에서 구금신문을 실시하는 법집행 공무원 누구든지는 신문 전체에 대한 전자적 녹음을 하여야 한다: A 등급의, B1 등급의, B2 등급의 중죄; 그리고 강간의, 성범죄의, 또는 중상을 가한 살해목적 흉기소지 폭행의 C 등급의 중죄.

(e) Admissibility of Electronic Recordings. -- During the prosecution of any offense to which this Article applies, an oral, written, nonverbal, or sign language statement of a defendant made in the course of a custodial interrogation may be presented as evidence against the defendant if an electronic recording was made of the custodial interrogation in its entirety and the statement is otherwise admissible. If the court finds that the defendant was subjected to a custodial interrogation that was not electronically recorded in its entirety, any statements made by the defendant after that non-electronically recorded custodial interrogation, even if made during an interrogation that is otherwise in compliance with this section, may be questioned with regard to the voluntariness and reliability of the statement. The State may establish through clear and convincing evidence that the statement was both voluntary and reliable and that law enforcement officers had good cause for failing to electronically record the interrogation in its entirety. Good cause shall include, but not be limited to, the following:

전자적 녹음들의 증거능력. -- 이 조가 적용되는 범죄의 소송추행 동안, 구금신문 과정에서 이루어진 피고인의 구두의, 서면의, 비언어적, 내지는 수화적 진술은 만약 그 구금신문 전체에 대한 전자적 녹음이 이루어졌으면 및 그 진술이 여타의 점에서 증거능력이 있으면 피고인에게 불리한 증거로서 제출될 수 있다. 전자적으로 그 전체가 녹음되지 아니한 구금신문에 피고인이 처해졌음을 만약 법원이 인정하면, 그 전자적으로 녹음되지 아니한 구금신문 뒤에 피고인에 의하여 이루어진 진술들은 설령 여타의 점에서 이 절에 부합되는 신문 동안에 이루어진 것이라 하더라도 그 진술의 임의성에 및 신빙성에 관하여 의문이 제기될 수 있다. 그 진술이 임의적인 것이었으면서 아울러 신빙성 있는 것이기도 하다는 점을 및 그 신문 전체를 전자적으로 녹음하지 못한 데에는 그럴 만한 상당한 이유가 법 집행 공무원들에게 있었다는 점을, 명백한 및 설득력 있는 증거를 통하여 주는 증명할 수 있다. 상당한 이유는 아래의 것들을 포함하되 이에 한정되지 아니한다:

(1) The accused refused to have the interrogation electronically recorded, and the refusal itself was electronically recorded.

신문을 전자적으로 녹음되게 하기를 피고인이 거부한 경우에로서 그 거부 자체가 전자적으로 녹음되었을 것.

(2) The failure to electronically record an interrogation in its entirety was the result of unforeseeable equipment failure, and obtaining replacement equipment was not feasible.

신문 전체를 전자적으로 녹음하지 못한 것이 예상할 수 없는 장비결함의 결과였을 것 및 대체장비를 얻음이 불가능하였을 것.

(f) Remedies for Compliance or Noncompliance. -- All of the following remedies shall be granted as relief for compliance or noncompliance with the requirements of this section:

준수를 내지는 부준수를 위한 규제들. -- 이 절의 요구들에의 준수를 내지는 부준수를 위한 구제로서 아래의 구제수단들의 전부가 허용되어야 한다:

(1) Failure to comply with any of the requirements of this section shall be considered by the court in adjudicating motions to suppress a statement of the defendant made during or after a custodial interrogation.

조금이라도 이 절의 요구사항들에 대한 준수 불이행은 한 개의 구금신문 동안에 또는 구금신문 뒤에 이루어진 피고인의 진술에 대한 증거배제 신청들을 판단함에 있어서 법원에 의하여 고려되어야 한다.

(2) Failure to comply with any of the requirements of this section shall be admissible in support of claims that the defendant's statement was involuntary or is unreliable, provided the evidence is otherwise admissible.

조금이라도 이 절의 요구사항들에 대한 준수 불이행은, 그것이 여타의 점에서 증거능력이 있는 것이면, 피고인의 진술이 비임의적인 것이었다는 및 신빙성이 없다는 주장들을 뒷받침하는 증거로서 증거능력이 있다.

(3) When evidence of compliance or noncompliance with the requirements of this section has been presented at trial, the jury shall be instructed that it may consider credible evidence of compliance or noncompliance to determine whether the defendant's statement was voluntary and reliable.

이 절의 요구사항들에 대한 준수의 내지는 부준수의 증거가 정식사실심리에 제출되어 있는 경우에, 피고인의 진술이 임의적인 것이었는지 여부를 및 신빙성 있는 것인지 여부를 판단하기 위하여 준수의 내지는 부준수의 신빙성 있는 증거를 배심은 고려할 수 있다는 점이 배심에게 지시되어야 한다.

(g) Article Does Not Preclude Admission of Certain Statements. – Nothing in this Article precludes the admission of any of the following:

일정한 진술들을 증거로 받아들임을 이 조는 배제하지 아니함. -- 아래의 것들을 증거로서 받아들임을 이 조 내의 것은 배제하지 아니한다:

(1) A statement made by the accused in open court during trial, before a grand jury, or at a preliminary hearing.

정식사실심리 동안에 공개법정에서, 대배심 앞에서, 또는 예비심문에서 피고인에 의하여 이루어진 진술.

(2) A spontaneous statement that is not made in response to a question.

질문에 응하여 이루어진 것이 아닌 동시적 진술.

(3) A statement made during arrest processing in response to a routine question.

체포절차 동안에 상투적 질문에 응하여 이루어진 진술.

(4) A statement made during a custodial interrogation that is conducted in another state by law enforcement officers of that state.

다른 주에서 그 주의 법 집행 공무원들에 의하여 실시된 구금신문 동안에 이루어진 진술.

(5) A statement obtained by a federal law enforcement officer.

연방 법 집행 공무원에 의하여 얻어진 진술.

(6) A statement given at a time when the interrogators are unaware that the person is suspected of an offense to which this Article applies.

이 조가 적용되는 범죄의 혐의를 그 사람이 받고 있음을 신문자들이 알지 못한 때에 이루어진 진술.

(7) A statement used only for impeachment purposes and not as substantive evidence.

오직 탄핵 목적들을 위하여서만 사용될 뿐 독립의 증거로서는 사용되지 아니하는 진술.

(h) Destruction or Modification of Recording After Appeals Exhausted. -- The State shall not destroy or alter any electronic recording of a custodial interrogation of a defendant convicted of any offense related to the interrogation until one year after the completion of all State and federal appeals of the conviction, including the exhaustion of any appeal of any motion for appropriate relief or habeas corpus proceedings. Every electronic recording should be clearly identified and catalogued by law enforcement personnel.

항소가 끝난 뒤의 녹음의 파괴 또는 변개. -- 신문에 관련된 범죄에 대하여 유죄로 판정된 피고인의 구금신문의 전자적 녹음을 당해 유죄판정에 대한 주 항소들의 및 연방항소들의 전부의 완료 - 이에는 적절한 구제를 위한 신청에 관한 항소의 소진이 내지는 인신보호영장 절차들의 소진이 포함된다 - 뒤 1년이 되기까지 주는 파괴하여서는 내지는 변개하여서는 안 된다. 모든 전자적 녹음은 법 집행 요원에 의하여 분명하게 확인되어야 하고 목록화되어야 한다.

https://codes.findlaw.com/nc/chapter-15a-criminal-procedure-act/nc-gen-st-sect-15a-305.html

North Carolina General Statutes Chapter 15A. Criminal Procedure Act § 15A-305. Order for arrest
체포명령

(a) Definition. -- As used in this section, an order for arrest is an order issued by a justice, judge, clerk, or magistrate that a law-enforcement officer take a named person into custody.

개념정의. -- 이 절에서 사용되는 것으로서 체포명령은 특정인을 법 집행 공무원더러 구금하라는 대법관에, 판사에, 서기에, 또는 치안판사에 의하여 내려지는 명령이다.

(b) When Issued. -- An order for arrest may be issued when:

언제 발령되i는가. -- 체포명령은 아래의 경우에 발령될 수 있다:

(1) A grand jury has returned a true bill of indictment against a defendant who is not in custody and who has not been released from custody pursuant to Article 26 of this Chapter, Bail, to answer to the charges in the bill of indictment.

구금되어 있지 아니한, 및 대배심 검사기소장안 내의 혐의들에 답변하게 하기 위한 구금으로부터 이 장 제26조 보석 조항에 따라서 석방되어 있는 경우에가 아닌 피고인을 상대로 하는 기소평결부 대배심 검사기소장안을 대배심이 제출한 경우.

(2) A defendant who has been arrested and released from custody pursuant to Article 26 of this Chapter, Bail, fails to appear as required.

체포된 바 있는 및 이 장 제26조 보석 조항에 따라서 구금으로부터 석방된 피고인이 그 요구된 대로 출석하지 아니하는 경우.

(3) The defendant has failed to appear as required by a duly executed criminal summons issued pursuant to G.S. 15A-303 or a citation issued by a law enforcement officer or other person authorized by statute pursuant to G.S. 15A-302 that charged the defendant with a misdemeanor.

피고인을 경죄로 고발하는 일반공법집 15A-303에 따라서 발부된 정당하게 집행된 형사소환장이 요구하는 대로, 또는 법 집행 공무원에 의하여 발부된 내지는 일반공법집 15A-302에 따라서 제정법에 의하여 권한이 부여된 여타의 사람에 의하여 발부된, 피고인을 한 개의 경죄로 고발한 출정통고서가 요구하는 대로 피고인이 출석하지 아니한 경우.

(4) A defendant has violated the conditions of probation.

보호관찰의 조건들을 피고인이 위반한 경우.

(5) In any criminal proceeding in which the defendant has become subject to the jurisdiction of the court, it becomes necessary to take the defendant into custody.

법원의 관할에 피고인이 종속되는 것이 되어 있는 한 개의 형사절차에서 피고인을 구금할 필요가 있게 된 경우.

(6) It is authorized by G.S. 15A-803 in connection with material witness proceedings.

중요증인 절차들에 관련하여 일반공법집 15A-803에 의하여 그것이 허용되는 경우.

(7) The common-law writ of capias has heretofore been issuable.

보통법상의 구인영장이 지금까지 발부될 수 있었던 경우.

(8) When a defendant fails to appear as required in a show cause order issued in a criminal proceeding.

형사절차에서 발령되는 이유제시 명령에서 요구되는 대로 피고인이 출석하지 아니하는 경우.

(9) It is authorized by G.S. 5A-16 in connection with contempt proceedings.

법원모독 절차들에 관련하여 일반공법집 5A-16에 의하여 허용되는 경우.

(c) Statemenit of Cause and Order; Copy of Indictment. –

이유의 명시 및 명령; 대배심 검사기소장 사본. --

(1) The process must state the cause for its issuance and order an officer described in G.S. 15A-301(b) to take the person named therein into custody and bring him before the court. If the defendant is to be held without bail, the order must so provide.

영장은 그 발부의 이유를 명시하지 않으면 안 되고 일반공법집 15A-301(b)에 규정된 공무원으로 하여금 그 안에 특정된 사람을 구금하도록 및 그를 법원 앞에 데려오도록 명령하지 않으면 안 된다. 만약 피고인이 보석 없이 구금되어야 할 경우이면 명령은 그렇게 규정하지 않으면 안 된다.

(2) When the order is issued pursuant to subdivision (b)(1), a copy of the bill of indictment must be attached to each copy of the order for arrest.

소부 (b)(1)에 따라서 명령이 발령되는 경우에, 대배심 검사기소장안의 사본이 당해 체포명령의 개개 사본에 첨부되지 않으면 안 된다.

(d) Who May Issue. – An order for arrest, valid throughout the State, may be issued by any person authorized to issue warrants for arrest.

누가 발령할 수 있는가. -- 주 전체를 통하여 유효한 체포명령은 체포영장들을 발부할 권한을 지닌 누구에 의해서든지 발령될 수 있다.

https://codes.findlaw.com/nc/chapter-15a-criminal-procedure-act/nc-gen-st-sect-15a-621.html

North Carolina General Statutes Chapter 15A. Criminal Procedure Act § 15A-621. "Grand jury" defined

"대배심"의 개념정의

A grand jury is a body consisting of not less than 12 nor more than 18 persons, impaneled by a superior court and constituting a part of such court.

대배심은 상위 지방법원에 의하여 충원구성 되는 및 그 법원의 일부를 구성하는 12명 이상의 및 18명 이하의 사람들로 구성되는 통일체이다.

https://codes.findlaw.com/nc/chapter-15a-criminal-procedure-act/nc-gen-st-sect-15a-622.html

North Carolina General Statutes Chapter 15A. Criminal Procedure Act § 15A-622. Formation and organization of grand juries; other preliminary matters

대배심들의 구성 및 조직; 그 밖의 예비적 사항들.

(a) The mode of selecting grand jurors and of drawing and impaneling grand jurors is governed by this Article and Chapter 9 of the General Statutes, Jurors. Challenges to the panel from which grand jurors were drawn are governed by the procedure in G.S. 15A-1211.

대배심원들을 선정하는 방법은 및 대배심원들을 추출하는 및 충원하는 방법은 이 조에 의하여 및 일반공법집 제9장 배심원들 관련조항들에 의하여 규율된다. 대배심원들이 뽑힌 모집단인 배심원후보단에 대한 기피신청들은 일반공법집 15A-1211에서의 절차에 의하여 규율된다.

(b) To impanel a new grand jury, the presiding judge must direct that the names of all persons returned as jurors be separately placed in a container. The clerk must draw out the names of 18 persons to serve as grand jurors. Of these 18, the first nine drawn serve until the first session of court at which criminal cases are heard held in the county after the following January 1, and thereafter until their replacements are selected and sworn. The next nine serve until the first session of court at which criminal cases are heard held in the county after the following July 1, and thereafter until their replacements are selected and sworn. If this formula results in any term likely to be shorter than two months or longer than 15 months, the presiding judge impaneling the grand jury may modify the terms. Thereafter, beginning with the first session of superior court at which criminal cases are heard held in the county following January 1 and July 1 of each year, nine new grand jurors must be selected in the manner provided above to replace the jurors whose terms have expired. All new grand jurors so selected serve until the first session of court at which criminal cases are heard held after January 1 or July 1 which most nearly results in a 12-month term, and thereafter until their replacements are selected and sworn. If a vacancy occurs in the membership of the grand jury, the superior court judge next convening the jury or next holding a session of court at which criminal cases are heard in the county may order that a new juror be drawn in the manner provided above to fill the vacancy.

한 개의 새로운 대배심을 충원구성 하기 위하여는, 배심원(후보)들로서 신고된 모든 사람들의 이름들이 한 개의 용기 안에 개별적으로 넣어지게끔 조치하도록 주재판사는 명령하지 않으면 안 된다. 배심원들로서 복무할 18명의 이름들을 서기는 추출하지 않으면 안 된다. 이 18명 중에서 먼저 뽑힌 9명은 다음 번 1월 1일 뒤에 카운티 내에서 열리는 형사사건들이 심리되는 법원의 첫 번째 개정법정 때까지, 그리고 그 뒤에도 그들을 교체할 대배심원들이 선정되어 선서절차에 처해질 때까지 복무한다. 나머지 9명은 다음 번 6월 1일 뒤에 카운티 내에서 열리는 형사사건들이 심리되는 법원의 첫 번째 개정법정 때까지, 및 그 뒤에도 그들을 대신할 대배심원들이 선정되고 선서절차에 처해질 때까지 복무한다. 2개월 미만일 것으로 내지는 15개월 초과일 것으로 예상되는 기간에 만약 이 방식이 귀결되면, 그 기간들을 대배심 충원구성 주재판사는 변경할 수 있다. 그 뒤로는, 매년 1월 1일 뒤에 내지는 6월 1일 뒤에 카운티 내에서 열리는 형사사건들이 심리되는 상위 지방법원의 첫 번째 개정기에서 시작하여, 그 복무기간들이 종료한 배심원들을 위에 규정된 방법으로 아홉 명의 새로운 대배심원들이 선정되어 교체하지 않으면 안 된다. 그렇게 선정되는 새로운 대배심원들 전원은 1월 1일 뒤에 또는 6월 1일 뒤에 열리는 형사사건들이 심리되는 법원의 첫 번째 개정법정 때까지 - 이로써 거의 근사하게 12개월의 기간에 귀결된다 - 및 그 뒤로도 그들을 대신할 대배심원들이 선정되어 선서절차에 처해질 때까지 복무한다. 대배심의 구성원에 만약 궐석이 발생하면, 대배심을 다음 번에 소집하는 상위 지방법원 판사는, 내지는 카운티 내에서 형사사건들이 심리되는 법원의 개정기를 다음 번에 여는 상위 지방법원 판사는 위에 규정된 방법으로 한 명의 새로운 배심원이 추출되어 그 궐석을 채우게끔 조치하도록 명령할 수 있다.

The senior resident superior court judge of the district may impanel a second grand jury in any county of the district to serve concurrently with the first. The second grand jury shall be impaneled as provided in the first paragraph of this subsection. The court shall continue to have two grand juries until the senior resident superior court judge orders the second grand jury to terminate.

첫 번째 대배심이에 더불어 동시적으로 복무할 두 번째 대배심을 재판구의 어느 카운티에서든 재판구 선임상주의 상위 지방법원 판사는 충원구성할 수 있다. 이 소절의 첫 번째 단락에 규정된 방법에 따라서 두 번째 대배심은 충원구성되어야 한다. 두 개의 대배심들을 보유하기를, 두 번째 대배심의 복무종료를 선임상주의 상위 지방법원 판사가 명령할 때까지 법원은 계속하여야 한다.

In any county the senior resident superior court judge, if he finds that grand jury service is placing a disproportionate burden on grand jurors and their employers, may fix the term of service of a grand juror at six months rather than 12 months. In doing so, he shall prescribe procedures, consistent with this section, for replacement of half of the jurors of the grand jury or grand juries approximately every three months.

어느 카운티에서든 과도한 부담을 대배심원들 위에 및 그들의 고용주들 위에 대배심 복무가 부과한다고 만약 선임상주의 상위지방법원 판사가 판단하면, 대배심원의 복무기한을 12개월로가 아닌 6개월로 그는 정할 수 있다. 그렇게 함에 있어서 대략 3개월마다의 대배심의 내지는 대배심들의 대배심원들 절반의 교체를 위한 절차들을 이 절에의 부합 속에서 그는 규정하여야 한다.

(c) Neither the grand jury panel nor any individual grand juror may be challenged, but a superior court judge may:

대배심원단은 내지는 대배심원 개개인은 어느 쪽이도 기피신청될 수 없으나, 상위 지방법원 판사는:

(1) At any time before new grand jurors are sworn, discharge them, or discharge the grand jury, and cause new grand jurors or a new grand jury to be drawn if he finds that jurors have not been selected in accordance with law or that the grand jury is illegally constituted; or

새로운 대배심원들이 선서절차에 처해지기 전에 언제든지, 그들을 임무해제 할 수 내지는 대배심을 임무해제 할 수 있고, 법에의 부합 속에서 배심원들이 선정된 것이 아님을 내지는 당해 대배심이 불법적으로 구성되어 있음을 만약 그가 인정하면, 새로운 대배심원들이 또는 새로운 대배심이 추출되도록 조치할 수 있다; 또는

(2) At any time after a grand juror is drawn, refuse to swear him, or discharge him after he has been sworn, upon a finding that he is disqualified from service, incapable of performing his duties, or guilty of misconduct in the performance of his duties so as to impair the proper functioning of the grand jury.

한 명의 대배심원이 추출되고 난 뒤에, 그를 선서절차에 처하기를 언제든지 거부할 수 있거나, 또는 그가 선서절차에 처해지고 난 뒤에 그를 임무해제 할 수 있는바, 그가 복무자격을 결여한다는, 그의 임무사항들을 수행할 능력이 없다는, 또는 그의 임무사항들의 수행에 있어서 대배심의 정상적 기능을 손상시킬 정도로 위법행위를 저질렀다는 판단에 이는 터잡아야 한다.

(d) The presiding judge may excuse a grand juror from service of the balance of his term, upon his own motion or upon the juror's request for good cause shown. The foreman may excuse individual jurors from attending particular sessions of the grand jury, except that he may not excuse more than two jurors for any one session.

증명되는 타당한 이유에 따라서 직권으로 또는 한 명의 대배심원의 요청에 따라서 그 대배심원을 그의 나머지 기간 동안의 복무로부터 주재판사는 면제할 수 있다. 개개 배심원

들을 당해 대배심의 특정 회합들에의 출석으로부터 배심장은 면제할 수 있는바, 다만 한 번의 회합 때에 2명을 초과하여서는 면제할 수 없다.

(e) After the impaneling of a new grand jury, or the impaneling of nine new jurors under the terms of this section, the presiding judge must appoint one of the grand jurors as foreman and may appoint another to act as foreman during any absence or disability of the foreman. Unless removed for cause by a superior court judge, the foreman serves until his successor is appointed and sworn.

새로운 대배심의 충원구성 뒤에 또는 이 절의 규정들 아래서의 새로운 아홉 명의 배심원들의 충원 뒤에, 대배심원들 중의 한 명을 배심장으로 주재판사는 지명하지 않으면 안 되는바, 그 배심장의 결석 동안에 또는 복무불능 동안에 배심장으로서 행동하도록 다른 한 명을 주재판사는 지명할 수 있다. 상위 지방법원 판사에 의하여 이유부로 해임되는 경우에를 제외하고는, 배심장은 그의 후계자가 지명되어 선서절차에 처해지기까지 복무한다.

(f) The foreman and other new grand jurors must take the oath prescribed in G.S. 11-11 . After new grand jurors have been sworn, the presiding judge may give the grand jurors written or oral instructions relating to the performance of their duties. At subsequent sessions of court, the presiding judge is not required to give any additional instructions to the grand jurors.

배심장은 그 밖의 새로운 배심원들은 일반공법집 11-11에 규정된 선서를 하지 않으면 안 된다. 그들의 임무사항들의 수행에 관한 서면의 내지는 구두의 지시사항들을 대배심원들에게, 선서절차에 새로운 대배심원들이 처해지고 난 뒤에, 주재판사는 부여할 수 있다. 추가적 지시사항들을 그 대배심원들에게 부여하도록은 뒤이은 회합들에서 주재판사는 요구되지 않는다.

(g) At any time when a grand jury is in recess, a superior court judge may, upon application of the prosecutor or upon his own motion, order the grand jury reconvened for the purpose of dealing with a matter requiring grand jury action.

대배심 처분을 요하는 사항을 다루기 위한 목적으로 대배심이 재소집되도록, 당해 대배심이 휴회 중인 때에는 언제든지, 상위 지방법원 판사는 검사의 신청에 따라서 또는 그 자신의 직권으로 명령할 수 있다.

(h) A written petition for convening of grand jury under this section may be filed by the district attorney, the district attorney's designated assistant, or a special prosecutor requested pursuant to G.S. 114-11.6, with the approval of a committee of at least three members of the North Carolina Conference of District Attorneys, and with the concurrence of the Attorney General, with the Clerk of the North Carolina Supreme Court. The Chief Justice shall appoint a panel of three judges to determine whether to order the grand jury convened. A grand jury under this section may be convened if the three-judge panel determines that:

이 절 아래서의 대배심의 소집을 구하는 서면청구는 노스캐럴라이나주 재판구 지방검사회의의 적어도 3명의 위원회의 동의서를 첨부하여, 그리고 검찰총장의 동의서를 첨부하여 재판구 지방검사에 의하여, 재판구 지방검사의 피지명 보조자에 의하여, 또는 일반공법집 114-11.6에 따라서 요청되는 특별검사에 의하여 노스캐럴라이나주 대법원 서기에게 제출될 수 있다. 대배심의 소집을 명령할지 여부를 판단하기 위한 세 명의 판사들의 대배심 소집심사 합의부를 대법원장은 지명하여야 한다. 아래 사항들이 인정된다고 그 세 명의 판사들 합의부가 판정하면 이 절 아래서의 대배심은 소집될 수 있다:

(1) The petition alleges the commission of or a conspiracy to commit a violation of G.S. 90-95(h) or G.S. 90-95.1, any part of which violation or conspiracy occurred in the county where the grand jury sits, and that persons named in the petition have knowledge related to the identity of the perpetrators of those crimes but will not divulge that knowledge voluntarily or that such persons request that they be allowed to testify before the grand jury; and

당해 대배심이 착석하는 카운티 내에서 그 위반의 일부가 발생한 일반공법집 90-95(h)에 대한 또는 일반공법집 90-95.1에 대한 위반을 내지는 그 위반을 위한 공모를 청구서가 주장할 것 및 그 범죄들의 범행자들의 신원에 관련되는 지식을 당해 청구서 안에 거명된 사람들이 지님에도 그 지식을 그들이 자발적으로는 밝히지 않으리라고 예상될 것 또는 자신들로 하여금 대배심 앞에서 증언하도록 허용되게 해 달라고 그 사람들이 요청할 것; 그리고

(2) The affidavit sets forth facts that establish probable cause to believe that the crimes specified in the petition have been committed and reasonable grounds to suspect that the persons named in the petition have knowledge related to the identity of the perpetrators of those crimes.

청구서에 명시된 범죄들이 저질러져 있다고 믿을 상당한 이유를, 선서진술서가 제시할 것 및 그 범죄들의 범행자들의 신원에 관한 지식을 청구서에 거명된 사람들이 지니는 것으로 의심할 합리적 이유들을, 입증하는 사실관계를 선서진술서가 제시할 것.

The affidavit shall be based upon personal knowledge or, if the source of the information and basis for the belief are stated, upon information and belief. The panel's order convening the grand jury as an investigative grand jury shall direct the grand jury to investigate the crimes and persons named in the petition, and shall be filed with the Clerk of the North Carolina Supreme Court. A grand jury so convened retains all powers, duties, and responsibilities of a grand jury under this Article. The contents of the petition and the affidavit shall not be disclosed. Upon receiving a petition under this subsection, the Chief Justice shall appoint a panel to determine whether the grand jury should be convened as an investigative grand jury.

그 토대를 직접의 지식에, 또는 정보의 원천이 및 믿음의 근거가 서술되어 있으면 정보에 또는 믿음에, 선서진술서는 두어야 한다. 한 개의 조사대배심으로서의 대배심을 소집하라는 합의부의 명령은 청구서에 거명된 범죄들을 및 사람들을 조사하도록 당해 대배심에게 지시하여야 하고, 노스캐럴라이나주 대법원 서기에게 하달되어야 한다. 이 조 아래서의 한 개의 대배심의 모든 권한들을, 임무들을, 그리고 책임들을 그렇게 소집되는 대배심은 보유한다. 청구서의 및 선서진술서의 내용들은 공개되지 아니한다. 이 소절 아래서의 청구서를 수령하면 그 대배심이 한 개의 조사대배심으로서 소집되어야 할지 여부를 판단하기 위한 합의부를 대법원장은 지명하여야 한다.

A grand jury authorized by this subsection may be convened from an existing grand jury or grand juries authorized by subsection (b) of this section or may be convened as an additional grand jury to an existing grand jury or grand juries. Notwithstanding subsection (b) of this section, grand jurors impaneled pursuant to this subsection shall serve for a period of 12 months, and, if an additional grand jury is convened, 18 persons shall be selected to constitute that grand jury. At any time for cause shown, the presiding superior court judge may excuse a juror temporarily or permanently, and in the latter event the court may impanel another person in place of the juror excused.

이 소절에 의하여 허가되는 대배심은 이 절의 소절 (b)에 의하여 허가되는 기존의 대배심으로부터 또는 대배심들로부터 소집될 수 있고 또는 기존의 대배심에의 내지는 대배심들에의 한 개의 추가적 대배심으로서 소집될 수 있다. 이 절의 소절 (b)에도 불구하고, 이 소절에 따라서 충원되는 대배심원들은 12개월 동안 복무하여야 하고, 만약 한 개의 추가적 대배심이 소집되면 그 대배심을 구성하기 위하여 18명이 선정되어야 한다. 증명되는 이유에 따라서 언제든지 상위 지방법원의 주재판사는 배심원을 일시적으로 또는 영구적으로 면제할 수 있고, 후자의 경우에는 그 면제되는 배심원 대신에 다른 사람을 그 법원은 충원할 수 있다.

(i) An investigative grand jury may be convened pursuant to subsection (h) of this section if the petition alleges the commission of, attempt to commit or solicitation to commit, or a conspiracy to commit a violation of G.S. 14-43.11 (human trafficking), G.S. 14-43.12 (involuntary servitude), or G.S. 14-43.13 (sexual servitude).

일반공법집 14-43.11에 대한 위반(인신매매)을, 일반공법집 14-43.12에 대한 위반(강제노역)을, 또는 일반공법집 14-43.13에 대한 위반(성노예)을, 그 미수를 또는 유도를 내지는 공모를 만약 청구서가 주장하면 이 절의 소절 (h)에 따라서 한 개의 조사대배심은 소집될 수 있다.

(j) Any grand juror who serves the full term of service under subsection (b) or subsection (h) of this section shall not be required to serve again as a grand juror or as a juror for a period of six years.

이 절의 소절 (b) 아래서의 또는 소절 (h) 아래서의 복무의무 전기간을 복무하는 대배심원은 대배심원으로서 다시 복무하도록 6년 동안 요구되지 아니한다.

https://codes.findlaw.com/nc/chapter-15a-criminal-procedure-act/nc-gen-st-sect-15a-623.html

North Carolina General Statutes Chapter 15A. Criminal Procedure Act § 15A-623. Grand jury proceedings and operation in general
대배심 절차들 및 운영일반

(a) The finding of an indictment, the return of a presentment, and every other affirmative official action or decision of the grand jury requires the concurrence of at least 12 members of the grand jury.

대배심 검사기소의 평결은, 대배심 독자기소장의 제출은, 그리고 대배심의 그 밖의 모든 적극적인 공식의 처분은 내지는 결정은 적어도 그 대배심 구성원 12명의 찬성을 요한다.

(b) The foreman presides over all hearings and has the power to administer oaths or affirmations to all witnesses.

모든 심리들을 배심장은 주재하며, 선서들을 내지는 무선서확약들을 모든 증인들에게 실시할 권한을 배심장은 보유한다.

(c) The foreman must indicate on each bill of indictment or presentment the witness or witnesses sworn and examined before the grand jury. Failure to comply with this provision does not vitiate a bill of indictment or presentment.

대배심 앞에서 선서절차를 거친 및 신문된 증인을 내지는 증인들을 개개의 대배심 검사기소장에 또는 대배심 독자기소장에 배심장은 표기하지 않으면 안 된다. 이 규정의 준수 불이행은 대배심 검사기소장을 내지는 대배심 독자기소장을 무효화하지 아니한다.

(d) During the deliberations and voting of a grand jury, only the grand jurors may be present in the grand jury room. During its other proceedings, the following persons, in addition to a witness being examined, may, as the occasion requires, also be present:

대배심의 숙의들 도중에는 및 표결 도중에는 오직 대배심원들만이 대배심실에 출석할 수 있다. 대배심의 여타의 절차들 동안에는 그 요구되는 경우에 신문되는 증인이에 추가하여 아래의 사람들이 아울러 출석할 수 있다:

(1) An interpreter, if needed.

필요한 경우에의 한 명의 통역인.

(2) A law-enforcement officer holding a witness in custody.

증인을 구금 중인 법집행 공무원.

Any person other than a witness who is permitted in the grand jury room must first take an oath before the grand jury that he will keep secret all matters before it within his knowledge.

대배심실에 허용되는 증인 이외의 사람은 자신의 지식 내의 대배심 앞의 모든 사항들을 비밀로 자신이 간직하겠다는 선서를 대배심 앞에서 먼저 하지 않으면 안 된다.

(e) Grand jury proceedings are secret and, except as expressly provided in this Article, members of the grand jury and all persons present during its sessions shall keep its secrets and refrain from disclosing anything which transpires during any of its sessions.

대배심 절차들은 비밀이며, 대배심의 구성원들은 및 대배심의 회합 동안에 출석하는 모든 사람들은 이 조에 명시적으로 규정되는 경우에를 제외하고는 대배심의 비밀들을 유지하여야 하고 조금이라도 대배심의 회합들 도중에 발생하는 사항을 공개하기를 삼가야 한다.

(f) The presiding judge may direct that a bill of indictment be kept secret until the defendant is arrested or appears before the court. The clerk must seal the bill of indictment and no person including a witness may disclose the finding of the bill of indictment, or the proceedings leading to the finding, except when necessary for the issuance and execution of an order of arrest.

피고인이 체포되기까지 내지는 법원 앞에 출석하기까지 대배심 검사기소장을 비밀로 간직되게 하도록 주재판사는 명령할 수 있다. 그 대배심 검사기소장을 서기는 봉인하지 않으면 안 되고, 대배심 검사기소장에 대한 기소평결을 내지는 그 평결에 이르기까지의 절차들을 증인이를 포함하여 어느 누구가든 공개하여서는 안 되는바, 다만 체포명령의 발부를 및 집행을 위하여 필요한 경우에는 그러하지 아니하다.

(g) Any grand juror or other person authorized to attend sessions of the grand jury and bound to keep its secrets who discloses, other than to his attorney, matters occurring before the grand jury other than in accordance with the provisions of this section is in contempt of court and subject to proceedings in accordance with law.

대배심의 회합들에 출석하도록 권한이 부여되는 및 그 비밀들을 지킬 의무가 부여되는 대배심원으로서 내지는 그 밖의 사람으로서 대배심 앞에서 발생하는 사안들을 자신의 변호사 이외의 사람에게 이 절의 규정들에의 부합 속에서가 아닌 상태에서 공개하는 사람은 누구든지 법원모독에 해당하고 따라서 법에 부합되는 절차들에 처해진다.

(h) If a grand jury is convened pursuant to G.S. 15A-622(h), notwithstanding subsection (d) of this section, a prosecutor shall be present to examine witnesses, and a court reporter shall be present and record the examination of witnesses. The record shall be transcribed. If the prosecutor determines that it is necessary to compel testimony from the witness, he may grant use immunity to the witness. The grant of use immunity shall be given to the witness in writing by the prosecutor and shall be signed by the prosecutor. The written grant of use immunity shall also be read into the record by the prosecutor and shall include an explanation of use immunity as provided in G.S. 15A-1051 . A witness shall have the right to leave the grand jury room to consult with his counsel at reasonable intervals and for a reasonable period of time upon the request of the witness. Notwithstanding subsection (e) of this section, the record of the examination of witnesses shall be made available to the examining prosecutor, and he may disclose contents of the record to other investigative or law-enforcement officers, the witness or his attorney to the extent that the disclosure is appropriate to the proper performance of his official duties. The record of the examination of a witness may be used in a trial to the extent that it is relevant and otherwise admissible. Further disclosure of grand jury proceedings convened pursuant to this act 1 may be made upon written order of a superior court judge if the judge determines disclosure is essential:

일반공법집 15A-622(h)에 따라서 만약 한 개의 대배심이 소집되면, 이 절의 소절 (d)에도 불구하고, 증인들을 신문하기 위하여 검사가 출석하여야 하고 법원 속기사가 출석하여 증인들의 신문을 녹음하여야 한다. 녹음은 녹취되어야 한다. 증언을 증인에게서 강제해냄이 필요하다고 만약 그 검사가 판단하면, 사용면제를 그 증인에게 그는 부여할 수 있다. 사용면제의 부여는 검사에 의하여 증인에게 서면으로 주어져야 하고 검사에 의하여 서명되어야 한다. 사용면제의 서면부여는 또한 검사에 의하여 낭독되어 녹음 속에 들어가야 하는바, 일반공법집 15A-1051에 규정된 대로의 사용면제에 대한 설명을 포함하여야 한다. 자신의 변호인을 상담하기 위하여 증인 자신의 요청에 따라 합리적 시간간격들을 두고서 대배심실을 떠날 권리를 증인은 지닌다. 이 절의 소절 (e)에도 불구하고 증인들의 신문기록은 당해 신문검사에게 제공되어야 하는바, 그의 공무상의 의무사항들에 대한 정당한 수행에 공개가 적합한 한도 내에서 그 기록의 내용들을 여타의 수사관들에게 또는 법집행 공무원들에게, 그 증인에게 또는 그의 변호사에게 그는 공개할 수 있다. 정식사실심리에 관련을 지니는 및 여타의 점에서 증거능력이 있는 한도 내에서, 증인의 신문기록은 정식사실심리에서 사용될 수 있다. 이 법률[1] 에 따라서 소집되는 대배심 절차들의 더 이상의 공개는 아래의 것들을 위하여 공개가 불가결하다고 상위 지방법원 판사가 판단하는 경우에 그의 서면에 의한 명령에 의하여 이루어질 수 있다:

(1) To prosecute a witness who appeared before the grand jury for contempt or perjury; or

대배심 앞에 출석한 증인을 법원모독으로 또는 위증으로 소추하기 위한 경우; 또는

(2) To protect a defendant's constitutional rights or statutory rights to discovery pursuant to G.S. 15A-903.

피고인의 헌법적 권리들을 내지는 일반공법집 15A-903에 따른 증거캐기를 누릴 제정법상의 권리들을 보호하기 위한 경우.

Upon the convening of the investigative grand jury pursuant to approval by the three-judge panel, the district attorney shall subpoena the witnesses. The subpoena shall be served by the investigative grand jury officer, who shall be appointed by the court. The name of the person subpoenaed and the issuance and service of the subpoena shall not be disclosed, except that a witness so subpoenaed may divulge that information. The presiding superior court judge shall hear any matter concerning the investigative grand jury in camera to the extent necessary to prevent disclosure of its existence. The court reporter for the investigative grand jury shall be present and record and transcribe the in camera proceeding. The transcription of any in camera proceeding and a copy of all subpoenas and other process shall be returned to the Chief Justice or to such member of the three-judge panel as the Chief Justice may designate, to be filed with the Clerk of the North Carolina Supreme Court. The subpoena shall otherwise be subject to the provisions of G.S. 15A-801 and Article 43 of Chapter 15A. When an investigative grand jury has completed its investigation of the crimes alleged in the petition, the investigative functions of the grand jury shall be dissolved and such investigation shall cease. The District Attorney shall file a notice of dissolution of the investigative functions of the grand jury with the Clerk of the North Carolina Supreme Court.

세 명의 판사들의 대배심 소집심사 합의부의 승인에 따른 조사대배심의 소집이 있으면, 증인들을 재판구 지방검사는 벌칙부로 소환하여야 한다. 조사대배심 공무원에 의하여 벌칙부소환장은 송달되어야 하는바, 법원에 의하여 그는 지명되어야 한다. 벌칙부로 소환되는 사람의 이름은 및 벌칙부소환장의 발부는 및 송달은 공개되어서는 안 되는바, 다만 그렇게 소환되는 증인은 그 정보를 공개할 수 있다. 조사 대배심에 관한 어떤 사항을 이든, 그것의 존재의 공개를 방지하기 위하여 필요한 한도 내에서 판사실에서, 상위 지방법원의 주재판사는 청취할 수 있다. 조사대배심을 위한 법원 속기사는 출석하여야 하고 판사실에서의 절차를 녹음하여야 하며 녹취하여야 한다. 판사실 절차의 녹취록은 및 모든 벌칙부소환장의 및 여타 영장의 등본은 대법원장에게 또는 대법원장이 지명하는 세 명의 판사들의 대배심 소집심사 합의부 구성원에게 제출되어야 하고, 노스캐럴라이나주 대법원 서기에게 하달되어야 한다. 벌칙부소환장은 그 밖의 점에 관하여 일반공법집 15A-801의 규정들에 및 제15A장의 제43조에 종속된다. 청구서에서 주장되는 범죄들에 대한 자신의 조사를 한 개의 조사대배심이 끝마친 때에는, 그 대배심의 조사기능들은 해소되어야 하고 그러한 조사는 중지되어야 한다. 당해 대배심의 조사기능들의 해소통지서를 노스캐럴라이나주 대법원 서기에게 재판구 지방검사는 제출하여야 한다.

1 Reference to "this act" is to Laws 1985 (Reg. Sess. 1986) c. 843 which amended this section and §§ 5A-12, 8-57, 15A-622, and 15A-1501.

"이 법률"에의 언급은 이 절을 및 5A-12절을, 8-57절을, 15A-622를 및 15A-1501를 개정한 1985년 제정법률집 (Reg. Sess. 1986) 제843장에 대한 것이다.

https://codes.findlaw.com/nc/chapter-15a-criminal-procedure-act/nc-gen-st-sect-15a-624.html

North Carolina General Statutes Chapter 15A. Criminal Procedure Act § 15A-624. Grand jury the judge of facts; judge the source of legal advice

사실관계의 판단자로서의 대배심; 법적 조언의 원천으로서의 판사

(a) The grand jury is the exclusive judge of the facts with respect to any matter before it.

대배심은 자신 앞의 어떤 문제에 관련하여서도 사실관계에 대한 배타적 판단자이다.

(b) The legal advisor of the grand jury is the presiding or convening judge.

대배심의 법적 조언자는 주재판사 또는 소집판사이다.

https://codes.findlaw.com/nc/chapter-15a-criminal-procedure-act/nc-gen-st-sect-15a-626.html

North Carolina General Statutes Chapter 15A. Criminal Procedure Act § 15A-626. Who may call witnesses before grand jury; no right to appear without consent of prosecutor or judge

증인을 대배심 앞에 부를 수 있는 사람; 검사의 내지는 판사의 동의 없이는 출석할 권리가 없음

(a) Except as provided in this section, no person has a right to call a witness or appear as a witness in a grand jury proceeding.

이 절에서 규정되는 바에 따라서를 제외하고는, 대배심 절차에 증인을 소환할 권리를 내지는 한 명의 증인으로서 출석할 권리를 사람은 지니지 아니한다.

(b) In proceedings upon bills of indictment submitted by the prosecutor to the grand jury, the clerk must call as witnesses the persons whose names are listed on the bills by the prosecutor. If the grand jury desires to hear any witness not named on the bill under consideration, it must through its foreman request the prosecutor to call the witness. The prosecutor in his discretion may call, or refuse to call, the witness.

검사에 의하여 대배심에 제출된 대배심 검사기소장안들에 터잡는 절차들에서 검사에 의하여 기소장안들 위에 그 이름들이 목록화되어 있는 사람들을 증인들로서 서기는 소환하지 않으면 안된다. 만약 검토 대상인 기소장안 위에 그 이름들이 목록화되어 있지 아니한 사람들을 청취하기를 대배심이 원하면, 그 증인을 소환하여 줄 것을 대배심은 자신의 배심장을 통하여 검사에게 요청하지 않으면 안 된다. 그 증인을 그의 재량으로 검사는 소환할 수 있고 또는 그 소환하기를 거부할 수 있다.

(c) In considering any matter before it a grand jury may swear and hear the testimony of a member of the grand jury.

자신 앞의 사안을 검토함에 있어서 대배심은 자신의 구성원을 선서시키고서 그의 증언을 청취할 수 있다.

(d) Any person not called as a witness who desires to testify before the grand jury concerning a criminal matter which may properly be considered by the grand jury must apply to the district attorney or to a superior court judge. The judge or the district attorney in his discretion may call the witness to appear before the grand jury.

대배심에 의하여 마땅히 검토될 형사적 문제에 관하여 대배심 앞에서 증언하기를 원하는, 그러나 한 명의 증인으로서 소환되지 아니한 사람은, 재판구 지방검사에게 또는 상위 지방법원 판사에게 신청하지 않으면 안 된다. 대배심 앞에 출석하도록 그 증인을 판사는 내지는 재판구 지방검사는 그의 재량으로 소환할 수 있다.

(e) An official who is required or authorized to call a witness before the grand jury does so by issuing a subpoena for the witness or by causing one to be issued. If the official is assured that the witness will appear when requested without issuance of a subpoena, he may call the witness simply by notifying him of the time and place his presence is requested before the grand jury.

한 명의 증인을 대배심 앞에 소환하도록 요구되는 내지는 허용되는 공무원은 그 증인을 위한 벌칙부소환장을 발부함에 의하여 또는 벌칙부 소환장이 발부되게끔 조치함에 의하여 그렇게 한다. 벌칙부소환장의 발부 없이도 요청이 있을 경우에 그 증인이 출석하리라고 만약 그 공무원이 확신하면, 단지 대배심 앞에의 그의 출석이 요청되는 시간을 및 장소를 그에게 고지함만에 의하여 그를 그는 소환할 수 있다.

https://codes.findlaw.com/nc/chapter-15a-criminal-procedure-act/nc-gen-st-sect-15a-627.html

North Carolina General Statutes Chapter 15A. Criminal Procedure Act § 15A-627. Submission of bill of indictment to grand jury by prosecutor

검사에 의한 대배심 검사기소장안의 대배심에게의 제출

(a) When a defendant has been bound over for trial in the superior court upon any charge in the original jurisdiction of such court, the prosecutor, unless he dismisses the charge under the terms of Article 50 of this Chapter, Voluntary Dismissal by the State, or proceeds upon a bill of information, must submit a bill of indictment charging the offense to the grand jury for its consideration.

상위 지방법원의 제1심관할권 내에서의 혐의에 대한 상위 지방법원에서의 정식사실심리를 위하여 피고인이 넘겨져 있는 경우에, 검사는, 그 혐의를 이 장 제50조 주에 의한 자발적 각하조항에 따라서 그가 각하하는 경우에를 제외하고는 내지는 절차를 검사 독자기소장안에 의하여 그가 진행시키는 경우에를 제외하고는, 그 범죄를 고발하는 대배심 검사기소장안을 대배심의 검토를 위하여 대배심에게 제출하지 않으면 안 된다.

(b) A prosecutor may submit a bill of indictment charging an offense within the original jurisdiction of the superior court.

상위 지방법원의 제1심관할권 내에서의 범죄를 고발하는 대배심 검사기소장안을 검사는 제출할 수 있다.

https://codes.findlaw.com/nc/chapter-15a-criminal-procedure-act/nc-gen-st-sect-15a-628.html

North Carolina General Statutes Chapter 15A. Criminal Procedure Act § 15A-628. Functions of grand jury; record to be kept by clerk

대배심의 기능사항들; 서기에 의하여 보관되어야 할 기록

(a) A grand jury:

대배심은:

(1) Must return a bill submitted to it by the prosecutor as a true bill of indictment if it finds from the evidence probable cause for the charge made.

자신에게 검사에 의하여 제출된 대배심 기소장안을, 그 이루어진 고발을 뒷받침하는 상당한 이유를 증거로부터 만약 자신이 발견하면 기소평결부 대배심 검사기소장으로 제출하지 않으면 안 된다.

(2) Must return a bill submitted to it by the prosecutor as not a true bill of indictment

if it fails to find probable cause for the charge made. Upon returning a bill of indictment as not a true bill, the grand jury may request the prosecutor to submit a bill of indictment as to a lesser included or related offense.

자신에게 검사에 의하여 제출된 대배심 검사기소장안을, 그 이루어진 고발을 뒷받침하는 상당한 이유를 만약 자신이 발견하지 못하면, 불기소 평결부 대배심 검사기소장안으로 제출하지 않으면 안 된다. 불기소 평결부 대배심 검사기소장안의 제출의 경우에, 그 포함된 내지는 관련된 보다 더 경미한 범죄에 관한 대배심 검사기소장안을 제출하도록 검사에게 대배심은 요청할 수 있다.

(3) May return the bill to the court with an indication that the grand jury has not been able to act upon it because of the unavailability of witnesses.

증인들을 활용할 수 없음으로 인하여 그것에 관하여 처분을 자신이 내릴 수 없었다는 표시를 달아 당해 대배심 검사기소장안을 법원에 제출할 수 있다.

(4) May investigate any offense as to which no bill of indictment has been submitted to it by the prosecutor and issue a presentment accusing a named person or named persons with one or more criminal offenses if it has found probable cause for the charges made. An investigation may be initiated upon the concurrence of 12 members of the grand jury itself or upon the request of the presiding or convening judge or the prosecutor.

자신에게 검사에 의하여 대배심 검사기소장안이 제출되어 있지 아니한 어떠한 범죄를이든 조사할 수 있고, 그 이루어진 고발들을 뒷받침하는 상당한 이유를 자신이 발견한 경우에는 특정인을 내지는 특정인들을 한 개 이상의 범죄들로 기소하는 대배심 독자고발장을 발부할 수 있다. 대배심 자신의 구성원들 중 12명의 찬성에 터잡아 또는 주재판사의 내지는 소집판사의 내지는 검사의 요청에 터잡아 조사는 시작될 수 있다.

(5) Must inspect the jail and may inspect other county offices or agencies and must report the results of its inspections to the court.

감옥을 점검하지 않으면 안 되고, 여타의 카운티 공무소들을 내지는 기관들을 점검할 수 있는바, 자신의 점검들의 결과들을 법원에 보고하지 않으면 안 된다.

(b) In proceeding under subsection (a), the grand jury may consider any offense which may be prosecuted in the courts of the county, or in the courts of the superior court district or set of districts as defined in G.S. 7A-41.1 when there has been a waiver of venue in accordance with Article 3 of this Chapter, Venue.

절차를 소절 (a) 아래서 진행시킴에 있어서 이 장 제3조 재판지 규정들에의 부합 속에서 재판지의 포기가 있는 경우에는 카운티 법원들에 소추될 수 있는 내지는 일반공법집 7A-41.1에 규정된 대로의 상위 지방법원 관할 재판구의 내지는 재판구들 묶음의 법원들에 소추될 수 있는 범죄를 대배심은 검토할 수 있다.

(c) Bills of indictment submitted by the prosecutor to the grand jury, whether found to be true bills or not, must be returned by the foreman of the grand jury to the presiding judge in open court. Presentments must also be returned by the foreman of the grand jury to the presiding judge in open court.

검사에 의하여 대배심에 제출되는 대배심 검사기소장안들은 기소평결이 내려진 것이든 아니든 상관없이, 당해 대배심의 배심장에 의하여 주재판사에게 공개법정에서 제출되지 않으면 안 된다. 대배심 독자고발장들은 마찬가지로 당해 대배심의 배심장에 의하여 주재판사에게 공개법정에서 제출되지 않으면 안 된다.

(d) The clerk must keep a permanent record of all matters returned by the grand jury to the judge under the provisions of this section.

이 절의 규정들 아래서 대배심에 의하여 판사에게 제출되는 모든 사항들에 관한 영구기록을 서기는 보관하지 않으면 안 된다.

https://codes.findlaw.com/nc/chapter-15a-criminal-procedure-act/nc-gen-st-sect-15a-629.html

North Carolina General Statutes Chapter 15A. Criminal Procedure Act § 15A-629. Procedure upon finding of not a true bill; release of defendant, etc.; institution of new charge

불기소평결에 따르는 절차; 피고인의 석방 등; 새로운 공소의 개시

(a) Upon the return of a bill of indictment as not a true bill, the presiding judge must immediately examine the case records to determine if the defendant is in custody or subject to bail or conditions of pretrial release. If so, except as provided in subsection (b), the judge must immediately order release from custody, exoneration of bail, or release from conditions of pretrial release, as the case may be.

대배심 검사기소장안의 불기소 평결부 대배심 검사기소장안으로의 제출이 있으면 주재 판사는 즉시 사건기록들을 검토하여 피고인이 구금되어 있는지를 또는 보석에 또는 정식사실심리 전 석방의 조건들에 처해져 있는지를 판단하지 않으면 안 된다. 만약 구금되어 있거나 석방의 조건들에 처해져 있으면, 소절 (b)에 규정되는 경우에를 제외하고는, 구금으로부터의 석방을, 보석금의 해방을, 또는 정식사실심리 전 석방의 조건들로부터의 해제를 사안에 따라서 판사는 즉시 명령하지 않으면 안 된다.

(b) Upon the return of a bill of indictment as not a true bill but with a request that the prosecutor submit a bill of indictment to a lesser included or related offense, the judge may defer the action required in subsection (a) for a reasonable period, not to extend past the end of that session of superior court, to allow the institution of the new charge.

대배심 검사기소장안의 불기소 평결부 검사기소장안으로서의 제출이 있으면서도 그 포함된 내지는 관련된 보다 더 경미한 범죄에 관한 대배심 검사기소장안을 검사더러 제출하라는 요청이 붙으면, 그 새로운 공소의 제기를 허용하기 위하여, 소절 (a)에서 요구되는 조치를 상당한 기간 동안 판사는 유예할 수 있는바, 다만 상위 지방법원의 당해 회기의 종기 너머로까지 유예할 수는 없다.

https://codes.findlaw.com/nc/chapter-15a-criminal-procedure-act/nc-gen-st-sect-15a-630.html

North Carolina General Statutes Chapter 15A. Criminal Procedure Act § 15A-630. Notice to defendant of true bill of indictment

기소평결부 대배심 검사기소장안의 피고인에게의 통지

Upon the return of a bill of indictment as a true bill the presiding judge must immediately cause notice of the indictment to be mailed or otherwise given to the defendant unless he is then represented by counsel of record. The notice must inform the defendant of the time limitations upon his right to discovery under Article 48 of this Chapter, Discovery in the Superior Court, and a copy of the indictment must be attached to the notice. If the judge directs that the indictment be sealed as provided in G.S. 15A-623(f), he may defer the giving of notice under this section for a reasonable length of time.

대배심 검사기소장안의 기소평결부 대배심 검사기소장으로서의 제출이 있으면, 정식기록 변호사에 의하여 당시에 피고인이 대변되는 경우에를 제외하고는 피고인에게 당해 대배심 검사기소의 통지서가 우송되도록 또는 여타의 방법으로 제공되도록 주재판사는 즉시 조치하지 않으면 안 된다. 이 장 제48조 상위 지방법원에서의 증거캐기 규정들 아래서의 그의 증거캐기 청구권에 대한 시간적 한계들에 관하여 피고인에게 통지서는 고지하지 않으면 안 되는바, 통지서에는 대배심 검사기소장의 사본이 첨부되지 않으면 안 된다. 일반공법집 15A-623(f)에 규정된 바에 따라서 대배심 검사기소장을 봉인하도록 만약 판사가 명령하면, 이 절 아래서의 통지서의 제공을 상당한 기간 동안 그는 유예할 수 있다.

https://codes.findlaw.com/nc/chapter-15a-criminal-procedure-act/nc-gen-st-sect-15a-631.html

North Carolina General Statutes Chapter 15A. Criminal Procedure Act § 15A-631. Grand jury venue

대배심 재판적

In the General Court of Justice, the place for returning a presentment or indictment is a matter of venue and not jurisdiction. A grand jury shall have venue to present or indict in any case where the county in which it is sitting has venue for trial pursuant to the laws relating to trial venue.

사법체계에 있어서 대배심 독자고발장을 내지는 대배심 검사기소장을 제출할 장소는 재판적의 문제일 뿐 관할권의 문제는 아니다. 정식사실심리를 위한 재판적을 정식사실심리 재판적에 관한 법들에 따라서 대배심이 열리는 카운티가 지니는 장소에 대배심 독자고발을 또는 대배심 검사기소를 제기할 재판적을 어떤 사건에서도 대배심은 지닌다.

https://codes.findlaw.com/nc/chapter-15a-criminal-procedure-act/nc-gen-st-sect-15a-641.html

North Carolina General Statutes Chapter 15A. Criminal Procedure Act § 15A-641. Indictment and related instruments; definitions of indictment, information, and presentment

대배심 검사기소장 및 관련문서들; 대배심 검사기소장의, 검사 독자기소장의, 및 대배심 독자고발장의 개념정의들

(a) Any indictment is a written accusation by a grand jury, filed with a superior court, charging a person with the commission of one or more criminal offenses.

대배심 검사기소장은 사람을 한 개 이상의 범죄들의 범행으로 기소하는 상위 지방법원에 제출되는 대배심에 의한 기소고발장이다.

(b) An information is a written accusation by a prosecutor, filed with a superior court, charging a person represented by counsel with the commission of one or more criminal offenses.

검사 독자기소장은 변호인에 의하여 대변되는 사람을 한 개 이상의 범죄들의 범행으로 기소하는 상위 지방법원에 제출되는 검사에 의한 기소고발장이다.

(c) A presentment is a written accusation by a grand jury, made on its own motion and filed with a superior court, charging a person, or two or more persons jointly, with the commission of one or more criminal offenses. A presentment does not institute criminal proceedings against any person, but the district attorney is obligated to investigate the factual background of every presentment returned in his district and to submit bills of indictment to the grand jury dealing with the subject matter of any presentments when it is appropriate to do so.

대배심 독자고발장은 한 명을, 또는 병합으로 두 명 이상을, 한 개 이상의 범죄들의 범행으로 기소하는 대배심의 직권으로 이루어지는 및 상위 지방법원에 제출되는 대배심에 의한 기소고발장이다. 대배심 독자고발장은 어느 누구를 상대로도 형사절차들을 제기하지 아니하는바, 그러나 그의 재판구에 제출되는 모든 대배심 독자고발장의 사실관계적 배경을 조사할 의무를 및 대배심 독자고발장들의 소송물을 다루는 대배심에 대배심 검사기소장안들을 제출할 의무를, 그렇게 함이 적합한 경우에, 재판구 지방검사는 진다.

https://codes.findlaw.com/nc/chapter-15a-criminal-procedure-act/nc-gen-st-sect-15a-642.html

North Carolina General Statutes Chapter 15A. Criminal Procedure Act § 15A-642. Prosecutions originating in superior court to be upon indictment or information; waiver of indictment

상위 지방법원에서 소송이 시작되는 소추들은 대배심 검사기소장에 또는 검사 독자기소장에 의할 것; 대배심 검사기소장의 포기

(a) Prosecutions originating in the superior court must be upon pleadings as provided in Article 49 of this Chapter, Pleadings and Joinder.

상위 지방법원에서 소송이 시작되는 소추들은 이 장 제49조 주장서면들 및 병합 조항들에 규정되는 바에 따라서 주장서면들에 의하지 않으면 안 된다.

(b) Indictment may not be waived in a capital case or in a case in which the defendant is not represented by counsel.

사형에 해당하는 사건에서 또는 피고인이 변호인에 의하여 대변되지 아니하는 사건에서 대배심 검사기소장은 포기될 수 없다.

(c) Waiver of indictment must be in writing and signed by the defendant and his attorney. The waiver must be attached to or executed upon the bill of information.

대배심 검사기소장의 포기는 서면으로 이루어지지 않으면 안 되고 피고인에 및 그의 변호사에 의하여 서명되지 않으면 안 된다. 포기서는 검사 독자기소장안 위에 첨부되지 않으면 내지는 작성되지 않으면 안 된다.

https://codes.findlaw.com/nc/chapter-15a-criminal-procedure-act/nc-gen-st-sect-15a-643.html

North Carolina General Statutes Chapter 15A. Criminal Procedure Act § 15A-643. Joinder of offenses and defendants and consolidation of indictments and informations

범죄들의 및 피고인들의 병합 및 대배심 검사기소장들의 및 검사 독자기소장들의 통합

The rules with respect to joinder of offenses and defendants and the consolidation of charges in indictments and informations are provided in Article 49 of this Chapter, Pleadings and Joinder.

범죄들의 및 피고인들의 병합에 관한 및 대배심 검사기소장들에서의 및 검사 독자기소장들에서의 공소사실들의 통합에 관한 규칙들은 이 장 제49조 주장서면들 및 병합 조항들에서 규정된다.

https://codes.findlaw.com/nc/chapter-15a-criminal-procedure-act/nc-gen-st-sect-15a-644.html

North Carolina General Statutes Chapter 15A. Criminal Procedure Act § 15A-644. Form and content of indictment, information or presentment

대배심 검사기소장의, 검사 독자기소장의 또는 대배심 독자고발장의 형식 및 내용

(a) An indictment must contain:

대배심 검사기소장은 아래의 사항들을 포함하지 않으면 안 된다:

(1) The name of the superior court in which it is filed;

그것이 제출되는 상위 지방법원의 이름;

(2) The title of the action;

소송의 제목;

(3) Criminal charges pleaded as provided in Article 49 of this Chapter, Pleadings and Joinder;

이 장 제49조 주장서면들 및 병합 조항들에 규정되는 바에 따라서 주장되는 형사 공소사실들;

(4) The signature of the prosecutor, but its omission is not a fatal defect; and

검사의 서명 - 단, 그 누락은 치명적 흠결이 아니다; 그리고

(5) The signature of the foreman or acting foreman of the grand jury attesting the concurrence of 12 or more grand jurors in the finding of a true bill of indictment.

대배심 기소평결에 있어서의 12명 이상의 대배심원들의 찬성을 증명하는 대배심의 배심장의 또는 배심장 대행자의 서명.

(b) An information must contain everything required of an indictment in subsection (a) except that the accusation is that of the prosecutor and the provisions of subdivision (a)(5) do not apply. The information must also contain or have attached the waiver of indictment pursuant to G.S. 15A-642(c).

기소가 검사의 것이라는 점을 및 소부 (a)(5)의 규정들이 적용되지 아니한다는 점을 제외하고는, 소절 (a)에서 대배심 검사기소장에 요구되는 모든 것을 검사 독자기소장은 포함하지 않으면 안 된다. 아울러 검사 독자기소장은 일반공법집 15A-642(c)에 따라서 대배심 검사기소 포기서를 포함하지 않으면 안 되거나 그것을 첨부해 있지 않으면 안 된다.

(c) A presentment must contain everything required of an indictment in subsection (a) except that the provisions of subdivisions (a)(4) and (5) do not apply and the foreman must by his signature attest the concurrence of 12 or more grand jurors in the presentment.

소절 (a)(4)의 및 (5)의 규정들이 적용되지 아니한다는 점을 및 당해 대배심 독자고발장에 대한 대배심원들 12명 이상의 찬성을 배심장이 그의 서명에 의하여 증명하지 않으면

안 된다는 점을 제외하고는, 소절 (a)에서 대배심 검사기소장에 요구되는 모든 것을 대배심 독자고발장은 포함하지 않으면 안 된다.

https://codes.findlaw.com/nc/chapter-15a-criminal-procedure-act/nc-gen-st-sect-15a-644-1.html

North Carolina General Statutes Chapter 15A. Criminal Procedure Act § 15A-644.1. Filing of information when plea of guilty or no contest in district court to Class H or I felony

H 등급에 또는 I 등급에 해당하는 중죄에 대한 유죄답변이 또는 불항쟁 답변이 재판구 지방법원에 제출되는 경우에의 검사 독자기소장의 제출

A defendant who pleads guilty or no contest in district court pursuant to G.S. 7A-272(c)(1) shall enter that plea to an information complying with G.S. 15A-644(b), except it shall contain the name of the district court in which it is filed.

일반공법집 7A-272(c)(1)에 따라서 재판구 지방법원에 유죄로 또는 불항쟁으로 답변하는 피고인은 그 답변을 일반공법집 15A-644(b)에 부합되는 검사 독자기소장에 - 단, 그 기소장이 제출되는 재판구 지방법원의 이름을 그것은 포함하여야 한다 - 기입하여야 한다.

https://codes.findlaw.com/nc/chapter-15a-criminal-procedure-act/nc-gen-st-sect-15a-645.html

North Carolina General Statutes Chapter 15A. Criminal Procedure Act § 15A-645. Allegations of previous convictions

이전의 유죄판정들에 대한 주장들

Trial upon indictments and informations involving allegation of previous convictions is subject to the provisions of G.S. 15A-928.

이전의 유죄판정들에 대한 주장들을 포함하는 대배심 검사기소장들에 및 검사 독자기소장들에 터잡는 정식사실심리는 일반공법집 15A-928의 규정들에 종속된다.

https://codes.findlaw.com/nc/chapter-15a-criminal-procedure-act/nc-gen-st-sect-15a-646.html

North Carolina General Statutes Chapter 15A. Criminal Procedure Act § 15A-646. Superseding indictments and informations

대배심 검사기소장들의 및 검사 독자기소장들의 교체

If at any time before entry of a plea of guilty to an indictment or information, or commencement of a trial thereof, another indictment or information is filed in the same court charging the defendant with an offense charged or attempted to be charged in the first instrument, the first one is, with respect to the offense, superseded by the second and, upon the defendant's arraignment upon the second indictment or information, the count of the first instrument charging the offense must be dismissed by the superior court judge. The first instrument is not, however, superseded with respect to any count contained therein which charged an offense not charged in the second indictment or information.

만약 한 개의 대배심 검사기소장에 대한 또는 검사 독자기소장에 대한 유죄답변의 기입 전에 또는 이에 대한 정식사실심리의 개시 전에 같은 법원에 그 피고인을 그 최초의 대배심 검사기소장에서 내지는 검사 독자기소장에서 기소된 범죄로 내지는 그 기소되게 하고자 시도된 범죄로 기소하는, 또 다른 대배심 검사기소장이 내지는 검사 독자기소장이 제출되는 경우에는 언제든지 첫 번째 문서는 그 범죄에 관하여서는 두 번째 문서로 대체되고, 두 번째 대배심 검사기소장에 내지는 검사 독자기소장에 터잡는 피고인의 기소인부 신문에 따라서, 그 범죄를 기소한 첫 번째 문서에서의 소인은 상위 지방법원 판사에 의하여 각하되지 않으면 안 된다. 그러나 두 번째 대배심 검사기소장에서 또는 검사 독자기소장에서 기소되지 아니하는 범죄를 기소한 첫 번째 문서 안에 포함된 소인에 관하여서는 첫 번째 문서는 대체되지 아니한다.

https://codes.findlaw.com/nc/chapter-15a-criminal-procedure-act/nc-gen-st-sect-15a-711.html

North Carolina General Statutes Chapter 15A. Criminal Procedure Act § 15A-711. Securing attendance of criminal defendants confined in institutions within the State; requiring prosecutor to proceed

주 내의 시설들에 구금된 형사 피고인들의 출석의 확보; 검사에게 요구되는 절차진행 방법

(a) When a criminal defendant is confined in a penal or other institution under the control of the State or any of its subdivisions and his presence is required for trial, the prosecutor may make written request to the custodian of the institution for temporary release of the defendant to the custody of an appropriate law-enforcement officer who must produce him at the trial. The period of the temporary release may not exceed 60 days. The request of the prosecutor is sufficient authorization for the release, and must be honored, except as otherwise provided in this section.

주 통제 하의 또는 그 하부단위들의 통제 하의 수형시설에 또는 여타의 시설에 형사피고인이 구금되어 있는 경우에로서 정식사실심리를 위하여 그의 출석이 요구되는 경우에, 피고인을 정식사실심리에 제출하지 않으면 안 되는 적절한 법 집행 공무원의 보호에의 피고인의 일시적 석방을 위한 서면요청을 시설의 관리자에게 검사는 할 수 있다. 일시적 석방의 기간은 60일을 초과해서는 안 된다. 검사의 요청은 석방을 위한 권한부여로서 충분하며, 이 절에서 달리 규정되는 경우에를 제외하고는 그것은 존중되지 않으면 안 된다.

(b) If the defendant whose presence is sought is confined pursuant to another criminal proceeding in a different prosecutorial district as defined in G.S. 7A-60, the defendant and the prosecutor prosecuting the other criminal action must be given reasonable notice and opportunity to object to the temporary release. Objections must be heard by a superior court judge having authority to act in criminal cases in the superior court district or set of districts as defined in G.S. 7A-41.1 in which the defendant is confined, and he must make appropriate orders as to the precedence of the actions.

만약 그 출석이 요구되는 피고인이 일반공법집 7A-60에 규정되는 별개의 검찰청 지구에서의 별도의 형사절차에 따라서 구금되어 있으면, 피고인에게는 및 그 다른 형사소송을 추행하는 검사에게는 그 일시적 석방에 이의할 합리적 통지가 및 기회가 부여되지 않으면 안 된다. 피고인이 구금되어 있는 일반공법집 7A-41.1에 규정되는 상위 지방법원 재판구에서의 내지는 재판구들 묶음에서의 형사사건들에서 처분할 권한을 지니는 상위 지방법원 판사에 의하여 이의들은 심리되지 않으면 안 되는바, 소송들의 우선순위에 관하여 적절한 명령들을 판사는 내리지 않으면 안 된다.

(c) A defendant who is confined in an institution in this State pursuant to a criminal proceeding and who has other criminal charges pending against him may, by written request filed with the clerk of the court where the other charges are pending, require the prosecutor prosecuting such charges to proceed pursuant to this section. A copy of the request must be served upon the prosecutor in the manner provided by the Rules of Civil Procedure, G.S. 1A-1, Rule 5(b). If the prosecutor does not proceed pursuant to subsection (a) within six months from the date the request is filed with the clerk, the charges must be dismissed.

형사절차에 따라서 이 주 내의 시설에 구금되어 있는 및 자신을 겨냥하여 걸려 있는 여타의 고발사건들을 지니는 피고인은, 그러한 고발사건들을 소추하는 검사더러 이 절에 따라서 절차를 진행할 것을 그 여타의 고발사건들이 계속 중인 법원의 서기에게 제출되는 서면신청에 의하여 요구할 수 있다. 민사소송법인 일반공법집 1A-1, Rule 5(b)에 의하여 규정되는 방법으로 검사에게 요청서 등본이 송달되지 않으면 안 된다. 서기에게 요청서가 제출되는 날로부터 6개월 내에 절차를 소절 (a)에 따라서 만약 검사가 진행하지 아니하면, 그 고발사건들은 각하되지 않으면 안 된다.

(d) Detainer. –

억류계속영장.

(1) When a criminal defendant is imprisoned in this State pursuant to prior criminal proceedings, the clerk upon request of the prosecutor, must transmit to the custodian of the institution in which he is imprisoned, a copy of the charges filed

against the defendant and a detainer directing that the prisoner be held to answer to the charges made against him. The detainer must contain a notice of the prisoner's right to proceed pursuant to G.S. 15A-711(c).

과거의 형사절차들에 따라서 이 주 안에 형사피고인이 구금되어 있는 경우에, 피고인을 겨냥하여 제출되는 고발장들의 등본을, 및 피고인을 겨냥하여 이루어진 고발들에 대하여 답변하도록 그를 붙들어 두라고 지시하는 억류계속영장을 그가 구금되어 있는 시설의 관리자에게 검사의 요청에 따라서 서기는 발송하지 않으면 안 된다. 일반공법집 15A-711(c)에 따라서 절차를 진행할 죄수의 권리에 관한 고지를 억류계속영장은 포함하지 않으면 안 된다.

(2) Upon receipt of the charges and the detainer, the custodian must immediately inform the prisoner of its receipt and furnish him copies of the charges and the detainer, must explain to him his right to proceed pursuant to G.S. 15A-711(c).

고발장들의 및 억류계속영장의 수령이 있으면, 관리자는 즉시로 그 수령에 관하여 죄수에게 고지하지 않으면 안 되고 고발장들의 및 억류계속영장의 등본들을 그에게 제공하지 않으면 안 되며, 일반공법집 15A-711(c)에 따라서 절차를 진행할 그의 권리를 그에게 설명하지 않으면 안 된다.

(3) The custodian must notify the clerk who transmitted the detainer of the defendant's impending release at least 30 days prior to the date of release. The notice must be given immediately if the detainer is received less than 30 days prior to the date of release. The clerk must direct the sheriff to take custody of the defendant and produce him for trial. The custodian must release the defendant to the custody of the sheriff, but may not hold the defendant in confinement beyond the date on which he is eligible for release.

억류계속영장을 발송한 서기에게 피고인의 임박한 석방에 관하여 석방일로부터 적어도 30일 전에 관리자는 통지하지 않으면 안 된다. 석방의 날짜로부터 30일을 남기지 아니한 상태에서 만약 억류계속영장이 수령되면 즉시로 통지가 부여되지 않으면 안 된다. 피고인의 구금을 인수하도록 및 그를 정식사실심리에 제출하도록 집행관에게 서기는 지시하지 않으면 안 된다. 피고인을 집행관의 구금에 관리자는 인도하지 않으면 안 되는바, 피고인이 석방의 대상에 뽑힐 수 있는 날짜를 넘어서까지 피고인을 붙들어 두어서는 안 된다.

(4) A detainer may be withdrawn upon request of the prosecutor, and the clerk must notify the custodian, who must notify the defendant.

검사의 요청에 따라서 억류계속영장은 취소될 수 있는바, 관리자에게 서기는 통지하지 않으면 안 되고, 피고인에게 관리자는 통지하지 않으면 안 된다.

https://codes.findlaw.com/nc/chapter-15a-criminal-procedure-act/nc-gen-st-sect-15a-923.html

North Carolina General Statutes Chapter 15A. Criminal Procedure Act § 15A-923. Use of pleadings in felony cases and misdemeanor cases initiated in the superior court division

상위 지방법원부에서 개시된 중죄사건들에서의 및 경죄사건들에서의 주장서면들의 이용

(a) Prosecution on Information or Indictment.–The pleading in felony cases and misdemeanor cases initiated in the superior court division must be a bill of indictment, unless there is a waiver of the bill of indictment as provided in G.S. 15A-642. If there is a waiver, the pleading must be an information. A presentment by the grand jury may not serve as the pleading in a criminal case.

검사 독자기소장에 또는 대배심 검사기소장에 터잡는 소송추행.-- 상위 지방법원부에서 시작되는 중죄사건들에서의 및 경죄사건들에서의 주장서면은 대배심 검사기소장이지 않으면 안 되는바, 다만 일반공법집 15A-642에 규정되는 대배심 검사기소장의 포기가 있는 경우에는 그러하지 아니하다. 만약 포기가 있으면, 주장서면은 검사 독자기소장이지 않으면 안 된다. 대배심에 의한 대배심 독자고발장은 형사사건에서의 주장서면으로 기능할 수 없다.

(b) Form of Information or Indictment.--An information and a bill of indictment charge the crime or crimes in the same manner. An information has entered upon it or attached to it the defendant's written waiver of a bill of indictment. The bill of indictment has entered upon it the finding of the grand jury that it is a true bill.

검사 독자기소장의 내지는 대배심 검사기소장의 형식.-- 검사 독자기소장은 및 대배심 검사기소장은 범죄를 내지는 범죄들을 동일한 방법으로 기소한다. 대배심 검사기소장에 대한 피고인의 포기서를 검사 독자기소장은 그 위에 기입해 있거나 거기에 첨부해 있어야 한다. 그것이 기소평결부 대배심 검사기소장안이라는 대배심의 인정을 대배심 검사기소장은 그 위에 기입해 있어야 한다.

(c) Waiver of Indictment.–The defendant may waive a bill of indictment as provided in G.S. 15A-642.

대배심 검사기소장에 대한 포기.-- 대배심 검사기소장을 일반공법집 15A-642에 규정된 대로 피고인은 포기할 수 있다.

(d) Amendment of Information.–An information may be amended only with the consent of the defendant.

검사 독자기소장의 변경.-- 피고인의 동의를 거쳐서만 검사 독자기소장은 변경될 수 있다.

(e) No Amendment of Indictment.–A bill of indictment may not be amended.

대배심 검사기소장의 변경불가.-- 대배심 검사기소장은 변경될 수 없다.

https://codes.findlaw.com/nc/chapter-15a-criminal-procedure-act/nc-gen-st-sect-15a-955.html

North Carolina General Statutes Chapter 15A. Criminal Procedure Act § 15A-955. Motion to dismiss -- Grounds applicable to indictments

각하신청 — 대배심 검사기소장들에 적용되는 사유들

The court on motion of the defendant may dismiss an indictment if it determines that:

아래의 사유들이 있다고 법원이 판단하면 피고인의 신청에 따라서 대배심 검사기소장을 법원은 각하할 수 있다:

(1) There is ground for a challenge to the array,

소집된 배심원후보단에 기피사유가 있는 경우,

(2) The requisite number of qualified grand jurors did not concur in finding the indictment, or

필요한 숫자의 유자격 대배심원들이 대배심 검사기소의 평결에 찬성하지 아니한 경우, 또는

(3) All of the witnesses before the grand jury on the bill of indictment were incompetent to testify.

당해 대배심 검사기소장 위에 기입된 대배심 앞의 증인들 전부가 증언능력을 갖추지 못한 경우.

https://codes.findlaw.com/nc/chapter-15a-criminal-procedure-act/nc-gen-st-sect-15a-956.html

North Carolina General Statutes Chapter 15A. Criminal Procedure Act § 15A-956. Deferral of ruling on motion to dismiss when charge to be reinstituted

고발이 재개되어야 할 경우의 각하신청에 대한 결정연기

If a motion to dismiss is made at arraignment or trial, upon motion of the prosecutor the court may recess the proceedings for a period of time requested by the prosecutor, not to exceed 24 hours, prior to ruling upon the motion.

기소인부신문 때에 또는 정식사실심리 때에 만약 각하신청이 제기되면, 검사에 의하여 요청되는 기간 동안 절차들을 검사의 신청에 따라서 법원은 중지할 수 있는바, 당해 각하신청에 대한 결정까지 24시간을 초과하여서는 안 된다.

https://codes.findlaw.com/nc/chapter-15a-criminal-procedure-act/nc-gen-st-sect-15a-1053.html

North Carolina General Statutes Chapter 15A. Criminal Procedure Act § 15A-1053. Grant of immunity before grand jury

대배심 앞에서의 면제의 부여

(a) When the testimony or other information is to be presented to a grand jury, the order to the witness to testify or produce other information must be issued by the presiding or convening superior court judge, upon application of the district attorney. The order of a superior court judge under this section must be in writing and filed as a part of the permanent records of the court.

대배심에 증언이 또는 여타의 정보가 제출되어야 할 경우에, 증인더러 증언하라는 또는 여타의 정보를 제출하라는 명령이 재판구 지방검사의 신청에 따라서 당해 대배심을 주재하는 또는 소집한 상위 지방법원 판사에 의하여 내려지지 않으면 안 된다. 이 절 아래서의 상위 지방법원 판사의 명령은 서면으로 이루어지지 않으면 안 되고 법원의 영구적 기록들의 일부로서 편철되지 않으면 안 된다.

(b) The application may be made when the district attorney has been informed by the foreman of the grand jury that the witness has asserted his privilege against self-incrimination and the district attorney determines that the testimony or other information is necessary to the public interest. Before making application to the judge, the district attorney must inform the Attorney General, or a deputy or assistant attorney general designated by him, of the circumstances and his intent to make an application.

그의 자기부죄 금지특권을 증인이 주장한 상태라는 정보를 대배심의 배심장으로부터 재판구 지방검사가 제공받게 되었을 때 및 그 증언이 또는 여타의 정보가 공익에 필요하다고 재판구 지방검사가 판단할 때 신청은 제기될 수 있다. 신청을 판사에게 제기하기 전에, 상황들에 관하여 및 신청을 제기하고자하는 자신의 의도에 관하여 검찰총장에게 또는 그에 의하여 지명된 검찰부총장에게 또는 검찰총장보에게 재판구 지방검사는 통지하지 않으면 안 된다.

https://codes.findlaw.com/nc/chapter-15a-criminal-procedure-act/nc-gen-st-sect-15a-1051.html

North Carolina General Statutes Chapter 15A. Criminal Procedure Act § 15A-1051. Immunity; general provisions

면제; 일반적 규정들

(a) A witness who asserts his privilege against self-incrimination in a hearing or proceeding in court or before a grand jury of North Carolina may be ordered to testify or produce other information as provided in this Article. He may not thereafter be excused from testifying or producing other information on the ground that his testimony or other information required of him may tend to incriminate him. Except as provided in G.S. 15A-623(h), no testimony or other information so compelled, or any information directly or indirectly derived from the testimony or other information, may be used against the witness in a criminal case, except a prosecution for perjury or contempt arising from a failure to comply with an order of the court. In the event of a prosecution of the witness he shall be entitled to a record of his testimony.

노스캐럴라이나주 법원에서의 또는 대배심 앞에서의 심문에서 또는 절차에서 자신의 자기부죄 금지특권을 주장하는 증인은 그 증언하도록 또는 여타의 정보를 제출하도록 이 조에 규정되는 바에 따라서 명령될 수 있다. 그 뒤로는, 그에게서 요구되는 그의 증언이 내지는 여타의 정보가 그에게 유죄를 씌울 소지가 있다는 이유로는 증언의무로부터 내지는 여타의 정보를 제공할 의무로부터 그는 면해지지 아니한다. 일반공법집 15A-623(h)에 규정되는 바에 따라서를 제외하고는, 그렇게 강제된 증언은 내지는 여타의 정보는, 내지는 그 증언으로부터 내지는 여타의 정보로부터 직접으로든 간접으로든 도출되는 정보는 형사사건에서 그 증인에게 불리하게 사용될 수 없는바, 다만 위증에 대한 소송추행에서는 내지는 법원 명령의 준수 불이행으로부터 발생하는 법원모독에 대한 소송추행에서는 그러하지 아니하다. 당해 증인에 대한 소송추행의 경우에 그는 자신의 증언기록을 받아볼 권리가 있다.

(b) An order to testify or produce other information authorized by this Article may be issued prior to the witness's assertion of his privilege against self-incrimination, but the order is not effective until the witness asserts his privilege against self-incrimination and the person presiding over the inquiry communicates the order to him.

증언하라는 내지는 여타의 정보를 제출하라는 이 조에 의하여 허가되는 명령은 당해 증인의 자기부죄 금지특권에 대한 그 증인의 주장에 앞서서 발령될 수 있는바, 그 증인이 그의 자기부죄 금지특권을 주장하기까지는 및 그 조사를 주재하는 사람이 그 명령을 그에게 전달하기까지는 효력을 그 명령은 지니지 아니한다.

(c) As used in this Article, "other information" includes any book, paper, document, record, recordation, tangible object, or other material.

장부를, 서류를, 문서를, 기록을, 녹음물을, 유형물을, 또는 여타의 자료를 이 조에서 사용되는 것으로서의 "여타의 정보"는 포함한다.

https://codes.findlaw.com/nc/chapter-15a-criminal-procedure-act/nc-gen-st-sect-15a-1052.html

North Carolina General Statutes Chapter 15A. Criminal Procedure Act § 15A-1052. Grant of immunity in court proceedings

법원절차들에서의 면제의 부여

(a) When the testimony or other information is to be presented to a court of the trial division of the General Court of Justice, the order to the witness to testify or produce other information must be issued by a superior court judge, upon application of the district attorney:

증언이 내지는 여타의 정보가 사법체계의 정식사실심리부 법원에 제출되어야 할 경우에, 증인더러 증언하라는 또는 여타의 정보를 제출하라는 명령은 재판구 지방검사의 신청에 따라서 상위 지방법원 판사에 의하여 내려지지 않으면 안 된다:

(1) Be in writing and filed with the permanent records of the case; or

서면으로 이루어져야 하고 사건의 영구적 기록들에 더불어 편철되어야 한다; 또는

(2) If orally made in open court, recorded and transcribed and made a part of the permanent records of the case.

만약 공개법정에서 구두로 이루어지는 경우에는 기록되어야 하고 녹취되어야 하며 사건의 영구기록들의 일부로 만들어져야 한다.

(b) The application may be made whenever, in the judgment of the district attorney, the witness has asserted or is likely to assert his privilege against self-incrimination and his testimony or other information is or will be necessary to the public interest. Before making application to the judge, the district attorney must inform the Attorney General, or a deputy or assistant attorney general designated by him, of the circumstances and his intent to make an application.

재판구 지방검사의 판단으로 자기부죄 금지특권을 당해 증인이 주장한 상태인 경우에는 내지는 주장할 가능성이 있는 경우에는 및 그의 증언이 내지는 여타의 정보가 공익에 필요한 경우에는 내지는 필요하게 될 것으로 예상되는 경우에는 언제든지 신청은 이루어질 수 있다. 신청을 판사에게 제기하기 전에, 상황들에 관하여 및 신청을 제기하고자 하는 자신의 의도에 관하여 검찰총장에게 또는 그에 의하여 지명된 검찰부총장에게 또는 검찰총장보에게 재판구 지방검사는 통지하지 않으면 안 된다.

(c) In a jury trial the judge must inform the jury of the grant of immunity and the order to testify prior to the testimony of the witness under the grant of immunity. During the charge to the jury, the judge must instruct the jury as in the case of interested witnesses.

배심에 의한 정식사실심리에서는 면제의 부여에 관하여 몇 증언하라는 명령에 관하여 면제의 부여 아래서의 증인의 증언이 있기 전에 배심에게 판사는 고지하지 않으면 안 된다. 배심에게의 설명 동안에 이해관계를 지니는 증인들에 관하여 배심에게 지시하듯이 배심에게 판사는 지시하지 않으면 안 된다.

https://codes.findlaw.com/nc/chapter-15a-criminal-procedure-act/nc-gen-st-sect-15a-1053.html

North Carolina General Statutes Chapter 15A. Criminal Procedure Act § 15A-1053. Grant of immunity before grand jury
대배심 앞에서의 면제의 부여

(a) When the testimony or other information is to be presented to a grand jury, the order to the witness to testify or produce other information must be issued by the presiding or convening superior court judge, upon application of the district attorney. The order of a superior court judge under this section must be in writing and filed as a part of the permanent records of the court.

증언이 내지는 여타의 정보가 대배심에 제출되어야 할 경우에, 증인더러 증언하라는 내지는 여타의 정보를 제출하라는 명령은 재판구 지방검사의 신청에 따라서 상위 지방법원의 주재판사에 의하여 내지는 소집판사에 의하여 내려지지 않으면 안 된다. 이 절 아래서의 상위 지방법원 판사의 명령은 서면에 의한 것이지 않으면 안 되고 법원의 영구기록들의 일부로서 편철되지 않으면 안 된다.

(b) The application may be made when the district attorney has been informed by the foreman of the grand jury that the witness has asserted his privilege against self-incrimination and the district attorney determines that the testimony or other information is necessary to the public interest. Before making application to the judge, the district attorney must inform the Attorney General, or a deputy or assistant attorney general designated by him, of the circumstances and his intent to make an application.

그의 자기부죄 금지특권을 증인이 주장한 상태라는 정보를 대배심의 배심장으로부터 재판구 지방검사가 제공받게 되었을 때 및 그 증언이 또는 여타의 정보가 공익에 필요하다고 재판구 지방검사가 판단할 때 신청은 제기될 수 있다. 신청을 판사에게 제기하기 전에, 상황들에 관하여 및 신청을 제기하고자하는 자신의 의도에 관하여 검찰총장에게 또는 그에 의하여 지명된 검찰부총장에게 또는 검찰총장보에게 재판구 지방검사는 통지하지 않으면 안 된다.

https://codes.findlaw.com/nc/chapter-15a-criminal-procedure-act/nc-gen-st-sect-15a-1054.html

North Carolina General Statutes Chapter 15A. Criminal Procedure Act § 15A-1054. Charge reductions or sentence concessions in consideration of truthful testimony

진실한 증언을 고려한 혐의감축들 및 형량양보들

(a) Whether or not a grant of immunity is conferred under this Article, a prosecutor, when the interest of justice requires, may exercise his discretion not to try any suspect for offenses believed to have been committed within the prosecutorial district as defined in G.S. 7A-60, to agree to charge reductions, or to agree to recommend sentence concessions, upon the understanding or agreement that the suspect will provide truthful testimony in one or more criminal proceedings.

한 개 이상의 형사절차들에서 진실한 증언을 용의자가 제공하리라는 점에 대한 이해 위에서 또는 합의 위에서, 일반공법집 7A-60에 규정된 것으로서의 검찰청 지구 내에서 저질러진 것으로 믿어지는 범죄들에 대하여 용의자를 정식사실심리에 부치지 아니할, 혐의감축들에 동의할, 또는 형량양보들을 권유하기로 동의할 그의 재량을, 이 조 아래서 면제의 부여가 제공되는지 여부에 상관없이, 사법의 이익이 요구하는 경우에 검사는 행사할 수 있다.

(b) Recommendations as to sentence concessions must be made to the trial judge by the prosecutor in accordance with the provisions of Article 58 of this Chapter, Procedure[s] Relating to Guilty Pleas in Superior Court.

형량양보들에 관한 권유들은 이 장 제58조 상위 지방법원에서의 유죄답변들에 관련되는 규정들에의 부합 속에서 검사에 의하여 정식사실심리 판사에게 이루어지지 않으면 안 된다.

(c) When a prosecutor enters into any arrangement authorized by this section, written notice fully disclosing the terms of the arrangement must be provided to defense counsel, or to the defendant if not represented by counsel, against whom such testimony is to be offered, a reasonable time prior to any proceeding in which the person with whom the arrangement is made is expected to testify. Upon motion of the defendant or his counsel on grounds of surprise or for other good cause or when the interests of justice require, the court must grant a recess.

이 절에 의하여 허가되는 합의서에 검사가 기입하는 경우에, 그 합의의 당사자인 사람이 증언할 것으로 예상되는 절차에 앞서서의 합리적인 시간적 여유를 두고서, 합의의 조건들을 완전하게 드러내는 서면통지가, 그러한 증언의 제공으로써 불리해지게 될 변호인에게, 또는 변호인에 의하여 대변되지 아니하는 경우에의 피고인에게 제공되지 않으면 안 된다. 기습을 이유로 하는 또는 여타의 타당한 이유에 따르는 피고인의 내지는 그의 변호인의 신청에 따라서 또는 사법의 이익이 요구하는 경우에, 휴정을 법원은 허가하지 않으면 안 된다.

https://codes.findlaw.com/nc/chapter-15a-criminal-procedure-act/nc-gen-st-sect-15a-1055.html

North Carolina General Statutes Chapter 15A. Criminal Procedure Act § 15A-1055. Evidence of grant of immunity or testimonial arrangement may be fully developed; impact may be argued to the jury

면제부여의 내지는 증언관련 합의의 증거는 완전하게 전개될 수 있음; 영향은 배심에게 주장될 수 있음

(a) Notwithstanding any other rule of evidence to the contrary, any party may examine a witness testifying under a grant of immunity or pursuant to an arrangement under G.S. 15A-1054 with respect to that grant of immunity or arrangement. A party may also introduce evidence or examine other witnesses in corroboration or contradiction of testimony or evidence previously elicited by himself or another party concerning the grant of immunity or arrangement.

면제의 부여 아래서 또는 일반공법집 15A-1054 아래서의 합의에 따라서 증언하는 증인을 그 면제부여에 또는 합의에 관련하여 이에 반하는 증거규칙에도 불구하고 당사자 누구든지는 신문할 수 있다. 면제부여에 관하여 내지는 합의에 관하여 과거에 그 자신에 의하

여 또는 다른 당사자에 의하여 도출된 증언의 내지는 증거의 보강을 위하여 내지는 반박을 위하여 당사자는 또한 증거를 제출할 수 있고 여타의 증인들을 신문할 수 있다.

(b) A party may argue to the jury with respect to the impact of a grant of immunity or an arrangement under G.S. 15A-1054 upon the credibility of a witness.

일반공법집 15A-1054 아래서의 면제부여가 내지는 합의가 증인의 신빙성에 끼치는 영향에 관하여 배심에게 당사자는 주장할 수 있다.

뉴햄프셔주 배심 규정

https://law.justia.com/codes/new-hampshire/2019/title-lix/chapter-600/

2019 New Hampshire Revised Statutes

Title LIX - Proceedings in Criminal Cases

Chapter 600 - Grand Juries

- Section 600:1 - Drawing Jurors.
- Section 600:2 - Issuance of Venires in Emergencies.
- Section 600:3 - Oath.
- Section 600:4 - Oath to Witnesses.
- Section 600:5 - Clerk; Minutes.

https://law.justia.com/codes/new-hampshire/2019/title-lix/chapter-600-a/

2019 New Hampshire Revised Statutes

Title LIX - Proceedings in Criminal Cases

Chapter 600-A - Multicounty Grand Juries

- Section 600-A:1 - Application for Multicounty Grand Jury.
- Section 600-A:2 - Contents of Order Convening Multicounty Grand Jury.
- Section 600-A:3 - Term.
- Section 600-A:4 - Applicable Law.
- Section 600-A:5 - Presentation of Evidence to Multicounty Grand Jury.
- Section 600-A:6 - Indictment; Designation of Venue; Consolidation.
- Section 600-A:7 - Prosecution of Indictments.
- Section 600-A:8 - Costs and Expenses.

https://law.justia.com/codes/new-hampshire/2019/title-lix/chapter-600/section-600-1/

Section 600:1 - Drawing Jurors.
배심원들의 추출.

Universal Citation: NH Rev Stat § 600:1 (2019)

일반적 인용: NH Rev Stat § 600:1 (2019)

600:1 Drawing Jurors. – Grand jurors shall be drawn, summoned and returned in the same manner as jurors for trials, and talesmen, not exceeding 5, under the direction of the court may be returned by the sheriff or other officer.

배심원들의 추출. – 정식사실심리들을 위한 배심원들이 추출되는, 소환되는, 및 선발되는 방법에의 동일한 방법으로 대배심원들은 추출되어야, 소환되어야, 및 선발되어야 하며, 다섯 명 이하의 보궐배심원들은 법원의 명령에 따라서 집행관에 의하여 또는 그 밖의 공무원에 의하여 선발될 수 있다.

Source. RS 176:20. CS 186:21. GS 242:2. GL 260:2. PS 253:2. PL 367:2. RL 427:2.

https://law.justia.com/codes/new-hampshire/2019/title-lix/chapter-600/section-600-2/

Section 600:2 - Issuance of Venires in Emergencies.
긴급상황들에서의 배심원소집영장들의 발부.

Universal Citation: NH Rev Stat § 600:2 (2019)

일반적 인용: NH Rev Stat § 600:2 (2019)

600:2 Issuance of Venires in Emergencies. – In case of emergency, venires may be issued for grand jurors to be drawn and notified and to attend forthwith as in the case of petit jurors.

긴급상황들에서의 배심원소집영장들의 발부. – 긴급의 경우에는 소배심원들을 위하여 배심소집영장들이 발부되는 방법에의 동일한 방법으로 대배심원들을 위하여 그들이 추출되도록 및 고지되도록 그리고 즉시 출석하도록 배심소집영장들은 발부될 수 있다.

Source. RS 176:15. CS 186:16. GS 242:3. GL 260:3. PS 253:3. PL 367:3 RL 427:3.

https://law.justia.com/codes/new-hampshire/2019/title-lix/chapter-600/section-600-3/

Section 600:3 - Oath.
선서.

Universal Citation: NH Rev Stat § 600:3 (2019)

일반적 인용: NH Rev Stat § 600:3 (2019)

600:3 Oath. – Grand jurors before entering upon their duties shall take the following oath: You, as grand jurors, do solemnly swear that you will diligently inquire, and a true presentment make, of all such matters and things as shall be given you in charge; the state's counsel, your fellows' and your own you shall keep secret; and shall present no person for envy, hatred or malice; neither shall you leave any unpresented for love, fear, favor, affection or hope of reward; but you shall present things truly as they come to your knowledge, according to the best of your understanding. So help you God.

선서. - 대배심원들은 그들의 의무들에 들어가기 전에 아래의 선서를 하여야 한다: 귀하들에게 맡겨지는 모든 사안들을 및 사항들을 귀하들은 근면하게 파헤치겠음을 및 그것들에 관하여 진실한 고발을 하겠음을; 주(state)의 의논을, 귀하들의 동료들의 및 귀하 자신의 의논을 비밀로 간직하여야 함을; 어느 누구를도 시기심 때문에, 원한 때문에 또는 악의 때문에 고발하여서는 안 됨을; 어느 누구를도 사랑 때문에, 두려움 때문에, 호의 때문에, 애정 때문에 또는 보상의 기대 때문에 미고발 상태로 남겨 두어서는 안 됨을; 사항들을 귀하의 지식 내에 그것들이 들어오는 대로 귀하들의 최선의 이해껏 진실하게 고발하여야 함을 귀하들은 대배심원들로서 엄숙히 선서합니다. 하오니 신께서는 귀하들을 도우소서.

Source. RS 176:22. CS 186:23. GS 242:5. GL 260:5. PS 253:5. PL 367:4. RL 427:4. RSA 600:3. 1992, 284:78, eff. Jan. 1, 1993.

https://law.justia.com/codes/new-hampshire/2019/title-lix/chapter-600/section-600-4/

Section 600:4 - Oath to Witnesses.
증인들의 선서.

Universal Citation: NH Rev Stat § 600:4 (2019)

일반적 인용: NH Rev Stat § 600:4 (2019)

600:4 Oath to Witnesses. - The foreman of the grand jury, the prosecuting officer or any justice upon the jury may administer oaths to witnesses to be examined before them.

증인들의 선서. - 대배심의 배심장은, 배심에 복무하는 소추 공무원은 또는 판사는 자신들 앞에서 신문되는 증인들에 대하여 선서들을 실시할 수 있다.

Source. GS 242:6. GL 260:6. PS 253:6. PL 367:5. RL 427:5.

https://law.justia.com/codes/new-hampshire/2019/title-lix/chapter-600/section-600-5/

Section 600:5 - Clerk; Minutes.
서기; 의사록

Universal Citation: NH Rev Stat § 600:5 (2019)

일반적 인용: NH Rev Stat § 600:5 (2019)

600:5 Clerk; Minutes. – The grand jury may appoint one of their number to be clerk to preserve minutes of the proceedings before them, which shall be delivered to the attorney general or county attorney.

서기; 의사록. – 그들의 구성원 중 한 명을 그들 앞에서의 절차들의 의사록을 보전할 서기로 대배심은 지명할 수 있는바, 그것은 검찰총장에게 또는 카운티 검사에게 교부되어야 한다.

Source. GS 242:7. GL 260:7. PS 253:7. PL 367:7 RL 427:6.

https://law.justia.com/codes/new-hampshire/2019/title-lix/chapter-600-a/section-600-a-1/

Section 600-A:1 - Application for Multicounty Grand Jury.
복수카운티 관할 대배심을 위한 신청.

Universal Citation: NH Rev Stat § 600-A:1 (2019)

일반적 인용: NH Rev Stat § 600-A:1 (2019)

600-A:1 Application for Multicounty Grand Jury. – Application for a multicounty grand jury may be made by the attorney general to the supreme court. In such application the attorney general shall state that, in his or her judgment, the convening of a multicounty grand jury is necessary because of an alleged crime or crimes involving more than one county or judicial district thereof of the state and that, in his or her judgment, the grand jury functions cannot be effectively performed by a county grand jury. The application shall specify for which counties or judicial districts thereof the multicounty grand jury is to be convened.

복수카운티 관할 대배심을 위한 신청. - 한 개의 복수카운티 관할 대배심을 위한 신청은 검찰총장에 의하여 대법원에 제기될 수 있다. 그의 내지는 그녀의 판단으로는 주 내의 한 개를 넘는 카운티를 또는 그 재판구를 포함하는 그 주장되는 범죄로 내지는 범죄들로 인하여 한 개의 복수카운티 관할 대배심이 필요함을, 그리고 그의 내지는 그녀의 판단으로는 카운티 대배심에 의하여서는 대배심 기능들이 효율적으로 수행될 수 없음을 그러한 신청에서 검찰총장은 서술하여야 한다. 어느 카운티들을 위하여 내지는 그 재판구들을 위하여 그 복수카운티 관할 대배심이 소집되어야 하는지를 신청서는 명시하여야 한다.

Source. 1985, 133:1. 1992, 284:79, eff. July 1, 1992.

https://law.justia.com/codes/new-hampshire/2019/title-lix/chapter-600-a/section-600-a-2/

Section 600-A:2 - Contents of Order Convening Multicounty Grand Jury.

복수카운티 관할 대배심을 소집하는 명령의 내용들.

Universal Citation: NH Rev Stat § 600-A:2 (2019)

일반적 인용: NH Rev Stat § 600-A:2 (2019)

600-A:2 Contents of Order Convening Multicounty Grand Jury. -

복수카운티 관할 대배심을 소집하는 명령의 내용들. -

I. An order issued upon an application made pursuant to RSA 600-A:1 shall:

현행제정법집 제600-A:1절에 따라서 제기되는 신청에 따라서 발부되는 명령은:

(a) Convene a multicounty grand jury having statewide jurisdiction, or jurisdiction over all counties and judicial districts thereof requested in the application by the attorney general;

주 전체에 걸치는 관할권을 지니는, 또는 검찰총장의 신청서에서 요청된 모든 카운티들에 및 그 재판구들에 대한 관할권을 지니는, 한 개의 복수카운티 관할 대배심을 소집하여야 한다;

(b) Designate a judge of a superior court to be supervising judge over such multicounty grand jury and provide that such judge shall, with respect to all proper activities of said multicounty grand jury, have jurisdiction over all counties or judicial districts thereof in the jurisdiction of said multicounty grand jury;

한 개의 상위 지방법원의 판사 한 명을 그러한 복수카운티 관할 대배심에 대한 감독판사로 지명하여야 하고, 당해 복수카운티 관할 대배심의 관할 내의 모든 카운티들에 대한 및 그 재판구들에 대한 관할을, 당해 복수카운티 관할 대배심의 모든 적절한 행위들에 관련하여, 그러한 판사가 지님을 규정하여야 한다;

(c) Designate the counties or judicial districts thereof which shall supply jurors and in what ratios;

배심원들을 제공하여야 할 카운티들을 내지는 그 재판구들을, 그리고 어떤 비율들에 의하여야 할지를 정하여야 한다;

(d) Designate a location or locations for the multicounty grand jury proceeding; and

당해 복수카운티 관할 대배심 절차를 위한 장소를 내지는 장소들을 정하여야 한다; 그리고

(e) Provide for such other incidental arrangements as may be necessary.

필요한 여타의 부수적 조정사항들을 규정하여야 한다.

II. All matters to be included in such order shall be determined by the justice issuing the order in any manner which he deems appropriate, except that the supreme court may adopt general rules, consistent with the provisions of this chapter, establishing standard procedures for the convening of multicounty grand juries.

그러한 명령에 포함되어야 할 모든 사안들은 명령을 발부하는 대법원 판사에 의하여 그 적절하다고 그가 간주하는 방법으로 정해져야 하는바, 다만 이 장의 규정들에 부합되는 범위 내에서 복수카운티 관할 대배심들의 소집을 위한 표준적 절차들을 규정하는 일반적 규칙들을 대법원은 채택할 수 있다.

Source. 1985, 133:1. 1992, 284:80, eff. July 1, 1992.

https://law.justia.com/codes/new-hampshire/2019/title-lix/chapter-600-a/section-600-a-3/

Section 600-A:3 - Term.
복무기간.

Universal Citation: NH Rev Stat § 600-A:3 (2019)

일반적 인용: NH Rev Stat § 600-A:3 (2019)

600-A:3 Term. – The regular term of the multicounty grand jury shall be 6 months. The terms may be shortened by the supervising judge at the request of the attorney general. The term may be extended by the supervising judge for a specified time period upon a written petition by the attorney general stating that an extension is needed to conclude a multicounty grand jury begun prior to the expiration of its term.

복무기간. – 복수카운티 관할 대배심의 정규의 복무기간은 6개월로 한다. 복무기간들은 검찰총장의 요청에 따라서 감독판사에 의하여 단축될 수 있다. 복무기간의 종료 전에 시작된 한 개의 복수카운티 관할 대배심을 종결짓기 위하여 한 개의 연장이 요구됨을 서술하는 검찰총장의 서면청구에 따라서 복무기간은 감독판사에 의하여 특정기간 동안 연장될 수 있다.

Source. 1985, 133:1, eff. Jan. 1, 1986.

https://law.justia.com/codes/new-hampshire/2019/title-lix/chapter-600-a/section-600-a-4/

Section 600-A:4 - Applicable Law.
준거법.

Universal Citation: NH Rev Stat § 600-A:4 (2019)

일반적 인용: NH Rev Stat § 600-A:4 (2019)

600-A:4 Applicable Law. – The law applicable to county grand juries, including their powers, duties and functions, shall apply to multicounty grand juries except insofar as it is in conflict with this chapter.

준거법. - 카운티 대배심들의 권한들에를, 의무들에를 및 임무들에를 포함하여 카운티 대배심들에 적용되는 법은, 이 장에 그것이 저촉되는 한도 내에서를 제외하고는, 복수카운티 관할 대배심들에 적용된다.

Source. 1985, 133:1, eff. Jan. 1, 1986.

https://law.justia.com/codes/new-hampshire/2019/title-lix/chapter-600-a/section-600-a-5/

Section 600-A:5 - Presentation of Evidence to Multicounty Grand Jury.
복수카운티 관할 대배심에의 증거의 제출.

Universal Citation: NH Rev Stat § 600-A:5 (2019)

일반적 인용: NH Rev Stat § 600-A:5 (2019)

600-A:5 Presentation of Evidence to Multicounty Grand Jury. - Evidence shall be presented a multicounty grand jury by the attorney general or his designee.

복수카운티 관할 대배심에의 증거의 제출. - 복수카운티 관할 대배심에의 증거의 제출은 검찰총장에 또는 그의 피지명자에 의하여야 한다.

Source. 1985, 133:1, eff. Jan. 1, 1986.

https://law.justia.com/codes/new-hampshire/2019/title-lix/chapter-600-a/section-600-a-6/

Section 600-A:6 - Indictment; Designation of Venue; Consolidation.
대배심 검사기소장; 재판지의 지정; 병합.

Universal Citation: NH Rev Stat § 600-A:6 (2019)

일반적 인용: NH Rev Stat § 600-A:6 (2019)

600-A:6 Indictment; Designation of Venue; Consolidation. – Any indictment by any multicounty grand jury shall be returned to the supervising judge and shall include a finding as to the county, judicial district thereof, or counties in which the alleged offense was committed. Thereupon, the supervising judge shall, by order, designate the county of venue for the purpose of trial. The supervising judge may, by order, direct the consolidation of an indictment returned by a county grand jury with an indictment returned by a multicounty grand jury and fix venue for trial.

대배심 검사기소장; 재판지의 지정; 병합. – 복수카운티 관할 대배심의 대배심 검사기소장은 감독판사에게 제출되어야 하고 그 주장되는 범죄가 저질러진 카운티에 관한, 그 재판구에 관한, 또는 카운티들에 관한 한 개의 판단을 포함하여야 한다. 이에 따라서 그 정식사실심리를 위한 재판지 카운티를 명령에 의하여 감독판사는 정하여야 한다. 한 개의 카운티 대배심에 의하여 제출된 한 개의 대배심 검사기소장의, 한 개의 복수카운티 관할 대배심에 의하여 제출된 한 개의 대배심 검사기소장에의 병합을, 감독판사는 명령에 의하여 지시할 수 있고 그 정식사실심리를 위한 재판지를 정할 수 있다.

Source. 1985, 133:1. 1992, 284:81, eff. July 1, 1992.

https://law.justia.com/codes/new-hampshire/2019/title-lix/chapter-600-a/section-600-a-7/

Section 600-A:7 - Prosecution of Indictments.

대배심 검사기소장들에 대한 소송추행.

Universal Citation: NH Rev Stat § 600-A:7 (2019)

일반적 인용: NH Rev Stat § 600-A:7 (2019)

600-A:7 Prosecution of Indictments. – The attorney general or his designee shall prosecute all indictments returned by a multicounty grand jury.

대배심 검사기소장들에 대한 소송추행. - 한 개의 복수카운티 관할 대배심에 의하여 제출되는 모든 대배심 검사기소장들에 대한 소송추행은 검찰총장이 내지는 그의 피지명자가 하여야 한다.

Source. 1985, 133:1, eff. Jan. 1, 1986.

https://law.justia.com/codes/new-hampshire/2019/title-lix/chapter-600-a/section-600-a-8/

Section 600-A:8 - Costs and Expenses.
비용들 및 경비들.

Universal Citation: NH Rev Stat § 600-A:8 (2019)

일반적 인용: NH Rev Stat § 600-A:8 (2019)

600-A:8 Costs and Expenses. - The costs and expenses incurred by impaneling a multicounty grand jury and in the performance of its functions and duties shall be paid by the state.

비용들 및 경비들. - 한 개의 복수카운티 관할 대배심을 충원구성 함에 의하여 및 그 임무들의 및 의무들의 수행에서 발생하는 비용들은 및 경비들은 주에 의하여 지급되어야 한다.

Source. 1985, 133:1, eff. Jan. 1, 1986.

https://law.justia.com/codes/new-hampshire/2019/title-lix/chapter-606/

2019 New Hampshire Revised Statutes

Title LIX - Proceedings in Criminal Cases

Chapter 606 - Trial

정식사실심리

- Section 606:1 - Impanelling Jury.
- Section 606:2 - Oath of Jurors.
- Section 606:3 - Challenges; Defendant.
- Section 606:4 - Challenges; State.
- Section 606:5 - Custody of Jury.
- Section 606:6 - Rebutting Evidence.
- Section 606:7 - Waiver of Jury Trial in Certain Cases.
- Section 606:8 - Offenses Punishable by Imprisonment Not Exceeding One Year.
- Section 606:9 - Procedure; Challenges.
- Section 606:10 - Appeals by the State.

https://law.justia.com/codes/new-hampshire/2019/title-lix/chapter-606/section-606-1/

Section 606:1 - Impanelling Jury.
배심의 충원구성.

Universal Citation: NH Rev Stat § 606:1 (2019)

일반적 인용: NH Rev Stat § 606:1 (2019)

606:1 Impanelling Jury. – Petit jurors attending the court may be impanelled for the trial of any criminal case and may be examined as in civil cases and otherwise, as to their fitness and capacity to perform the duty of jurors on the trial.

배심의 충원구성. – 법원에 출석하는 소배심원들은 그 어떤 형사사건에 대한 정식사실심리를 위하여서도 충원될 수 있는바, 당해 정식사실심리에서의 배심원들의 의무를 수행할 그들의 적합성에 및 자격에 관하여 민사사건들에서의 및 여타의 절차들에서의 방법으로 신문될 수 있다.

Source. RS 176:21. CS 186:22. GS 243:6. GL 261:7. PS 254:7. PL 368:9. RL 428:9.

https://law.justia.com/codes/new-hampshire/2019/title-lix/chapter-606/section-606-2/

Section 606:2 - Oath of Jurors.
배심원들의 선서.

Universal Citation: NH Rev Stat § 606:2 (2019)

일반적 인용: NH Rev Stat § 606:2 (2019)

606:2 Oath of Jurors. - The following oath shall be administered to petit jurors in criminal cases: You solemnly swear or affirm that you will carefully consider the evidence and the law presented to you in this case and that you will deliver a fair and true verdict as to the charge or charges against the defendant. So help you God.

배심원들의 선서. - 형사사건들에서의 소배심원들에게는 아래의 선서가 실시되어야 한다: 귀하들은 이 사건에서 귀하들에게 제시되는 증거를 및 법을 주의 깊게 검토하겠음을 및 피고인에게 제기된 공소사실에 내지는 공소사실들에 대하여 한 개의 공정한 및 진실한 평결을 내리겠음을 엄숙하게 선서하거나 무선서로 확약합니다. 하오니 신께서는 귀하들을 도우소서.

Source. RS 176:22. CS 186:23. GS 243:7. GL 261:8. PS 254:8. PL 368:10. RL 428:10. RSA 606:2. 1989, 5:1, eff. Jan. 1, 1990.

https://law.justia.com/codes/new-hampshire/2019/title-lix/chapter-606/section-606-3/

Section 606:3 - Challenges; Defendant.
기피들; 피고인.

Universal Citation: NH Rev Stat § 606:3 (2019)

일반적 인용: NH Rev Stat § 606:3 (2019)

606:3 Challenges; Defendant. - Every person arraigned and put on trial for an offense may, in addition to challenges for cause or unless he stands wilfully mute, peremptorily challenge:

기피들; 피고인. - 한 개의 범죄로 기소인부 신문되어 정식사실심리에 처해진 모든 사람은 이유부로에 추가하여 내지는 그가 의도적으로 묵비 상태에 있는 경우에를 제외하고는, 아래에 따라서 무이유부로 기피할 수 있다:

I. 20 jurors for capital murder.

사형에 해당되는 모살의 경우에는 20명의 배심원(후보)들에 대하여.

II. 15 jurors for murder in the first degree.

1급모살의 경우에는 15명의 배심원(후보)들에 대하여.

III. 3 jurors in any other case.

그 밖의 어떤 사건에서든지 3명의 배심원(후보)들에 대하여.

Source. RS 225:5. CS 240:7. 1859, 2213:1. GS 243:8. GL 261:9. PS 254:9. 1919, 40:1. PL 368:11. RL 428:11. RSA 606:3. 1974, 34:5. 1993, 143:1, eff. Jan. 1, 1994.

https://law.justia.com/codes/new-hampshire/2019/title-lix/chapter-606/section-606-4/

Section 606:4 - Challenges; State.
기피들; 주.

Universal Citation: NH Rev Stat § 606:4 (2019)

일반적 인용: NH Rev Stat § 606:4 (2019)

606:4 Challenges; State. - The state shall be entitled to the following number of peremptory challenges, in addition to challenges for cause, in the following cases:

기피들; 주. - 이유부 기피들의에 추가하여 아래 횟수의 무이유부 기피들의 권리를 아래의 사건들에서 주는 지닌다:

I. Upon the trial for capital murder, 10 challenges.

사형에 해당하는 모살의 정식사실심리의 경우에 10회의 기피들.

II. Upon the trial for murder in the first degree, 15 challenges.

1급모살의 정식사실심리의 경우에 15회의 기피들.

III. Upon the trial for any other case, 3 challenges.

그 밖의 어떤 사건의 정식사실심리의 경우에든지 3회의 기피들.

Source. GS 243:9. 1877, 6:1. GL 261:10. 1879, 57:31. PS 254:10. 1919, 40:1. PL 368:12. RL 428:12. RSA 606:4. 1974, 34:6. 1979, 283:1. 1993, 143:2, eff. Jan. 1, 1994.

https://law.justia.com/codes/new-hampshire/2019/title-lix/chapter-606/section-606-5/

Section 606:5 - Custody of Jury.
배심의 보호.

Universal Citation: NH Rev Stat § 606:5 (2019)

일반적 인용: NH Rev Stat § 606:5 (2019)

606:5 Custody of Jury. – The jury impanelled to try any criminal case may be kept separate from all other persons during the trial, if, upon cause shown, the court shall so order, and not otherwise.

배심의 보호. – 형사사건을 정식사실심리 하도록 충원구성 되는 배심은, 그 제시되는 이유에 따라서 법원이 명령하는 경우에는, 그리고 오직 그 경우에만, 당해 정식사실심리 동안 여타의 모든 사람들로부터 격리된 상태에 두어질 수 있다.

Source. GS 243:12. GL 261:12. PS 254:11. 1919, 48:1. PL 368:13. RL 428:13.

https://law.justia.com/codes/new-hampshire/2019/title-lix/chapter-606/section-606-6/

Section 606:6 - Rebutting Evidence.
반박증거.

Universal Citation: NH Rev Stat § 606:6 (2019)

일반적 인용: NH Rev Stat § 606:6 (2019)

606:6 Rebutting Evidence. – In capital cases witnesses may be called in behalf of the state to rebut or explain any evidence of new matter offered by the defendant, or to discredit his witnesses, though the names of such witnesses have not been furnished to the defendant, but time may be allowed the defendant to answer such evidence, if, in the opinion of the court, justice shall require it.

반박증거. – 사형에 해당하는 사건들에서 피고인에 의하여 제출된 새로운 사안의 증거를 반박하기 위하여 또는 설명하기 위하여, 또는 그의 증인들의 신빙성을 공격하기 위하여 주 측 증인들은, 비록 그러한 증인들의 이름들이 피고인에게 제공되어 있지 아니한 경우에라 하더라도, 소환될 수 있는바, 다만 그러한 증거에 대하여 답변할 시간이 피고인에게 허용되어야 함을 정의가 요구한다는 것이 법원의 의견이면, 그러한 시간이 허용될 수 있다.

Source. 1843, 34:17. CS 240:4. GS 243:11. GL 261:11. PS 254:12. PL 368:14. RL 428:14.

https://law.justia.com/codes/new-hampshire/2019/title-lix/chapter-606/section-606-7/

Section 606:7 - Waiver of Jury Trial in Certain Cases.
일정한 사건들에서의 배심에 의한 정식사실심리의 포기.

Universal Citation: NH Rev Stat § 606:7 (2019)

일반적 인용: NH Rev Stat § 606:7 (2019)

606:7 Waiver of Jury Trial in Certain Cases. – Any defendant in the superior court in a criminal case other than a capital case may, if he shall so elect, when called upon to plead, or later and before a jury has been impanelled to try him, waive his right to trial by jury by signing a written waiver thereof and filing the same with the clerk of the court, whereupon he shall be tried by the court instead of by a jury, but not, however, unless all the defendants, if there are 2 or more to be tried together for the same offense, shall have exercised such election before a jury has been impanelled to try any of the defendants. In every such case the court shall have jurisdiction to hear and try the case and render judgment and sentence thereon.

일정한 사건들에서의 배심에 의한 정식사실심리의 포기. – 사형에 해당하는 사건의를 제외한 한 개의 형사사건의 상위 지방법원에서의 피고인은, 만약 그가 선택하면, 그 답변하도록 소환되었을 때에 또는 그를 정식사실심리 하도록 한 개의 배심이 충원구성 되고 난 뒤에 및 그 전에, 배심에 의한 정식사실심리를 누릴 그의 권리에 대한 포기서에 서명함에 의하여 및 그것을 법원서기에게 제출함에 의하여 그 권리를 포기할 수 있고, 그 경우에 그는 배심에 의하여에 갈음하여 법원에 의하여 정식사실심리 되어야 하는바, 그러나 동일한 범죄에 대하여 함께 정식사실심리 되어야 할 피고인들이 2명 이상인 경우이면, 그 피고인들 중 어느 한 명을이라도 정식사실심리 하기 위한 한 개의 배심이 충원구성 되고 나기 전에 그러한 선택권을 피고인들 전원이 행사한 경우에를 제외하고는 이는 그러하지 아니하다. 당해 사건을 청취할 및 정식사실심리 할, 그리고 이에 따라서 판결주문을 및 형량을 내릴 관할권을 그러한 모든 경우에 법원은 지닌다.

Source. 1933, 96:1. RL 428:15.

https://law.justia.com/codes/new-hampshire/2019/title-lix/chapter-606/section-606-8/

Section 606:8 - Offenses Punishable by Imprisonment Not Exceeding One Year.

1년 이하의 구금에 의하여 처벌되는 범죄들.

Universal Citation: NH Rev Stat § 606:8 (2019)

일반적 인용: NH Rev Stat § 606:8 (2019)

606:8 Offenses Punishable by Imprisonment Not Exceeding One Year. – Six persons shall constitute a jury for the trial in the superior court of any offense punishable by imprisonment for any period not exceeding one year.

1년 이하의 구금에 의하여 처벌되는 범죄들. – 1년 이하의 구금에 의하여 처벌되는 범죄에 대한 상위 지방법원에서의 정식사실심리를 위한 한 개의 배심은 여섯 명으로 구성되어야 한다.

Source. 1973, 485:1, eff. Aug. 29, 1973.

https://law.justia.com/codes/new-hampshire/2019/title-lix/chapter-606/section-606-9/

Section 606:9 - Procedure; Challenges.

절차; 기피들.

Universal Citation: NH Rev Stat § 606:9 (2019)

일반적 인용: NH Rev Stat § 606:9 (2019)

606:9 Procedure; Challenges. – Trials by juries of 6 shall proceed in accordance with provisions of law applicable to trials of criminal cases in the superior court, except that the number of peremptory challenges shall be limited to 2 for each defendant. The state shall be entitled to as many challenges as equal the whole number to which all the defendants in the case are entitled.

절차; 기피들. – 6명의 배심들에 의한 정식사실심리들은 상위 지방법원에서의 형사사건들의 정식사실심리들에 적용되는 법 규정들에의 부합 속에서 진행되어야 하는바, 다만 무이유부 기피들의 숫자는 피고인마다를 위하여 2회로 한정된다. 당해 사건에서의 피고인들 전원이 권리로서 지니는 기피들의 전체횟수에의 동일한 횟수의 기피들을 행사할 권리를 주는 지닌다.

Source. 1973, 485:1, eff. Aug. 29, 1973.

https://www.courts.state.nh.us/rules/crimpro/crimpro-III-7-9.htm#r8

THE NEW HAMPSHIRE RULES OF CRIMINAL PROCEDURE
뉴햄프셔주 형사절차규칙

PREAMBLE
서문

These rules are adopted by the Supreme Court of New Hampshire pursuant to the authority established in Part II, Article 73-A of the New Hampshire Constitution. They took effect on January 1, 2016 and apply to criminal actions pending or filed in circuit court or superior court in Cheshire and Strafford Counties on or after that date. They took effect in Belknap County on July 1, 2016 and apply to criminal actions pending or filed in circuit court or superior court in Belknap County on or after that date. They took effect in Merrimack County on January 1, 2017 and apply to criminal actions pending or filed in circuit court or superior court in Merrimack County on or after that date. They took effect in the remaining counties as of the date set forth by Supreme Court Order pursuant to RSA 592-B:2, III. See October 17, 2016 felonies first implementation order at http://www.courts.state.nh.us/supreme/orders/10-17-16-Order.pdf, and are now in effect in all counties. In exceptional circumstances, when the court finds that the application of these rules to cases pending as of the effective date would not be feasible or would work an injustice, the court may exempt such cases from the application of these rules or from a particular rule.

이 규칙들은 뉴햄프셔주 헌법 제73-A조 제2부에서 부여된 권한에 따라서 뉴햄프셔주 대법원에 의하여 채택된 것들이다. 그것들은 2016년 1월 1일에 발효하였고, 그 날 현재로 또는 그 뒤에, 체셔 카운티 내의 내지는 스트래포드 카운티 내의 순회구 지방법원에 내지는 상위 지방법원에 걸려 있는 내지는 제출된 형사소송들에 적용된다. 벨크넵 카운티에서는 2016년 7월 1일에 그것들은 발효하였고 그 날 현재로 내지는 그 뒤에, 벨크냅 카운티 내의 순회구 지방법원에 내지는 상위 지방법원에 걸려 있는 내지는 제출된 형사소송들에 그것들은 적용된다. 메리맥 카운티에서는 2017년 1월 1일에 그것들은 발효하였고, 그 날 현재로 내지는 그 뒤에, 메리맥 카운티 내의 순회구 지방법원에 내지는 상위 지방법원에 걸려 있는 내지는 제출된 형사소송들에 그것들은 적용된다. 나머지 카운티들에서는 현행제정법집 제592-B:2, III절에 따라서 대법원 명령에 의하여 지정된 날짜에 그것들은 발효하였다. http://www.courts.state.nh.us/supreme/orders/10-17-16-Order.pdf에서 2016년 10월 17일자 중죄들에 대한 최초의 실행명령을 보라. 그리하여 현재 그것들은 모든 카운티들에서 발효되어 있다. 그 발효일자 현재로 그 걸려 있는 사건들에의 이 규칙들의 적용이 가능하지 아니하다고 내지는 불의를 초래할 것이라고 법원이 인정하는 예외적 상황들에서, 그러한 사건들을 이 규칙들의 내지는 특정 규칙의 적용으로부터 법원은 제외시킬 수 있다.

III. CHARGING DOCUMENTS IN SUPERIOR COURT
상위 지방법원에서의 공소장들

Rule 7. Definitions
개념정의들

(a) Superior Court Complaint. The initiating charging document filed in superior court for felonies and misdemeanors over which the superior court has jurisdiction.

상위 지방법원 소추청구장. 그 관할을 상위 지방법원이 지니는 중죄들에 및 경죄들에 대하여 상위 지방법원에 제출되는 최초의 공소장.

(b) Indictment. Felonies and misdemeanors punishable by a term of imprisonment exceeding one year shall be charged by an indictment. Misdemeanors punishable by a term of imprisonment of one year or less may be charged in an indictment. An indictment shall be returned by a grand jury and shall be prosecuted in superior court.

대배심 검사기소장. 1년 초과의 구금에 의하여 처벌되는 중죄들은 및 경죄들은 대배심 검사기소장에 의하여 기소되어야 한다. 1년 이하의 구금에 의하여 처벌되는 경죄들은 대배심 검사기소장에서 기소될 수 있다. 대배심 검사기소장은 대배심에 의하여 제출되어야 하고 상위 지방법원에서 추행되어야 한다.

(c) Misdemeanor Appealed to Superior Court. When a misdemeanor conviction is appealed to superior court, the charging document is the complaint that was filed in the circuit court-district division.

상위 지방법원에 항소되는 경죄. 한 개의 경죄 유죄판정이 상위 지방법원에 항소되면, 그 공소장은 당해 순회구 지방법원의 재판구 재판부에 제출되었던 소추청구장이 된다.

Rule 8. The Grand Jury
대배심

(a) Summoning Grand Juries. The superior court shall order a grand jury to be summoned and convened at such time and for such duration as the public interest requires, in the manner prescribed by law. The grand jury shall consist of no fewer than twelve nor more than twenty-three members. The grand jury shall receive, prior to performing its duties, instructions relative thereto and shall be sworn in accordance with law. Such instructions may be given by a justice of the superior court, by utilization of a prerecorded audio or video presentation created for this purpose, or by a combination of use of a recording and instruction by a justice.

대배심들의 소환. 공공의 이익이 요구하는 때에 및 기간 동안 한 개의 대배심을 법에 의하여 정해진 방법으로 소환하도록 및 소집하도록 상위 지방법원은 명령하여야 한다. 12명 이상 23명 이하의 구성원들로 대배심은 구성된다. 대배심은 그 자신의 의무들에 관련되는 지시들을 그 의무들을 수행하기 전에 수령하여야 하고 법에의 부합 속에서 선서절차에 처해져야 한다. 그러한 지시들은 상위 지방법원의 판사에 의하여, 이 목적을 위하여 조제된 미리 녹화된 오디오의 내지는 비디오의 상연의 사용에 의하여, 또는 녹음녹화의 사용의 및 판사에 의한 지시설명의 결합에 의하여 부여될 수 있다.

(b) Conduct of Proceedings

절차들의 수행

(1) State's counsel or the foreperson of the grand jury shall swear and examine witnesses. The State shall present evidence on each matter before the grand jury.

증인들을 검사(주 측 변호사)는 내지는 대배심의 배심장은 선서시켜야 하고 신문하여야 한다. 대배심 앞의 개개 사안에 대하여 증거를 주는 제출하여야 한다.

(2) The grand jury's role is to diligently inquire into possible criminal conduct. The grand jury may also consider whether to return an indictment on a felony or misdemeanor.

있을 수 있는 범죄행위를 근면하게 파헤치는 데 대배심의 역할은 있다. 한 개의 중죄에 대하여 내지는 경죄에 대하여 한 개의 대배심 검사기소장을 제출할지 여부를 대배심은 또한 심리할 수 있다.

(3) Upon request, a grand jury witness shall be given reasonable opportunity to consult with counsel.

요청이 있으면 대배심 증인에게는 변호인에 더불어 상담할 합리적 기회가 부여되어야 한다.

(4) If twelve or more grand jurors find probable cause that a felony or misdemeanor was committed, the grand jury should return an indictment.

한 개의 중죄가 내지는 경죄가 저질러졌다고 믿을 상당한 이유를 만약 열두 명 이상의 대배심원들이 인정하면, 한 개의 대배심 검사기소장을 대배심은 제출하여야 한다.

(5) Upon application of the Attorney General or upon the court's own motion, a justice of the superior court may authorize a stenographic record of the testimony of any witness before a grand jury to be taken by a sworn and qualified reporter. Disclosure of such testimony may be made only in accordance with Supreme Court Rule 52.

검찰총장의 요청에 따라서 또는 법원 자신의 발의로, 선서절차에 처해진 및 자격이 인정되는 한 명의 속기사에 의하여 대배심 앞의 증인의 어느 누구든지의 증언에 대한 속기적 녹음이 취해지게 하도록 상위 지방법원의 판사는 허가할 수 있다.

(6) A grand juror, interpreter, stenographer, typist who transcribes recorded testimony, attorney for the State, or any person to whom disclosure is made under paragraph (C) below, shall not disclose matters occurring before the grand jury, except:

대배심원은, 통역인은, 속기사는, 녹음된 증언을 녹취하는 타이피스트는, 검사(주 측 변호사)는, 또는 아래의 단락 (C)에 따라서 공개를 제공받는 사람 어느 누구든지는, 당해 대배심 앞에서 발생하는 사안들을, 아래의 경우에를 제외하고는, 공개하여서는 안 된다:

(A) As provided by the Supreme Court rules;

대법원 규칙에 의하여 규정되는 바에 따라서 공개하는 경우;

(B) To an attorney for the State for use in the performance of such attorney's duties;

한 명의 검사(주 측 변호사)의 의무들의 수행에 있어서의 사용을 위하여 그 검사에게 공개하는 경우;

(C) To such state, local or federal government personnel as are deemed necessary by an attorney for the State to assist in the performance of such attorney's duty to enforce state criminal law;

주 형사법을 집행할 검사(주 측 변호사) 자신의 의무의 수행을 조력하기 위하여 필요하다고 검사(주 측 변호사)에 의하여 간주되는 바에 따라서 주 정부의, 지역 정부의 내지는 연방정부의 직원에게 공개하는 경우;

(D) When so directed by a court in connection with a judicial proceeding;

한 개의 사법절차에의 연관 속에서 법원에 의하여 공개가 명령되는 경우;

(E) When permitted by the court at the request of an attorney for the State, when the disclosure is made by an attorney for the State to another grand jury in this state; or

검사(주 측 변호사)의 요청에 따라서 법원에 의하여 허가되는 경우에로서 검사(주 측 변호사)에 의하여 이 주 내의 다른 대배심에 그 공개가 이루어지는 경우; 또는

(F) When permitted by a court at the request of an attorney for the State upon a showing that such matters may disclose a violation of federal criminal law or the criminal law of another state, to an appropriate official of the federal government or of such other state or subdivision of a state, for the purpose of enforcing such law.

한 개의 연방 형사법 위반을 내지는 다른 주 형사법 위반을 그러한 사안들이 드러내 줄 수 있음에 대한 증명 위에서 검사(주 측 변호사)의 요청에 따라서 법원에 의하여 허가되는 경우에, 그러한 법을 시행함을 목적으로 하여 연방정부의 내지는 그러한 다른 주 정부의 내지는 한 개의 주 하부단위의 적절한 공무원에게 공개하는 경우.

(c) Notice to Defendant. If the grand jury returns a no true bill after consideration of a charge against a defendant who is incarcerated or is subject to bail conditions, the court shall immediately notify the defendant or counsel of record. If the grand jury returns an indictment, the defendant shall be notified by mail unless the court issues a capias for the defendant's arrest.

피고인에게의 통지. 구금되어 있는 내지는 보석조건들에 처해져 있는 피고인에 대한 한 개의 고발의 검토 뒤에 한 개의 불기소평결을 만약 대배심이 제출하면, 피고인에게 내지는 정식기록 변호인에게 법원은 즉시 통지하여야 한다. 한 개의 대배심 검사기소장을 만약 대배심이 제출하면, 피고인의 체포를 위한 구인영장을 법원이 발부하는 경우에를 제외하고는, 피고인에게는 우편에 의하여 통지가 이루어져야 한다.

(d) Indictment.

대배심 검사기소장.

(1) Case initiated in Circuit Court-District Division. The superior court will dismiss without prejudice and vacate bail orders in all cases in which an indictment has not been returned ninety days after the matter is bound over, unless, prior to that time, the prosecution files a motion seeking an extension of time and explaining why the extension is necessary.

순회구 지방법원의 재판구 재판부에서 개시된 사건. 당해 사안이 넘겨진 뒤 90일 뒤에 한 개의 대배심 검사기소장이 제출되어 있지 아니한 모든 사건들에서는, 기한의 연장을 구하는, 및 어째서 연장이 필요한지를 설명하는, 한 개의 신청을 그 기한 전에 검찰이 제출하는 경우에를 제외하고는, 상위 지방법원은 당해사건을 기판력의 불이익 없이 각하하여야 하고 보석명령들을 무효화 하여야 한다.

(2) Case initiated in Superior Court. The superior court will dismiss without prejudice all felony complaints and enhanced misdemeanors in which an indictment has not been returned within 90 days of the complaint being filed, unless, prior to that time, the prosecution files a motion seeking an extension of time and explaining why the extension is necessary or the defendant waives speedy indictment in writing. If no other charges remain pending in the case after dismissal the court shall vacate all bail orders.

상위 지방법원에서 개시된 사건. 당해 소추청구장이 제출된 날로부터 90일 내에 한 개의 대배심 검사기소장이 제출되어 있지 아니한 사건들에서의 모든 중죄 소추청구장들을 및 가중경죄들의 소추청구장들을, 기한의 연장을 구하는, 및 어째서 연장이 필요한지를 설명하는, 한 개의 신청을 그 기한 전에 검찰이 제출하는 경우에를, 내지는 신속한 대배심 검사기소를 누릴 권리를 서면으로 피고인이 포기하는 경우에를 제외하고는, 상위 지방법원은 기판력의 불이익 없이 각하하여야 한다. 각하 뒤에 당해 사건에 걸려 있는 여타의 공소사실들이 만약 남아 있지 아니하면, 모든 보석명령들을 법원은 무효화 하여야 한다.

(3) If a warrant has issued for the defendant's failure to appear at arraignment on complaints filed before indictment, or any other pre-indictment hearing in superior court, the indictment deadline in paragraph (2) shall not apply. The superior court will dismiss without prejudice all felony complaints and enhanced misdemeanors if the defendant has not been indicted within 60 days after the defendant has appeared in superior court to answer to the charge. If no other charges remain pending in the case after dismissal the court shall vacate all bail orders.

대배심 검사기소 전에 제출된 소추청구장들에 터잡은 기소인부 신문에, 또는 상위 지방법원에서의 여타의 대배심 검사기소 전 심문에, 출석하기에 대한 피고인의 불이행을 이유로 만약 한 개의 영장이 발부되어 있으면, 단락 (2)에서의 대배심 검사기소의 기한은 적용되지 아니한다. 고발에 답변하기 위하여 상위 지방법원에 피고인이 출석하고 난 뒤 60일 내에 대배심 검사기소에 만약 피고인이 처해져 있지 아니하면, 모든 중죄 소추청구장들을 및 가중경죄들의 소추청구장들을 상위 지방법원은 기판력의 불이익 없이 각하하여야 한다. 각하 뒤에 당해 사건에 걸려 있는 여타의 공소사실들이 만약 남아 있지 아니하면, 모든 보석명령들을 법원은 무효화 하여야 한다.

Comment

주석

Rule (b)(6) restates the traditional rule of grand jury secrecy. This paragraph is based on Federal Rule of Criminal Procedure 6 and prohibits grand jurors, interpreters, stenographers, typists who transcribe recorded testimony or an attorney for the State, or any person to whom disclosure is made under the rule, from disclosing information received except under a few narrow circumstances. It is important, however, to note that this rule does not bar a witness from later revealing the substance of the witness's testimony before a grand jury.

대배심 비밀의무의 전통적 규칙을 Rule (b)(6)은 다시 정립한다. 이 단락은 연방형사소송법 규칙 6에 토대를 둔 것인바, 그 수령되는 정보를 몇몇의 협소한 상황들 아래서를 제외하고는 공개하지 못하도록, 배심원들을, 통역인들을, 속기사들을, 녹음된 증언을 녹취하는 타이피스트들을, 검사(주 측 변호사)를, 또는 그 규칙 아래서의 공개를 제공받는 사람 누구든지를 금지한다. 그러나 한 개의 대배심 앞에서의 한 명의 증인 자신의 증언의 내용을 나중에 공개하지 못하도록 그 증인을 이 규칙이 금지하지 아니함을 유념함은 중요하다.

Rule 9. Waiver of Indictment
대배심 검사기소의 포기

An offense that is punishable by a term of imprisonment exceeding one year may be prosecuted by a complaint with a waiver of indictment. Waiver of indictment is not permitted for offenses punishable by death. If the charge proceeds by a waiver of indictment, the defendant shall be informed of the nature of the charge and the right to have the charge presented to a grand jury. The waiver must be in open court and on the record.

1년을 초과하는 구금으로써 처벌될 수 있는 범죄는 대배심 검사기소를 누릴 권리의 포기를 얻어 한 개의 소추청구장에 의하여 소추될 수 있다. 사형에 의하여 처벌되는 범죄들에 대하여는 대배심 검사기소를 누릴 권리의 포기는 허용되지 아니한다. 만약 대배심 검사기소를 누릴 권리의 포기에 의하여 고발이 진행되면, 고발의 성격에 관하여 및 당해 고발로 하여금 대배심에 제출되게 할 권리에 관하여, 피고인에게 고지가 이루어져야 한다. 포기는 공개법정에서 기록 위에서 이루어지지 않으면 안 된다.

델라웨어주 배심 규정

https://law.justia.com/codes/delaware/2019/title-10/

2019 Delaware Code

Title 10 - Courts and Judicial Procedures

법원들 및 사법절차

https://law.justia.com/codes/delaware/2019/title-10/chapter-45/section-4501/

Chapter 45. Jury Selection and Service

배심선정 및 복무

§ 4501 Declaration of policy.

정책의 선언.

Universal Citation: 10 DE Code § 4501 (2019)

일반적 인용: 10 DE Code § 4501 (2019)

It is the policy of this State that jurors serving in each county shall be selected at random from a fair cross section of the population of that county and that all qualified persons shall have an opportunity to be considered for jury service and an obligation to serve as jurors when summoned for that purpose.

개개 카운티에서 복무하는 배심원들로 하여금 당해 카운티 인구의 공정한 횡단면으로부터 무작위로 선발되게 함이, 및 배심복무를 위하여 검토받을 기회를 및 배심원들로서 복무할 의무를 그 목적으로 소환되는 경우에 모든 유자격자들로 하여금 가지게 함이 이 주의 정책이다.

60 Del. Laws, c. 225, § 2; 66 Del. Laws, c. 5, § 1.

https://law.justia.com/codes/delaware/2019/title-10/chapter-45/section-4502/

§ 4502 Prohibition of discrimination.
차별의 금지.

Universal Citation: 10 DE Code § 4502 (2019)

일반적 인용: 10 DE Code § 4502 (2019)

No person shall be excluded from jury service in this State on account of race, color, religion, sex, national origin or economic status.

인종을, 피부색을, 종교를, 성별을, 출신국을 내지는 경제적 지위를 이유로 하여서는 이 주 내에서의 배심복무로부터 어느 누구도 배제되지 아니한다.

60 Del. Laws, c. 225, § 2; 64 Del. Laws, c. 186, § 1; 66 Del. Laws, c. 5, § 1.

https://law.justia.com/codes/delaware/2019/title-10/chapter-45/section-4503/

§ 4503 Definitions.
개념정의들.

Universal Citation: 10 DE Code § 4503 (2019)

일반적 인용: 10 DE Code § 4503 (2019)

As used in this chapter:

이 장에서 사용되는 것으로서의

(1) "Clerk" means the prothonotary of each county, and includes any deputy or clerk in the office of the prothonotary;

"서기"는 개개 카운티의 주임서기를 의미하며, 주임서기 사무소의 부관을 또는 서기를 포함한다;

(2) "Court" means the Superior Court of the State, and includes any Judge of the Court;

"법원"은 주(州) 상위 지방법원을 의미하며, 그 법원의 판사 누구든지를 포함한다;

(3) "Juror qualification form" means a form approved by the Court which shall elicit information relevant to the selection of jurors in accordance with this chapter; and

"배심원 자격심사 서식"은 이 장에의 부합 속에서의 배심원들의 선정에 관련되는 정보를 유도해 내기 위한 법원에 의하여 승인된 서식을 의미한다; 그리고

(4) "Jury selection plan" means a written plan designed to carry out the policy and the provisions of this chapter;

"배심선정 계획"은 이 장의 정책을 및 규정들을 실시하도록 기획된 서면계획을 의미한다;

(5) "Master list" means a list or an electronic system for the storage of the names of prospective jurors selected randomly from the source list;

"종합명부"는 원천명부로부터 무작위로 선정되는 배심원후보들의 이름들의 저장을 위한 명부를 내지는 전자적 시스템을 의미한다;

(6) “Qualified jury wheel” means a device or an electronic system for the storage of the names of prospective jurors on a master list who are not disqualified from jury service;

“유자격 배심원후보 명부 저장장치”는 배심복무에 결격으로 판정되지 아니한 종합명부 상의 배심원후보들의 이름들의 저장을 위한 장치를 또는 전자적 시스템을 의미한다;

(7) “Source list” means a list or an electronic system for the storage of the names on the voter registration list which may be supplemented with names from other sources to foster the policy of this chapter;

“원천명부”는 이 장의 정책을 촉진하기 위하여 여타의 원천들로부터의 이름들이 보충될 수 있는 유권자 등록명부 상의 이름들의 저장을 위한 명부를 내지는 전자적 시스템을 의미한다;

(8) “Voter registration list” means the current official record of persons registered to vote in a general election;

“유권자 등록명부”는 일반적 선거에서 투표하기 위하여 등록된 사람들의 현행의 공식적 기록을 의미한다.

60 Del. Laws, c. 225, § 2; 64 Del. Laws, c. 186, § 1; 66 Del. Laws, c. 5, § 1.

https://law.justia.com/codes/delaware/2019/title-10/chapter-45/section-4504/

§ 4504 Jury commissioners [Repealed].
배심위원들 [폐기됨].

Repealed by 77 Del. Laws, c. 171, § 1, effective July 22, 2009.

2009년 7월 22일에 발효한 델라웨어주 법률집 제171장 제1절에 의하여 폐기됨.

https://law.justia.com/codes/delaware/2019/title-10/chapter-45/section-4505/

§ 4505 Grand jury.
대배심.

Universal Citation: 10 DE Code § 4505 (2019)

일반적 인용: 10 DE Code § 4505 (2019)

Grand juries in New Castle County shall consist of 15 members, and the affirmative vote of 9 members shall be necessary to find a true bill of indictment. Grand juries in Kent County and in Sussex County shall consist of 10 members, and the affirmative vote of 7 members shall be necessary to find a true bill of indictment. Grand jurors shall take an oath to perform faithfully the duties of a grand juror.

뉴캐슬 카운티에서의 대배심들은 15명으로 구성되며, 대배심 검사기소를 평결하기 위하여는 9명의 찬성표가 필요하다. 켄트 카운티에서의 및 서섹스 카운티에서의 대배심들은 10명으로 구성되며, 대배심 검사기소를 평결하기 위하여는 7명의 찬성표가 필요하다. 대배심원으로서의 임무들을 충실히 수행하겠다는 선서를 대배심원들은 하여야 한다.

66 Del. Laws, c. 5, § 1.

https://law.justia.com/codes/delaware/2019/title-10/chapter-45/section-4506/

§ 4506 Special jury.
특별배심.

The Court may order a special jury upon the application of any party in a complex civil case. The party applying for a special jury shall pay the expense incurred by having a special jury, which may be allowed as part of the costs of the case.

한 개의 특별배심을 복잡한 민사사건에서 당사자 누구든지의 신청에 따라서 법원은 명령할 수 있다. 특별배심을 가짐으로 인하여 발생하는 비용을 특별배심을 신청하는 당사자는 지불하여야 하는바, 그것은 당해 사건의 비용들의 일부로서 지급될 수 있다.

66 Del. Laws, c. 5, § 1.

https://law.justia.com/codes/delaware/2019/title-10/chapter-45/section-4507/

§ 4507 Jury selection plan.
배심선정 계획.

Universal Citation: 10 DE Code § 4507 (2019)

일반적 인용: 10 DE Code § 4507 (2019)

(a) The Court shall adopt a jury selection plan to carry out the policy and the provisions of this chapter. The Court may adopt separate plans and varying regulations for each county and for grand, petit and special juries, and may amend a plan at any time. The plan shall provide standards and methods for the selection and service of jurors, including but not necessarily limited to the following:

이 장의 정책을 및 규정들을 실시하기 위한 한 개의 배심선정 계획을 법원은 채택하여야 한다. 개개의 카운티를 위하여 및 대배심들을 위하여, 소배심들을 위하여 및 특별배심들을 위하여 개별적 계획들을 및 서로 다른 규정들을 법원은 채택할 수 있고, 한 개의 계획을 언제든지 법원은 변경할 수 있다. 배심원들의 선정을 및 복무를 위한 기준들을 및 방법들을 계획은 규정하여야 하는바, 아래의 것들을 이는 포함하여야 하되 이에 한정되지 아니한다:

(1) The duties of clerks and the court administrator or other employees of the Court;

서기들의 및 법원 사무국장의 내지는 법원의 여타 피용자들의 임무사항들;

(2) The composition of source lists, including whether voter registration lists shall be supplemented with names from other sources;

여타의 원천들로부터의 이름들로써 유권자 등록명부들이 보충되어야 할지 여부를 포함하는 원천명부들의 구성;

(3) The selection of names for master lists;

종합명부들을 위한 이름들의 선정;

(4) The content of the juror qualification form;

배심원 자격심사 서식의 내용;

(5) The groups of persons or occupational classes whose members shall be excused from jury service upon request;

요청에 따라서 배심복무로부터 그 구성원들이 면제되어야 할 사람들의 내지는 직업적 종류들의 그룹들;

(6) The disqualification, excuse and exclusion of prospective jurors;

배심원후보들의 결격, 면제 및 배제;

(7) The maintenance of qualified jury wheels, including the maximum time that the names of prospective jurors shall remain in a qualified jury wheel and the minimum number of names to be contained therein;

유자격 배심원후 명부 저장장치에 배심원후보들의 이름들이 남아 있어야 할 최장한도 기간을 및 그 안에 포함되어야 할 이름들의 최소한도 숫자를 포함하는 유자격 배심원후보 명부 저장장치들의 관리;

(8) The assignment of persons to grand, petit and special jury panels, or to courts other than Superior Court;

대배심원단들에의, 소배심원단들에의 및 특별배심원단들에의, 내지는 상위 지방법원 이외의 법원들에의 사람들의 배정;

(9) The length of jury service;

배심복무의 길이;

(10) The compilation, disclosure and preservation of records used in the selection process.

선정절차에 사용되는 기록들의 조제, 공개 및 보전.

(b) Persons having custody, possession or control of any list, record or other information required for use in the jury selection process shall supply it or make it available to the Court for inspection, reproduction and copying at all reasonable times, and persons having responsibility for devising or operating data processing systems or computer programs for the State shall certify that any such system or program complies with the jury selection plan when required by the Court. The Court may compel compliance with this subsection by appropriate process.

배심선정 절차에서의 사용을 위하여 요구되는 명부를, 기록을 또는 그 밖의 정보를 보관하는, 점유하는 또는 통제하는 사람들은 모든 합리적인 시간대에의 점검을, 복제를 및 복사를 위하여 그것을 법원에 제공하여야 하거나 또는 그것을 법원이 이용할 수 있도록 만들어야 하고, 주를 위한 정보처리 체계들을 내지는 컴퓨터 프로그램들을 개발할 내지는 작동시킬 책임을 맡는 사람들은 배심선정 계획에 그러한 체계가 또는 프로그램이 부합됨을, 법원의 요구가 있을 경우에는, 보증하여야 한다. 이 소절에 대한 준수를 적절한 방법으로 법원은 강제할 수 있다.

66 Del. Laws, c. 5, § 1; 77 Del. Laws, c. 171, § 2.

https://law.justia.com/codes/delaware/2019/title-10/chapter-45/section-4508/

§ 4508 Completion of juror qualification form.
배심원 자격심사 서식의 작성.

Universal Citation: 10 DE Code § 4508 (2019)

일반적 인용: 10 DE Code § 4508 (2019)

(a) Prospective jurors shall be selected randomly from the source list for placement on a master list from time to time as needed.

종합명부 위에의 배치를 위하여 필요에 따라서 원천명부로부터 수시로 무작위로 배심원 후보들은 선정되어야 한다.

(b) The clerk shall mail a juror qualification form to persons whose names are on a master list with instructions to provide the information sought. The juror qualification form shall contain a declaration that the responses are true to the best of the prospective juror's knowledge, and acknowledgement that a false statement therein may be punished by a fine or imprisonment, or both. If the prospective juror is unable to fill out the form, another person may do it and shall indicate that fact and the reason therefor. If it appears that there is an omission, ambiguity or error in the information provided, the clerk shall instruct the prospective juror to make the necessary addition, clarification or correction.

요구되는 정보를 제공하라는 지시사항들을 덧붙인 배심원 자격심사 서식을 종합명부 위에 그 이름들이 올라 있는 사람들에게 서기는 발송할 수 있다. 응답사항들이 당해 배심원 후보의 최선의 지식의 한도껏 진실하다는 선언을, 만약 그 안에 허위의 진술이 있으면 벌금에 내지는 구금에 의하여 또는 그 둘 다에 의하여 처벌되어도 좋다는 점에 대한 승인을, 배심원 자격심사 서식은 포함하여야 한다. 만약 서식을 당해 배심원후보가 채울 수 없으면, 그것을 다른 사람이 채울 수 있는바, 그 사실을 및 그렇게 한 이유를 그는 표기하여야 한다. 그 제공된 정보에 누락이, 모호함이 또는 오류가 있음이 만약 나타나면, 그 필요한 추가를, 명확화를 또는 교정을 하도록 당해 배심원후보에게 서기는 명령하여야 한다.

(c) Any person who fails to provide information sought as instructed shall be directed to appear forthwith before the clerk to fill out the juror qualification form. Any person who fails to appear as directed may be ordered by the Court to appear and show cause for failure to do so.

그 요구되는 정보를 그 지시된 대로 제공하기를 불이행하는 사람은 누구든지 그 배심원 자격심사 서식을 채우기 위하여 즉시 서기 앞에 출석하도록 명령되어야 한다. 그 명령되는 대로 출석하기를 불이행하는 사람 누구든지는 그 출석하도록 및 출석 불이행의 이유를 제시하도록 법원에 의하여 명령될 수 있다.

(d) At the time of appearance for jury service, or at the time of any interview before the Court or clerk, any prospective juror may be required to fill out another juror qualification form in the presence of the Court or clerk, at which time the prospective juror may be questioned, but only with regard to responses to questions contained on the form and grounds for disqualification, excuse or exclusion. Any information thus acquired by the Court or clerk shall be noted on the juror qualification form.

별도의 배심원 자격심사 서식을 법원의 내지는 서기의 면전에서 채우도록 배심복무를 위한 출석 때에, 또는 당해 법원 앞에서의 내지는 서기 앞에서의 면담 때에, 배심원후보 누구나는 요구될 수 있고, 질문에 그 때에 당해 배심원후보는 처해질 수 있으나, 오직 서식에 포함된 질문들에의 응답사항들에 관한, 및 자격불인정의, 면제의, 또는 배제의 사유들에 관한 것들에 한한다. 법원에 내지는 서기에 의하여 그렇게 얻어진 정보는 당해 배심원 자격심사 서식 위에 기록되어야 한다.

66 Del. Laws, c. 5, § 1.

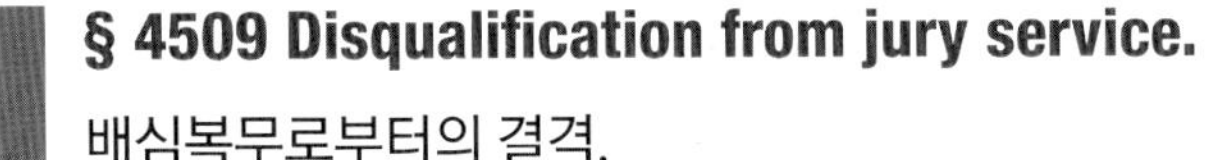
https://law.justia.com/codes/delaware/2019/title-10/chapter-45/section-4509/

§ 4509 Disqualification from jury service.
배심복무로부터의 결격.

Universal Citation: 10 DE Code § 4509 (2019)

일반적 인용: 10 DE Code § 4509 (2019)

(a) The Court shall determine on the basis of information provided on the juror qualification form or interview with the prospective juror or other competent evidence whether the prospective juror is disqualified for jury service.

배심복무로부터 당해 배심원후보가 결격인지 여부를 배심원 자격심사 서식 위에 제공되는 정보의 또는 당해 배심원후보와의 면담의 또는 여타의 상당한 증거의 토대 위에서 법원은 결정하여야 한다.

(b) All persons are qualified for jury service except those who are:

아래에 해당되는 사람이를 제외하고는 모든 사람들이 배심복무를 위한 자격이 인정된다:

(1) Not citizens of the United States;

합중국의 시민들이 아닐 것;

(2) Less than 18 years of age;

18세 미만일 것;

(3) Not residents of the county of prospective jury service;

예상되는 배심복무의 해당 카운티의 주민들이 아닐 것;

(4) Unable to read, speak and understand the English language;

영어를 읽을 수, 말할 수 및 이해할 수 없을 것;

(5) Incapable, by reason of physical or mental disability, of rendering satisfactory jury service; or

신체적 내지는 정신적 장애로 인하여 만족스러운 배심복무를 제공할 수 없을 것; 또는

(6) Convicted felons who have not had their civil rights restored.

중죄들로 유죄판정되고서 그들의 시민적 권리들이 회복되지 아니한 상태일 것.

(c) A prospective juror may be required to submit proof as to possible disqualification, including a physician's or Christian Science Practitioner's certificate, and the physician or practitioner is subject to inquiry by the Court at its discretion.

있을 수 있는 결격에 관하여 의사의 또는 목사의 증명서를을 포함하여 증거를 제출하도록

배심원후보는 요구될 수 있는바, 그 의사는 내지는 목사는 법원의 재량에 따라서 법원에 의하여 질문에 처해진다.

60 Del. Laws, c. 225, § 2; 62 Del. Laws, c. 219, § 1; 66 Del. Laws, c. 5, § 1.

https://law.justia.com/codes/delaware/2019/title-10/chapter-45/section-4510/

§ 4510 Selection and summoning of jury panels.
배심원단들의 선정 및 소환.

Universal Citation: 10 DE Code § 4510 (2019)

일반적 인용: 10 DE Code § 4510 (2019)

(a) Prospective jurors shall be selected randomly from the qualified jury wheel or from the master list for assignment to grand, petit and special jury panels from time to time as needed.

대배심원단에의, 소배심원단에의, 또는 특별 배심원단에의 배정을 위하여 필요한 대로 수시로 유자격 배심원후보 명부 저장장치로부터 또는 종합명부로부터 무작위로 배심원후보들은 선정되어야 한다.

(b) The clerk shall cause each person selected for jury service to be served with a summons, either personally, or by mail addressed to the person's usual residence, business or post office address, requiring the person to report for jury service at a specified time and place. Any person who fails to appear as directed may be ordered by the Court to appear and show cause for failure to do so.

배심복무를 위하여 선정되는 개개 사람에게 직접적으로든, 또는 그 사람의 일상의 거주지로, 영업장소로 또는 우체국 주소로 발송되는 우편에 의하여든, 배심복무를 위하여 특정의 시간에 및 장소에 출석하도록 그 사람에게 요구하는 소환장이 송달되게끔 서기는 조치하여야 한다. 명령되는 대로 출석하기를 불이행하는 사람은 출석하도록 및 그렇게 하기를 불이행한 이유를 제시하도록 법원에 의하여 명령될 수 있다.

(c) If there is an unanticipated shortage of available jurors, the Court may require the sheriff to summon a sufficient number of jurors selected in a manner prescribed by the Court.

동원될 수 있는 배심원(후보)들에 만약 예상하지 못한 부족이 있으면 법원에 의하여 규정되는 방법으로 선정되는 충분한 숫자의 배심원(후보)들을 소환하도록 집행관에게 법원은 요구할 수 있다.

60 Del. Laws, c. 225, § 2; 64 Del. Laws, c. 186, §§ 6-8; 66 Del. Laws, c. 5, § 1; 69 Del. Laws, c. 428, § 1.

https://law.justia.com/codes/delaware/2019/title-10/chapter-45/section-4511/

§ 4511 Excuse or exclusion from jury service.
배심복무로부터의 면제 내지는 배제.

Universal Citation: 10 DE Code § 4511 (2019)

일반적 인용: 10 DE Code § 4511 (2019)

(a) The Court shall determine on the basis of information provided on the juror qualification form or interview with the prospective juror or other competent evidence whether the prospective juror shall be excused or excluded from jury service.

배심복무로부터 당해 배심원후보가 면제되어야 할지 여부를 내지는 배제되어야 할지 여부를 배심원 자격심사 질문서식 위에 제공되는 정보의 또는 당해 배심원후보와의 면담의 또는 여타의 상당한 증거의 토대 위에서 법원은 결정하여야 한다.

(b) A person who is not disqualified may be excused from jury service by the Court only upon a showing of undue hardship, extreme inconvenience or public necessity, for a period the Court deems necessary, at the conclusion of which the person shall reappear for jury service in accordance with the Court's direction. The Court may determine that membership in specified groups of persons or occupational classes constitutes a showing of undue hardship, extreme inconvenience or public necessity. Women who are currently breastfeeding a child shall be excused from jury service for at least 1 year.

부적격 처리 되지 아니하는 사람은 오직 부당한 곤경에 대한, 극도의 불편에 대한, 또는 공공의 필요에 대한 한 개의 증명 위에서만, 그 필요하다고 법원이 간주하는 기간 동안 배심복무로부터 법원에 의하여 면제될 수 있는바, 그 기간의 종료 때에 법원의 명령에 따라서 배심복무를 위하여 그 사람은 다시 출석하여야 한다. 부당한 곤경에, 극도의 불편에 내지는 공공의 필요에 대한 한 개의 증명을 사람들의 내지는 직종들의 특정 그룹들에의 소속은 구성하는 것으로 법원은 판단할 수 있다. 한 명의 아동을 현재 수유 중인 여성들은 배심복무로부터 적어도 1년 동안 면제되어야 한다.

(c) A person who is not disqualified may be excluded from jury service by the Court only upon a finding that such person would be unable to render impartial jury service or would be likely to disrupt or otherwise adversely affect the proceedings.

부적격 처리 되지 아니하는 사람은 공평한 배심복무를 그러한 사람이 제공할 수 없을 것이라는, 내지는 절차들을 그가 어지럽힐 가능성이 내지는 여타의 방법으로 불리하게 영향을 그가 끼칠 가능성이 있다는, 한 개의 판단 위에서만, 법원에 의하여 배심복무로부터 배제될 수 있다.

66 Del. Laws, c. 5, § 1; 80 Del. Laws, c. 58, § 1.

https://law.justia.com/codes/delaware/2019/title-10/chapter-45/section-4512/

§ 4512 Challenging compliance with selection procedures.
선정절차들의 준수를 다투기.

Universal Citation: 10 DE Code § 4512 (2019)

일반적 인용: 10 DE Code § 4512 (2019)

(a) Within 7 days after the moving party discovers, or by the exercise of diligence could have discovered, the grounds therefor, and in any event before the jury is sworn to try the case, a party may move to stay the proceedings, and in a criminal case to dismiss the indictment, or for other appropriate relief, on the ground of substantial failure to comply with this chapter in selecting the grand, petit or special jury.

절차들을 정지시켜 줄 것을, 그리고 형사사건에서는 대배심 검사기소장을 각하하여 줄 것을, 또는 그 밖의 적절한 구제를 내려 줄 것을, 당해 대배심을 또는 소배심을 또는 특별배심을 선정함에 있어서의 이 장을 준수하기에 대한 중대한 불이행을 사유로 하여, 그 사유들을 신청 측 당사자가 발견한 날 뒤의 7일 내에, 내지는 근면의 행사에 의하여 발견할 수 있었을 날 뒤의 7일 내에, 및 여하한 경우에도 당해 사건을 정식사실심리 하기 위하여 선서절차에 당해 배심이 처해지고 나기 전에, 당사자는 신청할 수 있다.

(b) Upon motion filed under subsection (a) of this section containing a sworn statement of facts which, if true, would constitute a substantial failure to comply with this chapter, the moving party is entitled to present in support of the motion the testimony of the clerk, any relevant records and papers not public or otherwise available used by the clerk, and any other relevant evidence. If the Court determines that in selecting a grand, petit or special jury there has been a substantial failure to comply with this chapter, the Court may stay the proceedings pending the selection of the jury in conformity with this chapter, dismiss an indictment or grant other appropriate relief.

이 장을 준수하기에 대한 한 개의 중대한 불이행을 만약 그 진실이라면 구성할 사실관계에 대한 한 개의 선서진술서를 포함하는 이 절의 소절 (a) 아래서 제출되는 신청서에 따라서, 서기의 증언을, 서기에 의하여 사용된 공개되지 아니한 내지는 달리 입수될 수 없는 관련 있는 기록들을 및 서류들을, 그리고 여타의 관련 있는 증거를, 당해 신청의 증거로서 제출할 권리를 신청 측 당사자는 지닌다. 한 개의 대배심을, 소배심을 내지는 특별배심을 선정함에 있어서 이 장을 준수하기에 대한 한 개의 중대한 불이행이 있었다고 만약 법원이 판단하면, 이 장에의 부합 속에서의 배심의 선정을 기다리는 동안 그 절차들을 법원은 정지시킬 수 있고, 대배심 검사기소장을 각하할 수 있고, 또는 여타의 적절한 구제를 내릴 수 있다.

(c) The procedures prescribed by this section are the exclusive means by which a jury may be challenged on the ground that the jury was not selected in conformity with this chapter.

이 절에 의하여 규정되는 절차들은 이 장에의 부합 속에서 한 개의 배심이 선정되지 아니하였음을 이유로 당해 배심을 기피할 수 있는 배타적 수단이다.

60 Del. Laws, c. 225, § 2; 66 Del. Laws, c. 5, § 1; 77 Del. Laws, c. 171, §§ 3, 4.

https://law.justia.com/codes/delaware/2019/title-10/chapter-45/section-4513/

§ 4513 Disclosure and preservation of records.
기록들의 공개 및 보전.

Universal Citation: 10 DE Code § 4513 (2019)

일반적 인용: 10 DE Code § 4513 (2019)

(a) The names of persons summoned for jury service shall be disclosed to the public and the contents of jury qualification forms completed by them shall be made available to the parties unless the Court determines that any or all of this information should be kept confidential or its use limited in whole or in part in any case or cases.

배심복무를 위하여 소환된 사람들의 이름들은 공중에게 공개되어야 하고 그들에 의하여 작성된 배심원 자격심사 서식들의 내용들은 당사자들에게 제공되도록 만들어져야 하는 바, 어떤 사건에서든 내지는 사건들에서든 이 정보의 그 어느 것이든지가 비밀리에 보관되게 하도록 내지는 그것의 사용이 전체적으로든 부분적으로든 제한되게 하도록 법원이 결정하는 경우에는 그러하지 아니하다.

(b) Records used in the selection process shall not be disclosed, except in accordance with the jury selection plan or as necessary in the preparation or presentation of a motion challenging compliance with this chapter.

배심선정 계획에의 부합 속에서의 경우에를, 내지는 이 장에의 준수를 다투는 한 개의 신청의 준비에 내지는 제출에 필요한 경우에를 제외하고는, 선정절차에서 사용된 기록들은 공개되어서는 안 된다.

(c) Records used in the selection process shall be preserved for at least 4 years.

선정절차에서 사용된 기록들은 적어도 4년 동안 보전되어야 한다.

60 Del. Laws, c. 225, § 2; 66 Del. Laws, c. 5, § 1.

https://law.justia.com/codes/delaware/2019/title-10/chapter-45/section-4514/

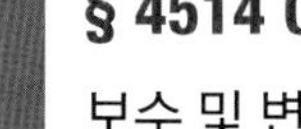

§ 4514 Compensation and reimbursement.
보수 및 변상금.

Universal Citation: 10 DE Code § 4514 (2019)

일반적 인용: 10 DE Code § 4514 (2019)

(a) Jurors shall be paid a per diem rate of $20 which shall serve as a daily allowance for reimbursement for travel, parking and other out-of-pocket expenses. An employer shall not consider the reimbursement described in this subsection as pay. Jurors whose term of service is 1 day or 1 trial shall not receive reimbursement for the first day of service. The State shall pay for food, lodging and other necessary expense during the sequestration of a jury.

배심원들에게는 여행의, 주차의 및 그 밖의 현금지출들의 변상을 위한 하루분의 급여로서의 역할을 하도록 일당으로 20불이 지급되어야 한다. 이 절에서 규정되는 변상금을 보수로서 고용주는 참작하여서는 안 된다. 복무 첫째 날을 위한 변상금을 복무기간이 하루인 또는 한 개의 정식사실심리인 배심원들은 수령하지 못한다. 배심의 격리 동안의 식비를, 숙박비를 및 기타의 필요비용을 주는 지급하여야 한다.

(b) The Court shall keep a record of attendance and travel or other expense and shall certify the amount due for payment by the State Treasurer.

출석에 및 여행에 내지는 여타의 지출에 관한 기록을 법원은 보관하여야 하고 주 재정회계에 의하여 지급되어야 할 액수를 주는 확인해 주어야 한다.

60 Del. Laws, c. 225, § 2; 66 Del. Laws, c. 5, § 1; 67 Del. Laws, c. 47, § 35; 69 Del. Laws, c. 331, § 1; 72 Del. Laws, c. 38, §§ 1, 2; 77 Del. Laws, c. 171, § 5.

https://law.justia.com/codes/delaware/2019/title-10/chapter-45/section-4515/

§ 4515 Protection of jurors' employment.
배심원의 근로관계의 보호.

Universal Citation: 10 DE Code § 4515 (2019)

일반적 인용: 10 DE Code § 4515 (2019)

(a) An employer shall not deprive an employee of employment, or threaten or otherwise coerce the employee with respect thereto, because the employee receives a summons, responds thereto, serves as a juror or attends Court for prospective jury service.

피용자가 소환장을 수령함을, 이에 응답함을, 배심원으로서 복무함을 내지는 그 예상되는 배심복무를 위하여 법원에 출석함을 이유로 고용주는 근로관계를 그 피용자에게서 박탈하여서는 내지는 그렇게 하겠다고 내지는 여타의 방법으로 피용자를 위협하여서는 내지는 강요하여서는 안 된다.

(b) Any employer who violates subsection (a) of this section is guilty of criminal contempt and upon conviction may be fined not more than $500 or imprisoned not more than 6 months, or both.

이 절의 소절 (a)를 위반하는 고용주는 형사적 법원모독을 범하는 것이 되고 유죄판정에 따라서 500불 이하의 벌금에 또는 6개월 이하의 구금에 처해질 수 있고 또는 두 가지가 병과될 수 있다.

(c) If an employer discharges an employee in violation of subsection (a) of this section, the employee may file a civil action in Superior Court within 90 days for recovery of wages lost as a result of the violation and for an order requiring the reinstatement of the employee. An employee who prevails shall be allowed a reasonable attorney's fee fixed by the Court.

피용자를 이 절의 소절 (1)의 위반 속에서 고용주가 해고하면 그 위반의 결과로서 상실된 임금액의 지급을 청구하는, 및 자신의 복직을 요구하는 한 개의 명령을 청구하는, 한 개의 민사소송을 상위 지방법원에 90일 내에 피용자는 제기할 수 있다. 승소하는 피용자에게는 법원에 의하여 정하여지는 합리적인 변호사 보수가 지급되어야 한다.

66 Del. Laws, c. 5, § 1.

https://law.justia.com/codes/delaware/2019/title-10/chapter-45/section-4516/

§ 4516 Failure to perform jury service.
배심복무를 수행하기에 대한 불이행.

Universal Citation: 10 DE Code § 4516 (2019)

일반적 인용: 10 DE Code § 4516 (2019)

A person who fails to appear and show cause as ordered by the Court for failure to comply with the clerk's direction to appear for the purpose of completing a juror qualification form or for failure to comply with a summons to appear for jury service or to complete jury service is guilty of criminal contempt and upon conviction may be fined not more than $100 or imprisoned not more than 3 days, or both.

배심원 자격심사 서식을 작성하기 위하여 출석하라는 서기의 명령에 대한 준수 불이행의 이유를, 또는 배심복무를 위하여 출석하라는 소환장에 대한 준수 불이행의 이유를 법원에 의하여 명령되는 대로 출석하여 제시하기를, 또는 배심복무를 완수하기를, 이행하지 아니하는 사람은 형사적 법원모독을 범하는 것이 되고, 유죄판정에 따라서 100불 이상의 벌금에 처해질 수 있거나 3일 이하의 구금에 처해질 수 있거나 두 가지가 병과될 수 있다.

66 Del. Laws, c. 5, § 1.

https://law.justia.com/codes/delaware/2019/title-10/chapter-45/section-4517/

§ 4517 Jurisdiction.
관할.

Universal Citation: 10 DE Code § 4517 (2019)

일반적 인용: 10 DE Code § 4517 (2019)

The Superior Court shall have original and exclusive jurisdiction over any violation of this chapter.

이 장의 위반행위에 대한 제1심으로서의 배타적인 관할권을 상위 지방법원은 지닌다.

60 Del. Laws, c. 225, § 2; 66 Del. Laws, c. 5, § 1.

https://courts.delaware.gov/Superior/pdf/criminal_rules_2013.pdf

RULES OF CRIMINAL PROCEDURE FOR THE SUPERIOR COURT OF THE STATE OF DELAWARE
델라웨어주 상위지방법원 형사절차규칙

Rule 6. The grand jury.

대배심.

(a) Summoning grand juries. The court shall order one or more grand juries to be summoned at such time as the public interest requires.

대배심들의 소환. 공익이 요구하는 때에는 한 개 이상의 대배심들이 소환되게 하도록 법원은 명령하여야 한다.

(b) Objections to grand jury and to grand jurors.

대배심에 및 배심원들에 대한 이의들.

(1) Challenges. The attorney general or a defendant who has been held to answer in Superior Court may challenge the array of jurors on the ground that the grand jury was not selected, drawn or summoned in accordance with law, and may challenge an individual juror on the ground that the juror is not legally qualified.

기피들. 검찰총장은 또는 상위 지방법원에서 답변하도록 붙들린 피고인은, 법에의 부합 속에서 당해 대배심이 선정되지, 추출되지, 또는 소환되지 아니하였음을 이유로 배심원단을 기피할 수 있고, 개별 배심원이 법적으로 자격을 갖추고 있지 아니함을 이유로 그 배심원을 기피할 수 있다.

(2) Motion to dismiss. A motion to dismiss the indictment may be based on objections to the array or on the lack of legal qualification of an individual juror, if not previously determined upon challenge. It shall be made in the manner prescribed in 10 Del. C. § 4512 and shall be granted under the conditions prescribed in that statute. An indictment shall not be dismissed on the ground that one or more members of the grand jury were not legally qualified if it appears from the record kept pursuant to subdivision (c) of this rule that the requisite number of jurors, after deducting the number not legally qualified, concurred in finding the indictment.

각하신청. 대배심원단에 대한 이의들이 또는 개별 배심원의 법적 자격조건의 결여가 미리 기피신청에 따라서 판단되어 있지 아니한 경우이면, 대배심 검사기소장을 각하하여 달라는 신청은 그러한 이의들에 내지는 결여에 근거할 수 있다. 그것은 델라웨어주 법률집 제10편 제4512절에 규정된 방법으로 이루어져야 하고 그 제정법에 규정되는 조건들 아래서 인용되어야 한다. 당해 대배심 검사기소를 평결함에, 법적으로 자격을 갖추지 못한 숫자를 빼고서도 그 필요한 숫자의 배심원들이 찬성하였음이 만약 이 규칙의 소부 (c)에 따라서 보관되는 기록으로부터 확인되면, 한 명 이상의 대배심원들이 법적으로 자격을 갖추지 못하였음을 이유로 하여서는 대배심 검사기소장은 각하되어서는 안 된다.

(c) Foreperson and deputy foreperson. The court shall appoint one of the jurors to be foreperson and another to be deputy foreperson. The foreperson shall have power to administer oaths and affirmations and shall sign all indictments. The foreperson or another juror designated by the foreperson shall keep a record of the number of jurors concurring in the finding of every indictment and shall file the record with the prothonotary, but the record shall not be made public except on order of the court. During the absence of the foreperson, the deputy foreperson shall act as foreperson.

배심장 및 부배심장. 배심원들 중 한 명을 배심장으로, 그리고 다른 한 명을 부배심장으로 법원은 지명하여야 한다. 배심장은 선서들을 및 무선서확약들을 실시할 권한을 지니는 바, 모든 대배심 검사기소장들에 배심장은 서명하여야 한다. 배심장은 또는 배심장에 의하여 지정되는 다른 배심원은 모든 대배심 검사기소 평결의 경우에 그 평결에 찬성하는 배심원들의 숫자에 대한 기록을 보관하여야 하고 그 기록을 수석서기에게 제출하여야 하는바, 그러나 법원의 명령에 의하여를 제외하고는 그 기록은 공개되어서는 안 된다. 배심장의 부재 중에 부배심장은 배심장을 대행한다.

(d) Who may be present. The attorney general, the witness under examination, interpreters when needed and, for the purpose of taking the evidence, a stenographer or operator of a recording device may be present while the grand jury is in session, but no person other than the jurors may be present while the grand jury is deliberating or voting.

누가 출석해 있을 수 있는가. 대배심이 회합 중인 동안에 검찰총장은, 신문대상인 증인은, 필요한 경우에의 통역인들은, 그리고 증언을 속기하기 위한 목적에서의 속기사는 또는 녹음장비 기사는 출석해 있을 수 있으나, 대배심이 숙의 중인 또는 표결 중인 동안에는 배심원들이를 제외한 어느 누구가도 출석해 있어서는 안 된다.

(e) Recording and disclosure of proceedings.

절차들의 기록 및 공개.

(1) Recording of proceedings. Proceedings, except when the grand jury is deliberating or voting, may be recorded stenographically or by an electronic recording device only with the approval of the court.

절차들의 녹음. 대배심이 숙의 중인 내지는 표결 중인 경우에를 제외한 모든 절차들은 속기적 방법으로, 또는 법원의 승인을 얻는 경우에 한하여 전자적 녹음장비에 의하여, 기록되어야 한다.

(2) General rule of secrecy. A grand juror, an interpreter, a stenographer, an operator of a recording device, a typist who transcribes recorded testimony, the attorney general, or any person to whom disclosure is made under paragraph (3)(A)(ii) of this subdivision shall not disclose matters occurring before the grand jury, except as otherwise provided for in these rules. No obligation of secrecy may be imposed on any person except in accordance with this rule. A knowing violation of Rule 6 may be punished as a contempt of court.

비밀성의 일반원칙. 대배심원은, 통역인은, 속기사는, 녹음장비 기사는, 녹음된 증언을 녹취하는 타이피스트는, 검찰총장은, 또는 이 소부의 단락 (3)(A)(ii)에 따라서 공개를 제공받는 사람 어느 누구든지는 대배심 앞에서 발생한 사안들을, 이 규칙들에서 달리 규정되는 경우에를 제외하고는, 공개하여서는 안 된다. 이 규칙에의 부합 속에서를 제외하고는 어느 누구에게도 비밀의무가 부과되어서는 안 된다. Rule 6에 대한 고의의 위반은 법원모독으로 처벌될 수 있다.

(3) Exceptions.

예외들.

(A) Disclosure otherwise prohibited by this rule of matters occurring before the grand jury, other than its deliberations and the vote of any grand juror, may be made to:

대배심의 숙의들의를 내지는 대배심원 어느 누구든지의 투표의를 제외한 대배심 앞에서 발생한 사안들의, 이 규칙에 의하여 달리 금지되는 공개는 아래에 따라서 이루어질 수 있다:

(i) The attorney general for use in the performance of such attorney's duty; and

검찰총장의 의무 수행에 있어서의 사용을 위하여 검찰총장에게 이루어지는 경우; 그리고

(ii) Such government personnel (including personnel of a state or of the federal government) as are deemed necessary by the attorney general to assist in the performance of such attorney's duty to enforce the criminal law.

형사법을 시행할 자신의 의무의 수행에 있어서 자신을 조력하게 하기 위하여 필요하다고 검찰총장에 의하여 간주되는 정부요원(한 개의 주 정부의 내지는 연방정부의 요원을 포함함)에게 이루어지는 경우.

(B) Any person to whom matters are disclosed under subparagraph (A)(ii) of this paragraph shall not utilize that grand jury material for any purpose other than assisting the attorney general in the performance of such attorney's duty to enforce the criminal law. The attorney general shall promptly provide Superior Court, in the county before which was impaneled the grand jury whose material has been so disclosed, with the names of the persons to whom such disclosure has been made, and shall certify that the attorney has advised such persons of their obligation of secrecy under this rule.

이 단락의 소단락 (A)(ii)에 따라서 사안들의 공개를 제공받는 사람 누구든지는 형사법을 시행할 검찰총장의 의무의 수행에 있어서 그를 조력함 이외의 그 어떤 목적을 위해서도 그 대배심 자료를 사용하여서는 안 된다. 그러한 공개를 제공받은 터인 모든 사람들의 이름들을, 그 공개된 자료들이 속하는 당해 대배심을 충원구성한 카운티에 소재하는 상위 지방법원에 검찰총장은 신속하게 제공하여야 하고, 이 규칙 아래서의 그 사람들의 비밀준수 의무에 관하여 그들에게 자신이 고지한 터임을 검찰총장은 보증하여야 한다.

라이베리아
대배심 규정 외

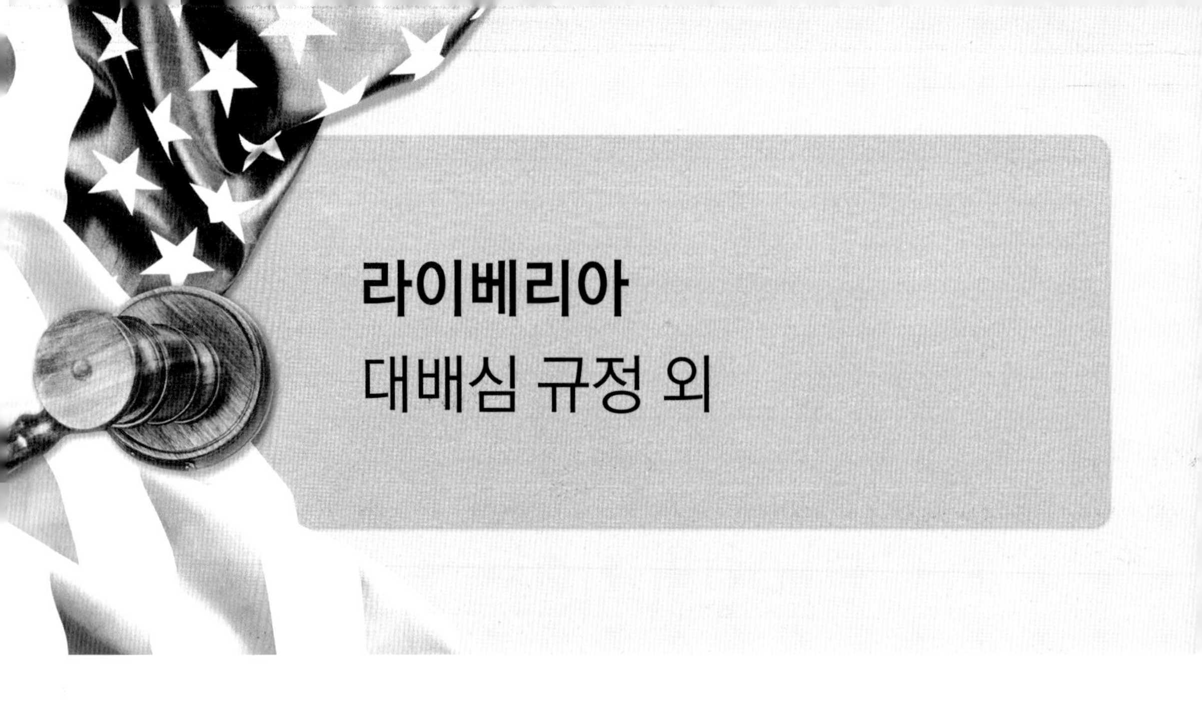

라이베리아
대배심 규정 외

https://www.refworld.org/cgi-bin/texis/vtx/rwmain?page=search&docid=3ae6b5410&skip=0&query=criminal procedure law&coi=LBR

Liberia: Criminal Procedure Law
라이베리아 형사소송법

Chapter 14.CHARGING AN OFFENSE
범죄의 기소

§14.1. Methods of prosecution.
소추의 방법들

A crime may be prosecuted in conformity with the provisions of this chapter by a complaint or an indictment.

이 장의 규정들에의 부합 속에서 소추청구장에 내지는 대배심 검사기소장에 의하여 범죄는 소추될 수 있다.

Prior legislation: L. 1969-70, CrPL 2:1401.

§14.2. Use of complaint and indictment.
소추청구장의 및 대배심 검사기소장의 사용.

Petit larceny and all petty offenses shall be prosecuted by complaint. All other crimes shall be prosecuted by indictment.

경절도는 및 모든 경범죄들은 소추청구장에 의하여 소추되어야 한다. 그 밖의 모든 범죄들은 대배심 검사기소장에 의하여 소추되어야 한다.

Prior legislation: L. 1969-70, CrPL 2:1402; 1956 Code 8:110; L. 1924-25, ch. XVI, §2.

§14.3. Form of indictment.
대배심 검사기소장의 형식.

1. Requirement of writing; content; sufficiency. An indictment shall be in writing and shall:

   서면의 요구; 내용; 충분성. 대배심 검사기소장은 서면으로 작성되어야 하며 아울러:

(a) Specify the name of the court in which the action is triable and the names of the parties;

당해 소송이 정식사실심리될 법원의 명칭을 및 당사자들의 이름들을 명시하여야 한다;

(b) Contain in each count a statement that the defendant has committed a crime therein specified by the number of the title and section of the statute alleged to have been violated, and described by name or by stating so much of the definition of the crime in terms of the statutory definition as is sufficient to give the defendant and the court notice of the violation charged;

그 위반되었다고 주장되는 제정법의 당해 편명 번호에 및 절 번호에 의하여 특정되는, 그리고 당해 범죄의 명칭에 의하여 설명되는, 또는 그 기소되는 범죄에 대한 고지를 피고인에게 및 법원에게 부여하기에 충분할 정도로 당해 범죄의 개념을 당해

제정법상의 개념정의 상의 용어로써 서술함에 의하여 설명되는, 각각의 소인에 담긴 한 개의 범죄를 피고인이 저지른 터라는 서술을 그 소인 안에 포함하여야 한다;

(c) Contain in each count a plain, concise and definite statement of the facts essential to give the defendant fair notice of the offense charged in that count, including a statement, if possible, of the time and place of the commission of the offense, and of the person, if any, against whom, and the thing, if any, in respect to which, the offense was committed.

당해 소인에서 기소되는 범죄에 대한 공정한 고지를 피고인에게 부여하기 위하여 불가결한 사실관계에 대한 평이한, 간결한 및 명확한 서술을 개개 소인 안에 포함하여야 하는바, 가능한 경우에는 당해 범죄의 범행 시각에 대한 및 장소에 대한, 그리고 당해 범죄가 대상으로 삼은 그 있을 경우에의 사람에 내지는 물건에 대한 서술이 이에 포함된다.

An indictment shall not be held insufficient because it contains any defect or imperfection of form which does not prejudice a substantial right of the defendant upon the merits.

본안에 관한 피고인의 실질적 권리에 불이익을 끼치지 아니하는 형식의 결함을 내지는 불완전을 대배심 검사기소장이 포함한다는 이유로는 대배심 검사기소장은 불충분한 것으로 간주되지 아니한다.

2. Signing.

서명.

An indictment shall be signed by the foreman of the grand jury and by the prosecuting attorney. No objection to an indictment on the ground that it was not singed as herein required may be made after a motion to dismiss or a plea to the merits ha been filed.

대배심의 배심장에 의하여 및 소추검사에 의하여 대배심 검사기소장은 서명되어야 한다. 대배심 검사기소장이 여기에서 요구되는 대로 서명되지 아니하였음을 이유로 하는 대배심 검사기소장에 대한 이의는, 각하신청이 내지는 본안에 관한 답변이 제출되고 난 뒤에는 이루어져서는 안 된다.

3. Method of designating the defendant.

피고인을 특정하는 방법.

The defendant shall be designated by his true name, if known, and if not, he may be designated by any name by which he can be identified with reasonable certainty. If in the course of the proceedings the true name of the defendant designated otherwise than by his true name becomes known to the court, the court shall cause it to be inserted in the indictment and in the record, if any, and the proceedings shall be continued against him in his true name.

그 알려진 경우에의 진실한 이름에 의하여 피고인은 특정되어야 하는바, 만약 그의 진실한 이름이 알려져 있지 않으면, 합리적 확실성을 지니고서 그의 동일성이 확인될 수 있는 어떤 이름에 의하여도 그는 특정될 수 있다. 그의 진실한 이름 이외의 방법으로 특정된 피고인의 진실한 이름이 절차들의 과정에서 법원에 알려지면, 대배심 검사기소장에 및 그 있을 경우에의 기록에 그것이 삽입되도록 법원은 조치하여야 하는바, 절차들은 그의 진실한 이름으로의 그를 상대로 하여 계속되어야 한다.

4. Incorporation by reference.

언급에 의한 통합

Allegations made in one count may be incorporated by reference in another count.

한 개의 소인에서 이루어지는 주장들은 언급에 의하여 다른 소인에 통합될 수 있다.

5. Allegations in the alternative.

선택적 주장들

Facts which are not essential to give the accused fair notice of the offense charged may be alleged in the alternative.

공소제기되는 범죄에 대한 공정한 고지를 피고인에게 부여하기 위하여 불가결하지 아니한 사실들은 선택적으로 주장될 수 있다.

6. Surplusage.

불필요한 문구.

Unnecessary allegations may be disregarded as surplusage. On motion of either party such allegations may be stricken from the indictment.

불필요한 주장들은 불필요한 문구로서 무시될 수 있다. 당사자 일방의 신청에 따라서 그러한 주장들은 대배심 검사기소장으로부터 삭제될 수 있다.

Prior legislation: L. 1969-70, CrPL 2:1403; 1956 Code 8: 140.

§14.4. Form of complaint.
소추청구장의 형식.

A complaint made orally to a magistrate or justice of the peace shall be reduced to writing on the face of the writ by the clerk of the court, or, if there is no clerk, by the magistrate or justice. The written complaint shall specify the nature of the offense charged and shall contain a concise statement of the acts of the defendant alleged to constitute such offense, and of the time and place of commission of the offense and of the person, if any, against whom, and the thing, if any, in respect to which, the offense was committed. The complaint shall be sworn to by the complainant.

수권보조 판사에게 또는 치안판사에게 구두로 이루어지는 소추청구는 법원서기에 의하여, 또는 서기가 없으면 수권보조 판사에 또는 치안판사에 의하여 영장의 앞면에 옮겨 적혀야 한다. 기소대상 범죄의 성격을 그 소추청구장은 명시하여야 하고, 그러한 범죄를 구성한다고 주장되는 피고인의 행위들에 대한, 및 당해 범죄의 범행시간에 및 장소에 대한, 그리고 그 있을 경우에의 당해 범죄의 범행이 그 대상으로 삼은 사람에 대한, 및 당해 범죄의 범행이 관련을 지니는 물건에 대한 간결한 서술을 그것은 포함하여야 한다. 소추청구장에 대하여는 청구인에 의하여 선서가 이루어져야 한다.

Prior legislation: L. 1969-70, CrPL 2:1404.

§14.5. Bill of particulars.
공소사실 명세서.

The court for cause may direct the filing of a bill of particulars. A motion for a bill of particulars may be made only within ten days after arraignment or at such other time after arraignment as may be ordered by the court. Such a motion shall specify the particulars sought by the defendant. A bill of particulars may be amended at any time subject to such conditions as justice requires.

공소사실 명세서의 제출을 이유에 따라서 법원은 명령할 수 있다. 공소사실 명세서를 위한 신청은 기소인부 신문 뒤 10일 내에만 또는 기소인부 신문 뒤의 법원에 의하여 명령되는 다른 때에만 제기될 수 있다. 피고인에 의하여 요구되는 명세들을 그러한 신청은 명시하여야 한다. 정의가 요구하는 조건들에 따라서 공소사실 명세서는 언제든지 변경될 수 있다.

Prior legislation: L. 1969-70, CrPL 2: 1405; 1956 Code 8:144.

§14.6. Joinder.
병합.

1. Of offenses.

범죄들의 병합.

Two or more offenses may be charged in the same indictment or complaint in a separate count for each offense if the offenses charged, whether felonies or misdemeanors or both, are based on the same act or transaction or on two or more acts or transactions connected together or constituting parts of a common scheme or plan.

중죄들이든지에 경죄들이든지에 또는 둘 다인지에 상관없이, 그 기소되는 두 개 이상의 범죄들이 동일한 행위에 또는 거래에 터잡는 것들이면, 또는 서로 연결되는 또는 공통의 책략의 내지는 계획의 부분들을 구성하는 두 개 이상의 행위들에 내지는 거래들에 터잡는 것들이면, 그 두 개 이상의 범죄들은 동일한 대배심 검사기소장 내의 또는 소추청구장 내의 동일한 소인에서 또는 별개의 소인에서 기소될 수 있다.

2. Of defendants.

피고인들의 병합.

Two or more defendants may be charged in the same indictment or complaint if they are alleged to have participated in the same act or transaction or in the same series of acts or transactions constituting an offense or offenses. Such defendants may be charged in one or more counts together or separately and all of the defendants need not be charged in each count.

동일한 행위에 내지는 거래에 가담한 것으로 또는 범죄를 내지는 범죄들을 구성하는 동일한 일련의 행위들에 내지는 거래들에 가담한 것으로 두 명 이상의 피고인들이 주장되면, 동일한 대배심 검사기소장에서 또는 소추청구장에서 그 두 명 이상의 피고인들은 기소될 수 있다. 한 개 이상의 소인들에서 함께 또는 개별적으로 그러한 피고인들은 기소될 수 있는바, 개개 소인에서 피고인들 전부가 기소되어야 할 필요는 없다.

Prior legislation: L. 1969-70, CrPL 2: 1406; 1956 Code 8:141, 142.

§14.7. Amendments.

변경들.

1. Formal defects.

형식적 흠결들.

The court shall permit an indictment or complaint to be amended at any stage of the proceedings to correct a formal defect.

형식적 흠결을 교정하기 위한 한 개의 대배심 검사기소장의 또는 소추청구장의 변경을 절차들의 어느 단계에서든지 법원은 허가할 수 있다.

2. Complaints triable in inferior courts.

하위 지방법원들에서 정식사실심리되는 소추청구장들.

The court may permit a complaint charging an offense triable before a magistrate or justice of the peace to be amended up to the time of commencement of trial to correct any defect or insufficiency if (a) substantial rights of the defendant are not prejudiced thereby; and if (b) the amendment does not cause the complaint to charge an offense of a different character or arising out of a different transaction than the offense charged in the original complaint.

수권보조 판사 앞에서 또는 치안판사 앞에서 정식사실심리될 수 있는 범죄를 기소하는 소추청구장의, 결함을 내지는 불충분을 교정하기 위한 변경을, (1) 이로써 피고인의 실질적 권리들이 불이익에 처해지지 아니하는 경우에, 그리고 (2) 이로써 별개의 성격의 범죄를 당해 소추청구장이 기소하게 되는 결과를 내지는 당초의 소추청구장에서 기소된 범죄를 이 아닌 별개의 거래들로부터 발생한 범죄를 당해 소추청구장이 기소하게 되는 결과를 당해 변경이 초래하지 아니하는 경우에, 정식사실심리 시작 때까지 법원은 허가할 수 있다.

3. Amendments to conform to evidence.

증거에 일치시키기 위한 변경들.

When upon the trial of an indictment or complaint, there appears a variance between an allegation therein and the evidence offered in proof in respect to any fact, name, or description not material to the charging of the offense, the court may, if the defendant will not be prejudiced thereby, direct that the indictment or complaint be amended to conform to the proof on such terms as the court deems fair and reasonable; but an indictment or complaint shall not under any circumstances be amended under this paragraph to charge an offense different from or additional to the offense originally charged.

한 개의 대배심 검사기소장에 대한 내지는 소추청구장에 대한 정식사실심리에 따라서 조금이라도 당해 범죄의 소추에 중요하지 아니한 사실에 관한, 이름에 관한, 또는 특징에 관한 그 안에서의 주장의 및 그 증명을 위하여 제출된 증거의, 그 양자 사이의 상위가 드러나는 경우에는, 그 공정하다고 및 합리적이라고 법원이 간주하는 대로의 조건들 위에서 증거에 일치시키기 위한 당해 대배심 검사기소장의 또는 소추청구장의 변경을, 이로써 피고인이 불이익을 입지 아니하게 될 경우에, 법원은 명령할 수 있다; 그러나 당초에 기소된 범죄 이외의 별개의 범죄를 내지는 이에 추가되는 범죄를 기소하도록은 대배심 검사기소장은 또는 소추청구장은 어떤 상황들 아래서도 이 단락에 따라서 변경되어서는 안 된다.

Prior legislation: L. 1969-70, CrPL 2: 1407.

§14.8. Names of witnesses on indictment.
대배심 검사기소장 위의 증인들의 이름들.

When an indictment is filed, the names of the witnesses or deponents on whose evidence the indictment was based shall be indorsed thereon before it is presented to the court. A failure to make such indorsement shall not affect the validity or sufficiency of the indictment, but the court in which the indictment was filed shall, on application of the defendant, direct the names of such witnesses to be indorsed.

대배심 검사기소장이 제출되는 경우에, 당해 대배심 검사기소장의 근거가 된 증인들의 내지는 법정 외 선서진술자들의 이름들은 그것이 법원에 제출되기 전에 그 위에 기입되어야 한다. 그러한 기입을 해야 할 의무에 대한 불이행은 당해 대배심 검사기소장의 유효성에 내지는 충분성에 영향을 미치지 아니하는바, 그러나 그 대배심 검사기소장을 제출받은 법원은 피고인의 신청에 따라서 그러한 증인들의 이름들이 기입되게 하도록 명령하여야 한다.

Prior legislation: L. 1969-70, CrPL 2:1408.

Chapter 15. GRAND JURY
대배심

§15.1. Formation of grand jury; concurrence required for indictment.
대배심의 구성; 대배심 검사기소에 요구되는 찬성표.

A grand jury shall consist of fifteen persons selected in the manner prescribed by the Civil Procedure Law. An indictment cannot be found without the concurrence of at least twelve grand jurors.

민사소송법에 규정되는 방법에 의하여 선정되는 15명으로 대배심은 구성되어야 한다. 적어도 열두 명의 배심원들의 찬성이 없이는 대배심 검사기소는 평결될 수 없다.

Prior legislation: L. 1969-70, CrPL 2: 1501; 1956 Code 8:120, 122, 130; Rev. Stat. §§780, 784.

§15.2. Duties of grand jury.
대배심의 의무사항들.

The grand jury shall inquire into all indictable offenses triable within the county which are presented to it by the prosecuting attorney or otherwise come to its knowledge; and, if there is probable cause to believe a particular person guilty of such an offense, shall charge him therewith by indictment.

검사에 의하여 대배심에 제출되는, 또는 여타의 경로로 대배심 자신의 지식에 들어오는 카운티 내에서 정식사실심리 될 수 있는 모든 대배심 검사기소 대상 범죄들을 대배심은 파헤쳐야 한다; 그리고 만약 특정인을 그러한 범죄의 범인이라고 믿을 상당한 이유가 있으면, 대배심 검사기소장에 의하여 그를 그 범죄로 대배심은 기소하여야 한다.

Prior legislation: L. 1969-70, CrPL 2: 1502; 1956 Code 8: 122; Rev. Stat. §784.

§15.3. Qualifications of grand jurors.
대배심원들의 자격조건들.

Grand jurors shall be possessed of the qualifications required by the Judiciary Law of persons who are to serve as trial jurors.

법원조직법에 의하여 정식사실심리 배심원들로서 복무할 사람들에게 요구되는 자격조건들을 대배심원들은 보유하여야 한다.

Prior legislation: L. 1969-70, CrPL 2: 1503; 1956 Code 8:121.

§15.4. Session.
회기.

A grand jury shall be discharged not later than twenty-one days after the first day of the session of court, except that the judge of the court, by written order filed with the clerk, may continue the session to such further time as he deems necessary. At any time for cause shown the court may excuse a juror either temporarily or permanently, and in the latter event the court may impanel another person in place of the juror excused.

법원의 회기 첫째 날 뒤 21일 이내에 대배심은 임무해제 되어야 하는바, 다만 서기에게 하달되는 서면상의 명령에 의하여 회기를 그 필요하다고 자신이 간주하는 더 나중의 시점까지 법원의 판사는 연장할 수 있다. 증명되는 이유에 따라서 언제든지 배심원을 일시적으로든 또는 영구적으로든 법원은 면제할 수 있는바, 영구적으로 면제하는 경우에는 그 면제되는 배심원 대신에 다른 사람을 법원은 충원할 수 있다.

Prior legislation: L. 1969-70, CrPL 2: 1504; 1956 Code 8:124;L. 1924-1925, ch. VI; L. 1914, 50 (1st), §3.

§15.5. Special grand jury.
특별대배심.

Upon application by the prosecuting attorney showing that public interest requires it, a judge of the Circuit Court may order fifteen persons to be summoned to serve as a special grand jury. The grand jurors composing it shall be selected and summoned in the same manner as grand jurors for a regular session. A special grand jury shall exercise the same powers and functions as a grand jury summoned for a regular session. A special grand jury shall remain in session as long as the public interest requires.

한 개의 특별대배심을 공공의 이익이 요구함을 증명하는 검사의 신청에 따라서 특별대배심으로서 복무할 15명을 소환하도록 순회구 지방법원의 판사는 명령할 수 있다. 그것을 구성하는 대배심원들은 정규회기를 위한 대배심원들이 선정되는 방법에의 동일한 방법으로 선정되어야 하고 소환되어야 한다. 정규회기를 위하여 소환되는 한 개의 대배심의 것들에의 동일한 권한들을 및 기능들을 특별대배심은 행사하여야 한다. 특별대배심은 그 공공의 이익이 요구하는 한도껏의 시점까지 개회 상태에 남아 있어야 한다.

Prior legislation: L. 1969-70, CrPL 2: 1505; 1956 Code 8:123; L. 1935-36, ch. XVIII, §1.

§15.6. Objections to grand jury.
대배심에 대한 이의들.

An objection to the panel or to the lack of legal qualifications of an individual grand juror may be raised by motion to dismiss. The provisions of section 16.7(3), (4), and (5) shall be applicable to such motion. An indictment shall not be dismissed on the ground that one or more members of the grand jury were not legally qualified if it appears from the record kept pursuant to section 15.8 that twelve or more jurors, after deducting the number not legally qualified, concurred in finding the indictment.

배심원단에 대한 내지는 개개 대배심원의 법적 자격조건들의 결여에 대한 이의는 대배심 검사기소장 각하신청에 의하여 제기될 수 있다. 그러한 신청에는 16.7(3)절의, 16.7(4)절의, 및 16.7(5)절의 규정들이 적용된다. 대배심 검사기소를 평결하는 데에 법적으로 자격을 갖추지 아니한 숫자를 뺀 열두 명 이상의 배심원들이 찬성하였음이 15.8절에 의하여 보관되는 기록으로부터 드러나면, 한 명 이상의 대배심원들이 법적으로 자격을 갖추지 못하였다는 이유로는 대배심 검사기소장은 각하되어서는 안 된다.

Prior legislation: L. 1969-70, CrPL 2: 1506; 1956 Code 8:184 (3rd par.).

§15.7. Oath and charge; appointment of foreman.
선서 및 임무설명; 배심장의 지명.

The clerk of court shall administer the oath to the members of the grand jury and the court shall charge them concerning the nature of their duties and concerning any accusations of crimes returned to the court or likely to come before the grand jury. The court may charge them respecting violations of a particular statute and shall do so when requested by the prosecuting attorney. The court shall appoint one of the jurors as foreman.

선서절차를 대배심 구성원들에게 법원서기는 실시하여야 하고 그들의 임무사항들의 성격에 관하여 및 법원에 제출된 범죄들에 대한 내지는 대배심 앞에 오게 될 범죄들에 대한 고발들에 관하여 그들에게 법원은 설명하여야 한다. 특정 제정법에 대한 위반행위들에 관하여 그들에게 법원은 설명할 수 있는바, 검사에 의하여 요청될 경우에는 이를 법원은 설명하여야 한다. 배심원들 중 한 명을 배심장으로 법원은 지명하여야 한다.

Prior legislation: L. 1969-70, CrPL 2: 1507; 1956 Code 8:125; Rev. Stat. §781; 1828 Code, Ord. No. XIX, 2 Hub. 1271, 1329.

§15.8. Procedure after charge.
임무설명 뒤의 절차.

After the charge by the court and appointment of a foreman, the grand jurors shall retire to a private room. The grand jurors shall appoint one of their number as clerk. It shall be the duty of the clerk to take minutes of the proceedings of the jury and a synopsis of the evidence given before it and a record of the number of jurors concurring in the finding of every indictment. The minutes shall be delivered to the clerk of court upon discharge of the jury. The clerk of court in open court shall administer an oath or affirmation to every witness before he testifies before the grand jury.

법원에 의한 임무설명 뒤에 및 배심장의 지명 뒤에, 대배심원들은 비밀실로 물러가야 한다. 자신들의 구성원들 중 한 명을 서기로 대배심원들은 지명하여야 한다. 당해 배심절차들의 의사록을 및 자신 앞에 제출되는 증거의 일람표를 및 모든 대배심 검사기소의 경우에 그 평결에 찬성하는 배심원들의 숫자의 기록을 작성함은 서기의 임무이다. 배심의 임무해제 때에 법원서기에게 의사록은 인도되어야 한다. 선서절차를 내지는 무선서확약 절차를 공개법정에서 증인 누구나에게, 당해 증인이 대배심 앞에서 증언하기 전에, 법원서기는 실시하여야 한다.

Prior legislation: L. 1969-70, CrPL 2: 1508; 1956 Code 8:126-128; Rev. Stat. §§782-784.

§15.9. Who may be present during session of grand jury.
대배심의 회합 도중에 누가 출석해 있을 수 있는가.

No person may be present at the sessions of the grand jury except the prosecuting attorney, the witness under examination, the bailiffs of the grand jury, an interpreter when needed, and a stenographer for taking the evidence, but no person other than the jurors may be present while the grand jury is deliberating and voting.

대배심의 회합들에는 검사를, 신문대상인 증인을, 대배심의 집행관보좌인들을, 그 필요한 경우에의 통역인을, 및 증언을 녹취하는 속기사를 제외하고는 아무도 출석하여서는 안 되는바, 다만 대배심이 숙의 중인 동안에는 및 표결 중인 동안에는 배심원들을 제외하고는 어느 누구가도 출석해서는 안 된다.

Prior legislation: L. 1969-70, CrPL 2: 1509; 1956 Code 8:128; Rev. Stat. §784.

§15.10. Duty of prosecuting attorney.
검사의 임무.

The prosecuting attorney shall be present at the session of the grand jury when requested by it for the purpose of giving the grand jurors legal advice regarding any matter cognizable by them. He shall also draft indictments and issue process for the attendance of witnesses.

배심에 의하여 요청될 경우에는 대배심의 심리 대상인 어떤 사항에 관하여도 법적 조언을 대배심원들에게 제공하기 위하여 대배심의 회합에 검사는 출석하여야 한다. 또한 그는 대배심 검사기소장들을 초안하여야 하고 증인들의 출석을 위한 영장을 발부하여야 한다.

Prior legislation: L. 1969-70, CrPL 2: 1510.

§15.11. Sufficiency of evidence.
증거의 충분성.

The grand jurors shall find an indictment charging the defendant with the commission of an offense when from all the evidence taken together they are convinced there is probable cause to believe him guilty of such offense.

피고인을 범죄의 범인으로 믿을 상당한 이유가 있음을 모든 증거의 종합 위에서 확신하는 경우에는 그를 그 범죄로 기소하는 대배심 검사기소를 대배심원들은 평결하여야 한다.

Prior legislation: L. 1969-70, CrPL 2: 1511.

§15.12. Return of indictment or report to court.
대배심 검사기소장의 또는 보고서의 법원에의 제출.

Every indictment found shall be endorsed as a "true bill" and signed by the foreman and returned to the judge in open court. Several indictments may be returned at the same time. They shall be filed with the clerk of the court and remain in his office as a public record. If the defendant has been held to answer, but no indictment is found against him, the foreman shall indorse "Ignoramus" on the draft of the indictment and shall return it to the judge in open court. If for any reason the investigation of a case where the defendant has been held to answer is not completed, this fact shall be reported to the court by the foreman.

모든 대배심 검사기소장에는 "기소평결"이 기입되어야 하고 배심장에 의하여 서명되어야 하며 공개법정에서 판사에게 제출되어야 한다. 여러 개의 대배심 검사기소장들은 동시에 제출될 수 있다. 그것들은 법원서기에게 하달되어야 하고 한 개의 공공기록으로서 그의 사무소에 남아 있어야 한다. 만약 피고인이 답변하도록 붙들려 있으면, 그런데도 대배심 검사기소가 그에 대하여 평결되지 아니하면, "불기소 평결"을 대배심 검사기소장의 초안 위에 배심장은 기입하여야 하고 그것을 공개법정에서 판사에게 제출하여야 한다. 그 답변하도록 피고인이 붙들려 있는 한 개의 사건에 대한 조사가 만약 어떤 이유에서든 완료되지 아니하면, 이 사실은 배심장에 의하여 법원에 보고되어야 한다.

Prior legislation: L. 1969-70, CrPL 2: 1512; 1956 Code 8:130; Rev. Stat. §785.

§15.13. Effect of "not true" bill.
"불기소 평결"의 효과.

A charge may be submitted to or inquired into by a grand jury only once after an indictment containing the same charge has been returned to court indorsed "Ignoramus."

동일한 고발을 포함하는 한 개의 대배심 검사기소장안이 "불기소 평결"의 기입 상태로 법원에 제출되고 난 뒤에는, 오직 1회에 한하여 그 고발은 대배심에 제출될 수 있거나 대배심에 의하여 조사될 수 있다.

Prior legislation: L. 1969-70, CrPL 2: 1513.

§15.14. Secrecy of proceedings.
절차들의 비밀성.

1. Deliberations and voting.

   숙의들 및 표결.

   A grand juror shall not disclose, and shall not be required to testify concerning, how he or another grand juror has voted, or any statement or utterance by himself or another grand juror in a session of the grand jury relative to a matter pending before it. A violation of this provision shall be punishable as contempt of court.

어떻게 자신이 또는 다른 배심원이 투표하였는지를, 또는 대배심 회합에서의 그 앞에 걸린 사항에 관한 그 자신에 의한 내지는 여타의 대배심원에 의한 진술을 내지는 발언을 대배심원은 공개하여서는 안 되고 또한 그것들에 관하여 증언하도록 요구되어서는 안 된다. 이 규정의 위반은 법원모독으로 처벌된다.

2. Disclosure concerning indictment before arrest.

대배심 검사기소에 관한 체포 이전의 공개.

Except to the extent necessary for the issuance and execution of a warrant of arrest or summons, no person shall disclose the finding of an indictment until the person charged therein is in custody or has given bail. A violation of this provision shall be punishable as contempt of court.

체포영장의 내지는 소환장의 발부를 및 집행을 위하여 필요한 한도껏의 경우에를 제외하고는, 대배심 검사기소의 평결을, 그 안에 기소된 사람이 구금될 때까지 내지는 보석금을 납입하고 났을 때까지, 아무가도 공개하여서는 안 된다. 이 규정의 위반은 법원모독으로 처벌된다.

3. Transcript of testimony.

증언 녹취서.

A transcript of testimony taken before a grand jury shall be available to the prosecuting attorney and to a defendant who is indicted.

대배심 앞에서 청취된 증언의 녹취서는 검사에게 및 대배심 검사기소에 처해지는 피고인에게 제공되어야 한다.

4. Other disclosures permitted by court.

법원에 의하여 허가되는 여타의 공개들.

A person present at the proceedings before a grand jury may disclose matters occurring before it only when directed by a court preliminary to or in connection with a judicial proceeding; provided that the provision of this paragraph shall not prevent a prosecuting attorney from disclosures in line of duty to his superior officer in the Department of Justice.

대배심 앞에서의 절차들에 출석한 사람은 대배심 앞에서 발생한 사안들을, 한 개의 사법절차에 앞서서 예비적으로 또는 한 개의 사법절차에의 관련 속에서, 법원에 의하여 명령되는 경우에만 공개할 수 있다; 다만, 법무부 내에서의 그의 상관에게의 직무로서의 공개들을 하지 못하도록 한 명의 검사를 이 단락의 규정은 방해하지 아니한다.

5. Limitation on obligation of secrecy.

비밀준수 의무에 대한 제한.

No obligation of secrecy may be imposed on any person except in accordance with the provisions of this section.

이 절의 규정들에의 부합 속에서를 제외하고는 어느 누구에게도 비밀준수 의무는 부과되어서는 안 된다.

Prior legislation: L. 1969-70, CrPL 2: 1514; 1956 Code 8:129, 131;27:199; Rev. Stat. §785; Crim. Code §98.

매사추세츠주 대배심 규정

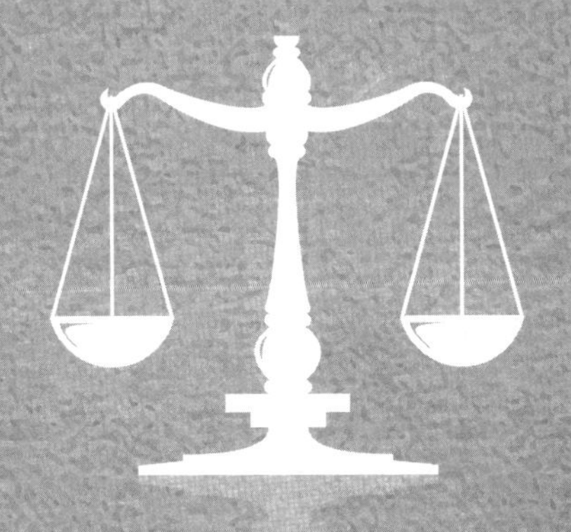

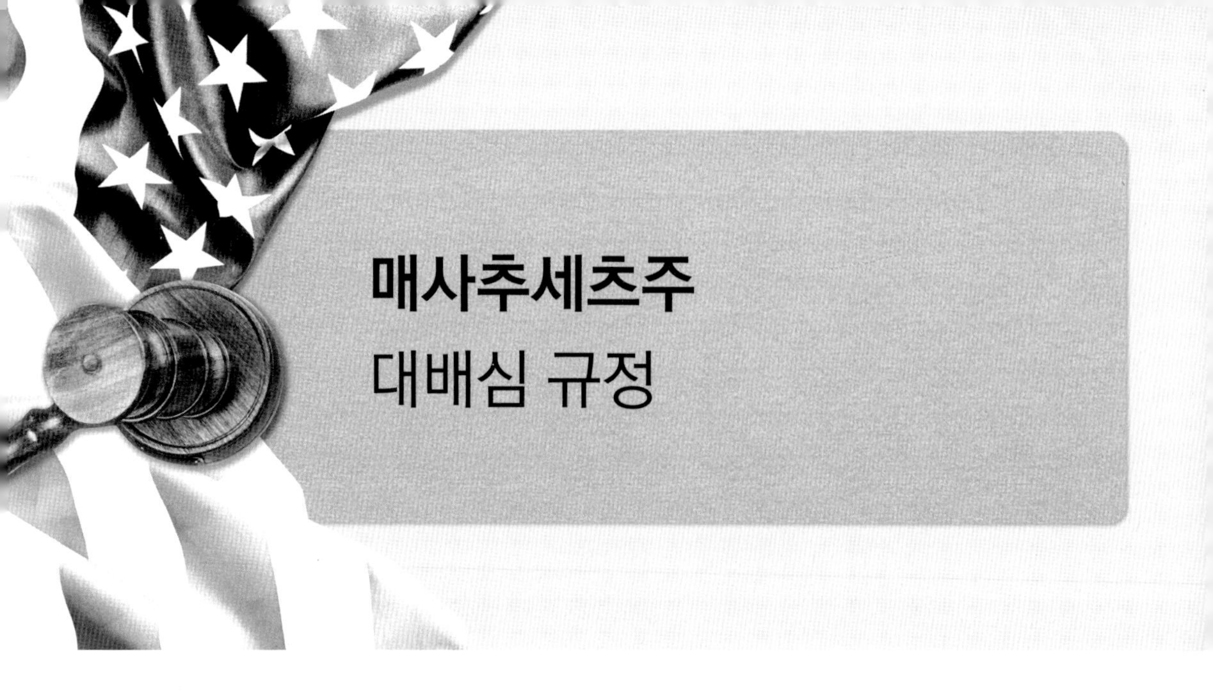

https://law.justia.com/codes/massachusetts/2019/part-iv/title-ii/chapter-277/section-1/

Section 1 - Issuance of Writs of Venire Facias for Grand Jurors; Attendance at Sittings of Court

대배심원들을 위한 배심원소집 영장들의 발부; 법원의 개정법정들에의 출석

Universal Citation: MA Gen L ch 277 § 1 (2019)

일반적 인용: MA Gen L ch 277 § 1 (2019)

Section 1. The clerk of the courts for each county, except Suffolk, Middlesex, Essex, Hampden, Norfolk, Plymouth and Worcester shall, not less than twenty-eight days before the commencement of the first sitting of the superior court for criminal business in each year, issue writs of venire facias for forty-five veniremen, from whose numbers the court shall select twenty-three grand jurors who shall serve in said court until the first regular sitting in the year next after they have been impanelled and until another grand jury has been impanelled in their stead. In counties where sittings of the court are established for the transaction of criminal business, they shall be required to attend only at such sittings.

서포크 카운티의를, 미들섹스 카운티의를, 에섹스 카운티의를, 햄프든 카운티의를, 노포크 카운티의를, 플리머스 카운티의를 및 워세스터 카운티의를 제외한 개개 카운티의 법원들의 서기는 45명의 배심원(후보)들을 위한 배심원소집영장들을, 형사 상위 지방법원을 위한 매년 첫 번째 개정법정의 개시일 전에 28일 이상의 여유를 두고서, 발부하여야 하는바, 그들이 충원되고 난 뒤 차기연도 첫 번째 정규의 법정개정일까지 및 그들을 대신할 다른 대배심이 충원구성 되고 났을 때까지 당해 법원에서 복무할 23명의 대배심원들을 그 숫자들 중에서 법원은 선정하여야 한다. 형사업무를 위하여 개정법정들이 정해져 있는 카운티들에서는 오직 그러한 개정법정들에만 출석하도록 그들은 요구된다.

https://law.justia.com/codes/massachusetts/2019/part-iv/title-ii/chapter-277/section-1a/

Section 1a - Completion of Investigations by Grand Juries; Notice; Order

대배심들에 의한 조사들의 완수; 통지; 명령

Universal Citation: MA Gen L ch 277 § 1a (2019)

일반적 인용: MA Gen L ch 277 § 1a (2019)

Section 1A. Upon a written notice by the attorney general or any district attorney made to any justice of the superior court that public necessity requires further time by a grand jury to complete an investigation then in progress, the court may order such grand jury to continue to serve until said investigation has been completed and shall take up no new matter.

그 시점에서 진행 중인 한 개의 조사를 완수하기 위한 한 개의 대배심에 의한 추가적 시간을 공익의 필요가 요구한다는 검찰총장의 내지는 재판구 지방검사 어느 누구든지의, 상위 지방법원 판사 어느 누구에게든지의 서면통지가 있으면, 그러한 조사가 완료되고 났을 때까지 및 새로운 사안을 그러한 대배심이 가지지 아니하게 될 때까지 그러한 대배심으로 하여금 계속 복무하도록 상위 지방법원은 명령할 수 있다.

This section shall not be construed to prevent the issuance of writs of venire facias authorized by section one for impanelling a grand jury whose duty shall include all business not then before the grand jury continued under authorization of this section.

제1절에 의하여 허용되는 배심소집 영장들의 발부에 의하여 충원구성 되는 한 개의 대배심으로 하여금 당해 대배심 앞에 그 시점 당시에 있지 아니하는 모든 업무를 그 임무로서 포함하지 못하도록 금지하는 것으로는, 나아가 이 절의 허가에 따라서 그러한 대배심으로 하여금 연장되지 못하도록 금지하는 것으로는, 이 절은 해석되지 아니한다.

https://law.justia.com/codes/massachusetts/2019/part-iv/title-ii/chapter-277/section-2/

Section 2 - Suffolk County; Issuance of Writs of Venire Facias for Grand Jurors

서포크 카운티; 대배심원들을 위한 배심소집 영장들의 발부

Universal Citation: MA Gen L ch 277 § 2 (2019)

일반적 인용: MA Gen L ch 277 § 2 (2019)

Section 2. The clerk of the superior court for criminal business in Suffolk county shall, not less than twenty-eight days before the first Mondays of January and July, respectively, issue writs of venire facias for forty-five veniremen of whom thirty-nine shall be from Boston and two each from Chelsea, Revere and Winthrop. From these forty-five veniremen the court shall then select twenty-three grand jurors to serve in said court, who shall serve for each sitting thereof for six months and until another grand jury has been impanelled in their stead.

45명의 배심원후보들을 위한 배심소집 영장들을 서포크 카운티에서의 형사 상위 지방법원 서기는 1월의 및 7월의 각각 첫 번째 월요일 전에 28일 이상의 여유를 두고서 발부하여야 하는바, 그들 중 39명은 보스턴으로부터, 2명씩은 첼시어로부터, 리비어로부터, 윈드롭으로부터 선정되어야 한다. 당해 법원에 복무할 23명의 대배심원들을 그 45명의 배심원후보들로부터 그 뒤에 법원은 선정하여야 하며, 6개월 동안 및 그들을 대신할 다른 대배심이 충원구성 되고 났을 때까지, 그 법원의 매 개정법정을 위하여 그들은 복무하여야 한다.

https://law.justia.com/codes/massachusetts/2019/part-iv/title-ii/chapter-277/section-2a/

Section 2a - Issuance of Writs of Venire Facias for Special Grand Jury
특별대배심을 위한 배심소집 영장들의 발부

Universal Citation: MA Gen L ch 277 § 2a (2019)

일반적 인용: MA Gen L ch 277 § 2a (2019)

Section 2A. The clerk of the courts in any county, or in Suffolk county the clerk of the superior court for criminal business, shall, upon written request of the attorney general accompanied by a certificate that public necessity requires such action, signed by the chief justice of the superior court, issue writs of venire facias for forty-five veniremen of whom the court shall select twenty-three for service as a special grand jury to hear, consider and report on such matters as the attorney general may present. Said jurors shall serve for a period of six months, unless sooner discharged by the attorney general or by the said chief justice, and shall be drawn, summoned and returned in the same manner, and shall have the same powers and receive the same compensation, as grand jurors summoned for service under sections one and two, and the provisions of sections three to fourteen, so far as apt, shall apply to such jurors. In Middlesex county, the clerk of the courts shall send a letter of venire to the jury commissioner as set forth in section twelve of chapter two hundred and thirty-four A.

어느 카운티에서든지의 법원들의 서기는 또는 서포크 카운티에서의 형사 상위 지방법원의 서기는, 그러한 조치를 공익의 필요가 요구한다는 그 상위 지방법원의 법원장에 의하여 서명된 한 개의 증명서가 첨부된, 검찰총장의 서면요청이 있으면, 45명의 배심원후보들을 위한 배심소집 영장들을 발부하여야 하고, 검찰총장이 제출하는 사안들을 청취할, 검토할 및 보고할 한 개의 특별대배심으로서의 복무를 위한 23명을 그들 중에서 법원은 선정하여야 한다. 검찰총장에 의하여 또는 그 법원장에 의하여 더 일찍 임무해제 되는 경우에를 제외하고는, 그러한 배심원들은 6개월 동안 복무하여야 하고, 제1절 아래서의 및 제2절 아래서의 복무를 위하여 소환되는 대배심원들의 경우에의 동일한 방법으로 추출되어야 하고 소환되어야 하며 선출되어야 하고 그 동일한 권한들을 지녀야 하고 그 동일한 보수들을 수령하여야 하는

바, 제3절부터 제14절까지의 규정들은 그 적절한 한도 내에서 그러한 배심원들에게 적용되어야 한다. 미들섹스 카운티에서의 경우에는, 배심소집 위임장을 배심위원에게 234A장 제12절에 규정된 바에 따라서 법원들의 서기는 보내야 한다.

https://law.justia.com/codes/massachusetts/2019/part-iv/title-ii/chapter-277/section-2c/

Section 2c - Hampden County; Issuance of Writs of Venire Facias for Grand Jurors

햄프든 카운티; 대배심원들을 위한 배심소집 영장들의 발부

Universal Citation: MA Gen L ch 277 § 2c (2019)

일반적 인용: MA Gen L ch 277 § 2c (2019)

Section 2C. The clerk of the court for Hampden county shall, not less than twenty-eight days before the first Mondays of January and May, and the second Monday of September respectively, issue writs of venire facias for forty-five veniremen from whom the court shall select twenty-three grand jurors to serve in said court, who shall serve for each sitting thereof for four months and until another grand jury has been impanelled in their stead.

햄프든 카운티의 법원서기는 1월의 및 5월의 첫 번째 월요일 전에 및 9월의 두 번째 월요일 전에 각각 28일 이상의 여유를 두고서 45명의 배심원후보들을 위한 배심소집 영장들을 발부하여야 하고, 그 법원에서 복무할 23명의 대배심원들을 그들 중에서 법원은 선정하여야 하는바, 4개월 동안 및 그들을 대신할 다른 대배심이 충원구성 되고 났을 때까지, 그 법원의 매 개정법정을 위하여 그들은 복무하여야 한다.

https://law.justia.com/codes/massachusetts/2019/part-iv/title-ii/chapter-277/section-2d/

Section 2d - Plymouth County; Issuance of Writs of Venire Facias for Grand Jurors

플리머스 카운티; 대배심원들을 위한 배심소집 영장들의 발부

Universal Citation: MA Gen L ch 277 § 2d (2019)

일반적 인용: MA Gen L ch 277 § 2d (2019)

Section 2D. The clerk of the court for Plymouth County shall, not less than twenty-eight days before the first Mondays of January and May, and the second Monday of September respectively, issue writs of venire facias for forty-five veniremen from whom the court shall select twenty-three grand jurors to serve in said court, who shall serve for each sitting thereof for four months and until another grand jury has been impanelled in their stead.

플리머스 카운티의 법원서기는 1월의 및 5월의 첫 번째 월요일 전에 및 9월의 두 번째 월요일 전에 각각 28일 이상의 여유를 두고서 45명의 배심원후보들을 위한 배심소집 영장들을 발부하여야 하고, 그 법원에서 복무할 23명의 대배심원들을 그들 중에서 법원은 선정하여야 하는바, 4개월 동안 및 그들을 대신할 다른 대배심이 충원구성 되고 났을 때까지, 그 법원의 매 개정법정을 위하여 그들은 복무하여야 한다.

https://law.justia.com/codes/massachusetts/2019/part-iv/title-ii/chapter-277/section-2e/

Section 2e - Worcester County; Issuance of Writs of Venire Facias for Grand Jurors

워세스터 카운티; 대배심원들을 위한 배심소집 영장들의 발부

Universal Citation: MA Gen L ch 277 § 2e (2019)

Section 2E. The clerk of the court for Worcester county shall, not less than twenty-eight days before the first Mondays of January and May, and the second Monday of September, respectively, issue writs of venire facias for fifty veniremen from whom the court shall select twenty-three grand jurors to serve in said court, who shall serve for each sitting thereof for four months and until another grand jury has been impanelled in their stead.

워세스터 카운티의 법원서기는 1월의 및 5월의 첫 번째 월요일 전에 및 9월의 두 번째 월요일 전에 각각 28일 이상의 여유를 두고서 45명의 배심원후보들을 위한 배심소집 영장들을

발부하여야 하고, 그 법원에서 복무할 23명의 대배심원들을 그들 중에서 법원은 선정하여야 하는바, 4개월 동안 및 그들을 대신할 다른 대배심이 충원구성 되고 났을 때까지, 그 법원의 매 개정법정을 위하여 그들은 복무하여야 한다.

https://law.justia.com/codes/massachusetts/2019/part-iv/title-ii/chapter-277/section-2f/

Section 2f - Norfolk County; Issuance of Writs of Venire Facias for Grand Jurors

노포크 카운티; 대배심원들을 위한 배심소집 영장들의 발부

Universal Citation: MA Gen L ch 277 § 2f (2019)

일반적 인용: MA Gen L ch 277 § 2f (2019)

Section 2F. The clerk of the court for Norfolk county shall, not less than twenty-eight days before the first Mondays of January and July respectively, issue writs of venire facias for fifty veniremen from whom the court shall select twenty-three grand jurors to serve in said court, who shall serve for each sitting thereof for six months and until another grand jury has been impanelled in their stead.

노포크 카운티의 법원서기는 1월의 및 7월의 첫 번째 월요일 전에 각각 28일 이상의 여유를 두고서 45명의 배심원후보들을 위한 배심소집 영장들을 발부하여야 하고, 그 법원에서 복무할 23명의 대배심원들을 그들 중에서 법원은 선정하여야 하는바, 6개월 동안 및 그들을 대신할 다른 대배심이 충원구성 되고 났을 때까지, 그 법원의 매 개정법정을 위하여 그들은 복무하여야 한다.

https://law.justia.com/codes/massachusetts/2019/part-iv/title-ii/chapter-277/section-2g/

Section 2g - Essex County; Issuance of Writs of Venire Facias for Grand Jurors

에섹스 카운티; 대배심원들을 위한 배심소집 영장들의 발부

Universal Citation: MA Gen L ch 277 § 2g (2019)

일반적 인용: MA Gen L ch 277 § 2g (2019)

Section 2G. The clerk of the court for Essex county shall, not less than twenty-eight days before the first Mondays of January and May, and the second Monday of September respectively, issue writs of venire facias for forty-five veniremen from whom the court shall select twenty-three grand jurors to serve in said court, who shall serve for each sitting thereof for four months and until another grand jury has been impanelled in their stead.

에섹스 카운티의 법원서기는 1월의 및 5월의 첫 번째 월요일 전에 및 9월의 두 번째 월요일 전에 각각 28일 이상의 여유를 두고서 45명의 배심원후보들을 위한 배심소집 영장들을 발부하여야 하고, 그 법원에서 복무할 23명의 대배심원들을 그들 중에서 법원은 선정하여야 하는바, 4개월 동안 및 그들을 대신할 다른 대배심이 충원구성 되고 났을 때까지, 그 법원의 매 개정법정을 위하여 그들은 복무하여야 한다.

https://law.justia.com/codes/massachusetts/2019/part-iv/title-ii/chapter-277/section-2h/

Section 2h - Bristol County; Issuance of Writs of Venire Facias for Grand Jurors

브리스털 카운티; 대배심원들을 위한 배심소집 영장들의 발부

Universal Citation: MA Gen L ch 277 § 2h (2019)

일반적 인용: MA Gen L ch 277 § 2h (2019)

Section 2H. The clerk of the court for Bristol county shall, not less than twenty-eight days before the first Mondays of January and July respectively, issue writs of venire facias for fifty veniremen from whom the court shall select twenty-three grand jurors to serve in said court, who shall serve for each sitting thereof for six months and until another grand jury has been impanelled in their stead.

브리스털 카운티의 법원서기는 1월의 및 7월의 첫 번째 월요일 전에 각각 28일 이상의 여유를 두고서 45명의 배심원후보들을 위한 배심소집 영장들을 발부하여야 하고, 그 법원에서 복무할 23명의 대배심원들을 그들 중에서 법원은 선정하여야 하는바, 6개월 동안 및 그들을 대신할 다른 대배심이 충원구성 되고 났을 때까지, 그 법원의 매 개정법정을 위하여 그들은 복무하여야 한다.

https://law.justia.com/codes/massachusetts/2019/part-iv/title-ii/chapter-277/section-3/

Section 3 - Drawing and Summoning of Grand Jurors
대배심원(후보)들의 추출 및 소환

Universal Citation: MA Gen L ch 277 § 3 (2019)

일반적 인용: MA Gen L ch 277 § 3 (2019)

Section 3. Grand jurors shall be drawn, summoned and returned in the same manner as traverse jurors; and, if drawn at the same time with traverse jurors, the number of persons required whose names are first drawn shall be returned as grand jurors, and those whose names are afterward drawn shall be returned as traverse jurors. In Middlesex county, the selection and management of grand jurors shall be governed by chapter two hundred and thirty-four A and other applicable provisions of the General Laws.

소배심원들의 경우에의 동일한 방법으로 대배심원들은 추출되어야 하고 소환되어야 하며 선출되어야 한다; 그리고 만약 소배심원들이에 더불어 동시에 추출되는 경우이면, 그 요구되는 숫자의 먼저 추출되는 사람들은 대배심원(후보)들로서 선정되어야 하고 그 뒤에 추출되는 사람들은 소배심원(후보)들로서 선정되어야 한다. 미들섹스 카운티에서는 대배심원(후보)들의 선정은 및 관리는 234A장에 의하여 및 여타의 적용 가능한 일반법률집의 규정들에 의하여 규율되어야 한다.

https://law.justia.com/codes/massachusetts/2019/part-iv/title-ii/chapter-277/section-4/

Section 4 - Deficiency of Grand Jurors
대배심원들의 부족의 경우

Universal Citation: MA Gen L ch 277 § 4 (2019)

일반적 인용: MA Gen L ch 277 § 4 (2019)

Section 4. If there is a deficiency of grand jurors, writs of venire facias may be issued to the constables of such towns as the court orders to return forthwith the further number of grand jurors required. In Middlesex county, letters of venire shall be issued to the jury commissioner as set forth in chapter two hundred and thirty-four A.

만약 대배심원들의 부족이 있으면 그 요구되는 숫자의 추가적 대배심원들을 즉시 선정하도록 법원이 명령하는 대상 타운들의 보안관들에게 배심소집 영장들이 발부될 수 있다. 미들섹스 카운티에서는 배심소집 위임장들이 제234A장에 규정되는 바에 따라서 배심위원에게 발부되어야 한다.

https://law.justia.com/codes/massachusetts/2019/part-iv/title-ii/chapter-277/section-5/

Section 5 - Impanelling and Oath
충원구성 및 선서

Universal Citation: MA Gen L ch 277 § 5 (2019)

일반적 인용: MA Gen L ch 277 § 5 (2019)

Section 5. The clerk of the court shall prepare an alphabetical list of the names of all persons returned as grand jurors, and, when they are to be impanelled, the first two persons named thereon shall be first called, and the following oath shall be administered to them:

대배심원들로서 선출된 모든 사람들의 이름들의 알파벳 순서로 된 명부를 법원서기는 작성하여야 하고, 그들이 충원될 때에 그 위에 이름이 올라 있는 맨 앞의 두 사람들이 맨 처음에 호창되어야 하며, 그들에게 아래의 선서가 실시되어야 한다:

You, as grand jurors of this inquest for the body of this county of , do solemnly swear that you will diligently inquire, and true presentment make, of all such matters and things as shall be given you in charge; the commonwealth's counsel, your fellows' and your own, you shall keep secret; you shall present no man for envy, hatred or malice, neither shall you leave any man unpresented for love, fear, favor, affection or hope of reward; but you shall present things truly, as they come to your knowledge, according to the best of your understanding; so help you God.

귀하들에게 맡겨지는 모든 사안들을 및 사항들을 근면하게 귀하들은 파헤치겠음을 및 그것들에 대한 진실한 고발을 귀하들은 하겠음을; 주(commonwealth)의 의논을, 귀하들의 동료들의 및 귀하들 자신들의 의논을 비밀로 귀하들은 간직하여야 함을; 어느 누구를도 시기심 때문에, 원한 때문에 또는 악의 때문에 귀하들이 고발하여서는 안 됨을 및 어느 누구를도 사랑 때문에, 두려움 때문에, 호의 때문에, 애정 때문에 또는 보상의 기대 때문에 미고발 상태로 귀하들이 남겨두어서는 안 됨을; 귀하들의 지식 내에 그것들이 들어오는 바에 따라서 사항들을 귀하들의 최선의 이해껏 진실되게 고발하여야 함을 귀하들은 이 ... 카운티를 위한 이 조사의 대배심원들로서 엄숙히 선서합니다; 하오니 신께서는 귀하들을 도우소서.

The other jurors shall then be called in such divisions as the court considers proper, and the following oath shall be administered to them:

그 다음에는 그 적당하다고 법원이 간주하는 대로의 조들로 나뉘어서 여타의 배심원들이 호창되어야 하고 아래의 선서가 그들에게 실시되어야 한다:

The same oath which your fellows have taken on their part, you and each of you on your behalf shall well and truly observe and keep; so help you God.

귀하들의 동료들이 그들 쪽에서 한 바 있는 바로 그 선서를 귀하들은 및 귀하들 각자는 귀하들을 위하여 충실히 및 진실되게 준수하여야 하고 지켜야 합니다; 하오니 신께서는 귀하들을 도우소서.

https://law.justia.com/codes/massachusetts/2019/part-iv/title-ii/chapter-277/section-6/

Section 6 - Affirmation in Lieu of Oath
선서에 갈음하는 무선서확약

Universal Citation: MA Gen L ch 277 § 6 (2019)

일반적 인용: MA Gen L ch 277 § 6 (2019)

Section 6. If a person who is returned as a grand juror is conscientiously scrupulous of taking the oath prescribed, he may affirm.

위 규정된 선서를 하는 데 대하여 한 명의 대배심원으로 선출되는 사람이 양심적으로 신중하면, 그는 무선서로 확약할 수 있다.

https://law.justia.com/codes/massachusetts/2019/part-iv/title-ii/chapter-277/section-11/

Section 11 - Re-Summoning at Same Sitting
동일한 개정법정에의 재소환

Universal Citation: MA Gen L ch 277 § 11 (2019)

일반적 인용: MA Gen L ch 277 § 11 (2019)

Section 11. If the grand jury are dismissed before the court is adjourned without day, they may be summoned to attend again in the same sitting, at such time as the court orders.

법원이 더 이상의 예정기일을 남기지 아니하고서 휴정기에 들어가게 되기 전에는, 비록 대배심이 임무해제 되더라도, 법원이 명령하는 때에의 그 동일한 개정법정에 다시 출석하도록 그들은 소환될 수 있다.

https://law.justia.com/codes/massachusetts/2019/part-iv/title-ii/chapter-277/section-14/

Section 14 - Grand Juror Serving as Traverse Juror
대배심원의 소배심원으로서의 복무

Universal Citation: MA Gen L ch 277 § 14 (2019)

일반적 인용: MA Gen L ch 277 § 14 (2019)

Section 14. No member of the grand jury which has found an indictment shall serve upon the jury for the trial thereof.

한 개의 대배심 검사기소를 평결한 바 있는 대배심의 구성원은 그 정식사실심리를 위한 배심에 복무하여서는 안 된다.

https://law.justia.com/codes/massachusetts/2019/part-iv/title-ii/chapter-277/section-14a/

Section 14a - Right to Counsel; Grand Jury Proceedings
변호인의 조력을 받을 권리; 대배심 절차들

Universal Citation: MA Gen L ch 277 § 14a (2019)

일반적 인용: MA Gen L ch 277 § 14a (2019)

Section 14A. Any person shall have the right to consult with counsel and to have counsel present at every step of any criminal proceeding at which such person is present, including the presentation of evidence, questioning, or examination before the grand jury; provided, however, that such counsel in a proceeding before a grand jury shall make no objections or arguments or otherwise address the grand jury or the district attorney. No witness may refuse to appear for reason of unavailability of counsel for that witness.

대배심 앞에서의 증거의 제출에를, 질문에를, 또는 신문에를 포함하여, 그 자신이 출석하는 그 어떤 형사절차에서든지의 모든 단계에, 변호인에 더불어 상의할 권리를, 그리고 변호인을 출석시킬 권리를 어느 누구든지는 지닌다; 그러나 다만 대배심 앞의 절차에서의 그러한 변호인은 이의들을 또는 주장들을 제기하여서는 안 되고, 또는 여타의 방법으로 대배심에게 또는 재판구 지방검사에게 말하여서는 안 된다. 증인 자신을 위한 변호인의 대동 불가능을 이유로 증인은 출석을 거부할 수 없다.

https://law.justia.com/codes/massachusetts/2019/part-iv/title-ii/chapter-277/section-15/

Section 15 - Discharge of Accused Person Not Indicted
대배심 검사기소에 처해지지 아니한, 범인으로 주장되는 사람의 석방

Universal Citation: MA Gen L ch 277 § 15 (2019)

일반적 인용: MA Gen L ch 277 § 15 (2019)

Section 15. The grand jury shall, during its session, make daily return to the court of all cases wherein it has finally determined not to present an indictment against an accused person held in custody pending its action, and such person shall thereupon forthwith be discharged by order of the court unless he is held on other process. Whoever is held in custody on a charge of crime shall be discharged if he is not indicted before the end of the second sitting of the court at which he is held to answer, unless the court finds that the witnesses for the prosecution have been enticed or kept away, or are detained and prevented from attending the court by illness or accident, and except as provided in the following section.

대배심 자신의 조치를 기다리면서 구금되어 있는 범인으로 주장되는 사람에 대한 한 개의 대배심 검사기소장을 제출하지 아니하기로 대배심이 최종적으로 결정한 모든 사건들에 대한 그날그날의 보고를 법원에 그 자신의 회합 동안에 대배심은 하여야 하는바, 그러한 사람은 여타의 영장에 의하여 그가 붙들려 있는 경우에를 제외하고는, 법원의 명령에 의하여 즉시 석방되어야 한다. 범죄 혐의로 구금되어 있는 누구든지는 그 답변하도록 그가 구금되어 있는 법원의 두 번째 개정법정 종료 전에 대배심 검사기소에 만약 그가 처해지지 아니하면, 검찰 측 증인들이 법정에 출석할 수 없도록 유인되어 있었음을 내지는 격리되어 있었음을, 억류되어 있었음을 내지는 질병에 내지는 사고에 의하여 저지되어 있었음을 법원이 인정하는 경우에를 제외하고는, 및 다음 번 절에 규정되는 경우에를 제외하고는, 석방되어야 한다.

https://law.justia.com/codes/massachusetts/2019/part-iv/title-ii/chapter-277b/

2019 Massachusetts General Laws
Part IV - Crimes, Punishments and Proceedings in Criminal Cases
Title II - Proceedings in Criminal Cases
Chapter 277b - Statewide Grand Jury
주 전체관할 대배심

- Section 1 - Authority to Convene Statewide Grand Jury
- Section 2 - Selection of County Where Statewide Grand Jury to Sit; Appointment of Superior Court Justice to Preside
- Section 3 - Nature and Scope of Investigation
- Section 4 - Manner of Drawing and Selecting Specially-Empaneled Statewide Grand Jury
- Section 5 - Period During Which Statewide Grand Jury May Sit
- Section 6 - Powers and Duties of Attorney General and Assistant Attorney General
- Section 7 - County in Which Indictment to Be Returned; Venue
- Section 8 - Effect on Jurisdiction of County Grand Jury or District Attorney

https://law.justia.com/codes/massachusetts/2019/part-iv/title-ii/chapter-277b/section-1/

Section 1 - Authority to Convene Statewide Grand Jury
주 전체관할 대배심을 소집할 권한

Universal Citation: MA Gen L ch 277b § 1 (2019)

일반적 인용: MA Gen L ch 277b § 1 (2019)

[Text of section effective until December 31, 2020. Repealed by 2015, 10, Sec. 46. See 2015, 10, Sec. 71.]

[본문은 2020. 12. 31.까지 유효함. 2015년 회기별법률집 제10장 제46절에 의하여 폐지됨. 2015년 회기별법률집 제10장 제71절을 볼 것.]

Section 1. Upon written application of the attorney general to the chief justice of the superior court department, with good cause stated therein, the chief justice may authorize the convening of a statewide grand jury with jurisdiction extending throughout the commonwealth.

타당한 이유를 그 안에 서술한 상위 지방법원 법원장에게의 검찰총장의 신청서에 따라서 주 전체에 미치는 관할을 지니는 한 개의 주 전체관할 대배심의 소집을 그 법원장 판사는 허가할 수 있다.

https://law.justia.com/codes/massachusetts/2019/part-iv/title-ii/chapter-277b/section-2/

Section 2 - Selection of County Where Statewide Grand Jury to Sit; Appointment of Superior Court Justice to Preside

주 전체관할 대배심이 착석할 카운티의 선정; 주 전체관할 대배심을 주재할 상위 지방법원 판사의 지명

Universal Citation: MA Gen L ch 277b § 2 (2019)

일반적 인용: MA Gen L ch 277b § 2 (2019)

[Text of section effective until December 31, 2020. Repealed by 2015, 10, Sec. 46. See 2015, 10, Sec. 71.]

[본문은 2020. 12. 31.까지 유효함. 2015년 회기별법률집 제10장 제46절에 의하여 폐지됨. 2015년 회기별법률집 제10장 제71절을 볼 것.]

Section 2. The chief justice of the superior court department shall, upon granting an application, receive recommendations from the attorney general as to the county in which the statewide grand jury shall sit. Upon receiving the attorney general's recommendations, the chief justice shall choose 1 of those recommended locations as the site where the grand jury shall sit. Once a county has been selected, the chief justice shall direct the regional justice from the county selected to appoint, and reappoint as necessary, a superior court justice to preside over the statewide grand jury.

상위 지방법원의 법원장 판사는 신청의 인용 즉시로, 주 전체관할 대배심이 착석할 카운티에 관한 검찰총장으로부터의 추천들을 수령하여야 한다. 그 추천된 장소들 중 한 개를 그 대배심이 착석할 장소로 검찰총장의 추천들의 수령 즉시로 법원장 판사는 선정하여야 한다. 일단 한 개의 카운티가 선정되어 있으면, 당해 주 전체관할 대배심을 주재할 한 명의 상위 지방법원 판사를 지명하도록, 및 그 필요한 경우에는 재지명하도록, 그 선정된 카운티 소속의 지역 판사에게 법원장 판사는 명령하여야 한다.

https://law.justia.com/codes/massachusetts/2019/part-iv/title-ii/chapter-277b/section-3/

Section 3 - Nature and Scope of Investigation
조사의 성격 및 범위

Universal Citation: MA Gen L ch 277b § 3 (2019)

일반적 인용: MA Gen L ch 277b § 3 (2019)

[Text of section effective until December 31, 2020. Repealed by 2015, 10, Sec. 46. See 2015, 10, Sec. 71.]

[본문은 2020. 12. 31.까지 유효함. 2015년 회기별법률집 제10장 제46절에 의하여 폐지됨. 2015년 회기별법률집 제10장 제71절을 볼 것.]

Section 3. The superior court justice appointed to preside over the grand jury shall consult with the attorney general and district attorney for the relevant district about the nature and scope of the investigation and shall thereafter designate and authorize an existing county grand jury to serve as a statewide grand jury for the purposes of the investigation specified in the written application or, alternatively, the superior court justice may convene and preside over a specially-empaneled statewide grand jury.

그 대배심을 주재하도록 지명된 상위 지방법원 판사는 검찰총장에 더불어 및 관련 재판구 관할의 지방검사에 더불어, 조사의 성격에 및 범위에 관하여 상의하여야 하고 그 뒤에 신청서 안에 특정되어 있는 조사를 위한 한 개의 주 전체관할 대배심으로서 복무하도록 한 개의 기존의 카운티 대배심을 지정하여야 하며 권한을 부여하여야 하는바, 또는 이에 갈음하여, 한 개의 특별히 충원구성 되는 주 전체관할 대배심을 당해 상위 지방법원 판사는 소환할 수 있고 주재할 수 있다.

https://law.justia.com/codes/massachusetts/2019/part-iv/title-ii/chapter-277b/section-4/

Section 4 - Manner of Drawing and Selecting Specially-Empaneled Statewide Grand Jury
특별히 충원구성 되는 주 전체관할 대배심의 추출의 및 선정의 방법

Universal Citation: MA Gen L ch 277b § 4 (2019)

일반적 인용: MA Gen L ch 277b § 4 (2019)

[Text of section effective until December 31, 2020. Repealed by 2015, 10, Sec. 46. See 2015, 10, Sec. 71.]

[본문은 2020. 12. 31.까지 유효함. 2015년 회기별법률집 제10장 제46절에 의하여 폐지됨. 2015년 회기별법률집 제10장 제71절을 볼 것.]

Section 4. A specially-empaneled statewide grand jury shall be drawn and selected in the same manner as the county grand jury in the county in which the specially-empaneled statewide grand jury is to sit. A specially-empaneled statewide grand jury may, at the discretion of the presiding superior court justice, draw jurors from counties adjoining the county in which the statewide grand jury is to sit.

한 개의 특별히 충원구성 되는 주 전체관할 대배심이 착석하게 될 카운티에서의 한 개의 카운티 대배심이 추출되는 및 선정되는 방법에의 동일한 방법으로 당해 특별히 충원구성 되는 주 전체관할 대배심은 추출되어야 하고 선정되어야 한다. 한 개의 특별히 충원구성 되는 주 전체관할 대배심을 주재하는 상위 지방법원 판사의 재량에 따라서, 당해 주 전체관할 대배심의 착석할 카운티에의 인접한 카운티들로부터 배심원들을, 한 개의 특별히 충원구성 되는 주 전체관할 대배심은 추출할 수 있다.

https://law.justia.com/codes/massachusetts/2019/part-iv/title-ii/chapter-277b/section-5/

Section 5 - Period During Which Statewide Grand Jury May Sit
주 전체관할 대배심이 착석할 수 있는 기간

Universal Citation: MA Gen L ch 277b § 5 (2019)

일반적 인용: MA Gen L ch 277b § 5 (2019)

[Text of section effective until December 31, 2020. Repealed by 2015, 10, Sec. 46. See 2015, 10, Sec. 71.]

[본문은 2020. 12. 31.까지 유효함. 2015년 회기별법률집 제10장 제46절에 의하여 폐지됨. 2015년 회기별법률집 제10장 제71절을 볼 것.]

Section 5. A specially-empaneled statewide grand jury convened pursuant to this chapter shall sit for a period not to exceed 18 months. The superior court justice presiding over the statewide grand jury may extend that period if, in accordance with section 41 of chapter 234A and section 1A of chapter 277, public necessity requires further time by the statewide grand jury to complete an ongoing investigation.

이 장에 따라서 소집되는 한 개의 특별히 충원구성 되는 주 전체관할 대배심이 착석하는 기간은 18개월을 초과하지 아니하여야 한다. 한 개의 진행 중인 조사를 완수하기 위한 당해 주 전체관할 대배심에 의한 추가적 시간을 제234A장 제41절에의 및 제277장 제1A절에의 부합 속에서 공공의 필요가 만약 요구하면, 그 기간을 주 전체관할 대배심을 주재하는 상위 지방법원 판사는 연장할 수 있다.

https://law.justia.com/codes/massachusetts/2019/part-iv/title-ii/chapter-277b/section-6/

Section 6 - Powers and Duties of Attorney General and Assistant Attorney General

검찰총장의 및 검찰총장보의 권한들 및 의무들

Universal Citation: MA Gen L ch 277b § 6 (2019)

일반적 인용: MA Gen L ch 277b § 6 (2019)

[Text of section effective until December 31, 2020. Repealed by 2015, 10, Sec. 46. See 2015, 10, Sec. 71.]

[본문은 2020. 12. 31.까지 유효함. 2015년 회기별법률집 제10장 제46절에 의하여 폐지됨. 2015년 회기별법률집 제10장 제71절을 볼 것.]

Section 6. The attorney general or an assistant attorney general shall attend each session of a statewide grand jury and may prosecute any indictment returned by it. The attorney general or assistant attorney general shall have the same powers and duties in relation to a statewide grand jury that the attorney general or assistant attorney general has in relation to a county grand jury, except as otherwise provided by law.

검찰총장은 내지는 검찰총장보는 한 개의 주 전체관할 대배심의 개개 회합에 출석하여야 하는바, 그 대배심에 의하여 제출되는 대배심 검사기소장 어느 것을이든지 추행할 수 있다. 한 개의 카운티 대배심에 관련하여 검찰총장이 내지는 검찰총장보가 지니는 권한들을에의 및 의무들을에의 동일한 권한들을 및 의무들을, 법에 의하여 달리 규정되는 경우에를 제외하고는, 한 개의 주 전체관할 대배심에 관련하여 검찰총장은 내지는 검찰총장보는 지닌다.

https://law.justia.com/codes/massachusetts/2019/part-iv/title-ii/chapter-277b/section-7/

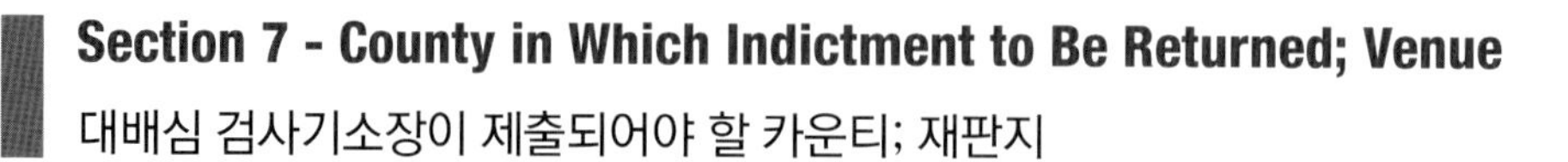

Section 7 - County in Which Indictment to Be Returned; Venue
대배심 검사기소장이 제출되어야 할 카운티; 재판지

Universal Citation: MA Gen L ch 277b § 7 (2019)

일반적 인용: MA Gen L ch 277b § 7 (2019)

[Text of section effective until December 31, 2020. Repealed by 2015, 10, Sec. 46. See 2015, 10, Sec. 71.]

[본문은 2020. 12. 31.까지 유효함. 2015년 회기별법률집 제10장 제46절에 의하여 폐지됨. 2015년 회기별법률집 제10장 제71절을 볼 것.]

Section 7. Indictments shall be returned in the county wherein the statewide grand jury sits and shall thereafter be transferred to the county specified by the statewide grand jury on the indictment. For the purposes of trial for offenses indicted by a statewide grand jury, venue shall be in any county in which venue would otherwise be proper.

주 전체관할 대배심이 착석하는 카운티에 대배심 검사기소장들은 제출되어야 하는바, 그 뒤에 그것은 당해 대배심 검사기소장에서 주 전체관할 대배심에 의하여 특정된 카운티에 송부되어야 한다. 한 개의 주 전체관할 대배심에 의하여 대배심 검사기소 된 범죄들에 대한 정식사실심리의 목적상으로 재판지는 여타의 점에서 재판지로서 적합한 카운티가 되어야 한다.

https://law.justia.com/codes/massachusetts/2019/part-iv/title-ii/chapter-277b/section-8/

Section 8 - Effect on Jurisdiction of County Grand Jury or District Attorney
카운티 대배심의 내지는 재판구 지방검사의 관할에 미치는 영향

Universal Citation: MA Gen L ch 277b § 8 (2019)

일반적 인용: MA Gen L ch 277b § 8 (2019)

[Text of section effective until December 31, 2020. Repealed by 2015, 10, Sec. 46. See 2015, 10, Sec. 71.]

[본문은 2020. 12. 31.까지 유효함. 2015년 회기별법률집 제10장 제46절에 의하여 폐지됨. 2015년 회기별법률집 제10장 제71절을 볼 것.]

Section 8. Nothing in this chapter shall limit the jurisdiction of county grand juries or district attorneys. Except as otherwise provided by law, an investigation by a statewide grand jury shall not preempt an investigation by any other grand jury or agency having jurisdiction over the same subject matter.

카운티 대배심들의 내지는 재판구 지방검사들의 관할을 이 장 내의 것은 제한하지 아니한다. 달리 법에 의하여 규정되는 경우에를 제외하고는, 한 개의 주 전체관할 대배심에 의한 한 개의 조사는, 그 동일한 소송물에 대하여 관할을 지니는 여타의 어떤 대배심에 의한 내지는 기관에 의한 조사를도 배제하지 아니한다.

https://www.mass.gov/rules-of-criminal-procedure/criminal-procedure-rule-5-the-grand-jury#-a-summoning-grand-juries

Criminal Procedure Rule 5: The grand jury
형사절차규칙 Rule 5: 대배심

(a) Summoning grand juries

대배심들의 소환

As prescribed by law, the appropriate number of jurors shall be summoned in the manner and at the time required, from among whom the court shall select not more than twenty-three grand jurors to serve in said court as long as and at those specific times required by law, or as required by the court. The regular grand jury shall be called upon and directed to sit by the Chief Justice of the Superior Court Department whenever within his or her discretion the conduct of regular criminal business and timely prosecution within a particular county so dictate. Notwithstanding the foregoing, special grand juries shall be summoned in the manner prescribed by the General Laws.

법에 의하여 규정되는 바에 따라서 그 요구되는 방법으로 및 때에 적절한 숫자의 배심원(후보)들이 소환되어야 하는바, 법에 의하여 요구되는 기간 동안에 및 특정의 시기들에, 또는 법원에 의하여 요구되는 바에 따라서 당해 법원에서 복무할 스물세 명 이하의 대배심원들을 그들 중에서 법원은 선정하여야 한다. 특정 카운티 내에서의 정규의 형사업무의 수행이 및 적시의 소추가 그렇게 명령한다는 것이 상위 지방법원의 법원장 판사의 판단인 때에는 언제든지, 그에 내지는 그녀에 의하여 정규 대배심은 소환되어야 하고 착석하도록 명령되어야 한다. 이에도 불구하고 일반법률집에 의하여 규정되는 방법으로 특별 대배심들은 소환되어야 한다.

(b) Foreperson, foreperson pro tem, clerk, clerk pro tem

배심장, 임시배심장, 서기, 임시서기

After the grand jurors have been impanelled they shall retire and elect one of their number as foreperson. The foreperson and the prosecuting attorney shall have the power to administer oaths and affirmations to witnesses who appear to testify before the grand jury, and the foreperson shall, under his or her hand, return to the court a list of all witnesses sworn before the grand jury during the sitting. If the foreperson is unable to serve for any part of the period the grand jurors are required to serve, a foreperson pro tem shall be elected in the same manner as provided herein for election of the foreperson. The foreperson pro tem shall serve until the foreperson returns or for the remainder of the term if the foreperson is unable to return. The grand jury may also appoint one of their number as clerk to be charged with keeping a record of their proceedings, and, if the grand jury so directs, to deliver such record to the attorney general or district attorney. If the clerk is unable to serve for any part of the period the grand jurors are required to serve, a clerk pro tem may be appointed.

대배심원들이 충원되고 난 뒤에 그들은 물러가야 하고 그들의 구성원 한 명을 배심장으로 선정하여야 한다. 대배심 앞에서 증언하기 위하여 출석하는 증인들에게 선서들을 및 무선서확약들을 실시할 권한을 배심장은 및 검사는 지니며, 회합 동안에 대배심 앞에서 선서절차에 처해진 모든 증인들의 명부를 배심장은 그의 내지는 그녀의 손으로 법원에 제출하여야 한다. 만약 그 복무하도록 대배심원들에게 요구되는 복무기간의 어느 일부를이라도 배심장이 복무할 수 없으면, 배심장의 선정을 위하여 여기에 규정되는 방법에의 동일한 방법으로 임시 배심장이 선정되어야 한다. 배심장이 복귀할 때까지 임시배심장은 복부하여야 하는 바, 만약 배심장이 복귀할 수 없으면 그 잔여 복무기간 동안 임시배심장은 복무하여야 한다. 그들의 구성원 한 명을 그들의 절차들의 기록의 보관을 책임지는, 그리고 만약 대배심이 그렇게 명령하면 그러한 기록을 검찰총장에게 또는 재판구 지방검사에게 교부할 책임을 지는 서기로 대배심은 또한 지명할 수 있다. 만약 그 복무하도록 대배심원들에게 요구되는 복무기간의 어느 일부를이라도 서기가 복무할 수 없으면, 임시서기가 지명될 수 있다.

(c) Who may be present

누가 출석해 있을 수 있는가

Attorneys for the Commonwealth who are necessary or convenient to the presentation of the evidence, the witness under examination, the attorney for the witness, and such other persons who are necessary or convenient to the presentation of the evidence may be present while the grand jury is in session. The attorney for the witness shall make no objections or arguments or otherwise address the grand jury or the prosecuting attorney. No witness may refuse to appear because of unavailability of counsel for that witness.

증거의 제출에 필요한 내지는 적합한 검사(주 측 변호사)들은, 신문대상인 증인들은, 증인 측 변호사는, 그리고 증거의 제출에 필요한 내지는 적합한 그 밖의 사람들은 대배심이 회합 중인 동안에 출석해 있을 수 있다. 증인 측 변호사는 이의들을 내지는 주장들을 제기하여서는 내지는 달리 대배심에게 내지는 검사에게 발언하여서는 안 된다. 증인 자신의 변호사를 이용할 수 없다는 이유를 들어서 그 출석하기를 증인은 거부하여서는 안 된다.

(d) Secrecy of proceedings and disclosures

절차들의 비밀성 및 공개들

The judge may direct that an indictment be kept secret until after arrest. In such an instance, the clerk shall seal the indictment and no person may disclose the finding of the indictment except as is necessary for the issuance and execution of a warrant. A person performing an official function in relation to the grand jury may not disclose matters occurring before the grand jury except in the performance of his or her official duties or when specifically directed to do so by the court. No obligation of secrecy may be imposed upon any person except in accordance with law.

한 개의 대배심 검사기소장을 체포되고 났을 때까지 비밀의 것으로 보관하도록 판사는 명령할 수 있다. 그러한 경우에 당해 대배심 검사기소장을 서기는 봉인하여야 하는바, 영장의 발부를 및 집행을 위하여 필요한 경우에를 제외하고는, 대배심 검사기소의 평결을 어느 누구가도 공개하여서는 안 된다. 대배심에의 관련 속에서의 공식의 임무를 수행하는 사람은 그의 내지는 그녀의 공식의 의무들의 수행 속에서를 제외하고는, 내지는 법원에 의하여 구체적으로 명령되는 경우에를 제외하고는, 대배심 앞에서 발생한 사안들을 공개하여서는 안 된다. 법에의 부합 속에서를 제외하고는, 어느 누구에게도 비밀의무는 부과되어서는 안 된다.

(e) Finding and return of indictment

대배심 검사기소의 평결 및 제출

An indictment may be found only upon the concurrence of twelve or more jurors. The indictment shall be returned by the grand jury to a judge in open court.

열두 명 이상의 배심원들의 찬성 위에서만 한 개의 대배심 검사기소는 평결될 수 있다. 대대배심에 의하여 공개법정에서 판사에게 대배심 검사기소장은 제출되어야 한다.

(f) No bill; discharge of defendant

불기소평결; 피고인의 석방

The grand jury shall during its session make a daily return to the court of all cases as to which it has determined not to present an indictment against an accused. Each such complaint shall be endorsed "no bill" and shall be filed with the court. If upon the filing of a no bill the accused is held on process, he or she shall be discharged unless held on other process.

범인이라고 주장되는 사람을 상대로 한 개의 대배심 검사기소장을 제출하지 아니하기로 자신의 결정한 모든 사건들의 법원에의 당일의 보고를 그 회합 동안에 대배심은 하여야 한다. 그러한 개개 소추청구장에는 "불기소 평결"이 기입되어야 하고 그것은 법원에 제출되어야 한다. 만약 불기소 평결 당시에 범인이라고 주장되는 사람이 영장 위에서 구금되어 있으면, 그는 내지는 그녀는 여타의 영장 위에서 구금되어 있는 경우에를 제외하고는 석방되어야 한다.

(g) Deliberation

숙의

The prosecuting attorney shall not be present during deliberation and voting except at the request of the grand jury.

숙의 도중에 및 표결 도중에 검사는 대배심의 요청에 따라서를 제외하고는 출석해 있어서는 안 된다.

(h) Discharge

임무해제

A grand jury shall serve until the first sitting of the next authorized grand jury unless it is discharged sooner by the court or unless its service is extended to complete an investigation then in progress.

법원에 의하여 더 일찍 임무해제 되는 경우에를 제외하고는 내지는 당시에 진행 중인 한 개의 조사를 완료하기 위하여 그 복무가 연장되는 경우에를 제외하고는, 권한을 지니는 차기 대배심의 최초의 회합 때까지 한 개의 대배심은 복무하여야 한다.

Reporter's notes

편찬자의 주해들

(2004) Rule 5 is modeled in large part upon Fed. R. Crim. P. 6 and substantially conforms to the General Laws.

Rule 5는 대부분 연방형사소송법 Rule 6를 본뜬 것이며 대체적으로 일반법률집에 부합된다.

Subdivision (a)

소부 (a)

This subdivision is drawn from Fed. R. Crim. P. 7(a) and G.L. c. 277, §§ 1, 2, 2A-2H . General Laws c. 277, § 3 provides that grand jurors are to drawn, G.L. c. 234, §§ 17-24C, summoned, G.L. c. 234, §§ 10-14, 16, 24, and returned in the same manner as traverse jurors from a list compiled in compliance with G.L. c. 234, §§ 4-9. By a 2004 amendment, this subdivision was amended to eliminate a reference to a specific number of veniremen who must be summonsed, since the number differs from county to county. The statutes require that twenty-three jurors be selected to make up the grand jury, G.L. c. 277, §§ 1, 2, 2A-2H, and authorize the issuance of writs of venire facias to fill any deficiency in that number. G.L. c. 277, § 4. A number less than twenty-three is competent to return an indictment, however, so long as at least thirteen are present and twelve concur in the return. See Commonwealth v. Wood, 56 Mass. (2 Cush) 149 (1848). Accord, Crimm v. Commonwealth, 119 Mass. 326 (1876).

이 소부는 연방형사소송법 Rule 7(a)로부터 및 일반법률집 제277장 제1, 2, 2A-2H절들로부터 도출된다. 대배심원들은 소배심원들이 추출되는 방법에의 동일한 방법으로 추출됨을, G.L. c. 234, §§ 17-24C, 소배심원들이 소환되는 방법에의 동일한 방법으로 소환됨을, G.L. c. 234, §§ 10-14, 16, 24, 그리고 일반법률집 제234장 제4절-제9절에의 부합 속에서 조제되는 한 개의 명부로부터 소배심원들이 선정되는 방법에의 동일한 방법으로 선정됨을 일반법률집 제277장 제3절은 규정한다. 2004년 개정에 의하여, 소환되지 않으면 안 될 배심원후보들의 구체적 숫자에 대한 언급을 삭제하는 것으로 이 소부는 개정되었는바, 왜냐하면 그 숫자는 카운티마다에 따라서 차이가 있기 때문이다. 대배심을 구성할 스물세 명의 배심원들이 선정되어야 함을 제정법들은 요구하고, G.L. c. 277, §§ 1, 2, 2A-2H, 그 숫자의 부족을 채우기 위한 배심소집영장들의 발부를 그것들은 허가한다. G.L. c. 277, § 4. 적어도 열세 명이 출석해 있는 한 및 열두 명이 찬성하는 한, 한 개의 대배심 검사기소장을 제출하는 데에는 스물세 명 미만의 숫자로도 자격이 있다. Commonwealth v. Wood, 56 Mass. (2 Cush) 149 (1848)을 보라. 같은 취지의 것으로 Crimm v. Commonwealth, 119 Mass. 326 (1876)을 보라.

Subdivision (a) generally governs the time of issuance of writs of venire facias and provides that such writs for special grand juries shall be issued pursuant to G.L. c. 277, § 2A. In addition to the statutory regular and special grand jury sitting, the Administrative Justice of the Superior Court is empowered to call a "regular" grand jury session whenever the amount of criminal business and the need for timely prosecution within a particular county requires. This provision is intended to provide the Superior Court with much needed flexibility in responding to the fluctuating demand for grand jury action among counties.

배심소집영장들의 발부의 시기를 소부 (a)는 일반적으로 규율하는바, 특별 대배심들을 위한 그러한 영장들은 일반법률집 제277장 제2A절에 따라서 발부되어야 함을 그것은 규정한다. 제정법 상의 정규의 대배심 회합을에 및 특별 대배심의 회합을에 더하여, 특정 카운티 내의 형사적 업무의 양이 및 적시의 절차추행의 필요가 요구하는 때에는 언제든지 "정규" 대배심 회합을 소집할 권한을 상위 지방법원의 법원장 판사는 지닌다. 카운티들 사이의 대배심 조치에 대한 요동치는 요구에 부응함에 있어서의 지대하게 요구되는 유연성을 상위 지방법원에 제공하려는 의도를 이 규정은 지닌다.

Subdivision (b)

소부 (b)

Although similar to Fed. R. Crim. P. 6(c), this subdivision is wholly adopted from former G.L. c. 277, §§ 7-10. The federal rule provides for the simultaneous court appointment of a foreperson and deputy foreperson; under Rule 5 the foreperson is elected by the other jurors and a replacement, the foreperson pro tem, is chosen only if the first cannot serve. Provision for a clerk pro tem is new with this rule.

비록 연방형사소송법 Rule 6(c)에 유사함에도 불구하고 이 소부는 과거의 일반법률집 제277장 제7절-제10절로부터 전적으로 채택된 것이다. 배심장에 및 부배심장에 대한 동시적 법원지명을 연방규칙은 규정한다; Rule 5 아래서 배심장은 여타의 배심원들에 의하여 선출되는바, 그 교체인 임시배심장은 배심장이 복무할 수 없는 경우에만 선출된다. 임시서기를 위한 규정은 이 규칙에 새로운 것이다.

Those parts of subdivision (b) dealing with the administration of oaths and listing of witnesses and with the appointment and duties of the clerk are restatements, respectively, of former G.L. c. 277, §§ 9 and 10.

선서들의 실시를 및 증인들의 명부작성을 및 서기의 지명을 및 의무들을 다루는 소부 (b) 부분들은 각각 일반법률집 제277장 제9절의 및 제10절의 재정립이다.

Subdivision (c)

소부 (c)

This subdivision was patterned on Fed. R. Crim. P. 6(d), although it omitted the provision of the federal rule that excluded all persons other than jurors from deliberations or voting.

이 소부는 연방형사소송법 Rule 6(d)를 본뜬 것이었는바, 다만 배심원들 이외의 모든 사람들을 숙의들로부터 내지는 표결로부터 배제한 연방규칙의 규정을 그것은 삭제하였다.

Grand jury proceedings are ordinarily secret and the presence of an unauthorized person will void an indictment. See Commonwealth v. Pezzano, 387 Mass. 69, 72-73 (1982). The importance of keeping the grand jury process from becoming public rests on several policy considerations: preventing individuals from facing the notoriety associated with a grand jury investigation unless probable cause is found against them and an indictment is returned; shielding the grand jury from any outside influences having the potential to distort their investigatory or accusatory functions; protecting witnesses from improper influence; encouraging the full disclosure of information to the grand jury; and facilitating the freedom of the grand jury's deliberations. See WBZ-TV4 v. District Attorney for Suffolk Dist., 408 Mass. 595, 600 (1990).

대배심 절차들은 일반적으로 비밀이고, 따라서 허가되지 아니한 사람들의 출석은 대배심 검사기소장을 무효로 만든다. Commonwealth v. Pezzano, 387 Mass. 69, 72-73 (1982)를 보라. 대배심 절차를 공개의 것이 되게 함으로부터 막아내는 일의 중요성은 여러 가지 정책적 고려들에 근거한다: 즉, 그들에게 불리하게 처분할 상당한 이유가 인정되는 경우에를 및 그리하여 한 개의 대배심 검사기소장이 제출되는 경우에를 제외하고는, 대배심 조사에 연결되는 악평에 개인들로 하여금 봉착하지 아니하도록 방지함이; 대배심의 조사적 내지는 고발적 기능들을 왜곡시키는 잠세력을 지니는 외부의 영향력으로부터 대배심을 보호함이; 증인들을 부당한 영향력으로부터 보호함이; 대배심에게의 정보의 완전한 공개를 고무함이; 그리고 대배심의 숙의들의 자유를 촉진함이 그것들이다. WBZ-TV4 v. District Attorney for Suffolk Dist., 408 Mass. 595, 600 (1990)을 보라.

However, prior to the adoption of Rule 5, the Supreme Judicial Court recognized that grand jury secrecy would not be compromised by the presence of persons who were necessary to the work of the grand jury. For example, Commonwealth v. Favulli, 352 Mass. 95 (1967), held that a prosecutor has discretion as to the use of assistants and may have present such reasonable number as he or she deems appropriate to the efficient presentation of the evidence. Id. at 106. Accord, Commonwealth v. Beneficial Finance Co., 360 Mass. 188, 207-09 (1971) (no greater number than is "necessary"). Besides the jury, the prosecutors and the witness under examination, other persons "necessary or convenient to the presentation of the evidence" may include counsel for a witness (G.L. c. 277, § 14A), an interpreter, an officer to guard a dangerous prisoner-witness, an attendant for a sick witness (see 30 Mass. Practice Series [Smith] § 812 [1970]), a stenographer (G.L. c. 221, § 86), or the operator of a recording device. It should be noted that G.L. c. 221, § 86, which permits the appointment of a stenographer to take notes of testimony given before a grand jury does not authorize the recording of any statement or testimony of a grand juror.
그러나, 대배심의 업무에 필요하였던 사람들의 출석에 의하여 대배심 비밀은 손상되지 아니함을 Rule 5의 채택 전에 대법원은 인정하였다. 예를 들면, 보조자들의 사용에 관한 재량을 검사는 지님을, 그리고 증거의 효율적인 제출에 적절하다고 그 자신이 또는 그녀 자신이 간주하는 합리적 숫자를 검사는 출석시킬 수 있음을 Commonwealth v. Favulli, 352 Mass. 95 (1967) 판결은 판시하였다. Id. at 106. 같은 취지의 것으로, Commonwealth v. Beneficial Finance Co., 360 Mass. 188, 207-09 (1971) ("필요한" 숫자를 넘지 아니한 경우)이 있다. 배심을, 검사들을 및 신문대상인 증인을 포함하는 이외에도, 증인 측 변호사를(G.L. c. 277, § 14A), 통역인을, 위험한 죄수증인을 호송하는 공무원을, 환자인 증인을 시중드는 사람을 (30 Mass. Practice Series [Smith] § 812 [1970]을 보라), 또는 녹음장비 기사를, "증거의 제출에 필요한 내지는 적합한" 그 밖의 사람들은 포함할 수 있다. 대배심 앞에서 이루어지는 증언을 속기하게 하기 위한 속기사의 지명을 허용하는 일반법률집 제221장 제86절은 대배심원의 진술의 내지는 증언의 녹음을 허가하지 아니함이 유념되어야 한다.

The provision in Rule 5(c) allowing the prosecutor to be present at request of grand jurors does not deny defendant due process. See Commonwealth v. Smith, 414 Mass. 437 (1993).

대배심원들의 요청에 따라서 출석해 있도록 검사에게 허용하는 Rule 5(c) 안의 규정은 적법절차를 피고인에게서 박탈하지 아니한다. Commonwealth v. Smith, 414 Mass. 437 (1993)을 보라.

Under this subdivision, it may be proper for a federal prosecutor who was involved in the investigation of the case, see Commonwealth v. Angiulo, 415 Mass. 502, 513 (1993) or a victim-witness advocate accompanying a child witness, see Commonwealth v. Conefrey, 410 Mass. 1, 7 (1991) to be present during testimony before the grand jury. However, it is ordinarily not proper for a police officer to be present, except as a witness. See Pezzano supra.

이 소부 아래서는 당해 사건의 조사에 관여한 연방검사가, see Commonwealth v. Angiulo, 415 Mass. 502, 513 (1993), 또는 아동증인을 동행하는 피해자 증인의 조력인이, see Commonwealth v. Conefrey, 410 Mass. 1, 7 (1991), 대배심 앞의 증언 동안에 출석해 있음이 적절할 수 있다. 그러나 경찰관이 출석해 있음은, 한 명의 증인으로서의 경우에를 제외하고는, 일반적으로 적절하지 아니하다. Pezzano supra를 보라.

Subdivision (d)

소부 (d)

Adopted from Fed. R. Crim. P. 6(e), this subdivision incorporates the substance of former G.L. c. 277, §§ 12-13. Nothing in this rule nor in the General Laws prevents a witness before a grand jury from disclosing his or her testimony. See Commonwealth v. Schnackenburg, 356 Mass. 65 (1969); Silverio v. Mun. Court of Boston, 355 Mass. 623 , cert. denied, 396 U.S. 878 (1969). The last phrase, "except in accordance with law" is intended to comprehend statute, court rule, rule or order of an administrative agency, and case law.

과거의 일반법률집 제277장 제12절-제13절의 내용을, 연방형사소송법 Rule 6(e)로부터 채택된 것으로서의 이 소부는 구체화한다. 그의 내지는 그녀의 증언을 대배심 앞의 증인 자신으로 하여금 공개하지 못하도록 이 규칙 내의 것은 내지는 일반법률집 내의 것은 금지하지 아니한다. Commonwealth v. Schnackenburg, 356 Mass. 65 (1969)를; Silverio v. Mun. Court of Boston, 355 Mass. 623, cert. denied, 396 U.S. 878 (1969)를 보라. 제정법을, 법원규칙을, 행정기관의 규칙을 내지는 명령을, 그리고 판례법을 포함시키고자 하는 의도를 마지막 문구인 "법에의 부합 속에서를 제외하고는"은 지닌다.

Subdivision (e)

소부 (e)

In order to return an indictment, the grand jury "must hear sufficient evidence to establish the identity of the accused ... and probable cause to arrest him" (citations omitted). Commonwealth v. McCarthy, 385 Mass. 160, 163 (1982).

한 개의 대배심 검사기소장을 제출하기 위하여는 "범인이라고 주장되는 사람의 동일성을 ... 및 그를 체포할 상당한 이유를 증명하는 충분한 증거를" 대배심은 "청취하지 않으면 안 된다" (인용부호들은 생략됨). Commonwealth v. McCarthy, 385 Mass. 160, 163 (1982).

Although an indictment may be based solely on hearsay, Commonwealth v. O'Dell, 392 Mass. 445, 450-51 (1984), the Supreme Judicial Court has expressed a "preference for the use of direct testimony," Commonwealth v. St. Pierre, 377 Mass. 650 , 656 (1979). A prosecutor need not present the grand jury all the evidence available to the Commonwealth, even if some of it is exculpatory. See O'Dell, 392 Mass. at 447. However, if there is exculpatory evidence that would greatly undermine either the credibility of an important witness or likely affect the grand jury's decision, the prosecutor should inform the grand jury. Id.

그 토대를 오직 전문증거 위에만 비록 한 개의 대배심 검사기소장은 둘 수 있음에도 불구하고, Commonwealth v. O'Dell, 392 Mass. 445, 450-51 (1984), "직접적 증언의 사용을 위한 우선권"을 대법원은 표명한 터이다. 주에게 입수될 수 있는 모든 증거를, 비록 그 중의 일부가 무죄임을 해명하여 주는 것이라 하더라도, 대배심에 검사가 제출하여야 할 필요는 없다. O'Dell, 392 Mass. at 447을 보라. 그러나, 만약 중요증인의 신빙성의 토대를 크게 무너뜨리는, 또는 대배심의 결정에 영향을 미칠 가능성이 있는, 무죄임을 해명하여 주는 증거가 있으면, 대배심에게 검사는 고지하여야 한다. Id.

Although there is no statute which mandates the concurrence of at least twelve jurors in the return of an indictment, the requirement expressed in this subdivision is long-established in Massachusetts practice. See Commonwealth v. Smith, 9 Mass. 107 (1812). Grand jurors voting to return an indictment need not hear all of the evidence presented against a defendant. See Commonwealth v. Wilcox, 437 Mass. 33 (2002).

한 개의 대배심 검사기소장의 제출에 적어도 열두 명의 배심원들의 찬성을 명령하는 제정법은 비록 있지 아니함에도 불구하고, 이 소부에 표명된 요구는 매사추세츠주 실무에서 확립된 지 오래이다. Commonwealth v. Smith, 9 Mass. 107 (1812)를 보라. 한 개의 대배심 검사기소장을 제출하기로 표결하는 대배심원들은 피고인에게 불리하게 제출되는 모든 증거를 청취할 필요가 없다. Commonwealth v. Wilcox, 437 Mass. 33 (2002)를 보라.

Subdivision (f)

소부 (f)

General Laws c. 277, § 15, requiring daily reports of cases where no indictment is returned, is the basis of this subdivision.

대배심 검사기소장이 제출되지 아니한 사건들의 당일의 보고들을 요구하는 일반법률집 제277장 제15절은 이 소부의 토대이다.

Subdivision (g)

소부 (g)

Prior Massachusetts procedure permitted the prosecutor to be present. See Commonwealth v. Favulli, supra at 107. A major change is worked by this subdivision, pursuant to which the prosecuting officer may be present during deliberations and voting only if his or her presence is requested by the grand jurors. It is believed that this will operate to enhance the independence of the grand jury, thus alloying fears that it is merely "a tool of the prosecutor".

검사로 하여금 출석해 있도록 과거의 매사추세츠주 절차는 허용하였다. Commonwealth v. Favulli, supra at 107을 보라. 중대한 변화는 이 소부에 의하여 이루어지는바, 이에 따라서 오직 대배심원들에 의하여 그의 내지는 그녀의 출석이 요청되는 경우에 한하여 숙의들 동안에 및 표결 동안에 검사는 출석해 있을 수 있다. 대배심이 단지 "검사의 도구"일 뿐이라는 우려들을 이렇게 불식시킴으로써, 대배심의 독립성을 제고시키는 데 이것은 기여할 것으로 예상된다.

Subdivision (h)

소부 (h)

This subdivision essentially restates those provisions of G.L. c. 277, §§ 1, 2, and 2A-2H relative to the duration of sittings of grand juries and of § 1A relative to extensions. Grand juries in Suffolk (§ 2), Middlesex (§ 2B), Worcester (§ 2E), Norfolk (§ 2F) and Bristol (§ 2H) counties are to serve for six months and in Hampden (§ 2C), Essex (§ 2G) and Plymouth counties (§ 2D) for four months "and until another grand jury has been impanelled in their stead." Notwithstanding these express statutory provisions, the summoning of the grand jury and the duration of its term is subject to the discretion of the Administrative Justice of the Superior Court pursuant to subdivision (a).

대배심들의 회합들의 지속기간에 관련되는 일반법률집 제277장 제1절의, 제2절의, 그리고 제2A절-2H절의 규정들을, 그리고 그 연장들에 관련되는 제1A절의 규정들을 이 소부는 근본적으로 재정립한다. 서포크 카운티에서의(§ 2), 미들섹스 카운티에서의(§ 2B), 워세스터 카운티에서의(§ 2E), 노포크 카운티에서의(§ 2F), 그리고 브리스털 카운티에서의(§ 2H) 대배심들은 6개월을, 햄프든 카운티에서의(§ 2C), 에섹스 카운티에서의(§ 2G), 그리고 플리머스 카운티에서의(§ 2D) 대배심들은 4개월을, "그리고 그들을 대신할 다른 대배심이 충원구성되고 났을 때까지" 복무하여야 한다. 이 명시적인 제정법의 규정들에도 불구하고, 대배심의 소환은 및 그 복무기간은 소부 (a)에 따라서 상위 지방법원의 법원장 판사의 재량에 종속된다.

메릴랜드주
배심 규정

https://law.justia.com/codes/maryland/2019/courts-and-judicial-proceedings/title-8/

2019 Maryland Code

Courts and Judicial Proceedings

Title 8 - Juries and Jurors

배심들 및 배심원들

- Subtitle 1 - Definitions; General Provisions
- Subtitle 2 - Jury Plan
- Subtitle 3 - Prospective and Qualified Jurors
- Subtitle 4 - Juries
- Subtitle 5 - Prohibited Acts; Penalties

https://law.justia.com/codes/maryland/2019/courts-and-judicial-proceedings/title-8/subtitle-1/

2019 Maryland Code
Courts and Judicial Proceedings
Title 8 - Juries and Jurors
Subtitle 1 - Definitions; General Provisions

- § 8-101. Definitions
- § 8-102. Duty and rights
- § 8-103. Qualification criteria
- § 8-104. Selection policy
- § 8-105. Disclosure of information
- § 8-106. Construction

https://law.justia.com/codes/maryland/2019/courts-and-judicial-proceedings/title-8/subtitle-1/sect-8-101/

§ 8-101. Definitions
개념정의들

Universal Citation: MD Cts & Jud Pro Code § 8-101 (2019)

일반적 인용: MD Cts & Jud Pro Code § 8-101 (2019)

(a) In this title the following words have the meanings indicated.

이하에서 설명되는 의미들을 이 편에서 아래의 문구는 지닌다.

(b) (1) "Jury commissioner" means an individual who is designated under a jury plan to manage jury selection and service.

배심의 선정을 및 복무를 관리하기 위하여 배심운용계획에 따라서 지명되는 개인을 "배심위원"은 의미한다.

(2) "Jury commissioner" includes an acting jury commissioner who is designated in accordance with a jury plan.

배심운용계획에의 부합 속에서 지명되는 한 명의 배심위원 대행자를 "배심위원"은 포함한다.

(c) "Jury plan" means a plan that the circuit court for a county adopts under this title to govern jury selection and service for the county.

카운티를 위한 배심의 선정을 및 복무를 규율하기 위하여 이 편 아래서 카운티 관할의 순회구 지방법원이 채택하는 한 개의 계획을 "배심운용계획"은 의미한다.

(d) "Prospective juror" means an individual whose name is selected from a source pool but who has not yet been screened for disqualification, excusal, or exemption.

원천풀로부터 그의 이름이 선정된, 그러나 아직 결격처리를, 면제를, 또는 제외를 위한 심사를 거치지 아니한 한 명의 개인을 "배심원후보"는 의미한다.

(e) "Qualified juror" means an individual who, after selection as a prospective juror, is not disqualified, excused, or exempted.

배심원후보로서의 선정 뒤에 결격처리 되지 아니한, 면제되지 아니한, 내지는 제외되지 아니한 한 명의 개인을 "자격이 인정된 배심원(후보)"은 의미한다.

(f) "Source pool" means a pool from which the name of each prospective juror is to be selected as provided under a jury plan.

한 개의 배심운용계획 아래서 제공되는 것으로서의 개개 배심원후보의 이름이 선정되는 모집단인 한 개의 풀을 "원천풀"은 의미한다.

https://law.justia.com/codes/maryland/2019/courts-and-judicial-proceedings/title-8/subtitle-1/sect-8-102/

§ 8-102. Duty and rights
의무 및 권리들

Universal Citation: MD Cts & Jud Pro Code § 8-102 (2019)

일반적 인용: MD Cts & Jud Pro Code § 8-102 (2019)

(a) Each adult citizen of this State has:

아래의 권리의무를 이 주의 개개의 성인인 시민은 지닌다:

(1) The opportunity for jury service; and

배심복무를 위한 기회; 그리고

(2) When summoned for jury service, the duty to serve.

배심복무를 위하여 소환되는 경우에 이에 복무할 의무.

(b) A citizen may not be excluded from jury service due to color, disability, economic status, national origin, race, religion, or sex.

피부색을, 장애를, 경제적 지위를, 출신국가를, 인종을, 종교를, 또는 성별을 이유로 배심복무로부터 시민은 배제되어서는 안 된다.

(c) Recommendations, if any, for jury service may not be accepted.

배심복무를 위한 추천들은, 설령 그 있다손치더라도, 받아들여져서는 안 된다.

(d) Volunteers for jury service shall be refused.

배심복무를 위한 지원자들은 거부되어야 한다.

https://law.justia.com/codes/maryland/2019/courts-and-judicial-proceedings/title-8/subtitle-1/sect-8-103/

§ 8-103. Qualification criteria
자격인정 기준

Universal Citation: MD Cts & Jud Pro Code § 8-103 (2019)

일반적 인용: MD Cts & Jud Pro Code § 8-103 (2019)

(a) Notwithstanding § 8-102 of this subtitle, an individual qualifies for jury service for a county only if the individual:

배심복무의 자격을 이 소편 제8-102절에도 불구하고 아래에 개인이 해당하는 경우에만 그 개인은 지닌다:

(1) Is an adult as of the day selected as a prospective juror;

배심원후보로서 선정되는 날 현재로 성년일 것;

(2) Is a citizen of the United States; and

합중국의 시민일 것; 그리고

(3) Resides in the county as of the day sworn as a juror.

배심원으로서 선서절차에 처해지는 날 현재로 당해 카운티에 거주할 것.

(b) Notwithstanding subsection (a) of this section and subject to the federal Americans with Disabilities Act, an individual is not qualified for jury service if the individual:

아래에 만약 개인이 해당하면, 이 절의 소절 (a)에도 불구하고, 및 연방 미국장애인법의 적용을 받는 가운데서, 그 개인은 자격이 인정되지 아니한다:

(1) Cannot comprehend spoken English or speak English;

말로 하는 영어를 이해할 수 없는 경우 내지는 영어를 말할 수 없는 경우;

(2) Cannot comprehend written English, read English, or write English proficiently enough to complete a juror qualification form satisfactorily;

글로 써진 영어를 이해할 수 없는 경우, 영어를 읽을 수 없는 경우, 또는 배심원 자격심사 서식을 만족스럽게 완성할 만큼 능숙하게 영어를 쓸 수 없는 경우.

(3) Has a disability that, as documented by a health care provider's certification, prevents the individual from providing satisfactory jury service;

당해 개인에 의한 만족스러운 배심복무의 제공을 방해하는, 건강관리 제공자의 증명서에 의하여 문서로써 증명되는 것으로서의 장애를 지니는 경우;

(4) Has been convicted, in a federal or State court of record, of a crime punishable by imprisonment exceeding 1 year and received a sentence of imprisonment for more than 1 year; or

1년 초과의 구금으로써 처벌되는 범죄에 대하여 연방의 내지는 주(state)의 정식기록 법원에서 유죄로 판정되어 1년 초과의 구금형기를 수령한 바 있는 경우; 또는

(5) Has a charge pending, in a federal or State court of record, for a crime punishable by imprisonment exceeding 1 year.

1년 초과의 구금으로써 처벌되는 범죄에 대하여 연방의 내지는 주(state)의 정식기록 법원에 고발이 걸려 있는 경우.

(c) An individual qualifies for jury service notwithstanding a disqualifying conviction under subsection (b)(4) of this section if the individual is pardoned.

이 절의 소절 (b)(4) 아래서의 결격에 해당되는 유죄판정에도 불구하고 만약 그 개인이 사면되어 있으면 배심복무를 위한 자격을 그 개인은 지닌다.

https://law.justia.com/codes/maryland/2019/courts-and-judicial-proceedings/title-8/subtitle-1/sect-8-104/

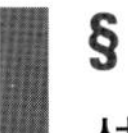

§ 8-104. Selection policy
선정의 원칙

Universal Citation: MD Cts & Jud Pro Code § 8-104 (2019)

일반적 인용: MD Cts & Jud Pro Code § 8-104 (2019)

Each jury for a county shall be selected at random from a fair cross section of the adult citizens of this State who reside in the county.

카운티를 위한 개개 배심은 카운티 내에 거주하는 이 주의 성인 시민들의 공평한 횡단면으로부터 무작위로 선정되어야 한다.

https://law.justia.com/codes/maryland/2019/courts-and-judicial-proceedings/title-8/subtitle-1/sect-8-105/

§ 8-105. Disclosure of information
정보의 공개

Universal Citation: MD Cts & Jud Pro Code § 8-105 (2019)

일반적 인용: MD Cts & Jud Pro Code § 8-105 (2019)

(a) A custodian, as defined in § 4-101(d) of the General Provisions Article, may allow access to information about prospective, qualified, and sworn jurors only in accordance with rules that the Court of Appeals adopts.

배심원후보들에 관한, 자격이 인정된 배심원(후보)들에 관한, 그리고 선서절차를 거친 배심원들에 관한 정보에의 접근을, 오직 항소법원이 채택하는 규칙들에의 부합 속에서만, 일반규정조항 제4-101(d)에 개념정의 된 사람으로서의 보관자는 허가할 수 있다.

(b) The rules shall provide for access to, and copying of, information needed for a challenge under § 8-408 or § 8-409 of this title.

이 편 제8 - 408절 아래서의 내지는 제8 - 409절 아래서의 기피를 위하여 요구되는 정보에의 접근을 및 그 복사를 규칙들은 규정하여야 한다.

(c) The rules shall provide for disclosure of information to the State Board of Elections as to individuals who have died, have moved, or are not citizens of the United States.

사망한, 이사한, 또는 합중국의 시민들이 아닌 개인들에 관한 정보의 주 선거관리위원회에게의 공개를 규칙들은 규정하여야 한다.

(d)The rules shall provide for disclosure of information to the State Motor Vehicle Administration as needed to correct data that the Administration provides.

주 자동차관리국이 제공하는 데이터를 수정하기 위하여 요구되는 정보의 주 자동차관리국에의 공개를 규칙들은 규정하여야 한다.

https://law.justia.com/codes/maryland/2019/courts-and-judicial-proceedings/title-8/subtitle-1/sect-8-106/

§ 8-106. Construction
해석

Universal Citation: MD Cts & Jud Pro Code § 8-106 (2019)

일반적 인용: MD Cts & Jud Pro Code § 8-106 (2019)

(a) Nothing in this title restricts the inherent authority of a trial judge with regard to jurors.

배심원들에 관한 정식사실심리 판사의 고유의 권한을 이 편 안의 것은 제한하지 아니한다.

(b) Except as to a constitutional question, nothing in this title constitutes a ground for postconviction relief under Title 7 of the Criminal Procedure Article.

헌법문제에 관한 경우에를 제외하고는, 형사절차조항 제7편 아래서의 유죄판정 사후구제를 위한 사유를 이 편 안의 것은 구성하지 아니한다.

(c) Nothing in this title bars a circuit court from using a single procedure for qualification and summonsing as its jury plan authorizes.

자신의 배심운용계획이 허가하는 바대로의 자격심사를 및 소환을 위한 단일한 절차를 사용하지 못하도록 순회구 지방법원을 이 편 안의 것은 금지하지 아니한다.

https://law.justia.com/codes/maryland/2019/courts-and-judicial-proceedings/title-8/subtitle-2/

2019 Maryland Code
Courts and Judicial Proceedings
Title 8 - Juries and Jurors
Subtitle 2 - Jury Plan
배심운용계획

https://law.justia.com/codes/maryland/2019/courts-and-judicial-proceedings/title-8/subtitle-2/sect-8-201/

§ 8-201. Required
요구됨

Universal Citation: MD Cts & Jud Pro Code § 8-201 (2019)

일반적 인용: MD Cts & Jud Pro Code § 8-201 (2019)

Each circuit court shall have a written plan for jury selection and service in accordance with the requirements of this title.

이 편의 요구들에의 부합 속에서의 배심의 선정을 및 복무를 위한 한 개의 서면화된 계획을 개개 순회구 지방법원은 두어야 한다.

https://law.justia.com/codes/maryland/2019/courts-and-judicial-proceedings/title-8/subtitle-2/sect-8-202/

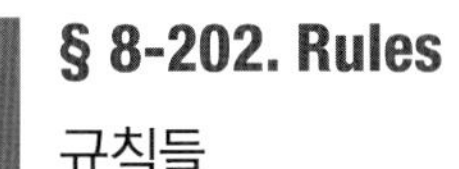

§ 8-202. Rules
규칙들

Universal Citation: MD Cts & Jud Pro Code § 8-202 (2019)

일반적 인용: MD Cts & Jud Pro Code § 8-202 (2019)

The Court of Appeals may adopt rules to govern the provisions and implementation of jury plans.

배심운용계획들의 규정들을 및 시행을 규율하기 위한 규칙들을 항소법원은 채택할 수 있다.

https://law.justia.com/codes/maryland/2019/courts-and-judicial-proceedings/title-8/subtitle-2/sect-8-203/

§ 8-203. Changes
변경들

Universal Citation: MD Cts & Jud Pro Code § 8-203 (2019)

일반적 인용: MD Cts & Jud Pro Code § 8-203 (2019)

(a) (1) A circuit court may propose to the Court of Appeals a change to the circuit court's jury plan at any time, by filing the proposal with the Court of Appeals.

순회구 지방법원의 배심운용계획에 대한 한 개의 변경을 위한 제안서를 항소법원에 제출함에 의하여 그 변경을 항소법원에 언제든지 순회구 지방법원은 제의할 수 있다.

(2) Within 60 days after a circuit court files a proposal under this subsection, the Court of Appeals shall approve or disapprove the proposal.

한 개의 제안서를 이 소절에 따라서 순회구 지방법원이 제출한 뒤 60일 내에 그 제안서를 항소법원은 승인하든지 불승인하든지 하여야 한다.

(3) A proposal approved under this subsection is effective:

이 소절에 따라서 승인된 제안서는 아래에 따라서 발효한다:

(i) 61 days after a circuit court files the proposal; or

제안서를 순회구 지방법원이 제출한 날의 61일 뒤; 또는

(ii) Any earlier date that the Court of Appeals sets.

항소법원이 정하는 더 이른 날짜.

(b) (1) If the Court of Appeals orders a circuit court to change its jury plan, the circuit court shall do so.

순회구 지방법원의 배심운용계획을 변경하도록 순회구 지방법원에게 만약 항소법원이 명령하면, 그렇게 순회구 지방법원은 하여야 한다.

(2) A change that the Court of Appeals orders is effective:

항소법원의 변경명령은 아래에 따라서 발효한다:

(i) On the day the Court sets; but

항소법원이 정하는 날; 그러나

(ii) Not later than 90 days after the date of approval of the circuit court's change.

순회구 지방법원의 변경에 대한 승인의 날 뒤 90일 내일 것.

https://law.justia.com/codes/maryland/2019/courts-and-judicial-proceedings/title-8/subtitle-2/sect-8-204/

§ 8-204. Required provisions -- Jury judge
요구되는 규정들 -- 배심관리 판사

Universal Citation: MD Cts & Jud Pro Code § 8-204 (2019)

일반적 인용: MD Cts & Jud Pro Code § 8-204 (2019)

(a) Each jury plan shall designate a jury judge.

한 명의 배심관리 판사를 개개 배심운용계획은 정하여야 한다.

(b) The jury judge for a circuit court shall be:

순회구 지방법원의 배심관리 판사는 아래 사람으로 한다:

(1) The county administrative judge of the circuit court; or

카운티 관할 순회구 지방법원의 법원장; 또는

(2) Another of the circuit court judges whom the county administrative judge designates.

순회구 지방법원 판사들 중에서 카운티 관할 순회구 지방법원장이 지명하는 다른 사람.

https://law.justia.com/codes/maryland/2019/courts-and-judicial-proceedings/title-8/subtitle-2/sect-8-205/

§ 8-205. Required provisions -- Jury commissioner
요구되는 규정들 -- 배심위원

Universal Citation: MD Cts & Jud Pro Code § 8-205 (2019)

일반적 인용: MD Cts & Jud Pro Code § 8-205 (2019)

(a) Each jury plan shall designate a jury commissioner.

한 명의 배심위원을 개개 배심운용계획은 지명하여야 한다.

(b) The jury commissioner for a circuit court shall be:

순회구 지방법원을 위한 배심위원은 아래 사람으로 한다:

(1) The clerk of the circuit court; or

순회구 지방법원의 서기; 또는

(2) Another individual designated in the manner set forth in the jury plan.

배심운용계획에서 정해진 방법에 따라서 지명되는 다른 개인.

(c) A jury plan may designate, or allow a jury judge to designate, an individual to serve as acting jury commissioner if the jury commissioner is temporarily unavailable or unable to perform duties.

배심위원이 일시적으로 투입될 수 없는 내지는 그 임무들을 수행할 수 없는 경우에 배심위원 대행으로서 복무하도록 한 명을 배심운용계획은 지명할 수 있거나 또는 배심관리 판사로 하여금 지명하도록 허가할 수 있다.

(d) The jury commissioner for a circuit court shall manage jury selection and service, under the control and supervision of the jury judge for the circuit court.

배심의 선정을 및 복무를, 순회구 지방법원을 위한 배심관리 판사의 통제 아래서 및 감독 아래서, 순회구 지방법원의 배심위원은 관리하여야 한다.

(e) A jury commissioner, other than a clerk, is entitled to the compensation set by law.

법에 의하여 정해지는 보수를 지급받을 권리를 서기 아닌 배심위원은 지닌다.

https://law.justia.com/codes/maryland/2019/courts-and-judicial-proceedings/title-8/subtitle-2/sect-8-206/

§ 8-206. Required provisions -- Source pool
요구되는 규정들 -- 원천풀

Universal Citation: MD Cts & Jud Pro Code § 8-206 (2019)

일반적 인용: MD Cts & Jud Pro Code § 8-206 (2019)

(a) Each jury plan shall provide for a source pool solely from which the names of prospective jurors are to be selected.

배심원후보들의 이름들이 선정되는 유일한 모집단인 한 개의 원천풀을 개개 배심운용계획은 규정하여야 한다.

(b) (1) The source pool under the jury plan for a county shall include the names of all of the adults on:

아래의 것들 위에 올라 있는 성인들 전원의 이름들을, 카운티를 위한 배심운용계획 아래서의 원천풀은 포함하여야 한다:

(i) A statewide voter registration list no older than that used in the most recent general election as to residents of the county;

당해 카운티 거주자들에 관련한 최근의 총선거에서 사용된 것에 시기적으로 더 앞서지 아니하는 주 전체의 유권자 등록명부.

(ii) A list of holders of driver's licenses issued by the Motor Vehicle Administration to residents of the county; and

자동차관리국에 의하여 카운티 거주자들에게 발행된 운전면허 소지자들의 명부; 그리고

(iii) A list of holders of identification cards issued by the Motor Vehicle Administration to residents of the county.

자동차관리국에 의하여 카운티 거주자들에게 발행된 신분증 소지자들의 명부.

(2) The source pool under the jury plan for a county may include any other list of residents of the county that the jury plan authorizes.

배심운용계획이 허가하는 카운티 거주자들의 그 밖의 어떤 명부를도 카운티를 위한 배심운용계획 아래서의 원천풀은 포함할 수 있다.

(c) (1) Each jury plan shall detail procedures by which a jury commissioner is to have names selected from the most recent source pool.

이름들을 가장 최근의 원천풀로부터 한 명의 배심위원이 선정하는 절차들을 개개 배심운용계획은 상세히 규정하여야 한다.

(2) Procedures under this subsection shall be designed to ensure each jury is selected in accordance with the requirements of this title.

이 편의 요구들에의 부합 속에서 개개 배심이 선정됨을 확보하도록 이 소절 아래서의 절차들은 짜여야 한다.

https://law.justia.com/codes/maryland/2019/courts-and-judicial-proceedings/title-8/subtitle-2/sect-8-207/

§ 8-207. Required provisions -- Prospective and qualified juror pools
요구되는 규정들 — 배심원후보 풀 및 자격이 인정된 배심원(후보) 풀

Universal Citation: MD Cts & Jud Pro Code § 8-207 (2019)

일반적 인용: MD Cts & Jud Pro Code § 8-207 (2019)

(a) Each jury plan shall set intervals for creation of a prospective juror pool and a qualified juror pool.

배심원후보 풀의 및 자격이 인정된 배심원(후보) 풀의 조제를 위한 간격들을 개개 배심운용계획은 두어야 한다.

(b) (1) Each jury plan shall set a minimum number of names to be selected from the source pool as prospective jurors.

배심원후보들로서 원천풀로부터 선정되어야 할 이름들의 최소숫자를 개개 배심운용계획은 정하여야 한다.

(2) The minimum number shall be:

최소숫자는 아래에 따라야 한다:

(i) At least 150; and

적어도 150명일 것; 그리고

(ii) Except as provided in paragraph (3) of this subsection, at least 0.5% of the total number of names in the source pool.

이 소절의 단락 (3)에 규정되는 바에 따라서를 제외하고는, 원천풀에 들어 있는 이름들의 전체숫자의 적어도 0.5%일 것.

(3) If the minimum percentage under paragraph (2)(ii) of this subsection would be cumbersome and unnecessary, a jury plan may set a smaller number.

만약 이 소절의 단락 (2)(iii) 아래서의 최소비율이 부담스러운 것이면서 불필요한 것이면, 더 적은 숫자를 배심운용계획은 정할 수 있다.

(4) A jury judge for a county may order its jury commissioner to have additional names selected from the county's source pool as the judge considers necessary.

그 필요하다고 카운티 관할의 배심관리 판사가 간주하는 만큼의 추가적 이름들을 카운티 원천풀로부터 선정하도록 카운티 배심위원에게 카운티 관할의 배심관리 판사는 명령할 수 있다.

https://law.justia.com/codes/maryland/2019/courts-and-judicial-proceedings/title-8/subtitle-2/sect-8-208/

§ 8-208. Required provisions -- Service
요구되는 규정들 -- 복무

Universal Citation: MD Cts & Jud Pro Code § 8-208 (2019)

일반적 인용: MD Cts & Jud Pro Code § 8-208 (2019)

Each jury plan shall set the method by which summonses for jury service are to be served.

배심복무를 위한 소환장들이 송달되어야 할 방법을 개개 배심운용계획은 정하여야 한다.

https://law.justia.com/codes/maryland/2019/courts-and-judicial-proceedings/title-8/subtitle-2/sect-8-209/

§ 8-209. Required provisions -- Allocation of qualified jurors
요구되는 규정들 — 자격이 인정된 배심원들의 배정

Universal Citation: MD Cts & Jud Pro Code § 8-209 (2019)

일반적 인용: MD Cts & Jud Pro Code § 8-209 (2019)

Each jury plan shall set the method by which the names of qualified jurors are to be allocated between grand and trial juries.

자격이 인정된 배심원들의 이름들이 대배심의 및 정식사실심리 배심의 둘 사이에서 배정되어야 할 방법을 개개 배심운용계획은 정하여야 한다.

https://law.justia.com/codes/maryland/2019/courts-and-judicial-proceedings/title-8/subtitle-2/sect-8-210/

§ 8-210. Required provisions -- Changes for jury judge's attention
요구되는 규정들 — 배심관리 판사의 주의를 위한 변경들

Universal Citation: MD Cts & Jud Pro Code § 8-210 (2019)

일반적 인용: MD Cts & Jud Pro Code § 8-210 (2019)

Each jury plan shall detail changes of information as to prospective, qualified, and sworn jurors about which a jury commissioner is to inform a jury judge.

배심관리 판사에게 배심위원이 보고하여야 할, 배심원후보들에 관한, 자격이 인정된 배심원(후보)들에 관한, 선서절차를 거친 배심원들에 관한 정보의 변경들을 개개 배심운용계획은 상세히 규정하여야 한다.

https://law.justia.com/codes/maryland/2019/courts-and-judicial-proceedings/title-8/subtitle-2/sect-8-211/

§ 8-211. Required provisions -- Grand jury forepersons
요구되는 규정들 — 대배심의 배심장

Universal Citation: MD Cts & Jud Pro Code § 8-211 (2019)

일반적 인용: MD Cts & Jud Pro Code § 8-211 (2019)

Each jury plan shall set the method by which a foreperson is to be chosen for a grand jury from among its members.

한 개의 대배심을 위한 한 명의 배심장을 그 구성원들 중에서 선정하는 방법을 개개 배심운용계획은 정하여야 한다.

https://law.justia.com/codes/maryland/2019/courts-and-judicial-proceedings/title-8/subtitle-2/sect-8-212/

§ 8-212. Authorized provisions -- Juror qualification forms
허용되는 규정들 — 배심원 자격심사 서식들

Universal Citation: MD Cts & Jud Pro Code § 8-212 (2019)

일반적 인용: MD Cts & Jud Pro Code § 8-212 (2019)

The jury plan for a county may state any question, in addition to those required under § 8-302(a) of this title, to be included on the county's juror qualification form, consistent with the interest of the sound administration of justice and not inconsistent with this title and other law.

이 편 제8-302(a)절에 따라서 요구되는 질문들을에 추가하여, 사법의 건전한 운영의 이익에 부합되는 및 이 편에 및 여타의 법에 배치되지 아니하는 어떤 질문을도 카운티의 배심원 자격심사 서식에 포함되도록 카운티를 위한 배심운용계획은 정할 수 있다.

https://law.justia.com/codes/maryland/2019/courts-and-judicial-proceedings/title-8/subtitle-2/sect-8-213/

§ 8-213. Authorized provisions -- Agreements
허용되는 규정들 -- 약정들

Universal Citation: MD Cts & Jud Pro Code § 8-213 (2019)

일반적 인용: MD Cts & Jud Pro Code § 8-213 (2019)

The jury plan of a circuit court may provide for an agreement between the circuit court and the Administrative Office of the Courts or a person, for the Administrative Office or person to:

아래의 행위를 법원사무처가 또는 한 명의 사람이 하기로 하는 순회구 지방법원의, 및 법원사무처의 또는 한 명의 사람의, 그 양자 사이의 약정을 순회구 지방법원의 배심운용계획은 규정할 수 있다:

(1) Provide the circuit court with names selected in the number that the jury plan sets;

배심운용계획이 정하는 숫자의 선정되는 이름들을 순회구 지방법원에 제공하는 행위;

(2) Have juror questionnaire forms sent as the jury plan requires;

배심운용계획이 요구하는 바에 따라서 배심원 자격심사 질문서 서식들을 발송되게 하는 행위;

(3) Have summonses sent as the jury plan requires; or

배심운용계획이 요구하는 바에 따라서 소환장들을 발송되게 하는 행위; 또는

(4) Provide any other service as to jury selection and service.

배심의 선정에 및 복무에 관한 여타의 역무를 제공하는 행위.

https://law.justia.com/codes/maryland/2019/courts-and-judicial-proceedings/title-8/subtitle-2/sect-8-214/

§ 8-214. Authorized provisions -- Unified qualification and summonsing

허용되는 규정들 — 통일적 자격심사 및 소환

Universal Citation: MD Cts & Jud Pro Code § 8-214 (2019)

일반적 인용: MD Cts & Jud Pro Code § 8-214 (2019)

A jury plan may set a single procedure for qualification and summonsing for jury service.

배심복무를 위한 자격심사를 및 소환을 처리하는 단일의 절차를 배심운용계획은 정할 수 있다.

https://law.justia.com/codes/maryland/2019/courts-and-judicial-proceedings/title-8/subtitle-2/sect-8-215/

§ 8-215. Authorized provisions -- Disqualification, excusal, and exemption of prospective or qualified jurors and rescheduling of service

허용되는 규정들 — 결격처리, 면제, 그리고 배심원후보들의 내지는 자격이 인정된 배심원(후보)들의 제외조치 및 복무일정의 재조정

Universal Citation: MD Cts & Jud Pro Code § 8-215 (2019)

일반적 인용: MD Cts & Jud Pro Code § 8-215 (2019)

The jury plan for a county may enable its jury commissioner, subject to criteria set forth in the jury plan and under the overall supervision of the county's jury judge, to:

카운티를 위한 배심운용계획은, 배심운용계획에서 정해진 기준의 적용 아래서 및 카운티 배심관리 판사의 전체적 감독 아래서, 아래의 행위를 자신의 배심위원으로 하여금 하게 할 수 있다:

(1) Disqualify prospective or qualified jurors for specific reasons stated in this title;

배심원후보들을 내지는 자격이 인정된 배심원(후보)들을 이 편에 규정된 특정의 이유들에 따라서 결격으로 처리하는 행위;

(2) Excuse prospective or qualified jurors for specific reasons stated in this title;

배심원후보들을 및 자격이 인정된 배심원(후보)들을 이 편에 규정된 특정의 이유들에 따라서 면제하는 행위;

(3) Exempt prospective or qualified jurors for specific reasons stated in this title; or

배심원후보들을 내지는 자격이 인정된 배심원(후보)들을 이 편에 규정된 특정의 이유들에 따라서 제외시키는 행위; 또는

(4) Reschedule jury service by prospective or qualified jurors for specific reasons stated in this title.

배심원후보들의 내지는 자격이 인정된 배심원(후보)들의 배심복무 일정을 이 편에 규정된 특정의 이유들에 따라서 재조정하는 행위.

https://law.justia.com/codes/maryland/2019/courts-and-judicial-proceedings/title-8/subtitle-2/sect-8-216/

§ 8-216. Authorized provisions -- Frequency of service
허용되는 규정들 — 복무의 빈도

Universal Citation: MD Cts & Jud Pro Code § 8-216 (2019)

일반적 인용: MD Cts & Jud Pro Code § 8-216 (2019)

A jury plan may provide that, notwithstanding the limit on frequency of trial jury service in § 8-310(c)(2) of this title, an individual who serves on a jury for fewer than 5 days in a 3-year period may be summoned for jury service after 1 year.

이 편 제8-310(c)(2)절에서의 정식사실심리 배심 복무의 빈도에 대한 제한에도 불구하고, 3년 내에 5일 미만 동안 배심에 복무하는 개인은 1년 뒤에 배심복무를 위하여 소환될 수 있음을 배심운용계획은 규정할 수 있다.

https://law.justia.com/codes/maryland/2019/courts-and-judicial-proceedings/title-8/subtitle-2/sect-8-217/

§ 8-217. Authorized provisions -- Donation programs
허용되는 규정들 -- 기부사업들

Universal Citation: MD Cts & Jud Pro Code § 8-217 (2019)

일반적 인용: MD Cts & Jud Pro Code § 8-217 (2019)

A jury plan may create a program for donation of State per diems and county supplements by prospective, qualified, or sworn jurors.

배심원후보들에 의한, 자격이 인정된 배심원(후보)들에 의한, 내지는 선서절차를 거친 배심원들에 의한 주(state) 일당들의 및 카운티 추가액들의 기부를 위한 사업을 배심운용계획은 창설할 수 있다.

https://law.justia.com/codes/maryland/2019/courts-and-judicial-proceedings/title-8/subtitle-3/

2019 Maryland Code

Courts and Judicial Proceedings

Title 8 - Juries and Jurors

Subtitle 3 - Prospective and Qualified Jurors

배심원후보들 및 자격이 인정된 배심원(후보)들

- Part I - Prospective Jurors
- Part II - Qualified Jurors
- Part III - Records

https://law.justia.com/codes/maryland/2019/courts-and-judicial-proceedings/title-8/subtitle-3/part-i/

2019 Maryland Code
Courts and Judicial Proceedings
Title 8 - Juries and Jurors
Subtitle 3 - Prospective and Qualified Jurors
Part I - Prospective Jurors
배심원후보들

https://law.justia.com/codes/maryland/2019/courts-and-judicial-proceedings/title-8/subtitle-3/part-i/sect-8-301/

§ 8-301. Prospective juror pool
배심원후보 풀

Universal Citation: MD Cts & Jud Pro Code § 8-301 (2019)

일반적 인용: MD Cts & Jud Pro Code § 8-301 (2019)

(a) At each interval set in a jury plan for a county, its jury commissioner shall have names selected from the source pool in the number that the jury commissioner decides will satisfy the needs for jury service for the interval.

카운티를 위한 배심운용계획에서 정해진 기간마다에 해당 기간 동안의 배심복무를 위한 필요들을 충족할 것으로 당해 카운티의 배심위원이 판단하는 숫자의 이름들을 원천풀로부터 카운티의 배심위원은 선정하여야 한다.

(b) Names selected under this section constitute a prospective juror pool.

배심원후보 풀을 이 절 아래서 선정되는 이름들은 구성한다.

https://law.justia.com/codes/maryland/2019/courts-and-judicial-proceedings/title-8/subtitle-3/part-i/sect-8-302/

§ 8-302. Initial questions
최초의 질문들

Universal Citation: MD Cts & Jud Pro Code § 8-302 (2019)

일반적 인용: MD Cts & Jud Pro Code § 8-302 (2019)

(a) In accordance with an agreement, if any, under § 8-213 of this title, a juror qualification form in substantially the following form shall be provided to each prospective juror:

그 있을 경우의 이 편 제8-213절 아래서의 약정에의 부합 속에서 대체로 아래 형식의 배심원 자격심사 서식이 개개 배심원후보에게 제공되어야 한다:

Juror Qualification Form

배심원 자격심사 서식

Name: ____________

이름: ____________

Resident address: ____

주소: ____

Telephone: (home) _________ (work) ___________ (cellular) ___________

전화번호 (집) _________ (직장) ___________ (핸드폰) ___________

Age: _________ Date of Birth: _________

나이: _________ 생년월일: _________

If you are over 70 years of age, do you wish to be exempted from jury services?

_____ Yes _____ No

만약 귀하가 70세를 넘은 경우이시라면 배심복무들로부터 제외되기를 귀하는 원하십니까?

_____ 예 _____ 아니오

U.S. Citizen? _____ Yes _____ No

미국 시민이십니까? _____ 예 _____ 아니오

Able to comprehend, read, speak, and write English? _____ Yes _____ No

영어를 이해할 수, 읽을 수, 말할 수, 그리고 쓸 수 있습니까? _____ 예 _____ 아니오

Highest level of education completed:

최종학력을 기재하십시오:

_____ high school _____ college _____ graduate school _____ other

_____ 고등학교 _____ 대학 _____ 대학원 _____ 기타

Occupation of prospective juror: _____________

배심원후보의 직업: _____________

Name of employer: _____________

고용주의 성명: _____________

Occupation of spouse, if any: ______________

배우자에게 직업이 있으면 그 직업: ______________

Disability preventing satisfactory jury service? _____ Yes _____ No

만족스러운 배심복무를 방해할 정도의 장애가 있으십니까? _____ 예 _____ 아니오

Do you want an accommodation under the federal Americans with Disabilities Act?

_____ Yes _____ No

연방 미국장애인법에 따르는 편의제공을 귀하는 원하십니까?

_____ 예 _____ 아니오

Pending charge for a crime punishable by imprisonment exceeding 1 year?

_____ Yes _____ No

1년 초과의 구금에 의하여 처벌될 수 있는 범죄로 고발이 걸려 있습니까?

_____ 예 _____ 아니오

Conviction of crime punishable by imprisonment exceeding 1 year and received a sentence of imprisonment for more than 1 year and not legally pardoned?

_____ Yes _____ No

1년 초과의 구금에 의하여 처벌될 수 있는 범죄로 유죄판정 되어 1년 초과의 구금형을 수령하고서 법적으로 사면되지 아니한 상태에 있습니까?

_____ 예 _____ 아니오

Date of Conviction ________________

유죄판정 일자 ________________

_____ Elected official of the federal Legislative Branch, as defined in 2 U.S.C. § 30a.

합중국 법률집 제[2편 제30a절에서 개념정의 되는 바로서의 연방입법부의 선출직 공무원인지 여부 _____

_____ Active duty member of armed forces exempted in accordance with 10 U.S.C. § 982.

합중국 법률집 제10편 제982절에의 부합 속에서 배심복무로부터 제외되는 군대의 현역복무 구성원인지 여부 _____

_______ Member of Maryland's organized militia exempted in accordance with Public Safety Article § 13–218.

공공안전조항 제13-218절에의 부합 속에서 배심복무로부터 제외되는 메릴랜드주 조직 민병대의 구성원인지 여부 _____

Prior jury service within 3 preceding years: _____

직전 3년 내에의 배심복무 사실 유무: _____

Form completed by me _____ Another (name) _____ and, if another, why?

서식은 저에 의하여 _____ 다른 사람(이름)에 의하여 _____ 작성되었는바, 만약 다른 사람에 의한 경우이면 그 이유는?

Under the penalties of perjury, the responses are true to the best of my knowledge

응답들은 위증죄의 처벌 아래서 저의 최선의 지식의 한도껏 진실합니다.

Signed: ________________________

서명: ________________________

Prospective Juror: ________________________

배심원후보: ________________________

Individual completing form for prospective juror: ________________________

배심원후보를 위하여 서식을 작성한 개인: ________________________

This form must be completed, signed, and returned to the jury commissioner within 10 days after receipt. Documentation for excusal due to disability, exemption based on armed forces or militia service, pardons, and/or prior jury service must be attached.1

이 서식은 작성되지 않으면, 서명되지 않으면, 그리고 그 수령 뒤 10일 내에 배심위원에게 제출되지 않으면 안 됩니다. 장애를 이유로 하는 면제를 위한, 군대에의 내지는 민병대에의 복무를 이유로 하는, 사면들을 이유로 하는, 그리고/또는 과거의 배심복무를 이유로 하는 제외를 위한 문서증거들이 첨부되지 않으면 안 됩니다.

(b) A juror qualification form for a county may include other questions as the county's jury plan requires.

카운티 배심운용계획이 요구하는 여타의 질문들을 카운티를 위한 배심원 자격심사 서식은 포함할 수 있다.

https://law.justia.com/codes/maryland/2019/courts-and-judicial-proceedings/title-8/subtitle-3/part-i/sect-8-303/

§ 8-303. Alteration of form
서식의 변경

Universal Citation: MD Cts & Jud Pro Code § 8-303 (2019)

일반적 인용: MD Cts & Jud Pro Code § 8-303 (2019)

Whenever it seems to a jury commissioner that there is an ambiguity, error, or omission in a person's juror qualification form, the jury commissioner shall return the form to the person, with instructions to make each needed addition and other change, acknowledge all of the changes, and return the form to the jury commissioner within 10 days after receipt.

한 명의 배심원후보가 제출한 배심원 자격심사 서식에 한 개의 모호함이, 오류가, 또는 누락이 있는 것으로 배심위원에게 여겨지는 때에는 언제든지, 개개의 요구되는 추가를 내지는 여타의 변경을 하라는, 그 모든 변경들을 표시하라는, 그리고 그 서식을 배심위원에게 그 수령 뒤 10일 내에 돌려보내라는 지시들을 덧붙여 그 서식을 그 사람에게 배심위원은 돌려보내야 한다.

https://law.justia.com/codes/maryland/2019/courts-and-judicial-proceedings/title-8/subtitle-3/part-i/sect-8-304/

§ 8-304. Interview
면담

Universal Citation: MD Cts & Jud Pro Code § 8-304 (2019)

일반적 인용: MD Cts & Jud Pro Code § 8-304 (2019)

(a) Whenever a person fails to return a completed juror qualification form as instructed, a jury commissioner may summons the person to appear before the jury commissioner or jury judge.

그 지시된 대로의 완성된 배심원 자격심사 서식을 제출하기를 한 명의 사람이 불이행하는 때에는 언제든지 배심위원 앞에 내지는 배심관리 판사 앞에 출석하도록 그 사람을 배심위원은 소환할 수 있다.

(b) Whenever a person appears under this section, a jury commissioner or jury judge:

이 절에 따라서 한 명의 사람이 출석하는 때에는 언제든지, 배심위원은 내지는 배심관리 판사는:

(1) May require the person to complete, sign, and acknowledge a juror qualification form in the presence of the jury commissioner; and

한 개의 배심원 자격심사 서식을 배심위원의 면전에서 완성하도록, 서명하도록, 그리고 승인하도록 그 사람에게 요구할 수 있다; 그리고

(2) If, at that time, it seems to the jury commissioner or jury judge to be warranted, may question the person but only as to responses to questions in the form and grounds for disqualification, excusal, exemption, or rescheduling.

그 정당화되는 것으로 만약 그 때에 배심위원에게 또는 배심관리 판사에게 여겨지면, 그 사람을 신문할 수 있되, 오직 서식에서의 질문들에 대한 답변들에 관한 것에, 및 결격처리를 위한, 면제를 위한, 제외를 위한, 또는 일정 재조정을 위한 사유들에 관한 것에 한한다.

https://law.justia.com/codes/maryland/2019/courts-and-judicial-proceedings/title-8/subtitle-3/part-i/sect-8-305/

§ 8-305. Additional questioning
추가적 신문

Universal Citation: MD Cts & Jud Pro Code § 8-305 (2019)

일반적 인용: MD Cts & Jud Pro Code § 8-305 (2019)

Whenever a person appears for jury service, a jury commissioner or jury judge:

배심복무를 위하여 한 명의 사람이 출석하는 때에는 언제든지 배심위원은 내지는 배심관리 판사는:

(1) May require the person to complete, sign, and acknowledge a juror qualification form in the presence of the jury commissioner; and

한 개의 배심원 자격심사 서식을 배심위원의 면전에서 완성하도록, 서명하도록, 그리고 승인하도록 그 사람에게 요구할 수 있다.

(2) If, at that time, it seems to the jury commissioner or jury judge to be warranted, may question the person but only as to responses to questions in the form and grounds for disqualification, excusal, exemption, or rescheduling.

그 정당화 되는 것으로 만약 그 때에 배심위원에게 또는 배심관리 판사에게 여겨지면, 그 사람을 신문할 수 있되, 오직 서식에서의 질문들에 대한 답변들에 관한 것에 및 결격처리를 위한, 면제를 위한, 제외를 위한, 또는 일정 재조정을 위한 사유들에 관한 것에 한한다.

https://law.justia.com/codes/maryland/2019/courts-and-judicial-proceedings/title-8/subtitle-3/part-i/sect-8-306/

§ 8-306. Bases for exemptions
제외조치들을 위한 근거들

Universal Citation: MD Cts & Jud Pro Code § 8-306 (2019)

일반적 인용: MD Cts & Jud Pro Code § 8-306 (2019)

An individual is exempt from jury service only if the individual:

한 명의 개인은 아래의 사유에 해당되는 경우에만 배심복무로부터 제외된다:

(1) Is at least 70 years old and asks the jury commissioner, in writing, for an exemption;

적어도 70세이면서 제외를 배심위원에게 서면으로 요청하는 경우;

(2) Is an elected official of the federal Legislative Branch, as defined in 2 U.S.C. § 30a;

합중국 법률집 제2편 제30a절에 개념정의 된 바로서의 연방 입법부의 선출직 공무원인 경우;

(3) Is an active duty member of the armed forces exempted in accordance with 10 U.S.C. § 982; or

합중국 법률집 제10편 제982절에의 부합 속에서 제외되는 군대의 현역복무 구성원인 경우; 또는

(4) Is a member of the organized militia exempted in accordance with § 13-218 of the Public Safety Article.

공공안전조항 제13-218절에의 부합 속에서 제외되는 조직된 민병대의 구성원인 경우.

https://law.justia.com/codes/maryland/2019/courts-and-judicial-proceedings/title-8/subtitle-3/part-ii/

2019 Maryland Code
Courts and Judicial Proceedings
Title 8 - Juries and Jurors
Subtitle 3 - Prospective and Qualified Jurors
Part II - Qualified Jurors
자격이 인정된 배심원(후보)들

https://law.justia.com/codes/maryland/2019/courts-and-judicial-proceedings/title-8/subtitle-3/part-ii/sect-8-309/

§ 8-309. Qualified juror
자격이 인정된 배심원(후보)

Universal Citation: MD Cts & Jud Pro Code § 8-309 (2019)

일반적 인용: MD Cts & Jud Pro Code § 8-309 (2019)

An individual who is not disqualified, excused, or exempted under Part I of this subtitle is a qualified juror.

이 소편 Part I에 따라서 결격처리 되지 아니한, 면제되지 아니한, 내지는 제외되지 아니한 한 명의 개인은 자격이 인정된 배심원(후보)이다.

https://law.justia.com/codes/maryland/2019/courts-and-judicial-proceedings/title-8/subtitle-3/part-ii/sect-8-310/

§ 8-310. Qualified juror pool
자격이 인정된 배심원(후보) 풀

Universal Citation: MD Cts & Jud Pro Code § 8-310 (2019)

일반적 인용: MD Cts & Jud Pro Code § 8–310 (2019)

(a) (1) At each interval set in a jury plan for a county, its jury commissioner shall have names of qualified jurors selected in the number that the jury commissioner decides will satisfy the needs for jury service during the interval.

카운티를 위한 배심운용계획에서 정해진 매 기간에마다 그 기간 동안의 배심복무를 위한 요구들을 충족할 것으로 배심위원이 판단하는 숫자의 자격이 인정된 배심원(후보)들의 이름들이 선정되도록 카운티 배심위원은 조치하여야 한다.

(2) Subject to § 8-421 of this title, a jury commissioner shall have enough names selected to allow parties to make peremptory challenges as allowed under this title or otherwise provided in the Maryland Rules.

이 편에 따라서 또는 달리 메릴랜드주 규칙들에 정해진 바에 따라서 허용되는 무이유부 기피들을 하도록 당사자들에게 허용하기에 충분할 만한 숫자의 이름들이 선정되도록 이 편의 제8-421절의 적용 아래서 배심위원은 조치하여야 한다.

(b) Names selected under this section constitute a qualified juror pool.

이 절에 따라서 선정되는 이름들은 자격이 인정된 배심원(후보) 풀을 구성한다.

(c) (1) Subject to paragraph (2) of this subsection, a jury commissioner shall allocate names from the qualified juror pool to grand and trial juries as the jury plan provides.

자격이 인정된 배심원(후보) 풀로부터의 이름들을, 배심운용계획이 규정하는 바에 따라서 대배심에 또는 소배심에 이 소절의 단락 (2)의 적용 아래서 배심위원은 배정하여야 한다.

(2) Except as needed to complete service in a particular case or as otherwise provided in a jury plan, an individual may not be required, in any 3–year period, to serve or attend court for jury service more than once.

특정사건에서의 복무를 완료함에 요구되는 경우에를 내지는 배심운용계획에서 달리 규정되는 경우에를 제외하고는, 3년 내에 한 번을 초과하여 복무하도록 내지는 배심복무를 위하여 법원에 출석하도록 한 명의 개인은 요구되지 아니한다.

https://law.justia.com/codes/maryland/2019/courts-and-judicial-proceedings/title-8/subtitle-3/part-ii/sect-8-311/

§ 8-311. Supplemental questionnaire
보충질문서

Universal Citation: MD Cts & Jud Pro Code § 8-311 (2019)

일반적 인용: MD Cts & Jud Pro Code § 8-311 (2019)

At the request of a trial judge, a jury commissioner may distribute to qualified jurors a questionnaire with regard to any matter, including a conviction or pending civil jury trial that may be a basis for disqualification as a juror in a particular case.

특정 사건에서의 배심원으로서의 결격처리의 근거가 될 수 있는 한 개의 유죄판정에 관하여를, 내지는 그 걸려 있는 민사 배심재판에 관하여를 포함하여 그 어떤 사항에 관하여도, 한 개의 질문서를 정식사실심리 판사의 요청에 따라서 자격이 인정된 배심원(후보)들에게 배심위원은 배포할 수 있다.

https://law.justia.com/codes/maryland/2019/courts-and-judicial-proceedings/title-8/subtitle-3/part-iii/

2019 Maryland Code
Courts and Judicial Proceedings
Title 8 - Juries and Jurors
Subtitle 3 - Prospective and Qualified Jurors

Part III - Records
기록들

• § 8-314. Records

https://law.justia.com/codes/maryland/2019/courts-and-judicial-proceedings/title-8/subtitle-3/part-iii/sect-8-314/

§ 8-314. Records
기록들

Universal Citation: MD Cts & Jud Pro Code § 8-314 (2019)

일반적 인용: MD Cts & Jud Pro Code § 8-314 (2019)

(a) A jury commissioner shall document each addition or other change to information provided under this subtitle and each decision with regard to disqualification, exemption, or excusal from, or rescheduling of, jury service.

이 소편에 따라서 제공되는 정보에의 개개의 추가를 또는 그 밖의 변경을, 그리고 배심복무로부터의 결격처리에, 제외에, 또는 면제에 관한 또는 그 일정의 재조정에 관한 개개 결정을 배심위원은 문서화 하여야 한다.

(b) The jury commissioner of a county shall inform its jury judge of changes to information as provided in the county's jury plan.

카운티의 배심운용계획에서 제공되는 정보에의 변경들에 관하여 카운티의 배심관리 판사에게 카운티의 배심위원은 통지하여야 한다.

(c) The jury commissioner of a county shall keep each record that the jury commissioner has used in connection with the jury service in accordance with the records retention and disposal schedule of the county.

배심복무에의 연관 속에서 배심위원이 사용한 바 있는 개개 기록을 카운티의 기록보존 및 처리 일정에의 부합 속에서 카운티의 배심위원은 보관하여야 한다.

https://law.justia.com/codes/maryland/2019/courts-and-judicial-proceedings/title-8/subtitle-4/

2019 Maryland Code

Courts and Judicial Proceedings

Title 8 - Juries and Jurors

Subtitle 4 - Juries

- Part I - In General
- Part II - Challenges
- Part III - Grand Jury
- Part IV - Trial Jury
- Part V – Reimbursement

https://law.justia.com/codes/maryland/2019/courts-and-judicial-proceedings/title-8/subtitle-4/part-i/

Part I - In General

- § 8-401. Summons
- § 8-402. Disqualification, excusal, or exemption from or postponement of duty
- § 8-403. Multiple service
- § 8-404. Disqualification by trial judge
- § 8-405. Temporary excusal of sworn jurors

https://law.justia.com/codes/maryland/2019/courts-and-judicial-proceedings/title-8/subtitle-4/part-i/sect-8-401/

§ 8-401. Summons
소환장

Universal Citation: MD Cts & Jud Pro Code § 8-401 (2019)

일반적 인용: MD Cts & Jud Pro Code § 8-401 (2019)

(a) Whenever a grand or trial jury is needed, a jury commissioner shall:

한 개의 대배심이 내지는 정식사실심리 배심이 요구되는 때에 는 언제든지 아래의 조치를 배심위원은 취하여야 한다:

(1) Summons qualified jurors in the number needed; and

그 요구되는 숫자의 자격 있는 배심원(후보)들을 소환하는 조치; 그리고

(2) Have the summons served as the jury plan requires.

배심운용계획이 요구하는 바에 따라서 소환장이 송달되게 하는 조치.

(b) A jury commissioner shall address mail to an individual's usual business or resident address.

개인의 일상의 영업소 주소로 또는 거주지 주소로 우편을 배심위원은 발송하여야 한다.

(c) A summons sent to an individual with a juror qualification form shall instruct the individual to report for jury service unless a jury commissioner instructs otherwise.

배심원 자격심사 서식을 동봉하여 개인에게 발송되는 소환장은, 배심위원이 달리 명령하는 경우에를 제외하고는, 배심복무를 위하여 출석하도록 그 개인에게 명령하여야 한다.

https://law.justia.com/codes/maryland/2019/courts-and-judicial-proceedings/title-8/subtitle-4/part-i/sect-8-402/

§ 8-402. Disqualification, excusal, or exemption from or postponement of duty
결격, 면제, 또는 의무로부터의 제외 내지는 의무의 연기

Universal Citation: MD Cts & Jud Pro Code § 8-402 (2019)

일반적 인용: MD Cts & Jud Pro Code § 8-402 (2019)

(a) Subject to the requirements of this section, a jury judge or, if a county's jury plan allows, its jury commissioner may disqualify, excuse, or exempt an individual who is summoned for jury service or reschedule jury service.

이 절의 요구들의 적용을 받는 가운데서 배심관리 판사는, 또는 만약 카운티 배심운용계획이 허용하면 카운티 배심위원은, 배심복무를 위하여 소환된 개인을 결격으로 처리할 수 있고, 면제할 수 있고, 또는 제외할 수 있고 또는 배심복무의 일정을 다시 잡을 수 있다.

(b) An individual may be disqualified only on the basis of information provided on a juror questionnaire or during an interview or other competent evidence.

배심원 자격심사 질문서 위에 제공되는 또는 면담 도중에 제공되는 정보에, 또는 여타의 자격 있는 증거에, 근거하여서만 한 명의 개인은 결격으로 처리될 수 있다.

(c) (1) To be excused, an individual shall show, on a juror questionnaire, during an interview, or by other competent evidence, that extreme inconvenience, public necessity, or undue hardship requires excusal.

면제되기 위하여는, 극도의 불편이, 공공의 필요가, 또는 부당한 곤경이 면제를 요구함을 배심원 자격심사 질문서 위에, 면담 동안에, 또는 여타의 자격 있는 증거에 의하여, 한 명의 개인은 증명하여야 한다.

(2) An individual may be excused:

한 명의 개인에게 허용될 수 있는 면제는:

(i) Only for the period that the jury judge or jury commissioner considers necessary; and

오직 그 필요하다고 배심관리 판사가 또는 배심위원이 간주하는 기간 동안에 한한다; 그리고

(ii) Not more than twice unless the jury judge finds that the individual has shown an extraordinary circumstance that requires an additional excuse.

추가적 면제를 요구하는 특별한 상황을 당해 개인이 증명하였음을 배심관리 판사가 인정하는 경우에를 제외하고는, 두 번을 넘을 수 없다.

(3) When the period set under this subsection expires, a jury commissioner again shall summon the individual for jury service.

이 소절 아래서 정해지는 기간이 만료되면, 배심복무를 위하여 그 개인을 배심위원은 다시 소환하여야 한다.

https://law.justia.com/codes/maryland/2019/courts-and-judicial-proceedings/title-8/subtitle-4/part-i/sect-8-403/

§ 8-403. Multiple service
복수복무

Universal Citation: MD Cts & Jud Pro Code § 8-403 (2019)

일반적 인용: MD Cts & Jud Pro Code § 8-403 (2019)

An individual may not be required to serve simultaneously:

아래의 복무를 동시적으로 수행하도록 개인은 요구되지 아니한다:

(1) On more than 1 grand jury; or

한 개를 넘t는 대배심에서의 복무; 또는

(2) As both a grand and trial juror.

대배심원으로서의 및 소배심원으로서의 둘 다의 복무.

https://law.justia.com/codes/maryland/2019/courts-and-judicial-proceedings/title-8/subtitle-4/part-i/sect-8-404/

§ 8-404. Disqualification by trial judge
정식사실심리 판사에 의한 결격처리

Universal Citation: MD Cts & Jud Pro Code § 8-404 (2019)

일반적 인용: MD Cts & Jud Pro Code § 8-404 (2019)

(a) Notwithstanding § 8-103(a) of this title, a trial judge may strike an individual who is party in a civil case while the individual is entitled to a jury trial in the county.

카운티 내에서의 배심에 의한 정식사실심리의 권리를 한 개의 민사소송에서의 당사자로서의 한 명의 개인이 지니는 동안에는, 이 편 제8 - 103(a)절에도 불구하고, 그 개인을 명부로부터 정식사실심리 판사는 삭제할 수 있다.

(b) (1) Whenever more individuals than are needed to impanel a jury have been summoned, an individual may be excused but only in accordance with rule or other law.

한 개의 배심을 충원구성하는 데 필요한 숫자를 초과하는 숫자의 개인들이 소환되어 있는 경우에는 언제든지, 그러나 규칙에의 내지는 여타의 법에의 부합 속에서만, 한 명의 개인은 면제될 수 있다.

(2) An individual who is summoned for jury service may be struck from a particular jury only:

배심복무를 위하여 소환되는 개인은 특정의 배심으로부터 아래에 따라서만 삭제될 수 있다:

(i) In accordance with rule or other law, by a party on peremptory challenge;

규칙에의 내지는 여타의 법에의 부합 속에서 무이유부 기피의 신청 당사자에 의하는 경우;

(ii) For good cause shown, by a trial judge on a challenge by a party; or

증명되는 타당한 이유가 있을 경우에의 당사자에 의한 기피에 터잡아 정식사실심리 판사에 의하는 경우; 또는

(iii) Subject to paragraph (3) of this subsection, by a trial judge who finds that:

이 소절의 단락 (3)의 적용 가운데서 아래의 사유를 인정하는 정식사실심리 판사에 의하는 경우:

1. The individual may be unable to render impartial jury service;

공평한 배심복무를 당해 개인이 수행할 수 없을 만한 사유가 있는 경우;

2. The individual's service likely would disrupt the proceeding; or

당해 개인의 복무가 절차를 어지럽힐 가능성이 있는 경우;

3. The individual's service may threaten the secrecy of a proceeding or otherwise affect the integrity of the jury deliberations adversely.

당해 개인의 복무가 절차의 비밀을 위협할 가능성이 내지는 여타의 방법으로 배심숙의들의 완전무결에 해롭게 영향을 미칠 가능성이 있는 경우.

(3) A trial judge may not strike an individual under paragraph (2)(iii)3 of this subsection, unless the judge states on the record:

아래사항들을 기록 위에 판사가 명시하는 경우에를 제외하고는, 이 소절의 단락 (2)(iii)3에 따라서 한 명의 개인을 정식사실심리 판사는 삭제하여서는 안 된다:

(i) Each reason for the strike; and

삭제를 위한 개개의 이유; 그리고

(ii) A finding that the strike is warranted and not inconsistent with §§ 8–102(a) and (b) and 8–104 of this title.

삭제가 뒷받침된다는 및 이 편 제8-102(a)절에 및 (b)절에 및 제8-104절에 저촉되지 않는다는 점의 인정.

(4) An individual struck under this subsection may serve on another jury for which the basis for the strike is irrelevant.

이 소절에 따라서 삭제되는 한 명의 개인은 당해 삭제사유에 관련이 없는 다른 배심에 복무할 수 있다.

https://law.justia.com/codes/maryland/2019/courts-and-judicial-proceedings/title-8/subtitle-4/part-i/sect-8-405/

§ 8-405. Temporary excusal of sworn jurors
선서절차를 거친 배심원들에 대한 일시적 면제

Universal Citation: MD Cts & Jud Pro Code § 8-405 (2019)

일반적 인용: MD Cts & Jud Pro Code § 8-405 (2019)

A trial judge may:

정식사실심리 판사는:

(1) Excuse a sworn juror temporarily; and

선서절차를 거친 한 명의 배심원을 일시적으로 면제할 수 있다; 그리고

(2) Order the sworn juror to return:

선서절차를 거친 배심원으로 하여금 아래의 방법으로 출석하도록 명령할 수 있다:

(i) On a specific day; or

특정일에 출석하도록 명령하는 경우; 또는

(ii) On a date and at a time that the trial judge or jury commissioner directs.

정식사실심리 판사가 또는 배심위원이 명령하는 날짜에 및 시간에 출석하도록 명령하는 경우.

https://law.justia.com/codes/maryland/2019/courts-and-judicial-proceedings/title-8/subtitle-4/part-ii/sect-8-408/

Part II - Challenges

기피들

§ 8-408. In civil case

민사사건에서의 경우

Universal Citation: MD Cts & Jud Pro Code § 8-408 (2019)

일반적 인용: MD Cts & Jud Pro Code § 8-408 (2019)

(a) This section sets forth the exclusive procedure by which a party in a civil case may challenge a jury on the ground that the jury was not summoned or otherwise selected in compliance with this title.

이 편에의 부합 속에서 한 개의 배심이 소환되지 아니하였음을 내지는 선정되지 아니하였음을 이유로 그 배심을 민사사건에서의 한 명의 당사자가 기피할 수 있는 배타적 절차를 이 절은 규정한다.

(b) (1) Before examination begins in a civil case or, for good cause shown, after a jury is sworn but before it receives evidence, a party may move to stay the case on the ground of substantial failure to comply with a provision of this title in selecting the trial jury.

정식사실심리 배심을 선정함에 있어서의 이 편의 규정을 준수하기에 대한 중대한 불이행을 이유로 사건을 정지시킬 것을, 민사사건에서의 신문이 시작되기 전에, 또는 타당한 이유에 따라서 한 개의 배심이 선서절차에 처해진 뒤에, 그러나 증거를 배심이 수령하기 전에, 당사자는 신청할 수 있다.

(2) A motion under this section shall contain a sworn statement of facts that, if true, would constitute a substantial failure to comply with this title.

이 편을 준수하기에 대한 중대한 불이행을 만약 그 진실이라면 구성할 만한 사실관계에 대한 한 개의 선서진술서를 이 절 아래서의 신청서는 포함하여야 한다.

(c) On a showing that a party needs access to a record to prepare for a hearing on a motion pending under this section, a trial judge may allow the party to inspect and copy the record as needed to prepare.

이 절 아래서 걸려 있는 한 개의 신청에 대한 심문을 준비하기 위한 기록에의 접근을 한 명의 당사자가 필요로 함에 대한 증명에 따라서, 그 준비를 위하여 필요로 하는 기록을 그 당사자로 하여금 점검하도록 및 복사하도록 정식사실심리 판사는 허가할 수 있다.

(d) A movant who files a motion in accordance with this section is entitled to present relevant evidence in support of the motion, including:

신청서를 뒷받침하는 관련성 있는 증거를, 아래의 것들을을 포함하여, 제출할 권리를, 이 절에의 부합 속에서 신청서를 제출하는 신청인은 지닌다:

(1) The testimony of the jury commissioner; and

배심위원의 증언; 그리고

(2) Relevant records, whether or not public, that the jury commissioner used.

그 공개된 것인지 아닌지 여부에 상관없이 배심위원이 사용한 관련기록들.

(e) (1) If a trial judge finds a substantial failure to comply with § 8-102(b) of this title in selecting a trial jury, the trial judge shall stay the case pending selection of a trial jury in compliance with this title.

한 개의 정식사실심리 배심을 선정함에 있어서의 이 편 제8-102(b)절을 준수하기에 대한 중대한 불이행을 만약 정식사실심리 판사가 인정하면, 이 편에 대한 준수 속에서의 한 개의 정식사실심리 배심의 선정을 기다리는 동안 사건을 그 정식사실심리 판사는 정지시켜야 한다.

(2) If a trial judge finds a substantial failure to comply with a provision other than § 8-102(b) of this title in selecting a trial jury and the failure is likely to be prejudicial

to the movant, the trial judge shall stay the proceeding pending selection of a trial jury in compliance with this title.

한 개의 정식사실심리 배심을 선정함에 있어서의 이 편 제8-102(b)절의 이외의 규정을 준수하기에 대한 한 개의 중대한 불이행을 만약 정식사실심리 판사가 인정하면, 및 신청인에게 불이익을 그 불이행이 끼칠 가능성이 있으면, 이 편에 대한 준수 속에서의 한 개의 정식사실심리 배심의 선정을 기다리는 동안 절차를 정식사실심리 판사는 정지시켜야 한다.

https://law.justia.com/codes/maryland/2019/courts-and-judicial-proceedings/title-8/subtitle-4/part-ii/sect-8-409/

§ 8-409. In criminal case
형사사건에서의 경우

Universal Citation: MD Cts & Jud Pro Code § 8-409 (2019)

일반적 인용: MD Cts & Jud Pro Code § 8-409 (2019)

(a) This section sets forth the exclusive procedure by which a party in a criminal case may challenge a jury on the ground that the jury was not summoned or otherwise selected in compliance with this title.

이 편에의 부합 속에서 한 개의 배심이 소환되지 아니하였음을 내지는 그 밖의 점에서 선정되지 아니하였음을 이유로 그 배심을 형사사건에서의 한 명의 당사자가 기피할 수 있는 배타적 절차를 이 절은 규정한다.

(b) (1) Before examination begins in a criminal case or, for good cause shown, after a jury is sworn but before it receives evidence, a party may move to dismiss a charging document or stay the case on the ground of substantial failure to comply with a provision of this title in selecting the grand or trial jury.

정식사실심리 배심을 선정함에 있어서의 이 편의 규정을 준수하기에 대한 중대한 불이행을 이유로 공소장을 각하할 것을 또는 사건을 정지시킬 것을, 형사사건에서의 신문이 시작되기 전에, 또는 타당한 이유에 따라서 한 개의 배심이 선서절차에 처해진 뒤에, 그러나 증거를 배심이 수령하기 전에, 당사자는 신청할 수 있다.

(2) A motion under this section shall contain a sworn statement of facts that, if true, would constitute a substantial failure to comply with this title.

이 편을 준수하기에 대한 중대한 불이행을 만약 그 진실이라면 구성할 만한 사실관계에 대한 한 개의 선서진술서를 이 절 아래서의 신청서는 포함하여야 한다.

(c) On a showing that a party needs access to a record to prepare for a hearing on a motion pending under this section, a trial judge may allow the party to inspect and copy a record as needed to prepare.

이 절 아래서 걸려 있는 한 개의 신청에 대한 심문을 준비하기 위한 기록에의 접근을 한 명의 당사자가 필요로 함에 대한 증명에 따라서, 그 준비를 위하여 필요로 하는 기록을 그 당사자로 하여금 점검하도록 및 복사하도록 정식사실심리 판사는 허가할 수 있다.

(d) A movant who files a motion in accordance with this section is entitled to present relevant evidence in support of the motion, including:

신청서를 뒷받침하는 관련성 있는 증거를, 아래의 것들을을 포함하여, 제출할 권리를, 이 절에의 부합 속에서 신청서를 제출하는 신청인은 지닌다:

(1) The testimony of the jury commissioner; and

배심위원의 증언; 그리고

(2) Relevant records, whether or not public, that the jury commissioner used.

그 공개된 것인지 아닌지 여부에 상관없이, 배심위원이 사용한 관련기록들.

(e) (1) If a trial judge finds a substantial failure to comply with § 8-102(b) of this title in selecting a grand jury, the judge shall:

한 개의 대배심을 선정함에 있어서의 이 편 제8-102(b)절을 준수하기에 대한 중대한 불이행을 만약 정식사실심리 판사가 인정하면, 정식사실심리 판사는:

(i) Stay the case pending selection of a grand jury in compliance with this title; or

이 편에 대한 준수 속에서의 한 개의 대배심의 선정을 기다리는 동안 사건을 정지시켜야 한다; 또는

(ii) Dismiss the charging document.

공소장을 각하하여야 한다.

(2) If a trial judge finds a substantial failure to comply with a provision other than § 8-102(b) of this title in selecting a grand jury and finds the failure likely to be prejudicial to the movant, the judge shall:

한 개의 대배심을 선정함에 있어서의 이 편 제8-102(b)절의 이외의 규정을 준수하기에 대한 한 개의 중대한 불이행을 만약 정식사실심리 판사가 인정하면, 및 신청인에게 불이익을 그 불이행이 끼칠 가능성이 있음을 만약 정식사실심리 판사가 인정하면, 정식사실심리 판사는:

(i) Stay the case pending selection of a grand jury in compliance with this title; or

이 편에 대한 준수 속에서의 한 개의 대배심의 선정을 기다리는 동안 사건을 정지시켜야 한다; 또는

(ii) Dismiss the charging document.

공소장을 각하하여야 한다.

(f) (1) If a trial judge finds a substantial failure to comply with § 8-102(b) of this title in selecting a trial jury, the trial judge shall stay the case pending selection of a trial jury in compliance with this title.

한 개의 정식사실심리 배심을 선정함에 있어서의 이 편 제8-102(b)절을 준수하기에 대한 중대한 불이행을 만약 정식사실심리 판사가 인정하면, 이 편에 대한 준수 속에서의 한 개의 정식사실심리 배심의 선정을 기다리는 동안 사건을 그 정식사실심리 판사는 정지시켜야 한다.

(2) If a trial judge finds a substantial failure to comply with a provision other than § 8-102(b) of this title in selecting a trial jury and the failure is likely to be prejudicial

to the movant, the trial judge shall stay the proceeding pending selection of a trial jury in compliance with this title.

한 개의 정식사실심리 배심을 선정함에 있어서의 이 편 제8-102(b)절의 이외의 규정을 준수하기에 대한 한 개의 중대한 불이행을 만약 정식사실심리 판사가 인정하면, 및 신청인에게 불이익을 그 불이행이 끼칠 가능성이 있으면, 이 편에 대한 준수 속에서의 한 개의 정식사실심리 배심의 선정을 기다리는 동안 절차를 정식사실심리 판사는 정지시켜야 한다.

https://law.justia.com/codes/maryland/2019/courts-and-judicial-proceedings/title-8/subtitle-4/part-iii/sect-8-412/

Part III - Grand Jury

대배심

§ 8-412. Number of jurors

배심원들의 숫자

Universal Citation: MD Cts & Jud Pro Code § 8-412 (2019)

일반적 인용: MD Cts & Jud Pro Code § 8-412 (2019)

(a) When sworn, a grand jury shall consist of 23 grand jurors plus additional alternate grand jurors as provided in the Maryland Rules.

선서절차에 처해지고 나면, 메릴랜드주 규칙들에 규정되는 바에 따라서 23명의 대배심원들로 및 이에 보태지는 추가의 예비적 대배심원들로 한 개의 대배심은 구성된다.

(b) The failure of a grand juror to serve for the entire period of service does not invalidate the grand jury or any of its actions.

기간 전체에 대한 복무를 한 명의 배심원이 하지 못하였다는 점은 당해 배심을, 내지는 배심의 행위들 그 어느 것을이든, 무효화하지 아니한다.

https://law.justia.com/codes/maryland/2019/courts-and-judicial-proceedings/title-8/subtitle-4/part-iii/sect-8-413/

§ 8-413. Additional grand juries
추가적 대배심들

Universal Citation: MD Cts & Jud Pro Code § 8-413 (2019)

일반적 인용: MD Cts & Jud Pro Code § 8-413 (2019)

In addition to any grand jury that a jury plan for a county requires for a set period, on petition of a State's Attorney, the county administrative judge may summons one or more grand juries.

배심운용계획이 요구하는 한 개의 특정된 기간 동안의 카운티를 위한 대배심을에 추가하여, 한 개 이상의 대배심들을, 검사(주 측 변호사)의 청구에 따라서, 카운티의 법원장은 소환할 수 있다.

https://law.justia.com/codes/maryland/2019/courts-and-judicial-proceedings/title-8/subtitle-4/part-iii/sect-8-414/

§ 8-414. Attendees
출석자들

Universal Citation: MD Cts & Jud Pro Code § 8-414 (2019)

일반적 인용: MD Cts & Jud Pro Code § 8-414 (2019)

(a) A court reporter whom a jury judge orders under § 2-503 of this article to record testimony before a grand jury may be present at its sessions.

대배심 앞에서의 증언을 기록하도록 이 조 제2-503절에 따라서 배심관리 판사가 명령하는 법원속기사는 대배심의 회합들에 출석해 있을 수 있다.

(b) An interpreter whom a jury judge approves may be present at a grand jury session as needed to provide services as an interpreter.

배심관리 판사가 승인하는 한 명의 통역인은 통역인으로서의 역무를 제공하기 위하여 필요한 경우에 대배심 회합에 출석해 있을 수 있다.

(c) (1) This subsection applies only to a grand jury for Baltimore City.

볼티모어 시티를 위한 대배심에만 이 소절은 적용된다.

(2) The State's Attorney for Baltimore City or an assistant State's Attorney for Baltimore City:

볼티모어 시티 담당의 검사(주 측 변호사)는 내지는 주 검사보는:

(i) At the request of a grand jury, may attend any of its sessions; but

대배심의 요청이 있으면 대배심의 회합 어느 것들에든지 출석할 수 있다; 그러나

(ii) May not be present when the grand jury votes on an indictment or presentment.

한 개의 대배심 검사기소에 대하여 내지는 대배심 독자고발에 대하여 대배심이 표결하는 때에는 출석해 있을 수 없다.

https://law.justia.com/codes/maryland/2019/courts-and-judicial-proceedings/title-8/subtitle-4/part-iii/sect-8-415/

§ 8-415. Oaths
선서들

Universal Citation: MD Cts & Jud Pro Code § 8-415 (2019)

일반적 인용: MD Cts & Jud Pro Code § 8-415 (2019)

(a) Each grand juror shall take an oath in substantially the following form:

대체로 아래 형식의 선서를 개개 대배심원은 하여야 한다:

"I (swear/affirm) to act diligently and according to my best understanding with regard to all matters before the grand jury; except as lawfully ordered by this court or as expressly authorized by law, not to disclose willfully any evidence given before the grand jury, anything that I or another grand juror says, or my or any other grand juror's vote as to a matter before the grand jury; and not to act or refuse to act on any matter before the grand jury due to affection, malice, or other emotion or due to reward or hope or promise of reward."

"대배심 앞의 모든 사안들에 관하여 근면하게 및 저의 최선의 이해껏 행동하기로; 이 법원에 의하여 적법하게 명령되는 경우에를 내지는 법에 의하여 명시적으로 허가되는 경우에를 제외하고는, 대배심 앞에 제출되는 어떤 증거를이라도, 제가 내지는 다른 배심원이 말하는 어떤 것을이라도, 또는 대배심 앞의 사안에 관한 저의 또는 다른 배심원 어느 누구의 투표를이라도 의도적으로 공개하지 아니하기로; 그리고 대배심 앞의 어떤 사안에 대하여도 애정에, 악의에, 또는 그 밖의 감정에 편승하여 또는 보상을 바라고서 내지는 보상의 기대를 내지는 약속을 빌미로 행동하지 아니하기로, 내지는 행동하기를 거부하지 아니하기로 저는 (선서합니다/무선서로 확약합니다)."

(b) Each bailiff assigned to a grand jury shall take a written oath in substantially the following form:

대체로 아래 형식의 서면선서를 대배심에 배정되는 개개 집행관보좌인은 하여야 한다:

"I (swear/affirm) to carry out my duties as bailiff to the grand jury to the best of my ability and knowledge; to deliver immediately and without alteration all papers and other things that the grand jury sends to this court; and not to disclose willfully any evidence given before the grand jury, anything that a grand juror says, or any grand juror's vote as to a matter before the grand jury, except as lawfully ordered by this court or as expressly authorized by law."

"집행관보좌인으로서의 대배심에 대한 저의 의무들을 저의 최선의 능력껏 및 지식껏 수행하기로; 이 법원에 대배심이 보내는 모든 서류들을 및 여타의 물건들을 그 즉시로 및 변경 없이 인도하기로; 대배심 앞에 제출되는 그 어떤 증거를이라도, 한 명의 대배심원이 말하는 그 무엇을이라도, 또는 대배심 앞의 사안에 관한 대배심원 어느 누구의 투표를이라도, 이 법원에 의하여 적법하게 명령되는 경우에를 내지는 법에 의하여 명시적으로 허가되는 경우에를 제외하고는, 의도적으로 공개하지 아니하기로 저는 (선서합니다/무선서로 확약합니다)."

(c) Each grand jury clerk shall take a written oath in substantially the following form:

대체로 아래 형식의 서면선서를 개개 대배심 서기는 하여야 한다:

"I (swear/affirm) not to disclose willfully any evidence given before the grand jury, anything that a grand juror says, or any grand juror's vote as to a matter before the grand jury, except as lawfully ordered by this court or as expressly authorized by law."

"대배심 앞에 제출되는 증거 어느 것을이라도, 대배심원이 말하는 그 무엇을이라도, 대배심 앞의 사안에 관한 대배심원 어느 누구의든지 투표를이라도, 이 법원에 의하여 적법하게 명령되는 경우에를 내지는 법에 의하여 명시적으로 허가되는 경우에를 제외하고는, 의도적으로 공개하지 아니하기로 저는 (선서합니다/무선서로 확약합니다)."

(d) Each court reporter ordered to record testimony before a grand jury shall take a written oath in substantially the following form:

대체로 아래 형식의 서면선서를, 대배심 앞의 증언을 기록하도록 명령되는 개개 법원속기사는 하여야 한다:

"I (swear/affirm) not to disclose willfully any evidence given before the grand jury, anything that a grand juror says, or any grand juror's vote as to a matter before the grand jury, except as lawfully ordered by this court or as expressly authorized by law; and not allow any governmental unit other than (the State's Attorney/other prosecutor) or person to see or have a copy of all or any part of the transcript except on a written order of this court passed after hearing the (State's Attorney/other prosecutor)."

"대배심 앞에 제출되는 증거 어느 것을이라도, 대배심원이 말하는 그 무엇을이라도, 대배심 앞의 사안에 관한 대배심원 어느 누구의든지 투표를이라도, 이 법원에 의하여 적법하게 명령되는 경우에를 내지는 법에 의하여 명시적으로 허가되는 경우에를 제외하고는, 의도적으로 공개하지 아니하기로; 그리고 (검사(주 측 변호사)를/여타의 검사를) 청취한 뒤에 내려지는 이 법원의 서면에 의한 명령에 의한 경우에를 제외하고는, (검사(주 측 변호사) 이외의/그 밖의 검사 이외의) 그 어느 정부적 단위로 하여금도 내지는 사람으로 하여금도, 녹취록의 전부를이든 일부를이든, 보도록 내지는 복사하도록 허용하지 아니하기로 저는 (선서합니다/무선서로 확약합니다)."

(e) Each interpreter in a grand jury proceeding shall take an oath in substantially the following form:

대체로 아래 형식의 선서를 대배심 절차에서의 개개 통역인은 하여야 한다:

"I (swear/affirm) to interpret accurately, completely, and impartially and, except as lawfully ordered by this court or as expressly authorized by law, not to disclose knowingly any information obtained while serving in this grand jury proceeding."

"정확하게, 완전하게, 그리고 공정하게 통역하기로, 그리고 이 법원에 의하여 적법하게 명령되는 경우에를 내지는 법에 의하여 명시적으로 허가되는 경우에를 제외하고는, 이 대배심 절차에서 복무하는 동안에 얻어지는 어떤 정보를이라도 고의로 공개하지 아니하기로 저는 (선서합니다/무선서로 확약합니다)."

https://law.justia.com/codes/maryland/2019/courts-and-judicial-proceedings/title-8/subtitle-4/part-iii/sect-8-416/

§ 8-416. Record
기록

Universal Citation: MD Cts & Jud Pro Code § 8-416 (2019)

일반적 인용: MD Cts & Jud Pro Code § 8-416 (2019)

(a) A court reporter ordered to take testimony given before a grand jury shall take and transcribe the testimony.

대배심 앞에서 이루어지는 증언을 받아 적도록 명령된 법원속기사는 그 증언을 받아 적어야 하고 녹취하여야 한다.

(b) (1) A court reporter shall provide, as requested, a transcript of testimony given before a grand jury for a county to the grand jury and State's Attorney for the county.

카운티 대배심 앞에서 이루어진 증언의 녹취록을 그 요청되는 경우에 그 대배심에게 및 카운티 담당 검사(주측 변호사)에게 법원속기사는 제공하여야 한다.

(2) Each transcript of testimony given before a grand jury for a county shall be kept in the custody of the State's Attorney for the county.

카운티 대배심 앞에서 이루어진 증언의 개개 녹취록은 당해 카운티 담당 검사(주측 변호사)의 점유 안에 보관되어야 한다.

(3) Unless the circuit court for a county orders otherwise after hearing the State's Attorney for the county, neither the original nor a copy of the transcript of testimony given before a grand jury may be taken from the office of the State's Attorney for the county, other than for use of the grand jury or for production in court.

카운티 담당 검사(주측 변호사)를 청취한 뒤에 카운티 관할의 순회구 지방법원이 달리 명령하는 경우에를 제외하고는, 그 대배심의 사용을 위하여가 내지는 법원에의 제출을 위하여가 아닌 한, 증언녹취록의 원본이도 등본이도 당해 카운티 담당 검사(주측 변호사)의 사무소로부터 옮겨져서는 안 된다.

(4) On written order of the circuit court for a county, granted on written motion of the State's Attorney for the county, the State's Attorney may have the notes as to, and transcript of, grand jury testimony destroyed.

카운티 담당 검사(주측 변호사)의 서면신청에 따라서 인용된 당해 카운티 관할 순회구 지방법원의 서면명령에 의하여 대배심 증언에 관한 메모들을 및 그 녹취록을 검사(주측 변호사)는 파쇄시킬 수 있다.

(c) Except on written order of the circuit court for a county after hearing the State's Attorney for the county:

카운티 관할 검사(주측 변호사)를 청취한 뒤의 카운티 관할 순회구 지방법원의 서면명령에 의한 경우에를 제외하고는:

(1) A record of testimony given before a grand jury is for the exclusive use and benefit of the grand jury and the State's Attorney; and

대배심 앞에서 이루어진 증언의 기록은 당해 대배심의 및 검사(주측 변호사)의 배타적 사용을 및 이익을 위한 것이다; 그리고

(2) A court reporter may not:

법원 속기사는:

(i) Allow any other governmental unit or person to read or have a copy of all or any part of the record; or

기록의 전부를이든 부분을이든 여타의 정부적 단위로 하여금 내지는 사람으로 하여금 읽도록 또는 복사하도록 허용하여서는 안 된다; 또는

(ii) Disclose wholly or partly the character of the contents of the record to any other governmental unit or person.

기록의 내용들의 성격을 전체적으로든 부분적으로든 여타의 정부적 단위에게 또는 사람에게 공개하여서는 안 된다.

https://law.justia.com/codes/maryland/2019/courts-and-judicial-proceedings/title-8/subtitle-4/part-iii/sect-8-417/

§ 8-417. Baltimore City investigations and reports
볼티모어 시티 조사들 및 보고서들

Universal Citation: MD Cts & Jud Pro Code § 8-417 (2019)

일반적 인용: MD Cts & Jud Pro Code § 8-417 (2019)

(a) This section applies only to a grand jury for Baltimore City.

볼티모어 시티를 위한 대배심에만 이 절은 적용된다.

(b) In addition to any other duty imposed by law, each grand jury shall carry out an investigation if a judge of the circuit court directs.

법에 의하여 부과되는 여타의 의무들에 추가하여, 순회구 지방법원 판사가 명령하면 한 개의 조사를 개개 대배심은 수행하여야 한다.

(c) At the end of the period for which a grand jury sits, the grand jury shall submit to the jury commissioner of the circuit court a report on each of its investigations and recommendations.

한 개의 대배심이 착석하는 기한의 만료 때에 자신의 조사들의 및 권고들의 각각에 대한 한 개의 보고서를 순회구 지방법원의 배심위원에게 대배심은 제출하여야 한다.

https://law.justia.com/codes/maryland/2019/courts-and-judicial-proceedings/title-8/subtitle-4/part-iv/

Part IV - Trial Jury
정식사실심리 배심

- § 8-420. Peremptory challenges in criminal cases
- § 8-421. Minimum size of jury and array
- § 8-422. Separation or sequestration

https://law.justia.com/codes/maryland/2019/courts-and-judicial-proceedings/title-8/subtitle-4/part-iv/sect-8-420/

§ 8-420. Peremptory challenges in criminal cases
형사사건들에서의 무이유부 기피들

Universal Citation: MD Cts & Jud Pro Code § 8-420 (2019)

일반적 인용: MD Cts & Jud Pro Code § 8-420 (2019)

(a) (1) This subsection applies only in a criminal trial in which a defendant is subject, on any single count, to a sentence of life imprisonment, excluding a common law offense for which no specific statutory penalty is provided.

구체적인 제정법 상의 형량이 규정되지 아니한 한 개의 보통법 범죄의 정식사실심리에를 제외한, 여하한 단일 소인에 터잡아서든 한 개의 종신형에 피고인이 처해지는 형사 정식사실심리에만, 이 소절은 적용된다.

(2) Each defendant is allowed 20 peremptory challenges.

20회의 무이유부 기피들이 개개 피고인에게 허용된다.

(3) The State is allowed 10 peremptory challenges for each defendant.

주에게는 피고인마다에 대하여 10회의 무이유부 기피들이 허용된다.

(b) (1) This subsection applies only in a criminal trial in which a defendant is subject, on any single count, to a sentence of at least 20 years, excluding a case subject to subsection (a) of this section or a common law offense for which no specific statutory penalty is provided.

이 절의 소절 (a)의 적용을 받는 사건의 정식사실심리에를 및 구체적인 제정법 상의 형량이 규정되지 아니한 보통법 범죄의 정식사실심리에를 제외한, 그 여하한 단일 소인에 터잡아서든 적어도 20년의 형기에 피고인이 처해지는 형사 정식사실심리에만, 이 소절은 적용된다.

(2) Each defendant is allowed 10 peremptory challenges.

피고인마다에게는 10회의 무이유부 기피들이 허용된다.

(3) The State is allowed five peremptory challenges for each defendant.

주에게는 피고인마다에 대하여 5회의 무이유부 기피들이 허용된다.

(c) In every other criminal trial, each party is allowed four peremptory challenges.

그 밖의 모든 형사 정식사실심리에서 개개 당사자에게는 네 번의 무이유부 기피들이 허용된다.

https://law.justia.com/codes/maryland/2019/courts-and-judicial-proceedings/title-8/subtitle-4/part-iv/sect-8-421/

§ 8-421. Minimum size of jury and array
배심의 및 배심원후보단의 최소크기

Universal Citation: MD Cts & Jud Pro Code § 8-421 (2019)

일반적 인용: MD Cts & Jud Pro Code § 8-421 (2019)

(a) In a civil case in which a jury trial is allowed, the jury shall consist of six jurors.

한 개의 배심에 의한 정식사실심리가 허용되는 민사사건에서 배심은 여섯 명의 배심원들로 구성되어야 한다.

(b) If the parties in a civil case agree, a trial judge may dispense with selecting an array of at least 14 qualified jurors.

한 개의 민사사건에서 당사자들이 만약 동의하면, 적어도 14명의 자격이 인정되는 배심원들의 배심원단을 선정함이 없이 사건을 정식사실심리 판사는 처리할 수 있다.

(c) If the parties in a criminal case agree, a trial judge may dispense with selecting an array of at least 20 qualified jurors.

만약 한 개의 형사사건에서 당사자들이 동의하면, 적어도 20명의 자격 있는 배심원들의 배심원단을 선정함이 없이 사건을 정식사실심리 판사는 처리할 수 있다.

https://law.justia.com/codes/maryland/2019/courts-and-judicial-proceedings/title-8/subtitle-4/part-iv/sect-8-422/

§ 8-422. Separation or sequestration
분리 내지는 격리

Universal Citation: MD Cts & Jud Pro Code § 8-422 (2019)

일반적 인용: MD Cts & Jud Pro Code § 8-422 (2019)

At any time before or after submission of a case to a jury, a trial judge may allow the jury to separate or be sequestered.

배심을 분리하도록 또는 격리조치 하도록 배심에게의 사건의 위임 전에 또는 뒤에 언제든지 정식사실심리 판사는 허가할 수 있다.

https://law.justia.com/codes/maryland/2019/courts-and-judicial-proceedings/title-8/subtitle-4/part-v/

Part V - Reimburivvsement

변상

- § 8-425. "Per diem" defined
- § 8-426. Amount
- § 8-427. Local levy and supplement
- § 8-428. State budget
- § 8-429. Certificate of jury commissioner
- § 8-430. Donation

https://law.justia.com/codes/maryland/2019/courts-and-judicial-proceedings/title-8/subtitle-4/part-v/sect-8-425/

§ 8-425. "Per diem" defined

"일당"의 개념정의

Universal Citation: MD Cts & Jud Pro Code § 8-425 (2019)

일반적 인용: MD Cts & Jud Pro Code § 8-425 (2019)

In this Part V of this subtitle, "per diem" means the amount to be paid for all of the time from midnight through a 24-hour period for which a circuit court requires a prospective, qualified, or sworn juror to be in attendance at or in proximity to the circuit court.

순회구 지방법원에 출석하도록 또는 그 근접거리 내에 있도록 한 명의 배심원후보에게, 자격이 인정된 배심원(후보)에게, 또는 선서절차를 거친 배심원에게 한 개의 순회구 지방법원이 요구하는 자정부터의 24시간에 걸친 시간 전부에 대하여 지급되어야 할 액수를 이 소편 Part V에서 "일당"은 의미한다.

https://law.justia.com/codes/maryland/2019/courts-and-judicial-proceedings/title-8/subtitle-4/part-v/sect-8-426/

§ 8-426. Amount
액수

Universal Citation: MD Cts & Jud Pro Code § 8-426 (2019)

일반적 인용: MD Cts & Jud Pro Code § 8-426 (2019)

(a) Subject to subsection (b) of this section, an individual is entitled, for each day that an individual is required to be in attendance at or proximity to a circuit court for a county for jury service, to:

배심복무를 위하여 카운티의 순회구 지방법원에 출석해 있도록 내지는 그 근접거리에 있도록 개인이 요구되는 날마다에 대하여 아래의 보수를 수령할 권리를, 이 절의 소절 (b)의 적용 가운데서, 개인은 지닌다:

(1) A State per diem of $15; and

15불의 주(state) 일당; 그리고

(2) The supplement, if any, authorized by the county.

카운티에 의하여 허가되는 그 있을 경우에의 추가액.

(b) A trial juror is entitled:

아래의 보수를 수령할 권리를 정식사실심리 배심원은 지닌다:

(1) For the first 5 days of jury service in one trial, to a State per diem of $15; and

한 개의 정식사실심리에서의 배심복무 첫 5일 동안 15불의 주(state) 일당; 그리고

(2) For each day of jury service in one trial in excess of 5 days, a State per diem of $50.

한 개의 정식사실심리에서의 5일 초과의 하루 당 50불의 주(state) 일당.

https://law.justia.com/codes/maryland/2019/courts-and-judicial-proceedings/title-8/subtitle-4/part-v/sect-8-427/

§ 8-427. Local levy and supplement
지역의 징수 및 추가

Universal Citation: MD Cts & Jud Pro Code § 8-427 (2019)

일반적 인용: MD Cts & Jud Pro Code § 8-427 (2019)

(a) (1) Subject to paragraph (2) of this subsection, the government of each county may set, by ordinance, an amount to supplement the State per diem and, for each fiscal year.

주(state) 일당에의 추가액을 이 소절의 단락 (2)의 적용 가운데서 매년 조례에 의하여 개개 카운티 정부는 정할 수 있다.

(2) Unless, by ordinance, a county government increases or decreases the supplement, the amount shall be enough to keep a total State per diem and county supplement equal to the county per diem as of June 30, 2001.

추가액을 조례에 의하여 카운티 정부가 증액하는 내지는 감액하는 경우에를 제외하고는, 그 액수는 주 일당 총액을 및 카운티 추가액을 2001년 6월 30일 현재의 카운티 일당에의 동등한 액수로 유지하기에 충분한 것이 되어야 한다.

(b) The government of each county shall levy and appropriate for each fiscal year the amount needed to pay the State per diem, pending reimbursement by the Administrative Office of the Courts, and the county supplement, if any.

개개 카운티 정부는 매 회계연도에마다 법원사무처에 의한 변상을 기다리는 동안 주 일당을, 그리고 그 있을 경우에의 카운티 추가액을 지불하는 데 필요한 액수를 징수하여야 하고 이를 예산에 배정하여야 한다.

https://law.justia.com/codes/maryland/2019/courts-and-judicial-proceedings/title-8/subtitle-4/part-v/sect-8-428/

§ 8-428. State budget
주(state) 예산

Universal Citation: MD Cts & Jud Pro Code § 8-428 (2019)

일반적 인용: MD Cts & Jud Pro Code § 8-428 (2019)

The State budget for the Judicial Branch for each fiscal year shall include an appropriation to the Administrative Office of the Courts in the amount needed for the State per diem during the year.

당해연도 중의 주(state) 일당을 위하여 요구되는 액수의 법원사무처에의 배정을 매 회계연도의 사법부를 위한 주(state) 예산은 포함하여야 한다.

https://law.justia.com/codes/maryland/2019/courts-and-judicial-proceedings/title-8/subtitle-4/part-v/sect-8-429/

§ 8-429. Certificate of jury commissioner
배심위원의 증명서

Universal Citation: MD Cts & Jud Pro Code § 8-429 (2019)

일반적 인용: MD Cts & Jud Pro Code § 8-429 (2019)

The jury commissioner of a circuit court shall issue to each prospective, qualified, and sworn juror a signed certificate that documents the number of days that the juror has been required to be in attendance at or proximity to the circuit court for jury service.

배심복무를 위하여 순회구 지방법원에 출석해 있도록 내지는 그 근접거리에 있도록 개개의 배심원후보가, 자격이 인정된 배심원(후보)이, 그리고 선서절차를 거친 배심원이 요구된 날들의 숫자를 기재한 서명된 증명서를 그에게 순회구 지방법원의 배심위원은 발부하여야 한다.

https://law.justia.com/codes/maryland/2019/courts-and-judicial-proceedings/title-8/subtitle-4/part-v/sect-8-430/

§ 8-430. Donation
기부

Universal Citation: MD Cts & Jud Pro Code § 8-430 (2019)

일반적 인용: MD Cts & Jud Pro Code § 8-430 (2019)

Prospective, qualified, or sworn jurors may donate their per diem and supplement in accordance with a program that the jury plan authorizes.

배심원후보는, 자격이 인정된 배심원(후보)은, 그리고 선서절차를 거친 배심원은 그들의 일당을 및 추가액을, 배심운용계획이 허가하는 사업 프로그램에의 부합 속에서, 기부할 수 있다.

https://law.justia.com/codes/maryland/2019/courts-and-judicial-proceedings/title-8/subtitle-5/

2019 Maryland Code
Courts and Judicial Proceedings
Title 8 - Juries and Jurors
Subtitle 5 - Prohibited Acts; Penalties
금지되는 행위들; 벌칙들

- § 8-501. Employment loss
- § 8-502. Leave
- § 8-503. Failure to return completed juror qualification form
- § 8-504. Failure to appear for jury service
- § 8-505. Failure to complete jury service
- § 8-506. Material misrepresentation
- § 8-507. Grand jury secrecy

https://law.justia.com/codes/maryland/2019/courts-and-judicial-proceedings/title-8/subtitle-5/sect-8-501/

§ 8-501. Employment loss
고용관계의 상실

Universal Citation: MD Cts & Jud Pro Code § 8-501 (2019)
일반적 인용: MD Cts & Jud Pro Code § 8-501 (2019)

(a) An employer may not deprive an individual of employment or coerce, intimidate, or threaten to discharge an individual because the individual:

아래에 개인이 해당됨을 이유로 고용주는 고용관계를 그에게서 박탈하여서는, 내지는 그를 해고하겠다고 위협하여서는 안 된다:

(1) Loses employment time in responding to a summons under this title or attending, or being in proximity to, a circuit court for jury service under this title; or

이 편 아래서의 소환장에 응답하느라 내지는 이 편 아래서의 배심복무를 위하여 순회구 지방법원에 출석하느라 내지는 그 근접거리 내에 있느라 근무시간을 상실하는 경우; 또는

(2) Exercises a right to refrain from work under subsection (b) of this section.

이 절의 소절 (b) 아래서의 근무를 면할 권리를 행사하는 경우.

(b) An employer may not require an individual who is summoned and appears for jury service for 4 or more hours, including traveling time, to work an employment shift that begins:

오가는 시간을 포함하여 4시간 이상 동안의 배심복무를 위하여 소환되는 및 출석하는 개인으로 하여금 아래에 따라서 시작되는 근무조에서 작업하도록 고용주는 요구하여서는 안 된다:

(1) On or after 5 p.m. on the day of the individual's appearance for jury service; or

배심복무를 위한 당해 개인의 출석 당일의 오후 5시 이후; 또는

(2) Before 3 a.m. on the day following the individual's appearance for jury service.

배심복무를 위한 당해 개인의 출석 다음 날의 오전 3시 전.

(c) A person who violates any provision of this section is subject to a fine not exceeding $1,000.

이 절의 규정 어느 것이든지를 위반하는 사람은 1,000불 이하의 벌금에 처해진다.

https://law.justia.com/codes/maryland/2019/courts-and-judicial-proceedings/title-8/subtitle-5/sect-8-502/

§ 8-502. Leave
휴가

Universal Citation: MD Cts & Jud Pro Code § 8-502 (2019)

일반적 인용: MD Cts & Jud Pro Code § 8-502 (2019)

(a) An employer may not require an employee to use the employee's annual, sick, or vacation leave to respond to a summons under this title for jury service.

배심복무를 위한 이 편 아래서의 소환장에 응답하기 위하여 피용자의 연가를, 병가를, 또는 휴가를 사용하도록 피용자에게 고용주는 요구하여서는 안 된다.

(b) A person who violates any provision of this section is subject to a fine not exceeding $1,000.

이 절의 규정 어느 것이든지를 위반하는 사람은 1,000불 이하의 벌금에 처해진다.

https://law.justia.com/codes/maryland/2019/courts-and-judicial-proceedings/title-8/subtitle-5/sect-8-503/

§ 8-503. Failure to return completed juror qualification form
완성된 배심원 자격심사 서식의 제출 불이행

Universal Citation: MD Cts & Jud Pro Code § 8-503 (2019)

일반적 인용: MD Cts & Jud Pro Code § 8-503 (2019)

(a) A person who is summoned for jury service under this title may not fail to return a completed juror qualification form.

이 편 아래서의 배심복무를 위하여 소환되는 사람은 완성된 배심원 자격심사 서식을 제출하기를 불이행하여서는 안 된다.

(b) A jury judge may order a person who violates any provision of this section to appear and show cause for each violation.

출석하도록 및 개개 위반의 이유를 제시하도록, 이 절의 규정 어느 것이든지를 위반하는 사람에게 배심관리 판사는 명령할 수 있다.

(c) A person who fails to show good cause for a violation of this section is subject to a fine not exceeding $1,000 or imprisonment not exceeding 30 days or both.

이 절에 대한 위반의 타당한 이유를 제시하기를 불이행하는 사람은 1,000불 이하의 벌금에 또는 30일 이하의 구금에 또는 그 병과에 처해진다.

https://law.justia.com/codes/maryland/2019/courts-and-judicial-proceedings/title-8/subtitle-5/sect-8-504/

§ 8-504. Failure to appear for jury service
배심복무를 위한 출석 불이행

Universal Citation: MD Cts & Jud Pro Code § 8-504 (2019)

일반적 인용: MD Cts & Jud Pro Code § 8-504 (2019)

(a) A person may not fail to appear for jury service as summoned under this title.

이 편 아래서 소환되는 바에 따라서 배심복무를 위하여 출석하기를 사람은 불이행하여서는 안 된다.

(b) A jury judge may order a person who violates any provision of this section to appear and show cause for each violation.

출석하도록 및 개개 위반의 이유를 제시하도록, 이 절의 규정 어느 것이든지를 위반하는 사람에게 배심관리 판사는 명령할 수 있다.

(c) A person who fails to show good cause for a violation of this section is subject to a fine not exceeding $1,000 or imprisonment not exceeding 60 days or both.

이 절에 대한 위반의 타당한 이유를 제시하기를 불이행하는 사람은 1,000불 이하의 벌금에 또는 60일 이하의 구금에 또는 그 병과에 처해진다.

https://law.justia.com/codes/maryland/2019/courts-and-judicial-proceedings/title-8/subtitle-5/sect-8-505/

§ 8-505. Failure to complete jury service
배심복무를 완수하기에 대한 불이행

Universal Citation: MD Cts & Jud Pro Code § 8-505 (2019)

일반적 인용: MD Cts & Jud Pro Code § 8-505 (2019)

(a) A person who is summoned for jury service under this title may not fail to complete jury service as directed.

이 편 아래서 배심복무를 위하여 소환되는 사람은 그 명령되는 대로의 배심복무를 완수하기를 불이행하여서는 안 된다.

(b) A jury judge may order a person who violates any provision of this section to appear and show cause for each violation.

출석하도록 및 개개 위반의 이유를 제시하도록, 이 절의 규정 어느 것이든지를 위반하는 사람에게 배심관리 판사는 명령할 수 있다.

(c) A person who fails to show good cause for a violation of this section is subject to a fine not exceeding $1,000 or imprisonment not exceeding 90 days or both.

이 절에 대한 위반의 타당한 이유를 제시하기를 불이행하는 사람은 1,000불 이하의 벌금에 또는 90일 이하의 구금에 또는 그 병과에 처해진다.

https://law.justia.com/codes/maryland/2019/courts-and-judicial-proceedings/title-8/subtitle-5/sect-8-506/

§ 8-506. Material misrepresentation
중대한 부실기재

Universal Citation: MD Cts & Jud Pro Code § 8-506 (2019)

일반적 인용: MD Cts & Jud Pro Code § 8-506 (2019)

(a) A person may not willfully misrepresent a material fact on a juror qualification form for the purpose of avoiding or obtaining service as a juror under this title.

이 편 아래서의 배심원으로서의 복무를 회피할 목적으로 내지는 얻을 목적으로, 중요한 사실을 배심원 자격심사 서식 위에, 누구가든지 의도적으로 부실하게 기재하여서는 안 된다.

(b) A person who violates any provision of this section is guilty of a misdemeanor and, on conviction, is subject to a fine not exceeding $5,000 or imprisonment not exceeding 30 days or both.

이 절의 규정 어느 것이든지를 위반하는 사람은 한 개의 경죄를 범하는 것이 되고, 유죄판정에 따라서 5,000불 이하의 벌금에 또는 30일 이하의 구금에 또는 그 병과에 처해진다.

https://law.justia.com/codes/maryland/2019/courts-and-judicial-proceedings/title-8/subtitle-5/sect-8-507/

§ 8-507. Grand jury secrecy
대배심 비밀

Universal Citation: MD Cts & Jud Pro Code § 8-507 (2019)

일반적 인용: MD Cts & Jud Pro Code § 8-507 (2019)

(a) A person may not disclose any content of a grand jury proceeding.

대배심 절차의 어떤 내용을이라도 사람은 공개하여서는 안 된다.

(b) A person who violates any provision of this section is guilty of a misdemeanor and, on conviction, subject to a fine not exceeding $1,000 or imprisonment not exceeding 1 year or both.

이 절의 규정 어느 것을이라도 위반하는 사람은 한 개의 경죄를 범하는 것이 되고, 유죄판정에 따라서 1,000불 이하의 벌금에 또는 1년 이하의 구금에 또는 그 병과에 처해진다.

(c) This section does not prevent:

아래의 행위를 이 절은 금지하지 아니한다:

(1) A grand jury from submitting a report as required by law; or

법에 의하여 요구되는 바에 따라서 한 개의 보고서를 대배심이 제출하는 행위; 또는

(2) Any other governmental unit or person making a disclosure authorized by law.

법에 의하여 허용되는 공개를 여타의 정부적 단위가 또는 사람이 하는 행위.

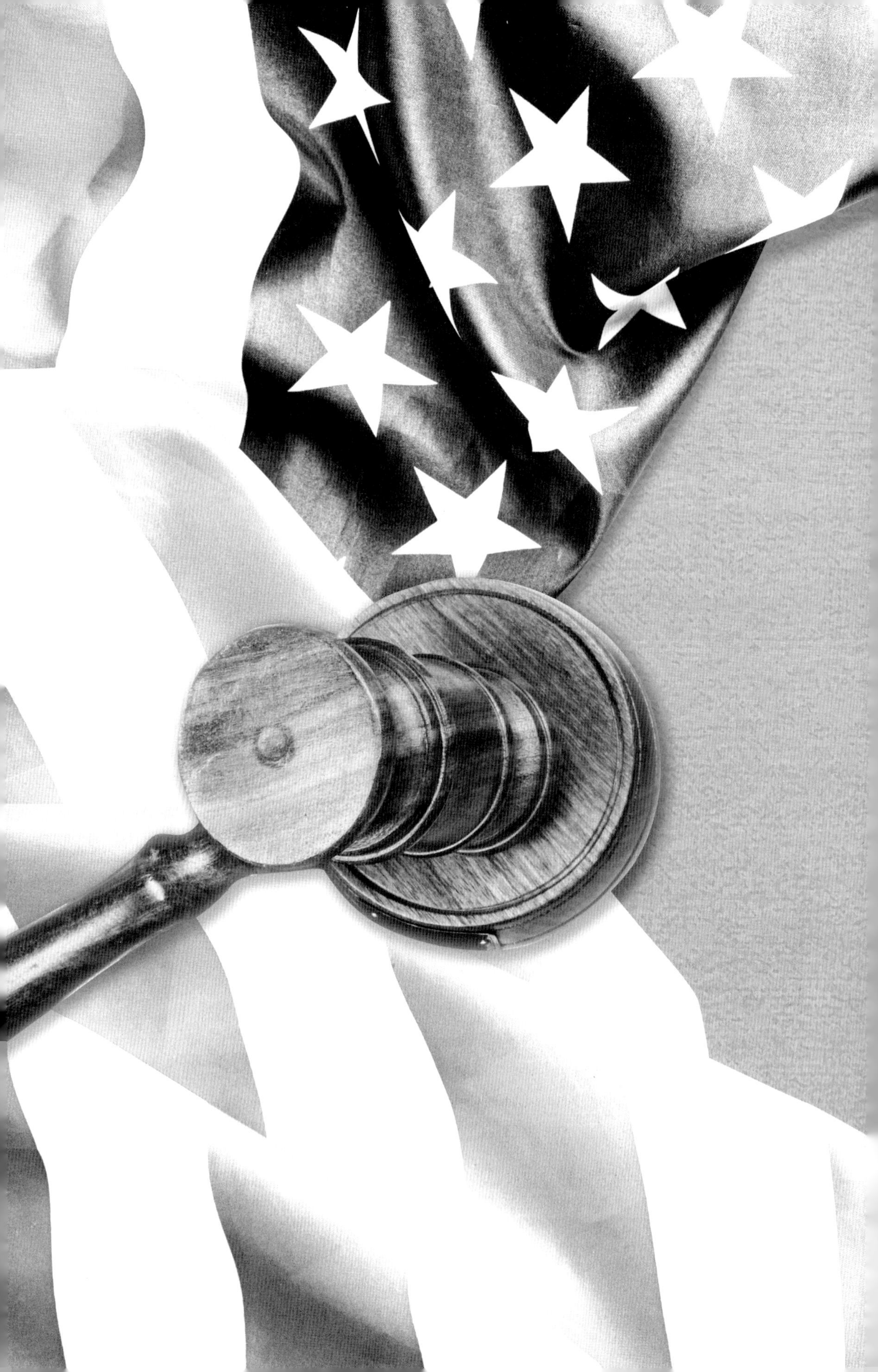

메인주
배심 규정

https://www.mainelegislature.org/legis/statutes/15/title15ch0sec0.html

Title 15: COURT PROCEDURE – CRIMINAL

법원절차 -- 형사

Part 3: TRIALS

정식사실심리들

Chapter 203: JURIES §1251 - §1260

배심들 §1251 – §1260

https://www.mainelegislature.org/legis/statutes/15/title15ch203sec0.html

Title 15, Chapter 203: JURIES

배심들

- 15 §1251. List of grand jurors
- 15 §1252. Oaths

- 15 §1253. Affirmations
- 15 §1254. Juror's oath or affirmation in cases punishable by imprisonment
- 15 §1255. Foreman (REPEALED)
- 15 §1255-A. Grand jury territorial authority to indict for crimes
- 15 §1256. Grand jury to present all crimes
- 15 §1257. Disclosures improper (REPEALED)
- 15 §1258. Juries for criminal offenses; challenges
- 15 §1258-A. Voir dire
- 15 §1259. Challenges for cause
- 15 §1260. View by jury

https://www.mainelegislature.org/legis/statutes/15/title15sec1251.html

§1251. List of grand jurors
대배심원(후보) 명부

Prior to the commencement of each term of the court to which grand jurors are returned, in any county, the clerk of the court shall make out from the returns on the venires an alphabetical list of such jurors.

대배심원들이 복명되는 어느 카운티에서든지의 법원의 개개 개정기의 시작 전에, 그러한 배심원들의 알파벳 순서에 의한 명부를 배심소집장들에의 회답들에 터잡아서 법원서기는 작성하여야 한다.

https://www.mainelegislature.org/legis/statutes/15/title15sec1252.html

§1252. Oaths
선서들

When the grand jury is to be impaneled, the clerk shall call the first 2 persons named on the list and administer the following oath to them: “You, as grand jurors of this County of ...., solemnly swear that you will diligently inquire and true presentment make of all matters and things given you in charge. The state's counsel, your fellows' and your own, you shall keep secret. You shall present no man for envy, hatred or malice; nor leave any man unpresented for love, fear, favor, affection or hope of reward; but you shall present things truly as they come to your knowledge, according to the best of your understanding. So help you God.” The other jurors shall then be called, in such divisions as the court orders and the following oath shall be administered to them: “The same oath which your fellows have taken on their part, you and each of you on your part shall well and truly observe and keep. So help you God.”

대배심이 충원구성 되는 때에 명부 상에 이름이 적힌 첫 두 명을 호창하여 아래의 선서를 그들에게 서기는 실시하여야 한다: “귀하들에게 맡겨지는 모든 사안들을 및 사항들을 근면하게 파헤치겠음을 및 이에 대한 진실한 고발을 하겠음을 이 .... 카운티의 대배심원들로서 귀하들은 엄숙히 선서합니다. 주(State)의 의논을, 귀하들의 동료들의 및 귀하들 자신들의 의논을 귀하들은 비밀로 간직하여야 합니다. 어떤 사람을도 시기심에, 원한에 또는 악의에 영향을 받아서 귀하들은 고발하여서는 안 되고; 어느 누구를도 사랑에, 두려움에, 호의에, 애정에 또는 보상의 기대에 편승하여 미고발 상태로 귀하들은 남겨두어서도 안 되는바; 귀하들의 지식 내에 사안들이 들어오는 대로 귀하들의 최선껏의 이해에 따라서 진실되게 그것들을 귀하들은 고발하여야 합니다. 하오니 신께서는 귀하들을 도우소서.” 나머지 배심원들은 그 뒤에 법원이 명령하는 대로의 조들로 나뉘어서 호창되어야 하고, 그들에게 아래의 선서가 실시되어야 한다: “귀하들의 동료들이 그들 쪽에서 행한 바 있는 바로 그 선서를 귀하들은 및 귀하들 각자는 귀하들 쪽에서 충실하게 및 진실되게 준수하여야 하고 지켜야 합니다. 하오니 신께서는 귀하들을 도우소서.”

https://www.mainelegislature.org/legis/statutes/15/title15sec1253.html

§1253. Affirmations
무선서확약들

When any person returned as grand juror is conscientiously scrupulous of taking an oath, he may make affirmation, substituting the word "affirm" instead of "swear" and the words "This you do under the pains and penalties of perjury" instead of "So help you God."

대배심원으로서 복명한 사람 누구든지가 한 개의 선서를 하는 데 대하여 양심적으로 신중하면, "선서합니다"를 "무선서로 확약합니다"로, "하오니 신께서는 귀하를 도우소서"를 "이것을 위증죄의 형벌들 아래서 및 벌칙들 아래서 귀하는 하는 것입니다"로 대체함으로써 무선서확약을 그는 할 수 있다.

https://www.mainelegislature.org/legis/statutes/15/title15sec1254.html

§1254. Juror's oath or affirmation in cases punishable by imprisonment
구금에 의하여 처벌될 수 있는 사건들에서의 배심원의 선서 또는 무선서확약

The following oath shall be administered to jurors in criminal cases: "You swear, that in all causes committed to you, you will give a true verdict therein, according to the law and evidence given you. So help you God." Any juror, conscientiously scrupulous of taking an oath, may affirm in the mode described in section 1253. [PL 1979, c. 541, Pt. B, §21 (AMD).]

형사사건들에서의 배심원들에게는 아래의 선서가 실시되어야 한다: "귀하들에게 맡겨지는 모든 사건들에서 법에 및 귀하들에게 제출되는 증거에 따라서 한 개의 진실한 평결을 내리기로 귀하들은 선서합니다. 하오니 신께서는 귀하들을 도우소서." 한 개의 선서를 하는 데 대하여 양심적으로 신중한 배심원은 제1253절에 규정된 방법으로 무선서확약을 할 수 있다. [PL 1979, c. 541, Pt. B, §21 (AMD).]

SECTION HISTORY
PL 1977, c. 114, §27 (RPR). PL 1979, c. 541, §B21 (AMD).

https://www.mainelegislature.org/legis/statutes/15/title15sec1255.html

§1255. Foreman
배심장

(REPEALED)

(폐지됨)

SECTION HISTORY
PL 1965, c. 356, §45 (RP).

https://www.mainelegislature.org/legis/statutes/15/title15sec1255-A.html

§1255-A. Grand jury territorial authority to indict for crimes
범죄들에 대하여 대배심 검사기소에 처할 대배심의 토지관할권

1. General rule. Grand jury territorial authority to indict for crimes coming within the jurisdiction of the Superior Court must be exercised by the grand jury serving the county where the crime was committed. [PL 2007, c. 526, §1 (NEW).]

일반원칙. 상위 지방법원 관할 내에 들어오는 범죄들에 대하여 대배심 검사기소에 처할 대배심의 토지관할권은 당해 범죄가 저질러진 카운티를 위하여 복무하는 대배심에 의하여 행사되지 않으면 안 된다. [PL 2007, c. 526, §1 (NEW).]

2. Exceptions. The following are exceptions to subsection 1.

예외들. 아래의 것들은 소절 1에 대한 예외들이다.

A. If the Chief Justice of the Supreme Judicial Court creates judicial regions for venue purposes pursuant to Title 4, section 19, each grand jury in a multicounty judicial region may share authority to indict for crimes committed in that judicial region. [PL 2007, c. 526, §1 (NEW).]

재판지 목적들을 위한 재판지구들을 제4편 제19절에 따라서 만약 대법원장이 설정

하면, 복수카운티를 포함하는 한 개의 재판지구 내의 개개 대배심은, 당해 재판지구에서 저질러진 범죄들을 대배심 검사기소에 처할 권한을 공유할 수 있다. [PL 2007, c. 526, §1 (NEW).]

B. Grand jury territorial authority to indict for crimes may also be exercised as otherwise provided by law. [PL 2007, c. 526, §1 (NEW).]

범죄들을 대배심 검사기소에 처할 대배심의 토지관할권은 달리 법에 의하여 규정되는 바에 따라서도 행사될 수 있다. [PL 2007, c. 526, §1 (NEW).]

3. Administration. The Supreme Judicial Court shall establish by rule or administrative order how and to what extent the shared authority of each grand jury in a multicounty judicial region to indict under subsection 2 may be exercised. [PL 2007, c. 526, §1 (NEW).]

시행. 소절 2 아래서 복수카운티 재판지구 내의 개개 대배심의 공유된, 대배심 검사기소에 처할 권한이 어떻게 및 어떤 범위에서 행사될 수 있는지를 규칙에 의하여 또는 행정명령에 의하여 대법원은 정하여야 한다. [PL 2007, c. 526, §1 (NEW).]

SECTION HISTORY
PL 2007, c. 526, §1 (NEW).

https://www.mainelegislature.org/legis/statutes/15/title15sec1256.html

§1256. Grand jury to present all crimes
모든 범죄들을 고발할 대배심의 의무

Grand juries shall present all crimes for which by law they are given territorial authority to indict, and may appoint one of their number to take minutes of their proceedings to be delivered to the attorney, if the jury so directs. When they are dismissed before the court adjourns, they may be summoned again, on any special occasion, at such time as the court directs. Evidence may be offered to the grand jury by the Attorney General, the district attorney, the assistant district attorney and, at the discretion of the presiding justice, by such other persons as said presiding justice may permit. [PL 2007, c. 526, §2 (AMD).]

대배심 검사기소에 처할 토지관할권을 법에 의하여 자신들이 부여받은 모든 범죄들을 대배심들은 고발하여야 하는바, 배심이 명령하는 경우에 검사에게 제출되어야 할, 그들의 절차들의 의사록을 작성하도록 그들의 구성원 중 한 명을 대배심들은 지명할 수 있다. 법원이 휴정기에 들어가기 전에 그들이 임무해제 되면, 특별한 경우에로서 법원이 명령하는 때에는 언제든지 그들은 다시 소환될 수 있다. 검찰총장에 의하여, 재판구 지방검사에 의하여, 재판구 지방검사보에 의하여, 그리고 법원장 판사의 재량에 따라서 법원장 판사가 허가하는 그 밖의 사람들에 의하여 대배심에 증거는 제출될 수 있다. [PL 2007, c. 526, §2 (AMD).]

SECTION HISTORY
PL 1973, c. 567, §20 (AMD). PL 2007, c. 526, §2 (AMD).

https://www.mainelegislature.org/legis/statutes/15/title15sec1257.html

§1257. Disclosures improper
부적절한 공개들

(REPEALED)

(폐지됨)

SECTION HISTORY
PL 1965, c. 356, §46 (RP).

https://www.mainelegislature.org/legis/statutes/15/title15sec1258.html

1258. Juries for criminal offenses; challenges
범죄들을 위한 배심들; 기피들

When a person charged with a criminal offense, who has not waived his right to trial by jury, is put upon his trial, the clerk, under the direction of the court, shall place the names of all the traverse jurors summoned and in attendance in a box upon separate tickets, and the names, after being mixed, shall be drawn from the box by the clerk, one at a time. The Supreme Judicial Court shall by rule provide the manner of exercising all challenges, and the number and order of peremptory challenges. [PL 1965, c. 482, §1 (AMD).]

한 개의 범죄로 기소된, 그 자신의 배심에 의한 정식사실심리의 권리를 포기하지 아니한 사람이 정식사실심리에 놓이는 경우에, 그 소환된 및 출석한 소배심원(후보)들의 이름들을 법원의 명령에 따라서 따로따로의 뽑기표들 위에 기재하여 한 개의 상자 안에 서기는 넣어야 하는바, 그 이름들은 뒤섞인 다음에 상자로부터 서기에 의하여 한 번에 한 개씩 추출되어야 한다. 모든 기피들을 행사하는 방법을, 무이유부 기피들의 숫자를 및 순서를 규칙에 의하여 대법원은 정하여야 한다. [PL 1965, c. 482, §1 (AMD).]

Whenever by reason of the prospective length of a criminal trial the court in its discretion shall deem it advisable, it may direct that jurors in addition to the regular panel be called and impanelled to sit as alternate jurors. Such alternate jurors in the order in which they are called shall replace jurors who, prior to the time the jury retires to consider its verdict, become unable or disqualified to perform their duties. Such alternate jurors shall be drawn in the same manner, shall have the same qualifications, shall be subject to the same examination and challenges, shall take the same oath and shall have the same functions, powers, facilities and privileges and be subject to the same obligations and penalties as jurors on the regular panel. An alternate juror who does not replace a juror on the regular panel shall be discharged when the jury retires to consider its verdict. The Supreme Judicial Court shall by rule provide the number of alternate jurors, the manner of exercising all challenges to alternate jurors, and the order and number of peremptory challenges to alternate jurors. [PL 1965, c. 356, §47 (RPR).]

정규 배심원단이에 추가하여 배심원(후보)들이 예비배심원들로서 착석하도록 소환되게 할 것을 및 충원되게 할 것을, 한 개의 형사 정식사실심리의 예상되는 길이로 인하여 그 적절하다고 그 재량 내에서 법원이 간주하는 때에는 언제든지, 법원은 명령할 수 있다. 배심 자신의 평결을 검토하기 위하여 배심실로 배심이 물러가기 전에 그들의 의무들을 수행할 수 없게 되는 내지는 그 자격이 상실되는 배심원들을, 그러한 예비배심원들은 그들이 소환되는 순서대로 대체하여야 한다. 정규 배심원단 위의 배심원들이 추출되는 방법에의 동일한 방법으로 그러한 예비배심원들은 추출되어야 하고, 그 지니는 자격조건들에의 동일한 자격조건들을 예비배심원들은 지녀야 하고, 그 처해져야 하는 신문에의 및 기피들에의 동일한 신문에 및 기피들에 예비배심원들은 처해져야 하고, 그 하여야 하는 선서에의 동일한 선서를 예비배심원들은 하여야 하고, 그 지녀야 하는 임무들에의, 권한들에의, 편의들에의 및 특권들에의 동일한 임무들을, 권한들을, 편의들을 및 특권들을 예비배심원들은 지녀야 하고, 그 처해져야 하는 의무들에의 및 벌칙들에의 동일한 의무들에 및 벌칙들에 예비배심원들은 처해져야 한다. 정규배심원단 위의 한 명의 배심원을 대체하지 아니하는 예비배심원은, 배심 자신의 평결을 검토하기 위하여 배심이 물러갈 때 임무해제 되어야 한다. 예비배심원들의 숫자를, 예비배심원들에 대한 모든 기피들을 행사하는 방법을, 그리고 예비배심원들에 대한 무이유부 기피들의 순서를 및 숫자를 규칙에 의하여 대법원은 정하여야 한다. [PL 1965, c. 356, §47 (RPR).]

SECTION HISTORY
PL 1965, c. 356, §47 (RPR). PL 1965, c. 482, §1 (AMD).

https://www.mainelegislature.org/legis/statutes/15/title15sec1258-A.html

§1258-A. Voir dire
배심원자격 예비심문

Any rule of court or statute to the contrary notwithstanding, the court shall permit voir dire examination to be conducted by the parties or their attorneys under its direction. [PL 1965, c. 482, §2 (NEW).]

법원 자신의 명령 아래서 배심원자격 예비심문이 당사자들에 의하여 내지는 그들의 변호사들에 의하여 실시되도록, 이에 저촉되는 그 어떤 법원규칙에도 내지는 제정법에도 불구하고, 법원은 허용하여야 한다.

SECTION HISTORY
PL 1965, c. 482, §2 (NEW).

https://www.mainelegislature.org/legis/statutes/15/title15sec1259.html

§1259. Challenges for cause
이유부 기피들

Challenges for cause shall be allowed to the prosecuting officer and the accused as in civil cases, but no member of a grand jury finding an indictment shall sit on the trial thereof, if challenged therefor by the accused. [PL 1965, c. 356, §48 (RPR).]

민사소송들에서 허용되듯이, 검사에게 및 피고인에게 이유부 기피들은 허용되어야 하는바, 한 개의 대배심 검사기소를 평결한 대배심의 구성원은, 그 점을 이유로 피고인에 의하여 만약 기피되면, 그 대배심 검사기소장의 정식사실심리에 착석하여서는 안 된다. [PL 1965, c. 356, §48 (RPR).]

SECTION HISTORY
PL 1965, c. 356, §48 (RPR).

https://www.courts.maine.gov/rules_adminorders/rules/text/mru_crim_p_plus_2017-5-3.pdf

MAINE RULES OF UNIFIED CRIMINAL PROCEDURE
메인주 형사절차 통합규칙

RULE 6. THE GRAND JURY
대배심

(a) Number of Grand Jurors. The grand jury shall consist of not fewer than 13 nor more than 23 jurors and a sufficient number of legally qualified persons shall be summoned to meet this requirement.

대배심원들의 숫자. 13명 이상의 및 23명 이하의 배심원들로 대배심은 구성되는바, 이 요구를 충족할 수 있는 충분한 숫자의 법적으로 자격을 갖춘 사람들이 소환되어야 한다.

(b) Objections to Grand Jury and to Grand Jurors.

대배심에 및 대배심원들에 대한 이의들.

(1) Challenges. Either the attorney for the State or a defendant who has been held to answer may challenge an individual grand juror on the ground that the juror is not legally qualified or that a state of mind exists on the juror's part that may prevent the juror from acting impartially. All challenges must be in writing and allege the ground upon which the challenge is made, and such challenges must be made before the time the grand jurors commence receiving evidence at each session of the grand jury. If a challenge to an individual grand juror is sustained, the juror shall be discharged, and the court may replace the juror from persons drawn or selected for grand jury service.

기피들. 검사(주 측 변호사)는 또는 답변하도록 붙들린 피고인은 한 명의 개별 배심원을, 그가 법적으로 자격을 갖추지 아니하였음을 이유로 또는 공평하게 행동하지 못하도록 그 배심원을 방해하는 그 배심원 쪽에서의 한 개의 마음상태가 존재함을 이유로, 기피할 수 있다. 모든 기피들은 서면에 의하여 제기되어야 하고 당해 기피 제기의 근거가 되는 사유를 주장하여야 하는바, 당해 대배심의 개개 회합에서 대배심원들이 증거를 수령하기를 시작하기 전에 그러한 기피들은 제기되지 않으면 안 된다. 만약 한 명의 개별 대배심원에 대한 한 개의 기피가 인용되면, 당해 배심원은 임무해제 되어야 하고, 그 배심원을 대배심 복무를 위하여 추출된 및 선정된 사람들 가운데서 법원은 교체하여야 한다.

(2) Motion to Dismiss. A motion to dismiss the indictment may be based on objections to the array or, if not previously determined upon challenge, on the lack of legal qualifications of an individual juror or on the ground that a state of mind existed on the juror's part that prevented the juror from acting impartially, but an indictment shall not be dismissed on the ground that one or more members of the grand jury were not legally qualified if it appears from the record kept pursuant to subdivision (c) of this Rule that 12 or more jurors, after deducting the number not legally qualified, concurred in finding the indictment.

각하신청. 대배심 검사기소장을 각하하여 달라는 신청은 그 근거를 배심원단에 대한 이의들에, 또는 기피의 심리에서 미리 판단된 바 없는 경우에로서의 한 명의 개별적 배심원의 법적 자격조건의 결여에 또는 그 배심원으로 하여금 공평하게 행동하지 못하도록 방해한 그 배심원 쪽의 마음상태가 존재하였다는 점에 둘 수 있는 바, 그러나 그 대배심 검사기소를 평결함에 법적으로 자격을 갖추지 못한 자들의 숫자를 빼고서도 열두 명 이상의 배심원들이 찬성하였음이 이 규칙의 소부 (c)에 따라서 보관되는 기록으로부터 확인되는 경우에는, 당해 대배심의 한 명 이상의 구성원들이 법적으로 자격을 갖추지 못하였음을 사유로 하여서는 한 개의 대배심 검사기소장은 각하되어서는 안 된다.

(c) Foreperson and Deputy Foreperson. The court shall appoint one of the jurors to be foreperson and another to be deputy foreperson. The foreperson shall have power to administer oaths and affirmations and shall sign all indictments. The foreperson or another juror designated by the foreperson shall keep a record of the number of jurors concurring in the finding of every indictment and shall file the record with the clerk of the Unified Criminal Docket, but the record shall not be public except on order of the court. During the absence of the foreperson the deputy foreperson shall act as foreperson.

배심장 및 부배심장. 배심원들 중 한 명을 배심장으로, 그리고 다른 한 명을 부배심장으로 법원은 지명하여야 한다. 배심장은 선서들을 및 무선서확약들을 실시할 권한을 지니며 모든 대배심 검사기소장들에 서명하여야 한다. 배심장은 또는 배심장에 의하여 지명되는 다른 배심원은 모든 대배심 검사기소장에 관하여 그 평결에 찬성하는 배심원들의 숫자의 기록을 보관하여야 하고 그 기록을 통합형사사건부 서기에게 제출하여야 하는바, 그러나 그 기록은 법원의 명령에 의해서를 제외하고는 공개되어서는 안 된다. 배심장의 부재 중에는 배심장을 부배심장은 대행하여야 한다.

(d) Presence During Proceedings. While the grand jury is taking evidence, only the attorneys for the State, the witness under examination, and, when ordered by the court, a security officer, an interpreter or translator, a court reporter, or an operator of electronic recording equipment may be present. While the grand jury is deliberating or voting, only the jurors may be present.

절차들 도중의 출석. 증거를 대배심이 청취하는 동안에 출석해 있을 수 있는 사람들은 검사들(주 측 변호사들)에, 신문대상인 증인에, 그리고 법원에 의하여 명령되는 경우에의 안전담당 공무원에, 통역인에 내지는 번역인에, 법원속기사에, 또는 전자적 녹음장비 기사에 한한다. 대배심이 숙의 중인 내지는 표결 중인 동안에는 배심원들만이 출석해 있을 수 있다.

(e) General Rule of Secrecy. A juror, attorney, security officer, interpreter, translator, court reporter, operator of electronic recording equipment, or any person to whom disclosure is made under this Rule may not disclose matters occurring before the grand jury, except as otherwise provided in these Rules or when so directed by the court. No obligation of secrecy may be imposed upon any person except in accordance with this Rule. In the event an indictment is not returned, any stenographic notes and electronic backup, if any, of an official court reporter or tape or digital record of an electronic sound recording and any written record of information necessary for an accurate transcription prepared by the operator and any transcriptions of such notes, tape, or digital record shall be impounded by the court. The court may direct that an indictment be kept secret until the defendant is in custody or has given bail, and in that event the court shall seal the indictment and no person may disclose the finding of the indictment except when necessary for the issuance or execution of a warrant or summons. Disclosure otherwise prohibited by this Rule of matters occurring before the grand jury, other than its deliberations and any vote of any juror, may be made by an attorney for the State to:

비밀성의 일반적 규칙. 대배심 앞에서 발생하는 사안들을, 달리 이 규칙들에 규정되는 바에 따라서를 제외하고는 또는 법원에 의하여 명령되는 경우에를 제외하고는, 배심원은, 검사/변호사는, 안전담당 공무원은, 통역인은, 번역인은, 법원속기사는, 전자적 녹음장비 기사는, 또는 이 규칙에 따라서 공개가 제공되는 어느 누구든지는 공개하여서는 안 된다. 이 규칙에의 부합 속에서를 제외하고는 어느 누구에게도 비밀의무가 부과되어서는 안 된다. 한 개의 대배심 검사기소장이 제출되지 아니하는 경우에, 공식의 법원 속기사의 속기메모들은 및 그 있을 경우에의 전자적 백업파일은, 내지는 전자적 음향녹음에 의한 테이프 녹음물은 내지는 디지털 녹음물은 그리고 당해 기사에 의하여 작성되는 정확한 녹취를 위하여 필요한 정보의 서면기록은 및 그러한 메모들의, 테이프 녹음물의, 또는 디지털 녹음물의 녹취록들은 법원에 의하여 수거되어야 한다. 피고인이 구금되고 났을 때까지 또는 보석금을 납부하고 났을 때까지 한 개의 대배심 검사기소장을 비밀의 것으로 보관하도록 법원은 명령할 수 있는바, 그 경우에는 당해 대배심 검사기소장을 법원은 봉인하여야 하고, 영장의 내지는 소환장의 발부를 내지는 집행을 위하여 필요한 경우에를 제외하고는 당해 대배심 검사기소의 평결을 어느 누구가도 공개하여서는 안 된다. 대배심의 숙의들에를 및 배심원 어느 누구든지의 투표에를 제외한 대배심 앞에서 발생하는 사안들에 대한 달리 이 규칙에 의하여 금지되는 공개는 검사(주측 변호사)에 의하여 아래 사람들에게 이루어질 수 있다:

(1) an attorney for the State in the performance of the duty of an attorney for the State to enforce the State's criminal laws;

주 형사법들을 시행할 검사(주측 변호사)의 의무의 수행에 있어서의 당해 검사(주측 변호사)에게 이루어지는 경우;

(2) any staff members assigned to an attorney for the State who that attorney considers necessary to assist in the performance of that attorney's duty to enforce the State's criminal laws;

주 형사법들을 시행할 검사(주측 변호사)의 의무의 수행을 조력하기 위하여 필요하다고 당해 검사(주측 변호사)가 간주하는 당해 검사(주측 변호사)에게 소속된 직원진 구성원들 어느 누구든지에게 이루어지는 경우;

(3) any government personnel not otherwise addressed in this subdivision or subdivision (h) of this Rule that an attorney for the State considers necessary to assist in the performance of that attorney's duty to enforce the State's criminal laws; and

주 형사법들을 시행할 검사(주측 변호사)의 의무의 수행을 조력하기 위하여 필요하다고 당해 검사(주측 변호사)가 간주하는, 이 소부에서 내지는 이 규칙 소부 (h)에서 달리 명기되지 아니하는 정부요원에게 이루어지는 경우; 그리고

(4) another State grand jury by an attorney for the State in the performance of the duty of an attorney for the State to enforce the State's criminal laws. Any person to whom matters are disclosed under paragraphs (1), (2), or (3) of subdivision (e)

of this Rule may not utilize that grand jury material for any purpose other than assisting the attorney for the State in the performance of such attorney's duty to enforce the State's criminal laws. An attorney for the State who has made a disclosure pursuant to paragraph 3 of subdivision (e) of this Rule with respect to matters occurring before the grand jury shall promptly provide the court with the name of the persons and agencies to whom such disclosure has been made and shall certify that the attorney for the State has advised such persons of their obligation of secrecy under this Rule.

주 형사법들을 시행할 검사(주측 변호사)의 의무의 수행에 있어서의 검사(주측 변호사)에 의하여 다른 주 대배심에게 이루어지는 경우. 이 규칙의 소부 (e)의 단락 (1) 아래서, (2) 아래서, (3) 아래서 사안들의 공개를 제공받는 사람 누구든지는 그 대배심 자료를, 주 형사법들을 시행할 검사(주측 변호사)의 의무의 수행에 있어서의 당해 검사(주측 변호사)를 조력함이라는 목적 이외의 여하한 목적을 위해서도, 사용하여서는 안 된다. 대배심 앞에서 발생한 사안들에 관하여 이 규칙의 소부 (e)의 단락 3에 따라서 공개를 실시한 검사(주측 변호사)는 그러한 공개가 제공되어 있는 사람들의 및 기관들의 이름을 법원에 신속하게 제공하지 않으면 안 되고 그러한 사람들의 이 규칙 아래서의 비밀준수 의무에 관하여 그들에게 자신이 고지한 터임을 보증하지 않으면 안 된다.

(f) Recording of Proceedings. Upon motion of the defendant or the attorney for the State, the court, in its discretion for good cause shown, may order that a court reporter or operator of electronic recording equipment be present for the purpose of taking evidence. No person other than a court reporter or operator of electronic recording equipment shall be permitted to record any portion of the proceeding.

절차들의 녹음. 피고인의 내지는 검사(주 측 변호사)의 신청이 있을 경우에 법원은 그 제시되는 타당한 이유에 따라서 그 자신의 재량으로 법원 속기사로 하여금 또는 전자적 녹음장비 기사로 하여금 증언을 녹취하기 위하여 출석해 있도록 명령할 수 있다. 법원 속기사 이외의 내지는 녹음장비 기사 이외의 어느 누구가도 절차의 어느 부분을이라도 녹음하도록 허용되어서는 안 된다.

(g) Procedure for Preparation and Disclosure of Transcript. No transcript may be prepared of the record of the evidence presented to the grand jury without an order of the court. Upon motion of the defendant or the attorney for the State and upon a showing of particularized need, the court may order a transcript of the record of the evidence to be furnished to the defendant or the attorney for the State upon such terms and conditions as are just.

녹취록의 작성의 및 공개의 절차. 법원의 명령 없이는, 대배심에 제출된 증거의 녹음으로부터 녹취록이 작성되어서는 안 된다. 정당한 한도 내의 조건들 위에서 피고인에게 내지는 검사(주측 변호사)에게 증언녹음의 녹취록이 제공되게끔 하도록 피고인의 내지는 검사(주측 변호사)의 신청에 따라서 및 구체성 있는 필요의 증명에 터잡아서 법원은 명령할 수 있다.

(1) Transcripts of the record of the evidence may also be furnished upon such terms and conditions as are just

아래의 경우에도 또한 증언녹음에 대한 녹취록들은 정당한 범위 내의 조건들 위에서 제공될 수 있는바, 즉

(A) When ordered by the court preliminarily to or in connection with a judicial proceeding and upon a showing of particularized need; or

한 개의 사법절차에 앞서서 예비적으로 또는 한 개의 사법절차에의 연관 속에서 및 구체화된 필요의 증명 위에서 제공되는 경우에이고; 또는

(B) When ordered by the court at the request of an attorney for the State to an appropriate official of another jurisdiction for the purpose of enforcing the criminal laws of another jurisdiction upon a showing that such disclosure may constitute evidence of a violation of the criminal laws of that other jurisdiction.

다른 관할의 형사법들을 시행함을 목적으로 그 다른 관할의 적절한 공무원에게, 그 다른 관할의 형사법들에 대한 위반의 증거를 공개가 구성할 수 있음에 대한 한 개의 증명 위에서 검사(주측 변호사)의 요청에 따라서 법원에 의하여 명령되는 경우에이다.

(2) A petition for disclosure pursuant to paragraph (1) of subdivision (g) shall be filed in the Unified Criminal Docket where the grand jury was convened. Unless the

hearing is ex parte, which it may be when the petitioner is the State, the petitioner shall serve written notice of the petition upon:

소부 (g)의 단락 (1)에 따른 공개를 위한 청구서는 대배심이 소집된 통합형사사건부에 제출되어야 한다. 주가 청구인인 경우에 등 심문이 일방절차인 경우에를 제외하고는, 청구 통지서를 아래 사람들에게 청구인은 송달하여야 한다:

(A) The attorneys for the State who were present before the grand jury, or their designee;

대배심 앞에 출석하였던 검사(주 측 변호사)들 내지는 그들의 피지명자;

(B) The parties to the judicial proceeding if disclosure is sought in connection with such a proceeding; and

만약 한 개의 사법절차에의 연관 속에서 공개가 추구되면 당해 사법절차에의 당사자들; 그리고

(C) Such other persons as the court may direct. The court shall afford those persons a reasonable opportunity to appear and be heard before disclosure of the transcript of the record of the evidence. The court shall order such a hearing to be closed to the extent necessary to prevent disclosure of matters occurring before the grand jury.

법원이 명령하는 그 밖의 사람들. 출석할 및 심문에 참여할 합리적 기회를 증언녹음에 대한 녹취록의 공개 전에 그 사람들에게 법원은 제공하여야 한다. 대배심 앞에서 발생한 사안들의 공개를 방지하기 위하여 필요한 한도 내에서 비공개로 심문이 진행되게끔 조치하도록 법원은 명령하여야 한다.

(3) If the judicial proceeding giving rise to the petition is before a court of another county, the court that convened the grand jury may transfer the disclosure hearing to the Unified Criminal Docket of the county of the petitioning court, unless the court convening the grand jury may reasonably obtain sufficient knowledge of the proceeding to determine whether disclosure is proper. The court convening the grand jury may order transmitted to the court to which the matter is transferred

the material sought to be disclosed, if feasible, and a written evaluation of the need for continued grand jury secrecy.

청구서를 야기한 사법절차가 만약 여타의 카운티 법원 앞에서의 것이면, 당해 대배심을 소집한 법원은 청구를 야기한 사법절차의 법원이 속하는 카운티 통합형사사건부에 공개청구 심문을 이송할 수 있는바, 다만 공개가 적합한지 여부를 판단하기에 충분한 당해 절차에 관한 지식을 당해 대배심을 소집한 법원이 합리적으로 입수할 수 있는 경우에는 그러하지 아니하다. 사안을 이송받는 쪽 법원에, 그 공개청구 대상인 자료가, 및 가능한 경우에는 대배심 비밀의 지속을 위한 필요성에 대한 서면 판단이 송부되게끔 조치하도록, 당해 대배심을 소집한 법원은 명령할 수 있다.

(h) Disclosure for Certain Law Enforcement Purposes. Disclosure otherwise prohibited by this Rule of matters occurring before the grand jury, other than its deliberations and any vote of any grand juror, may be made by an attorney for the State to any law enforcement personnel (including personnel of the United States, another state or territory, or a subdivision of such) who that attorney considers necessary to assist in the performance of that attorney's duty to enforce the State's criminal laws. Any person to whom matters are disclosed under this subdivision may not utilize that grand jury material for any purpose other than assisting an attorney for the State in the performance of such attorney's duty to enforce the State's criminal laws. An attorney for the State who has made a disclosure pursuant to this subdivision with respect to matters occurring before the grand jury shall promptly provide the court with the names of the persons and agencies to whom such disclosure has been made, and shall certify that the attorney for the State has advised such persons of their obligation of secrecy under this Rule.

일정한 법집행 목적들을 위한 공개. 대배심의 숙의들의를 및 대배심원 누구든지의 표결의를 제외한, 대배심 앞에서 발생하는 사안들의, 이 규칙에 의하여 달리 금지되는 공개는 주 형사법들을 시행할 검사(주측 변호사)의 의무의 수행을 조력하기 위하여 필요하다고 당해 검사(주측 변호사)가 간주하는 어느 법 집행 요원에게도 (합중국의, 여타 주(state)의 내지는 준주의 내지는 그 하부단위의 요원에게를 포함함) 당해 검사(주측 변호사)에 의하여 이루어질 수 있다. 이 소부 아래서 사안들의 공개를 제공받는 사람 누구든지는 그 대배심 자료를, 주 형사법들을 시행할 한 명의 검사(주측 변호사)의 의무의 수행에 있어서의 당해 검사(주측 변호사)를 조력함이라는 목적 이외의 여하한 목적을 위해서도 사용하여서는 안 된다. 대배심 앞에서 발생한 사안들에 관하여 이 소부에 따라서 공개를 실시한 검사(주측 변호사)는 그러한 공개가 제공되어 있는 사람들의 및 기관들의 이름을 법원에 신속하게 제공하여야 하고 그러한 사람들의 이 규칙 아래서의 비밀준수 의무에 관하여 그들에게 검사(주측 변호사) 자신이 고지한 터임을 보증하여야 한다.

(i) Finding and Return of Indictment. An indictment may be found only upon the concurrence of 12 or more jurors. The indictment shall be returned to the court by the grand jury or its foreperson or its deputy foreperson in open court. If the defendant is in custody or has given bail and 12 jurors do not concur in finding an indictment, the foreperson shall so report to the court in writing forthwith.

대배심 검사기소장의 평결 및 제출. 오직 12명 이상의 배심원들의 찬성에 의하여서만 한 개의 대배심 검사기소장은 평결될 수 있다. 대배심에 의하여 또는 그 배심장에 의하여 내지는 그 부배심장에 의하여 공개법정에서 법원에 그 대배심 검사기소장은 제출되어야 한다. 만약 피고인이 구금되어 있으면 내지는 보석에 처해져 있으면, 그런데 대배심 검사기소를 평결하는 데에 12명의 배심원들이 찬성하지 아니하면, 배심장은 그 즉시 서면으로 그렇게 법원에 보고하여야 한다.

(j) Excuse. At any time for cause shown, the court may excuse a juror either temporarily or permanently, and in the latter event the court may impanel another person in place of the juror excused. No juror may participate in voting with respect to an indictment unless the juror shall have been in attendance at the presentation of all the evidence produced in favor of and adverse to the return of the indictment.

면제. 증명되는 이유에 따라서 한 명의 배심원을 일시적으로 또는 영구적으로 언제든지 법원은 면제할 수 있는바, 영구적으로 면제하는 경우에는 그 면제되는 배심원에 갈음하여 다른 사람을 법원은 충원할 수 있다. 대배심 검사기소장의 제출에 유리한 쪽의이든 내지는 불리한 쪽의이든 모든 증거의 제출 때에 배심원이 출석해 온 경우에를 제외하고는 한 개의 대배심 검사기소에 관하여 표결에 그 배심원은 참여하여서는 안 된다.

Advisory Note – July 2015

권고위원회의 주해 - July 2015

Rule 6(e) is amended to consistently capitalize "State." Rule 6(e) is additionally amended in the following respects:

"State"의 첫 글자를 일관되게 대문자로 쓰는 것으로 Rule 6(e)는 개정된다. 아래의 점들에서도 추가적으로 Rule 6(e)는 개정된다:

(1) The words "by an attorney for the State" are added after the word "made" and before the word "to" in the sentence containing the listed exceptions in subdivision (e) to make clear that the exceptions pertain to the disclosure of secret grand jury matters without prior judicial approval by an attorney for the State.

소부 (e)에 나열된 예외들을 포함하는 문장에서 "made"라는 단어 뒤에 및 "to"라는 단어 앞에 "by an attorney for the State(검사(주 측 변호사)에 의하여)"라는 문구가 추가되는 것은, 비밀의 대배심 사안들에 대한 사전의 법원승인이 없는 상태에서의 검사(주 측 변호사)에 의한 공개에, 그 예외들이 관련됨을 명확히 하기 위한 것이다.

(2) In paragraph (2) the "reasonably necessary" standard, permitting disclosure by an attorney for the State to some or all of that attorney's staff in order to assist that attorney in enforcing the State's criminal laws, is deleted and replaced by a "considers necessary" standard.

단락 (2)에서, 주 형사법들을 시행함에 있어서의 검사(주 측 변호사)를 조력하게 하기 위한 검사(주 측 변호사)의 직원진 일부에게의 또는 전부에게의 검사(주 측 변호사)에 의한 공개를 허용하였던 "reasonably necessary(합리적으로 필요함)"기준은 삭제되고 "considers necessary(필요하다고 간주함)" 기준에 의하여 대체된다.

The former phrase "reasonably necessary" was taken from former Rule 502(a)(5) of the Maine Rules of Evidence defining a client's "confidential" communication in the context of the lawyer-client privilege. See M.R. Crim. P. 6 Advisory Committee's Note to 1997 amend., Me. Rptr.692-698 A.2d LXXIX.

“reasonably necessary합리적으로 필요함)”이라는 과거의 문구는 변호사-의뢰인 특권의 맥락에서의 의뢰인의 “비밀의” 의사소통을 개념정의한 과거의 메인주 증거규칙 Rule 502(a)(5)로부터 취해진 것이었다. M.R. Crim. P. 6 Advisory Committee's Note to 1997 amend., Me. Rptr. 692-698 A.2d LXXIX을 보라.

At the same time the “reasonably necessary” standard was adopted relative to subdivision (e), paragraph (2), a differing standard of “deemed necessary” was adopted for subdivision (h) of Rule 6 addressing dissemination by an attorney for the State to law enforcement personnel for the same purpose as specified in paragraph (2).

소부 (e)의 단락 (2)에 관련하여 “reasonably necessary(합리적으로 필요함)” 기준이 채택된 바로 그 때에, 단락 (2)에 규정되는 목적에의 동일한 목적을 위한 검사(주 측 변호사)에 의한 법집행 요원에게의 배포를 다루는 Rule 6의 소부 (h)를 위하여 별도의 “deemed necessary(필요하다고 간주됨)” 기준은 채택된 것이었다.

This “deemed necessary” standard was taken from then Rule 6(e)(3)(A)(ii) of the Federal Rules of Criminal Procedure addressing dissemination by an attorney for the government to all “government personnel” assisting the government attorney in performing that attorney's duty to enforce federal criminal law. M.R. Crim. P. 6 Advisory Committee's Note to 1997 amend., Me. Rptr. 692-698 A.2d LXXXI.

연방 형사법을 시행할 검사(정부 측 변호사)의 의무의 수행에 있어서의 검사(정부 측 변호사)를 조력하는 모든 “government personnel(정부요원)”에게의 검사(정부 측 변호사)에 의한 배포를 다루는 연방형사소송법 Rule 6(e)(3)(A)(ii)로부터 이 “deemed necessary(필요하다고 간주됨)” 기준은 취해진 것이었다. M.R. Crim. P. 6 Advisory Committee's Note to 1997 amend., Me. Rptr. 692-698 A.2d LXXXI.

As now amended, the two above-described inconsistent standards are replaced by the “considers necessary” standard, the current formulation employed in Federal Criminal Rule 6(e)(3)(A)(ii). The same “considers necessary” standard is also employed in the newly added paragraph (3) exception addressing government personnel not otherwise dealt with in paragraphs (1) and (2) of subdivision (e) and subdivision (h).

이제 개정되었기에, 위에서 설명된 모순되는 두 가지 기준들은 “considers necessary(필요하다고 간주함)” 기준에 의하여 대체되는바, 현행의 공식화는 연방형사소송법 Rule 6(e)(3)(A)(ii)에서 사용되는 것이다. 소부 (e)의 단락 (1)에서 및 (2)에서 및 소부 (h)에서 달리 다루어지지 아니하는 정부요원을 다루는 새로이 추가된 단락 (3)의 예외에서도 바로 그 "considers necessary(필요하다고 간주함)" 기준은 사용된다.

(3) In paragraph (2) nonsubstantive changes are made in order to both eliminate the awkward overuse of the term "attorney for the State" and to replace passive voice language with more readable active voice language.

거북한 "검사(주 측 변호사)"의 과다사용을 제거하기 위하여에 아울러, 수동태의 용어를 보다 더 읽기 쉬운 능동태의 용어로 대체하기 위하여도, 단락 (2)에서의 비실체적 변경들은 이루어진다.

(4) A new exception is added in paragraph (3) to subdivision (e) that includes "any government personnel not otherwise addressed in ... [subdivision e] or subdivision (h)."

소부 (e)에 대한 단락 (3)에서는 "any government personnel not otherwise addressed in ... [subdivision e] or subdivision (h)(...소부 [e]에서 내지는 소부 (h)에서 달리 명기되지 아니하는 정부요원)"을 포함하는 새로운 예외가 추가된다.

In 1997, at the time the specific exceptions relating to government personnel were adopted in subdivisions (e) and (h), although a model creating an exception sufficiently broad to include "any government personnel" was already embodied in then Federal Rule of Criminal Procedure 6(e)(3)(A)(ii) and known to the Advisory Committee, see M.R. Crim. P. 6 Advisory Committee's Note to 1997 amend., Me. Rptr. 692-698 A.2d LXXVIII], it chose instead to limit dissemination in the absence of a court order to specific categories of government personnel—namely, other attorneys for the State pursuant to paragraph (1) of subdivision (e), see id. at LXXVI-LXXVIII, staff members of an attorney for the State pursuant to paragraph (2) of subdivision (e), see id. at LXXVIII-LXXIX, and law enforcement personnel (including personnel of the United States, another state or territory, or a subdivision of such) pursuant to subsection (h), see id. at LXXXI-LXXXII.

정부요원에 관련되는 명시적 예외들이 소부 (e)에서와 (h)에서 채택된 1977년 당시에는, "any government personnel"을 포함시키는 충분히 넓은 예외를 창출하는 한 개의 모델이 이미 연방형사소송법 Rule 6(e)(3)(A)(ii)에 구체화되어 있었음에도 및 권고위원회에 알려져 있었음에도 불구하고, see M.R. Crim. P. 6 Advisory Committee's Note to 1997 amend., Me. Rptr. 692-698 A.2d LXXVIII], 그렇게 하는 쪽을보다는, 법원명령의 부재 상태에서의 배포를 특정범주들의 정부요원들에게로 – 즉 소부 (e)의 단락 (1)에 따라서 여타의 검사(주 측 변호사)들에게로, see id. at LXXVI-LXXVIII, 소부 (e)의 단락 (2)에 따라서 검사(주 측 변호사)의 직원진 구성원들에게로, see id. at LXXVIII-LXXIX, 그리고 소절 (h)에 따라서 법집행 요원에게로(합중국의, 다른 주의 내지는 준주의, 또는 그러한 것들의 하부단위의 요원을 포함함), see id. at LXXXI-LXXXII — 제한하는 쪽을 권고위원회는 선택하였다.

However, in the intervening eighteen years since subdivisions (e) and (h) were adopted, criminal investigations in Maine have taken on a degree of complexity not generally experienced or even perhaps contemplated in 1997. In turn, the necessity to regularly share secret grand jury material with government personnel not included within the listed subdivisions (e) and (h) categories has also grown. Two examples illustrate this point.

그러나, 소부 (e)가 및 소부 (h)가 채택된 이후로 18년이 경과하는 동안, 메인주에서의 범죄조사들은 1997년에는 일반적으로 경험되지 못하였던 및 심지어는 아마도 예측되지조차 못하였던 수준의 복잡성을 띠기에 이르렀다. 이에 따라서 소부 (e)에 및 (h)에 열거된 범주들에 포함되지 아니한 정부요원에 더불어 일반적으로 비밀의 대배심자료를 공유할 필요성은 마찬가지로 증대하였다. 두 개의 사례들이 이 점을 예증한다.

Example 1:

사례 1:

Welfare fraud investigations conducted on behalf of the Maine Department of Health and Human Services often involve individuals who conceal or fail to accurately disclose the amount of income or assets available to them. Grand jury subpoenas are commonly used by the attorney for the State to obtain relevant bank and employment records of these individuals.

소득액수를 내지는 그들이 동원할 수 있는 자산들을 숨기는 또는 정확하게 공개하기를 불이행하는 개인들을, 메인주 건강복지부를 대신하는 복지관련 사기범죄 조사들은 자주 포함한다. 대배심 벌칙부소환장들은 이 개인들의 관련된 은행기록들을 및 고용기록들을 얻기 위하여 검사(주 측 변호사)에 의하여 일반적으로 사용된다.

If an individual is also receiving public assistance from another agency, such as the Maine State Housing Authority, the Social Security Administration, or a municipality (administering general assistance benefits), and the individual has not accurately reported the individual's financial information to that other agency, because the criteria for qualifying for public assistance varies by agency, personnel of that agency must determine if there is an overpayment in the agency's program. Commonly that determination requires a review of the financial records obtained by grand jury subpoena.

가령 메인주 주택청으로부터의, 사회보장국으로부터의 또는 (일반적 원조급부를 실시하는) 자치체로부터의 등 또 다른 기관으로부터의 공공원조를 또한 만약 한 명의 개인이 수령하고 있다면, 그런데 그 자신의 금융정보를 그 다른 기관에 그 개인이 정확하게 신고하여 오지 않았다면, 공공원조를 위한 자격인정 기준이 기관에 따라서 다르기 때문에, 당해기관의 사업 내에 과다지급이 있는지 여부를 그 기관의 요원은 판단하지 않으면 안 된다. 대배심 벌칙부소환장에 의하여 얻어지는 금융기록들에 대한 검토를 일반적으로 그 판단은 요구한다.

However, agency personnel are not within the listed subdivisions (e) and (h) categories and thus dissemination to them by the attorney for the State requires prior judicial approval.
그러나, 소부 (e)의 및 (h)의 열거된 범주들 내에 기관의 요원은 있지 아니하고, 따라서 검사(주 측 변호사)에 의한 그들에게의 배포는 사전의 법원승인을 요구한다.

Example 2:
사례 2

Crimes that involve computer or digital evidence, including harassing or threating messages and internet child pornography, are investigated by the Maine State Police Computer Crimes Unit.
귀찮게 달라붙는 내지는 위협을 가하는 메시지들을 및 인터넷 아동포르노물을 등, 컴퓨터 증거를 또는 디지털 증거를, 포함하는 범죄들은 메인주 경찰 컴퓨터 범죄조사반에 의하여 조사된다.

In addition to law enforcement officers, see 17-A M.R.S. § 2(17), staff members include civilian personnel—namely, investigative assistants, forensic analysts, and experts. Grand jury subpoenas are commonly used by the attorney for the State at the initial stage of the criminal investigation typically stemming from a so-called "Cyber Tip" from an electronic service provider such as Google, Yahoo, or Facebook or from a citizen complaint.
법집행 공무원들을에 추가하여, see 17-A M.R.S. § 2(17), 민간요원들을—즉 조사보조자들을, 법의학 분석가들을, 및 전문가들을 수사반 구성원들은 포함한다. 구글이, 야후가, 또는 페이스북이 등 전자적 서비스 사업자가 제공하는 이른바 "컴퓨터 비밀정보"로부터 또는 시민 소추청구장으로부터 전형적으로 제기되는 범죄조사의 최초 단계에서 검사(주 측 변호사)에 의하여 대배심 벌칙부소환장들은 일반적으로 사용된다.

The Cyber Tip or citizen complaint is first reviewed by an investigative assistant. Depending upon the review outcome, including in the case of a computer image confirmation that the image is child pornography, the investigative assistant then asks the attorney for the State to obtain from the electronic service provider the internet account or from an email provider, the holder of the account.

컴퓨터 비밀정보는 또는 시민 소추청구장은 조사보조자에 의하여 가장 먼저 검토된다. 당해 이미지가 아동포르노물임에 대한 컴퓨터 이미지 확인의 경우에를 포함하여 검토결과에 따라서, 인터넷 계정을 전자적 서비스 사업자로부터, 또는 계정보유자를 이메일 사업자로부터 얻어 달라고 조사보조자는 그 뒤에 검사(주 측 변호사)에게 요청한다

Investigative assistants, forensic analysts and experts employed by the Maine State Police Crime Unit, unless they happen to be law enforcement officers as well, M.R. Crim. P. 6 Advisory Committee's Note to 1997 amend., Me. Rptr. 692-698 A.2d LXXXI, are not within the listed subdivisions (e) and (h) categories and thus dissemination to them by the attorney for the State requires judicial approval.

메인주 경찰 범죄조사반에 의하여 사용되는 조사보조자들은, 법의학 분석가들은 및 전문가들은, 우연히도 그들이 법집행 공무원들이기도 한 경우, M.R. Crim. P. 6 Advisory Committee's Note to 1997 amend., Me. Rptr. 692-698 A.2d LXXXI, 에를 제외하고는, 소부 (e)의 및 (h)의 열거된 범주들 내에 있지 아니하고, 따라서 검사(주 측 변호사)에 의한 그들에게의 배포는 법원승인을 요구한다.

The new exception in paragraph (3) to subdivision (e) embraces the "any government personnel" approach now employed in the parallel Rule 6(e)(3)(A)(ii) of the Federal Rules of Criminal Procedure while, at the same time, retaining the added clarity afforded by the listing of specific categories of commonly occurring government personnel in subdivisions (e) and (h).

같은 방향의 연방형사소송법 Rule 6(e)(3)(A)(ii)에서 지금 사용되는 "any government personnel(정부요원 어느 누구에게든지)"의 접근법을 소부 (e) 단락 (3)에서의 새로운 예외는 포함하는바, 그러하면서도 동시에, 소부 (e)에서 및 (h)에서 일반적으로 발생하는 정부요원의 특정 범주들의 목록화에 의하여 제공되는 그 보강된 명확성을 그것은 보유한다.

(5) Current paragraph (3) is redesignated paragraph (4).

현행의 단락 (3)은 새로이 지정된 단락 (4)이다.

(6) In the final paragraph of subdivision (e) two changes are made.

소부 (e)의 마지막 단락에서 두 가지 변경들이 이루어진다.

First, a reference to new paragraph (3) is added in the first sentence in order to prohibit the use of grand jury material disclosed by an attorney for the State pursuant to paragraphs (3) except for the sole purpose of assisting the attorney for the State in the performance of that attorney's duty to enforce the State's criminal laws.

첫째로, 단락 (3)에 따라서 검사(주 측 변호사)에 의하여 공개된 대배심 자료의 사용을, 주 형사법들을 시행할 검사(주 측 변호사)의 의무의 수행에 있어서의 검사(주 측 변호사)를 조력함이라는 그 유일한 목적을 위하여를 제외하고는, 금지하기 위하여 최초의 문장에서 새로운 단락 (3)에 대한 언급이 추가된다.

Second, a new final sentence is added requiring an attorney for the State to both provide the court the name of the persons and agencies to whom disclosure of grand jury material has been made pursuant to paragraph (3), and to certify to the court that such persons and agencies have been advised of their obligation of secrecy under Rule 6.

둘째로, 단락 (3)에 따라서 대배심 자료의 공개를 제공받은 사람들의 및 기관들의 이름을 법원에 제공하도록에 아울러 또한 그러한 사람들에게 및 기관들에게 Rule 6 아래서의 그들의 비밀의무에 관하여 고지가 이루어졌음을 법원에 보증하도록 검사(주 측 변호사)에게 요구하는 새로운 마지막 문장이 추가된다.

Rule 6(h) is amended in the first sentence in four respects.

그 첫 번째 문장에서 Rule 6(h)는 네 가지 점들에서 개정된다.

First, the words "by an attorney for the State" are added after the word "made" and before the word "to." See also M.R.U. Crim. P. 6(e) Advisory Note to July 2015 amend.

첫째로, "made"라는 낱말 뒤에 및 "to"라는 낱말 앞에 "by an attorney for the State(검사(주 측 변호사)에 의하여)"라는 문구가 추가된다. 아울러 M.R.U. Crim. P. 6(e) Advisory Note to July 2015 amend.를 보라.

Second, the "deemed necessary" standard is deleted and replaced by the "considers necessary" standard now employed in Rule 6(e)(2) and (3). See M.R.U. Crim. P. 6(e)(2), (3) Advisory Note to July 2015 amend.

둘째로 "deemed necessary(필요하다고 간주됨)" 기준이 삭제되고 Rule 6(e)(2)에서 및 (3)에서 지금 사용되는 "considers necessary(필요하다고 간주함)" 기준에 의하여 대체된다. M.R.U. Crim. P. 6(e)(2), (3) Advisory Note to July 2015 amend.를 보라.

Third, nonsubstantive changes are made in order to both eliminate the awkward overuse of the term "attorney for the State" and to replace passive voice language with more readable active voice language. See also M.R.U. Crim. P. 6(e)(2) Advisory Note to July 2015 amend.

셋째로, "attorney for the State(검사(주 측 변호사))"라는 용어의 거북한 과다사용을 제거함을 위하여에 아울러 수동태의 용어를 보다 더 읽기 쉬운 능동태의 용어로 대체하기 위하여도 비실체적 변경들이 이루어진다. 아울러 M.R.U. Crim. P. 6(e)(2) Advisory Note to July 2015 amend.를 보라.

Fourth, "State" is appropriately capitalized when the State of Maine is indicated.

넷째로, 메인주를 나타내는 경우에 "State"는 적절히 첫 글자가 대문자로 표기된다.

Committee Advisory Note [December 2014]

위원회의 권고적 주해[2014년 12월]

The Rule parallels the content of Rule 6 of the Maine Rules of Criminal Procedure but differs in the following respects.

규칙은 메인주 형사절차규칙들의 Rule 6의 내용에 유사하지만, 아래의 점들에서 차이가 있다.

First, in subdivisions (b)(1), (d), (e), (f), (g), and (h) the letter "s" in the word "state" is capitalized because the word is used in the term "attorney for the State." See Committee Advisory Note [December 2014] to M.R.U. Crim. P. 3(d) and (f).

첫째로, 소부 (b)(1)에서, (d)에서, (e)에서, (f)에서, (g)에서, 그리고 (h)에서 "state"라는 단어의 "s"자가 대문자화 되어 있는바, "attorney for the State(검사(주 측 변호사))"라는 용어에서 그 단어가 사용되기 때문이다. Committee Advisory Note [December 2014] to M.R.U. Crim. P. 3(d) and (f)를 보라.

Second, in subdivisions (b)(1) and (g)(2)(C) the word "before" replaces the phrase "prior to" to reflect modern usage.

둘째로, 소부 (b)(1)에서 및 (g)(2)(C)에서 "prior to"라는 문구를 "before"라는 단어가 대체하는바, 현대적 용례를 반영하기 위함이다.

Third, in subdivision (b)(2) the word "that" replaces the word "which" to reflect modern usage.

셋째로, 소부 (b)(2)에서 "which"라는 단어를 "that"라는 단어가 대체하는바, 현대적 용례를 반영하기 위함이다.

Fourth, in subdivision (c) the reference to "the clerk of court" is replaced by "the clerk of the Unified Criminal Docket."

넷째로, 소부 (c)에서 "the clerk of court(법원서기)"에의 언급은 "the clerk of the Unified Criminal Docket(통합형사사건부 서기)"에 의하여 대체된다.

Fifth, in subdivision (g)(3) the words "Superior Court" are deleted and the words "Unified Criminal Docket" replace the reference to the "Superior Court."

다섯째로, 소부 (g)(3)에서 "Superior Court(상위 지방법원)"은 삭제되고 "Superior Court"에 대한 언급을 "Unified Criminal Docket(통합형사사건부)"라는 문구가 대체한다.

Sixth, in subdivisions (g)(3) [other than as stated immediately above] and (h) the word "court" replaces the words "the Superior Court." See Committee Advisory Note [December 2014] to M.R.U. Crim. P. 3(b) and (d).

여섯째로, 소부 (g)(3)에서 [바로 위에서 설명된 것에는 다름] 및 (h)에서 "court(법원)"이라는 단어가 "the Superior Court(상위 지방법원)"이라는 문구를 대체한다. Committee Advisory Note [December 2014] to M.R.U. Crim. P. 3(b) and (d)를 보라.

Seventh, in subdivision (h) the final sentence is rearranged to enhance clarity.

일곱째로, 소부 (h)에서 명확성을 제고시키기 위하여 마지막 문장이 재배치된다.

몬태나주 대배심 규정

몬태나주 대배심 규정

https://codes.findlaw.com/mt/title-3-judiciary-courts/mt-code-ann-sect-3-15-103.html

Montana Title 3. Judiciary, Courts § 3-15-103. Grand jury defined
대배심의 개념규정

A grand jury is a body of persons, 11 in number, returned as provided by law from the citizens of a county before a court of competent jurisdiction and sworn to inquire into public offenses committed or triable within the county.

대배심은 법에 의하여 규정되는 바에 따라서 정당한 관할의 법원 앞에 카운티 시민들로부터 선출되는, 및 카운티 내에서 저질러진 내지는 정식사실심리 될 수 있는 범죄들을 파헤치도록 선서절차에 처해지는 숫자 11명인 사람들의 통일체이다.

https://codes.findlaw.com/mt/title-3-judiciary-courts/mt-code-ann-sect-3-15-601.html

Montana Title 3. Judiciary, Courts § 3-15-601. When and how drawn and summoned
언제 어떻게 추출되고 소환되는가

(1) Whenever in the opinion of the district court judge a grand jury is necessary,

the judge shall make an order directing a grand jury to be drawn and summoned to attend before the court. The order must specify the number of jurors to be drawn, which may not be less than 15 or more than 20.

한 개의 대배심이 필요하다는 것이 재판구 지방법원 판사의 의견인 때에는 언제든지, 한 개의 대배심이 뽑히도록 및 소환되어 법원 앞에 출석하도록 지시하는 명령을 그 판사는 내려야 한다. 추출되어야 할 배심원들의 숫자를 명령은 명시하지 않으면 안 되는바, 그 숫자는 15명 미만이어서도 안 되고 20명을 넘어서도 안 된다.

(2) The jurors must be drawn from the jury box or the computer database provided for in 3-15-404. If jurors are selected from the computer database, it must be through a computerized random selection process that the judges of the district court of the county have approved in writing as the requirements for the drawing of grand juries. A copy of the latest jury list and a description of the approved computer process employed in the selection must be kept in the office of the clerk of court and must be available for public inspection during normal business hours.

§ 3-15-404에 규정되는 배심원후보상자로부터 또는 컴퓨터 데이터베이스로부터 배심원(후보)들은 추출되지 않으면 안 된다. 만약 컴퓨터 데이터베이스로부터 배심원들이 추출되는 경우이면, 그것은 대배심들을 추출하기 위한 요구사항들로서 그 카운티의 재판구 지방법원 판사들이 서면으로 승인해 놓은 컴퓨터 처리의 무작위 선정절차를 통하지 않으면 안 된다. 선정에 사용된 최신의 배심명부 사본은 및 승인된 컴퓨터 처리절차의 설명서 사본은 법원서기의 사무소에 보관되지 않으면 안 되고 정규의 근무시간들 동안의 공중의 점검에 제공되지 않으면 안 된다.

(3) The list of names must be certified and the jurors summoned in the same manner as for trial jurors. The names or numbers of any persons drawn who are not impaneled on the grand jury must be returned to the jury box or reinstated on the computer database.

이름들의 명부는 검정되지 않으면 안 되고 배심원(후보)들은 정식사실심리 배심원(후보)들이 소환되는 방법에의 동일한 방법으로 소환되지 않으면 안 된다. 추출되기는 하였으나 대배심에 충원되지 아니한 사람들의 이름들은 내지는 숫자들은 배심원후보상자에 되돌려지지 않으면 내지는 컴퓨터 데이터베이스에 회복되지 않으면 안 된다.

https://codes.findlaw.com/mt/title-3-judiciary-courts/mt-code-ann-sect-3-15-602.html

Montana Title 3. Judiciary, Courts § 3-15-602. Who constitutes jury
배심을 누가 구성하는가

(1) When 11 of the persons summoned as grand jurors who are competent and not excused are present, they constitute the grand jury.

대배심원(후보)들로서 소환된 자격 있는 및 면제되지 아니한 사람들 중 11명이 출석하면 대배심을 그들은 구성한다.

(2) When more than 11 are present, the jury commissioner shall write their names on separate ballots and place the ballots in black capsules. The capsules must be deposited in a box large enough to hold all of the capsules without crowding. The box must be arranged so that the jury commissioner drawing the capsules from the box is unable to see the capsule that the commissioner is about to draw. The jury commissioner shall draw 11 capsules. The persons whose names are on the ballots so drawn shall constitute the grand jury.

출석자가 11명을 초과하면, 배심위원은 그들의 이름들을 따로따로의 뽑기용지들 위에 써야 하고 그 뽑기용지들을 검은 캡슐들 안에 넣어야 한다. 캡슐들 전부를 서로 밀침 없이 담을 만큼 충분히 큰 상자 안에 그 캡슐들은 담기지 않으면 안 된다. 캡슐들을 상자로부터 뽑는 배심위원으로 하여금 그가 뽑고자 하는 캡슐을 볼 수 없도록 상자는 배치되지 않으면 안 된다. 11개의 캡슐들을 배심위원은 추출하여야 한다. 그렇게 추출된 뽑기용지들 위에 그 이름들이 있는 사람들이 대배심을 구성한다.

(3) When less than 11 are present, the court shall order a sufficient number to be immediately drawn as provided in 3-15-601(2) and summoned to attend the court.

11명 미만이 출석하는 경우에는 § 3-15-601(2)에 규정된 대로의 충분한 숫자가 즉시 추출되도록 및 법원에 출석하게끔 소환되도록 법원은 명령해야 한다.

https://codes.findlaw.com/mt/title-3-judiciary-courts/mt-code-ann-sect-3-15-604.html

Montana Title 3. Judiciary, Courts § 3-15-604. Drawing and summoning in multijudge districts
다수판사 근무 재판구들에서의 뽑기 및 소환하기

In districts where there are two or more judges, each judge may order a grand jury to be drawn and summoned to attend the session or term over which that judge presides, as provided in this part, but more than one grand jury may not be in attendance upon any district court at the same time.

두 명 이상의 판사들이 있는 재판구들에서는 이 부에 규정되는 바에 따라서 당해 판사가 주재하는 회기에 또는 개정기에 출석하게끔 대배심이 추출되도록 및 소환되도록 개개 판사는 명령할 수 있는바, 다만 어떤 재판구 지방법원에서도 한 개를 넘는 대배심이 동시에 출석 중에 있어서는 안 된다.

https://codes.findlaw.com/mt/title-46-criminal-procedure/mt-code-ann-sect-46-11-301.html

Montana Title 46. Criminal Procedure § 46-11-301. Summoning grand jury
대배심의 소환

(1) A grand jury may only be drawn and summoned when the district judge, in the judge's discretion, considers a grand jury to be in the public interest and orders the grand jury to be drawn or summoned. The composition and drawing of a grand jury must be in accordance with the provisions of Title 3, chapter 15, part 6.

재판구 지방법원 판사가 그 판사의 재량으로, 한 개의 대배심이 공공의 이익에 부합한다고 간주하는 경우에만 및 그 대배심이 추출되도록 및 소환되도록 명령하는 경우에만 대배심은 추출될 수 있고 소환될 수 있다. 대배심의 구성은 및 추출하기는 제3편 제15장 제6부의 규정들에 부합되지 않으면 안 된다.

(2) The district judge may direct the selection of one or more alternate jurors, who shall sit as regular jurors before an indictment is found or a grand jury investigation is concluded. A member of the jury who becomes unable to perform the juror's duty may be replaced by an alternate.

한 명 이상의 예비배심원들의 선정을 재판구 지방법원 판사는 명령할 수 있는바, 그들은 대배심 검사기소장이 기소평결되기 전에 또는 대배심 조사가 종결되기 전에 정규 배심원들이 착석하듯이 착석하여야 한다. 배심원의 임무를 수행할 수 없게 되는 배심의 구성원은 예비배심원에 의하여 교체될 수 있다.

https://codes.findlaw.com/mt/title-46-criminal-procedure/mt-code-ann-sect-46-11-302.html

Montana Title 46. Criminal Procedure § 46-11-302. Challenges to grand jury or grand jurors

대배심에 대한 내지는 대배심원들에 대한 기피들

(1) The prosecutor may challenge the panel of a grand jury on the ground that the grand jury was not selected, drawn, or summoned according to law and may challenge an individual juror on the ground that the juror is not legally qualified. Challenges must be made before the administration of the oath of the jurors, may be oral or in writing, and must be tried and decided by the court.

당해 대배심이 법에 따라서 선정되지, 추출되지, 또는 소환되지 않았음을 이유로 대배심원단을 검사는 기피할 수 있고 한 명의 배심원이 법적으로 자격을 지니지 아니함을 이유로 하여 그 배심원을 검사는 기피할 수 있다. 배심원들의 선서 실시 이전에 기피신청들은 이루어지지 않으면 안 되는바, 기피신청은 구두상의 또는 서면상의 것일 수 있고, 법원에 의하여 심리되지 않으면 및 결정되지 않으면 안 된다.

(2) At any time for cause shown, the district court may excuse or discharge a juror either temporarily or permanently, and in the latter event, the court may impanel another person in place of the juror discharged.

증명되는 이유에 따라서 언제든지 재판구 지방법원은 배심원을 일시적으로 또는 영구적으로 면제할 수 있거나 임무해제 할 수 있는바, 후자의 경우에 그 임무해제 되는 배심원에 갈음하여 다른 사람을 법원은 충원할 수 있다.

(3) A motion to dismiss the indictment may be based on the ground that the grand jury was not selected, drawn, or summoned according to law or that an individual juror was not legally qualified. An indictment may not be dismissed on the ground that one or more members are not legally qualified if it appears from the record kept pursuant to this part that eight or more jurors, after deducting those not legally qualified, concurred in finding the indictment.

대배심 검사기소장을 각하해 달라는 신청은 당해 대배심이 법에 따라서 선정되지, 추출되지, 또는 소환되지 아니하였다는 사유에 또는 한 명의 배심원이 법적으로 자격을 지니지 아니하였다는 사유에 터잡을 수 있다. 법적으로 자격이 인정되지 아니하는 배심원들을 빼고서 여덟 명 이상의 배심원들이 대배심 검사기소를 평결하는 데 찬성하였음이 이 부에 따라서 보관되는 기록으로부터 만약 드러나면, 구성원들 중 한 명 이상이 법적으로 자격을 지니지 아니하였다는 사유로는 대배심 검사기소장은 각하되어서는 안 된다.

https://codes.findlaw.com/mt/title-46-criminal-procedure/mt-code-ann-sect-46-11-303.html

Montana Title 46. Criminal Procedure § 46-11-303. Lead juror
배심장

The district court shall appoint one of the jurors to be lead juror. The lead juror has the power to administer oaths or affirmations and shall sign all indictments. The lead juror or another juror designated by the lead juror shall keep a record of the number of jurors concurring in the finding of every indictment and shall file the record with the clerk of court, but the record may not be made public except on order of the district court.

배심원들 중 한 명을 배심장으로 재판구 지방법원은 지명하여야 한다. 배심장은 선서절차들을 내지는 무선서 확약 절차들을 실시할 권한을 지니며, 모든 대배심 검사기소장들에 서명하여야한다. 배심장은 또는 배심장에 의하여 지명되는 다른 배심원은 모든 대배심 검사기소의 경우에 그 평결에 찬성하는 배심원들의 숫자에 관한 기록을 보관하여야 하고 그 기록을 법원서기에게 제출하여야 하는바, 그러나 그 기록은 재판구 지방법원의 명령에 의한 경우에를 제외하고는 공개되어서는 안 된다.

https://codes.findlaw.com/mt/title-46-criminal-procedure/mt-code-ann-sect-46-11-304.html

Montana Title 46. Criminal Procedure § 46-11-304. Appointing special prosecutor
특별검사의 지명

When the county attorney or attorney general is the subject of a grand jury investigation, the district court shall appoint a special prosecutor. If a special prosecutor is appointed, the county attorney's or attorney general's office may not participate in an official capacity, but staff members may appear as witnesses.

카운티 검사가 또는 검찰총장이 대배심 조사의 대상인 경우에, 한 명의 특별검사를 재판구 지방법원은 지명하여야 한다. 특별검사가 지명되면, 그 카운티 검사의 내지는 검찰총장의 사무소는 공무상의 권한으로써 참여해서는 안 되는바, 다만 직원 구성원들은 증인들로서 출석할 수 있다.

https://codes.findlaw.com/mt/title-46-criminal-procedure/mt-code-ann-sect-46-11-307.html

Montana Title 46. Criminal Procedure § 46-11-307. Closed hearing
심문의 비공개

Subject to any right to an open hearing in contempt proceedings, the court shall order a hearing on matters affecting a grand jury proceeding to be closed. This requirement may not affect a defendant's discovery rights after the filing of the indictment.

조금이라도 법원모독죄 절차들에서의 공개된 심문의 권리가 적용되는 가운데서, 대배심 절차에 영향을 미치는 사항들에 대한 심문의 방청을 비공개의 것이 되게 하도록 법원은 명령하여야 한다. 당해 대배심 검사기소장의 제출 뒤에 증거캐기를 누릴 피고인의 권리들에 영향을 이 요구는 줄 수 없다.

https://codes.findlaw.com/mt/title-46-criminal-procedure/mt-code-ann-sect-46-11-308.html

Montana Title 46. Criminal Procedure § 46-11-308. Who may be present

누가 출석해 있을 수 있는가

The prosecutor, witnesses, interpreters, and a stenographer or operator of a recording device used for the purpose of taking the evidence may be present while the grand jury is in session. No person other than the jurors may be present while the grand jury is deliberating or voting.

검사는, 증인들은, 통역인들은, 속기사는 내지는 증언을 청취할 목적으로 사용되는 녹음장비 기사는 대배심이 회합 중인 동안에 출석할 수 있다. 배심원들 이외의 사람은 대배심이 숙의 중인 내지는 표결 중인 동안에 출석해 있어서는 안 된다.

https://codes.findlaw.com/mt/title-46-criminal-procedure/mt-code-ann-sect-46-11-310.html

Montana Title 46. Criminal Procedure § 46-11-310. Duties of grand jurors

대배심원들의 의무들

The grand jury shall inquire into those matters as directed by the court summoning the jury and shall inquire into other matters as presented by the prosecutor.

대배심은 당해 배심을 소환한 법원에 의하여 명령되는 사항들을 파헤쳐야 하고 검사에 의하여 제출되는 여타의 사항들을 파헤쳐야 한다.

https://codes.findlaw.com/mt/title-46-criminal-procedure/mt-code-ann-sect-46-11-311.html

Montana Title 46. Criminal Procedure § 46-11-311. Charge to grand jury

대배심에게의 임무설명

When a grand jury is impaneled and sworn, it must be charged by the judge who summoned it. In making the charge, the district court shall instruct the jury as to its duties and the matters that jurors may consider. The prosecutor may bring additional matters before the grand jury that are consistent with the original charge or that are developed during the proceedings.

대배심이 충원구성되어 선서절차에 처해지고 나면, 대배심을 소환한 판사에 의하여 대배심에게 임무가 설명되지 않으면 안 된다. 임무설명을 함에 있어서 배심의 의무들에 관하여 및 배심원들이 검토할 수 있는 사항들에 관하여 재판구 지방법원은 배심에게 지시하여야 한다. 본래의 임무설명에 부합되는 내지는 절차들 동안에 전개되는, 추가적 사항들을 대배심 앞에 검사는 가져올 수 있다.

https://codes.findlaw.com/mt/title-46-criminal-procedure/mt-code-ann-sect-46-11-313.html

Montana Title 46. Criminal Procedure § 46-11-313. Subpoena of witnesses

증인들에 대한 벌칙부소환장

(1) A subpoena requiring the attendance of a witness before the grand jury may be signed and issued by the county attorney, by the lead juror of the grand jury, or by the judge of the district court.

대배심 앞에의 증인의 출석을 요구하는 벌칙부소환장은 카운티 검사에 의하여, 대배심의 배심장에 의하여, 또는 재판구 지방법원의 판사에 의하여 서명될 수 있고 발부될 수 있다.

(2) The fees and mileage of witnesses subpoenaed pursuant to this section must be the same as those for witnesses in criminal actions.

이 절에 따라서 벌칙부로 소환되는 증인들의 보수들은 및 여비수당은 형사소송들에서의 증인들을 위한 것들에 동등한 것들이지 않으면 안 된다.

(3) All provisions relating to subpoenas in criminal actions apply to subpoenas issued pursuant to this section, including the provisions of Title 46, chapter 15, part 1.

형사소송들에 있어서의 벌칙부소환장들에 관한 모든 규정들은 이 절에 따라서 발부되는 벌칙부소환장들에 적용되는바, 제46편 제15장 제1부의 규정들을 이는 포함한다.

https://codes.findlaw.com/mt/title-46-criminal-procedure/mt-code-ann-sect-46-11-314.html

Montana Title 46. Criminal Procedure § 46-11-314. Reception of evidence

증거의 수령

In the investigation of a charge, the grand jury shall receive no other evidence than that given by witnesses produced and sworn before it or that furnished by legal evidence or the deposition of a witness.

대배심 자신 앞에 출석한 및 선서에 처해진 증인들에 의하여 제출되는 증거 이외의 증거를, 내지는 증인의 적법한 증언에 의하여 내지는 법정 외 증언녹취에 의하여 제공되는 증거 이외의 증거를 혐의의 조사에서 대배심은 수령하여서는 안 된다.

https://codes.findlaw.com/mt/title-46-criminal-procedure/mt-code-ann-sect-46-11-315.html

Montana Title 46. Criminal Procedure § 46-11-315. Advice and assistance to grand jury

대배심에게의 조언 및 조력

(1) The grand jury may at all times ask the advice of the judge. Unless advice is asked, the judge may not be present during the sessions of the grand jury.

판사의 조언을 대배심은 언제든지 요청할 수 있다. 조언이 요청되는 경우에를 제외하고는, 대배심의 회합들 동안에 판사는 출석하여서는 안 된다.

(2) The prosecutor may at all times appear before the grand jury for the purpose of giving information or advice relative to any matter cognizable by the grand jury and may interrogate witnesses before the grand jury whenever the prosecutor finds it necessary.

대배심에 의한 심리대상인 어떤 사안에 대하여든지 관련을 지니는 정보를 내지는 조언을 제공하기 위하여 대배심 앞에 검사는 언제든지 출석할 수 있고 그 필요하다고 검사가 판단하는 때에는 언제든지 대배심 앞의 증인들을 검사는 신문할 수 있다.

(3) Subject to the approval of the district court, the county attorney may employ a special prosecutor, investigators, interpreters, and experts at agreed-upon compensation to be first approved by the court.

재판구 지방법원의 승인을 조건으로 한 명의 특별검사를, 조사관들을, 통역인들을, 그리고 전문가들을 먼저 법원에 의하여 승인이 이루어진 합의된 보수로 카운티 검사는 고용할 수 있다.

https://codes.findlaw.com/mt/title-46-criminal-procedure/mt-code-ann-sect-46-11-316.html

Montana Title 46. Criminal Procedure § 46-11-316. Recorded proceedings
절차들의 녹음

(1) The grand jury shall either appoint a stenographer to take in shorthand the testimony of witnesses or the testimony must be taken by a recording device, but the record so made must include the testimony of all witnesses on that particular investigation.

증인들의 증언을 속기하도록 한 명의 속기사를 대배심이 지명하든지 또는 녹음장비에 의하여 증언이 녹음되지 않으면 안 되든지 하여야 하는바, 그 특정 조사에서의 모든 증인들의 증언을 그렇게 이루어지는 녹음은 포함하지 않으면 안 된다.

(2) The stenographic reporter or operator of a recording device shall, within 30 days after an indictment has been found, certify and file with the clerk of the district court the shorthand notes or the recordings made and an original transcript of the notes or recordings.

속기사는 또는 녹음장비 기사는 대배심 검사기소장이 평결되고 난 뒤 30일 내에 그 이루어진 속기록 노트들을 내지는 녹음물들을, 및 속기록 노트들의 및 녹음물들의 녹취록 원본을 인증하여 재판구 지방법원 서기에게 제출하여야 한다.

(3) An unintentional failure of any recording to reproduce all or any portion of a proceeding may not affect the validity of the prosecution.

절차의 전부를 또는 일부를 복제하기 위한 녹음의 비의도적 불이행은 절차추행의 유효성에 영향을 주지 아니한다.

https://codes.findlaw.com/mt/title-46-criminal-procedure/mt-code-ann-sect-46-11-317.html

Montana Title 46. Criminal Procedure § 46-11-317. Secrecy of proceedings—disclosure

절차들의 비밀성 - 공개

(1) Disclosure of matters occurring before the grand jury other than its deliberations and the vote of any juror may be made to any prosecutor or investigator of this state and prosecutors or investigators from any other state or the federal government for use in the performance of the prosecutor's or investigator's duty.

대배심의 숙의들의를 및 배심원의 표결의를 제외한 대배심 앞에서 발생하는 사안들의 공개는 이 주의 검사 누구나에게 또는 조사관 누구나에게 및 타 주 정부의 또는 연방정부의 검사들에게 내지는 조사관들에게 그 검사의 내지는 조사관의 의무수행에서의 사용을 위하여 이루어질 수 있다.

(2) A grand juror, an interpreter, a stenographer, an operator of a recording device, a typist who transcribes recorded testimony, or the prosecutor may not disclose matters occurring before the grand jury except as otherwise permitted by Title 46. An obligation of secrecy may not be imposed on a person except in accordance with this section. A knowing violation of this section may be punishable as contempt of court.

대배심 앞에서 발생하는 사안들을 대배심원은, 통역인은, 속기사는, 녹음장비 기사는, 녹음된 증언을 녹취하는 타이피스트는, 또는 검사는, 제46편에 의하여 달리 허용되는 경우에를 제외하고는, 공개하여서는 안 된다. 이 절에의 부합 속에서를 제외하고는 사람 위에 비밀준수 의무가 부과되어서는 안 된다. 이 절에 대한 고의의 위반은 법원모독죄로 처벌될 수 있다.

(3) Disclosure otherwise prohibited by this section of matters occurring before the grand jury may be made:

대배심 앞에서 발생하는 사안들에 대한 이 절에 의하여 달리 공개가 금지되더라도 아래의 경우에는 공개가 이루어질 수 있다:

(a) if directed by the district court prior to or in combination with a judicial proceeding;

한 개의 사법절차에 앞서서 또는 사법절차에의 결합 속에서 재판구 지방법원에 의하여 명령되는 경우;

(b) when permitted by the district court at the request of the defendant, upon a showing that grounds may exist for a motion to dismiss the indictment because of matters occurring before the grand jury; or

대배심 앞에서 발생한 사안들을 이유로 하는 대배심 검사기소장을 각하하여 달라는 신청을 뒷받침하는 사유들이 존재할 수 있다는 점에 대한 증명에 터잡는 피고인의 요청에 따라서 재판구 지방법원에 의하여 허가되는 경우; 또는

(c) when permitted by the district court, to a defendant pursuant to a proper discovery motion.

정당한 증거캐기 신청에 따라서 재판구 지방법원에 의하여 피고인에게 허가되는 경우.

https://codes.findlaw.com/mt/title-46-criminal-procedure/mt-code-ann-sect-46-11-318.html

Montana Title 46. Criminal Procedure § 46-11-318. Discharge of grand jury
대배심의 임무해제

When the grand jury certifies the completion of business before it and the district court concurs, the grand jury must be discharged by the district court.

자신 앞의 임무의 완수를 대배심이 보증하는 때에 및 재판구 지방법원이 동의하는 때에 대배심은 그 재판구 지방법원에 의하여 임무해제 되지 않으면 안 된다.

https://codes.findlaw.com/mt/title-46-criminal-procedure/mt-code-ann-sect-46-11-319.html

Montana Title 46. Criminal Procedure § 46-11-319. Expenses of grand jury

대배심의 비용들

(1) Except as provided in subsection (2), all expenses of the grand jury, including expenses for special prosecutors, experts, investigators, and interpreters, if any, must be paid by the county. The treasurer of the county shall pay the expenses out of the general fund of the county or out of the district court fund, if any, upon warrants drawn by the county auditor or by the clerk of district court upon a written order of the judge of the district court of the county.

소절 (2)에 규정되는 경우에를 제외하고는, 그 있을 경우에의 특별검사들을 위한, 전문가들을 위한, 조사관들을 위한, 그리고 통역인들을 위한 비용들이를 포함하는 대배심의 모든 비용들은 카운티에 의하여 지불되지 않으면 안 된다. 카운티 재판구 지방법원 판사의 서면에 의한 명령 위에서 카운티 회계감사관에 의하여 또는 재판구 지방법원 서기에 의하여 발부되는 증서들에 터잡아 카운티의 일반기금으로부터 또는 그 있을 경우에의 재판구 지방법원 기금으로부터 그 비용들을 카운티 출납관은 지급하여야 한다.

(2) The state shall pay the expenses of juror and witness fees and witness expenses as provided in 3-5-901 and 3-5-902.

§ 3-5-901에 및 § 3-5-902에 규정되는 바에 따라서 배심원 비용들을 및 증인 보수들을 및 증인 비용들을 주는 지급하여야 한다.

https://codes.findlaw.com/mt/title-46-criminal-procedure/mt-code-ann-sect-46-11-331.html

Montana Title 46. Criminal Procedure § 46-11-331. Finding indictment

대배심 검사기소의 평결

(1) The grand jury shall find an indictment when all the evidence before it taken together would in its judgment warrant a conviction by a trial jury. An indictment may be found only upon the concurrence of at least eight grand jurors.

정식사실심리 배심에 의한 한 개의 유죄평결을 종합된 것으로서의 자신 앞의 모든 증거가 뒷받침한다는 것이 그 자신의 판단인 경우에 대배심 검사기소를 대배심은 평결하여야 한다. 적어도 여덟 명의 대배심원들의 찬성에 의해서만 대배심 검사기소는 평결될 수 있다.

(2) If a complaint or information is pending against the defendant and eight jurors do not concur in finding an indictment, the lead juror shall report the decision to the district court judge.

한 개의 소추청구장이 또는 검사 독자기소장이 피고인을 상대로 걸려 있는 경우에 대배심 검사기소에 여덟 명의 배심원들이 찬성하지 아니하면, 그 결정을 재판구 지방법원 판사에게 배심장은 보고하여야 한다.

https://codes.findlaw.com/mt/title-46-criminal-procedure/mt-code-ann-sect-46-11-332.html

Montana Title 46. Criminal Procedure § 46-11-332. Presenting the indictment
대배심 검사기소장의 제출

(1) An indictment, when found by the grand jury, must be signed by and presented by the lead juror to the district court in the presence of the grand jury and must be filed with the clerk. The district court shall then issue an arrest warrant or summons for the defendant.

대배심에 의하여 기소평결이 내려질 경우에 대배심 검사기소장은 대배심의 출석 가운데서 배심장에 의하여 서명되지 않으면 및 재판구 지방법원에 제출되지 않으면 안 되고 서기에게 하달되지 않으면 안 된다. 피고인을 위한 체포영장을 또는 소환장을 재판구 지방법원은 그 뒤에 발부하여야 한다.

(2) If a complaint or information is pending against the defendant and eight jurors do not concur in finding an indictment, the lead juror shall report the decision to the district court judge.

한 개의 소추청구장이 또는 검사 독자기소장이 피고인을 상대로 걸려 있는 경우에 대배심 검사기소에 여덟 명의 배심원들이 찬성하지 아니하면, 그 결정을 재판구 지방법원 판사에게 배심장은 보고하여야 한다.

https://codes.findlaw.com/mt/title-46-criminal-procedure/mt-code-ann-sect-46-11-401.html

Montana Title 46. Criminal Procedure § 46-11-401. Form of charge
공소제기의 형식

(1) The charge must be in writing and in the name of the state or the appropriate county or municipality and must specify the court in which the charge is filed. The charge must be a plain, concise, and definite statement of the offense charged, including the name of the offense, whether the offense is a misdemeanor or felony, the name of the person charged, and the time and place of the offense as definitely as can be determined. The charge must state for each count the official or customary citation of the statute, rule, regulation, or other provision of law that the defendant is alleged to have violated.

공소제기는 서면에 의하여 및 주의 또는 적절한 카운티의 또는 자치체의 이름으로 이루어지지 않으면 안 되고 공소장이 제출되는 법원을 명시하지 않으면 안 된다. 공소장은 범죄의 이름을, 그 범죄가 경죄인지 중죄인지 여부를, 기소되는 사람의 이름을, 그리고 범행의 시간을 및 장소를 그 판정될 수 있는 한도껏 명확하게 포함하는, 기소 대상 범죄의 평이한, 간결한, 및 명확한 서술이지 않으면 안 된다. 피고인이 위반한 것으로 주장되는 제정법의, 규칙의, 규정의, 또는 그 밖의 법 규정의 공식적 내지는 관례적 인용을 개개 소인에 대하여 공소장은 명시하지 않으면 안 된다.

(2) If the charge is by information or indictment, it must include endorsed on the

information or indictment the names of the witnesses for the prosecution, if known.

만약 공소제기가 검사 독자기소장에 또는 대배심 검사기소장에 의한 것이면, 그 검사 독자기소장 위에 또는 대배심 검사기소장 위에 기입된 검찰 측 증인들의, 그 알려진 경우에의 이름들을 그것은 포함하지 않으면 안 된다.

(3) If the charge is by complaint, it must be signed by a sworn peace officer, under oath by a person having knowledge of the facts, or by the prosecutor.

만약 공소제기가 소추청구장에 의한 것이면, 그것은 선서절차를 거친 경찰관에 의하여, 사실관계에 관한 지식을 지니는 사람의 선서 아래서, 또는 검사에 의하여 서명되지 않으면 안 된다.

(4) If the charge is by information, it must be signed by the prosecutor. If the charge is by indictment, it must be signed by the lead juror of the grand jury.

만약 공소제기가 검사 독자기소장에 의한 것이면, 그것은 검사에 의하여 서명되지 않으면 안 된다. 만약 공소제기가 대배심 검사기소장에 의한 것이면, 그것은 대배심의 배심장에 의하여 서명되지 않으면 안 된다.

(5) The court, on motion of the defendant, may strike surplusage from an indictment or information.

법원은 피고인의 신청에 따라서 불필요한 문구를 대배심 검사기소장으로부터 또는 검사 독자기소장으로부터 삭제할 수 있다.

(6) A charge may not be dismissed because of a formal defect that does not tend to prejudice a substantial right of the defendant.

피고인의 실질적 권리를 해칠 소지가 없는 형식적 결함을 이유로 해서는 공소장은 각하되어서는 안 된다.

https://codes.findlaw.com/mt/title-46-criminal-procedure/mt-code-ann-sect-46-11-404.html

Montana Title 46. Criminal Procedure § 46-11-404. Joinder of offenses and defendants

범죄들의 및 피고인들의 병합

(1) Two or more offenses or different statements of the same offense may be charged in the same charging document in a separate count, or alternatively, if the offenses charged, whether felonies or misdemeanors or both, are of the same or similar character or are based on the same transactions connected together or constituting parts of a common scheme or plan. Allegations made in one count may be incorporated by reference in another count.

그 중죄들인지에 또는 경죄들인지에 또는 둘 다인지에 상관없이 그 기소되는 범죄들이 만약 동일한 성격의 또는 유사한 성격의 것들이면 내지는 함께 연결되는 내지는 공통의 책략의 내지는 계획의 부분들을 구성하는 동일한 행위들에 터잡는 것들이면, 그 두 개 이상의 범죄들은 또는 동일한 범죄의 상이한 서술들은 동일한 공소장에서 별개의 소인으로 기소될 수 있거나, 또는 선택적으로 기소될 수 있다. 한 개의 소인에서 이루어지는 주장들은 언급에 의하여 다른 소인에 통합될 수 있다.

(2) If two or more charging documents are filed in the case, the court may order them to be consolidated.

두 개 이상의 공소장들이 당해 사건에 제출되면 법원은 그것들의 병합을 명령할 수 있다.

(3) The prosecution is not required to elect between the different offenses set forth in the charging document, and the defendant may be convicted of any number of the offenses charged except as provided in 46-11-410. Each offense of which the defendant is convicted must be stated in the verdict or the finding of the court.

공소장 안에 설명되는 서로 다른 범죄들 사이에서 선택하도록 검찰은 요구되지 아니하는바, § 46-11-410에서 규정되는 바에 따라서를 제외하고는 피고인은 공소사실 범죄들의 몇 가지로든 유죄로 판정될 수 있다. 피고인이 유죄로 판정되는 개개 범죄는 평결에서 또는 법원의 판단에서 각각 명시되지 않으면 안 된다.

(4) Two or more defendants may be charged in the same indictment, information, or complaint if they are alleged to have participated in the same transaction constituting an offense or offenses. The defendants may be charged in one or more counts together or separately, and all of the defendants need not be charged in each count.

한 개의 범죄를 내지는 범죄들을 구성하는 동일한 행위에 가담한 것으로 만약 두 명 이상의 피고인들이 주장되는 경우이면, 동일한 대배심 검사기소장에서, 검사 독자기소장에서 또는 소추청구장에서 그들은 기소될 수 있다. 한 개 이상의 소인들에서 함께 또는 개별적으로 피고인들은 기소될 수 있는 바, 피고인들 전원이 개개 소인마다에서 기소되어야 할 필요는 없다.

https://codes.findlaw.com/mt/title-46-criminal-procedure/mt-code-ann-sect-46-11-405.html

Montana Title 46. Criminal Procedure § 46-11-405. Discharge of co-defendant

공동피고인에 대한 공소취하

(1) When two or more persons are included in the same charge, the court may, at any time before the defendants have gone into their defense, on the application of the prosecutor, direct any defendant to be discharged so that the defendant may be a witness for the prosecution.

동일한 공소장에 두 명 이상이 포함되는 경우에 어느 한 쪽 피고인으로 하여금 검찰 측 증인이 될 수 있게끔 그 피고인에 대한 공소가 취하되게 하도록 피고인들이 그들의 방어에 들어가 있기 전에 언제든지 검사의 신청에 따라서 법원은 명령할 수 있다.

(2) When two or more persons are included in the same indictment or informa-

tion and the court is of the opinion that in regard to a particular defendant there is not sufficient evidence to require the defendant to put on a defense, the court must order that defendant to be discharged before the evidence is closed so that the discharged defendant may be a witness for the codefendant.

동일한 대배심 검사기소장에 또는 검사 독자기소장에 두 명 이상이 포함되는 경우에로서 특정 피고인에 관하여 그를 방어자의 위치에 두도록 요구할 만큼의 충분한 증거가 있지 아니하다는 것이 법원이 의견인 경우에, 그 피고인에 대한 공소가 취하되게 하도록, 그리하여 그 공소취하 되는 피고인으로 하여금 공동피고인을 위한 증인이 될 수 있게 하도록 증거절차가 마무리되기 전에 법원은 명령하지 않으면 안 된다.

https://codes.findlaw.com/mt/title-46-criminal-procedure/mt-code-ann-sect-46-11-410.html

Montana Title 46. Criminal Procedure § 46-11-410. Multiple charges
복수의 공소사실들

(1) When the same transaction may establish the commission of more than one offense, a person charged with the conduct may be prosecuted for each offense.

한 개를 넘는 범죄의 범행을 동일한 행위가 증명할 수 있는 경우에 그 행위로 고발되는 사람은 개개 범죄에 대하여 소추될 수 있다.

(2) A defendant may not, however, be convicted of more than one offense if:

그러나 아래의 경우에 한 개를 넘는 범죄에 대하여 유죄로 피고인은 판정될 수 없다:

(a) one offense is included in the other;

다른 범죄에 한 개의 범죄가 포함되는 경우;

(b) one offense consists only of a conspiracy or other form of preparation to commit the other;

다른 범죄를 저지르기 위한 한 개의 공모로만 내지는 여타의 형태의 준비로만 한 개의 범죄가 구성되는 경우;

(c) inconsistent findings of fact are required to establish the commission of the offenses;

그 범죄들의 범행을 증명하기 위하여는 모순되는 사실판단들이 요구되는 경우;

(d) the offenses differ only in that one is defined to prohibit a specific instance of the conduct; or

당해 행위의 특정한 단계를 금지하는 것으로 한 개의 범죄가 규정된다는 점에서만 범죄들이 다른 경우; 또는

(e) the offense is defined to prohibit a continuing course of conduct and the defendant's course of conduct was interrupted, unless the law provides that the specific periods of the conduct constitute separate offenses.

연속적인 행위과정을 금지하는 것으로 당해 범죄가 규정되는 경우에로서 피고인의 행위과정이 중단된 경우 - 다만 별개의 범죄들을 특정의 행위기간들이 구성하는 것으로 법이 규정하는 경우에를 제외함.

https://codes.findlaw.com/mt/title-46-criminal-procedure/mt-code-ann-sect-46-11-503.html

Montana Title 46. Criminal Procedure § 46-11-503. Prosecution based on same transaction barred by former prosecution
동일한 행위에 터잡는 소추는 과거의 소추에 의하여 금지됨

(1) When two or more offenses are known to the prosecutor, are supported by probable cause, and are consummated prior to the original charge and jurisdiction and venue of the offenses lie in a single court, a prosecution is barred if:

두 개 이상의 범죄들이 검사에게 알려져 있는 경우에로서, 그리고 상당한 이유에 의하여 뒷받침되는 경우에로서, 그리고 최초의 공소제기 전에 완성되는 경우에로서 및 단일한

법원에 그 범죄들의 관할이 및 재판지가 놓이는 경우에로서, 만약 아래에 해당하면 소추는 금지된다:

(a) the former prosecution resulted in an acquittal. There is an acquittal whenever the prosecution results in a finding of not guilty by the trier of fact or in a determination that there is insufficient evidence to warrant a conviction. A finding of guilty of a lesser included offense that is subsequently set aside is an acquittal of the greater offense that was charged.

한 개의 무죄방면에 과거의 소추가 귀결된 경우. 사실심리자에 의한 무죄판단에 내지는 한 개의 유죄판정을 정당화하기에는 증거가 충분하지 아니하다는 판단에 소추가 귀결되는 때에는 언제든지 한 개의 무죄방면이 있다. 보다 경미한 내포범죄에 대한 유죄판단이 나중에 무효화되면, 그것은 그 기소되었던 보다 더 큰 범죄에 대한 한 개의 무죄방면이다.

(b) the former prosecution resulted in a conviction that has not been set aside, reversed, or vacated;

한 개의 유죄판정에 과거의 소추가 귀결되어 그 무효화된 바 없는, 파기된 바 없는, 또는 취소된 바 없는 경우.

(c) after a charge had been filed, the prosecution was terminated by a final order or judgment for the defendant that has not been set aside, reversed, or vacated; or

한 개의 공소장이 제출되고 난 뒤에 피고인 승소의 종국적 명령에 내지는 판결주문에 의하여 소송추행이 종결되어 그 무효화된 바 없는, 파기된 바 없는 또는 취소된 바 없는 경우; 또는

(d) the former prosecution was terminated for reasons not amounting to an acquittal and takes place:

무죄방면에는 미치지 아니하는 사유들에 따라서 과거의 소송추행이 종결되었다가:

(i) in a jury trial, when the jury is impaneled and sworn; or

배심에 의한 정식사실심리에서는, 배심이 충원구성되어 선서절차에 처해지는 때 개최되는 경우; 또는

(ii) in a nonjury trial, after the first witness is sworn but before a judgment as to guilt or innocence is reached.

배심에 의하지 아니하는 정식사실심리에서는, 최초의 증인이 선서절차에 처해지고 난 뒤에 그러나 유무죄에 관한 판결주문이 도달되기 이전에 개최되는 경우.

(2) A prosecution based upon the same transaction as a former prosecution is not barred under subsection (1)(d) when:

아래의 경우에는 과거의 소추대상 행위에의 동일한 행위에 터잡는 소추는 소절 (1)(d) 아래서 금지되지 아니한다:

(a) the defendant consents to the termination or waives the right to object to the termination; or

추행종결에 피고인이 동의하는 경우 또는 추행종결에 대하여 이의할 권리를 피고인이 포기하는 경우; 또는

(b) the trial court finds that the termination is necessary because:

아래의 이유에 따라서 추행종결이 필요하다고 정식사실심리 법원이 판단하는 경우:

(i) it is physically impossible to proceed with the trial in conformity with law;

정식사실심리를 법에의 부합 속에서 진행하기가 물리적으로 불가능한 경우;

(ii) there is a legal defect in the proceedings that would make any judgment entered upon a verdict reversible as a matter of law;

평결에 터잡아 기입되는 판결주문을 법의 문제로서 파기될 수 있는 것으로 만들 만한 법적 흠결이 절차들에 있는 경우;

(iii) prejudicial conduct makes it impossible to proceed with the trial without manifest injustice to either the defendant or the state;

정식사실심리를 피고인에게든지의 내지는 주에게든지의 명백한 불의 없이 진행하기가 불가능하게끔 편파적 행위가 만드는 경우;

(iv) the jury is unable to agree upon a verdict; or

배심이 평결에 합의할 수 없는 경우; 또는

(v) false statements of a juror on voir dire prevent a fair trial.

공정한 정식사실심리를 배심원자격 예비심문에서의 배심원의 허위진술들이 저해하는 경우.

https://codes.findlaw.com/mt/title-46-criminal-procedure/mt-code-ann-sect-46-11-504.html

Montana Title 46. Criminal Procedure § 46-11-504. Former prosecution in another jurisdiction

다른 관할에서의 과거의 소추

When conduct constitutes an offense within the jurisdiction of any state or federal court, a prosecution in any jurisdiction is a bar to a subsequent prosecution in this state if:

주 법원의를 내지는 연방법원의를 불문하고 법원의 관할 내의 한 개의 범죄를 행위가 구성하는 경우에, 아래에 해당하면 어떤 관할에서든지의 소추는 이 주에서의 추후의 소추를 막는 장해사유이다:

(1) the first prosecution resulted in an acquittal or in a conviction and the subsequent prosecution is based on an offense arising out of the same transaction; or

한 개의 무죄방면에 내지는 유죄판정에 최초의 소추가 귀결된 경우에로서 그 동일한 행위로부터 발생하는 한 개의 범죄에 그 추후의 소추가 터잡는 경우; 또는

(2) the former prosecution was terminated, after the charge had been filed, by an acquittal or by a final order or judgment for the defendant that has not been set aside, reversed, or vacated and the acquittal, final order, or judgment necessarily required a determination inconsistent with a fact that must be

established for conviction of the offense for which the defendant is subsequently prosecuted.

공소장이 제출되고 난 뒤에 한 개의 무죄방면에 의하여 또는 피고인 승소의 종국적 명령에 내지는 판결주문에 의하여 과거의 소송추행이 종결되어 그 무효화된 바 없는, 파기된 바 없는, 또는 취소된 바 없는 경우에로서 나중에 피고인이 소추되는 당해 범죄에 대한 유죄판정을 위하여 증명되지 않으면 안 되는 한 개의 사실에 모순되는 판단을 그 무죄방면이, 종국적 명령이, 또는 판결주문이 필수적으로 요구하는 경우.

https://codes.findlaw.com/mt/title-46-criminal-procedure/mt-code-ann-sect-46-11-505.html

Montana Title 46. Criminal Procedure § 46-11-505. Former prosecution not a bar

과거의 소추가 장해사유가 되지 아니하는 경우

A prosecution is not a bar if:

아래의 경우에 한 개의 소추는 장해사유가 아니다:

(1) the former prosecution was before a court that lacked jurisdiction over the defendant or the offense; or

피고인에 대한 내지는 범죄에 대한 관할을 결여한 한 개의 법원 앞에 과거의 소추가 제기된 경우; 또는

(2) the former prosecution resulted in a judgment of conviction that was held invalid in a postconviction hearing.

유죄판정의 판결주문에 과거의 소추가 귀결되었으나 유죄판정 사후심리에서 그 판결주문이 무효로 판단된 경우.

https://codes.findlaw.com/mt/title-46-criminal-procedure/mt-code-ann-sect-46-11-601.html

Montana Title 46. Criminal Procedure § 46-11-601. Recognizance by or deposition of witness
증인에 의한 서약보증서 또는 증인의 법정 외 증언녹취록

(1) If the defendant is held to answer after a preliminary examination, after the defendant has waived a preliminary examination, after the district court has granted leave to file an information, or after an indictment has been returned, the judge may:

예비심문 뒤에, 예비심문을 피고인이 포기하고 난 뒤에, 검사 독자기소장을 제출하라는 허가를 지구 지방법원이 부여하고 난 뒤에, 또는 대배심 검사기소장이 제출되고 난 뒤에, 그 답변하도록 만약 피고인이 구금되면, 판사는:

(a) require any material witness for the state or defendant to enter into a written undertaking to appear at the trial; and

정식사실심리에 출석하겠다는 보증서에 주 측의 또는 피고인 측의 중요증인더러 기입하도록 요구할 수 있다; 그리고

(b) provide for the forfeiture of a sum certain in the event the witness does not appear at the trial.

그 증인이 정식사실심리에 출석하지 아니하는 경우에의 일정금액의 몰수를 규정할 수 있다.

(2) Any witness who refuses to enter into a written undertaking may be remanded to custody but may not be held longer than is necessary to take the witness's deposition. After the deposition is taken, the witness must be immediately discharged.

보증서에 기입하기를 거부하는 증인은 구금에 되돌려질 수 있으나 그 증인에 대한 법정 외 증언녹취를 실시함에 필요한 정도를 넘어서까지 구금되어서는 안 된다. 법정 외 증언녹취가 실시된 뒤에는 그 증인은 즉시 석방되지 않으면 안 된다.

(3) The deposition must be taken in the presence of the prosecutor and the defendant and the defendant's counsel unless either the prosecutor or the defendant and the defendant's counsel fail to attend after reasonable notice of the time and place set for taking the deposition.

법정 외 증언녹취는 검사의 및 피고인의 및 피고인의 변호인의 출석 가운데서 실시되지 않으면 안 되는바, 그 법정 외 증언녹취를 위하여 정해진 시간에 및 장소에 관한 합리적 통지 뒤에 검사가 또는 피고인 및 피고인의 변호인이 중 어느 한 쪽이 출석하지 아니하는 경우에는 그러하지 아니하다.

https://codes.findlaw.com/mt/title-46-criminal-procedure/mt-code-ann-sect-46-11-701.html

Montana Title 46. Criminal Procedure § 46-11-701. Pretrial proceedings--exclusion of public and sealing of records
정식사실심리 전 절차들 - 공중의 배제 및 기록들의 봉인

(1) Except as provided in this section, pretrial proceedings and records of those proceedings are open to the public. If, at the pretrial proceedings, testimony or evidence is presented that is likely to threaten the fairness of a trial, the presiding officer shall advise those present of the danger and shall seek the voluntary cooperation of the news media in delaying dissemination of potentially prejudicial information until the impaneling of the jury or until an earlier time consistent with the administration of justice.

이 절에 규정되는 경우에를 제외하고는 정식사실심리 전 절차들은 및 그 절차들의 기록들은 공중에 공개된다. 만약 정식사실심리 전 절차들에서 정식사실심리의 공정성을 위협할 가능성이 있는 증언이 또는 증거가 제출되면, 주재 공무원은 그 출석자들에게 그 위험에 관하여 고지하여야 하고 잠재적으로 편파적인 정보의 배포를 배심의 충원구성 시점까지 또는 사법운영에 부합되는 더 이른 시점까지 연기함에 있어서의 뉴스매체의 자발적 협조를 구해야 한다.

(2) The defendant may move that all or part of the proceeding be closed to the public, or with the consent of the defendant, the judge may take action on the judge's own motion.

절차들의 전부가 또는 일부가 공중에게 비공개로 이루어지게 할 것을 피고인은 신청할 수 있고 또는 피고인의 동의를 얻어 판사는 그 자신의 직권으로 조치를 취할 수 있다.

(3) The judge may close a preliminary hearing, bail hearing, or any other pretrial proceeding, including a hearing on a motion to suppress, and may seal the record only if:

오직 아래의 경우에만 증거배제 신청에 대한 심문을을 포함하여 예비심문을, 보석심문을, 또는 여타의 정식사실심리 전 절차를 비공개로 판사는 실시할 수 있고 기록을 봉인할 수 있다:

(a) the dissemination of information from the pretrial proceeding and its record would create a clear and present danger to the fairness of the trial; and

정식사실심리 전 절차로부터의 정보의 및 그 기록의 배포가 정식사실심리의 공정성에의 명백한 및 현존의 위험을 빚을 소지가 있는 경우; 그리고

(b) the prejudicial effect of the information on trial fairness cannot be avoided by any reasonable alternative means.

정식사실심리의 공정성에 당해 정보가 끼칠 편파적 효과가 어떤 합리적 대체수단에 의하여도 회피될 수 없는 경우.

(4) Whenever all or part of any pretrial proceeding is held in chambers or otherwise closed to the public under this section, a complete record must be kept and made available to the public following the completion of the trial or earlier if consistent with trial fairness.

정식사실심리 전 절차의 전부가 또는 일부가 이 절에 따라서 판사실에서 열리는 때에는 내지는 공중에게 비공개로 실시되는 때에는 언제든지, 정식사실심리의 종결 뒤에 또는 정식사실심리의 공정성에 부합되는 경우에는 더 일찍이, 완전한 기록이 보관되어 공중에게 제공되지 않으면 안 된다.

(5) Notwithstanding closure of a proceeding to the public, the judge shall permit a victim of the offense to be present unless the judge determines that exclusion of the victim is necessary to protect either party's right to a fair trial or the safety of the victim. If the victim is present, the judge, at the victim's request, shall permit the presence of an individual to provide support to the victim unless the judge determines that exclusion of the individual is necessary to protect the defendant's right to a fair trial.

절차의 공중에게의 비공개에도 불구하고 범죄의 피해자로 하여금 출석하도록 판사는 허가할 수 있는바, 다만 공정한 정식사실심리를 누릴 당사자 어느 쪽이든지의 권리를 또는 피해자의 안전을 보호하기 위하여 피해자의 배제가 필요하다고 판사가 판단하는 경우에는 그러하지 아니하다. 만약 피해자가 출석하면, 피해자에게 원조를 제공할 개인의 출석을 피해자의 요청에 따라서 판사는 허가하여야 하는바, 다만 공정한 정식사실심리를 누릴 피고인의 권리를 보호하기 위하여 그 개인의 배제가 필요하다고 판사가 판단하는 경우에는 그러하지 아니하다.

(6) (a) When the judge determines that all or part of a document filed in support of a charge or warrant would present a clear and present danger to the defendant's right to a fair trial, the document or portion of the document must be sealed until the trial is completed unless the document or portion of the document must be used for trial fairness.

공정한 정식사실심리를 누릴 피고인의 권리에의 명백한 및 현존의 위험을 고발의 내지는 영장의 근거로서 제출되는 문서의 전부가 또는 일부가 제기한다고 판사가 판단하는 경우에, 정식사실심리가 종결될 때까지 그 문서는내지는 그 문서의 해당 부분은 봉인되지 않으면 안 되는바, 다만 공정한 정식사실심리를 위하여 그 문서가 또는 그 문서의 해당 부분이 사용되지 않으면 안 되는 경우에는 그러하지 아니하다.

(b) When a sworn affidavit in support of a search warrant is presented by a peace officer to a judge and the peace officer's request includes a request to seal the documents related to the search warrant, the judge may consider the evidence presented and, if the judge makes a finding from the evidence that the demand of individual privacy clearly exceeds the merits of public disclosure, the judge may order the documents related to the search warrant sealed until:

수색영장의 근거인 선서진술서가 경찰관에 의하여 판사에게 제출되는 경우에로서 당해 수색영장에 관련되는 문서들을 봉인하여 달라는 요청을 당해 경찰관의 요청이 포함하는 경우에, 그 제출되는 증거를 판사는 검토할 수 있는바, 공중에게의 공개의 이점들을 개인의 프라이버시의 요구가 명백히 능가한다는 판단을 증거로부터 만약 판사가 하면, 그 수색영장에 관련되는 문서들을 아래의 때까지 봉인 상태에 두도록 판사는 명령할 수 있다:

(i) a date certain;

특정일;

(ii) the occurrence of a specific event;

특정 사항의 발생;

(iii) the filing of a charge arising from or related to the execution of the search warrant; or

당해 수색영장의 집행으로부터 발생하는, 내지는 당해 수색영장의 집행에 관련되는, 공소장의 제출; 또는

(iv) such other time as the judge deems appropriate.

그 적절하다고 판사가 간주하는 기타의 시점.

https://codes.findlaw.com/mt/title-46-criminal-procedure/mt-code-ann-sect-46-11-801.html

Montana Title 46. Criminal Procedure § 46-11-801. Prosecutorial immunity

검찰관의 면제

(1) A prosecutor performing a judicial function is absolutely immune from a claim based on Article II, section 36, of the Montana constitution .

몬태나주 헌법 제2조 제36절에 터잡는 청구로부터, 사법적 임무를 수행하는 검사는 절대적으로 면제된다.

(2) A prosecutor performing an administrative function or an investigatory function has qualified immunity for a claim based on Article II, section 36, of the Montana constitution .

행정적 임무를 내지는 조사적 임무를 수행하는 검사는 몬태나주 헌법 제2조 제36절에 터잡는 청구에 대하여 제한적 면제를 지닌다.

(3) A public safety officer has qualified immunity for a claim based on Article II, section 36, of the Montana constitution .

몬태나주 헌법 제2조 제36절에 터잡는 청구에 대하여 제한적 면제를 공공안전 담당공무원은 지닌다.

(4) Local governments and the state of Montana are immune from a claim based on Article II, section 36, of the Montana constitution .

몬태나주 헌법 제2조 제36절에 터잡는 청구로부터 몬태나주 지방정부들은 및 몬태나주는 면제된다.

(5) The provisions of Article II, section 36, of the Montana constitution have no effect on the duty of the state of Montana or a local government to defend or indemnify prosecutors and public safety officers from a claim based on Article II, section 36, of the Montana constitution .

검사들을 및 공공안전 담당 공무원들을 몬태나주 헌법 제2조 제36절에 터잡는 청구로부터 방어할 내지는 보호할 몬태나주의 또는 지방정부의 의무 위에 영향을 몬태나주 헌법 제2조 제36절의 규정들은 미치지 아니한다.

https://codes.findlaw.com/mt/title-46-criminal-procedure/mt-code-ann-sect-46-16-115.html

Montana Title 46. Criminal Procedure § 46-16-115. Challenges for cause

이유부 기피들

(1) Each party may challenge jurors for cause, and each challenge must be tried by the court.

배심원들을 이유부로 개개 당사자는 기피할 수 있는바, 개개 기피신청은 법원에 의하여 심리되지 않으면 안 된다.

(2) A challenge for cause may be taken for all or any of the following reasons or for any other reason that the court determines:

아래 사유들의 전부를 또는 일부를 이유로 또는 법원이 결정하는 그 밖의 어떤 이유로도 이유부 기피신청은 제기될 수 있다:

(a) having consanguinity or relationship to the defendant or to the person who is alleged to be injured by the offense charged or on whose complaint the prosecution was instituted;

피고인에게의, 내지는 공소사실 범죄에 의하여 피해를 당한 것으로 주장되는 사람에게의, 내지는 당해 소추가 제기된 근거인 소추청구장을 제출한· 사람에게의, 혈족관계를 또는 인척관계를 지닐 것;

(b) standing in the relation of guardian and ward, attorney and client, master and servant, landlord and tenant, or debtor and creditor with or being a member of the family or in the employment of the defendant or the person who is alleged to be injured by the offense charged or on whose complaint the prosecution was instituted;

피고인과의 사이에, 내지는 공소사실 범죄에 의하여 피해를 입었다고 주장되는 사람과의 사이에, 내지는 당해 소추가 제기된 근거인 소추청구장을 제출한 사람과의 사이에 후견인-피후견인의, 변호사-의뢰인의, 고용주-피용자의, 지주-차지인의, 또는 채무자-채권자의 관계에 있을 것, 내지는 피고인의 내지는 공소사실 범죄에 의하여 피해를 입었다고 주장되는 사람의 내지는 당해 소추가 제기된 근거인 소추청구장을 제출한 사람의 가족의 구성원일 것, 내지는 피고인의 내지는 공소사실 범죄에 의하여 피해를 입었다고 주장되는 사람의 내지는 당해 소추가 제기된 근거인 소추청구장을 제출한 사람의 고용 속에 있을 것;

(c) being a party adverse to the defendant in a civil action or having complained against or been accused by the defendant in a criminal prosecution;

민사소송에서의 피고인에게 적대관계인, 내지는 형사소추에서의 피고인을 상대로 고발한 내지는 피고인에 의하여 고발된, 당사자일 것;

(d) having served on the grand jury that found the indictment or on a coroner's jury that inquired into the death of a person whose death is the subject of the indictment or information;

당해 대배심 검사기소를 평결한 대배심에서, 또는 그 사망이 당해 대배심 검사기소의 내지는 검사 독자기소의 소송물인 사람의 사망을 조사한 검시배심에서, 복무한 바 있을 것;

(e) having served on a trial jury that tried another person for the offense charged or a related offense;

공소사실 범죄에 대하여 또는 이에 관련된 범죄에 대하여 다른 사람을 정식사실심리 한 정식사실심리 배심에서 복무한 바 있을 것;

(f) having been a member of a jury formerly sworn to try the same charge, the verdict of which was set aside or which was discharged without verdict after the case was submitted to it;

동일한 공소사실을 심리하기로 이전에 선서절차에 처해진 배심의 구성원이었을 것 및 그 평결이 무효화되어 있을 것 내지는 그 사건이 배심에게 회부된 뒤에 그 배심이 평결 없이 임무해제되었을 것;

(g) having served as a juror in a civil action brought against the defendant for the act charged as an offense;

범죄로서 공소제기된 당해 행위를 이유로 피고인을 상대로 제기된 민사소송에서 배심원으로 복무한 바 있을 것;

(h) if the offense charged is punishable with death, having any conscientious opinions concerning the punishment as would preclude finding the defendant guilty, in which case the person must neither be permitted nor compelled to serve as a juror;

만약 당해 공소사실 범죄가 사형으로 처벌될 수 있으면 피고인을 유죄로 판단하기를 배제시킬 만한 처벌에 관한 성실한 의견을 지닐 것 - 그 경우에 그 사람은 배심원으로서 복무하도록 허용되어서도 안 되고 강제되어서도 안 된다.

(i) having a belief that the punishment fixed by law is too severe for the offense charged; or

법에 의하여 정해진 처벌이 공소사실 범죄에 대하여 너무 가혹하다는 믿음을 지닐 것; 또는

(j) having a state of mind in reference to the case or to either of the parties that would prevent the juror from acting with entire impartiality and without prejudice to the substantial rights of either party.

완전한 공평성을 지닌 채로 및 어느 쪽 당사자의 실질적 권리들에 대하여도 침해 없이 당해 배심원이 행동함을 저해할 만한 마음상태를 사건에 관하여 내지는 당사자들 어느 한 쪽에 관하여 지닐 것.

(3) An excuse from service on a jury is not a cause of challenge but the privilege of the person excused.

배심에서의 복무로부터의 면제는 한 개의 기피사유가 아니라 그 면제되는 사람의 특권이다.

미네소타주
대배심 규정

https://www.revisor.mn.gov/statutes/cite/628.41

2019 Minnesota Statutes

CRIMINAL PROCEDURE; PEACE OFFICERS; PRIVACY OF COMMUNICATIONS > Chapter 628 > Section 628.41

628.41 GRAND JURIES; MEMBERS; QUORUM; COMPENSATION.

대배심들; 구성원들; 의사정족수; 보수.

Subdivision 1. Definition. A grand jury is a body of persons returned at stated periods from the citizens of the county, or counties as provided in subdivision 2, before a court of competent jurisdiction, chosen by lot, and sworn to inquire as to public offenses committed or triable in the county or counties. It shall consist of not more than 23, nor less than 16, persons, and shall not proceed to any business unless at least 16 members are present.

개념정의. 한 개의 대배심은, 카운티 내에서 내지는 카운티들 내에서 저질러진 내지는 정식 사실심리 될 수 있는 범죄들을 조사하도록, 소부 2에 규정되는 바에 따라서 카운티의 내지는 카운티들의 시민들 중에서 특정의 시기들에 자격 있는 관할의 한 개의 법원 앞에 추첨에 의하여 선출된 및 선서절차를 거친 사람들의 통일체이다. 그것은 23명 이하로 및 16명 이상으로 구성되는바, 적어도 16명의 구성원들이 출석해 있지 않으면 업무수행에 나아갈 수 없다.

§ Subd. 2. Venue. If subject matter of the grand jury inquiry concerns activity, events, or other matters in more than one county, a grand jury may be selected, in reasonable proportion, from the counties in which the activity, events, or other matters occurred. A judge of the district court from any judicial district which includes one of the counties involved in an inquiry may convene a multicounty grand jury, without regard to judicial district boundaries, and may designate which county attorney or county attorneys shall attend upon the grand jury. The judge shall designate where a grand jury drawn from more than one county shall sit.

재판지. 한 개를 넘는 카운티들에서의 행위에, 사건경위들에, 또는 그 밖의 사안들에 만약 대배심 조사의 소송물이 관련되면, 당해 행위가, 사건경위들이 또는 그 밖의 사안들이 발생한 카운티들로부터 합리적 비율에 따라서 한 개의 대배심은 선정될 수 있다. 한 개의 조사에 관련되는 카운티들 중의 한 개를 포함하는 재판구에 속하는 재판구 지방법원 판사는 한 개의 복수카운티 관할 대배심을 재판구 경계들에 상관없이 소집할 수 있고, 당해 대배심을 어느 카운티의 검사가 또는 검사들이 수행해야 할지를 그 판사는 정할 수 있다. 한 개를 넘는 카운티들로부터 추출되는 한 개의 대배심이 어디에 착석해야 할지를 그 판사는 정해야 한다.

Subd. 3. Designation of venue. All indictments, reports or other returns returned by a grand jury drawn from more than one county shall be returned without any designation of venue. Thereupon, the judge ordering the impaneling of the grand jury shall designate the county of venue for purposes of trial.

재판지의 지정. 한 개를 넘는 카운티들로부터 추출되는 한 개의 대배심에 의하여 제출되는 모든 대배심 검사기소장들은, 보고서들은 내지는 그 밖의 제출물들은 재판지의 지정 없이 제출되어야 한다. 이에 따라서 정식사실심리의 목적을 위한 재판지가 될 카운티를, 당해 대배심의 충원구성을 명령한 판사는 지정하여야 한다.

Subd. 4. Designation of prosecuting authority. If a grand jury drawn from more than one county was impaneled pursuant to the request of a county attorney, that county attorney shall prosecute indictments returned thereby, except that the county attorney of the county in which venue was designated pursuant to subdivision 3 may file a written request to prosecute with the judge impaneling the grand jury within 15 days, in which case the judge shall designate the prosecuting authority. In all other cases, the prosecuting authority shall be designated by the judge impaneling the grand jury.

소송추행 권한자의 지정. 만약 한 개를 넘는 카운티들로부터 추출되는 한 개의 대배심이 한 명의 카운티 검사의 요청에 따라서 충원구성 되었으면, 그 대배심에 의하여 제출되는 대배심 검사기소장들을 그 카운티 검사는 추행하여야 하는바, 다만 당해 대배심을 충원구성 한 판사에게 15일 내에 한 개의 서면요청을, 소부 3에 따라서 재판지로 지정되는 카운티의 카운티 검사는 제출할 수 있고, 그 경우에 소송추행 권한자를 판사는 지정하여야 한다. 그 밖의 모든 경우들에서는 당해 대배심을 충원구성 한 판사에 의하여 소송추행 권한자는 지정되어야 한다.

Subd. 5. Cost apportionment. The costs of a grand jury drawn from more than one county shall be apportioned between the counties from which the grand jury was drawn as may be ordered by the judge impaneling the grand jury.

비용할당. 한 개를 넘는 카운티들로부터 추출되는 한 개의 대배심의 비용들은, 당해 대배심을 충원구성 하는 판사에 의하여 명령되는 바에 따라서, 당해 대배심에 추출되는 카운티들 사이에서 할당되어야 한다.

Subd. 6. Compensation. Members of grand juries drawn from more than one county shall be compensated as provided in section 593.48. In addition, grand jurors residing more than 50 miles from the place where the grand jury sits shall be reimbursed for expenses actually incurred for meals and lodging, not to exceed $35 per day.

보수. 한 개를 넘는 카운티들로부터 추출되는 대배심들의 구성원들에게는 제593.48절에 규정되는 보수가 지급되어야 한다. 당해 대배심이 착석하는 장소로부터 50마일을 초과하는 거리에 거주하는 대배심원들에게는 이에 추가하여 식사를 및 숙박을 위하여 실제로 발생하는 하루 당 35불을 넘지 아니하는 비용들이 변상되어야 한다.

History: (10603) RL s 5261; 1921 c 365 s 2; 1977 c 208 s 1; 1980 c 509 s 182

https://www.revisor.mn.gov/statutes/cite/628.48

628.48 FAILURE TO REPORT; ATTACHMENT.
출석 불이행; 수감영장.

Every grand and petit juror drawn and summoned to attend and serve at any term of a district court shall report to such court at the time and place designated in such summons. A failure to so report shall constitute contempt of court. On the first day of the term fixed for the attendance of either the grand or the petit jurors, or as soon thereafter as may be, the court shall ascertain whether the persons summoned to attend at such term as grand or petit jurors, as the case may be, have reported for duty as required by law; and, if it shall find a failure on the part of any person so summoned to report, it shall at once cause an attachment to issue against the juror, which shall be served by the sheriff or a deputy, and shall be forthwith arrested and brought before the court to be dealt with according to law. Nothing in this section contained shall render liable to jury duty any person who is exempt by law.

한 개의 재판구 지방법원의 어느 개정기에든 그 출석하도록 및 복무하도록 추출되는 및 소환되는 모든 대배심원은 및 소배심원은 그러한 소환장에서 정해진 시간에 및 장소에 출석하여야 한다. 그렇게 출석하기에 대한 불이행은 법원모독을 구성한다. 대배심원들로서든 내지는 소배심원들로서든 그 해당되는 경우에 따라서 그러한 개정기에 출석하도록 소환된 사람들이 법에 의하여 요구되는 대로의 의무를 위하여 출석한 상태인지 여부를, 대배심원들의 또는 소배심원들의 출석을 위하여 정해진 개정기의 첫째 날에, 또는 그 뒤 가능한 한 빨리, 법원은 확인하여야 한다; 그리고 그렇게 소환된 사람 쪽에서의 그렇게 출석하기에 대한 한 개의 불이행을 만약 법원이 확인하면, 그 배심원(후보)에 대한 한 개의 수감영장이 발부되도록 즉시 법원은 조치하여야 하는바, 그것은 집행관에 또는 부집행관에 의하여 송달되어야 하고 그 즉시 체포되어 법에 따라서 처리되도록 법원 앞에 그는 데려다 놓여야 한다. 이 절에 포함된 것은, 법에 의하여 제외되는 사람을 배심의무에 처해지도록 만들지 아니한다.

History: (10609) RL s 5267; 1986 c 444

https://www.revisor.mn.gov/statutes/cite/628.54

628.54 CAUSES OF OBJECTION TO JUROR; HOW TRIED; DECISION ENTERED.

배심원에 대한 이의사유들; 어떻게 심리되는가; 결정의 기입.

An objection to an individual grand juror may be based on the cause that the grand juror:

아래의 사유에 한 명의 개별적 대배심원(후보)이 해당된다는 점에 그 대배심원(후보)에 대한 이의는 터잡을 수 있다:

(1) is less than 18 years of age;

18세 미만인 경우;

(2) is not a citizen of the United States;

합중국의 시민이 아닌 경우;

(3) has not resided in this state 30 days;

이 주에서 30일 동안 거주하지 아니한 경우;

(4) lacks mental capacity;

정신적 능력을 결여하는 경우;

(5) is a prosecutor upon a charge against the defendant;

피고인에 대한 한 개의 고발에서 소추자인 경우;

(6) is a witness on the part of the prosecution, and has been served with process or bound by recognizance as such; or

소추 측의 한 명의 증인인 경우에로서 그러한 자격에서 영장을 송달받은 경우 내지는 출석담보금 증서에 의하여 묶여 있는 경우; 또는

(7) is of a state of mind in reference to the case or to either party which shall satisfy the court, in the exercise of a sound discretion, that the juror cannot act impartially and without prejudice to the substantial rights of the party objecting.

당해 사건에 관하여 또는 당사자 어느 한 쪽에 관하여 당해 배심원(후보)으로 하여금 공평하게, 및 이의 측 당사자의 실질적 권리들에 대한 침해 없이, 행동할 수 없게 하는 마음 상태에 있음에 대하여 건전한 재량권의 행사 속에서의 법원을 납득시키는 경우.

History: (10615) RL s 5273; 1973 c 468 s 1; 1979 c 233 s 30; 1986 c 444; 2013 c 59 art 3 s 19

https://www.revisor.mn.gov/statutes/cite/628.56

628.56 FOREPERSON; JURY SWORN; CHARGE BY COURT.
배심장; 배심선서; 법원에 의한 임무설명.

From the persons summoned to serve as grand jurors and appearing, the court shall appoint a foreperson, and it shall also appoint a foreperson whenever one already appointed shall be discharged or excused before such jury is dismissed. The grand jury shall then be sworn according to law, and the same oath shall be administered to any grand juror afterwards appearing and admitted as such. The grand jury shall then be charged by the court, who, in doing so, shall read to it the provisions of sections 628.01, 628.02, 628.60 to 628.66, and rules 18.05, subdivisions 1 and 2, and 18.07 of the Rules of Criminal Procedure, and may give it such other information as it may deem proper as to the nature of its duties, and any charges for public offenses returned to the court, or likely to come before the grand jury; but it need not charge it respecting the violation of any particular statute unless expressly made its duty by the provisions of such statute.

한 명의 배심장을 대배심원들로서 복무하도록 소환된 및 출석한 사람들 중에서 법원은 지명하여야 하고, 이미 지명된 배심장이 그러한 배심의 임무해제 되기 전에 임무해제 되는 내지는 면제되는 때에도 또한 언제든지, 한 명의 배심장을 법원은 지명하여야 한다. 대배심은 그 뒤에 법에 따라서 선서절차에 처해져야 하는바, 그 뒤에 대배심원으로서 출석하는 및 받아들여지는 어떤 대배심원에게도 그 동일한 선서가 실시되어야 한다. 대배심에게는 그 뒤에 법원에 의하여 임무가 설명되어야 하고, 제628.01절의, 제628.02절의, 제628.60절부터 제628.66절까지의 규정들을, 그리고 형사절차규칙 rule 18.05 소부 1을 및 2를, 및 rule 18.07을, 그렇게 함에 있어서 대배심에게 법원은 낭독하여야 하는바, 나아가 대배심의 임무들의 성격에 관하여, 및 법원에 제출된 내지는 대배심 앞에 올 가능성이 있는 범죄들에 대한 여하한 고발들에 관하여도, 그 적절하다고 자신이 간주하는 여타의 정보를 대배심에게 법원은 제공할 수 있다; 그러나 특정의 제정법 위반에 관하여는, 그것을 설명함이 그러한 제정법의 규정들에 의하여 명시적으로 법원의 의무로 만들어져 있는 경우에를 제외하고는, 대배심에게 법원은 설명할 필요가 없다.

History: (10617) RL s 5275; 1Sp1981 c 4 art 1 s 184; 1986 c 444; 2011 c 76 art 3 s 3

https://www.revisor.mn.gov/statutes/cite/628.57

628.57 JURY TO RETIRE; CLERK; DUTIES.
배심의 퇴정; 서기; 의무들.

The grand jury shall then retire to a private room and inquire into the offenses cognizable by it. It shall appoint one of its number clerk, who shall preserve the minutes of its proceedings, but not of the votes of the individual members on an indictment.

대배심은 그 뒤에 한 개의 비밀실로 물러가야 하고 자신들에 의하여 심리될 수 있는 범죄들을 파헤쳐야 한다. 그들의 구성원 한 명을 서기로 대배심은 지명하여야 하는바, 한 개의 대배심 검사기소에 대한 개개 구성원들의 투표들의를 제외한 절차들의 의사록을 그는 보전하여야 한다.

History: (10618) RL s 5276; 1979 c 233 s 31

https://www.revisor.mn.gov/statutes/cite/628.60

628.60 JUROR COMPLAINANT, WHEN.
배심원이 고발인인 경우.

If a member of the grand jury shall know or have reason to believe that a public offense has been committed which is triable in the county, the member shall declare the same to the other jurors, who shall thereupon investigate the same.

당해 카운티에서 정식사실심리 될 수 있는 한 개의 범죄가 저질러져 있음을 만약 대배심의 구성원 한 명이 알면 내지는 그렇게 믿을 이유를 지니면, 그것을 다른 배심원들에게 그 구성원은 선언하여야 하고, 그들은 그 후 즉시 그것을 조사하여야 한다.

History: (10624) RL s 5282; 1986 c 444

https://www.revisor.mn.gov/statutes/cite/628.61

628.61 MATTERS INQUIRED INTO.
조사대상인 사안들.

The grand jury shall inquire:

아래의 것들을 대배심은 파헤쳐야 한다:

(1) into the condition of every person imprisoned on a criminal charge triable in the county, and not indicted;

당해 카운티에서 정식사실심리 될 수 있는 범죄혐의로 구금되어 있는 및 대배심 검사기소에 처해지지 아니한 모든 사람의 상태;

(2) into the condition and management of the public prisons in the county; and

당해 카운티 내의 공공감옥들의 상태 및 운영; 그리고

(3) into the willful and corrupt misconduct in office of all public officers in the county.

당해 카운티 내의 모든 공무원들의 의도적인 및 부정한 직무상의 위법행위.

History: (10625) RL s 5283

https://www.revisor.mn.gov/statutes/cite/628.62

628.62 ACCESS TO PRISONS AND RECORDS.
감옥들에의 및 기록들에의 접근.

The grand jury shall be entitled to free access at all reasonable times to the public prisons, and to the examination, without charge, of all public records in the county.

카운티 내의 공공감옥들에의 모든 합리적인 시간대에서의 자유로운 접근의 권리를, 그리고 모든 공공기록들에 대한 무료검사의 권리를, 대배심은 지닌다.

History: (10626) RL s 5284

https://www.revisor.mn.gov/statutes/cite/628.63

628.63 GRAND JURY; WHO MAY BE PRESENT; COUNTY ATTORNEY TO ATTEND; DUTIES.
대배심; 누가 출석해 있을 수 있는가; 카운티 검사의 출석권한; 의무들.

The grand jury may at all reasonable times ask the advice of the court, or of the county attorney, and the county attorney shall attend it for the purpose of framing indictments or examining witnesses in its presence.

법원의 내지는 카운티 검사의 조언을 대배심은 모든 합리적인 시간대에 요청할 수 있는바, 대배심 검사기소장들의 뼈대를 짜기 위하여 내지는 증인들을 대배심의 면전에서 신문하기 위하여 카운티 검사는 출석하여야 한다.

The persons specified in rule 18.03 of the Rules of Criminal Procedure may, subject to the conditions specified in that rule, be present before the grand jury when it is in session, but no person other than the jurors may be present while the grand jury is deliberating or voting.

대배심이 회합 중에 있을 때 대배심 앞에, 형사절차규칙 rule 18.03에 명시된 사람들은 그 규칙에 명시된 조건들의 적용 아래서 출석해 있을 수 있는바, 그러나 대배심이 숙의 중인 내지는 표결 중인 동안에는 배심원들이를 제외한 다른 사람들은 어느 누구가도 출석해 있을 수 없다.

History: (10627) RL s 5285; 1979 c 233 s 32; 2011 c 76 art 3 s 4

https://www.revisor.mn.gov/statutes/cite/628.65

628.65 MAKE DISCLOSURE, WHEN.
공개할 수 있는 경우.

Any grand juror may be required by any court to disclose the testimony of any witnesses examined before the grand jury, for the purpose of ascertaining whether it is consistent with that given by the witnesses before the court, or to disclose the testimony given before it by any other person, upon a charge against the person for perjury in giving the testimony, or upon the trial therefor.

법원 앞에서의 증인들의 증언에 대배심 앞에서의 그 어떤 증인들이든지의 증언이 부합되는지 여부를 확인함을 목적으로, 대배심 앞에서 신문된 그 어떤 증인들의 증언을이든지 공개하도록은, 또는 다른 어느 누구든지의 증언에 있어서의 위증을 이유로 그 사람에게 제기된 한 개의 고발에 따라서 또는 그 고발에 대한 정식사실심리에서, 대배심 앞에서의 그 사람에 의하여 이루어진 증언을 공개하도록은, 그 어떤 법원에 의하여서도 그 어떤 배심원에게도 요구될 수 있다.

History: (10629) RL s 5287; 1986 c 444

https://www.revisor.mn.gov/statutes/cite/628.66

628.66 ACTION NOT TO BE QUESTIONED; EXCEPTION.
신문대상이 될 수 없는 행위; 예외.

A grand juror shall not be questioned for anything the juror may say or any vote the juror may give in the grand jury relative to a matter legally pending before the jury, except for a perjury of which the juror may be guilty in making an accusation, or giving testimony to the other jurors.

당해 배심 앞에 적법하게 걸려 있는 사안에 관련하여 한 명의 대배심원이 말하는 그 어떤 사항에 관하여도 내지는 그 던지는 어떤 투표에 대하여도 그 대배심원은 신문될 수 없는바, 한 개의 고발을 행함에 있어서 내지는 다른 배심원들에게 증언을 함에 있어서 당해 배심원이 저질렀을 수 있는 위증을 이유로 하는 경우에는 그러하지 아니하다.

History: (10630) RL s 5288; 1986 c 444

https://www.revisor.mn.gov/statutes/cite/628.68

628.68 DISCLOSURE OF TRANSACTIONS OF GRAND JURY.
대배심의 행위들의 공개.

Except as otherwise provided in rule 18.07 of the Rules of Criminal Procedure, every judge, grand juror, county attorney, court administrator, or other officer, who, except in the due discharge of official duty, shall disclose, before an accused person shall be in custody, the fact that an indictment found or ordered against the accused person, and every grand juror who, except when lawfully required by a court or officer, shall willfully disclose any evidence adduced before the grand jury, or anything which the juror or any other member of the grand jury said, or in what manner any grand juror voted upon any matter before them, shall be guilty of a misdemeanor. Disclosure may be made by the county attorney, by notice to the defendant or the defendant's attorney of the indictment and the time of defendant's appearance in the district court, if in the discretion of the judge notice is sufficient to insure defendant's appearance.

형사절차규칙 rule 18.07에 의하여 다르게 규정되는 바에 따라서를 제외하고는, 그리고 직무상의 의무의 적법한 이행 속에서를 제외하고는, 범인이라고 주장되는 사람에 대한 한 개의 대배심 검사기소가 평결되었다는 내지는 명령되었다는 사실을 피고인이 구금되기 전에 공개하는 모든 판사는, 대배심원은, 카운티 검사는, 법원 사무국장은 또는 그 밖의 공무원은, 그리고 법원에 의하여 내지는 공무원에 의하여 적법하게 요구되는 경우에를 제외하고는, 대배심 앞에 제출되는 증거를, 내지는 대배심원 자신이 내지는 대배심의 다른 구성원 어느 누구든지가 발언한 그 무엇이든지를, 내지는 그들 앞의 어떤 사안에 대하여든 어떠한 방법으로 어느 대배심원이든지가 투표하였는지를, 의도적으로 공개하는 모든 대배심원은, 한 개의 경죄를 범하는 것이 된다. 피고인의 출석을 확보하는 데에 통지로써 충분하다는 것이 만약 재판구 지방법원 판사의 판단인 경우이면, 대배심 검사기소에 관한, 및 재판구 지방법원에의 피고인의 출석의 시간에 관한, 피고인에게의 내지는 피고인의 변호사에게의 통지로써 카운티 검사에 의하여 공개는 이루어질 수 있다.

History: (10050) RL s 4862; 1969 c 197 s 1; 1979 c 233 s 33; 1986 c 444; 1Sp1986 c 3 art 1 s 82; 2011 c 76 art 3 s

https://www.revisor.mn.gov/court_rules/cr/id/18/

Minnesota Court Rules

미네소타주 법원규칙들

CRIMINAL PROCEDURE

형사절차

Rule 18.Grand Jury

대배심

Rule 18.01Summoning Grand Juries

대배심들의 소집

Subd. 1. When Summoned. The court must order that one or more grand juries be drawn at least annually. The grand jury must be summoned and convened whenever required by the public interest, or whenever requested by the county attorney.

언제 소환되는가. 적어도 해마다 한 개 이상의 대배심들이 추출되게 하도록 법원은 명령하지 않으면 안 된다. 공공의 이익에 의하여 요구되는 때에는 언제든지 내지는 카운티 검사에 의하여 요청되는 때에는 언제든지 대배심은 소환되지 및 소집되지 않으면 안 된다.

On being drawn, each juror must be notified of selection. The court must prescribe by order or rule the time and manner of summoning grand jurors. Vacancies in the grand jury panel must be filled in the same manner as this rule provides.

추출 뒤 즉시로, 개개 배심원(후보)에게는 그 선정에 관하여 통지가 이루어지지 않으면 안 된다. 대배심원(후보)들을 소환하는 시기를 및 방법을 명령에 내지는 규칙에 의하여 법원은 규정하지 않으면 안 된다. 이 규칙이 정하는 방법에의 동일한 방법으로 대배심원단 내의 궐석들은 채워지지 않으면 안 된다.

Subd. 2. How Selected and Drawn. Except as provided for St. Louis County, the grand jury must be drawn from a list composed of the names of persons selected at random from a fair cross-section of the statutorily qualified residents of the county.

선정의 및 추출의 방법. 세인트루이스 카운티를 위하여 규정되는 바에 따라서를 제외하고는, 제정법에 의하여 자격이 부여되는 카운티 거주자들의 공평한 횡단면으로부터 무작위로 선정된 사람들의 이름들로 구성되는 한 개의 명부에서 대배심은 추출되지 않으면 안 된다.

In St. Louis County, a grand jury list must be selected from residents of each of the three districts of St. Louis County. When the offense is committed nearer to Virginia or Hibbing than to the county seat, the case must be submitted to the grand jury in Virginia or Hibbing.

세인트루이스 카운티에서는 세인트루이스 카운티의 세 개의 재판구들의 각각의 거주자들로부터 한 개의 대배심 명부는 선정되지 않으면 안 된다. 카운티 소재지에보다도 버지니아에 또는 히빙에 더 가까이서 범죄가 저질러지면, 버지니아 소재의 내지는 히빙 소재의 대배심에 그 사건은 제출되지 않으면 안 된다.

Rule 18.02 Organization of Grand Jury
대배심의 구성

Subd. 1. Members; Quorum. A grand jury consists of not more than 23 nor fewer than 16 persons, and must not proceed unless at least 16 members are present.

구성원들; 의사정족수. 한 개의 대배심은 23명 이하로 및 16명 이상으로 구성되는바, 적어도 16명의 구성원들이 출석해 있는 경우에를 제외하고는 절차에 나아가서는 안 된다.

Subd. 2. Organization and Proceedings. The grand jury must be organized and its proceedings conducted as provided by statute, unless these rules direct otherwise.

구성 및 절차들. 이 규칙들이 달리 명령하는 경우에를 제외하고는, 대배심의 구성은 및 그 절차들의 수행은 제정법에 의하여 규정되는 바에 따라서 이루어지지 않으면 안 된다.

Subd. 3. Charge. After swearing the grand jury, the court must instruct it on its duties.

임무설명. 대배심을 선서절차에 처한 뒤에 대배심의 의무들에 관하여 법원은 지시하지 않으면 안 된다.

Rule 18.03 Who May Be Present
누가 출석해 있을 수 있는가

Prosecutors, the witness under examination, qualified interpreters for witnesses disabled in communication, or for jurors with a sensory disability, and for the purpose of recording the evidence, a reporter or operator of a recording instrument may be present while the grand jury is in session. No person other than the jurors and any qualified interpreters for any jurors with a sensory disability may be present while the grand jury is deliberating or voting.

대배심이 회합 중인 동안에 검사들은, 신문대상인 증인은, 의사소통에 장애를 지닌 증인들을 위한, 내지는 시청각 장애를 지닌 배심원들을 위한 자격 있는 통역인들은, 그리고 증언의 녹음을 위하여 한 명의 속기사는 내지는 녹음장비 기사는 출석해 있을 수 있다. 대배심이 숙의 중인 내지는 표결 중인 동안에는 배심원들이를 제외한 및 시청각 장애를 지닌 배심원들을 위한 자격 있는 통역인들이를 제외한 어느 누구가도 출석해 있어서는 안 된다.

On the court's order and a showing of necessity, for security purposes, a designated peace officer may be present while a specified witness testifies.

한 명의 특정의 증인이 증언하는 동안에, 보안 목적을 위한 법원의 명령 위에서 및 필요성의 증명 위에서, 한 명의 지명된 경찰관은 출석해 있을 수 있다.

If a witness at the grand jury requests, and has effectively waived the privilege against self-incrimination, or has been granted use immunity, the attorney for the witness may be present while the witness testifies, provided the attorney is present for that purpose, or the attorney's presence can be secured without unreasonably delaying the grand jury proceedings. The attorney cannot participate in the grand jury proceedings except to advise and consult with the witness while the witness testifies.

만약 대배심에서의 한 명의 증인이 요청하면, 그리고 자기부죄 금지특권을 유효하게 그가 포기하였으면 내지는 사용면제를 그가 부여받았으면, 그 증인이 증언하는 동안에 증인 측 변호사는 출석해 있을 수 있는바, 다만 그 변호사의 출석은 그 목적을 위한 것이어야 하거나, 또는 당해 대배심 절차들을 부당하게 지연시킴 없이 그 변호사의 출석이 확보될 수 있어야 한다. 그 증인이 증언하는 동안에 그 증인을 조언하기 위하여를 및 더불어 상의하기 위하여를 제외하고는, 대배심 절차들에 그 변호사는 참여할 수 없다.

By order of the court based on a particularized showing of need, a witness under the age of 18 may be accompanied by a parent, guardian or other supportive person while that child witness testifies at the grand jury. The parent, guardian or other supportive person must not participate in the grand jury proceedings, and must not be permitted to influence the content of the witness's testimony.

대배심에서 18세 미만인 증인이 증언하는 동안에는, 필요성의 구체화된 증명에 터잡은 법원의 명령에 의하여 부모의, 후견인의, 또는 그 밖의 조력인의 동행을 그 아동증인은 누릴 수 있다. 대배심 절차들에 부모는, 후견인은 내지는 그 밖의 조력인은 참가하여서는 안 되고, 증인의 증언의 내용에 영향을 가하도록 그들은 허용되어서는 안 된다.

In choosing the parent, guardian or other supportive person, the court must determine whether the person is appropriate, including whether the person may become a witness in the case, or may exert undue influence over the child witness. The court must instruct the person on the proper role for that person in the grand jury proceedings.

부모를, 후견인을 또는 그 밖의 조력인을 선택함에 있어서는, 그 사람이 당해 사건에서의 한 명의 증인이 될 수 있는지 여부를을 내지는 당해 아동증인에 대한 부당한 영향력을 행사할 수 있는지 여부를을 포함하여, 그 사람이 적절한지 여부를 법원은 판단하지 않으면 안 된다. 당해 대배심 절차들에서의 그 사람이 행할 적절한 역할에 관하여 그 사람에게 법원은 설명하지 않으면 안 된다.

Rule 18.04 Record of Proceedings
절차들의 기록

Subd. 1. Verbatim Record. A verbatim record must be made of all statements made, evidence taken, and events occurring before the grand jury except deliberations and voting.

축어적 기록. 숙의들에 대하여를 및 표결에 대하여를 제외하고는, 그 이루어진 모든 진술들에 대한, 그 청취된 증거에 대한, 그리고 대배심 앞에서 발생한 사건경위들에 대한 한 개의 축어적 기록이 작성되지 않으면 안 된다.

The record must not include any grand juror's name. The record may be disclosed only to the court or prosecutor unless the court, on the defendant's motion for good cause, or on a showing that grounds may exist for a motion to dismiss the indictment because of matters occurring before the grand jury, orders disclosure of the record or designated portions of it to the defendant or defense counsel.

그 어느 대배심원의 이름을이라도 기록은 포함하여서는 안 된다. 타당한 이유를 지니는 피고인의 신청에 따라서, 또는 대배심 앞에서 발생한 사안들을 이유로 하여 대배심 검사기소장을 각하하여 달라는 신청을 위한 사유들이 존재할 수 있음에 대한 증명 위에서, 기록에 대한 내지는 기록의 특정부분들에 대한 피고인에게의 내지는 피고인의 변호사에게의 공개를 법원이 명령하는 경우에를 제외하고는, 오직 법원에게만 내지는 검사에게만 기록은 공개될 수 있다.

Subd. 2. Transcript. On the defendant's motion, and with notice to the prosecutor, the court at any time before trial must, subject to a protective order as may be granted under Rule 9.03, subd. 5, order that defense counsel may obtain a transcript or copy of:

녹취록. 아래의 것들의 녹취록을 내지는 등본을 변호인으로 하여금 얻을 수 있게 할 것을, Rule 9.03 소부 5 아래서 내려지는 증거캐기 제한명령의 적용을 받는 가운데서, 피고인의 신청에 따라서, 그리고 검사에게의 통지를 거쳐서, 정식사실심리 전에 언제든지 법원은 명령하지 않으면 안 된다:

(1) defendant's grand jury testimony;

피고인의 대배심 증언;

(2) the grand jury testimony of witnesses the prosecutor intends to call at the defendant's trial; or

피고인에 대한 정식사실심리에서 소환하고자 검사가 의도하는 증인들의 대배심 증언; 또는

(3) the grand jury testimony of any witness, if defense counsel makes an offer of proof that a witness the defendant expects to call at trial will give relevant and favorable testimony for the defendant.

대배심에서의 특정증인 어느 누구든지의 증언에 관련성을 지니는, 피고인에게 유리한 증

언을, 정식사실심리에 소환하고자 피고인이 예정하는 한 명의 증인이 할 것이라는 증거의 신청을 변호인이 제기하는 경우에의, 대배심에서의 그 특정증인의 증언.

Rule 18.05 Kind and Character of Evidence
증거의 종류 및 성격

Subd. 1. Admissibility of Evidence. An indictment must be based on evidence that would be admissible at trial, with these exceptions:

증거의 증거능력. 정식사실심리에서 증거능력이 있을 만한 증거에 그 토대를 한 개의 대배심 검사기소장은 두지 않으면 안 되는바, 아래의 예외들이 적용된다:

(1) Hearsay evidence offered only to lay the foundation for the admissibility of otherwise admissible evidence if admissible foundation evidence is available and will be offered at the trial.

만약 증거능력을 지니는 근거증거가 제공될 수 있으면 및 정식사실심리에 그 근거증거가 제출된다면 달리 증거능력이 있을 증거의 증거능력을 위한 근거를 제공하기 위함을 목적으로 하여서만 신청되는 전문증거.

(2) A report by a physician, chemist, firearms identification expert, examiner of questioned documents, fingerprint technician, or an expert or technician in some comparable scientific or professional field, concerning the results of an examination, comparison, or test performed by the person in connection with the investigation of the case against the defendant, when certified by the person as the person's report.

의사의, 화학자의, 총기감정사의, 문서감식자의, 지문감정인의 또는 모종의 이에 필적할 만한 과학적 내지는 전문적 분야에서의 전문가의 내지는 기술자의, 피고인에 대한 당해 사건의 조사에의 연관 속에서 그 사람에 의하여 수행된 한 개의 검사의, 비교의, 또는 시험의 결과들에 관한, 그 사람의 보고서임이 그 사람에 의하여 보증되는 보고서.

(3) Unauthenticated copies of official records if authenticated copies will be available at trial.

진정성립이 확인되는 사본들이 장차 정식사실심리에 제공되기로 예정되어 있는 경우에의 그 진정성립이 확인되지 아니한 공무상의 기록들의 등본들.

(4) Written statements under oath or signed under penalty of perjury pursuant to Minnesota Statutes, section 358.116, of the persons who claim to have title or an interest in property to prove ownership or that the property was obtained without the owner's consent, and written statements under oath or signed under penalty of perjury pursuant to Minnesota Statutes, section 358.116, of these persons or of experts to prove the value of the property, if admissible evidence to prove ownership, value, or nonconsent is available and will be presented at the trial.

소유권을, 가치를, 또는 동의부재를 증명하기 위한 증거능력 있는 증거가 제공될 수 있는 경우에로서 정식사실심리에 제출되기로 예정되어 있는 경우에의, 한 개의 재산의 소유권을 증명하기 위한 내지는 당해 재산이 그 소유자의 동의 없이 취득되었음을 증명하기 위한, 그 재산에의 권원을 내지는 이익을 지닌다고 주장하는 사람들의 선서 아래서의 서면진술들 내지는 미네소타주 제정법집 제358.116절에 따라서 위증죄 처벌의 조건 아래서 서명된 서면진술들, 및 당해 재산의 가치를 증명하기 위한, 이 사람들의 또는 전문가들의 선서 아래서의 서면진술들 내지는 미네소타주 제정법집 제358.116절에 따라서 위증죄 처벌의 조건 아래서 서명된 서면진술들.

(5) Written statements under oath or signed under penalty of perjury pursuant to Minnesota Statutes, section 358.116, of witnesses who for reasons of ill health, or for other valid reasons, are unable to testify in person if the witnesses, or otherwise admissible evidence, will be available at the trial to prove the facts contained in the statements.

질병으로 내지는 그 밖의 유효한 이유들로 인하여 직접 증언할 수 없는 증인들의 선서 아래서의 서면진술들로서, 내지는 미네소타주 제정법집 제358.116절에 따라서 위증죄 처벌의 조건 아래서 서명된 서면진술들로서, 그 진술서들 안에 포함되어 있는 사실관계를 증명하기 위하여 그 증인들이 내지는 여타의 증거능력 있는 증거가 정식사실심리에 제공되기로 예정되어 있는 경우.

(6) Oral or written summaries made by investigating officers or other persons, who are called as witnesses, of the contents of books, records, papers and other documents that they have examined but that are not produced at the hearing or were not previously submitted to defense counsel for examination, if the documents and summaries would otherwise be admissible. A police officer in charge of the investigation may give an oral summary.

증인들로서 소환되는 조사공무원들이 내지는 여타의 사람들이 검사한 바 있는, 그러나 심문에 제출되어 있지 아니한 내지는 검토를 위하여 변호인에게 미리 제출되지 아니한, 장부들의, 기록들의, 서류들의 및 여타의 문서들의 내용들의 그들에 의하여 작성된 구두상의 내지는 서면상의 요약들로서, 여타의 경우에라면 당해 문서들이 및 요약들이 증거능력이 인정될 만한 경우. 당해 조사를 맡은 경찰관은 구술의 요약을 제출할 수 있다.

Subd. 2. Evidence Warranting Finding of Indictment. The grand jury may find an indictment if the evidence establishes probable cause to believe an offense has been committed and the defendant committed it. Reception of inadmissible evidence does not provide grounds for dismissing the indictment if sufficient admissible evidence exists to support the indictment.

대배심 검사기소의 평결을 정당화하는 증거. 한 개의 범죄가 저질러졌다고 및 그것을 피고인이 저질렀다고 믿을 상당한 이유를 만약 증거가 입증하면 한 개의 대배심 검사기소를 대배심은 평결할 수 있다. 대배심 검사기소를 뒷받침하는 증거능력 있는 충분한 증거가 존재하면, 대배심 검사기소장을 각하하기 위한 근거들을, 증거능력 없는 증거의 수령은 제공하지 아니한다.

Subd. 3. Presentments Abolished. The grand jury may not find or return a presentment.

대배심 독자고발장들의 폐지. 한 개의 대배심 독자고발장을 대배심은 평결할 수 내지는 제출할 수 없다.

(Amended effective July 1, 2015.)

Rule 18.06 Finding and Return of Indictment
대배심 검사기소장의 평결 및 제출

An indictment may only issue if at least 12 jurors concur. The indictment must be signed by the foreperson, whether the foreperson was one of the 12 who concurred or not, and delivered to a judge in open court. If 12 jurors do not concur in issuing an indictment, the foreperson must promptly inform the court in writing. Charges filed against the defendant for offenses on which no indictment was issued must be dismissed. The failure to issue an indictment or the dismissal of the charge does not prevent the case from again being submitted to a grand jury as often as the court directs.

적어도 열두 명의 배심원들이 찬성하는 경우에만 한 개의 대배심 검사기소장은 발부될 수 있다. 배심장이 그 찬성한 열두 명 중의 한 명이었든 아니었든 상관없이, 대배심 검사기소장은 배심장에 의하여 서명되지 않으면 안 되고, 공개법정에서 판사에게 그것은 교부되지 않으면 안 된다. 한 개의 대배심 검사기소장을 발부함에 찬성하는 배심원들이 만약 열두 명이 되지 아니하면, 법원에 신속하게 서면으로 배심장은 보고하지 않으면 안 된다. 피고인을 겨냥하여 제출된 고발들이로서 대배심 검사기소장이 발부되지 못한 범죄들에 대한 것들은 각하되지 않으면 안 된다. 당해 사건으로 하여금 법원이 명령하는 횟수만큼 여러 번 대배심에 다시 제출되지 못하도록 한 개의 대배심 검사기소장의 발부 불이행은 내지는 고발의 각하는 방해하지 아니한다.

Rule 18.07 Secrecy of Proceedings
절차들의 비밀성

Every grand juror and every qualified interpreter for a grand juror with a sensory disability present during deliberations or voting must keep secret whatever that juror or any other juror has said during deliberations and how that juror or any other juror voted.

모든 대배심원은, 및 숙의들 동안에 내지는 표결 동안에 출석해 있는 시청각 장애를 지닌 대배심원을 위한 모든 자격 있는 통역인은, 그 숙의들 동안에 당해 배심원이 내지는 여타의 배심원이 말한 그 무엇을이든, 및 당해 배심원이 내지는 여타의 배심원이 어떻게 투표하였는지를, 비밀로 간직하지 않으면 안 된다.

Disclosure of matters occurring before the grand jury, other than its deliberations and the vote of any juror, may be made to the prosecutor for use in the performance of the prosecutor's duties, and to the defendant or defense counsel under Rule 18.04 governing the record of the grand jury proceedings. Otherwise, no one may disclose matters occurring before the grand jury unless directed to do so by the court in connection with a judicial proceeding.

대배심의 숙의들의를 및 배심원 어느 누구든지의 표결의를 제외한 대배심 앞에서의 사안들의 공개는, 대배심 절차들의 기록을 규율하는 Rule 18.04 아래서 검사의 의무들의 수행에서의 사용을 위하여 검사에게, 그리고 피고인에게 내지는 변호인에게 이루어질 수 있다. 그 밖에는, 그 공개하도록 한 개의 사법절차에의 연관 속에서 법원에 의하여 명령되는 경우에를 제외하고는, 대배심 앞에서 발생하는 사안들을 어느 누구가도 공개하여서는 안 된다.

Unless the court otherwise directs, no person may disclose the finding of an indictment until the defendant is in custody or appears before the court, unless necessary for the issuance and execution of a summons or warrant. However, disclosure may be made by the prosecutor by notice to the defendant or defense counsel of the indictment and the time of defendant's appearance in the district court, if in the prosecutor's discretion the notice suffices to insure defendant's appearance.

법원이 달리 명령하는 경우에를 제외하고는, 피고인이 구금되기까지는 내지는 법원 앞에 출석하기까지는 한 개의 소환장의 내지는 영장의 발부를 위하여 및 집행을 위하여 필요한 경우에가 아닌 한, 한 개의 대배심 검사기소의 평결을 어느 누구가도 공개하여서는 안 된다. 그러나, 피고인의 출석을 확보하는 데에 통지만으로 충분하다는 것이 만약 검사의 판단인 경우이면, 대배심 검사기소에 대한 및 재판구 지방법원에의 피고인의 출석시간에 대한 피고인에게의 내지는 변호인에게의 통지로써 검사에 의하여 공개는 이루어질 수 있다.

Rule 18.08 Tenure and Excusal
복무기간 및 면제

Subd. 1. Tenure. A grand jury must be drawn for a specified period of service, not to exceed 12 months, as designated by court order. The grand jury must not be discharged, and its powers must continue until the latest of the following:

복무기간. 12개월을 넘지 아니하는, 법원명령에 의하여 정해지는 특정의 복무기간을 정하여 한 개의 대배심은 추출되지 않으면 안 된다. 아래의 것들 중 가장 늦은 쪽 때까지 대배심은 임무해제 되어서는 안 되고, 그 권한들은 지속되지 않으면 안 된다:

(a) the period of service is completed;

복무기간이 종료되는 때;

(b) its successor is drawn; or

후속 대배심이 추출되는 때; 또는

(c) it has completed an investigation, already begun, of a particular offense.

특정의 범죄에 대하여 이미 시작된 한 개의 조사를 대배심이 완료하였을 때.

Subd. 2. Excusal. For cause shown, the court may excuse a juror temporarily or permanently. The court may impanel another person in place of the excused juror.

면제. 증명되는 이유에 따라서 한 명의 배심원을 일시적으로 또는 영구적으로 법원은 면제할 수 있다. 그 면제되는 배심원에 갈음하여 다른 사람을 법원은 충원할 수 있다.

Rule 18.09 Objections to Grand Jury and Grand Jurors
대배심에 대한 및 대배심원들에 대한 이의들

Subd. 1. Motion to Dismiss Indictment. Objections to the grand jury panel and to individual grand jurors must be made by motion to dismiss the indictment as this rule provides.

대배심 검사기소장을 각하하여 달라는 신청. 대배심원단에 대한 및 개별적 대배심원들에 대한 이의들은 이 규칙이 규정하는 바에 따라서 대배심 검사기소장을 각하하여 달라는 신청에 의하여 제기되지 않으면 안 된다.

Subd. 2. Grounds for Dismissal. A motion to dismiss an indictment may be based on any of the following:

각하의 사유들. 한 개의 대배심 검사기소장을 각하하여 달라는 한 개의 신청은 그 근거를 아래의 것들 중 어느 것에도 둘 수 있다:

(a) the grand jury was not selected, drawn or summoned in accordance with law;

법에의 부합 속에서 당해 대배심이 선정되지, 추출되지 내지는 소환되지 아니한 경우;

(b) an individual juror was not legally qualified; or

한 명의 개별 대배심원이 법적으로 자격을 갖추지 아니한 경우; 또는

(c) the juror's state of mind prevented the juror from acting impartially.

그 배심원으로 하여금 공평하게 행동하지 못하도록 그 배심원의 마음상태가 방해한 경우.

An indictment must not be dismissed on the ground that one or more of the grand jurors was not statutorily qualified if it appears from the records that 12 or more qualified jurors concurred in finding the indictment.

대배심 검사기소를 평결함에 열두 명 이상의 자격을 갖춘 배심원들이 찬성하였음이 기록으로부터 확인되는 경우에는, 한 명 이상의 대배심원들이 제정법 상으로 자격을 갖추지 못하였음을 사유로 하여서는 한 개의 대배심 검사기소장은 각하되이서는 안 된다.

Comment - Rule 18

주석 - Rule 18

Rule 18.01, subd. 2 complies with the constitutional requirement that the persons on the grand jury list must be selected at random from a fair cross section of the qualified residents of the county. The method by which this must be done is left to the determination of the jury commission or judges making the selection of persons for the list.

대배심 명부에 오르는 사람들은 자격을 지니는 카운티 거주자들의 한 개의 공평한 횡단면으로부터 무작위로 선정되지 않으면 안 된다는 헌법의 요구에 Rule 18.01 소부 2는 부합된다. 이것이 이루어져야 할 방법은 명부를 위한 사람들의 선정을 실시하는 배심위원회의 내지는 판사들의 결정에 맡겨져 있다.

Rule 18.01, subd. 2 includes special provisions governing St. Louis County based on Minnesota Statutes, sections 484.46 and 484.48.

미네소타 제정법집 제484.46절에 및 제484.48절에 터잡는 세인트루이스를 규율하는 특별규정들을 Rule 18.01, subd. 2는 포함한다.

Rule 18.03 allows qualified interpreters for jurors with sensory disabilities to be present during grand jury proceedings including deliberations or voting. This is in accord with Minnesota Statutes, section 593.32, and Minn. Gen. R. Prac. 809, which prohibit exclusion from jury service for certain reasons including sensory disability. Further, this provision allows the court to make reasonable accommodation for such jurors under the Americans with Disabilities Act. 42 U.S.C. section 12101 et seq.

시청각 장애들을 지닌 배심원들을 위한 자격을 갖춘 통역인들로 하여금 숙의들 동안에를 및 표결 동안에를 포함하는 대배심 절차들 동안에 출석해 있도록 Rule 18.03은 허용한다. 시청각 장애를을 포함하는 특정의 사유들을 이유로 하는 복무로부터의 배제를 금지하는 미네소타 제정법집 제593.32절에 및 미네소타주 재판구 지방법원 업무처리 일반규칙 809에 이것은 부합된다. 더 나아가, 그러한 배심원들을 위한 미국장애인법 아래서의 합리적 대우를 법원으로 하여금 하도록 이 규정은 허용한다. 42 U.S.C. section 12101 et seq.

Under Rule 18.04, subd. 1, the record may be disclosed to the court or to the prosecutor, and to the defendant for good cause, which would include a "particularized need," Dennis v. United States, 384 U.S. 855, 869-70 (1966), or on a showing that grounds exist for a motion to dismiss the indictment because of occurrences before the grand jury. In addition, the defendant, under Rule 9.01, subd. 1, may obtain from the prosecutor any portions of the grand jury proceedings already transcribed and possessed by the prosecutor.

법원에게, 또는 검사에게, 그리고 "구체화된 필요"가를 포함하는, Dennis v. United States, 384 U.S. 855, 869-70 (1966), 타당한 이유가 있을 경우에는, 내지는 대배심 앞에서의 발생한 사정들을 이유로 대배심 검사기소장을 각하하여 달라는 신청을 위한 사유들이 존재함에 대한 증명에 터잡아서는, 피고인에게, Rule 18.04 소부 1 아래서 기록은 공개될 수 있다. 그 외에도, 이미 녹취된 및 검사에 의하여 소지되는 대배심 절차들의 어느 부분을이든 검사로부터 Rule 9.01 소부 1에 따라서 피고인은 얻을 수 있다.

Rule 18.04, subd. 2, supplementing the discovery rules (Rule 9.01, subd. 1), permits the defendant to obtain a transcript of the testimony of grand jury witnesses, subject to protective orders under Rule 9.03, subd. 5. See ABA Standards, Discovery and Procedure Before Trial, 2.1(a)(iii) (Approved Draft, 1970). This rule does not preclude the court from ordering that the defendant be supplied with the transcript during the trial, on a showing of good cause.

대배심 증인들의 증언의 녹취록을, Rule 9.03 소부 5 아래서의 증거캐기 제한명령들의 적용 내에서 피고인으로 하여금 얻도록, 증거캐기 규칙들(Rule 9.01 소부 1)을 보충하는 Rule 18.04 소부 2는 허용한다. ABA(미국법률가협회) Standards, Discovery and Procedure Before Trial, 2.1(a)(iii) (Approved Draft, 1970)을 보라. 정식사실심리 동안에 녹취록을 피고인에게 제공하도록 타당한 이유의 증명 위에서 법원이 명령함을 이 규칙은 금지하지 아니한다.

Canon 5 of the Code of Professional Responsibility for Interpreters in the Minnesota State Court System bolsters the confidentiality requirement of interpreters under Rule 18.07.

미네소타주 법원체계 내에서의 통역인들을 위한 법조전문직 책임규정 준칙 제5조는 Rule 18.07 아래서의 통역인들의 비밀준수에 대한 요구를 강화한다.

Rule 18.07 leaves it to the discretion of the prosecutor to determine whether to notify the defendant or defense counsel of the indictment without the issuance of a warrant or summons. But see Minnesota Statutes, section 628.68 (leaving it to the court's, not prosecutor's, discretion).

영장의 내지는 소환장의 발부 없이 대배심 검사기소를 피고인에게 내지는 변호인에게 통지할지 여부를 결정하도록 검사의 재량에 Rule 18.07은 맡긴다. 그러나 미네소타주 제정법집 제628.68절을 보라(그것을 검사의가 아닌 법원의 재량에 맡김.)

The effect of a dismissal of an indictment under Rule 18.09 is covered by Rule 17.06, subd. 4.

한 개의 대배심 검사기소장의 Rule 18.09 아래서의 각하의 효과는 Rule 17.06 소부 4의 적용을 받는다.

미주리주
대배심 규정

https://law.justia.com/codes/missouri/2019/title-xxxvii/chapter-540/section-540-021/

Chapter 540 - Grand Juries and Their Proceedings

Section 540.021 Selection of grand jurors, summons and jury qualification form — notification of persons not qualified to serve — alternate grand jurors — length of service — compensation.

대배심원들의 선정, 소환장 및 대배심 자격심사 서식 — 복무자격이 인정되지 아니하는 사람들에게의 통지 — 예비대배심원들 — 복무기간 — 보수.

Universal Citation: MO Rev Stat § 540.021 (2019)

일반적 인용: MO Rev Stat § 540.021 (2019)

Effective 28 Aug 2003

발효 2003년 8월 28일

540.021. Selection of grand jurors, summons and jury qualification form — notification of persons not qualified to serve — alternate grand jurors — length of service — compensation. — 1. Upon order of the presiding judge of the circuit court, or a judge designated by the presiding judge, names of prospective grand jurors shall be randomly selected from the master jury list in the manner determined by the board of jury commissioners. A summons for grand jury service and a juror qualification form shall be mailed or personally served to those persons selected in the form and as required by section 494.415 for petit jurors.

대배심원들의 선정, 소환장 및 대배심 자격심사 서식 — 복무자격이 인정되지 아니하는 사람들에게의 통지 — 예비대배심원들 — 복무기간 — 보수 — 1. 순회구 지방법원 법원장판사의 명령이, 또는 법원장판사에 의하여 지명된 판사의 명령이 있으면, 배심위원회에 의하여 정해진 방법으로 종합 배심명부로부터 대배심원후보들의 이름들이 무작위로 선정되어야 한다. 그 선정된 사람들에게는 소배심원들을 위하여 제494.415절에 의하여 요구되는 형식으로 및 그 요구되는 바에 따라서 대배심 복무를 위한 한 개의 소환장이 및 배심원 자격심사 서식이 우송되어야 하거나 직접 송달되어야 한다.

2. If it is determined from an examination of the juror qualification form that a person is not qualified to serve as a grand juror, that person shall be notified in a manner directed by the board of jury commissioners, and shall not be required to comply with the summons for grand jury service. The names of disqualified persons shall be deleted from the grand jury list.

대배심원으로서 복무할 자격을 한 명이 지니지 아니함이 배심원 자격심사 서식에 대한 검토로부터 만약 판단되면, 배심위원들에 의하여 지시되는 방법으로 그 사람에게 통지가 이루어져야 하는바, 그 경우에 대배심 복무를 위한 소환장에 복종하도록 그 사람은 요구되지 아니한다. 결격처리 된 사람들의 이름들은 대배심 명부로부터 삭제되어야 한다.

3. Those prospective grand jurors not disqualified from grand jury service shall constitute the grand jury list. If later determined to be ineligible or disqualified, their names shall be deleted from the master jury list.

대배심 명부를 대배심 복무로부터 결격처리 되지 아니한 대배심원후보들은 구성하여야 한다. 대배심원으로 뽑힐 수 없음이 또는 뽑힐 자격이 없음이 만약 나중에 판명되면 그들의 이름들은 종합 배심명부로부터 삭제되어야 한다.

4. Those persons summoned for grand jury service shall be placed under the control and supervision of the presiding judge of the circuit court, or a judge designated by the presiding judge, who shall select twelve persons to serve as grand jurors. Alternate grand jurors as determined by the judge shall also be selected, to serve as a grand juror upon the death, disqualification, or inability of one of the persons selected as a regular grand juror. The names of those persons selected as grand jurors and alternate grand jurors shall be deleted from the grand jury list.

   대배심 복무를 위하여 소환되는 사람들은 순회구 지방법원 법원장판사의 내지는 법원장판사에 의하여 지명되는 판사의 통제 아래에 및 감독 아래에 놓여야 하는바, 대배심원들로서 복무할 열두 명을 그는 선정하여야 한다. 정규 대배심원으로 선정된 사람들 중 한 명의 사망의, 결격처리의, 또는 복무불능의 경우에 대배심원으로서 복무하도록 판사에 의하여 정해지는 예비 대배심원들이 또한 선정되어야 한다. 대배심원들로 또는 예비 대배심원들로 선정된 사람들의 이름들은 대배심 명부로부터 삭제되어야 한다.

5. The presiding judge of the circuit court, or a judge designated by the presiding judge, shall have the authority to convene, recess, and adjourn a grand jury as, in his discretion, he deems necessary, and at times and places as he specifies. No grand jury shall be required to serve for longer than a six-month period, except such term may be extended for a period not to exceed sixty days, solely for the purpose of considering and completing matters already before the grand jury. No new matters shall be presented to the grand jury during its extended service. Nothing contained in this section prevents the convening of another grand jury during such extended service.

   그 필요하다고 그의 재량 내에서 그가 간주하는 바대로 및 그가 정하는 시간에 및 장소에 대배심을 소집할, 휴회할, 및 연기할 권한을 순회구 지방법원 법원장판사는 내지는 법원장판사에 의하여 지명되는 판사는 지닌다. 6개월을 초과하여 복무하도록 대배심은 요구되지 아니하는바, 다만 대배심 앞에 이미 제기되어 있는 사항들을 검토함을 및 완결지음을 그 유일한 목적으로 하여 60일을 초과하지 아니하는 범위 내에서 그러한 기간은 연장될 수 있다. 그 연장된 복무 중에는 대배심에 새로운 사안들이 제기되어서는 안 된다. 그러한 연장된 복무 도중의 별도의 대배심의 소집을 이 절에 포함되는 사항은 저지하지 아니한다.

6. Compensation shall be allowed grand jurors in the same amount as is provided by law for petit jurors pursuant to section 494.455.

대배심원들에게는 소배심원들을 위하여 제494.455절에 따라서 법에 의하여 규정되는 액수에의 동일한 액수의 보수가 지급되어야 한다.

(L. 1989 S.B. 127, et al., A.L. 2003 H.B. 613)

https://law.justia.com/codes/missouri/2019/title-xxxvii/chapter-540/section-540-031/

Section 540.031 Duties of grand jury.

대배심의 임무들.

Universal Citation: MO Rev Stat § 540.031 (2019)

일반적 인용: MO Rev Stat § 540.031 (2019)

Effective 28 Aug 2005

발효 2005년 8월 28일

540.031. Duties of grand jury. — A grand jury may make inquiry into and return indictments for all grades of crimes and shall make inquiry into all possible violations of the criminal laws as the court may direct. The grand jury may examine public buildings and report on their conditions.

대배심의 임무들. — 한 개의 대배심은 모든 등급의 범죄들에 대한 조사를 실시할 수 있고 그것들에 대한 대배심 검사기소장들을 제출할 수 있는바, 법원이 지시하는 대로의 형사법들의 모든 가능한 위반행위들에 대한 조사를 실시하여야 한다. 대배심은 공공건물들을 검사하여 그 상태를 보고할 수 있다.

(L. 1989 S.B. 127, et al., A.L. 2005 S.B. 289)

https://law.justia.com/codes/missouri/2019/title-xxxvii/chapter-540/section-540-045/

Section 540.045 Qualifications and exemptions from service.

자격조건들 및 복무로부터의 제외사유들.

Universal Citation: MO Rev Stat § 540.045 (2019)

일반적 인용: MO Rev Stat § 540.045 (2019)

Effective 28 Aug 1989

발효 1989년 8월 28일

540.045. Qualifications and exemptions from service. — 1. The provisions of sections 494.400 to 494.505 relating to the qualifications and disqualifications of petit jurors and exemptions from service as a petit juror are applicable to grand jurors drawn and selected under the provisions of this chapter.

자격조건들 및 복무로부터의 제외사유들. — 1. 소배심원들의 자격조건들에 및 결격사유들에 및 소배심원으로서의 복무로부터의 제외사유들에 관련되는 제494.400절에서부터 제494.505절까지의 규정들은 이 장의 규정들 아래서 추출되는 및 선정되는 대배심원들에 적용된다.

2. In addition thereto, any person who has served as a member or alternate of a grand jury, or alternate, within ten years next preceding his selection shall not be eligible for service as a grand juror.

이에 더하여, 그의 선정으로부터의 직전 10년 내에 대배심의 구성원으로서 내지는 예비배심원으로서 복무한 바 있는 사람은 대배심원으로서의 복무를 위하여 뽑힐 수 없다.

(L. 1959 S.B. 246 § 4 (§540.025), A.L. 1984 S.B. 602, A.L. 1989 S.B. 127, et al.)

https://law.justia.com/codes/missouri/2019/title-xxxvii/chapter-540/section-540-050/

Section 540.050 Disqualification of grand juror — new juror summoned.
대배심원의 결격처리 — 새로운 배심원의 소환.

Universal Citation: MO Rev Stat § 540.050 (2019)

일반적 인용: MO Rev Stat § 540.050 (2019)

Effective 28 Aug 1989

발효 1989년 8월 28일

540.050. Disqualification of grand juror — new juror summoned. — If any person is summoned as a grand juror who is not qualified as required by law, he may be challenged and discharged if such challenge is verified according to law or by his own oath. In such case, and also in case of nonattendance of any grand juror after he shall have been qualified, or in case any grand juror is excused by the court from further service for any cause, the court shall cause another grand juror to be summoned and sworn.

대배심원의 결격처리 — 새로운 배심원의 소환. — 만약 어느 누구가라도 대배심원으로 소환되었으나 법에 의하여 요구되는 자격이 인정되지 아니하면, 그에 대한 기피사유가 법에 따라서 또는 그 자신의 선서에 의하여 확인될 경우에 그는 기피될 수 있고 임무해제 될 수 있다. 그러한 경우에, 그리고 또한 자격이 인정되고 난 뒤의 대배심원의 불출석의 경우에도, 또는 어떤 이유로든 법원에 의하여 더 이상의 복무로부터 대배심원이 면제되는 경우에도, 다른 대배심원이 소환되게끔 및 선서절차에 처해지게끔 법원은 조치하여야 한다.

(RSMo 1939 § 710, A.L. 1989 S.B. 127, et al.)

Prior revisions: 1929 § 8759; 1919 § 6620; 1909 § 7271

https://law.justia.com/codes/missouri/2019/title-xxxvii/chapter-540/section-540-060/

Section 540.060 Challenge of grand jurors — grounds.
대배심원들에 대한 기피 — 사유들.

Universal Citation: MO Rev Stat § 540.060 (2019)

일반적 인용: MO Rev Stat § 540.060 (2019)

Effective 28 Aug 1989

발효 1989년 8월 28일

540.060. Challenge of grand jurors – grounds. – Before a grand juror is sworn, any person held to answer a criminal charge may object to the competency of the grand juror on the ground that the grand juror is the prosecutor or complainant upon any charge against such person, or that the grand juror is a witness on the part of the prosecutor and has been summoned or bound in a recognizance as such. If such objection is established, the person so challenged shall be excused.

대배심원들에 대한 기피 — 사유들. — 한 개의 형사고발에 답하도록 구금된 사람 누구든지는, 한 명의 대배심원이 자기 자신에 대한 고발장에서의 소추자라는 또는 고발인이라는 사유에 터잡아, 또는 그 대배심원이 소추 측 증인이라는 및 소추 측 증인으로서 소환되어 있다는 내지는 소추 측 증인으로서 서약보증서에 묶여 있다는 사유에 터잡아, 그 대배심원의 자격에 대하여 그 대배심원이 선서절차에 처해지기 전에 이의할 수 있다. 만약 그러한 이의가 증명되면, 그렇게 기피신청 된 사람은 면제되어야 한다.

(RSMo 1939 § 3903, A.L. 1989 S.B. 127, et al.)
Prior revisions: 1929 § 3514; 1919 § 3859; 1909 § 5067

https://law.justia.com/codes/missouri/2019/title-xxxvii/chapter-540/section-540-070/

Section 540.070 Challenge for other causes not allowed.
그 밖의 사유들에 기한 기피는 허용되지 아니함.

Universal Citation: MO Rev Stat § 540.070 (2019)

일반적 인용: MO Rev Stat § 540.070 (2019)

Effective 28 Aug 1989

발효 1989년 8월 28일

540.070. Challenge for other causes not allowed. — No challenge to the array of grand jurors, or to any person summoned as a grand juror, shall be allowed except as provided in section 540.045 and in section 540.050.

그 밖의 사유들에 기한 기피는 허용되지 아니함. — 제540.045절에 및 제540.050절에 규정된 바에 따라서를 제외하고는 대배심원단에 대한 내지는 대배심원으로 소환된 사람 어느 누구든지에 대한 기피는 허용되지 아니한다.

(RSMo 1939 § 3904, A.L. 1989 S.B. 127, et al.)
Prior revisions: 1929 § 3515; 1919 § 3860; 1909 § 5068

https://law.justia.com/codes/missouri/2019/title-xxxvii/chapter-540/section-540-080/

Section 540.080 Oath of grand jurors.
대배심원들의 선서.

Universal Citation: MO Rev Stat § 540.080 (2019)

일반적 인용: MO Rev Stat § 540.080 (2019)

Effective 28 Aug 1989

발효 1989년 8월 28일

540.080. Oath of grand jurors. — Grand jurors may be sworn in the following form:

대배심원들의 선서. — 아래의 방식으로 대배심원들은 선서에 처해질 수 있다:

Do you solemnly swear you will diligently inquire and true presentment make, according to your charge, of all offenses against the laws of the state committed or triable in this county of which you have or can obtain legal evidence; the counsel of your state, your fellows and your own, you shall truly keep secret? You further swear that you will present no one for any hatred, malice or ill will; neither will you leave unpresented any one for love, fear, favor or affection, or for any reward or the hope or promise thereof, but that you will present things truly as they come to your knowledge, to the best of your understanding, according to the laws of this state, so help you God.

법적 증거를 귀하들이 지니는 또는 입수할 수 있는 이 카운티에서 저질러진 내지는 정식사실심리 될 수 있는 주 법들에 대한 모든 범죄들에 대하여 귀하들의 직무에 따라서 근면하게 조사하겠음을 및 진실한 고발을 하겠음을; 귀하들의 주(state)의, 귀하들의 동료들의 그리고 귀하들 자신들의 의논을 진실되게 비밀로 유지하겠음을 귀하들은 엄숙히 선서합니까? 그 외에도 원한을, 악의를 또는 해의를 빌미삼아서는 어느 누구를도 고발하지 아니하겠음을; 사랑에, 두려움에, 호의에 또는 애정에 가려서, 또는 보상을 바라고서 내지는 보상의 기대에 내지는 약속에 기대어 어느 누구를도 미고발 상태로 남겨두지 아니하겠음을, 귀하들의 최선의 이해껏 귀하들의 지식 내에 들어오는 바대로 이 주의 법들에 따라서 진실되게 사안들을 귀하들은 고발하겠음을 귀하들은 선서하는바, 그러하오니 신께서는 귀하들을 도우소서.

(RSMo 1939 § 3905, A.L. 1989 S.B. 127, et al.)
Prior revisions: 1929 § 3516; 1919 § 3861; 1909 § 5069

https://law.justia.com/codes/missouri/2019/title-xxxvii/chapter-540/section-540-090/

Section 540.090 Foreperson of grand jury, appointment.
대배심의 배심장, 지명.

Universal Citation: MO Rev Stat § 540.090 (2019)

일반적 인용: MO Rev Stat § 540.090 (2019)

Effective 28 Aug 1989

발효 1989년 8월 28일

540.090. Foreperson of grand jury, appointment. — From the persons selected to serve as grand jurors, the court shall appoint a foreperson. If such foreperson is discharged or excused before the grand jury is dismissed, the court shall appoint another foreperson.

대배심의 배심장, 지명. — 한 명의 배심장을 대배심원들로 선정된 사람들 중에서 법원은 지명해야 한다. 대배심이 임무해제 되기 전에 만약 그러한 사람이 임무해제 되면 내지는 면제되면. 다른 배심장을 법원은 지명하여야 한다.

(RSMo 1939 § 3902, A.L. 1989 S.B. 127, et al.)
Prior revisions: 1929 § 3513; 1919 § 3858; 1909 § 5066

https://law.justia.com/codes/missouri/2019/title-xxxvii/chapter-540/section-540-100/

Section 540.100 Clerk of grand jury, appointment.
대배심의 서기, 지명.

Universal Citation: MO Rev Stat § 540.100 (2019)

일반적 인용: MO Rev Stat § 540.100 (2019)

Effective 28 Aug 1989

발효 1989년 8월 28일

540.100. Clerk of grand jury, appointment. — Every grand jury may appoint one of their number to be a clerk thereof, to preserve minutes of their proceedings and of the evidence given before them. The minutes shall be given to the prosecuting or circuit attorney when the grand jury is discharged from further service.

대배심의 서기, 지명. — 자신들의 절차들의 및 자신들 앞에 제출되는 증거의 의사록을 보전하도록 자신들의 구성원 중 한 명을 서기로 모든 대배심은 지명할 수 있다. 더 이상의 복무로부터 대배심이 해방될 때 의사록은 소추검사에게 또는 순회구 검사에게 제출되어야 한다.

(RSMo 1939 § 3911, A.L. 1989 S.B. 127, et al.)
Prior revisions: 1929 § 3522; 1919 § 3867; 1909 § 5075

https://law.justia.com/codes/missouri/2019/title-xxxvii/chapter-540/section-540-105/

Section 540.105 Reporter to record testimony — oath.
증언을 녹음하는 속기사 — 선서.

Universal Citation: MO Rev Stat § 540.105 (2019)

일반적 인용: MO Rev Stat § 540.105 (2019)

Effective 28 Aug 1989

발효 1989년 8월 28일

540.105. Reporter to record testimony — oath. — An official reporter of the circuit court, when directed by the judge thereof, shall take down and transcribe for the use of the prosecuting or circuit attorney any or all evidence given before the grand jury. Before taking down any such evidence, however, such reporter shall be sworn by the foreperson of such grand jury not to divulge any of the proceedings or testimony before the grand jury or the names of any witnesses except to the prosecuting or circuit attorney or to any attorney lawfully assisting him in the prosecution of an indictment brought by such grand jury.

증언을 녹음하는 속기사 — 선서. — 대배심 앞에 제출되는 모든 증언을 소추검사의 내지는 순회구 검사의 사용을 위하여, 순회구 지방법원의 판사에 의하여 명령되는 경우에 그 법원 공식의 속기사는 속기하여야 하고 녹취하여야 한다. 그러나 대배심 앞의 절차들의 내지는 증언의 또는 증인들의 이름들의 그 어느 것을도, 소추검사에게 이외에는 내지는 순회구 검사에게 이외에는 내지는 그러한 대배심에 의하여 제기된 대배심 검사기소의 소송추행에서 그를 적법하게 조력하는 검사에게 이외에는 공개하지 아니하겠다는 선서에 그러한 증언을 속기하기 전에 그러한 대배심의 배심장에 의하여 그러한 속기사는 처해져야 한다.

(L. 1951 p. 460, A.L. 1989 S.B. 127, et al.)

(1956) In suit for damages against prosecuting attorney and sheriff for extorting money from plaintiff under threat of criminal prosecution, evidence before grand jury of the execution and contents of documents which were lost after presentation to grand jury was admissible. Mannon v. Frick, 365 Mo. 1203, 295 S.W.2d 158.

범죄소추의 협박 아래서 원고로부터 돈을 갈취한 행위를 이유로 하여 소추검사를 및 집행관을 상대로 하여 제기된 손해배상 청구소송에서, 대배심에의 제출 뒤에 분실된 문서들의 작성에 및 내용에 관한 대배심 앞에서의 증언은 증거능력이 있었다. Mannon v. Frick, 365 Mo. 1203, 295 S.W.2d 158.

https://law.justia.com/codes/missouri/2019/title-xxxvii/chapter-540/section-540-106/

Section 540.106 Grand jury proceeding to be recorded, when — transcript to defendant.

대배심 절차의 녹음이 이루어져야 하는 경우 — 녹취록의 피고인에게의 제공.

Universal Citation: MO Rev Stat § 540.106 (2019)

일반적 인용: MO Rev Stat § 540.106 (2019)

Effective 28 Aug 1997

발효 1997년 8월 28일

540.106. Grand jury proceeding to be recorded, when — transcript to defendant. — Any grand jury proceeding that includes testimony or other information from a witness who is granted immunity from prosecution shall be a recorded proceeding. In the event a person is indicted as a result of such immunized testimony, the prosecutor shall provide a transcription of such testimony to all defendants.

대배심 절차의 녹음이 이루어져야 하는 경우 — 녹취록의 피고인에게의 제공. — 소추면제가 부여된 한 명의 증인으로부터의 증언을 내지는 여타의 정보를 포함하는 모든 대배심 절차는 녹음되어야 한다. 그러한 면제된 증언의 결과로서 사람이 대배심 검사기소에 처해지는 경우에, 그러한 증언의 녹취록을 모든 피고인들에게 검사는 제공하여야 한다.

(L. 1997 H.B. 339)

https://law.justia.com/codes/missouri/2019/title-xxxvii/chapter-540/section-540-110/

Section 540.110 Foreperson — powers and duties — oath.
배심장 — 권한들 및 임무들 — 선서.

Universal Citation: MO Rev Stat § 540.110 (2019)

일반적 인용: MO Rev Stat § 540.110 (2019)

Effective 28 Aug 1989

발효 1989년 8월 28일

540.110. Foreperson — powers and duties — oath. — The foreperson of every grand jury, from the time of his appointment to his discharge, shall be authorized to administer any oath, declaration or affirmation, in the manner prescribed by law, to any witness who shall appear before such grand jury, for the purpose of giving evidence in any matter cognizable by them. In addition to the usual oath, the foreperson, before such witness shall testify, shall administer to him or her the following oath:

배심장 — 권한들 및 임무들 — 선서.— 선서를, 선언을 또는 무선서확약을, 당해 대배심에 의하여 심리될 수 있는 사항에 관하여 증언하기 위하여 그들 앞에 출석하는 모든 증인에게 법에 의하여 규정되는 방법으로 실시할 권한을 그의 지명 때부터 그의 임무해제 때까지 모든 대배심의 배심장은 지닌다. 일반적 선서를에 추가하여 아래의 선서절차를, 그러한 증인이 증언하기에 앞서서 그에게 내지는 그녀에게 배심장은 실시하여야 한다:

Do you further solemnly swear, or affirm, that you will not after your examination here, directly or indirectly, divulge or make known to any person or persons the fact that this grand jury has or has had under consideration the matters concerning which you shall be examined, or any other fact or thing which may come to your knowledge while before this body, or concerning which you shall here testify, unless lawfully required to testify in relation thereto?

더 나아가서, 귀하에 대한 신문이 관련을 지니는 사안들을 이 대배심이 검토하고 있다는 내지는 검토한 바 있다는 사실을, 내지는 이 대배심 앞에 있는 동안에 귀하의 지식 내에 들어올 수 있는, 또는 귀하가 여기서 증언하여야 할 바가 관련을 지니는 그 밖의 사실을 내지는 사항을, 이에 관련하여 증언하도록 법적으로 귀하가 요구되는 경우에를 제외하고는, 여기서의 귀하에 대한 신문 뒤에 직접적으로든 간접적으로든 어떤 사람에게도 내지는 사람들에게도 폭로하지 아니하겠음을 내지는 발설하지 아니하겠음을 귀하는 엄숙히 선서하거나 무선서로 확약합니까?

(RSMo 1939 § 3906, A.L. 1989 S.B. 127, et al.)
Prior revisions: 1929 § 3517; 1919 § 3862; 1909 § 5070

(1956) In suit for damages against prosecuting attorney and sheriff for extorting money from plaintiff under threat of criminal prosecution, evidence before grand jury of the execution and contents of documents which were lost after presentation to grand jury was admissible. Mannon v. Frick, 365 Mo. 1203, 295 S.W.2d 158.

범죄소추의 협박 아래서 원고로부터 돈을 갈취한 행위를 이유로 하여 소추검사를 및 집행관을 상대로 하여 제기된 손해배상 청구소송에서, 대배심에의 제출 뒤에 분실된 문서들의 작성에 및 내용에 관한 대배심 앞에서의 증언은 증거능력이 있었다. Mannon v. Frick, 365 Mo. 1203, 295 S.W.2d 158.

(1956) Trial court must determine whether, under all the circumstances present, and weighing the reasons for secrecy against the present need for disclosure, whether evidence before grand jury may be introduced. Mannon v. Frick, 365 Mo. 1203, 295 S.W.2d 158.

대배심 앞의 증언이 제출되어도 좋은지 여부를, 그 현출된 모든 상황들에 비추어 및 비밀을 위한 이유들을 그 공개를 위한 현재의 필요에 비교교량하여, 정식사실심리 법원은 판단하지 않으면 안 된다. Mannon v. Frick, 365 Mo. 1203, 295 S.W.2d 158.

(1959) Trial court held to have discretion to order the exhibition to an inspection by the defendant of parts of the grand jury transcript of the testimony of the defendant and of witnesses endorsed on the indictment against him only. State ex rel. Clagett v. James (Mo.), 327 S.W.2d 278.

대배심의 증언 녹취록 부분들의 피고인에 의한 점검에의 공개를 명령할 재량권을 정식사실심리 법원이 지니는 것은 오직 피고인의 것에 및 대배심 검사기소장 위에 기입된 그에게 불리한 증인들의 것들에 대하여만이라고 판시됨. Mannon v. Frick, 365 Mo. 1203, 295 S.W.2d 158.

https://law.justia.com/codes/missouri/2019/title-xxxvii/chapter-540/section-540-120/

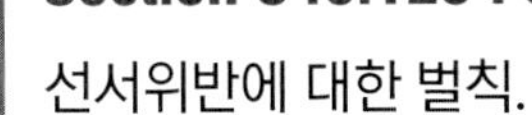

Section 540.120 Penalty for violation of oath.
선서위반에 대한 벌칙.

Universal Citation: MO Rev Stat § 540.120 (2019)

일반적 인용: MO Rev Stat § 540.120 (2019)

Effective 28 Aug 1989

발효 1989년 8월 28일

540.120. Penalty for violation of oath. — Any person having taken the oath required pursuant to section 540.110, who shall willfully violate the same, shall be adjudged guilty of a class B misdemeanor.

선서위반에 대한 벌칙. — 제540.110절에 따라서 요구되는 선서를 한 바 있는 사람으로서 이를 의도적으로 위반하는 사람 누구든지는 B급 경죄를 범한 것으로 판결된다.

(RSMo 1939 § 3907, A.L. 1989 S.B. 127, et al.)
Prior revisions: 1929 § 3518; 1919 § 3863; 1909 § 5071

(1959) Proceedings before grand jury, other than matters within antidisclosure provisions of section 540.310, held admissible in evidence in quo warranto proceeding to oust prosecuting attorney. State ex inf. Dalton v. Moody (Mo.), 325 S.W.2d 21.

제540.310절의 공개금지 규정들의 적용범위 내에 있는 사안들 이외의 그 밖의 대배심 앞의 절차들은 소추검사를 축출하기 위한 권한개시(開示)영장 절차에서 증거로서 허용될 수 있다고 판시됨. State ex inf. Dalton v. Moody (Mo.), 325 S.W.2d 21.

https://law.justia.com/codes/missouri/2019/title-xxxvii/chapter-540/section-540-130/

Section 540.130 Prosecuting or circuit attorney to attend.
소추검사의 또는 순회구 검사의 출석의무.

Universal Citation: MO Rev Stat § 540.130 (2019)

일반적 인용: MO Rev Stat § 540.130 (2019)

Effective 28 Aug 1989

발효 1989년 8월 28일

540.130. Prosecuting or circuit attorney to attend. — Whenever required by any grand jury, it shall be the duty of the prosecuting or circuit attorney in the county, or in a city not within a county, to attend them for the purpose of examining witnesses in their presence, or giving them advice upon any legal matter.

소추검사의 내지는 순회구 검사의 출석의무. — 증인들을 그들의 면전에서 신문하기 위하여, 또는 법적 문제에 관하여 조언을 그들에게 제공하기 위하여, 대배심에 의하여 요구되는 경우에는 언제든지 그들에게 출석함은 카운티 내의, 내지는 카운티 내에 있지 아니한 시티 내의, 소추검사의 내지는 순회구 검사의 의무이다.

(RSMo 1939 § 3912, A.L. 1989 S.B. 127, et al.)
Prior revisions: 1929 § 3523; 1919 § 3868; 1909 § 5076

https://law.justia.com/codes/missouri/2019/title-xxxvii/chapter-540/section-540-140/

Section 540.140 Rights and privileges of prosecuting or circuit attorney.
소추검사의 내지는 순회구 검사의 권한들 및 특권들.

Universal Citation: MO Rev Stat § 540.140 (2019)

일반적 인용: MO Rev Stat § 540.140 (2019)

Effective 28 Aug 1989

발효 1989년 8월 28일

540.140. Rights and privileges of prosecuting or circuit attorney. — The prosecuting or circuit attorney shall be allowed at all times to appear before the grand jury on his request, for the purpose of giving information relative to any matter cognizable by them, and shall be permitted to interrogate witnesses before them, when they or he shall deem it necessary. No prosecuting or circuit attorney or any other officer or person, except the grand jurors, shall be permitted to be present during the expression of their opinions or the giving of* their votes on any matter before them.

소추검사의 내지는 순회구 검사의 권한들 및 특권들. — 소추검사는 내지는 순회구 검사는 항상, 대배심에 의하여 심리될 수 있는 사안에 관련되는 정보를 제공함을 목적으로 그 자신의 요청에 의하여 대배심 앞에 출석하도록, 그 필요하다고 대배심이 또는 소추검사가 내지는 순회구 검사가 간주하는 때에는 허용되어야 하고 대배심 앞의 증인들을 신문하도록 허용되어야 한다. 대배심 앞의 사안에 대한 대배심원들의 의견들의 표명 동안에 또는 그들의 표결 동안에 대배심원들이를 제외한 소추검사는 내지는 순회구 검사는 내지는 그 밖의 공무원은 내지는 사람은 출석하도록 허용되어서는 안 된다.

(RSMo 1939 § 3913, A.L. 1989 S.B. 127, et al.)
Prior revisions: 1929 § 3524; 1919 § 3869; 1909 § 5077

*Word "of" does not appear in original rolls.
법률 두루마리 원본에 단어 "of"은 나오지 아니함.

https://law.justia.com/codes/missouri/2019/title-xxxvii/chapter-540/section-540-150/

Section 540.150 Interpreter — appointment — oath.
통역인 — 지명 — 선서.

Universal Citation: MO Rev Stat § 540.150 (2019)

일반적 인용: MO Rev Stat § 540.150 (2019)

Effective 28 Aug 1989

발효 1989년 8월 28일

540.150. Interpreter — appointment — oath. — Whenever in the opinion of any grand jury it shall be necessary to have an interpreter of the testimony to be given before them by any witnesses, they may appoint such interpreter and permit him to be present in the grand jury room during the hearing of the testimony of such witnesses. The interpreter shall first be sworn by the foreperson not to divulge any of the proceedings before the grand jury or the names of any witnesses. The foreperson shall further swear the interpreter to correctly interpret all questions to the witness and all the witness' answers into English.

통역인 — 지명 — 선서. — 자신들 앞에서 증인들에 의하여 이루어지는 증언을 통역할 한 명의 통역인을 가질 필요가 있다는 것이 대배심의 의견인 경우에는 언제든지 그러한 통역인을 그들은 지명할 수 있고 그러한 증인들의 증언의 청취 동안 대배심실에 그로 하여금 출석하도록 그들은 허용할 수 있다. 대배심 앞의 절차들을 내지는 증인들의 이름들을 폭로하지 아니하겠다는 선서에 먼저 배심장에 의하여 통역인은 처해져야 한다. 증인에게 가해지는 모든 질문들을 및 증인의 모든 답변들을 영어로 정확하게 통역하겠다는 선서에 통역인을 더 나아가 배심장은 처하여야 한다.

(RSMo 1939 § 3935, A.L. 1989 S.B. 127, et al.)
Prior revisions: 1929 § 3546; 1919 § 3891

https://law.justia.com/codes/missouri/2019/title-xxxvii/chapter-540/section-540-160/

Section 540.160 Grand jury entitled to process — exception.
영장을 발부할 대배심의 권한 — 예외.

Universal Citation: MO Rev Stat § 540.160 (2019)

일반적 인용: MO Rev Stat § 540.160 (2019)

Effective 28 Aug 1989

540.160. Grand jury entitled to process – exception. – Whenever thereto required by any grand jury, or the foreperson thereof, or by the prosecuting or circuit attorney, the clerk of the court in which such jury is impaneled shall issue subpoenas and other process to bring witnesses to testify before such grand jury. After the finding and returning of any indictment by the grand jury, such foreperson, prosecuting or circuit attorney, or jury, shall not have the right to cause any subpoena or other process to be issued for any person who is known or believed by such foreperson, prosecuting or circuit attorney or jury to be a witness in behalf of the person or persons so indicted, or who has been subpoenaed as a witness in behalf of such person or persons, or who such foreperson, prosecuting or circuit attorney or jury may have reason to believe will be summoned as a witness in behalf of such person or persons, in regard to the matter or matters charged against such person or persons in such indictment, except upon the written order of the judge of the court into which such indictment is returned.

영장을 발부할 대배심의 권한 — 예외. — 대배심 앞에서 증언하도록 증인들을 불러오기 위한 벌칙부소환장을 및 그 밖의 영장을, 대배심에 의하여 또는 그 배심장에 의하여 또는 소추검사에 내지는 순회구 검사에 의하여 요구되는 경우에는 언제든지, 당해 대배심이 충원구성된 법원의 서기는 발부하여야 한다. 그렇게 대배심 검사기소에 처해진 사람 측의 내지는 사람들 측의 한 명의 증인인 것으로 배심장에 의하여, 소추검사에 내지는 순회구 검사에 의하여 내지는 대배심에 의하여 알려져 있는 내지는 믿어지는 사람을 데려오기 위한, 또는 그러한 사람 측의 내지는 사람들 측의 한 명의 증인으로서 벌칙부로 소환되어 있는 사람을 데려오기 위한, 내지는 그러한 대배심 검사기소장 내의 그러한 사람 측의 내지는 사람들 측의 한 명의 증인으로서 소환될 것으로 믿을 이유를 그러한 배심장이, 소추검사가 또는 순회구 검사가 내지는 대배심이 지닐 수 있는 사람을 데려오기 위한 벌칙부소환장이 내지는 그 밖의 영장이 발부되도록 조치할 권한을, 대배심에 의한 대배심 검사기소의 평결 뒤에는 및 제출 뒤에는 그러한 배심장은, 소추검사는 내지는 순회구 검사는, 또는 대배심은 지니지 아니하는 바, 다만 그러한 대배심 검사기소장이 제출된 법원 판사의 서면에 의한 명령에 따르는 경우에는 그러하지 아니하다.

(RSMo 1939 § 3914, A.L. 1989 S.B. 127, et al.)
Prior revisions: 1929 § 3525; 1919 § 3870; 1909 § 5078

(1953) Subpoena issued by court at request of prosecuting attorney, requiring production of records before grand jury and returnable at time grand jury was not in session and at time when matters affected by such records were not under grand jury investigation, was void both under the statutes and constitution of this state. State ex rel. Burke v. Scott, 364 Mo. 443, 262 S.W.2d 614.

기록들의 대배심 앞에의 제출을 요구하는 소추검사의 요청으로 법원에 의하여 발부된, 대배심이 회합 중에 있지 아니한 때에 및 그러한 기록들에 의하여 영향을 받는 문제들이 대배심 조사 아래에 있지 아니한 때에 복명될 수 있는것으로 한 벌칙부소환장은 제정법 아래서와 이 주 헌법 아래서 다 같이 무효의 것이었다. State ex rel. Burke v. Scott, 364 Mo. 443, 262 S.W.2d 614.

https://law.justia.com/codes/missouri/2019/title-xxxvii/chapter-540/section-540-180/

Section 540.180 Compulsory process, when issued.
강제영장, 언제 발부되는가.

Universal Citation: MO Rev Stat § 540.180 (2019)

일반적 인용: MO Rev Stat § 540.180 (2019)

Effective 28 Aug 1939

발효 1939년 8월 28일

540.180. Compulsory process, when issued. — If any witness, duly summoned to appear and testify before a grand jury, shall fail or refuse to obey, the court shall cause compulsory process to be issued to enforce his attendance, and may punish the delinquent in the same manner and upon like proceedings as provided by law for disobedience of a subpoena issued out of such court in other cases.

강제영장, 언제 발부되는가. — 만약 대배심 앞에 출석하도록 및 증언하도록 적법하게 소환된 증인 누구가라도 이에 복종하기를 태만히 하면 내지는 거부하면, 그의 출석을 강제하기 위한 강제영장이 발부되도록 법원은 조치하여야 하는바, 여타의 사건들에서 그러한 법원으로부터 발부되는 한 개의 벌칙부소환장의 불복종에 대하여 법에 의하여 규정되는 방법에의 동일한 방법으로 및 절차들에의 동일한 절차들에 따라서 그 태만자를 법원은 처벌할 수 있다.

(RSMo 1939 § 3915)
Prior revisions: 1929 § 3526; 1919 § 3871; 1909 § 5079

https://law.justia.com/codes/missouri/2019/title-xxxvii/chapter-540/section-540-190/

Section 540.190 Refusal to testify — proceedings.
증언거부의 경우 — 절차들.

Universal Citation: MO Rev Stat § 540.190 (2019)

일반적 인용: MO Rev Stat § 540.190 (2019)

Effective 28 Aug 1989

발효 1989년 8월 28일

540.190. Refusal to testify — proceedings. — If any witness, appearing before a grand jury, refuses to testify or to answer any interrogatories in the course of his examination, the fact and the question refused shall be communicated to the court in writing. The court shall thereupon determine whether the witness is bound to answer or not, and the grand jury shall be immediately informed of the decision.

증언거부 — 절차들. — 만약 증인 어느 누구가라도 대배심 앞에 출석하여 그의 신문 과정에서 증언하기를 내지는 질문들에 대하여 답변하기를 거부하면 그 사실은 및 그 답변이 거부된 질문은 법원에 서면으로 보고되어야 한다. 그 증인이 답변해야 하는지 또는 답변하지 않아도 되는지 여부를 그 후 즉시 법원은 결정하여야 하고, 그 결정은 대배심에게 즉시 고지되어야 한다.

(RSMo 1939 § 3916, A.L. 1989 S.B. 127, et al.)
Prior revisions: 1929 § 3527; 1919 § 3872; 1909 § 5080

https://law.justia.com/codes/missouri/2019/title-xxxvii/chapter-540/section-540-200/

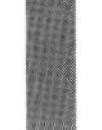

Section 540.200 Witness may be compelled to testify.

증인은 증언하도록 강제될 수 있음.

Universal Citation: MO Rev Stat § 540.200 (2019)

일반적 인용: MO Rev Stat § 540.200 (2019)

Effective 28 Aug 1989

발효 1989년 8월 28일

540.200. Witness may be compelled to testify. — If the court determines that the witness is bound to answer, and he persists in his refusal, he shall be brought before the court, who shall proceed therein in the same manner as if the witness had been interrogated and refused to answer in open court.

증인은 증언하도록 강제될 수 있음. — 증인이 답변하여야 한다고 만약 법원이 결정하면, 그런데도 그의 거부를 그가 고집하면, 그는 법원 앞에 데려다 놓여야 하는바, 만약 공개법정에서 그 증인이 신문되었더라면 및 그 답변하기를 거부하였더라면 처해졌을 절차에의 동일한 절차를 거기서 법원은 취하여야 한다.

(RSMo 1939 § 3917, A.L. 1989 S.B. 127, et al.)
Prior revisions: 1929 § 3528; 1919 § 3873; 1909 § 5081

(1961) Procedure in cases where witness refuses to answer questions of grand jury outlined. In re Presta v. Owsley (A.), 345 S.W.2d 649.

대배심의 질문들에 답변하기를 증인이 거부하는 경우들에서의 절차가 설명됨. In re Presta v. Owsley (A.), 345 S.W.2d 649.

https://law.justia.com/codes/missouri/2019/title-xxxvii/chapter-540/section-540-220/

Section 540.220 Grand juror as witness, when.
대배심원이 한 명의 증인인 경우.

Universal Citation: MO Rev Stat § 540.220 (2019)

일반적 인용: MO Rev Stat § 540.220 (2019)

Effective 28 Aug 1939

발효 1939년 8월 28일

540.220. Grand juror as witness, when. — If a grand juror knows of the commission of an indictable offense, or any material fact touching the same, he must declare such fact to his fellows, and be sworn as a witness upon the investigation before them.

대배심원이 한 명의 증인인 경우. — 대배심 검사기소 대상인 범죄의 범행에 관하여 내지는 그러한 범행에 관련되는 중요한 사실에 관하여 만약 한 명의 대배심원이 알면, 그러한 사실을 그의 동료들에게 그는 선언하지 않으면 안 되고, 그들 앞에서의 조사에서 한 명의 증인으로서 선서절차에 처해지지 않으면 안 된다.

(RSMo 1939 § 3930)
Prior revisions: 1929 § 3541; 1919 § 3886; 1909 § 5094

https://law.justia.com/codes/missouri/2019/title-xxxvii/chapter-540/section-540-230/

Section 540.230 Indictment of grand juror — proceedings.
대배심원에 대한 대배심 검사기소 — 절차들.

Universal Citation: MO Rev Stat § 540.230 (2019)

일반적 인용: MO Rev Stat § 540.230 (2019)

Effective 28 Aug 1989

발효 1989년 8월 28일

540.230. Indictment of grand juror — proceedings. — Any grand juror may be indicted or presented by the grand jury of which he is a member. When any information shall be given against a grand juror, it shall be the duty of the foreperson at once to notify the prosecuting or circuit attorney of the fact. If, on examination, there are grounds for proceedings against such juror, the foreperson shall inform the judge of the court thereof, who shall discharge the juror, and if necessary, cause another to be summoned and sworn.

대배심원에 대한 대배심 검사기소 — 절차들. — 대배심원 어느 누구이든지는 그 자신이 한 명의 구성원인 대배심에 의하여 대배심 검사기소에 내지는 대배심 독자고발에 처해질 수 있다. 한 명의 대배심원을 겨냥하여 고발장이 제출되어야 할 경우에 그러한 사실에 관하여 소추검사에게 내지는 순회구 검사에게 즉시 통지함은 배심장의 의무가 되어야 한다. 그러한 배심원을 겨냥하는 절차들을 위한 근거들이 만약 신문에 따라서 나타나면, 이를 그 법원의 판사에게 배심장은 고지하여야 하고, 그 배심원을 판사는 임무해제 하여야 하며, 그리고 만약 필요하면 다른 배심원이 소환되도록 및 선서절차에 처해지도록 판사는 조치하여야 한다.

(RSMo 1939 § 3919, A.L. 1989 S.B. 127, et al.)
Prior revisions: 1929 § 3530; 1919 § 3875; 1909 § 5083

https://law.justia.com/codes/missouri/2019/title-xxxvii/chapter-540/section-540-240/

Section 540.240 Bills of indictment.
대배심 검사기소장안들.

Universal Citation: MO Rev Stat § 540.240 (2019)

일반적 인용: MO Rev Stat § 540.240 (2019)

Effective 28 Aug 1939

발효 1939년 8월 28일

540.240. Bills of indictment. — All grand juries are hereby authorized to find and present bills of indictment for either felonies or misdemeanors committed against the laws of the state.

대배심 검사기소장안들. — 모든 대배심들에게는 주 법들을 위반하여 저질러진 중죄들에 대하여든 경죄들에 대하여든 대배심 검사기소장안들을 평결할 및 제출할 권한이 이에 의하여 부여된다.

(RSMo 1939 § 3908)
Prior revisions: 1929 § 3519; 1919 § 3864; 1909 § 5072

https://law.justia.com/codes/missouri/2019/title-xxxvii/chapter-540/section-540-250/

Section 540.250 True bill — concurrence by nine grand jurors.
기소평결부 대배심 검사기소장안 — 대배심원 아홉 명의 찬성.

Universal Citation: MO Rev Stat § 540.250 (2019)

일반적 인용: MO Rev Stat § 540.250 (2019)

Effective 28 Aug 1989

발효 19879년 8월 28일

540.250. True bill – concurrence by nine grand jurors. – No indictment can be found without the concurrence of at least nine grand jurors. When so found, and not otherwise, the foreperson of the grand jury shall certify under his hand that such indictment is a true bill, by the following endorsement thereon, thus: "A true bill. A B, foreperson".

기소평결부 대배심 검사기소장안 — 대배심원 아홉 명의 찬성. — 적어도 대배심원 아홉 명의 찬성이 없이는 대배심 검사기소는 평결될 수 없다. 그렇게 평결되면, 그리고 오직 그 경우에만, 그 대배심 검사기소장이 대배심 검사기소가 평결된 기소장안임을 그 위에 다음 사항을 기입함으로써 대배심의 배심장은 그의 서명 아래서 보증하여야 한다: "기소평결부 대배심 검사기소장안. 배심장 A B".

(RSMo 1939 § 3926, A.L. 1989 S.B. 127, et al.)
Prior revisions: 1929 § 3537; 1919 § 3882; 1909 § 5090

https://law.justia.com/codes/missouri/2019/title-xxxvii/chapter-540/section-540-260/

Section 540.260 Indictment not a true bill, when.
불기소평결부 대배심 검사기소장안이 되는 경우.

Universal Citation: MO Rev Stat § 540.260 (2019)

일반적 인용: MO Rev Stat § 540.260 (2019)

Effective 28 Aug 1989

발효 1989년 8월 28일

540.260. Indictment not a true bill, when. — When there is not a concurrence of nine grand jurors in finding an indictment, the foreperson shall certify, under his hand, that such an indictment is not a true bill.

불기소평결부 대배심 검사기소장안이 되는 경우. — 한 개의 대배심 검사기소를 평결하기 위한 대배심원 아홉 명의 찬성이 있지 아니한 경우에, 그러한 대배심 검사기소장안은 기소평결부 대배심 검사기소장안이 아님을 그의 서명 아래서 배심장은 보증하여야 한다.

(RSMo 1939 § 3927, A.L. 1989 S.B. 127, et al.)
Prior revisions: 1929 § 3538; 1919 § 3883; 1909 § 5091

https://law.justia.com/codes/missouri/2019/title-xxxvii/chapter-540/section-540-270/

Section 540.270 Indictments — presented to court — filed.
대배심 검사기소장들 — 법원에의 제출 — 편철.

Universal Citation: MO Rev Stat § 540.270 (2019)

일반적 인용: MO Rev Stat § 540.270 (2019)

Effective 28 Aug 1989

발효 1989년 8월 28일

540.270. Indictments — presented to court — filed. — Indictments found and presentments made by a grand jury shall be presented by their foreperson, in their presence, to the court, and shall be there filed and remain as records of such court.

대배심 검사기소장들 — 법원에의 제출 — 편철. — 대배심에 의하여 평결된 대배심 검사기소장들은 및 제기된 대배심 독자고발장들은 그들의 배심장에 의하여 그들의 면전에서 법원에 제출되어야 하는바, 거기서 그러한 법원의 기록들로서 편철되어야 하고 남아 있어야 한다.

(RSMo 1939 § 3928, A.L. 1989 S.B. 127, et al.)
Prior revisions: 1929 § 3539; 1919 § 3884; 1909 § 5092

https://law.justia.com/codes/missouri/2019/title-xxxvii/chapter-540/section-540-300/

Section 540.300 Grand jurors required to testify, when.
증언하도록 대배심원들이 요구되는 경우.

Universal Citation: MO Rev Stat § 540.300 (2019)

일반적 인용: MO Rev Stat § 540.300 (2019)

Effective 28 Aug 1989

발효 1989년 8월 28일

540.300. Grand jurors required to testify, when. — Members of the grand jury may be required by any court to testify whether the testimony of a witness examined before such jury is consistent with or different from the evidence given by such witness before such court. They may also be required to disclose the testimony given before them by any person, upon a complaint against such person for perjury, or upon his trial for such offense.

증언하도록 대배심원들이 요구되는 경우. — 대배심 앞에서 신문된 한 명의 증인의 증언이 그러한 증인에 의하여 그러한 법원 앞에서 이루어진 증언에 부합하는지 또는 상위한지 여부에 관하여 증언하도록 어떤 법원에 의하여도 대배심의 구성원들은 요구될 수 있다. 자신들 앞에서 이루어진 그 어떤 사람의 증언을이든지를 공개하도록 그러한 사람을 겨냥한 위증죄 소추청구장에 터잡아, 또는 그러한 범죄에 대한 그의 정식사실심리에 터잡아 대배심원들은 아울러 요구될 수 있다.

(RSMo 1939 § 3922, A.L. 1989 S.B. 127, et al.)
Prior revisions: 1929 § 3533; 1919 § 3878; 1909 § 5086

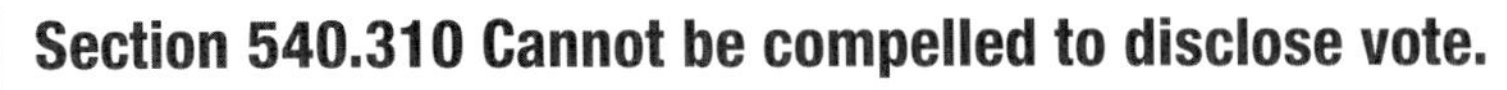
https://law.justia.com/codes/missouri/2019/title-xxxvii/chapter-540/section-540-310/

Section 540.310 Cannot be compelled to disclose vote.
표결을 공개하도록 강제될 수 없음.

Universal Citation: MO Rev Stat § 540.310 (2019)

일반적 인용: MO Rev Stat § 540.310 (2019)

Effective 28 Aug 1939

발효 1939년 8월 28일

540.310. Cannot be compelled to disclose vote. — No member of a grand jury shall be obliged or allowed to testify or declare in what manner he or any other member of the grand jury voted on any question before them, or what opinions were expressed by any juror in relation to any such question.

표결을 공개하도록 강제될 수 없음. — 대배심의 구성원은 그들 앞의 문제에 대하여 어떠한 방법으로 자신이 내지는 대배심의 다른 구성원이 투표하였는지를, 또는 그러한 문제 어느 것에 관련하여든지 배심원 어느 누구에 의하여든지 어떤 의견들이 표명되었는지를 증언하도록 내지는 선언하도록 강제되지도 아니하고 허용되지도 아니한다.

(RSMo 1939 § 3923)
Prior revisions: 1929 § 3534; 1919 § 3879; 1909 § 5087

https://law.justia.com/codes/missouri/2019/title-xxxvii/chapter-540/section-540-320/

Section 540.320 Grand juror not to disclose evidence — penalty.
증거를 공개하지 말아야 할 대배심원의 의무 — 벌칙.

Universal Citation: MO Rev Stat § 540.320 (2019)

일반적 인용: MO Rev Stat § 540.320 (2019)

Effective 28 Aug 1989

발효 1989년 8월 28일

540.320. Grand juror not to disclose evidence — penalty. — No grand juror shall disclose any evidence given before the grand jury, nor the name of any witness who appeared before them, except when lawfully required to testify as a witness in relation thereto; nor shall he disclose the fact of any indictment having been found against any person for a felony, not in actual confinement, until the defendant shall have been arrested thereon. Any juror violating the provisions of this section shall be deemed guilty of a class A misdemeanor.

증거를 공개하지 말아야 할 대배심원의 의무 — 벌칙. — 대배심원은 대배심 앞에 제출된 증거를, 또는 자신들 앞에 출석한 증인 아무나의 이름을, 이에 관련하여 증인으로서 증언하도록 법적으로 요구되는 경우에를 제외하고는, 공개하여서도 안 되고; 한 개의 중죄에 대하여 기소평결된 바 있는 실제의 구금에 있지 아니한 사람을 상대로 한 대배심 검사기소의 사실을 이에 의하여 피고인이 체포되고 났을 때까지 공개하여서도 안 된다. 이 절의 규정들을 위반하는 배심원은 A급 경죄에 대하여 유죄로 간주되어야 한다.

(RSMo 1939 § 3924, A.L. 1989 S.B. 127, et al.)
Prior revisions: 1929 § 3535; 1919 § 3880; 1909 § 5088

(1959) Proceedings before grand jury, other than matters within antidisclosure provisions of section 540.310, held admissible in evidence in quo warranto proceeding to oust prosecuting attorney. State ex inf. Dalton v. Moody (Mo.), 325 S.W.2d 21.

제540.310절의 공개금지 규정들의 적용범위 내에 있는 사안들 이외의 그 밖의 대배심 앞의 절차들은 소추검사를 축출하기 위한 권한개시(開示)영장 절차에서 증거로서 허용될 수 있다고 판시됨. State ex inf. Dalton v. Moody (Mo.), 325 S.W.2d 21.

https://law.justia.com/codes/missouri/2019/title-xxxvii/chapter-540/section-540-330/

Section 540.330 Charge to grand jury.
대배심에게의 임무설명.

Universal Citation: MO Rev Stat § 540.330 (2019)

일반적 인용: MO Rev Stat § 540.330 (2019)

Effective 28 Aug 1939

발효 1939년 8월 28일

540.330. Charge to grand jury. — In charging grand juries, the court shall apprise them of the provisions of sections 540.300 to 540.320, in relation to disclosures, and in what cases and under what circumstances any disclosures may or may not be made.

대배심에게의 임무설명. — 대배심들에게 임무를 설명함에 있어서는 제540.300절부터 제540.320절까지의 규정들을, 공개행위들에 관련하여, 및 어떤 경우들에서 및 어떠한 상황들 아래서 공개행위들이 이루어져도 되는지 및 안 되는지를 그들에게 법원은 알려야 한다.

(RSMo 1939 § 3925)
Prior revisions: 1929 § 3536; 1919 § 3881; 1909 § 5089

https://law.justia.com/codes/missouri/2019/title-xxxvii/chapter-540/section-540-331/

Section 540.331 Lists of tangible personal property — authority of grand jury (first class counties).
유형적 인적재산 목록들 — 대배심의 권한 (1급 카운티들).

Universal Citation: MO Rev Stat § 540.331 (2019)

일반적 인용: MO Rev Stat § 540.331 (2019)

Effective 28 Aug 1989

발효 1989년 8월 28일

540.331. Lists of tangible personal property — authority of grand jury (first class counties). — The circuit judge exercising criminal jurisdiction shall give the lists prepared in accordance with section 137.155 or 137.360, in charge of the grand jury, who shall have the authority to examine such list of property with a view of inquiring into the correctness of such list. No such list shall be altered, changed or amended after it is filed with the county clerk, except by order of the county commission. Any person who alters, changes or amends any such list without such order shall upon conviction be deemed guilty of a class A misdemeanor. Every county clerk or deputy county clerk who shall knowingly permit any such list to be altered, changed or amended without such order shall forfeit one hundred dollars, to be recovered by suit upon his official bond.

유형적 인적재산 목록들 — 대배심의 권한 (1급 카운티들). — 제137.155절부터 제137.360절까지에 따라서 작성된 목록들을 대배심에 대한 임무설명에서 형사재판권을 행사하는 순회구 판사는 제공하여야 하는바, 그러한 목록의 정확성을 확인하기 위하여 그러한 재산목록을 검사할 권한을 대배심은 지닌다. 카운티 서기에게 그러한 목록이 제출된 뒤에는, 카운티 위원회의 명령에 의한 경우에를 제외하고는 그것은 변경되어서는, 변개되어서는 내지는 수정되어서는 안 된다. 그러한 목록을 그러한 명령 없이 변경하는, 변개하는 내지는 수정하는 사람은 유죄판정에 따라서 A급 경죄에 대하여 유죄로 간주되어야 한다. 그러한 명령 없이 그러한 목록이 변경되도록, 변개되도록 또는 수정되도록 고의로 허용하는 모든 카운티 서기는 내지는 부서기는 100불을 몰수당해야 하는바, 그것은 그의 공식의 날인금전채무증서에 토대한 소송에 의하여 징수된다.

(L. 1989 S.B. 127, et al. § 540.330)

CHAPTER CROSS REFERENCES

장 상호간의 참조들

• Deaf persons, auxiliary services and aids, 476.750 to 476.766

귀가 먼 사람들, 보조적 서비스들 및 조력들, 476.750부터 476.766까지

• Grand juries, Const. Art. I, § 16

대배심들, 헌법 제1조 제16절

• Grand jury to visit jail, 221.300

감옥을 방문할 대배심의 권한, 221.300

버몬트주 대배심 규정

https://casetext.com/rule/vermont-court-rules/vermont-rules-of-criminal-procedure

Vermont Rules of Criminal Procedure

버몬트주 형사절차규칙

- I. Scope, Purpose, and Construction (§§ 1 — 2)
- II. Preliminary Proceedings (§§ 3 — 5)
- III. Indictment and Information (§§ 6 — 9)
- IV. Arraignment and Preparation for Trial (§§ 10 — 17.1)
- V. Venue (§§ 18 — 22)
- VI. Trial (§§ 23 — 31)
- VII. Judgment (§§ 32 — 36)
- VIII. Appeal (§§ 37 — 39)
- IX. Supplementary and Special Proceedings (§§ 40 — 60)

https://casetext.com/rule/vermont-court-rules/vermont-rules-of-criminal-procedure/iii-indictment-and-information

III. Indictment and Information
대배심 검사기소 및 검사 독자기소

- Rule 6 - The Grand Jury
- Rule 7 - The Indictment and the Information
- Rule 8 - Joinder of Offenses and Defendants
- Rule 9 - Reserved

https://casetext.com/rule/vermont-court-rules/vermont-rules-of-criminal-procedure/iii-indictment-and-information/rule-6-the-grand-jury

Vt. R. Crim. P. 6
버몬트주 형사절차규칙

Rule 6 - The Grand Jury
대배심

(a) Summoning Grand Juries.

대배심들의 소환.

(1) In General. On the request of a prosecuting attorney, or the Governor, the Presiding Judge of a superior court, or another judge assigned to that unit of the superior court must order the clerk of the unit to draw a grand jury to be summoned to appear at any special or stated term of that court. The clerk must issue a venire accordingly. The grand jury must have eighteen to twenty-three members,

who must be residents of the unit. The court must order that enough legally qualified persons be summoned to meet this requirement.

총칙. 상위 지방법원의 특정된 내지는 명시된 어느 개정기에든 출석하도록 소환될 한 개의 대배심을 추출할 것을, 검사의 또는 주지사의 요청에 따라서, 상위 지방법원의 법원장 판사는 내지는 상위 지방법원의 당해 카운티 관할 재판부에 배정된 다른 판사는 당해 재판부 서기에게 명령하지 않으면 안 된다. 이에 따라서 한 개의 배심소집장을 서기는 발부하지 않으면 안 된다. 열여덟 명에서 스물세 명까지의 구성원들을 대배심은 보유하지 않으면 안 되는바, 그들은 당해 재판부 관할 카운티의 거주자들이지 않으면 안 된다. 이 요구를 충족하기 위한 충분한 숫자의 법적으로 자격을 갖춘 사람들이 소환되게 하도록 법원은 명령하지 않으면 안 된다.

(2) Alternate Jurors. When a grand jury is selected, the court may also select alternate jurors. Alternate jurors must have the same qualifications and be selected in the same manner as any other juror. Alternate jurors replace jurors in the same sequence in which the alternates were selected. An alternate juror who replaces a juror is subject to the same challenges, takes the same oath, and has the same authority as the other jurors.

예비배심원들. 한 개의 대배심이 선정되는 때에는 예비배심원들을 또한 법원은 선정할 수 있다. 예비배심원들은 여타 배심원들이 가지는 자격조건들에의 동일한 자격조건들을 가지지 않으면 안 되고 여타의 배심원들이 선정되는 방법에의 동일한 방법으로 선정되지 않으면 안 된다. 예비배심원들은 그들이 선정된 순서에의 동일한 순서로 배심원들을 대체한다. 한 명의 배심원을 교체하는 예비배심원은 여타의 배심원들이 적용받는 기피사유들에의 동일한 기피사유들의 적용을 받고 여타의 배심원들이 하는 선서에의 동일한 선서를 하며, 여타의 배심원들이 가지는 권한에의 동일한 권한을 가진다.

(b) Objections to Grand Jury and to Grand Jurors.

대배심에 및 대배심원들에 대한 이의들.

(1) Challenges. The prosecuting attorney or a defendant may challenge the grand jury

on the ground that it was not lawfully drawn, summoned, or selected, and may challenge an individual juror on the ground that the juror is not legally qualified.

기피들. 검사는 또는 피고인은 대배심이 적법하게 추출되지, 소환되지, 내지는 선정되지 아니하였음을 이유로 대배심을 기피할 수 있고, 개별 배심원이 법적으로 자격을 갖추지 못하였음을 이유로 그를 기피할 수 있다.

(2) Motion to Dismiss an Indictment. A party may move to dismiss the indictment based on an objection to the grand jury or on an individual juror's lack of legal qualification, unless the court has previously ruled on the same objection under Rule 6(b)(l). The court may not dismiss the indictment on the ground that a grand juror was not legally qualified if the record shows that at least 12 qualified jurors concurred in the indictment.

대배심 검사기소장을 각하하여 달라는 신청. Rule 6(b)(l) 아래서의 대배심에 대한 이의를 또는 개별 배심원의 법적 자격조건의 결여를 법원이 미리 판단해 놓은 경우에를 제외하고는, 그러한 이의에 내지는 결여에 근거하여 대배심 검사기소장을 각하하여 달라고 당사자는 신청할 수 있다. 대배심 검사기소에 적어도 열두 명의 자격 있는 배심원들이 찬성하였음을 만약 기록이 증명하면, 한 명의 대배심원이 법적으로 자격을 갖추지 못하였음을 이유로 하여서는 대배심 검사기소장을 법원은 각하하여서는 안 된다.

(c) Foreperson and Deputy Foreperson. The court will appoint one juror as the foreperson and another as the deputy foreperson. In the foreperson's absence, the deputy foreperson will act as the foreperson. The foreperson may administer oaths and affirmations and will sign all indictments. The foreperson--or another juror designated by the foreperson--will record the number of jurors concurring in every indictment and will file the record with the clerk, but the record may not be made public unless the court so orders.

배심장 및 부배심장. 한 명의 배심원을 배심장으로, 그리고 다른 한 명을 부배심장으로 법원은 지명하여야 한다. 배심장의 부재 중에 부배심장은 배심장을 대행한다. 배심장은 선서들을 및 무선서확약들을 실시할 수 있고 모든 대배심 검사기소장들에 서명하여야 한다. 모든 대배심 검사기소의 경우에 이에 찬성하는 배심원들의 숫자를 배심장은 — 또는 배심장에 의하여 지정되는 다른 배심원은 — 기록하여야 하고 그 기록을 서기에게 제출하여야 하는바, 그러나 법원이 명령하는 경우에를 제외하고는 그 기록은 공개되어서는 안 된다.

(d) Who May Be Present.

누가 출석해 있을 수 있는가.

(1) While the Grand Jury Is in Session. The following persons may be present while the grand jury is in session: The prosecuting attorney, the witness being questioned, a court security officer if the particular case circumstances should so require, interpreters when needed, and a court reporter or an operator of a recording device.

대배심이 회합 중인 동안. 대배심이 회합 중인 동안에 출석해 있을 수 있는 사람들은 이러하다: 검사, 신문되는 증인, 특정 사건의 상황들이 요구하는 경우에의 법원 안전담당 공무원, 필요한 경우에의 통역인들, 그리고 법원 속기사 또는 녹음장비 기사.

(2) During Deliberations and Voting. No person other than the jurors, and any interpreter needed to assist a hearing-impaired or speech-impaired juror, may be present while the grand jury is deliberating or voting.

숙의들 도중 및 표결 도중. 대배심이 숙의 중인 또는 표결 중인 동안에는 배심원들 이를, 및 청각장애의 내지는 언어장애의 배심원을 조력하기 위하여 요구되는 통역인이를 제외하고는, 어느 누구가도 출석해 있어서는 안 된다.

(e) Recording and Disclosing the Proceedings.

절차들의 녹음 및 공개.

(1) Recording the Proceedings. Except while the grand jury is deliberating or voting, all proceedings must be recorded by a court reporter or by a suitable recording device. The persons taking the testimony must make oath that they will keep secret all matters and things coming before the grand jury before entering upon their

duties. The validity of a prosecution is not affected by the unintentional failure to make a recording. Unless the court orders otherwise, the prosecuting attorney will retain control of the recording, the reporter's notes, and any transcript prepared from those notes.

절차들의 녹음. 대배심이 숙의 중인 내지는 표결 중인 동안에를 제외하고는 모든 절차들은 법원 속기사에 의하여 또는 적절한 녹음장비에 의하여 녹음되지 않으면 안 된다. 증언을 청취하는 사람들은, 대배심 앞에 오는 모든 사안들을 및 사항들을 비밀로 간직하겠다는 선서를, 그들의 임무들에 들어가기 전에 하지 않으면 안 된다. 녹음을 하기에 대한 비의도적 불이행에 의하여 절차추행의 유효성은 영향을 받지 아니한다. 법원이 달리 명령하는 경우에를 제외하고는, 녹음물에 대한, 속기사 메모들에 대한, 그리고 그러한 메모들로부터 작성되는 녹취록에 대한 통제를 검사는 유지하여야 한다.

(2) Secrecy.

비밀성.

(A) No obligation of secrecy may be imposed on any person except in accordance with Rule 6(e)(2)(B).

Rule 6(e)(2)(B)에의 부합 속에서를 제외하고는 어느 누구에게도 비밀의무가 부과되어서는 안 된다.

(B) Unless these rules provide otherwise, the following persons must not disclose a matter occurring before the grand jury:

이 규칙들이 달리 규정하는 경우에를 제외하고는, 대배심 앞에서 발생한 사안을 아래의 사람들은 공개하여서는 안 된다:

(i) a grand juror;

대배심원;

(ii) an interpreter;

통역인;

(iii) a court reporter;

법원 속기사;

(iv) an operator of a recording device;

녹음장비 기사;

(v) a person who transcribes recorded testimony;

녹음된 증언을 녹취하는 사람;

(vi) the prosecuting attorney;

검사;

(vii) a court security officer, if case circumstances have required one; or

사건의 상황들이 법원 안전담당 공무원을 요구한 경우에의 그 공무원; 또는

(viii) a person to whom disclosure is made under Rule 6(e)(3)(A)(ii).

Rule 6(e)(3)(A)(ii)에 따라서 공개를 제공받는 사람.

(3) Exceptions.

예외들.

(A) Disclosure of a grand-jury matter--other than the grand jury's deliberations or any grand juror's vote—may be made:

대배심의 숙의들의를 내지는 대배심원 어느 누구든지의 투표의를 제외한 대배심 사안의 공개는 아래에 따라서 이루어질 수 있다:

(i) to another prosecuting attorney for use in performing that attorney's duty to enforce the state's criminal laws, and such staff members assigned to that attorney and necessary to the performance of that attorney's duty;

주 형사법들을 시행할 다른 검사의 의무의 수행에 있어서의 사용을 위한 것으로서의 그 다른 검사에게 이루어지는 경우, 그리고 그 검사에게 소속된 및 그 검사의 의무의 수행에 필요한 직원진 구성원들에게 이루어지는 경우;

(ii) to any government personnel--including those of a state, state subdivision, federal government, Indian tribe, or foreign government--that the prosecuting attorney considers necessary to assist in performing that attorney's duty to enforce the state's criminal laws; or

주 형사법들을 시행할 검사 자신의 의무를 수행함을 조력하기 위하여 필요하다고 검사가 간주하는, 주(a state) 정부의 요원에게를, 주 하부단위 정부의 요원에게를, 연방정부의 요원에게를, 인디언 부족 정부의 요원에게를, 또는 외국정부의 요원에게를 포함하는 정부요원에게 이루어지는 경우; 또는

(iii) pursuant to V.R.Cr.P. 16(a)(2).

버몬트주 형사절차규칙 16(a)(2)에 따라서 이루어지는 경우.

(B) A person to whom information is disclosed under Rule 6(e)(3)(A)(ii) may use that information only to assist a prosecuting attorney in performing that attorney's duty to enforce the state's criminal laws. The prosecuting attorney must promptly provide the court that impaneled the grand jury with the names of all persons to whom a disclosure has been made, and must certify that the attorney has advised those persons of their obligation of secrecy under this rule.

Rule 6(e)(3)(A)(ii)에 따라서 정보의 공개를 제공받는 사람은 오직 주 형사법들을 시행할 검사의 의무의 수행에 있어서의 검사를 조력하기 위하여서만 그 정보를 사용할 수 있다. 공개를 제공받은 터인 모든 사람들의 이름들을 당해 대배심을 충원구성한 법원에 검사는 신속하게 제공하지 않으면 안 되고, 이 규칙 아래서의 그들의 비밀준수 의무에 관하여 그 사람들에게 자신이 고지한 터임을 검사는 보증하지 않으면 안 된다.

(C) The prosecuting attorney may disclose any grand-jury matter to another grand jury convened under the provisions of this rule.

어떤 대배심 사안들을이든 이 규칙의 규정들 아래서 소집되는 다른 대배심에게 검사는 공개할 수 있다.

(D) The court may authorize disclosure--at a time, in a manner, and subject to any other conditions that it directs--of a grand-jury matter, including a transcript of proceedings:

자신이 명령하는 때에의, 방법으로의, 그리고 여타의 조건들의 적용 아래서의, 절차들의 녹취록의 공개를을 포함하여 대배심 사안의 공개를, 아래에 따라서 법원은 허가할 수 있다:

(i) preliminarily to or in connection with a judicial proceeding;

한 개의 사법절차에 앞서서 예비적으로 또는 한 개의 사법절차에의 연관 속에서 허가하는 경우;

(ii) at the request of a defendant who shows that a ground may exist to dismiss the indictment because of a matter that occurred before the grand jury;

당해 대배심 검사기소장을 당해 대배심 앞에서 발생한 사안을 이유로 각하할 사유가 존재할 수 있음을 증명하는 피고인의 요청에 따라서 허가하는 경우;

(iii) at the request of a prosecuting attorney, when sought by an appropriate official of another jurisdiction, including the federal government, for the purpose of enforcing the criminal laws of another jurisdiction, upon a showing that such disclosure may constitute evidence of a violation of the criminal laws of that other jurisdiction; or

연방정부의를 포함하는 다른 관할의, 형사법들의 위반의 증거를 공개가 구성할 수 있음에 대한 증명 위에서 그 다른 관할의 형사법들을 시행하기 위하여 그 다른 관할의 적절한 공무원에 의하여 구해지는 경우에로서 검사의 요청에 따라서 허가하는 경우; 또는

(iv) at the request of the prosecuting attorney upon a showing that the matter may disclose a violation of military criminal law under the Uniform Code of Military Justice, as long as the disclosure is to an appropriate military official for the purpose of enforcing that law.

통일군사법원법 아래서의 군 형사법의 한 개의 위반을 당해 사안이 드러내 줄 수 있음에 대한 증명 위에서의 검사의 요청에 따라서, 그 법을 시행함을 위한 적절한 군 공무원에게 공개가 이루어지는 한도 내에서, 허가되는 경우.

(E) A petition to disclose a grand-jury matter under Rule 6(e)(3)(D)(i) must be filed in the unit where the grand jury convened. Unless the hearing is ex parte--as it may be when the prosecuting attorney is the petitioner--the petitioner must serve the petition on, and the court must afford a reasonable opportunity to appear and be heard to:

Rule 6(e)(3)(D)(i)에 따라서 대배심 사안을 공개하여 달라는 청구서는 당해 대배심이 소집된 카운티 관할 재판부에 제출되지 않으면 안 된다. 심문이 일방절차인 경우에를 제외하고는 - 가령, 검사가 청구인인 경우에는 일방절차일 수 있다 - 아래 사람들에게 청구서를 청구인은 송달하지 않으면 안 되고, 출석할 및 심문에 참여할 합리적 기회를 법원은 부여하지 않으면 안 된다:

(i) the prosecuting attorney;

검사;

(ii) the parties to the judicial proceeding; and

당해 사법절차에의 당사자들; 그리고

(iii) any other person whom the court may designate.

법원이 지정하는 그 밖의 사람.

(F) If the petition to disclose arises out of a judicial proceeding in another unit, the petitioned court must transfer the petition to the other court unless the petitioned court can reasonably determine whether disclosure is proper. If the petitioned court decides to transfer, it must send to the transferee court the material sought to be disclosed, if feasible, and a written evaluation of the need for continued grand-jury secrecy. The transferee court must afford those persons identified in Rule 6(e)(3)(E) a reasonable opportunity to appear and be heard.

다른 카운티 관할 재판부에서의 한 개의 사법절차로부터 당해 공개청구가 발생하면, 공개가 적절한지 여부를 그 청구를 받은 법원이 합리적으로 결정할 수 있는 경우에를 제외하고는, 그 청구를 받은 법원은 당해 청구서를 그 다른 법원에 이송하지 않으면 안 된다. 이송하기로 만약 청구를 받은 법원이 결정하면, 가능한 경우에는 그 공개청구 대상인 자료를, 그리고 대배심 비밀의 지속을 위한 필요에 대한 한 개의 서면판단을 그 이송받는 법원에 그 청구를 받은 법원은 송부하지 않으면 안 된다. 출석할 및 심문에 참여할 합리적 기회를 Rule 6(e)(3)(E)에 규정된 사람들에게 그 송부받는 법원은 제공하지 않으면 안 된다.

(5) Sealed Indictment. The judge to whom an indictment is returned may direct that the indictment be kept secret until the defendant is in custody or has been released pending trial. The clerk must then seal the indictment, and no person may disclose the indictment's existence except as necessary to issue or execute a warrant or summons.

대배심 검사기소장의 봉인. 한 개의 대배심 검사기소장을, 피고인이 구금될 때까지 또는 정식사실심리를 기다리기 위하여 석방되고 났을 때까지, 비밀의 것으로 보관되게 하도록, 그것을 제출받는 판사는 명령할 수 있다. 그 경우에 그 대배심 검사기소장을 서기는 봉인하지 않으면 안 되는바, 그 경우에는 영장의 내지는 소환장의 발부를 및 집행을 위하여 필요한 경우에를 제외하고는, 당해 대배심 검사기소장의 존재를 어느 누구가도 공개하여서는 안 된다.

(6) Closed Hearing. Subject to any right to an open hearing in a contempt proceeding, the court must close any hearing to the extent necessary to prevent disclosure of a matter occurring before a grand jury. ® Sealed Records. Records, orders, and subpoenas relating to grand-jury proceedings must be kept under seal to the extent and as long as necessary to prevent the unauthorized disclosure of a matter occurring before a grand jury.

심문의 비공개. 조금이라도 법원모독죄 절차들에서의 공개된 심문의 권리가 적용되는 가운데서, 대배심 앞에서 발생한 사안의 공개를 방지하기 위하여 필요한 정도껏 및 기간껏 심문의 방청을 법원은 금지하지 않으면 안 된다. ® Sealed Records. 대배심 절차들에 관련되는 기록들은, 명령들은, 그리고 벌칙부소환장들은 대배심 앞에서 발생한 사안의 허가 없는 공개를 방지하기 위하여 필요한 정도껏 및 기간껏 봉인 아래에 보관되지 않으면 안 된다.

(7) Contempt. A knowing violation of Rule 6 may be punished as a contempt of court.

법원모독. Rule 6에 대한 고의의 위반은 법원모독으로 처벌될 수 있다.

(f) Indictment and Return. A grand jury may indict only if at least 12 jurors concur. When the grand jury finds an indictment supported by good and sufficient evidence, the foreperson or deputy foreperson must write thereon "a true bill"; and the indictment must be returned by the grand jury to a judge in open court, unless the indictment has been sealed by the court. When the grand jury does not find an indictment so supported, the foreperson or deputy foreperson must write thereon "this bill not found". If the defendant is in custody or has been released under Rule 46 and 12 jurors do not concur in finding an indictment, the foreperson or deputy foreperson must promptly and in writing report the lack of concurrence to the court and the defendant must be discharged. In the event that an indictment is not returned, any stenographic notes and electronic backup, if any, of an official court reporter or tape or digital record of an electronic sound recording and any written record of information necessary for an accurate transcription prepared by the operator and any transcriptions of such notes, tape or digital record must be kept by the prosecuting attorney consistent with the provisions of this rule, unless the court orders otherwise.

대배심 검사기소장 및 제출. 적어도 열두 명의 배심원들이 찬성하는 경우에만 대배심 검사기소에 대배심은 처할 수 있다. 타당한 및 충분한 증거에 의하여 한 개의 대배심 검사기소가 뒷받침된다고 대배심이 판단하는 경우에, "기소평결부 대배심 검사기소장"이라고 그 위에 배심장은 내지는 부배심장은 쓰지 않으면 안 된다; 그리고 법원에 의하여 대배심 검사기소장이 봉인되어 있는 경우에를 제외하고는 그 대배심 검사기소장은 대배심에 의하여 공개법정에서 판사에게 제출되지 않으면 안 된다. 한 개의 대배심 검사기소가 그렇게 뒷받침된다고 대배심이 판단하지 아니하는 때에는, "이 대배심 검사기소장은 불기소평결 됨"이라고 그 위에 배심장은 내지는 부배심장은 쓰지 않으면 안 된다. 만약 피고인이 구금되어 있으면 내지는 Rule 46 아래서 석방되어 있으면, 그런데 한 개의 대배심 검사기소를 평결함에 열두 명의 배심원들이 찬성하지 아니하면, 찬성의 결여를 법원에 신속하게 서면으로 배심장은 내지는 부배심장은 보고하지 않으면 안 되고 피고인은 해방되지 않으면 안 된다. 한 개의 대배심 검사기소장이 제출되지 아니하는 경우에, 공식의 법원 속기사의 그 있을 경우에의 속기메모들은 및 전자적 백업파일은, 내지는 전자적 음향녹음에 의한 테이프 녹음물은 내지는 디지털 녹음물은 그리고 당해 기사에 의하여 작성되는 정확한 녹취를 위하여 필요한 정보의 서면기록은 및 그러한 메모들의, 테이프 녹음물의, 또는 디지털 녹음물의 녹취록들은, 법원이 달리 명령하는 경우에를 제외하고는, 이 규칙의 규정들에 부합되도록 검사에 의하여 보관되지 않으면 안 된다.

(g) Discharge and Excuse. No grand jury will serve more than six months unless the time is extended by the Presiding Judge. At any time for cause the Presiding Judge may excuse a juror either temporarily or permanently, and in the latter event the court may impanel an alternate juror in place of the juror excused.

임무해제 및 면제. 법원장 판사에 의하여 복무기간이 연장되는 경우에를 제외하고는 대배심은 6개월을 초과하도록 복무하여서는 안 된다. 한 명의 배심원을 사유에 따라서 언제든지 일시적으로 또는 영구적으로 법원장 판사는 면제할 수 있는바, 영구적으로 면제하는 경우에 그 면제되는 배심원에 갈음하여 예비배심원을 법원은 충원할 수 있다.

Vt. R. Crim. P. 6
Amended Dec. 19, 1973, eff. Jan 1, 1974;Dec. 11, 2014, eff. Feb. 13, 2015.

사우스다코타주 대배심 규정

https://law.justia.com/codes/south-dakota/2019/title-23a/chapter-05/

2019 South Dakota Codified Laws

Title 23A - Criminal Procedure

Chapter 05 - (Rule 6) The Grand Jury

- § 23A-5-1 (Rule 6(a)) Circuit court order for grand juries--Number of members--Summons of jurors.
- § 23A-5-2 New grand jury ordered after discharge of original jury--Other causes.
- § 23A-5-3 (Rule 6(b)(1)) Grounds for challenge to array or individual jurors--Trial of challenge.
- § 23A-5-4 Summons of new jurors after challenge--Oath of jurors chosen for particular case.
- § 23A-5-5 (Rule 6(b)(2)) Dismissal of indictment because grand jurors not qualified.
- § 23A-5-6 (Rule 6(c)) Foreman and deputy foreman of grand jury--Powers and duties--Clerk of grand jury--Record of proceedings.

- § 23A-5-7 Oath of grand jurors.
- § 23A-5-8 Charge to grand jury by court--Commencement of inquiries.
- § 23A-5-9 General powers of grand jury--Access to prisons and records.
- § 23A-5-10 Advice sought from court or prosecuting attorney.
- § 23A-5-11 (Rule 6(d)) Appearance by prosecuting attorneys before grand jury--Presence of other persons--Counsel advising witnesses.
- § 23A-5-11.1 Recording of testimony of witness before grand jury.
- § 23A-5-12 Testimony before grand jury by subject of investigation--Waiver of immunity.
- § 23A-5-13 Notice of rights to subject appearing before grand jury.
- § 23A-5-14 Removal and replacement of attorney for witness appearing before grand jury.
- § 23A-5-15 Evidence heard by grand jury--Order for production of evidence.
- § 23A-5-16 (Rule 6(e)) Restrictions on disclosure of grand jury proceedings--Immunity of jurors--Sealing of indictments.
- § 23A-5-17 Disclosure by prosecuting attorney of evidence received by grand jury.
- § 23A-5-18 (Rule 6(f)) Quorum of grand jury--Votes required for indictment--Witnesses named on indictment--Dismissal of charge on failure to indict.
- § 23A-5-19 Report filed when indictment not issued.
- § 23A-5-20 (Rule 6(g)) Term of service of grand jury--Excuse and replacement of jurors.

https://law.justia.com/codes/south-dakota/2019/title-23a/chapter-05/section-23a-5-1/

§ 23A-5-1 (Rule 6(a)) Circuit court order for grand juries--Number of members--Summons of jurors.

대배심들을 위한 순회구 지방법원의 명령—구성원들의 숫자—배심원들의 소환장.

Universal Citation: SD Codified L § 23A-5-1 (2019)

일반적 인용: SD Codified L § 23A-5-1 (2019)

23A-5-1. (Rule 6(a)) Circuit court order for grand juries--Number of members--Summons of jurors. The circuit court shall order one or more grand juries to be summoned only when it appears to the circuit judge's satisfaction that a grand jury is necessary or desirable for the investigation of public offenses or misconduct in office. A grand jury shall consist of not less than six nor more than ten members. The court shall direct that a sufficient number of legally qualified persons be summoned to meet this requirement.

대배심들을 위한 순회구 지방법원의 명령—구성원들의 숫자—배심원들의 소환장. 범죄들의 또는 직무상의 위법행위의 조사를 위하여 한 개의 대배심이 필요하다는 점이 내지는 바람직하다는 점이 순회구 지방법원 판사에게 납득될 만큼 드러나는 경우에만, 한 개 이상의 대배심들을 소환하도록 순회구 지방법원은 명령하여야 한다. 6명 이상의 및 10명 이하의 구성원들로 대배심은 구성되어야 한다. 이 요구를 충족시키기 위한 법적으로 자격을 지니는 충분한 숫자의 사람들을 소환하도록 법원은 명령하여야 한다.

Source: SDC 1939, § 34.1201; SL 1959, ch 233; SDCL, § 23-29-1; SL 1978, ch 178, § 44; SL 1979, ch 159, § 4; SL 1994, ch 176.

전거: 1939년도 사우스다코타주 법률집(South Dakota Code) 제34.1201절; 1959년 회기별법률집(Session Laws) 제233장; 사우스다코타주 법률집(Codified Laws) 제23-29-1절; 1978년 회기별법률집 제178장 제44절; 1979년 회기별법률집 제159장 제4절; 1994년 회기별법률집 제176장.

https://law.justia.com/codes/south-dakota/2019/title-23a/chapter-05/section-23a-5-2/

§ 23A-5-2 New grand jury ordered after discharge of original jury--Other causes.

최초의 대배심의 임무해제 뒤의 새로운 대배심 충원구성의 명령—별개의 원인들.

Universal Citation: SD Codified L § 23A-5-2 (2019)

일반적 인용: SD Codified L § 23A-5-2 (2019)

23A-5-2. New grand jury ordered after discharge of original jury--Other causes. If a grand jury is discharged by an allowance of a challenge to the panel, or if an offense is committed during the sitting of the court after the discharge of a grand jury, or if after such discharge a new indictment becomes requisite by reason of an arrest of judgment or by the setting aside of an indictment, or if for any other good and sufficient cause another grand jury may become necessary, a court may in its discretion order that another grand jury be summoned, and the court may to that end make an order to summon another grand jury according to the provisions of chapter 16-13.

최초의 대배심의 임무해제 뒤의 새로운 대배심 충원구성의 명령—별개의 원인들. 만약 배심원단에 대한 기피신청의 인용에 의하여 한 개의 대배심이 임무해제 되면 또는 한 개의 대배심의 임무해제 뒤의 법원의 회기 동안에 한 개의 범죄가 저질러지면, 또는 그러한 임무해제 뒤에 판결억지로 인하여 또는 대배심 검사기소장의 무효화로 인하여 한 개의 새로운 대배심 검사기소장이 필요하게 되면, 또는 그 밖의 상당한 및 충분한 사유에 따라서 또 한 개의 대배심이 필요하게 되면, 또 한 개의 대배심을 소환하도록 그 자신의 재량으로 법원은 명령할 수 있고, 또 다른 대배심을 제16-13장의 규정들에 따라서 소환하라는 명령을 그 목적을 위하여 법원은 내릴 수 있다.

Source: CCrimP 1877, § 175; CL 1887, § 7202; RCCrimP 1903, § 174; RC 1919, § 4668; SDC 1939 & Supp 1960, § 34.1202; SDCL, § 23-29-15; SL 1978, ch 178, § 44.

https://law.justia.com/codes/south-dakota/2019/title-23a/chapter-05/section-23a-5-3/

§ 23A-5-3 (Rule 6(b)(1)) Grounds for challenge to array or individual jurors--Trial of challenge.

배심원단에 내지는 개개 배심원들에 대한 기피사유들—기피신청의 심리.

Universal Citation: SD Codified L § 23A-5-3 (2019)

일반적 인용: SD Codified L § 23A-5-3 (2019)

23A-5-3. (Rule 6(b)(1)) Grounds for challenge to array or individual jurors--Trial of challenge. Either the prosecuting attorney or a defendant may challenge the array of grand jurors on the ground that a grand jury was not selected, drawn or summoned in accordance with law and may challenge an individual grand juror on the ground that the juror is not legally qualified. Challenges shall be made before the administration of the oath to the jurors and shall be tried by the circuit court.

배심원단에 내지는 개개 배심원들에 대한 기피사유들—기피신청의 심리. 검사는이든 피고인은이든, 법에 부합되게 한 개의 대배심이 선정되지 아니하였다는, 추출되지 아니하였다는 내지는 소환되지 아니하였다는 사유로 그 대배심원단에 대하여 기피신청을 할 수 있고 한 명의 개개 배심원에 대하여 당해 배심원이 법적으로 자격을 갖추고 있지 아니하다는 사유로 기피신청을 할 수 있다. 배심원들에게의 선서절차의 실시 이전에 기피신청들은 제기되어야 하는바, 당해 순회구 지방법원에 의하여 그것들은 심리되어야 한다.

Source: SDC 1939 & Supp 1960, §§ 34.1204, 34.1205; SDCL, §§ 23-29-2, 23-29-5; SL 1978, ch 178, § 46.

https://law.justia.com/codes/south-dakota/2019/title-23a/chapter-05/section-23a-5-4/

§ 23A-5-4 Summons of new jurors after challenge--Oath of jurors chosen for particular case.

기피신청 뒤의 새로운 배심원들의 소환—특정사건을 위하여 선정된 배심원들의 선서.

Universal Citation: SD Codified L § 23A-5-4 (2019)

일반적 인용: SD Codified L § 23A-5-4 (2019)

23A-5-4. Summons of new jurors after challenge--Oath of jurors chosen for particular case. Whenever challenges to individual grand jurors are allowed, the court shall make an order to the sheriff, deputy sheriff, or coroner, to summon without delay, from the residents of the county, a sufficient number of persons to complete or to form a grand jury. A grand jury formed and impaneled as to and in a particular case, after a challenge or challenges to individual grand jurors have been allowed, shall be sworn to act only in such particular case, and as to all other cases at the same term of that grand jury, the grand jury shall be formed in the usual manner provided by law.

기피신청 뒤의 새로운 배심원들의 소환—특정 사건을 위하여 선정된 배심원들의 선서. 한 개의 대배심을 완성하기 위한 내지는 구성하기 위한 충분한 숫자의 사람들을 카운티 거주자들로부터 지체 없이 소환하라는 명령을 개개 배심원들에 대한 기피신청이 인용되는 때에는 언제든지 집행관에게, 부집행관에게, 또는 검시관에게 법원은 내려야 한다. 개개 배심원들에 대한 한 개의 기피신청이 내지는 기피신청들이 인용되고 난 뒤에 당해 특정 사건에 관하여 내지는 당해 특정사건에서 충원구성되는 대배심은 그 특정 사건에서만 행동하도록 선서절차가 실시되어야 하고, 당해 대배심의 동일 복무기간에서의 그 밖의 모든 사건들에 관련하여서는 법에 의하여 규정되는 일반적 방법에 따라서 대배심은 구성되어야 한다.

Source: SDC 1939 & Supp 1960, §§ 34.1203, 34.1209; SDCL, §§ 23-29-8, 23-29-16; SL 1978, ch 178, § 46.

https://law.justia.com/codes/south-dakota/2019/title-23a/chapter-05/section-23a-5-5/

§ 23A-5-5 (Rule 6(b)(2)) Dismissal of indictment because grand jurors not qualified.

대배심원들의 무자격을 이유로 하는 대배심 검사기소장의 각하.

Universal Citation: SD Codified L § 23A-5-5 (2019)

일반적 인용: SD Codified L § 23A-5-5 (2019)

23A-5-5. (Rule 6(b)(2)) Dismissal of indictment because grand jurors not qualified. A motion to dismiss an indictment may be based on objections to the array or on the lack of legal qualifications of an individual juror, if not previously determined upon challenge. An indictment shall not be dismissed on the ground that one or more members of the grand jury were not legally qualified if it appears from the record kept pursuant to § 23A-5-6 that five or more jurors, after deducting from the affirmative votes the number not legally qualified, concurred in finding the indictment.

대배심원들의 무자격을 이유로 하는 대배심 검사기소장의 각하. 한 개의 대배심 검사기소장을 각하하여 달라는 신청은, 기피신청에 의하여 미리 판단된 바 없는 경우에는, 배심원단에 대한 이의들에 또는 한 명의 배심원의 법적 자격들의 결여에 터잡을 수 있다. 기소평결을 내리는 데에, 법적으로 자격 결여인 숫자를 찬성표들로부터 뺀 뒤의 5명 이상의 배심원들이 동의하였음이 § 23A-5-6에 따라서 보관되는 기록으로부터 나타나는 경우에는 대배심의 한 명 이상의 구성원들이 법적으로 자격 결여였다는 이유로는 대배심 검사기소장은 각하되어서는 안 된다.

Source: SL 1978, ch 178, § 47.

https://law.justia.com/codes/south-dakota/2019/title-23a/chapter-05/section-23a-5-6/

§ 23A-5-6 (Rule 6(c)) Foreman and deputy foreman of grand jury--Powers and duties--Clerk of grand jury--Record of proceedings.

대배심의 배심장 및 부배심장—권한들 및 의무들—대배심의 서기--절차들의 기록.

Universal Citation: SD Codified L § 23A-5-6 (2019)

일반적 인용: SD Codified L § 23A-5-6 (2019)

23A-5-6 (Rule 6(c)) Foreman and deputy foreman of grand jury--Powers and duties--Clerk of grand jury--Record of proceedings. The court shall appoint one of the jurors to be foreman and another to be deputy foreman. The foreman shall have power to administer oaths and affirmations and shall sign all indictments.

During the absence of the foreman, the deputy foreman shall act as foreman and shall have the same powers and duties as the foreman.

대배심의 배심장 및 부배심장—권한들 및 의무들—절차들의 기록. 배심원들 중 한 명을 배심장으로 및 다른 한 명을 부배심장으로 법원은 지명하여야 한다. 선서들을 및 무선서확약들을 실시할 권한을 배심장은 지니는 바, 모든 대배심 검사기소장들에 그는 서명하여야 한다. 배심장의 부재 동안에 부배심장은 배심장을 대행하여야 하며 배심장이 지니는 권한들에의 및 의무들에의 동일한 권한들을 및 의무들을 그는 지닌다.

The grand jury must appoint one of its members as clerk, who must preserve minutes of its proceedings and of the evidence given before it. The clerk shall keep a record of the number of the jurors concurring in the finding of every indictment, but not the votes of the individual members, and shall file the record with the clerk of the court, but the record shall not be made public except on the order of the court.

자신의 구성원들 중 한 명을 서기로 대배심은 지명하지 않으면 안 되는바, 자신의 절차들의 및 자신 앞에 제출되는 증거의 의사록을 서기는 보전하지 않으면 안 된다. 모든 대배심 검사기소의 평결의 경우에, 개개 배심원들의 표결내용에 관하여가 아닌, 이에 찬성하는 배심원들 숫자에 관하여 기록을 서기는 보관하여야 하고 그 기록을 법원서기에게 제출하여야 하는바, 그러나 그 기록은 법원의 명령에 의하지 아니하고는 공개되어서는 안 된다.

Source: SDC 1939 & Supp 1960, §§ 34.1210, 34.1213, 34.1224, 34.1233; SL 1967, ch 144; SDCL, §§ 23-29-9, 23-29-13, 23-30-9, 23-31-6; SL 1978, ch 178, § 48.

https://law.justia.com/codes/south-dakota/2019/title-23a/chapter-05/section-23a-5-7/

§ 23A-5-7 Oath of grand jurors.

대배심원들의 선서.

Universal Citation: SD Codified L § 23A-5-7 (2019)

일반적 인용: SD Codified L § 23A-5-7 (2019)

23A-5-7. Oath of grand jurors. The following oath shall be administered to the foreperson of the grand jury: Do you, as foreperson of the grand jury, swear or affirm that you will diligently inquire into and make indictments of all public offenses against the state about which you have or can obtain evidence and which were committed or are triable in this county; that you will keep confidential the deliberations, remarks and actions of the jury, the testimony of the witnesses, and the manner in which any member of the jury voted on any matter; that you will not act against any person because of malice, hatred or ill-will or fail to act on a charge because of fear, favor, affection, or anticipation of reward; and that in all of your indictments you will present only the truth to the best of your skill, knowledge and understanding, so help you God?

대배심원들의 선서. 아래의 선서가 대배심의 배심장에게 실시되어야 한다: 그 증거를 귀하가 지니는 내지는 얻을 수 있는 이 카운티에서 저질러진 내지는 정식사실심리 될 수 있는 주에 대한 모든 범죄들에 대하여 귀하가 근면하게 캐들어 가겠음을 및 대배심 검사기소들을 하겠음을; 배심의 숙의들을, 소견들을 및 행위들을, 증인들의 증언을, 그리고 그 어떤 사안에 관하여든 배심의 구성원 어느 누구든지의 표결 방법을이든 비밀로 귀하는 간직하겠음을; 악의를, 원한을 내지는 해의를 가지고서 어느 누구에 대하여도 불리하게 행동하지 아니하겠음을 내지는 고발에 대하여 행동하기를 두려움 탓으로, 호의 탓으로, 애정 탓으로, 또는 보상의 기대 탓으로 빠뜨리지 아니하겠음을; 귀하의 최선의 기량껏의, 지식껏의 및 이해껏의 진실만을 귀하의 모든 대배심 검사기소들에서 귀하는 고발하겠음을 대배심의 배심장으로서 귀하는 선서하거나 무선서로 확약합니까? 하오니 신께서는 귀하를 도우소서.

The following oath shall be immediately administered to the other grand jurors: Having heard the oath taken by the foreperson, do you, and each of you, swear or affirm that you will act in accordance with the obligations of that oath in your role as a member of the grand jury, so help you God?

여타의 대배심원들에게는 아래의 선서가 즉시 실시되어야 한다: 배심장에 의하여 이루어진 선서를 귀하들은 들으셨는바, 대배심의 구성원 한 명으로서의 귀하들의 역할에 있어서의 바로 그 선서내용의 의무들에 따라서 행동하겠음을 귀하들은 및 귀하들 각자는 선서하거나 무선서로 확약합니까? 하오니 신께서는 귀하들을 도우소서.

Source: SDC 1939 & Supp 1960, §§ 34.1210, 34.1211; SDCL §§ 23-29-10, 23-29-11; SL 1978, ch 178, § 49; SL 2007, ch 131, § 3.

https://law.justia.com/codes/south-dakota/2019/title-23a/chapter-05/section-23a-5-8/

§ 23A-5-8 Charge to grand jury by court--Commencement of inquiries.

대배심에게의 법원에 의한 임무부여—조사들에의 착수.

Universal Citation: SD Codified L § 23A-5-8 (2019)

일반적 인용: SD Codified L § 23A-5-8 (2019)

23A-5-8. Charge to grand jury by court--Commencement of inquiries. After the grand jury is impaneled and sworn, it must be charged by the court. In doing so, the court shall give the members such information as it may deem proper as to the nature of their duties, and as to any charges for public offenses returned to the court or likely to come before the grand jury. The grand jury must then retire to a private room and inquire into the offenses cognizable by it.

대배심에게의 법원에 의한 임무부여—조사들에의 착수. 대배심이 충원구성되고 선서절차에 처해지고 난 뒤에 대배심에게는 법원에 의하여 임무가 부여되지 않으면 안 된다. 그들의 임무들의 성격에 관하여 그리고 법원에 제출된 범죄들의 고발들에 관하여 내지는 대배심 앞에 제기될 가능성이 있는 범죄들에 관하여 적절하다고 자신이 간주하는 정보를 그렇게 함에 있어서 그 구성원들에게 법원은 제공하여야 한다. 그 뒤에 대배심은 비밀실로 물러가지 않으면 안 되고 자신에 의하여 심리될 수 있는 범죄들을 캐들어 가지 않으면 안 된다.

Source: SDC 1939 & Supp 1960, § 34.1212; SDCL, § 23-29-12; SL 1978, ch 178, § 50.

https://law.justia.com/codes/south-dakota/2019/title-23a/chapter-05/section-23a-5-9/

§ 23A-5-9 General powers of grand jury--Access to prisons and records.
대배심의 일반적 권한들—감옥들에의 및 기록들에의 접근.

Universal Citation: SD Codified L § 23A-5-9 (2019)

일반적 인용: SD Codified L § 23A-5-9 (2019)

23A-5-9. General powers of grand jury--Access to prisons and records. The grand jury has power, and it is its duty, to inquire into all public offenses committed or triable in its county, and to present them to the circuit court by indictment. A grand jury is entitled to free access at all reasonable times to public prisons, and to the examination, without charge, of all public records in its county.

대배심의 일반적 권한들—감옥들에의 및 기록들에의 접근. 자신의 카운티 내에서 저질러진 내지는 정식사실심리 될 수 있는 모든 범죄들을 캐들어갈, 그리고 그것들을 대배심 검사기소장에 의하여 순회구 지방법원에 고발할 권한을 대배심은 지니며, 그렇게 함은 대배심의 의무이다. 카운티 내의 공공감옥들에의 모든 합리적인 시간대에의 자유로운 접근의 권한을 및 모든 공공기록들에 대한 무료의 검사의 권한을 대배심은 지닌다.

Source: SDC 1939 & Supp 1960, §§ 34.1215, 34.1223; SDCL, §§ 23-30-1, 23-30-6; SL 1978, ch 178, § 45.

https://law.justia.com/codes/south-dakota/2019/title-23a/chapter-05/section-23a-5-10/

§ 23A-5-10 Advice sought from court or prosecuting attorney.
법원에게서 또는 검사에게서 구해지는 조언.

Universal Citation: SD Codified L § 23A-5-10 (2019)

일반적 인용: SD Codified L § 23A-5-10 (2019)

23A-5-10. Advice sought from court or prosecuting attorney. The grand jury may at all reasonable times ask the advice of the court or of the prosecuting attorney.

법원에게서 또는 검사에게서 구해지는 조언. 법원의 내지는 검사의 조언을 모든 합리적인 시간대에 대배심은 구할 수 있다.

Source: SDC 1939 & Supp 1960, § 34.1222; SDCL, § 23-30-7; SL 1972, ch 147, § 1; SL 1978, ch 178, § 51.

https://law.justia.com/codes/south-dakota/2019/title-23a/chapter-05/section-23a-5-11/

§ 23A-5-11 (Rule 6(d)) Appearance by prosecuting attorneys before grand jury--Presence of other persons--Counsel advising witnesses.

대배심 앞에의 검사들의 출석—그 밖의 사람들의 출석—증인들을 조언하는 변호인.

Universal Citation: SD Codified L § 23A-5-11 (2019)

일반적 인용: SD Codified L § 23A-5-11 (2019)

23A-5-11. (Rule 6(d)) Appearance by prosecuting attorneys before grand jury--Presence of other persons--Counsel advising witnesses. Prosecuting attorneys may at all times appear before the grand jury for the purpose of giving information or advice or interrogating witnesses relative to any matter cognizable by it. Prosecuting attorneys, the witness under examination and his counsel, interpreters if needed, the victim under examination and the victim or witness assistant and, for the purpose of taking the evidence if authorized by the grand jury, a stenographer or operator of a recording device may be present when the grand jury is in session, but no person other than the jurors may be present while the grand jury is deliberating or voting. The role of counsel appearing with a witness shall be limited to advising the witness. The prosecuting attorney may not be present during the consideration of any charge against himself, except that the grand jury may summon him as a witness.

대배심 앞에의 검사들의 출석—그 밖의 사람들의 출석—증인들을 조언하는 변호인. 대배심의 심리 대상인 어떤 사안에 관련해서든 정보를 내지는 조언을 제공하기 위하여 또는 증인들을 신문하기 위하여 대배심 앞에 언제든지 검사들은 출석할 수 있다. 검사들은, 신문 대상인 증인은 및 그의 변호인은, 필요한 경우에의 통역인들은, 신문 대상인 피해자는 및 피해자의 내지는 증인의 보조인은, 그리고 대배심에 의하여 허가되는 경우에 증언을 녹취하기 위한 속기사는 내지는 녹음장비 기사는 대배심이 회합 중인 때에 출석해 있을 수 있는바, 그러나 대배심이 숙의 중인 내지는 표결 중인 동안에는 배심원들 이외에는 어느 누구가도 출석해 있을 수 없다. 증인을 대동하여 출석하는 변호인의 역할은 증인을 조언하는 데에 한정되어야 한다. 검사 자신에 대한 고발의 심리 동안에 검사는 출석하여서는 안 되는바, 다만 그를 한 명의 증인으로 대배심은 소환할 수 있다.

Source: SDC 1939 & Supp 1960, § 34.1222; SDCL, § 23-30-7; SL 1972, ch 147, § 1; SL 1978, ch 178, § 52; SL 1986, ch 193, § 2.

https://law.justia.com/codes/south-dakota/2019/title-23a/chapter-05/section-23a-5-11-1/

§ 23A-5-11.1 Recording of testimony of witness before grand jury.
대배심 앞의 증인의 증언의 녹음.

Universal Citation: SD Codified L § 23A-5-11.1 (2019)

일반적 인용: SD Codified L § 23A-5-11.1 (2019)

23A-5-11.1. Recording of testimony of witness before grand jury. The testimony of any witness appearing before a grand jury in any case shall be recorded. Such testimony may be recorded by means of an electronic recording device.

대배심 앞의 증인의 증언의 녹음. 사건 여하에서를 막론하고 대배심 앞에 출석하는 증인 누구든지의 증언은 녹음되어야 한다. 그러한 증언은 전자적 녹음장비에 의하여 녹음될 수 있다.

Source: SL 1987, ch 173; SL 1998, ch 147, § 1.

https://law.justia.com/codes/south-dakota/2019/title-23a/chapter-05/section-23a-5-12/

§ 23A-5-12 Testimony before grand jury by subject of investigation--Waiver of immunity.

조사의 대상에 의한 대배심 앞에서의 증언—면제특권의 포기

Universal Citation: SD Codified L § 23A-5-12 (2019)

일반적 인용: SD Codified L § 23A-5-12 (2019)

23A-5-12. Testimony before grand jury by subject of investigation--Waiver of immunity. The subject of a grand jury investigation may, at the discretion of the grand jury or prosecuting attorney, be given the opportunity to testify before the grand jury, provided he waives immunity orally on the record or in writing.

조사의 표적에 의한 대배심 앞에서의 증언—면제의 포기. 대배심 조사의 대상에게는 대배심의 내지는 검사의 재량으로 대배심 앞에서 증언할 기회가 부여될 수 있는바, 다만 면제특권을 구두상으로 기록 위에서 내지는 서면 상으로 그가 포기할 것을 조건으로 한다.

Source: SL 1978, ch 178, § 53.

https://law.justia.com/codes/south-dakota/2019/title-23a/chapter-05/section-23a-5-13/

§ 23A-5-13 Notice of rights to subject appearing before grand jury.

대배심 앞에 출석하는 조사대상의 권리사항들에 대한 고지.

Universal Citation: SD Codified L § 23A-5-13 (2019)

일반적 인용: SD Codified L § 23A-5-13 (2019)

23A-5-13. Notice of rights to subject appearing before grand jury. Before testifying or providing other evidence at any proceeding before a grand jury impaneled before a circuit court, the subject of the grand jury investigation shall be given adequate and reasonable notice of:

대배심 앞에 출석하는 조사대상의 권리사항들에 대한 고지. 순회구 지방법원에서 충원구성된 대배심 앞의 절차들에서 대배심 조사의 대상이 증언하기에 앞서서 내지는 여타의 증거를 제공하기에 앞서서 대배심 조사의 대상에게는 아래 사항들에 관한 적절한 및 합리적인 고지가 제공되어야 한다:

(1) His right to counsel as provided in § 23A-5-11;

§ 23A-5-11에 규정되는 변호인의 조력을 받을 그의 권리;

(2) His privilege against self-incrimination;

그의 자기부죄 금지특권;

(3) The fact that anything he says can and will be used against him in a court of law; and

그가 말하는 것은 그 어떤 것이든 법정에서 그에게 불리한 증거로 사용될 것이라는 사실; 그리고

(4) The fact that if he cannot afford an attorney, an attorney will be appointed by the court for him.

한 명의 변호사를 만약 그가 선임할 수 없으면 그를 위하여 한 명의 변호사가 법원에 의하여 지명될 것이라는 사실.

Source: SL 1978, ch 178, § 60.

https://law.justia.com/codes/south-dakota/2019/title-23a/chapter-05/section-23a-5-14/

§ 23A-5-14 Removal and replacement of attorney for witness appearing before grand jury.

대배심 앞에 출석하는 증인을 위한 변호사의 배제 및 교체

Universal Citation: SD Codified L § 23A-5-14 (2019)

일반적 인용: SD Codified L § 23A-5-14 (2019)

23A-5-14. Removal and replacement of attorney for witness appearing before grand jury. The court shall have the power to remove a witness' attorney and order the witness to obtain new counsel, when it finds that the attorney has violated § 23A-5-11 or that such removal and replacement is necessary to ensure that the activities of a grand jury are not unduly delayed or impeded. Nothing in this section shall affect the power of the court to punish for contempt or impose other appropriate sanctions.

대배심 앞에 출석하는 증인을 위한 변호사의 배제 및 교체. § 23A-5-11을 한 명의 증인의 변호사가 위반하였음을, 내지는 대배심의 활동들이 부당하게 지연되지 아니하도록 내지는 방해되지 아니하도록 보장하기 위하여 그러한 변호사의 배제가 및 교체가 필요함을, 법원이 인정하는 경우에 그 변호사를 배제할 권한을 및 새로운 변호인을 선임하도록 당해 증인에게 명령할 권한을 법원은 지닌다. 법원모독으로 처벌할 내지는 여타의 적절한 제재들을 가할 법원의 권한에 영향을 이 절 내의 것은 미치지 아니한다.

Source: SL 1978, ch 178, § 59.

https://law.justia.com/codes/south-dakota/2019/title-23a/chapter-05/section-23a-5-15/

§ 23A-5-15 Evidence heard by grand jury--Order for production of evidence.

대배심에 의하여 청취되는 증거—증거제출명령.

Universal Citation: SD Codified L § 23A-5-15 (2019)

일반적 인용: SD Codified L § 23A-5-15 (2019)

23A-5-15. Evidence heard by grand jury--Order for production of evidence. The rules of evidence shall apply to proceedings before the grand jury. A grand jury is not bound to hear evidence for a defendant, but it is its duty to weigh all the evidence submitted to it. When it has reason to believe that there is other evidence, it may order such evidence to be produced, and for that purpose the prosecuting attorney may issue process for the witnesses.

대배심에 의하여 청취되는 증거—증거제출명령. 대배심 앞의 절차들에 증거규칙들은 적용된다. 피고인에게 유리한 증거를 청취할 의무를 대배심은 지지 아니하지만, 그러나 자신에게 제출되는 모든 증거를 평가함은 대배심의 의무이다. 여타의 증거가 있다고 믿을 이유를 대배심이 지니는 경우에, 그러한 증거의 제출을 대배심은 명령할 수 있고, 증인들을 위한 영장을 그 목적을 위하여 검사는 발부할 수 있다.

Source: SDC 1939 & Supp 1960, § 34.1225; SDCL, § 23-30-12; SL 1978, ch 178, § 55.

https://law.justia.com/codes/south-dakota/2019/title-23a/chapter-05/section-23a-5-16/

§ 23A-5-16 (Rule 6(e)) Restrictions on disclosure of grand jury proceedings--Immunity of jurors--Sealing of indictments.

대배심 절차들의 공개의 제한들—배심원들의 책임면제—대배심 검사기소장들의 봉인.

Universal Citation: SD Codified L § 23A-5-16 (2019)

일반적 인용: SD Codified L § 23A-5-16 (2019)

23A-5-16. (Rule 6(e)) Restrictions on disclosure of grand jury proceedings--Immunity of jurors--Sealing of indictments. Disclosure of matters occurring before a grand jury, other than its deliberations and the vote of any juror, may be made to prosecuting attorneys for use in the performance of their duties. Otherwise a juror, attorney, witness, interpreter, stenographer, operator of a recording device, or any typist who transcribes recorded testimony may disclose matters occurring before the grand jury only if directed by the court preliminary to, or in connection with, a judicial proceeding or if permitted by the court at the request of a defendant upon a showing that grounds may exist for a motion to dismiss an indictment because of matters occurring before a grand jury. A grand juror cannot be questioned for anything that the grand juror may say or any vote that the grand juror may give in the grand jury proceedings relative to a matter legally pending before it, except for perjury of which the grand juror may have been guilty in making an accusation or giving testimony to his or her fellow jurors. No obligation of secrecy may be imposed upon any person except in accordance with this section. A court may direct that an indictment shall be kept secret until the defendant is in custody or has given bail. In that event the clerk shall seal the indictment, and no person may disclose the finding of the indictment unless necessary for the issuance and execution of a warrant or summons.

대배심 절차들의 공개의 제한들—배심원들의 책임면제—대배심 검사기소장들의 봉인. 대배심의 숙의들의 및 배심원의 투표의 이외의, 대배심 앞에서 발생하는 사항들의 공개는 검사들의 임무들의 수행에서의 사용을 위하여 검사들에게 이루어질 수 있다. 그 밖에는 대배심 앞에서 발생하는 사항들을, 한 개의 사법절차에 앞서서 예비적으로 또는 한 개의 사법절차에의 연관 속에서 법원에 의하여 명령되는 경우에만, 또는 그 사항들로 인하여 한 개의 대배심 검사기소장을 각하하여 달라는 신청을 위한 이유들이 존재할 수 있다는 소명에 터잡는 피고인의 요청에 따라서 법원에 의하여 허가되는 경우에만, 배심원은, 변호사는, 증인은, 통역인은, 속기사는, 녹음장비 기사는, 또는 녹음된 증언을 녹취하는 타이피스트는 공개할 수 있다. 대배심 절차들에서 적법하게 대배심 앞에 걸려 있는 사항에 관련하여 한 명의 대배심원이 말하는 내지는 표결하는 어떤 것에 대하여도 당해 대배심원은 신문될 수 없는바, 다만 고발을 함에 있어서 또는 그의 내지는 그녀의 동료들에게 증언함에 있어서 당해 대배심원이 범하였을 수 있는 위증죄에 대하여는 그러하지 아니하다. 이 절에 따라서를 제외하고는 어느 누구에게도 비밀준수 의무는 부과되지 아니한다. 피고인이 구금될 때까지 또는 보석금을 납입할 때까지 한 개의 대배심 검사기소장을 비밀의 것으로 보관하도록 법원은 명령할 수 있다. 그 대배심 검사기소장을 그 경우에 서기는 봉인하여야 하는바, 영장의 내지는 소환장의 발부를 및 집행을 위하여 필요한 경우에를 제외하고는 그 대배심 검사기소의 평결을 아무가도 공개하여서는 안 된다.

Source: SDC 1939 & Supp 1960, §§ 34.1226, 34.1227; SDCL, §§ 23-30-13, 23-30-14, 23-30-16; SL 1972, ch 147, § 2; SL 1978, ch 178, § 54; SL 2005, ch 126, § 1.

https://law.justia.com/codes/south-dakota/2019/title-23a/chapter-05/section-23a-5-17/

§ 23A-5-17 Disclosure by prosecuting attorney of evidence received by grand jury.

대배심에 의하여 수령되는 증거의 검사에 의한 공개.

Universal Citation: SD Codified L § 23A-5-17 (2019)

일반적 인용: SD Codified L § 23A-5-17 (2019)

23A-5-17. Disclosure by prosecuting attorney of evidence received by grand jury. The prosecuting attorney may disclose evidence received before the grand jury or heard before the grand jury in the performance of his official duties.

대배심에 의하여 수령되는 증거의 검사에 의한 공개. 대배심 앞에서 수령되는 내지는 대배심 앞에서 청취되는 증거를 그의 공무상의 임무들의 수행 가운데서 검사는 공개할 수 있다.

Source: SL 1978, ch 178, § 54A.

https://law.justia.com/codes/south-dakota/2019/title-23a/chapter-05/section-23a-5-18/

§ 23A-5-18 (Rule 6(f)) Quorum of grand jury--Votes required for indictment--Witnesses named on indictment--Dismissal of charge on failure to indict.

대배심의 의사정족수—대배심 검사기소를 위하여 요구되는 찬성투표수—대배심 검사기소장 위에 기재되는 증인들—대배심 검사기소에 처하지 못하는 경우에의 고발의 각하.

Universal Citation: SD Codified L § 23A-5-18 (2019)

일반적 인용: SD Codified L § 23A-5-18 (2019)

23A-5-18. (Rule 6(f)) Quorum of grand jury--Votes required for indictment--Witnesses named on indictment--Dismissal of charge on failure to indict. A quorum of six grand jurors must be present before any evidence or testimony may be received or any other business conducted. An indictment may be found only if there is probable cause to believe that an offense has been committed and that the defendant committed it. An indictment may be found only upon the concurrence of six or more jurors. The names of only those witnesses examined before the grand jury in relation to the particular indictment shall be listed on that indictment before it is filed with the court. An indictment shall be returned by the grand jury to a circuit judge in open court, or, if no circuit judge is available, filed with the clerk of courts, endorsed a true bill.

대배심의 의사정족수—대배심 검사기소를 위하여 요구되는 찬성투표수—대배심 검사기소장 위에 기재되는 증인들—대배심 검사기소에 처하지 못하는 경우에의 고발의 각하. 조금이라도 증거가 내지는 증언이 수령될 수 있으려면 내지는 여타의 업무가 처리될 수 있으려면 의사정족수인 여섯 명의 배심원들이 출석하지 않으면 안 된다. 오직 한 개의 범죄가 저질러져 있다고 및 그것을 피고인이 저질렀다고 믿을 상당한 이유가 있을 경우에 한하여 한 개의 대배심 검사기소는 평결될 수 있다. 오직 여섯 명 이상의 배심원들의 찬성 위에서만 한 개의 대배심 검사기소는 평결될 수 있다. 특정의 대배심 검사기소에 관련하여 대배심 검사기소장이 법원에 제출되기 전에 당해 검사기소장 위에는 당해 대배심 앞에서 신문된 증인들의 이름들만이 목록으로 기록되어야 한다. 한 개의 대배심 검사기소장은 대배심에 의하여 공개법정에서 순회구 지방법원 판사에게 제출되어야 하거나, 또는 손이 비어 있는 순회구 지방법원 판사가 없을 경우에는 법원들의 서기에게 제출되어야 하는바, 기소평결부 대배심 검사기소장임이 기입된 것이어야 한다.

If six grand jurors do not concur in finding an indictment against a defendant who is in custody but who has not had a preliminary hearing, the complaint or information and the certified record of the proceedings before the committing magistrate transmitted to them shall be returned to the court, with an endorsement thereon, signed by the foreman, that the charge is dismissed. The dismissal of the charge does not prevent its being again submitted to a grand jury as often as a court may direct, but without such direction it cannot again be submitted.

구금되어 있는, 그러나 예비심문을 거치지 아니한 상태인 피고인에 대하여 한 개의 대배심 검사기소를 평결함에 만약 여섯 명의 대배심원들이 찬성하지 아니하면, 그들에게 송부된 소추청구장은 내지는 고발장은 및 구금 치안판사 앞에서의 절차들의 인증된 기록은 고발이 각하되었다는 기재를 그 위에 달아서 및 배심장의 서명이 이루어진 상태로 법원에 반환되어야 한다. 법원이 명령하는 만큼 여러 번 되풀이하여 대배심에 그것이 제출됨을 고발의 각하는 저해하지 아니하는바, 그러나 그러한 명령이 없이는 그것은 다시 제출될 수 없다.

Source: SDC 1939 & Supp 1960, §§ 34.1219, 34.1220, 34.1233, 34.1234; SDCL, §§ 23-31-3 to 23-31-8; SL 1978, ch 178, § 56; SL 2001, ch 120, § 1.

https://law.justia.com/codes/south-dakota/2019/title-23a/chapter-05/section-23a-5-19/

§ 23A-5-19 Report filed when indictment not issued.
대배심 검사기소장이 발부되지 아니하는 경우에의 보고서의 제출.

Universal Citation: SD Codified L § 23A-5-19 (2019)

일반적 인용: SD Codified L § 23A-5-19 (2019)

23A-5-19. Report filed when indictment not issued. The grand jury, with the permission of the prosecuting attorney, may file a report as to any case in which an investigation has taken place and an indictment has not been issued. The court may excise any portion of the report that is filed in the interests of justice.

대배심 검사기소장이 발부되지 아니하는 경우에의 보고서의 제출. 한 개의 조사가 실시되어 있는 사건에서로서 한 개의 대배심 검사기소장이 발부되지 아니하는 것이 된 그 어떤 사건에서도 검사의 허가를 얻어서 한 개의 보고서를 대배심은 제출할 수 있다. 제출되는 보고서의 그 어떤 부분을이든 사법의 이익을 위하여 법원은 삭제할 수 있다.

Source: SL 1978, ch 178, § 60A.

https://law.justia.com/codes/south-dakota/2019/title-23a/chapter-05/section-23a-5-20/

§ 23A-5-20 (Rule 6(g)) Term of service of grand jury--Excuse and replacement of jurors.

대배심의 복무기간—배심원들의 면제 및 교체.

Universal Citation: SD Codified L § 23A-5-20 (2019)

일반적 인용: SD Codified L § 23A-5-20 (2019)

23A-5-20. (Rule 6(g)) Term of service of grand jury--Excuse and replacement of jurors. A grand jury shall serve until discharged by the court which convened it, but no grand jury may serve more than eighteen months. The tenure and powers of a grand jury are not affected by the beginning or expiration of a term of court. At any time for cause shown the court may excuse a juror either temporarily or permanently, and in the latter event the court may impanel another person in place of the excused juror in the same manner as the original juror was impaneled.

대배심의 복무기간—배심원들의 면제 및 교체. 자신을 소집한 법원에 의하여 임무해제 될 때까지 한 개의 대배심은 복무하여야 하는바, 그러나 18개월을 초과하도록 대배심은 복무하여서는 안 된다. 법원 개정기의 시작에 또는 종료에 의하여 영향을 대배심의 복무기간은 및 권한들은 받지 아니한다. 한 명의 배심원을 일시적으로든 영구적으로든 그 증명되는 이유에 따라서 언제든지 법원은 면제할 수 있고, 영구적 면제의 경우에는 다른 사람을 그 면제되는 배심원 대신으로, 본래의 배심원이 충원되었던 방법에의 동일한 방법으로 법원은 충원할 수 있다.

Source: SDC 1939 & Supp 1960, § 34.1214; SDCL, § 23-29-14; SL 1978, ch 178, § 57.

사우스캐럴라이나주
배심 규정

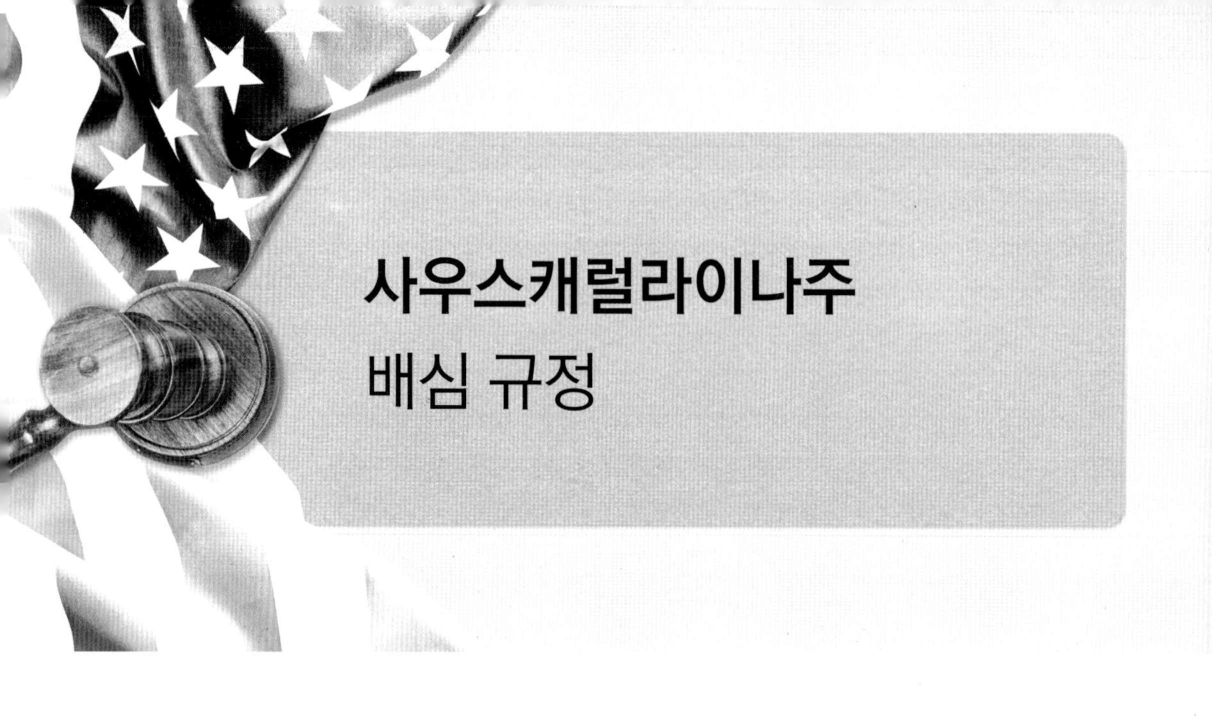

2019 South Carolina Code of Laws
Title 14 - Courts
Chapter 7 - Juries And Jurors In Circuit Courts

ARTICLE 1 General Provisions
일반적 규정들

https://law.justia.com/codes/south-carolina/2019/title-14/chapter-7/section-14-7-10/

Section 14-7-10. Rules of construction.
해석규칙들.

Universal Citation: SC Code § 14-7-10 (2019)
일반적 인용: SC Code § 14-7-10 (2019)

The rule of common law that statutes in derogation of that law are to be strictly construed has no application to any of the provisions of this chapter other than those of Article 13 hereof and Sections 14-7-840, 14-7-860, 14-7-1100 and 14-7-1110.

보통법을 손상시키는 제정법들은 엄격하게 해석되어야 한다는 보통법 규칙은 여기서의 제13조의 규정들에를 및 제14-7-840절의, 제14-7-860절의, 제14-7-1100절의 및 제14-7-1110절의 규정들에를 제외하고는 이 장의 규정들 어느 것에도 적용되지 아니한다.

HISTORY: 1962 Code Section 38-1; 1952 Code Section 38-1; 1942 Code Section 902; 1932 Code Section 902; Civ. P. '22 Section 850; Civ. P. '12 Section 487; Civ. P. '02 Section 448; 1870 (14) Section 470.

https://law.justia.com/codes/south-carolina/2019/title-14/chapter-7/section-14-7-20/

Section 14-7-20. Words “male” and “men” to include “female” and “women”.

“여성”을 및 “여성들”을 “남자”는 및 “남자들”은 포함함.

Universal Citation: SC Code § 14-7-20 (2019)

일반적 인용: SC Code § 14-7-20 (2019)

Wherever the word “male” or “men” is used in the Code of Laws of South Carolina, 1976, relating to jurors and jury service such words shall include “female” and “women”.

1976년 간행의 사우스캐럴라이나주 법률집에서 배심원들에 및 배심복무에 관련하여 “남성”이 또는 “남자들”이 사용되는 때에는 언제나 “여성”을 및 “여성들”을 그러한 단어들은 포함한다.

HISTORY: 1962 Code Section 38-1.1; 1967 (55) 895.

https://law.justia.com/codes/south-carolina/2019/title-14/chapter-7/section-14-7-30/

Section 14-7-30. "Clerk" defined.
"서기"의 개념정의.

Universal Citation: SC Code § 14-7-30 (2019)

일반적 인용: SC Code § 14-7-30 (2019)

The word "clerk," as used in this chapter signifies the clerk of the court where the action is pending, unless otherwise specified.

달리 명시되는 경우에를 제외하고는, 당해 소송이 계속되어 있는 법원의 서기를 이 장에서 사용되는 것으로서의 "서기"는 의미한다.

HISTORY: 1962 Code Section 38-2; 1952 Code Section 38-2; 1942 Code Section 900; 1932 Code Section 900; Civ. P. '22 Section 848; Civ. P. '12 Section 485; Civ. P. '02 Section 447; 1870 (14) Section 469.

https://law.justia.com/codes/south-carolina/2019/title-14/chapter-7/section-14-7-40/

Section 14-7-40. Summoning and empanelling jurors by coroners, clerks, or magistrates not affected.
배심원들에 대한 검시관들의, 서기들의 또는 치안판사들의 소환에는 및 충원에는 영향이 없음.

Universal Citation: SC Code § 14-7-40 (2019)

일반적 인용: SC Code § 14-7-40 (2019)

Nothing contained in this chapter shall affect the power and duty of coroners, clerks or magistrates to summon and empanel jurors when authorized by other provisions of law.

여타의 법 규정들에 의하여 허가될 경우에 있어서의 배심원들을 소환할 및 충원할 검시관들의, 서기들의 또는 치안판사들의 권한에 및 의무에 영향을 이 장에 포함된 것은 미치지 아니 한다.

HISTORY: 1962 Code Section 38-3; 1952 Code Section 38-3; 1942 Code Section 646; 1932 Code Section 646; Civ. P. '22 Section 586; Civ. C. '12 Section 4054; Civ. C. '02 Section 2953; G. S. 2274; R. S. 2413; 1871 (14) 696.

ARTICLE 3 Drawing and Summoning Jurors
배심원들의 추출 및 소환

https://law.justia.com/codes/south-carolina/2019/title-14/chapter-7/section-14-7-110/

Section 14-7-110. Summoning of jurors by clerk of the court of common pleas.
국민간 소송법원의 서기에 의한 배심원들의 소환.

Universal Citation: SC Code § 14-7-110 (2019)

일반적 인용: SC Code § 14-7-110 (2019)

The clerk of the court of common pleas of each county in this State shall perform the duties provided in this article for the summoning of jurors.

배심원들의 소환을 위한 이 조에서 규정되는 임무들을 이 주 내의 개개 카운티의 국민간 소송법원의 서기는 수행하여야 한다.

HISTORY: 1962 Code Section 38-51; 1952 Code Section 38-51; 1942 Code Section 607; Civ. P. '22 Section 547; Civ. C. '12 Section 4016; Civ. C. '02 Section 2909; G. S. 2254; R. S. 2373; 1871 (14) 690; 1874 (15) 638; 1893 (21) 524; 1896 (22) 16; 1902 (23) 1066; 1939 (41) 27; 1941 (42) 70; 1943 (43) 263; 1957 (50) 286; 1986 Act No. 340, Section 1, eff March 10, 1986; 2012 Act No. 200, Section 1, eff June 7, 2012.

https://law.justia.com/codes/south-carolina/2019/title-14/chapter-7/section-14-7-120/

Section 14-7-120. Vacancy or disqualification in office of jury commissioner.

배심위원직의 궐위 또는 결격.

Universal Citation: SC Code § 14-7-120 (2019)

일반적 인용: SC Code § 14-7-120 (2019)

If there is a vacancy in the office of the clerk of court of common pleas, county auditor, or county treasurer at the time fixed for preparing the jury list or for drawing a jury or if any of these officers are disqualified or unable to serve for any reason, the county judge of probate shall act in his place and stead and if there is a vacancy in two of these offices or for any other reason two of these officers are unable to serve, the county judge of probate and the sheriff of the county shall act in their places and stead. If from among the officers above named there are not three persons in office qualified and able to serve, the resident circuit judge or the presiding judge shall appoint a commissioner or commissioners to serve in the place of the commissioner or commissioners as may be disqualified during the time of his or their disqualification. Each of the substitute commissioners shall receive the same per diem and mileage as is paid jurors.

배심명부를 작성하도록 또는 한 개의 배심을 추출하도록 정해진 시점에서 국민간 소송법원의 서기직에, 카운티 회계감사관직에, 카운티 출납관직에 만약 한 개의 궐위가 있으면, 또는 이 공무원들 중 아무나가 어떤 이유로든 복무에 결격이 되면 또는 복무할 수 없으면, 카운티 유언검인 판사는 그를 대신하여 복무하여야 하고 만약 이 직책들의 두 개에 궐위가 있으면 또는 어떤 이유로든 이 공무원들 중 두 명이 복무할 수 없으면, 카운티 유언검인 판사가 및 카운티 집행관이 그들을 대신하여 복무하여야 한다. 만약 위에서 거명된 공무원들 가운데 자격이 인정되는 및 복무가 가능한 세 명이 근무하고 있지 아니하면, 그 결격인 위원을 내지는 위원들을 대신하여 그의 내지는 그들의 결격 동안에 복무할 한 명의 위원을 또는 위원들을 그 전속의 순회구 지방법원 판사는 내지는 법원장은 지명하여야 한다. 배심원들에게 지급되는 일당에의 및 여비수당에의 동일한 일당을 및 여비수당을 그 대행하는 위원들 각자는 수령하여야 한다.

HISTORY: 1962 Code Section 38-51.2; 1952 Code Section 38-51.1; 1942 Code Section 622; 1932 Code Section 622; Civ. P. '22 Section 562; Civ. C. '12 Section 4030; 1902 (23) 1066; 1930 (36) 1239; 1936 (39) 1340; 1939 (41) 27; 1941 (42) 70; 1957 (50) 286; 1986 Act No. 340, Section 1, eff March 10, 1986.

https://law.justia.com/codes/south-carolina/2019/title-14/chapter-7/section-14-7-130/

Section 14-7-130. Preparation of jury list from electronic file of persons holding valid South Carolina driver's license or identification card.

유효한 사우스캐럴라이나주 운전면허증을 내지는 신분증을 보유하는 사람들의 전자 파일로부터의 배심명부의 작성.

Universal Citation: SC Code § 14-7-130 (2019)

일반적 인용: SC Code § 14-7-130 (2019)

In September of each year, the Department of Motor Vehicles shall furnish the State Election Commission an electronic file of the name, address, date of birth, social security number, sex, and race of persons who are over the age of eighteen years and citizens of the United States residing in each county who hold a valid South Carolina driver's license or an identification card issued pursuant to Section 56-1-3350. The electronic file also must include persons who have obtained a valid South Carolina driver's license or identification card during the previous year and exclude persons whose driver's license or identification card has not been renewed or has been invalidated by judicial or administrative action. In October of each year, the State Election Commission shall furnish a jury list to county jury commissioners consisting of a file or list derived by merging the list of registered voters in the county with county residents appearing on the file furnished by the department, but only those licensed drivers and identification cardholders who are eligible to register to vote may be included in the list. Before furnishing the list, the commission must make every effort to eliminate duplicate names and names of persons disqualified from registering to vote or voting pursuant to the laws and Constitution of this State. As furnished to the jury commissioners by the State Election Commission, the list or file constitutes the roll of eligible jurors in the county. Expenses of the Department of Motor Vehicles and the State Election Commission in implementing this section must be borne by these agencies.

제56-1-3350절에 따라서 발부된 유효한 사우스캐럴라이나주 운전면허증을 또는 신분증을 보유하는, 개개 카운티에 거주하는 18세를 넘은 및 합중국 시민인, 사람들의 이름의, 주소의, 생년월일의, 사회보장 등록번호의, 성별의, 그리고 인종의 전자파일을 매년 9월에 선거관리위원회에 자동차관리국은 제공하여야 한다. 유효한 사우스캐럴라이나주 운전면허증을 또는 신분증을 직전 연도에 얻은 바 있는 사람들을 또한 전자파일은 포함하지 않으면 안 되고 그 운전면허가 또는 신분증이 갱신되어 있지 아니한 내지는 사법적 또는 행정적 조치에 의하여 무효화 되어 있는 사람들을 전자파일은 배제하지 않으면 안 된다. 카운티 내의 등록유권자들의 명부를 자동차관리국에 의하여 제공되는 파일 위에 나타나는 카운티 거주자들에 합침에 의하여 도출되는 한 개의 파일로 또는 명부로 구성되는 한 개의 배심명부를 카운티 배심위원들에게 매년 10월에 주 선거관리위원회는 제공하여야 하는바, 다만 그 명부에 포함될 수 있는 사람들은 투표를 위하여 등록할 자격이 있는 운전면허증 보유자들 및 신분증 보유자들만이다. 중복되는 이름들을 제거하기 위한, 및 이 주의 법률들에 및 헌법에 따라서 투표권자로서 등록할 자격이 또는 투표할 자격이 부정된 사람들의 이름들을 제거하기 위한, 모든 노력을 명부를 제공하기에 앞서서 위원회는 기울이지 않으면 안 된다. 카운티 내의 선정 대상인 배심원(후보)들의 명부를, 주 선거관리위원회에 의하여 배심위원들에게 제공된 것으로서의 명부는 내지는 파일은 구성한다. 이 절을 이행함에 있어서의 자동차관리국의 및 주 선거관리위원회의 비용들은 이 기관들에 의하여 부담되지 않으면 안 된다.

HISTORY: 1962 Code Section 38-94; 1972 (57) 2305; 1976 Code Section 14-7-640; 1986 Act No. 340, Section 1; 1988 Act No. 453, Section 1; 1993 Act No.181, Section 256, eff July 1, 1993; 1996 Act No. 459, Section 25, eff June 5, 1996; 1996 Act No. 467, Section 1, eff August 21, 1996; 2000 Act No. 257, Section 1, eff May 1, 2000; 2008 Act No. 270, Section 4, eff June 4, 2008.

Editor's Note

편집자 주해

Prior Laws: Former Section 14-7-130 was titled Vacancy or disqualification in office of jury commissioner in counties containing a city of more than 70,000, and had the following history: 1962 Code Section 38-51.3; 1952 Code Section 38-51.2; 1942 Code Section 622; 1932 Code Section 622; Civ. P. '22 Section 562; Civ. C. '12 Section 4030; 1902 (23) 1066; 1930 (36) 1239; 1936 (39) 1340; 1939 (41) 27; 1941 (42) 70; 1956 (49) 1789; omitted by 1986 Act No. 340, Section 1.

과거의 법률들: 인구 70,000을 초과하는 시티를 포함하는 카운티들에서의 배심위원직에 있어서의 궐위 또는 결격이라는 제목을 과거의 제14-7-130절은 달고 있었는바, 아래의 연혁을 그것은 지녔었다: 1962 Code Section 38-51.3; 1952 Code Section 38-51.2; 1942 Code Section 622; 1932 Code Section 622; Civ. P. '22 Section 562; Civ. C. '12 Section 4030; 1902 (23) 1066; 1930 (36) 1239; 1936 (39) 1340; 1939 (41) 27; 1941 (42) 70; 1956 (49) 1789; omitted by 1986 Act No. 340, Section 1.

https://law.justia.com/codes/south-carolina/2019/title-14/chapter-7/section-14-7-140/

Section 14-7-140. Use of computer for drawing and summoning jurors.

배심원(후보)들을 추출함을 및 소환함을 위한 컴퓨터의 사용.

Universal Citation: SC Code § 14-7-140 (2019)

일반적 인용: SC Code § 14-7-140 (2019)

Notwithstanding the provisions of this chapter, the clerk of court or deputy clerk of court of a county, when drawing and summoning jurors for the court of common pleas, general sessions, or the grand jury, may utilize a computer for this purpose at the discretion of the governing body of the county. Computer software employed for the purpose of drawing and summoning jurors must be designed so as to ensure a random selection of jurors from the population available for jury service. The computerized drawing and summoning of jurors must take place in the office of the clerk of court as a public event to ensure the absolute integrity of the random selection process. The Supreme Court shall direct by order the appropriate procedures required to implement the provisions of this section.

국민간 소송법원을 위한, 치안재판소를 위한, 또는 대배심을 위한 배심원(후보)들을 추출할 때에는 및 소환할 때에는 이 장의 규정들에도 불구하고 이 목적을 위하여 카운티 관리부의 재량에 따라서 컴퓨터를 카운티의 법원 서기는 또는 법원 부서기는 이용할 수 있다. 배심복무에 뽑힐 수 있는 모집단으로부터의 배심원(후보)들의 무작위 선정을 보장하도록, 배심원(후보)들을 추출하기 위하여 및 소환하기 위하여 사용되는 컴퓨터 소프트웨어는 설계되지 않으면 안 된다. 무작위 선정 절차의 절대적 정직성을 보장하기 위하여 법원서기의 사무소에서 한 개의 공개적 행사로서 배심원(후보)들의 컴퓨터에 의한 추출은 및 소환은 이루어지지 않으면 안 된다. 이 절의 규정들의 실시에 요구되는 적절한 절차들을 명령에 의하여 대법원은 지시하여야 한다.

HISTORY: 1962 Code Section 38-52; 1952 Code Section 38-52; 1942 Code Section 608; 1932 Code Section 608; Civ. P. '22 Section 548; Civ. C. '12 Section 4017; 1902 (23) 1066; 1915 (29) 76; 1933 (38) 446; 1939 (41) 27, 332, 543; 1941 (42) 70; 1967 (55) 895; 1974 (58) 2283; 1986 Act No. 340, Section 1, eff March 10, 1986; 1988 Act No. 299, eff February 2, 1988; 2006 Act No. 224, Section 1, eff February 3, 2006; 2012 Act No. 200, Section 2, eff June 7, 2012.

https://law.justia.com/codes/south-carolina/2019/title-14/chapter-7/section-14-7-150/

Section 14-7-150. Preparation of jury box.
배심원후보상자의 준비.

Universal Citation: SC Code § 14-7-150 (2019)

일반적 인용: SC Code § 14-7-150 (2019)

The jury box of a county shall contain the same number of capsules or containers as there are names on the jury list prepared by the jury commissioners from the latest official list furnished to the county by the State Election Commission each year and provided to the clerk of court of each county not later than December first of the calendar year. The capsules or containers must be small, opaque, and as similar in size, shape, and color as possible at the time of original purchase or the repurchase of additional capsules. By a slip of paper placed therein, each capsule or container must be numbered, beginning with number "one" and continuing consecutively through the number of qualified electors on the jury list prepared by the jury commissioners as hereinbefore provided. All these papers must be of similar kind, color, and weight so as to resemble each other as much as possible without distinguishing marks. The capsules or containers so prepared must be placed in the jury box constructed as required by law.

해마다 카운티에 주 선거관리위원회가 제공하는 최신의 공식명부로부터 배심위원들에 의하여 작성되는, 및 당해 역년의 12월 1일 이전에 개개 카운티의 법원서기에게 제공되는, 배심명부 상의 이름들의 숫자에의 동일한 숫자의 캡슐들을 내지는 용기들을, 카운티의 배심원후보상자는 포함하여야 한다. 캡슐들은 내지는 용기들은 작지 않으면 및 불투명하지 않으면 안 되고, 그리고 그 처음의 구입 때에 또는 추가적 캡슐들의 구입 때에 그 크기에, 모양에, 그리고 색상에 있어서 가능한 한 동일하지 않으면 안 된다. 개개 캡슐은 및 용기는 그 안에 넣어지는 한 개의 종잇조각에 의하여 숫자가 먹여지지 않으면 안 되는바, 숫자 "일"로부터 시작하여 위에서 규정된 대로 배심위원들에 의하여 작성된 당해 배심명부 상의 유자격 유권자들의 숫자에 이르기까지 연속적으로 그 숫자는 이어지지 않으면 안 된다. 이 종이들 전부는 구분표지들 없이 그 종류에, 색상에, 및 무게에 있어서 가능한 한도껏 서로 닮도록 비슷하지 않으면 안 된다. 그렇게 만들어진 캡슐들은 및 용기들은, 법에 의하여 요구되는 바대로 조제되는 배심후보상자에 넣어지지 않으면 안 된다.

HISTORY: 1962 Code Section 38-93; 1972 (57) 2305; 1985 Act No. 340, Section 5; 1976 Code Section 14-7-630; 1986 Act No. 340, Section 1, eff March 10, 1986.

Editor's Note

편집자 주해

Prior Laws: Former Section 14-7-150 was titled Jury lists in counties containing cities of more than 70,000, and had the following history: 1962 Code Section 38-53; 1952 Code Section 38-53; 1942 Code Section 608; 1932 Code Section 608; Civ. P. '22 Section 548; Civ. C. '12 Section 4017; 1902 (23) 1066; 1915 (29) 76; 1933 (38) 446; 1939 (41) 27, 332, 543; 1941 (42) 70; 1942 (43) 263; 1957 (50) 11; omitted by 1986 Act No. 340, Section 1.

과거의 법률들: 인구 70,000을 초과하는 시티들을 포함하는 카운티들에서의 배심명부들이라는 제목을 과거

의 제14-7-150절은 달고 있었는바, 아래의 연혁을 그것은 지녔었다: 1962 Code Section 38-53; 1952 Code Section 38-53; 1942 Code Section 608; 1932 Code Section 608; Civ. P. '22 Section 548; Civ. C. '12 Section 4017; 1902 (23) 1066; 1915 (29) 76; 1933 (38) 446; 1939 (41) 27, 332, 543; 1941 (42) 70; 1942 (43) 263; 1957 (50) 11; omitted by 1986 Act No. 340, Section 1.

https://law.justia.com/codes/south-carolina/2019/title-14/chapter-7/section-14-7-160/

Section 14-7-160. Drawing and notification of jurors.
배심원들의 추출 및 통지들.

Universal Citation: SC Code § 14-7-160 (2019)

일반적 인용: SC Code § 14-7-160 (2019)

At the time provided by law for the drawing of jurors, the jury commissioners shall randomly withdraw from the jury box one capsule or container for each juror required by law to be drawn. The jury commissioners shall then open each capsule or container drawn and ascertain the number contained therein. The names of the jurors drawn must be taken from the jury list by the numbers thereon corresponding to the numbers drawn from the capsules or containers. The jury commissioners may not excuse or disqualify any juror selected. Immediately after the jurors are drawn, the clerk of court shall issue his writ and process as now required by law for the jurors whose numbers were drawn. Any juror drawn for a term of court must be notified of the time and place he is to appear for jury duty at least fifteen days before he is to appear and serve as a juror. If the trial judge determines that additional jurors are immediately necessary for the conduct of the court he may waive the fifteen-day notice.

배심원(후보)들의 추출을 위하여 법에 의하여 규정되는 때에, 그 추출되도록 법에 의하여 요구되는 개개 배심원(후보)마다를 위한 한 개의 캡슐을 또는 용기를 배심원후보상자로부터 무작위로 배심위원들은 추출하여야 한다. 그 뒤에 배심위원들은 개개 캡슐을 또는 용기를 열어야 하고 그 안에 담긴 숫자를 확인하여야 한다. 캡슐들로부터 내지는 용기들로부터 추출된 숫자들에 상응하는 배심명부 위의 숫자들에 의하여 배심명부로부터, 그 추출된 할 배심원(후보)들의 이름들은 취하여지지 않으면 안 된다. 선정되는 배심원(후보) 어느 누구를이라도 배심위원들은 면제하여서는 내지는 자격을 부정하여서는 안 된다. 배심원(후보)들이 추출된 뒤에 곧바로, 그 숫자들이 추출된 배심원(후보)들을 위하여 법에 의하여 지금 요구되는 바에 따라서 자신의 영장을 법원서기는 발부하여야 한다. 법원의 한 개의 개정기를 위하여 추출된 배심원(후보)에게는 한 명의 배심원(후보)으로서 그가 출석해야 할 및 복무해야 할 날 전에 적어도 15일의 여유를 두고서, 배심의무를 위하여 그가 출석하여야 할 시간에 및 장소에 관한 통지가 이루어지지 않으면 안 된다. 당해 법원의 업무수행을 위하여 추가적 배심원(후보)들이 즉시 필요하다고 만약 정식사실심리 판사가 판단하면 그 15일 여유의 통지를 그는 포기할 수 있다.

HISTORY: 1962 Code Section 38-95; 1972 (57) 2305; 1976 Code Section 14-7-650; 1986 Act No. 340, Section 1, eff March 10, 1986.

Editor's Note

편집자 주해

Prior Laws: Former Section 14-7-160 was titled Names from jury list shall be placed in jury box, and had the following history: 1962 Code Section 38-55; 1952 Code Section 38-55; 1942 Code Section 608; 1932 Code Section 608; Civ. P. '22 Section 548; Civ. C. '12 Section 4017; 1902 (23) 1066; 1915 (29) 76; 1933 (38) 446; 1939 (41) 27, 332, 543; 1941 (42) 70; omitted by 1986 Act No. 340, Section 1.

과거의 법률들: 배심명부로부터의 이름들은 배심원후보상자에 넣어져야 함이라 제목을 이전의 제14-7-160절은 달고 있었는바, 아래의 연혁을 그것은 지녔었다: 1962 Code Section 38-55; 1952 Code Section 38-55; 1942 Code Section 608; 1932 Code Section 608; Civ. P. '22 Section 548; Civ. C. '12 Section 4017; 1902 (23) 1066; 1915 (29) 76; 1933 (38) 446; 1939 (41) 27, 332, 543; 1941 (42) 70; omitted by 1986 Act No. 340, Section 1.

https://law.justia.com/codes/south-carolina/2019/title-14/chapter-7/section-14-7-170/

Section 14-7-170. Procedure in event of failure of jury commissioners to prepare list of jurors for ensuing year.

차기연도를 위한 배심원들의 명부를 만들기에 대한 배심위원들의 불이행의 경우에서의 절차

Universal Citation: SC Code § 14-7-170 (2019)

일반적 인용: SC Code § 14-7-170 (2019)

When the jury commissioners in a county in this State shall omit to prepare the list of jurors for the then ensuing year or to prepare the ballots of the names and place them in the boxes at the time and in the manner required in this article, the Chief Justice, any associate justice of the Supreme Court, or any circuit judge shall grant an order on the application of any solicitor or attorney at law showing this omission by affidavit, which may be on information and belief, requiring the jury commissioners in question, within ten days after the order, to prepare these lists and ballots of names and to prepare the jury boxes (nunc pro tunc) and all juries drawn from these boxes are as valid and lawful as if the omission had not occurred.

이 조에서 요구되는 때에 및 방법으로 그 시점에서의 차기연도를 위한 배심원(후보)들의 명부를 만들기를 내지는 이름들의 뽑기용지들을 만들기를 및 그것들을 상자들 안에 넣기를 이 주 내의 카운티에서의 배심위원들이 빠뜨리는 경우에, 명령 뒤 10일 내에 (본래의 때에 소급하여) 이 명부들을 및 이름들의 뽑기용지들을 만들도록 및 배심원후보상자들을 조제하도록 문제의 배심위원들에게 요구하는 명령을, 이 빠뜨리기를 선서진술서에 의하여 - 그 선서진술서는 정보에 및 믿음에 근거하는 것이어도 된다 - 증명하는 변호사 아무나의 신청에 따라서 대법원장은, 대법원의 배석판사 아무나는, 또는 순회구 지방법원 판사 아무나는 내릴 수 있는바, 이 배심원후보상자들로부터 추출되는 모든 배심들은 그 빠뜨리기가 발생하지 아니하였을 경우에 준하여 똑같이 유효하고 적법하다.

HISTORY: 1962 Code Section 38-56; 1952 Code Section 38-56; 1942 Code Section 609; 1932 Code Section 609; Civ. P. '22 Section 549; Civ. C. '12 Section 4018; 1902 (23) 1066; 1921 (32) 276; 1939 (41) 27; 1941 (42) 70; 1942 (42) 1546; 1985 Act No. 1, Section 1, eff March 1, 1985; 1986 Act No. 340, Section 1, eff March 10, 1986.

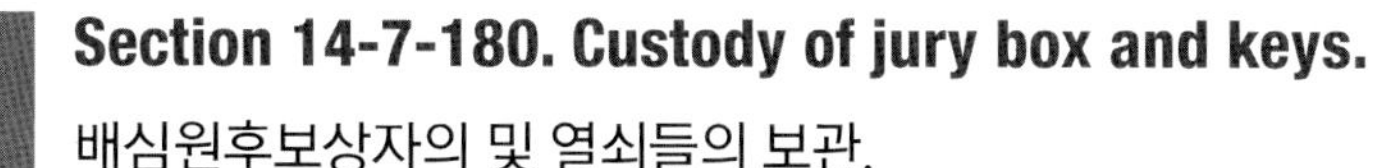

https://law.justia.com/codes/south-carolina/2019/title-14/chapter-7/section-14-7-180/

Section 14-7-180. Custody of jury box and keys.
배심원후보상자의 및 열쇠들의 보관.

Universal Citation: SC Code § 14-7-180 (2019)

일반적 인용: SC Code § 14-7-180 (2019)

The clerk of the court shall keep the jury box in his custody. The jury box must be kept securely locked with three separate and strong locks, each lock being different and distinct from the other two and requiring one key peculiar to itself in order to be unlocked. The key to one of these three locks must be kept by the county auditor himself, the key to another of these three locks must be kept by the county treasurer himself, and the key to the third of these three locks must be kept by the clerk of the court of common pleas himself, so that no two of them shall keep a similar key or similar keys to the same lock and so that all three of them must be present together at the same time and place in order to lock or unlock and open the jury box.

배심원후보상자를 자신의 보관 아래에 법원서기는 두어야 한다. 세 개의 따로따로인 튼튼한 잠금장치들로써 안전하게 잠긴 채로 배심원후보상자는 보관되지 않으면 안 되는바, 개개 잠금장치는 나머지 두 개로부터 상이한 것이어야 하고 구분되는 것이어야 하며 그 풀리기 위하여는 그것 자체에 특유한 한 개의 열쇠를 요구하는 것이어야 한다. 이 세 개의 잠금장치들 중의 한 개의 열쇠는 카운티 회계감사관 자신에 의하여, 이 세 개의 잠금장치들 중 다른 한 개는 카운티 출납관 자신에 의하여, 그리고 이 세 개의 잠금장치들 중 세 번째 것은 국민간 소송법원 서기 자신에 의하여 보관되지 않으면 안 되는바, 그리하여 동일한 잠금장치에 대한 유사한 키를 또는 유사한 키들을 그들 중 두 명이 보관하는 일이 있어서는 안 되게끔, 그리고 당해 배심원후보상자를 잠그기 위하여는 또는 풀기 위하여는 같은 시간에 및 장소에 그것들 셋이 함께 있지 않으면 안 되게끔 하여야 한다.

HISTORY: 1962 Code Section 38-58; 1952 Code Section 38-58; 1942 Code Section 609; 1932 Code Section 609; Civ. P. '22 Section 549; Civ. C. '12 Section 4018; 1902 (23) 1066; 1921 (32) 276; 1939 (41) 27; 1941 (42) 70; 1976 Code Section 14-7-190; 1986 Act No. 340, Section 1, eff March 10, 1986.

Editor's Note

편집자 주해

Prior Laws: Former Section 14-7-180 was titled List of jurors when jury commissioners fail to prepare list, and had the following history: 1962 Code Section 38-57; 1952 Code Section 38-57; 1942 Code Section 623; 1932 Code Section 623; Civ. P. '22 Section 563; Civ. C. '12 Section 4031; 1905 (24) 917; omitted by 1986 Act No. 340, Section 1.

과거의 법률들: 명부를 만들기를 배심위원들이 불이행하는 경우에의 배심원(후보)들의 명부라는 제목을 이전의 제14-7-180절은 달고 있었는바, 아래의 연혁을 그것은 지녔었다: 1962 Code Section 38-57; 1952 Code Section 38-57; 1942 Code Section 623; 1932 Code Section 623; Civ. P. '22 Section 563; Civ. C. '12 Section 4031; 1905 (24) 917; omitted by 1986 Act No. 340, Section 1.

https://law.justia.com/codes/south-carolina/2019/title-14/chapter-7/section-14-7-190/

Section 14-7-190. Drawing of petit jurors to serve as jury pool during weeks in which more than one term of court requiring juries are scheduled.

배심들을 요구하는 한 개를 넘는 법원 개정기들이 예정되어 있는 주들(weeks) 동안에 배심풀로서 복무할 소배심원들의 추출.

Universal Citation: SC Code § 14-7-190 (2019)

일반적 인용: SC Code § 14-7-190 (2019)

Not less than fifteen days nor more than thirty-five days before the first day of any week in which more than one term of court requiring juries is scheduled in a county, the jury commissioners shall draw a number of petit jurors to serve as a jury pool, from which the courts shall draw panels of jurors as needed according to the following schedule:

배심풀로서 복무할 일정숫자의 소배심원(후보)들을, 한 개의 카운티에서 배심들을 요구하는 한 개를 넘는 법원 개정기가 예정되어 있는 주(week)의 첫째 날 전에 15일 이상 35일 이하의 여유를 두고서, 배심위원들은 추출하여야 하는바, 그 필요한 배심원(후보)단들을 그 배심풀로부터 아래의 표에 따라서 법원들은 추출하여야 한다:

(1) When two concurrent terms of court are scheduled, the commissioners shall draw ninety percent of the number of jurors which they would otherwise draw;

법원의 두 개의 동시진행 개정기들이 예정되는 경우에, 여느 경우에였다면 그들이 추출하였을 배심원(후보)들 숫자의 90퍼센트를 배심위원들은 추출하여야 한다;

(2) When three concurrent terms of court are scheduled, the commissioners shall draw eighty percent of the number of jurors which they would otherwise draw;

법원의 세 개의 동시진행 개정기들이 예정되는 경우에는, 여느 경우에였다면 그들이 추출하였을 배심원(후보)들 숫자의 80퍼센트를 배심위원들은 추출하여야 한다;

(3) When four concurrent terms of court are scheduled, the commissioners shall draw seventy percent of the number of jurors which they would otherwise draw; or

법원의 네 개의 동시진행 개정기들이 예정되는 경우에는, 여느 경우에였다면 그들이 추출하였을 배심원(후보)들 숫자의 70퍼센트를 배심위원들은 추출하여야 한다;

(4) When five or more concurrent terms of court are scheduled, the commissioners shall draw fifty percent of the number of jurors which they would otherwise draw.

법원의 다섯 개의 동시진행 개정기들이 예정되는 경우에는, 여느 경우에였다면 그들이 추출하였을 배심원(후보)들 숫자의 50퍼센트를 배심위원들은 추출하여야 한다;

The jury commissioners shall not exclude or disqualify any juror drawn.

그 추출되는 배심원(후보) 어느 누구를도 배심위원들은 배제하여서는 또는 결격처리 하여서는 안 된다.

HISTORY: 1977 Act No. 208, Section 1; 1976 Code Section 14-7-235; 1986 Act No. 340, Section 1, eff March 10, 1986; 1992 Act No. 483, Section 1, eff July 1, 1992.

Editor's Note

편집자 주해

Provisions relative to custody of jury box and keys thereto, which formerly appeared in this section, can now be found in Section 14-7-180.

과거에는 이 절에 있던 배심원후보상자의 및 그 열쇠들의 보관에 관한 규정들은 지금은 제14-7-180절에서 찾아질 수 있다.

https://law.justia.com/codes/south-carolina/2019/title-14/chapter-7/section-14-7-200/

Section 14-7-200. Drawing of petit jurors to serve during week of regular or special term of circuit court.

순회구 지방법원의 정규 개정기의 또는 특별 개정기의 주 동안에 복무할 소배심원(후보)들의 추출.

Universal Citation: SC Code § 14-7-200 (2019)

일반적 인용: SC Code § 14-7-200 (2019)

Not less than fifteen nor more than thirty-five days before the first day of each week of any regular or special term of the circuit court the jury commissioners shall proceed to draw at least seventy-five petit jurors to serve for that week only. The chief administrative judge or the presiding judge of that circuit may increase or decrease the number of jurors drawn if he considers it necessary; however, at least seventy-five jurors must be drawn. The jury commissioners shall randomly select the jurors and shall not excuse or disqualify any juror who has been selected. Immediately after the petit jurors are drawn, the clerk of the court of common pleas shall issue his writ of venire facias for the petit jurors, requiring their attendance on the first day of the week for which they have been drawn and this writ of venire facias must be immediately delivered to the sheriff of the county.

순회구 지방법원의 정규 개정기의 내지는 특별 개정기의 개개 주 동안에만 복무할 적어도 75명의 소배심원(후보)들을 추출하기를, 당해 개정기의 개개 주의 첫째 날 전에 15일 이상의 및 35일 이하의 여유를 두고서 배심위원들은 착수하여야 한다. 그 추출되는 배심원(후보)들의 숫자를, 그 필요하다고 만약 그가 생각하면, 당해 순회구 지방법원의 법원장은 내지는 주재판사는 늘릴 수 있거나 줄일 수 있다; 그러나 적어도 75명의 배심원(후보)들이 추출되지 않으면 안 된다. 배심원(후보)들을 배심위원들은 무작위로 선정하여야 하는바, 그 선정된 터인 배심원(후보) 어느 누구를도 그들은 면제하거나 결격처리 하여서는 안 된다. 소배심원(후보)들이 추출되고 난 직후에 그 소배심원(후보)들을 위한 배심원소집영장을 국민간 소송법원의 서기는 발부하여야 하고, 그들이 복무하도록 추출된 터인 해당 주 첫째 날에의 그들의 출석을 그것은 요구하여야 하는바, 카운티 집행관에게 이 배심원소집영장은 즉시 교부되지 않으면 안 된다.

HISTORY: 1962 Code Section 38-61; 1952 Code Section 38-61; 1942 Code Section 610; 1932 Code Section 610; Civ. P. '22 Section 550; Civ. C. '12 Section 4019; 1902 (23) 1066; 1916 (29) 820; 1939 (41) 27; 1941 (42) 70; 1953 (48) 45, 185, 444; 1955 (49) 60, 76, 269, 651; 1958 (50) 1961; 1976 Code Section 14-7-230; 1986 Act No. 340, Section 1; 1992 Act No. 483, Section 2; 1993 Act No. 18, Section 1, eff April 22, 1993.

Editor's Note

편집자 주해

Prior Laws: Former Section 14-7-200 was titled Custody of jury box and locks in counties containing a city of more than 70,000, and had the following history: 1962 Code Section 38-59; 1952 Code Section 38-59; 1942 Code Section 609; 1932 Code Section 609; Civ. P. '22 Section 549; Civ. C. '12 Section 4018; 1902 (23) 1066; 1921 (32) 276; 1939 (41) 27; 1941 (42) 70; 1943 (43) 263; omitted by 1986 Act No. 340, Section 1.

과거의 법률들: 인구 70,000 초과의 시티를 포함하는 카운티들에서의 배심원후보상자의 및 열쇠들의 보관이라는 제목을 이전의 제14-7-200절은 달고 있었는바, 아래의 연혁을 그것은 지녔었다: 1962 Code Section 38-59; 1952 Code Section 38-59; 1942 Code Section 609; 1932 Code Section 609; Civ. P. '22 Section 549; Civ. C. '12 Section 4018; 1902 (23) 1066; 1921 (32) 276; 1939 (41) 27; 1941 (42) 70; 1943 (43) 263; omitted by 1986 Act No. 340, Section 1.

https://law.justia.com/codes/south-carolina/2019/title-14/chapter-7/section-14-7-210/

Section 14-7-210. Discharge of jury prohibited.
배심의 임무해제는 금지됨.

Universal Citation: SC Code § 14-7-210 (2019)

일반적 인용: SC Code § 14-7-210 (2019)

Whenever a jury is charged with a case, it must not be discharged by reason of anything in Section 14-7-200 contained until a verdict is found or a mistrial ordered in such case.

한 개의 배심에게 한 개의 사건이 맡겨지는 때에는 언제든지, 그러한 사건에서 한 개의 평결이 내려지기까지는 내지는 한 개의 심리무효가 명령되기까지는, 제14-7-200절에 포함된 그 어떤 사항을 이유로 하여서도 배심은 임무해제 되어서는 안 된다.

HISTORY: 1962 Code Section 38-62; 1952 Code Section 38-62; 1942 Code Section 610; 1932 Code Section 610; Civ. P. '22 Section 550; Civ. C. '12 Section 4019; 1902 (23) 1066; 1916 (29) 820; 1939 (41) 27; 1941 (42) 70; 1976 Code Section 14-7-240; 1986 Act No. 340, Section 1, eff March 10, 1986.

Editor's Note

편집자 주해

Prior Laws: Former Section 14-7-210 was titled Names shall be placed in "tales box"; exceptions as to certain counties, and had the following history: 1962 Code Section 38-60; 1952 Code Section 38-60; 1942 Code Section 609; 1932 Code Section 609; Civ. P. '22 Section 549; Civ. C. '12 Section 4018; 1902 (23) 1066; 1921 (32) 276; 1939 (41) 27; 1941 (42) 70; 1955 (49) 22, 66, 72, 534; 1957 (50) 12; 1959 (51) 487; 1960 (51) 1759; 1962 (52) 1718, 1880; 1967 (55) 8, 81; 1968 (55) 2252; 1969 (56) 20, 354, 928; 1970 (56) 2288, 2358, 2430; 1971 (57) 3, 121, 442, 2018; 1972 (57) 2202; omitted by 1986 Act No. 340, Section 1.

과거의 법률들: 이름들은 "보결배심원후보상자"에 넣어져야 함; 특정 카운티들에 관한 예외들이라는 제목을 이전의 제14-7-210절은 달고 있었는바, 아래의 연혁을 그것은 지녔었다: 1962 Code Section 38-60; 1952

Code Section 38-60; 1942 Code Section 609; 1932 Code Section 609; Civ. P. '22 Section 549; Civ. C. '12 Section 4018; 1902 (23) 1066; 1921 (32) 276; 1939 (41) 27; 1941 (42) 70; 1955 (49) 22, 66, 72, 534; 1957 (50) 12; 1959 (51) 487; 1960 (51) 1759; 1962 (52) 1718, 1880; 1967 (55) 8, 81; 1968 (55) 2252; 1969 (56) 20, 354, 928; 1970 (56) 2288, 2358, 2430; 1971 (57) 3, 121, 442, 2018; 1972 (57) 2202; omitted by 1986 Act No. 340, Section 1.

https://law.justia.com/codes/south-carolina/2019/title-14/chapter-7/section-14-7-220/

Section 14-7-220. Drawings to be open and public; notice.
추출은 공개적인 및 공공연한 것이 되어야 함; 통지.

Universal Citation: SC Code § 14-7-220 (2019)

일반적 인용: SC Code § 14-7-220 (2019)

The drawings must be made openly and publicly in the office of the clerk of court of common pleas and the jury commissioners shall give ten days' notice of the place, day, and hour of each of the drawings by posting in a conspicuous place on the courthouse door or by advertisement in a county newspaper.

국민간 소송법원 서기의 사무소에서 공개적으로 및 공공연하게 추출들은 이루어지지 않으면 안 되는바, 개개 추출들의 장소에, 날짜에 및 시간에 대한 10일의 통지를, 법원건물 정문 위의 눈에 띄는 장소에의 붙임에 의하여 또는 카운티 신문에의 광고에 의하여, 배심위원들은 제공하여야 한다.

HISTORY: 1962 Code Section 38-63; 1952 Code Section 38-63; 1942 Code Section 611; 1932 Code Section 611; Civ. P. '22 Section 551; Civ. C. '12 Section 4020; 1902 (23) 1066; 1939 (41) 27; 1941 (42) 22, 70; 1976 Code Section 14-7-250; 1986 Act No. 340, Section 1, eff March 10, 1986.

Editor's Note

편집자 주해

Prior Laws: Former Section 14-7-220 was titled Names shall be placed in "tales box"; special provisions for counties of between 50,000 and 53,000 population, and had the following history: 1962 Code Section 38-60.1; 1958 (50) 1994; omitted by 1986 Act No. 340, Section 1.

과거의 법률들: "보결배심원후보상자"에 넣어져야 할 이름들; 인구 50,000에서 53,000 사이의 카운티들을 위한 특별규정들이라는 제목을 이전의 제14-7-220절은 달고 있었는바, 아래의 연혁을 그것은 지녔었다: 1962 Code Section 38-60.1; 1958 (50) 1994; omitted by 1986 Act No. 340, Section 1.

https://law.justia.com/codes/south-carolina/2019/title-14/chapter-7/section-14-7-230/

Section 14-7-230. Methods for drawing names of jurors.
배심원(후보)들의 이름들을 추출하는 데에 사용되어야 할 방법들.

Universal Citation: SC Code § 14-7-230 (2019)

일반적 인용: SC Code § 14-7-230 (2019)

The clerk of court must use one of the following methods for drawing the names of jurors for the purpose of impaneling a jury:

한 개의 배심을 충원구성하기 위하여는 배심원(후보)들의 이름들을 추출하는 데에 아래의 방법들 중 한가지를 법원서기는 사용하지 않으면 안 된다:

(1) drawing of the names of jurors by a responsible and impartial person designated by the clerk of court, with the approval of the presiding judge; or

배심원(후보)들의 이름들을, 법원장의 승인을 얻어 법원서기에 의하여 지명되는 책임성 있는 및 공정한 사람에 의하여 추출하는 방법; 또는

(2) drawing of the names of jurors by computer, subject to the provisions of Section 14-7-140.

배심원(후보)들의 이름들을 제14-7-140절의 적용 아래서 컴퓨터에 의하여 추출하는 방법.

HISTORY: 1962 Code Section 38-65; 1952 Code Section 38-65; 1942 Code Section 630-1; 1933 (38) 285; 1971 (57) 83; 1985 Act No. 27, eff March 25, 1985; 1976 Code Section 14-7-270; 1986 Act No. 340, Section 1, eff March 10, 1986; 2006 Act No. 224, Section 2, eff February 3, 2006.

Editor's Note

편집자 주해

Prior Laws: Former Section 14-7-230 was titled Drawing of petit jurors, see now, Section 14-7-200.

과거의 법률들: 소배심원(후보)들을 추출하기라는 제목을 이전의 제14-7-230절은 달고 있었는바, 지금은 제14-7-200절을 볼 것.

https://law.justia.com/codes/south-carolina/2019/title-14/chapter-7/section-14-7-240/

Section 14-7-240. Selection of jurors by drawing.
추출하기에 의한 배심원(후보)들의 선정.

Universal Citation: SC Code § 14-7-240 (2019)

일반적 인용: SC Code § 14-7-240 (2019)

All jurors must be selected by drawing ballots from the jury box and, subject to the exceptions herein contained, the persons whose names are on the ballots so drawn must be returned to serve as jurors.

뽑기용지들을 배심원후보상자로부터 추출함에 의하여 모든 배심원들은 선정되지 않으면 안 되는바, 여기에 포함되는 예외들이 적용되는 가운데, 그렇게 추출되는 뽑기용지들 위에 그 이름들이 있는 사람들은 배심원들로서 복무하도록 보고되지 않으면 안 된다.

HISTORY: 1962 Code Section 38-66; 1952 Code Section 38-66; 1942 Code Section 612; 1932 Code Section 612; Civ. P. '22 Section 552; Civ. C. '12 Section 4021; 1902 (23) 1066; 1976 Code Section 14-7-280; 1986 Act No. 340, Section 1, eff March 10, 1986.

Editor's Note

편집자 주해

Provisions relative to when a jury, having been charged with a case, may be discharged, which formerly appeared in this section, can now be found in Section 14-7-210.

과거에는 이 절에 들어 있던, 한 개의 사건을 맡게 된 한 개의 배심이 언제 임무해제 될 수 있는지에 관련되는 규정들은 지금은 제14-7-210절에서 찾아질 수 있다.

https://law.justia.com/codes/south-carolina/2019/title-14/chapter-7/section-14-7-250/

Section 14-7-250. Disposition of names of those who are drawn and serve on a jury pool.

추출되어 배심풀에 복무하는 사람들의 이름들의 처리.

Universal Citation: SC Code § 14-7-250 (2019)

일반적 인용: SC Code § 14-7-250 (2019)

The names of those who are drawn and attend a session of court as a member of a jury pool must be placed in an envelope and must not be put back into the jury box until the first revision of the jury list provided for after they have been so drawn, to the end that no person is required to serve as a juror more than once in three calendar years. Nothing contained in this article may be construed to be in conflict with the provisions of the law as to selecting by lot from the grand jury six members to serve for the ensuing year.

그 추출되는 및 한 개의 배심풀의 구성원으로서 법원의 개정법정에 출석하는 사람들의 이름들은 한 개의 봉투 안에 넣어지지 않으면 안 되고, 그렇게 그들이 추출되고 난 뒤에 제공되는 배심명부의 최초의 개정 때까지 배심원후보상자에 되돌려 넣어져서는 안 되는바, 그 목적은 3역년 내에 한 번을 넘어서 한 명의 배심원으로서 복무하도록은 어느 누구가라도 요구되지 아니하게 하고자 함이다. 차기연도를 위하여 복무할 여섯 명의 구성원들을 대배심으로부터 추첨에 의하여 선정함에 관련되는 법 규정들에 모순되도록 이 조에 들어 있는 것은 해석되어서는 안 된다.

Nothing contained in this article prohibits a person whose name has been properly drawn and who desires to serve as a juror from serving more frequently than once every three calendar years, except that no person shall serve as a juror more than once every calendar year as provided in Section 14-7-850.

그 이름이 적법하게 추출되어 있는, 및 한 명의 배심원으로서 복무하기를 원하는, 사람으로 하여금 매 3년에 한 번을 초과하여 복무하지 못하도록은 이 조에 들어 있는 것은 금지하지 아니하는바, 다만 제14-7-850절에 규정되는 바대로 매 역년에 한 번을 초과하여서는 한 명의 배심원으로서 어느 누구가라도 복무하여서는 안 된다.

HISTORY: 1962 Code Section 38-67; 1952 Code Section 38-67; 1942 Code Section 613; 1932 Code Section 613; Civ. P. '22 Section 553; Civ. C. '12 Section 4022; 1902 (23) 1066; 1976 Code Section 14-7-290; 1986 Act No. 340, Section 1, eff March 10, 1986; 1992 Act No. 483, Section 3, eff July 1, 1992; 1996 Act No. 233, Section 1, eff March 4, 1996; 2000 Act No. 257, Section 2, eff May 1, 2000.

Editor's Note

편집자 주해

Provisions requiring that drawings be open and public and requiring notice of drawings, which formerly appeared in this section, can now be found in Section 14-7-220.

과거에는 이 절에 들어 있던, 추출들이 공개적인 및 공공연한 것이 되어야 함을 및 추출들의 통지를 요구하는 규정들은 지금은 제14-7-220절에서 찾아질 수 있다.

https://law.justia.com/codes/south-carolina/2019/title-14/chapter-7/section-14-7-260/

Section 14-7-260. Number of jurors to be drawn and summoned.
추출되어야 할 및 소환되어야 할 배심원(후보)들의 숫자.

Universal Citation: SC Code § 14-7-260 (2019)

일반적 인용: SC Code § 14-7-260 (2019)

Except as otherwise expressly provided, the jury commissioners shall draw and summon at least seventy-five persons to serve as petit jurors to attend at one and the same time at any court. The chief administrative judge or the presiding judge of that circuit may increase or decrease the number of jurors drawn and summoned if he considers it necessary; however, at least seventy-five jurors must be drawn and summoned.

명시적으로 달리 규정되는 경우에를 제외하고는, 어떤 법원에서든지의 한 번의 동일한 시간에 출석할 및 소배심원들로서 복무할 적어도 75명의 사람들을 배심위원들은 추출하여야 하고 소환하여야 한다. 그 추출되는 및 소환되는 배심원(후보)들의 숫자를 그 필요하다고 그가 간주하면 당해 순회구 지방법원의 법원장은 내지는 주재판사는 증대시킬 수 있거나 감소시킬 수 있다; 그러나 적어도 75명의 배심원들이 추출되지 않으면 안 되고 소환되지 않으면 안 된다.

HISTORY: 1962 Code Section 38-68; 1952 Code Section 38-68; 1942 Code Section 616; 1932 Code Section 616; Civ. P. '22 Section 556; Civ. C. '12 Section 4025; 1902 (23) 1066; 1953 (48) 45; 1976 Code Section 14-7-300; 1986 Act No. 340, Section 1; 1993 Act No. 18, Section 2, eff April 22, 1993.

Editor's Note

편집자 주해

Prior Laws: Former Section 14-7-260 was titled Drawings in counties containing a city of more than 70,000, and had the following history: 1962 Code Section 38-64; 1952 Code Section 38-64; 1942 Code Section 611; 1932 Code Section 611; Civ. P. '22 Section 551; Civ. C. '12 Section 4020; 1902 (23) 1066; 1939 (41) 27; 1941 (42) 22, 70; 1943 (43) 263; omitted by 1986 Act No. 340, Section 1.

과거의 법률들: 인구 70,000 초과의 시티를 포함하는 카운티들에서의 추출들이라는 제목을 이전의 제14-7-260절은 달고 있었는바, 아래의 연혁을 그것은 지녔었다: 1962 Code Section 38-64; 1952 Code Section 38-64; 1942 Code Section 611; 1932 Code Section 611; Civ. P. '22 Section 551; Civ. C. '12 Section 4020; 1902 (23) 1066; 1939 (41) 27; 1941 (42) 22, 70; 1943 (43) 263; omitted by 1986 Act No. 340, Section 1.

https://law.justia.com/codes/south-carolina/2019/title-14/chapter-7/section-14-7-270/

Section 14-7-270. Preparation of special jury list in certain circumstances.

일정한 상황들에서의 특별 배심명부의 조제.

Universal Citation: SC Code § 14-7-270 (2019)

일반적 인용: SC Code § 14-7-270 (2019)

Whenever the jury list of any county is destroyed by fire or other casualty or it is held by any court of competent jurisdiction that the jury list has been unlawfully prepared or is irregular or illegal, so as to render void the drawing of jurors therefrom, the jury commissioners shall prepare a special jury list for the county immediately in the manner herein prescribed from which special list grand and petit jurors are drawn for the courts of general sessions and common pleas for the county until the annual jury list has been prepared for the county as provided.

화재에 의하여 또는 여타의 사고에 의하여 카운티의 배심명부가 파괴되는 때에는 언제든지, 내지는 배심명부가 불법적으로 조제되었음이 내지는 규칙위반임이 내지는 불법임이 자격 있는 관할권을 지니는 법원에 의하여 인정되는 때에는 언제든지, 그것으로부터의 배심원(후보)들의 추출을 무효로 만들기 위하여, 당해 카운티를 위한 한 개의 특별 배심명부를 여기에 규정되는 방법으로 즉시 배심위원들은 조제하여야 하는바, 그 규정되는 바대로의 당해 카운티를 위한 당해연도 배심명부가 조제되고 났을 때까지는, 당해 카운티의 치안재판소를 위한 및 국민간 소송법원을 위한 대배심원(후보)들은 및 소배심원(후보)들은 그 특별명부로부터 추출된다.

HISTORY: 1962 Code Section 38-69; 1952 Code Section 38-69; 1942 Code Section 619; 1932 Code Section 619; Civ. P. '22 Section 559; Civ. C. '12 Section 4028; 1902 (23) 1066; 1976 Code Section 14-7-310; 1986 Act No. 340, Section 1, eff March 10, 1986.

Editor's Note

편집자 주해

For a local provision that either the clerk or deputy may draw jurors in Aiken County, see Local Law Index.

아이켄 카운티에서의 배심원(후보)들을 서기가 또는 부서기가 추출할 수 있는 지역규정으로는 Local Law Index를 볼 것.

Provisions relative to persons who may draw jurors, which formerly appeared in this section, can now be found in Section 14-7-230.

과거에는 이 절에 들어 있던, 배심원(후보)들을 추출할 수 있는 사람들에 관련되는 규정들은 지금은 제14-7-230절에서 찾아질 수 있다.

https://law.justia.com/codes/south-carolina/2019/title-14/chapter-7/section-14-7-280/

Section 14-7-280. Duty of circuit judge in case of irregularities.
규칙위반들이 발생한 경우에 있어서의 순회구 지방법원 판사의 의무.

Universal Citation: SC Code § 14-7-280 (2019)

일반적 인용: SC Code § 14-7-280 (2019)

When at any time it is determined by the circuit judge of any circuit, upon complaint made to him, that an irregularity has occurred in the drawing of the juries for any court within his circuit or that any act has been done whereby the validity of any jury drawn or to be drawn may be questioned, the circuit judge may issue his order to the jury commissioners for each county for which the court is to be held, at least five days before the sitting thereof, to proceed to draw jurors for the term or take measures as may be necessary to correct the error.

그 자신의 순회구 내의 그 어느 법원이든지를 위한 배심들의 추출에 있어서의 한 개의 규칙위반이 발생한 상태임이, 또는 그 추출된 내지는 추출되어야 할 배심의 유효성을 의심스럽게 만드는 그 어떤 행위가든지 취해져 있음이, 그 어떤 순회구의 경우에든 당해 순회구 지방법원 판사에게 제기되는 불복신청에 따라서 그 판사에 의하여, 판단되는 경우에는 언제든지, 당해 개정기를 위한 배심원(후보)들을 추출하는 데 나아가라는, 또는 그 오류를 시정하기 위하여 필요한 조치들을 취하라는 그 자신의 명령을, 당해 법원이 열려야 할 개개 카운티 소속의 배심위원들에게 그 개정일 전에 적어도 5일의 여유를 두고서 그 순회구 지방법원 판사는 발부할 수 있다.

HISTORY: 1962 Code Section 38-70; 1952 Code Section 38-70; 1942 Code Section 620; 1932 Code Section 620; Civ. P. '22 Section 560; Civ. C. '12 Section 4029; 1902 (23) 1066; 1972 (57) 2537; 1976 Code Section 14-7-320; 1986 Act No. 340, Section 1, eff March 10, 1986.

Editor's Note

편집자 주해

Provisions relative to selection of jurors by drawing, which formerly appeared in this section, can now be found in Section 14-7-240.

과거에는 이 절에 들어 있던, 추출에 의한 배심원들의 선정에 관련되는 규정들은 지금은 제14-7-240절에서 찾아질 수 있다.

https://law.justia.com/codes/south-carolina/2019/title-14/chapter-7/section-14-7-290/

Section 14-7-290. Preparation of special list and drawing of special jury in certain circumstances.
일정한 상황들에서의 특별명부의 조제 및 특별배심의 추출.

Universal Citation: SC Code § 14-7-290 (2019)

일반적 인용: SC Code § 14-7-290 (2019)

Whenever at any term of the circuit court the array of grand and petit jurors summoned to attend is held to have been irregularly or illegally drawn or summoned, the presiding judge shall immediately order, in either case, that the jury commissioners of the county shall immediately prepare a special list and, in open court, draw a special venire of grand or petit jurors or draw a special jury from the last list prepared according to law. Any special grand or petit jury so drawn and summoned shall serve instead of those discharged at this term.

순회구 지방법원의 개정기 여하에를 불문하고, 그 출석하도록 소환된 대배심원(후보)단이 및 소배심원(후보)단이 규칙에 어긋나게 또는 불법으로 추출되었음이 내지는 소환되었음이 판정되는 때에는 언제든지, 한 개의 특별명부를 조제하여 한 개의 특별소집 대배심원(후보)단을 또는 소배심원(후보)단을 공개법정에서 추출하도록, 또는 한 개의 특별배심을 법에 따라서 조제된 마지막 명부로부터 추출하도록, 카운티 배심위원들에게 어느 쪽의 경우에든 즉시 법원장은 명령하여야 한다. 그렇게 추출되어 소환되는 특별 대배심은 또는 특별 소배심은 그 임무해제된 배심이에 갈음하여 이 개정기에 복무하여야 한다.

HISTORY: 1962 Code Section 38-71; 1952 Code Section 38-71; 1942 Code Section 621; 1932 Code Section 621; Civ. P. '22 Section 561; 1912 (27) 772; 1976 Code Section 14-7-330; 1986 Act No. 340, Section 1, eff March 10, 1986.

Editor's Note

편집자 주해

Provisions relative to disposition of names of those who are drawn and who serve as jurors, which formerly appeared in this section, can now be found in Section 14-7-250.

과거에는 이 절에 들어 있던, 배심원들로서 추출되는 및 복무하는 사람들의 이름들의 처리에 관련되는 규정들은 지금은 제14-7-250절에서 찾아질 수 있다.

https://law.justia.com/codes/south-carolina/2019/title-14/chapter-7/section-14-7-300/

Section 14-7-300. Supplying deficiency in number of jurors drawn.
추출된 배심원들의 숫자에 있어서의 부족을 공급하기.

Universal Citation: SC Code § 14-7-300 (2019)

일반적 인용: SC Code § 14-7-300 (2019)

Whenever it is necessary to supply any deficiency in the number of grand or petit jurors duly drawn, whether caused by challenge or otherwise, the jury commissioners, under the direction of the court, shall draw from the jury box the number of jurors as the court considers necessary to fill the deficiency.

기피신청에 의하여든 또는 그 밖의 사유에 의하여든 초래된, 그 적법하게 추출된 대배심원들의 내지는 소배심원들의 숫자에 있어서의 부족을 공급함이 필요한 때에는 언제든지, 그 부족을 채우기 위하여 필요하다고 법원이 간주하는 숫자의 배심원(후보)들을 배심원후보상자로부터 법원의 명령에 따라서 배심위원들은 추출하여야 한다.

HISTORY: 1962 Code Section 38-72; 1952 Code Section 38-72; 1942 Code Section 618; 1932 Code Section 618; Civ. P. '22 Section 558; Civ. C. '12 Section 4027; 1902 (23) 1066; 1939 (41) 27; 1941 (42) 70; 1943 (43) 263; 1955 (49) 22, 66, 72, 534; 1957 (50) 12; 1958 (50) 1994; 1959 (51) 487; 1960 (51) 1759; 1962 (52) 1718, 1880; 1967 (55) 8, 81; 1968 (55) 2252; 1969 (56) 354, 928; 1970 (56) 2358, 2430; 1971 (57) 3, 121, 442, 2018; 1972 (57) 2202; 1976 Code Section 14-7-340; 1986 Act No. 340, Section 1, eff March 10, 1986.

Editor's Note

편집자 주해

Provisions limiting the number of persons to be drawn and summoned to serve as petit jurors, which formerly appeared in this section, can now be found in Section 14-7-260.

과거에는 이 절에 들어 있던, 소배심원(후보)들로서 복무하도록 추출되어야 할 및 소환되어야 할 사람들의 숫자를 제한하는 규정들은 지금은 제14-7-260절에서 찾아질 수 있다.

https://law.justia.com/codes/south-carolina/2019/title-14/chapter-7/section-14-7-310/

Section 14-7-310. Venires for additional jurors.

추가적 배심원(후보)들을 위한 배심소집영장들.

Universal Citation: SC Code § 14-7-310 (2019)

일반적 인용: SC Code § 14-7-310 (2019)

Nothing contained in this article prevents the clerk of the court of common pleas from issuing venires for additional jurors in term time upon the order of the court whenever it is necessary for the convenient dispatch of its business. In any such case venires must be served and returned and jurors required to attend on those days as the court shall direct.

추가적 배심원(후보)들을 위한 배심소집영장들을, 자신의 업무 상의 편의에 따른 신속한 처리를 위하여 필요한 경우에는 언제든지 개정기 중에 법원의 명령에 따라서, 국민간 소송법원의 서기가 발부함을 이 조에 들어 있는 것은 금지하지 아니한다. 그러한 경우에는 배심소집영장들은 송달되지 않으면 및 보고되지 않으면 안 되고, 법원이 명령하는 날들에 출석하도록 배심원(후보)들은 요구되지 않으면 안 된다.

HISTORY: 1962 Code Section 38-75; 1952 Code Section 38-75; 1942 Code Section 614; 1932 Code Section 614; Civ. P. '22 Section 554; Civ. C. '12 Section 4023; 1902 (23) 1066; 1939 (41) 27; 1941 (42) 70; 1943 (43) 263; 1976 Code Section 14-7-380; 1986 Act No. 340, Section 1, eff March 10, 1986.

Editor's Note

편집자 주해

Provisions relative to preparation of special jury lists in certain circumstances, which formerly appeared in this section, can now be found in Section 14-7-270.

과거에는 이 절에 들어 있던, 일정한 상황들에서의 특별 배심명부들의 조제에 관련되는 규정들은 지금은 제 14-7-270절에서 찾아질 수 있다.

https://law.justia.com/codes/south-carolina/2019/title-14/chapter-7/section-14-7-320/

Section 14-7-320. Calling of alternate jurors.

예비배심원들의 소환.

Universal Citation: SC Code § 14-7-320 (2019)

일반적 인용: SC Code § 14-7-320 (2019)

Whenever in the opinion of a presiding judge of a court of common pleas or general sessions of any county of this State about to enter upon the trial of a civil or criminal case the trial is likely to be protracted, the court may cause an entry to that effect to be made in the minutes of the court and, immediately after the jury is impaneled and sworn, the court shall direct the calling of one or two additional jurors in its discretion, to be known as alternate jurors. These jurors must be drawn from the same source, in the same manner, have the same qualifications, and be subject to the same examination and challenge as the jurors already sworn.

한 개의 민사소송의 내지는 형사소송의 정식사실심리가 오래 끌게 될 가능성이 있다는 것이 그 정식사실심리에 곧 들어가게 될 이 주 카운티 어디든지의 국민간 소송법원의 내지는 치안판사재판소의 법원장의 의견인 때에는 언제든지, 법원 의사록에 그 취지의 기입이 이루어지도록 당해 법원은 조치할 수 있는바, 배심이 충원구성된 및 선서절차에 처해진 뒤에 곧바로 그 자신의 재량으로, 예비배심원들이라고 칭해지는 한 명의 또는 두 명의 추가적 배심원들의 소환을 당해 법원은 명령하여야 한다. 그 배심원들은, 이미 선서절차에 처해진 터인 배심원들의 그것들에의 동일한 원천으로부터, 동일한 방법으로 추출되지 않으면 안 되고, 동일한 자격조건들을 보유하지 않으면 안 되며, 동일한 신문에 및 기피신청에 처해지지 않으면 안 된다.

HISTORY: 1962 Code Section 38-76; 1952 Code Section 38-76; 1942 Code Section 626-2; 1937 (40) 300; 1976 Code Section 14-7-390; 1986 Act No. 340, Section 1, eff March 10, 1986.

Editor's Note

편집자 주해

Provisions relative to duties of a circuit judge in the event of irregularities in the drawing of jurors, which formerly appeared in this section, can now be found in Section 14-7-280.

과거에는 이 절에 들어 있던, 배심원(후보)들의 추출에 있어서의 규칙위반들의 경우에서의 순회구 지방법원 판사의 의무들에 관련되는 규정들은 지금은 제14-7-280절에서 찾아질 수 있다.

https://law.justia.com/codes/south-carolina/2019/title-14/chapter-7/section-14-7-330/

Section 14-7-330. Notice of motion to quash panel because of disqualification of jury commissioners.
배심위원들의 결격을 이유로 배심원(후보)단을 무효화 하여 달라는 신청의 통지.

Universal Citation: SC Code § 14-7-330 (2019)

일반적 인용: SC Code § 14-7-330 (2019)

No motion to quash any panel of petit jurors may be made because of any relationship, connection, or other disqualification on the part of the jury commissioners, or any of them, who made up the jury box, unless notice of the motion in writing is given at least ten days before the convening of any court to the adverse party, or his attorney setting forth the ground for the making of the motion. Failure to give notice is considered a waiver of all rights.

배심원후보상자를 조제한 배심위원들 쪽의 내지는 그들 가운데의 어느 누구든지의 관계를, 연결을, 또는 그 밖의 결격사유를 이유로 하여 소배심원들의 배심원(후보)단을 무효화 하여 달라는 신청은, 신청제기의 이유를 적시하는 당해 신청의 서면통지가 법원의 소환 전에 적어도 10일의 여유를 두고서 적대적 당사자에게 또는 그의 변호사에게 부여되는 경우에를 제외하고는, 제기될 수 없다. 통지 부여에 대한 불이행은 모든 권리들의 포기로 간주된다.

HISTORY: 1962 Code Section 38-79; 1952 Code Section 38-79; 1942 Code Section 626-3; 1936 (39) 1431; 1976 Code Section 14-7-400; 1986 Act No. 340, Section 1, eff March 10, 1986.

Editor's Note

편집자 주해

Provisions relative to preparation of a special jury list and drawing of a special venire or jury in the event that grand or petit jurors have been irregularly drawn or summoned, which formerly appeared in this section, can now be found in Section 14-7-290.

과거에는 이 절에 들어 있던, 대배심원(후보)들이 또는 소배심원(후보)들이 규칙 위배 가운데서 추출되어 있는 내지는 소환되어 있는 경우에 있어서의 특별 배심명부의 작성에 및 특별소집 배심원후보단의 내지는 특별배심의 추출에 관련되는 규정들은 지금은 제14-7-290절에서 찾아질 수 있다.

https://law.justia.com/codes/south-carolina/2019/title-14/chapter-7/section-14-7-340/

Section 14-7-340. Procedure to obtain jurors when jury commissioners are disqualified.

배심위원들이 결격으로 판정되는 경우에 있어서의 배심원들을 얻기 위한 절차.

Universal Citation: SC Code § 14-7-340 (2019)

일반적 인용: SC Code § 14-7-340 (2019)

If notice is given and the party upon whom it is served concedes or it is determined by the court that the relationship, connection, or disqualification exists, then the moving party shall apply to the resident circuit judge or the presiding judge of the circuit, either at chambers or in term time, setting out by way of affidavits the facts. Thereupon the judge shall order the jury commissioners who are not related, connected, or disqualified to make up a special jury box composed of the names of two hundred and forty persons, who are qualified to serve as jurors, from which special box there must be drawn the names of thirty-six jurors who must be summoned and required to attend as extra jurors. From the extra panel a jury may be obtained to try the case in which the regular panel is disqualified. In case all of the jury commissioners are disqualified, then the judge shall designate three others who shall perform this duty.

만약 통지가 부여되면 및 관계가, 연결이, 또는 결격사유가 존재함을 그것을 송달받은 당사자가 시인하면 내지는 그 존재함이 법원에 의하여 판단되면, 그 때에는 사실관계를 선서진술서들로써 적시하여 전속의 순회구 지방법원 판사에게 또는 당해 순회구 지방법원의 법원장에게 판사실들에든 개정법정 때에든 신청 측 당사자는 신청하여야 한다. 관련 없는, 연결 없는, 및 결격 아닌 배심위원들로 하여금, 배심원들로서 복무할 자격이 인정되는 240명의 이름들로 구성되는 한 개의 특별 배심원후보상자를 조제하도록, 특별배심원들로서 소환되지 않으면 안 될 및 그 출석이 요구되지 않으면 안 될 36명의 배심원(후보)들의 이름들이 그 특별 배심원후보상자로부터 추출되지 않으면 안 되게끔 조치하도록, 이에 따라서 판사는 명령하여야 한다. 정규 배심원(후보)단의 결격임이 판정된 당해 사건을 정식사실심리 할 한 개의 배심이 그 특별 배심원(후보)단으로부터 얻어질 수 있다. 배심위원들 전원이 결격인 경우에는 이 의무를 수행할 다른 세 명을 판사는 지명하여야 한다.

HISTORY: 1962 Code Section 38-80; 1952 Code Section 38-80; 1942 Code Section 626-3; 1936 (39) 1431; 1976 Code Section 14-7-410; 1986 Act No. 340, Section 1, eff March 10, 1986.

Editor's Note

편집자 주해

Provisions relative to supplying deficiencies in numbers of jurors drawn, which formerly appeared in this section, can now be found in Section 14-7-300.

이전에는 이 절에 들어 있던, 추출된 배심원(후보)들의 숫자에 있어서의 부족들을 공급함에 관련되는 규정들은 지금은 제14-7-300절에서 찾아질 수 있다.

https://law.justia.com/codes/south-carolina/2019/title-14/chapter-7/section-14-7-350/

Section 14-7-350. Term of extra or special panel.
특별(extra or special) 배심원(후보)단의 복무기간

Universal Citation: SC Code § 14-7-350 (2019)

일반적 인용: SC Code § 14-7-350 (2019)

The extra or special panel may be discharged as soon as the need for it ceases.

필요가 그치는 즉시로 특별 배심원(후보)단은 임무해제 될 수 있다.

HISTORY: 1962 Code Section 38-81; 1952 Code Section 38-81; 1942 Code Section 626-3; 1936 (39) 1431; 1976 Code Section 14-7-420; 1986 Act No. 340, Section 1, eff March 10, 1986.

Editor's Note

편집자 주해

Prior Laws: Former Section 14-7-350 was titled Supplying deficiency in number of jurors in counties of between 50,000 and 53,000 population, and had the following history: 1962 Code Section 38-72.2; 1958 (50) 1994; omitted by 1986 Act No. 340, Section 1.

과거의 법률들: 인구 50,000에서 53,000 사이의 카운티들에서의 배심원(후보)들의 숫자의 부족을 공급하기라는 제목을 이전의 제14-7-350절은 달고 있었는바, 아래의 연혁을 그것은 지녔었다: 1962 Code Section 38-72.2; 1958 (50) 1994; omitted by 1986 Act No. 340, Section 1.

https://law.justia.com/codes/south-carolina/2019/title-14/chapter-7/section-14-7-360/

Section 14-7-360. Requirement that persons serve as jurors unless disqualified or excused.

결격으로 판정되는 내지는 면제되는 경우에를 제외하고는 사람들은 배심원들로서 복무하여야 함에 대한 요구.

Universal Citation: SC Code § 14-7-360 (2019)

일반적 인용: SC Code § 14-7-360 (2019)

When the name of a person is drawn from the jury box for jury service by the jury commissioners the person shall serve as a juror unless disqualified or excused by the court as may be provided by law.

배심복무를 위하여 배심위원들에 의하여 배심원후보상자로부터 사람의 이름이 추출되는 경우에는, 법에 의하여 규정되는 바에 따라서 법원에 의하여 결격으로 판정되는 또는 면제되는 경우에를 제외하고는, 그 사람은 배심원으로서 복무하여야 한다.

HISTORY: 1962 Code Section 38-82; 1952 Code Section 38-82; 1942 Code Section 608; 1932 Code Section 608; Civ. P. '22 Section 548; Civ. C. '12 Section 4017; 1902 (23) 1066; 1915 (29) 76; 1933 (38) 446; 1939 (41) 27, 332, 543; 1941 (42) 70; 1976 Code Section 14-7-430; 1986 Act No. 340, Section 1, eff March 10, 1986.

Editor's Note

편집자 주해

Prior Laws: Former Section 14-7-360 was titled Supplying deficiency in number of jurors in counties with city of 16,000 to 16,500, and had the following history: 1962 Code Section 38-73; 1952 Code Section 38-73; 1942 Code Section 618; 1932 Code Section 618; Civ. P. '22 Section 558; Civ. C. '12 Section 4027; 1902 (23) 1066; 1939 (41) 27; 1941 (42) 70; 1943 (43) 282; omitted by 1986 Act No. 340, Section 1.

과거의 법률들: 인구 16,000에서 16,500 사이의 카운티들에서의 배심원(후보)들의 숫자의 부족을 공급하기라는 제목을 이전의 제14-7-360절은 달고 있었는바, 아래의 연혁을 그것은 지녔었다: 1962 Code Section 38-73; 1952 Code Section 38-73; 1942 Code Section 618; 1932 Code Section 618; Civ. P. '22 Section 558; Civ. C. '12 Section 4027; 1902 (23) 1066; 1939 (41) 27; 1941 (42) 70; 1943 (43) 282; omitted by 1986 Act No. 340, Section 1.

https://law.justia.com/codes/south-carolina/2019/title-14/chapter-7/section-14-7-370/

Section 14-7-370. Penalty for neglect of duty in drawing and summoning jurors.

배심원(후보)들을 추출하기에 및 소환하기에 있어서의 임무태만에 대한 벌칙.

Universal Citation: SC Code § 14-7-370 (2019)

일반적 인용: SC Code § 14-7-370 (2019)

When, by neglect of any of the duties required by this article to be performed by any of the officers or persons mentioned, the jurors to be returned from any place are not duly drawn and summoned to attend the court, every person guilty of neglect shall pay a fine not exceeding one hundred dollars, to be imposed by the court, to the use of the county in which the offense was committed.

그 언급되는 공무원들의 또는 사람들의 어느 누구에 의하여든 수행되어야 함이 이 조에 의하여 요구되는 임무들의 그 어느 것에든 대한 태만에 의하여, 어느 지역으로부터든 복명되어야 할 배심원들이 법원에 출석하도록 적법하게 추출되지 아니하는 및 소환되지 아니하는 경우에, 태만을 저지르는 모든 사람은 100불 이하의 벌금을 납부하여야 하는바, 그것은 법원에 의하여 부과되어야 하고 당해 범죄가 저질러진 카운티의 사용에 충당되어야 한다.

HISTORY: 1962 Code Section 38-83; 1952 Code Section 38-83; 1942 Code Section 645; 1932 Code Section 645; Civ. P. '22 Section 585; Civ. C. '12 Section 4053; Civ. C. '02 Section 2952; G. S. 2273; R. S. 2412; 1871 (14) 694; 1976 Code Section 14-7-440; 1986 Act No. 340, Section 1, eff March 10, 1986.

Editor's Note

편집자 주해

Prior Laws: Former Section 14-7-370 was titled Draft from tales box, and had the following history: 1962 Code Section 38-74; 1952 Code Section 38-74; 1942 Code Section 615; 1932 Code Section 615; Civ. P. '22 Section 555; Civ. C. '12 Section 4024; 1902 (23) 1066; omitted by 1986 Act No 340, Section 1.

과거의 법률들: 보결배심원후보상자로부터의 선정이라는 제목을 이전의 제14-7-370절은 달고 있었는바, 아래의 연혁을 그것은 지녔었다: 1962 Code Section 38-74; 1952 Code Section 38-74; 1942 Code Section 615; 1932 Code Section 615; Civ. P. '22 Section 555; Civ. C. '12 Section 4024; 1902 (23) 1066; omitted by 1986 Act No 340, Section 1.

https://law.justia.com/codes/south-carolina/2019/title-14/chapter-7/section-14-7-380/

Section 14-7-380. Punishment of jury commissioners guilty of fraud.
기망을 저지른 배심위원들에 대한 처벌.

Universal Citation: SC Code § 14-7-380 (2019)

일반적 인용: SC Code § 14-7-380 (2019)

If any member of the board of jury commissioners is guilty of fraud, either (a) by practicing on the jury box previously to a draft, (b) in drawing a juror, (c) in returning into the jury box the name of any juror which has been lawfully drawn out and drawing or substituting another in his stead, or (d) in any other way in the drawing of jurors, he must be punished by a fine not exceeding five hundred dollars or be imprisoned not exceeding two years in a state correctional institution.

(a) 추출에 앞서서 미리 배심원후보상자에 손질을 가함에 의하여, (b) 배심원을 추출함에 있어서, (c) 적법하게 추출되어 나온 바 있는 배심원(후보)의 이름을 배심원후보상자 안에 되돌림에 있어서 및 다른 사람을 그 사람 대신으로 교체함에 있어서, 또는 (d) 여타의 방법으로 배심원들을 추출함에 있어서 기망을 배심위원회의 구성원 어느 누구든지가 저지르면, 그는 500불 이하의 벌금에 의하여 처벌되지 않으면 안 되거나 또는 주 교정시설에 2년 이하의 기간 동안 구금되지 않으면 안 된다.

HISTORY: 1962 Code Section 38-84; 1952 Code Section 38-84; 1942 Code Section 1573; 1932 Code Section 1573; Cr. C. '22 Section 521; Cr. C. '12 Section 590; Cr. C. '02 Section 433; G. S. 2238; R. S. 346; 1871 (14) 694; 1976 Code Section 14-7-450; 1986 Act No. 340, Section 1, eff March 10, 1986.

Editor's Note

편집자 주해

Provisions relative to issuance of venires for additional jurors, which formerly appeared in this section, can now be found in Section 14-7-310.

과거의 법률들: 과거에는 이 절에 들어 있던, 추가적 배심원(후보)들을 위한 배심소집영장들의 발부에 관련되는 규정들은 지금은 제14-7-310절에서 찾아질 수 있다.

https://law.justia.com/codes/south-carolina/2019/title-14/chapter-7/section-14-7-390/

Section 14-7-390. Service of summons for jury duty by first class mail or by alternate method.

배심의무를 위한 소환장의 1급우편에 의한 내지는 대체적 방법에 의한 송달.

Universal Citation: SC Code § 14-7-390 (2019)

일반적 인용: SC Code § 14-7-390 (2019)

The clerk of court of a county may serve a summons for jury duty by first class mail. In the alternative, the clerk of court of any county may contract with the State Election Commission to serve a summons for jury duty by first class mail. Should the clerk of court of any county not choose to use either of the procedures for summoning jurors provided by this section, the clerk may summon jurors as provided by Section 14-7-410 or the sheriff shall serve jurors as provided by Section 14-7-400.

배심의무를 위한 소환장을 1급우편에 의하여 카운티의 법원서기는 송달할 수 있다. 이에 갈음하여, 배심의무를 위한 소환장을 1급우편에 의하여 송달하도록 주 선거관리위원회와의 사이에서 어느 카운티든지의 법원서기는 계약할 수 있다. 이 절에 의하여 규정되는 배심원(후보)들의 소환을 위한 절차들 중의 어느 것을도 사용하기를 어느 카운티든지의 법원서기가 선택하지 아니하면, 배심원(후보)들을 제14-7-410절에 의하여 규정되는 바에 따라서 그 서기는 소환할 수 있거나 또는 제14-7-400절에 의하여 규정되는 바에 따라서 집행관은 송달하여야 한다.

HISTORY: 1983 Act No. 150, Section 1; 1976 Code Section 14-7-455; 1986 Act No. 340, Section 1, eff March 10, 1986.

Editor's Note

편집자 주해

Provisions relative to calling alternate jurors, which formerly appeared in this section, can now be found in Section 14-7-320.

과거에는 이 절에 들어 있던, 예비배심원들의 소환에 관련되는 규정들은 지금은 제14-7-320절에서 찾아질 수 있다.

https://law.justia.com/codes/south-carolina/2019/title-14/chapter-7/section-14-7-410/

Section 14-7-410. Service of summons for jury duty by certified mail; alternate procedure.

배심의무를 위한 소환장의 배달증명 우편에 의한 송달; 대체적 절차.

Universal Citation: SC Code § 14-7-410 (2019)

일반적 인용: SC Code § 14-7-410 (2019)

The clerk of court of any county may serve a summons for jury duty by certified mail with return receipt requested. Should the clerk of court of any county not choose to use the procedure for summoning jurors provided by this section, the sheriff must continue to serve jurors as provided by law.

수취확인 요청을 첨부한 배달증명 우편에 의하여 배심의무를 위한 소환장을 어느 카운티든지의 법원서기는 송달할 수 있다. 이 절에 의하여 규정되는 배심원(후보)들의 소환을 위한 절차를 사용하기를 어느 카운티든지의 법원서기가 선택하지 아니하면, 법에 의하여 규정되는 바에 따라서 배심원(후보)들에게 송달하기를 집행관은 계속하지 않으면 안 된다.

HISTORY: 1980 Act 370, Section 1; 1983 Act No. 150, Section 2; 1976 Code Section 14-7-465; 1986 Act No. 340, Section 1, eff March 10, 1986.

Editor's Note

편집자 주해

Provisions relative to obtaining jurors when jury commissioners are disqualified, which formerly appeared in this section, can now be found in Section 41-7-340.

과거에는 이 절에 들어 있던, 배심위원들이 결격으로 판정되는 경우에의 배심원들을 얻음에 관련되는 규정들은 지금은 제14-7-340절에서 찾아질 수 있다.

https://law.justia.com/codes/south-carolina/2019/title-14/chapter-7/section-14-7-420/

Section 14-7-420. Attendance and service in court of common pleas by jurors summoned to attend and serve in court of general sessions.

치안판사재판소에 출석하도록 및 복무하도록 소환되는 배심원(후보)들에 의한 국민간 소송법원에의 출석 및 복무.

Universal Citation: SC Code § 14-7-420 (2019)

일반적 인용: SC Code § 14-7-420 (2019)

In cases where the law provides for the opening and holding of the court of common pleas during the week in which a term of the court of general sessions is or may be held in any county, the jurors summoned to attend and serve in the court of general sessions shall also attend and serve as jurors in any court of common pleas.

어느 카운티에서든지 한 개의 치안판사재판소의 개정기가 열리는 내지는 열릴 수 있는 주(week) 동안의 국민간 소송법원의 개정을 및 개최를 법이 규정하는 경우들에서는, 치안판사재판소에 출석할 및 복무할 배심원(후보)들로서 소환되는 배심원(후보)들은 국민간 소송법원 어디든지의 배심원(후보)들로서도 출석하여야 하고 복무하여야 한다.

HISTORY: 1962 Code Section 38-87; 1952 Code Section 38-87; 1942 Code Section 70; 1932 Code Section 70; Civ. P. '22 Section 67; Civ. P. '12 Section 34; Civ. P. '02 Section 29; 1870 (14) 29; 1954 (48) 1445; 1976 Code Section 14-7-470; 1986 Act No. 340, Section 1, eff March 10, 1986.

Editor's Note

편집자 주해

Provisions relative to the term of an extra or special panel drawn as a result of disqualification of jury commissioners, which formerly appeared in this section, can now be found in Section 14-7-350.

과거에는 이 절에 들어 있던, 배심위원들의 결격사유들의 결과로서 추출되는 특별 배심원(후보)단의 복무기간에 관련되는 규정들은 지금은 제14-7-350절에서 찾아질 수 있다.

For a local law making this section inapplicable to Charleston County, see Local Law Index.

찰스턴 카운티에 이 절을 적용되지 아니하는 것으로 만드는 지역법을 위하여는 Local Law Index를 볼 것.

https://law.justia.com/codes/south-carolina/2019/title-14/chapter-7/section-14-7-430/

Section 14-7-430. Exclusiveness of method and procedure described by this article.

이 조에 의하여 규정되는 방법의 및 절차의 배타성.

Universal Citation: SC Code § 14-7-430 (2019)

일반적 인용: SC Code § 14-7-430 (2019)

The method and procedure described by this article is the exclusive method for the preparation of the jury lists, jury box, and the drawing of jurors therefrom and for the service as jurors in the circuit courts of this State.

이 조에 의하여 규정되는 방법은 및 절차는 배심명부들의, 배심원후보상자의 조제를 위한, 및 거기로부터의 배심원(후보)들의 추출을 위한, 그리고 이 주의 순회구 지방법원들에서의 배심원(후보)들로서의 복무를 위한 배타적 방법이다.

HISTORY: 1962 Code Section 38-82; 1952 Code Section 38-82; 1942 Code Section 608; 1932 Code Section 608; Civ. P. '22 Section 548; Civ. C. '12 Section 4017; 1902 (23) 1066; 1915 (29) 76; 1933 (38) 446; 1939 (41) 27, 332, 543; 1941 (42) 70; 1986 Act No. 340, Section 1, eff March 10, 1986.

Editor's Note

편집자 주해

Provisions requiring persons whose names are drawn to serve as jurors, except in certain enumerated circumstances, which formerly appeared in this section, can now be found in Section 14-7-360.

과거에는 이 절에 들어 있던, 그 이름들이 추출되는 사람들은 그 열거되는 일정한 상황들에서의 경우에를 제외하고는 배심원(후보)들로서 복무하도록 요구하는 규정들은 지금은 제14-7-360절에서 찾아질 수 있다.

ARTICLE 7 Disqualification, Exemptions, and Excuse from Service as Jurors

배심원들로서 복무함에 대한 자격 불인정, 제외사유들, 및 면제조치

https://law.justia.com/codes/south-carolina/2019/title-14/chapter-7/section-14-7-810/

Section 14-7-810. Enumeration of disqualifications in any court.

어떤 법원에서든지 결격인 사유들의 열거.

Universal Citation: SC Code § 14-7-810 (2019)

일반적 인용: SC Code § 14-7-810 (2019)

In addition to any other provision of law, no person is qualified to serve as a juror in any court in this State if:

여타의 법 규정에 의하여 복무자격이 부정됨에 추가하여, 아래에 해당되는 사람은 이 주에서의 어떤 법원에서도 배심원으로서 복무할 자격이 인정되지 아니한다:

(1) He has been convicted in a state or federal court of record of a crime punishable by imprisonment for more than one year and his civil rights have not been restored by pardon or amnesty.

1년 초과의 구금에 의하여 처벌될 수 있는 범죄에 대하여 한 개의 주 정식기록법원에서 또는 연방 정식기록법원에서 유죄로 판정된 바 있을 것 및 그의 시민적 권리들이 사면에 의하여 또는 대사(大赦)에 의하여 회복되어 있지 않을 것.

(2) He is unable to read, write, speak, or understand the English language.

영어를 읽을 수, 쓸 수, 말할 수, 또는 이해할 수 없을 것.

(3) He is incapable by reason of mental or physical infirmities to render efficient jury service. Legal blindness does not disqualify an otherwise qualified juror.

유능한 배심복무를 정신적 내지는 신체적 장애들로 인하여 제공할 수 없을 것. 여타의 점에서 자격이 인정되는 배심원을 결격으로 법적 무지는 만들지 아니한다.

(4) He has less than a sixth grade education or its equivalent.

학력이 6학년의 또는 그 동등과정의 미만일 것.

Any person called to jury service who knows or has good reason to suspect that he is disqualified under this section, upon questioning by the trial judge, hearing officer, or clerk of court, must state the disqualifying facts or the reasons for his suspicions and any failure to do so is punishable as contempt of court. The trial judge must make the final determination of the qualifications of a juror as set out in this section and his decision must not be disturbed on appeal.

이 절에 따라서 자신의 결격임을 아는 내지는 의심할 타당한 이유를 지니는 배심복무에 소환되는 누구든지는 그 결격사유인 사실관계를 또는 그의 의심들의 이유들을 정식사실심리 판사의, 심문 공무원의, 또는 법원서기의 질문에 따라서 진술하지 않으면 안 되며, 그렇게 하기에 대한 불이행은 법원모독으로서 처벌될 수 있다. 이 절에 규정되는 바에 의한 한 명의 배심원의 자격조건들에 대한 종국적 판단을 정식사실심리 판사는 내리지 않으면 안 되는바, 그의 결정은 항소로써 교란되어서는 안 된다.

HISTORY: 1962 Code Section 38-100; 1966 (54) 2799; 1984 Act No. 466, eff June 20, 1984; 1986 Act No. 340, Section 2, eff March 10, 1986.

https://law.justia.com/codes/south-carolina/2019/title-14/chapter-7/section-14-7-820/

Section 14-7-820. Disqualification of county officers and court employees.

카운티 공무원들의 및 법원 피용자들의 결격.

Universal Citation: SC Code § 14-7-820 (2019)

일반적 인용: SC Code § 14-7-820 (2019)

No clerk or deputy clerk of the court, constable, sheriff, probate judge, county commissioner, magistrate or other county officer, or any person employed within the walls of any courthouse is eligible as a juryman in any civil or criminal case; provided, that no person may be disqualified under this section except as determined by the court.

법원의 서기는 내지는 부서기는, 보안관은, 집행관은, 유언검인 판사는, 카운티 위원은, 치안 판사는 내지는 여타의 카운티 공무원은, 또는 법원건물 담장들 내에 고용되어 있는 사람 어느 누구든지는 어떤 민사사건에서도 형사사건에서도 배심원으로서 뽑힐 수 없다; 다만, 법원에 의하여 결정되는 경우에를 제외하고는, 이 절 아래서 어느 누구가도 자격이 부정되어서는 안 된다.

HISTORY: 1962 Code Section 38-101; 1952 Code Section 38-101; 1942 Code Section 627; 1932 Code Section 627; Civ. P. '22 Section 567; Civ. C. '12 Section 4035; Civ. C. '02 Section 2933; R. S. 2378; 1888 (20) 69; 1890 (20) 725; 1986 Act No. 340, Section 2, eff March 10, 1986.

https://law.justia.com/codes/south-carolina/2019/title-14/chapter-7/section-14-7-830/

Section 14-7-830. Exclusion from jury service of members of grand jury which found indictment.

대배심 검사기소를 평결한 대배심 구성원들의 배심복무로부터의 배제.

Universal Citation: SC Code § 14-7-830 (2019)

일반적 인용: SC Code § 14-7-830 (2019)

No member of the grand jury which has found an indictment may be put upon the jury for the trial thereof.

한 개의 대배심 검사기소를 평결한 터인 대배심의 구성원은 그 정식사실심리를 위한 배심에 넣어질 수 없다.

HISTORY: 1962 Code Section 38-103; 1952 Code Section 38-103; 1942 Code Section 1000; 1932 Code Section 1000; Cr. P. '22 Section 86; Cr. C. '12 Section 80; Cr. C. '02 Section 53; G. S. 2639; R. S. 52; 1731 (3) 279; 1976 Code Section 14-7-840; 1986 Act No. 340, Section 2, eff March 10, 1986.

Editor's Note

편집자 주해

Prior Laws: Former Section 14-7-830 was titled Names of persons guilty of crime or immorality withdrawn from jury box, and had the following history: 1962 Code Section 38-102; 1952 Code Section 38-102; 1942 Code Section 628; 1932 Code Section 628; Civ. P. '22 Section 568; Civ. C. '12 Section 4036; Civ. C. '02 Section 2934; G. S. 2242; R. S. 2379; 1871 (14) 691; omitted by 1986 Act No. 340, Section 2.

과거의 법률들: 범죄를 내지는 부도덕을 저지른 사람들의 이름들이 배심원후보상자로부터 추출되는 경우라는 제목을 이전의 제14-7-370절은 달고 있었는바, 아래의 연혁을 그것은 지녔었다: 1962 Code Section 38-102; 1952 Code Section 38-102; 1942 Code Section 628; 1932 Code Section 628; Civ. P. '22 Section 568; Civ. C. '12 Section 4036; Civ. C. '02 Section 2934; G. S. 2242; R. S. 2379; 1871 (14) 691; omitted by 1986 Act No. 340, Section 2.

https://law.justia.com/codes/south-carolina/2019/title-14/chapter-7/section-14-7-840/

Section 14-7-840. Exemption from jury service; requirement of direction by court; maintenance of list of persons excused.

배심복무로부터의 제외; 법원에 의한 명령의 요구; 면제되는 사람들의 명부의 보관.

Universal Citation: SC Code § 14-7-840 (2019)

일반적 인용: SC Code § 14-7-840 (2019)

No person is exempt from service as a juror in any court of this State except men and women sixty-five years of age or over. Notaries public are not considered state officers and are not exempt under this section. A person exempt under this section may be excused upon telephone confirmation of date of birth and age to the clerk of court or the chief magistrate. The jury commissioners shall not excuse or disqualify a juror under this section. The clerk of court shall maintain a list of persons excused by the court and the reasons the juror was determined to be excused.

65세 이상인 남자들이를 및 여자들이를 제외하고는 이 주의 어떤 법원에서의 한 명의 배심원으로서의 복무로부터도 사람은 제외되지 아니한다. 공증인들은 주 공무원들로 간주되지 아니하며 따라서 이 절 아래서 제외되지 아니한다. 이 절 아래서 제외대상인 사람은 생년월일의 및 나이의 법원서기에게의 내지는 치안판사 법원장에게의 전화확인에 의하여 면제될 수 있다. 배심원(후보)을 이 절 아래서 배심위원들은 면제하여서는 내지는 자격을 불인정하여서는 안 된다. 법원에 의하여 면제된 사람들의 명부를 및 당해 배심원(후보)에 대한 면제가 결정된 이유들을 법원서기는 보관하여야 한다.

HISTORY: 1962 Code Section 38-104; 1952 Code Section 38-104; 1942 Code Section 629; 1932 Code Section 629; Civ. P. '22 Section 569; Civ. C. '12 Section 4037; Civ. C. '02 Section 2935; G. S. 2240; R. S. 2380; 1832 (8) 380; 1836 (8) 447; 1871 (14) 690; 1878 (14) 582; 1880 (17) 307; 1884 (18) 713; 1891 (20) 1124; 1896 (22) 19; 1899 (23) 44; 1902 (23) 1028; 1907 (25) 492; 1921 (32) 269, 278; 1923 (33) 95; 1925 (34) 31; 1941 (42) 96; 1952 (47) 2042; 1965 (54) 641; 1967 (55) 895; 1978 Act No. 579 eff July 18, 1978; 1979 Act No. 108 Section 1, eff June 22, 1979; 1976 Code Section 14-7-850; 1986 Act No. 340, Section 2, eff March 10, 1986; 1992 Act No. 414, Section 1, eff June 1, 1992.

Editor's Note

편집자 주해

Provisions excluding grand jury members from jury service at a trial on an indictment found by the grand jury, which formerly appeared in this section, can now be found in Section 14-7-830.

과거에는 이 절에 있었던, 대배심 구성원들을 당해 대배심에 의한 한 개의 대배심 검사기소장에 터잡는 정식사실심리에서의 배심복무로부터 배제하는 규정들은 지금은 제14-7-830절에서 찾아질 수 있다.

https://law.justia.com/codes/south-carolina/2019/title-14/chapter-7/section-14-7-845/

Section 14-7-845. Postponement of jury service for students and school employees.

학생들을 및 학교 피용자들을 위한 배심복무의 연기.

Universal Citation: SC Code § 14-7-845 (2019)

일반적 인용: SC Code § 14-7-845 (2019)

(A) If a student selected for jury service during the school term requests, his service must be postponed to a date that does not conflict with the school term. For purposes of this subsection, a student is a person enrolled in high school or an institution of higher learning, including technical college.

만약 학기 중에 배심복무를 위하여 선정된 학생이 요청하면, 학기에 충돌되지 아니하는 날짜로 그의 복무는 연기되지 않으면 안 된다. 이 소절의 목적 상으로의 학생은 고등학교에 등록된 또는 전문대학에를 포함하는 보다 더 높은 교육기관에 등록된 사람이다.

(B) If a public or private school employee, a person primarily responsible for the elementary or secondary education of a child in a home or charter school, or a person who is an instructor at an institution of higher learning including a technical college, selected for jury service during the school term requests, his service must be postponed to a date that does not conflict with the school term. For purposes of this subsection, a "school employee" is a person employed as a teacher, certified personnel at the building level, or bus driver by a school, a school system, or a school district offering educational programs to grades K-12 and to institutions of higher learning, including technical colleges. For purposes of this subsection, "school term" means the instructional school year, generally from September first until May thirtieth or not more than one hundred ninety days.

만약 공립학교의 또는 사립학교의 피용자가, 가정에서의 내지는 공립학교에서의 아동의 초등교육을 또는 중등교육을 위하여 일차적으로 책임 있는 사람이, 또는 전문대학에서를 포함하는 고등교육기관에서의 교수인 사람이 학기 중에 배심복무를 위하여 선정되고서 요청하면, 학기에 충돌하지 아니하는 날짜로 그의 복무는 연기되지 않으면 안 된다. 이 소절의 목적 상으로의 "학교 피용자"는 교사로서, 건물 차원에서의 보증된 직원으로서, 또는 버스 운전자로서 교육 프로그램들을 유치원부터 고등학교까지의 학생들에게 또는 전문대학들에를 포함하는 보다 더 높은 고등교육기관들에게 제공하는 학교에 의하여, 학교조직에 의하여, 또는 학교지구에 의하여 고용된 사람이다. 이 소절의 목적 상으로 "학기"는 학년도를 의미하는바, 일반적으로 9월 1일부터 5월 30일까지를 또는 190일 이하를 의미한다.

(C) A person selected for jury service who requests a postponement pursuant to subsection (A) or (B) must provide evidence of school enrollment or employment, or evidence of educational responsibilities during a home or charter school term coinciding with the dates of jury duty.

학교에의 등록의 내지는 고용의 증거를, 내지는 배심의무의 날짜들에 일치하는 가정학기 동안의 또는 공립학교 학기 동안의 교육 상의 책임사항들의 증거를, 배심복무를 위하여 선정되고서 소절 (A)에 또는 (B)에 따라서 연기를 요청하는 사람은 제공하지 않으면 안 된다.

HISTORY: 1990 Act No. 427, Section 1, eff April 24, 1990; 1997 Act No. 28, Section 1, eff May 21, 1997; 2010 Act No. 187, Section 1, eff May 28, 2010.

https://law.justia.com/codes/south-carolina/2019/title-14/chapter-7/section-14-7-850/

Section 14-7-850. Frequency of jury service.
배심복무의 빈도.

Universal Citation: SC Code § 14-7-850 (2019)

일반적 인용: SC Code § 14-7-850 (2019)

No person is liable to be drawn and serve as a juror in any court more often than once every three calendar years and no person shall serve as a juror more than once every calendar year, but he is not exempt from serving on a jury in any other court in consequence of his having served before a magistrate.

사람은 어떤 법원에서도 3역년에 한 번을 초과하여 배심원으로 추출되어서는 및 복무하여서는 안 되고 매 역년에 한 번을 초과하여 배심원으로 복무하여서는 안 되는바, 그러나 한 명의 치안판사 앞에서 그가 복무한 터인 경우에는 다른 법원에서의 배심에 복무함으로부터 이로 인하여 그는 제외되지 아니한다.

HISTORY: 1962 Code Section 38-106; 1952 Code Section 38-106; 1942 Code Section 630; 1932 Code Section 630; Civ. P. '22 Section 570; Civ. C. '12 Section 4038; Civ. C. '02 Section 2936; G. S. 2241; R. S. 2381; 1879 (16) 307; 1976 Code Section 14-7-870; 1986 Act No. 340, Section 2, eff March 10, 1986; 1996 Act No. 233, Section 2, eff March 4, 1996; 2000 Act No. 257, Section 3, eff May 1, 2000.

Editor's Note

편집자 주해

Provisions relative to exemptions from jury service, which formerly appeared in this section, can now be found in Section 14-7-840.

과거에는 이 절에 있던, 배심복무로부터의 제외사유들에 관련되는 규정들은 지금은 제14-7-840절에서 찾아질 수 있다.

https://law.justia.com/codes/south-carolina/2019/title-14/chapter-7/section-14-7-860/

Section 14-7-860. Authority of judge to excuse jurors for good cause; excuse of women with children under age 7, primary caretakers of certain persons, and persons essential to operation of business; punishment for violations.

배심원들을 타당한 이유에 따라서 면제할 판사의 권한; 7세 미만의 아동들을 지니는 여성들에 대한, 일정한 사람들에 대한 주된 돌보미들에 대한, 그리고 사업의 운영에 불가결한 사람들에 대한 면제; 위반들에 대한 처벌.

Universal Citation: SC Code § 14-7-860 (2019)

일반적 인용: SC Code § 14-7-860 (2019)

(A) The presiding judge for cause shown may excuse any person from jury duty at any term of court if the judge considers it advisable. But no juror who has been drawn to serve at any term of the court may be excused except for good and sufficient cause, which, together with his application, must be filed in the office of the clerk of court and remain on record.

그 바람직하다고 법원장이 간주하면 어느 누구든지를 그 증명되는 이유에 따라서 법원의 어느 개정기에서의든 배심복무로부터 법원장은 면제할 수 있다. 그러나 타당한 및 충분한 이유에 따라서가 아니고서는, 당해 법원의 어느 개정기에든 복무하도록 추출되어 있는 배심원은 면제될 수 없는바, 그 이유는 그의 신청서에 더불어 함께 법원서기의 사무소에 제출되지 않으면 안 되고 기록 위에 남아 있지 않으면 안 된다.

(B) A person who:

(1) has legal custody and the duty of care for a child less than seven years of age;

7세 미만의 아동에 대한 법적 보호의무를 및 조력의무를 지는 사람은;

(2) is the primary caretaker of a person aged sixty-five or older; or

65세 이상인 사람의 주된 돌보미인 사람은; 또는

(3) is the primary caretaker of a severely disabled person who is unable to care for himself or cannot be left unattended; and desires to be excused from jury duty must submit an affidavit to the clerk of court.

그 스스로를 돌볼 수 없는 또는 돌보는 사람 없이 남겨질 수 없는 중장애인의 주된 돌보미인 사람은, 만약 배심의무로부터 면제되기를 원하면, 한 개의 선서진술서를 법원서기에게 제출하지 않으면 안 된다.

The affidavit must state that he is unable to provide adequate care for the child, person aged sixty-five or older, or disabled person while performing jury duty, and must be excused by the presiding judge from jury service.

당해 아동에 대한, 65세 이상인 사람에 대한, 또는 장애인에 대한 충분한 돌봄을 배심의무를 수행하는 동안에 자신이 제공할 수 없음을 선서진술서는 서술하지 않으면 안 되는바, 배심복무로부터 법원장에 의하여 그는 면제되지 않으면 안 된다.

(C) The provisions of Section 14-7-870 do not apply to any juror described in this subsection who: (a) has a child less than seven years of age, (b) is the primary caretaker of a person aged sixty-five or older, or (c) is the primary caretaker of a severely disabled person who is unable to care for himself or cannot be left unattended.

이 소절에 규정되는 (a) 7세 미만의 아동을 지니는, (b) 65세 이상의 사람의 주된 돌보미인, 또는 (c) 그 자신을 돌볼 수 없는 내지는 돌보는 사람 없이 남겨질 수 없는 중장애인의 주된 돌보미인 배심원에게 제14-7-870절의 규정들은 적용되지 아니한다.

(D) Upon submitting an affidavit to the clerk of court requesting to be excused from jury duty, a person either may be excused or transferred to another term of court by the presiding judge if the person performs services for a business, commercial, or agricultural enterprise, and the person's services are so essential to the operations of the business, commercial, or agricultural enterprise that the enterprise must close or cease to function if the person is required to perform jury duty.

배심복무로부터 면제되게 하여 주기를 요청하는 법원서기에게의 선서진술서가 제출될 경우에, 한 개의 사업을 위한, 상업적 또는 농업적 기업을 위한 복무들을 만약 그 사람이 수행하면, 그런데 그 사업의, 상업적 내지는 농업적 기업의 운영들에 그 사람의 복무들이 그토록 불가결한 까닭에 만약 배심의무를 수행하도록 그 사람이 요구된다면 그 기업이 폐지될 수밖에 내지는 그 움직이기를 중단할 수밖에 없는 경우이면, 그 사람은 법원장에 의하여 면제될 수 있거나 법원의 다른 개정기에로 변경될 수 있다.

(E) A person who violates the provisions of this section is guilty of a misdemeanor and, upon conviction, must be punished by a fine not to exceed one thousand dollars or imprisoned not more than thirty days, or both.

이 절의 규정들을 위반하는 사람은 한 개의 경죄를 범하는 것이 되고 유죄판정에 따라서 1,000불 이하의 벌금에 처해지지 않으면 안 되거나 또는 30일 이하의 구금에 처해지지 않으면 안 되거나 또는 두 가지가 병과되지 않으면 안 된다.

HISTORY: 1962 Code Section 38-105; 1952 Code Section 38-105; 1942 Code Section 5220; 1932 Code Section 5220; 1922 (32) 844; 1986 Act No. 340, Section 2, eff March 10, 1986; 2000 Act No. 394, Section 1, eff August 4, 2000; 2004 Act No. 228, Section 1, eff May 11, 2004; 2010 Act No. 187, Section 2, eff May 28, 2010.

Editor's Note

편집자 주해

An earlier version of this section, which contained provisions relative to exemption of dentists and dental hygienists from jury service, was repealed by 1979 Act No. 108, Section 2, eff June 22, 1979.

치과의사들의 및 치과위생사들의 배심복무로부터의 제외에 관련되는 규정들을 포함하였던 이 절의 이전 규정은 1979년 6월 22일에 발효한 1979년 법률 제108호 제2절에 의하여 폐지되었다.

https://law.justia.com/codes/south-carolina/2019/title-14/chapter-7/section-14-7-870/

Section 14-7-870. Procedures applicable to excused jurors.
면제되는 배심원들에게 적용되는 절차들.

Universal Citation: SC Code § 14-7-870 (2019)

일반적 인용: SC Code § 14-7-870 (2019)

Whenever a juror is so excused, unless the cause of the excuse is permanent physical disability of the juror or the juror is a member of one of the classes of persons set forth in Section 14-7-840, the name of the juror must be placed by the jury commissioners on the succeeding panel of the same term, or the next term or a subsequent term of court. The name of the juror so placed on any panel must be in addition to the seventy-five names required to be placed on the panel under the provisions of Section 14-7-200, and the juror shall attend the court on the first day of the week for which he has been so designated without the issuance or service of any further process.

한 명의 배심원(후보)이 면제되는 때에는 언제든지, 당해 면제의 이유가 당해 배심원(후보)의 영구적인 신체적 장애인 경우에를 내지는 당해 배심원이 제14-7-840절에 규정된 종류의 사람들 중 한 명인 경우에를 제외하고는, 당해 배심원(후보)의 이름은 배심위원들에 의하여 법원의 동일 개정기의 다음 차례 배심원(후보)단 위에 또는 법원의 다음 번 개정기의 또는 추후의 어떤 개정기의 배심원(후보)단 위에 올려지지 않으면 안 된다. 그렇게 어떤 배심원(후보)단에든 올려지는 이름은, 당해 배심원(후보)단 위에 올려지도록 제14-7-200절에 의하여 요구되는 75명의 이름들에 추가되지 않으면 안 되는바, 그렇게 그가 배정된 주의 첫째 날에 법원에, 별도의 영장의 발부 없이 내지는 송달 없이, 당해 배심원(후보)은 출석하여야 한다.

He shall serve as a substitute on the panel in the stead and place of any one of the jurors drawn on the panel whose attendance cannot then be procured or who may be excused from attendance on the panel for cause as provided in this article.

이 조에 규정되는 사유로 인하여 당해 배심원(후보)단에의 출석이 얻어질 수 없는, 내지는 면제될 수 있는, 당해 배심원(후보)단에 추출된 배심원들 중 한 명을 대신하여 그는 복무하여야 한다.

HISTORY: 1962 Code Section 38-109; 1952 Code Section 38-109; 1942 Code Section 631; 1932 Code Section 631; Civ. P. '22 Section 571; Civ. C. '12 Section 4039; Civ. C. '02 Section 2937; R. S. 2382; 1871 (14) 690; 1930 (36) 1222; 1976 Code Section 14-7-900; 1986 Act No. 340, Section 2, eff March 10, 1986; 1988 Act No. 473, eff May 2, 1988.

Editor's Note

편집자 주해

A provisions to the effect that no person is subject to jury service in any court more often than once a year, which formerly appeared in this section, can now be found in Section 14-7-850.

과거에는 이 절에 있던, 한 해에 한 번을 초과하여서는 어떤 법원에서의 배심복무에도 사람이 처해지지 아니 한다는 취지의 규정들은 지금은 제14-7-850절에서 찾아질 수 있다.

ARTICLE 9 Objections and Challenges to Jurors; Impanelling of Juries

배심원(후보)들에 대한 이의들 및 기피신청들; 배심들의 충원구성

https://law.justia.com/codes/south-carolina/2019/title-14/chapter-7/section-14-7-1010/

Section 14-7-1010. Ascertainment of qualifications of jurors by presiding judge; maintenance of list of excused or disqualified jurors; transfer of juror to subsequent term by clerk of court.

배심원(후보)들의 자격조건들에 대한 법원장에 의한 확인; 면제된 내지는 결격처리된 배심원(후보)들의 명부의 보관; 배심원(후보)의 추후의 개정기에로의 법원서기에 의한 이동.

Universal Citation: SC Code § 14-7-1010 (2019)

일반적 인용: SC Code § 14-7-1010 (2019)

The presiding judge shall at each term of court ascertain the qualifications of the jurors. The presiding judge shall determine whether any juror is disqualified or exempted by law and only he shall disqualify or excuse any juror as may be provided by law. The clerk of court shall maintain a list of all jurors excused or disqualified and the reasons provided therefor by the presiding judge, which list must be signed by the presiding judge. In no case shall the jury commissioners excuse or disqualify any juror for any reason whatsoever; provided that the clerk of court may, without court approval, transfer any juror to a subsequent term upon good and sufficient cause.

배심원(후보)들의 자격조건들을 법원의 개정기에마다 법원장은 확인하여야 한다. 법에 의하여 어느 배심원(후보)이든지가 결격으로 처리되는지 여부를 내지는 제외되는지 여부를 법원장은 결정하여야 하는바, 법에 의하여 규정되는 바에 따라서만 배심원(후보) 어느 누구를이든 법원장은 결격으로 판단하여야 하거나 면제시켜야 한다. 면제되는 내지는 결격으로 판정되는 모든 배심원(후보)들의 및 이를 위하여 법원장에 의하여 제시되는 이유들의 명부를 법원서기는 보관하여야 하는바, 그 명부는 법원장에 의하여 서명되지 않으면 안 된다. 그 어떤 경우에도 그 어떤 배심원(후보)을이라도 그 어떤 이유에서도 배심위원들은 면제하여서는 내지는 결격처리 하여서는 안 된다; 다만 배심원(후보) 어느 누구를이든 타당한 및 충분한 이유에 따라서 추후의 한 개의 개정기에로 법원의 승인 없이 법원서기는 이동시킬 수 있다.

HISTORY: 1962 Code Section 38-201; 1952 Code Section 38-201; 1942 Code Section 608; 1932 Code Section 608; Civ. P. '22 Section 548; Civ. C. '12 Section 4017; 1902 (23) 1066; 1915 (29) 76; 1933 (38) 446; 1939 (41) 27, 332, 543; 1941 (42) 70; 1986 Act No. 340, Section 3, eff March 10, 1986.

https://law.justia.com/codes/south-carolina/2019/title-14/chapter-7/section-14-7-1020/

Section 14-7-1020. Jurors may be examined by court; if juror is not indifferent, he must be set aside.

배심원(후보)들은 법원에 의하여 신문될 수 있음; 공평하지 아니한 배심원은 면제되지 않으면 안 됨.

Universal Citation: SC Code § 14-7-1020 (2019)

일반적 인용: SC Code § 14-7-1020 (2019)

The court shall, on motion of either party in the suit, examine on oath any person who is called as a juror to know whether he is related to either party, has any interest in the cause, has expressed or formed any opinion, or is sensible of any bias or prejudice therein, and the party objecting to the juror may introduce any other competent evidence in support of the objection. If it appears to the court that the juror is not indifferent in the cause, he must be placed aside as to the trial of that cause and another must be called.

어느 쪽 당사자에게든 그가 관련되어 있는지 여부를, 당해 소송에 이해관계를 지니는지 여부를, 조금이라도 의견을 표명한 내지는 형성한 상태인지 여부를, 또는 그 안에서 조금이라도 편견이 내지는 편파가 느껴지는지 여부를 알기 위하여, 배심원(후보)으로서 소환되는 사람 어느 누구든지를 소송당사자 한 쪽의 신청에 따라서 선서 위에서 법원은 신문하여야 하는바, 이의를 뒷받침하는 그 밖의 자격 있는 어떤 증거를이든 당해 배심원(후보)에 대하여 이의하는 측 당사자는 제출할 수 있다. 만약 당해 배심원(후보)이 사건에 중립적이지 아니함이 법원에 드러나면, 그 사건의 정식사실심리에 관하여 그는 면제되지 않으면 안 되고 다른 사람이 소환되지 않으면 안 된다.

HISTORY: 1962 Code Section 38-202; 1952 Code Section 38-202; 1942 Code Section 637; 1932 Code Section 637; Civ. P. '22 Section 577; Civ. C. '12 Section 4045; Civ. C. '02 Section 2944; G. S. 2261; R. S. 2403; 1797 (5) 358; 1986 Act No. 340, Section 3, eff March 10, 1986.

https://law.justia.com/codes/south-carolina/2019/title-14/chapter-7/section-14-7-1030/

Section 14-7-1030. Time for making objections to jurors.
배심원(후보)들에 대한 이의들을 제기하여야 할 기한.

Universal Citation: SC Code § 14-7-1030 (2019)

일반적 인용: SC Code § 14-7-1030 (2019)

All objections to jurors called to try prosecutions, actions, issues, or questions arising out of actions or special proceedings in the various courts of this State, if not made before the juror is impaneled for or charged with the trial of the prosecution, action, issue, or question arising out of an action or special proceeding, is waived, and if made thereafter is of no effect.

소추들을, 소송들을, 쟁점들을, 또는 이 주의 여러 법원들에서의 소송들로부터 또는 특별절차들로부터 발생하는 문제들을 정식사실심리 하도록 소환된 배심원(후보)들에 대한 모든 이의들은, 만약 당해 배심원이 충원되기 전에 제기되지 아니하면, 또는 그 소추에 대한, 소송에 대한, 쟁점에 대한 내지는 한 개의 소송으로부터 또는 특별절차로부터 발생하는 문제에 대한 정식사실심리를 당해 배심원이 부여받기 전에 제기되지 아니하면 포기되며, 따라서 만약 그 뒤에 제기되면 효력이 없다.

HISTORY: 1962 Code Section 38-203; 1952 Code Section 38-203; 1942 Code Section 639; 1932 Code Section 639; Civ. P. '22 Section 579; Civ. C. '12 Section 4047; Civ. C. '02 Section 2946; G. S. 2265; R. S. 2406; 1871 (14) 693; 1899 (23) 39; 1986 Act No. 340, Section 3, eff March 10, 1986.

https://law.justia.com/codes/south-carolina/2019/title-14/chapter-7/section-14-7-1040/

Section 14-7-1040. Juror's liability to pay taxes not cause of challenge.
세금을 납부할 배심원(후보)의 의무는 기피의 사유가 되지 아니함.

Universal Citation: SC Code § 14-7-1040 (2019)

일반적 인용: SC Code § 14-7-1040 (2019)

In indictments and penal actions for the recovery of sum of money or other thing forfeited, it is not a cause of challenge to a juror that he is liable to pay taxes in any county, city, or town which may be benefited by recovery.

일정액의 금전지급을 또는 몰수가 결정된 여타 물건의 인도를 구하는 대배심 검사기소들에서 및 형사소송들에서, 세금들을 납부할 의무를 그 지급에 내지는 인도에 의하여 이익을 받는 어떤 카운티에 대하여든, 시티에 대하여든, 또는 타운에 대하여든 한 명의 배심원(후보)이 진다는 점은 그에 대한 기피신청의 사유가 되지 아니한다.

HISTORY: 1962 Code Section 38-204; 1952 Code Section 38-204; 1942 Code Sections 638, 1001; 1932 Code Sections 638, 1001; Civ. P. '22 Section 578; Cr. P. '22 Section 87; Civ. C. '12 Section 4046; Cr. C. '12 Section 81; Civ. C. '02 Section 2945; Cr. C. '02 Section 54; G. S. 2264, 2640; R. S. 53, 2405; 1871 (14) 693; 1986 Act No. 340, Section 3, eff March 10, 1986.

https://law.justia.com/codes/south-carolina/2019/title-14/chapter-7/section-14-7-1050/

Section 14-7-1050. Impaneling jury; in court of common pleas.
배심을 충원구성하기; 국민간 소송법원에서의 경우.

Universal Citation: SC Code § 14-7-1050 (2019)

일반적 인용: SC Code § 14-7-1050 (2019)

In the trial of all actions at law in the courts of common pleas and issues ordered to be framed by the judge in equity cases in the courts, the clerk in the manner provided by Section 14-7-1060 shall furnish the parties or their attorneys with a list of twenty jurors from the whole number of jurors who are in attendance, the names on the list to be numbered from one to twenty, and be stricken off by numbers in the same manner as the regular panels of jurors in those courts have been formed. From this list the parties or their attorneys shall alternatively strike, until there are but twelve left, which shall constitute the jury to try the case or issue. In all cases the plaintiff shall have the first strike and in all civil cases any party shall have the right to demand a panel of twenty competent and impartial jurors from which to strike a jury.

국민간 소송법원들에서의 모든 보통법 소송들에 대한 정식사실심리에서, 및 법원들의 형평법 소송들에서의 그 구성되도록 판사에 의하여 명령되는 쟁점들에 대한 정식사실심리에서, 출석해 있는 배심원(후보)들 전체 숫자로부터의 20명의 배심원(후보)들의 명부를 당사자들에게 또는 그들의 변호사들에게 제14-7-1060절에 의하여 규정되는 방법으로 서기는 제공하여야 하는바, 명부 위의 이름들에 1부터 20까지 숫자가 먹여져야 하고, 그 법원들에서의 정규의 배심원단들이 구성되어 있는 방법에의 동일한 방법에 따라서 숫자들에 의하여 삭제되어 나가야 한다. 열두 명만이 남겨질 때까지 이 명부로부터 당사자들은 내지는 그들의 변호사들은 교대로 삭제하여야 하는바, 당해 사건을 내지는 쟁점을 정식사실심리 할 배심을 그 열두 명은 구성한다. 모든 사건들에서 첫 번째의 삭제권을 원고가 가져야 하는바, 삭제를 통하여 한 개의 배심을 구성할 스무 명의 자격 있는 공정한 배심원(후보)단을 요구할 권리를 모든 민사사건들에서 당사자 어느 누구든지는 지닌다.

HISTORY: 1962 Code Section 38-205; 1952 Code Section 38-205; 1942 Code Section 634; 1932 Code Section 634; Civ. P. '22 Section 574; Civ. C. '12 Section 4042; Civ. C. '02 Section 2940; 1901 (23) 633; 1902 (23) 1069; 1904 (24) 413; 1909 (26) 48; 1939 (41) 74; 1986 Act No. 340, Section 3, eff March 10, 1986.

https://law.justia.com/codes/south-carolina/2019/title-14/chapter-7/section-14-7-1060/

Section 14-7-1060. Procedures to be employed by clerk to draw jury panel.

배심원(후보)단을 추출하기 위하여 서기에 의하여 사용되는 절차들.

Universal Citation: SC Code § 14-7-1060 (2019)

일반적 인용: SC Code § 14-7-1060 (2019)

If a computer is not used for the drawing of jurors pursuant to the provisions of Section 14-7-140, the clerk shall write or cause the names of the jurors in attendance to be written, each on a separate paper or ballot which must be white and plain, which must resemble each other as much as possible, and which must be so folded that the name written thereon is not visible on the outside. The clerk shall place each of the ballots or separate papers in a separate, small opaque capsule or container, which must be as uniform in size, shape, and color as possible at the time of original purchase or repurchase of the capsules or containers. Whenever a jury panel of twenty is to be drawn, these capsules or containers must be placed in a small rotating drum, cylindrical in shape, having a handle at the end thereof and resting on such supports that it can be turned by means of the handle, the drum, capsules, and other equipment to be furnished by the jury commissioners and approved by the resident judge. When the containers or capsules have been placed in the drum, it must be completely closed and securely fastened and rotated by means of the handle for a sufficient length of time necessary for a complete mixing of the containers or capsules and the required number of jurors must then be drawn, one by one, by a responsible and impartial person designated by the clerk of court, with the approval of the presiding judge. The names of the jurors so drawn must be returned to the capsules and replaced in the drum when the jurors are no longer actually engaged in service on a trial jury.

배심원(후보)들의 추출을 위하여 만약 한 개의 컴퓨터가 제14-7-140절에 따라서 사용되지 아니하면, 출석해 있는 배심원(후보)들의 이름들을 이름마다 따로따로의 종이 위에 내지는 뽑기용지 위에 서기는 적어야 하거나 적히도록 조치하여야 하는바, 그 종이는 내지는 뽑기용지는 흰 색의 및 장식 없는 것이지 않으면 안 되고, 가능한 최대한도껏 서로 닮지 않으면 안 되며, 그 위의 이름이 바깥 쪽에서는 보이지 아니하도록 접히지 않으면 안 된다. 뽑기용지들의 내지는 따로따로인 종이들의 낱낱을 따로따로인 작은 불투명 캡슐 안에 내지는 용기 안에

서기는 넣어야 하는바, 캡슐들에 내지는 용기들에 대한 최초의 구입 당시에 또는 재구입 당시에 크기에, 모양에, 및 색상에 있어서 가능한 최대한도껏 그것들은 균일하지 않으면 안 된다. 스무 명으로 구성되는 한 개의 배심원(후보)단이 추출되어야 할 경우에는 언제나, 실린더 모양을 한, 한 개의 손잡이를 그 끝에 단, 그 손잡이에 의하여 돌려질 수 있도록 받침대들 위에 올려지는 한 개의 작은 회전 드럼통 속에 이 캡슐들은 내지는 용기들은 넣어지지 않으면 안 되는바, 드럼통은, 캡슐들은 또는 그 밖의 장구는 배심위원들에 의하여 제공되어야 하고 전속 판사에 의하여 승인되어야 한다. 용기들이 내지는 캡슐들이 드럼통 속에 넣어지고 나면 그것은 완전하게 밀폐되지 않으면 안 되고 안전하게 동여지지 않으면 안 되며 용기들의 내지는 캡슐들의 완전한 섞임을 위하여 필요한 충분한 시간 동안 손잡이에 의하여 회전되지 않으면 안 되고, 법원장의 승인을 얻어 법원서기에 의하여 지명되는 책임성 있는 공정한 사람에 의하여 그 요구되는 숫자의 배심원(후보)들이 그 뒤에 한 개씩 추출되지 않으면 안 된다. 그렇게 추출되는 배심원(후보)들이 한 개의 정식사실심리 배심에 실제로 복무하지 아니하는 것이 될 경우에는 그들의 이름들은 캡슐들에 되돌려지지 않으면 안 되고 드럼통 안에 다시 넣어지지 않으면 안 된다.

HISTORY: 1962 Code Section 38-209; 1952 Code Section 38-209; 1942 Code Section 634; 1932 Code Section 634; Civ. P. '22 Section 574; Civ. C. '12 Section 4042; Civ. C. '02 Section 2940; 1901 (23) 633; 1902 (23) 1069; 1904 (24) 413; 1909 (26) 48; 1939 (41) 74; 1976 Code Section 14-7-1090; 1986 Act No. 340, Section 3, eff March 10, 1986; 2006 Act No. 224, Section 3, eff February 3, 2006.

Editor's Note

편집자 주해

Provisions requiring objections for cause prior to striking and requiring the clerk to furnish an additional list of jurors if disqualifications are discovered after the jury has been struck, which formerly appeared in this section, can now be found in Section 14-7-1070.

과거에는 이 절에 있던, 이유부 이의들은 삭제절차 전에 제기되어야 함을 요구하는, 및 당해 배심이 삭제절차를 통하여 구성되고 난 뒤에 결격사유들이 발견되는 경우에는 추가적 배심원(후보)들의 명부를 제공하도록 서기에게 요구하는 규정들은 지금은 제14-7-1070절에서 찾아질 수 있다.

https://law.justia.com/codes/south-carolina/2019/title-14/chapter-7/section-14-7-1070/

Section 14-7-1070. Objections for cause to be made before striking; requirement of additional jury list where disqualifications are discovered after striking.

이유부 이의들은 삭제절차 전에 제기되어야 함; 삭제절차 뒤에 결격사유들이 발견되는 경우에의 추가적 배심명부의 요구.

Universal Citation: SC Code § 14-7-1070 (2019)

일반적 인용: SC Code § 14-7-1070 (2019)

When the list is prepared by the clerk and presented to the parties or their attorneys, objection for cause must be made before striking, and if the objection is sustained, the clerk shall fill up the list before it is stricken. If, after the jury has been struck as provided, it is discovered that any one or more of the jurors whose names remain upon the jury list are disqualified for any cause, the clerk shall furnish the parties or their attorneys with an additional list of three times as many jurors as may be found to be disqualified, to be drawn as the first list was drawn, from which the parties or their attorneys shall alternately strike, until there is left the number necessary to impanel the panel.

명부가 서기에 의하여 조제되어 당사자들에게 내지는 그들의 변호사들에게 제공되는 경우에, 삭제절차 전에 이유부 이의는 제기되지 않으면 안 되는바, 만약 이의가 인용되면 명부를 삭제절차에 앞서서 서기는 채우지 않으면 안 된다. 만약 그 규정된 바에 따라서 삭제절차를 거쳐 당해 배심이 구성되고 난 뒤에, 그 배심명부 위에 삭제되지 아니하고 그 이름들이 남아 있는 배심원(후보)들 한 명 이상이 어떤 이유로든 결격으로 판정됨이 발견되면, 그 결격으로 판정되는 숫자의 세 배에 달하는 숫자의 배심원(후보)들의 추가적 명부를 당사자들에게 내지는 그들의 변호사들에게 서기는 제공하여야 하는바, 첫 번째 명부가 추출되었던 방법대로 그것은 추출되어야 하고, 그 배심원(후보)단을 충원구성함에 필요한 숫자가 그 위에 남겨질 때까지 거기로부터 당사자들은 또는 그들의 변호사들은 교대로 삭제하여야 한다.

HISTORY: 1962 Code Section 38-206; 1952 Code Section 38-206; 1942 Code Section 634; 1932 Code Section 634; Civ. P. '22 Section 574; Civ. C. '12 Section 4042; Civ. C. '02 Section 2940; 1901 (23) 633; 1902 (23) 1069; 1904 (24) 413; 1909 (26) 48; 1939 (41) 74; 1976 Code Section 14-7-1060; 1986 Act No. 340, Section 3, eff March 10, 1986.

Editor's Note

편집자 주해

Provisions relative to the effect of a jury's delay in rendering a verdict, which formerly appeared in this section, can now be found in Section 14-7-1080.

과거에는 이 절에 있던, 한 개의 평결을 제출함에 있어서의 배심의 지체의 효과에 관한 규정들은 지금은 제 14-7-1080절에서 찾아질 수 있다.

https://law.justia.com/codes/south-carolina/2019/title-14/chapter-7/section-14-7-1080/

Section 14-7-1080. Effect of jury's delay in rendering verdict.
평결을 제출함에 있어서의 배심의 지체의 효과.

Universal Citation: SC Code § 14-7-1080 (2019)

일반적 인용: SC Code § 14-7-1080 (2019)

Should the jury charged with any case be delayed in rendering its verdict so that it could not be present to be drawn from in making the list to form a second jury, then the clerk shall present to the parties or their attorneys a list containing the names of twenty jurors to be drawn by the clerk from the remaining jurors in the manner provided in Section 14-7-1050, from which list the parties or their attorneys shall alternately strike, as provided in Section 14-7-1050 until twelve are left who shall constitute the jury.

그 자신의 평결을 내리기를 어떤 사건이든지를 부여받은 배심이 지체함으로 인하여 두 번째 배심을 구성하기 위한 명부를 작성함에 있어서 추출되어야 할 후보단에 그들이 출석해 있을 수 없는 경우에는, 제14-7-1050절에 규정되는 방법에 따라서 서기에 의하여 잔존의 배심원(후보)들로부터 추출되는 20명의 배심원(후보)들의 이름들을 포함하는 한 개의 명부를 당사자들에게 내지는 그들의 변호사들에게 서기는 제공하여야 하는바, 제14-7-1050절에 규정된 대로 열두 명이 남겨질 때까지 그 명부로부터 당사자들은 내지는 그들의 변호사들은 교대로 삭제하여야 하고 배심을 그 열두 명이 구성하여야 한다.

HISTORY: 1962 Code Section 38-207; 1952 Code Section 38-207; 1942 Code Section 634; 1932 Code Section 634; Civ. P. '22 Section 574; Civ. C. '12 Section 4042; Civ. C. '02 Section 2940; 1901 (23) 633; 1902 (23) 1069; 1904 (24) 413; 1909 (26) 48; 1939 (41) 74; 1976 Code Section 14-7-1070; 1986 Act No. 340, Section 3, eff March 10, 1986.

Editor's Note

편집자 주해

Provisions relative to impaneling a jury in default cases or in cases where the right to strike a jury has been waived, which formerly appeared in this section, can now be found in Section 14-7-1090.

과거에는 이 절에 있던, 궐석사건들에서의, 내지는 한 개의 배심을 삭제절차에 의하여 구성시킬 권리가 포기된 사건들에서의, 한 개의 배심을 충원구성함에 관련되는 규정들은 지금은 제14-7-1090절에서 찾아질 수 있다.

https://law.justia.com/codes/south-carolina/2019/title-14/chapter-7/section-14-7-1090/

Section 14-7-1090. Impaneling jury in default cases or in cases where right to strike jury has been waived.

궐석사건들에서의, 내지는 배심을 삭제절차에 의하여 구성시킬 권리가 포기된 사건들에서의, 배심의 충원구성.

Universal Citation: SC Code § 14-7-1090 (2019)

일반적 인용: SC Code § 14-7-1090 (2019)

In all cases of default when it may be necessary to have the verdict of a jury or in the trial of cases when the parties or their attorneys shall waive the right to strike a jury, the clerk shall, under the direction of the judge, draw and impanel a jury who shall pass upon those matters as may be submitted to it in default cases or the trial of those cases when the parties have waived the right to strike the jury.

한 개의 배심의 평결을 가짐이 필요할 수 있는 모든 궐석사건들에서는, 내지는 한 개의 배심을 삭제절차를 통하여 구성시킬 권리를 당사자들이 내지는 그들의 변호사들이 포기하는 사건들의 정식사실심리에서는, 배심 자신에게, 궐석사건들에서 내지는 당해 배심을 삭제절차에 의하여 구성시킬 권리를 당사자들이 포기한 터인 사건들의 정식사실심리에서, 배심에게 제출될 수 있는 문제들을 판단할 한 개의 배심을 판사의 명령에 따라서 서기는 추출하여야 하고 충원구성하여야 한다.

HISTORY: 1962 Code Section 38-208; 1952 Code Section 38-208; 1942 Code Section 634; 1932 Code Section 634; Civ. P. '22 Section 574; Civ. C. '12 Section 4042; Civ. C. '02 Section 2940; 1901 (23) 633; 1902 (23) 1069; 1904 (24) 413; 1909 (26) 48; 1939 (41) 74; 1976 Code Section 14-7-1080; 1986 Act No. 340, Section 3, eff March 10, 1986.

Editor's Note

편집자 주해

Provisions as to the manner of drawing a jury panel of twenty, which formerly appeared in this section, can now be found in Section 14-7-1060.

과거에는 이 절에 있던, 스무 명으로 구성되는 한 개의 배심원(후보)단을 추출하는 방법에 관한 규정들은 지금은 제14-7-1060절에서 찾아질 수 있다.

https://law.justia.com/codes/south-carolina/2019/title-14/chapter-7/section-14-7-1100/

Section 14-7-1100. Impaneling jury in criminal case.
형사사건에서의 배심의 충원구성.

Universal Citation: SC Code § 14-7-1100 (2019)

일반적 인용: SC Code § 14-7-1100 (2019)

In impaneling juries in criminal cases, the jurors must be called, sworn, and impaneled anew for the trial of each case, according to the established practice.

형사사건들에서의 배심들을 충원구성함에 있어서는 확립된 업무처리 방법에 따라서 사건마다의 정식사실심리를 위하여 새롭게 배심원(후보)들이 소환되지 않으면, 선서절차에 처해지지 않으면, 그리고 충원구성되지 않으면 안 된다.

HISTORY: 1962 Code Section 38-210; 1952 Code Section 38-210; 1942 Code Section 92; 1932 Code Section 982; Cr. P. '22 Section 73; Cr. C. '12 Section 70; Cr. C. '02 Section 44; G. S. 2636; R. S. 44; 1871 (14) 692; 1986 Act No. 340, Section 3, eff March 10, 1986.

https://law.justia.com/codes/south-carolina/2019/title-14/chapter-7/section-14-7-1110/

Section 14-7-1110. Peremptory challenges in criminal cases.
형사사건들에서의 무이유부 기피들.

Universal Citation: SC Code § 14-7-1110 (2019)

일반적 인용: SC Code § 14-7-1110 (2019)

Any person who is arraigned for the crime of murder, manslaughter, burglary, arson, criminal sexual conduct, armed robbery, grand larceny, or breach of trust when it is punishable as for grand larceny, perjury, or forgery is entitled to peremptory challenges not exceeding ten, and the State in these cases is entitled to peremptory challenges not exceeding five. Any person who is indicted for any crime or offense other than those enumerated above has the right to peremptory challenges not exceeding five, and the State in these cases is entitled to peremptory challenges not exceeding five. No right to stand aside jurors is allowed to the State in any case whatsoever. In no case where there is more than one defendant jointly tried are more than twenty peremptory challenges allowed in all to the defendants, and in misdemeanors when there is more than one defendant jointly tried no more than ten peremptory challenges are allowed in all to the defendants. In felonies when there is more than one defendant jointly tried the State has ten challenges.

모살로, 고살로, 불법목적침입으로, 방화로, 성범죄로, 흉기소지 강도로, 중절도로 기소인부 신문되는 사람 누구든지는, 또는 중절도로, 위증으로, 또는 위조로 처벌가능한 경우에의 신탁위반으로 기소인부신문 되는 사람 누구든지는 10회 이내의 무이유부 기피들의 권리를 지니고, 위 사건들에서 주는 5회 이내의 무이유부 기피들의 권리를 지닌다. 위에 열거된 것들 이외의 범죄로 내지는 위반행위로 대배심 검사기소 되는 사람 누구든지는 5회 이내의 무이유부 기피의 권리를 지니고, 이 사건들에서 주는 5회 이내의 무이유부 기피의 권리를 지닌다. 배심원(후보)들을 후보단이 소진될 때까지 제쳐놓을 권리는 그 어떤 사건에서도 주에게 허용되지 아니한다. 한 명을 초과하는 피고인들이 병합으로 정식사실심리 되는 어떤 사건에서도 피고인들 전부를 합쳐서 20회를 초과하는 무이유부 기피들은 허용되지 아니하고, 한 명을 초과하는 피고인들이 병합으로 정식사실심리 되는 경죄사건들에서는 피고인들 전부를 합쳐서 10회를 초과하는 무이유부 기피들은 허용되지 아니한다. 한 명을 초과하는 피고인들이 병합으로 정식사실심리 되는 중죄사건들에서는 10회의 기피들을 주는 지닌다.

HISTORY: 1962 Code Section 38-211; 1952 Code Section 38-211; 1942 Code Section 1002; 1932 Code Section 1002; Cr. P. '22 Section 88; Cr. C. '12 Section 82; Cr. C. '02 Section 55; R. S. 54; 33 Ed. 1; 1712 (2) 549; 1841 (11) 154; 1887 (19) 830; 1892 (21) 94; 1927 (35) 180; 1928 (35) 1161; 1930 (36) 1268; 1932 (27) 1145; 1943 (43) 285; 1986 Act No. 340, Section 3, eff March 10, 1986; 1987 Act No. 10, Section 1, eff March 16, 1987.

https://law.justia.com/codes/south-carolina/2019/title-14/chapter-7/section-14-7-1120/

Section 14-7-1120. Challenges and strikes of alternate jurors.
예비배심원들에 대한 기피들 및 삭제들.

Universal Citation: SC Code § 14-7-1120 (2019)

일반적 인용: SC Code § 14-7-1120 (2019)

In criminal cases the prosecution is entitled to one and the defendant to two peremptory challenges for each alternate juror called under the provisions of Section 14-7-320 and in civil cases, each party shall have one strike for each alternate juror.

형사사건들에서는 제14-7-320절의 규정들 아래서 소환되는 예비배심원(후보) 한 명마다에 대하여 소추 측은 한 번의, 피고인은 두 번의 무이유부 기피의 권리들을 지니고, 그리고 민사사건들에서는 개개 당사자는 예비배심원(후보) 한 명마다에 대하여 한 번의 삭제권리를 지닌다.

HISTORY: 1962 Code Section 38-212; 1952 Code Section 38-212; 1942 Code Section 626-2; 1937 (40) 300; 1986 Act No. 340, Section 3, eff March 10, 1986.

https://law.justia.com/codes/south-carolina/2019/title-14/chapter-7/section-14-7-1130/

Section 14-7-1130. Juror may take affirmation instead of oath.
선서를에 갈음하여 무선서확약을 배심원은 택할 수 있음.

Universal Citation: SC Code § 14-7-1130 (2019)

일반적 인용: SC Code § 14-7-1130 (2019)

Any juror in any court of this State may make solemn and conscientious affirmation and declaration, according to the form of his religious belief or profession, as to any matter or thing whereof an oath is required and this affirmation and declaration must be held as valid and effectual as if the person had taken an oath on the Holy Bible.

한 개의 선서가 요구되는 사안에 내지는 사항에 관하여 엄숙한 및 성실한 무선서확약을 및 선언을 그의 종교적 신념의 내지는 고백의 종류에 따라서 이 주의 어느 법원에서의든 배심원 누구든지는 할 수 있는바, 한 개의 선서를 성서 위에다 그가 하였을 경우에 준하여 똑 같이 유효한 및 적절한 것으로 이 무선서확약은 및 선언은 간주되지 않으면 안 된다.

HISTORY: 1962 Code Section 38-213; 1952 Code Section 38-213; 1942 Code Section 341; 1932 Code Section 341; Civ. P. '22 Section 297; Civ. C. '12 Section 3930; Civ. C. '02 Section 2827; G. S. 2174; R. S. 2303; 1721 (3) 281; 1986 Act No. 340, Section 3, eff March 10, 1986.

https://law.justia.com/codes/south-carolina/2019/title-14/chapter-7/section-14-7-1140/

Section 14-7-1140. Effect on verdict of irregularity in venire or drawing of jurors.
배심원후보단에 있어서의 또는 배심원(후보)들의 추출에 있어서의 규칙위반이 평결에 미치는 효과.

Universal Citation: SC Code § 14-7-1140 (2019)

일반적 인용: SC Code § 14-7-1140 (2019)

No irregularity in any writ of venire facias or in the drawing, summoning, returning, or impaneling of jurors is sufficient to set aside the verdict, unless the party making the objection was injured by the irregularity or unless the objection is made before the returning of the verdict.

배심소집영장에 있어서의 내지는 배심원(후보)들을 추출함에, 소환함에, 복명함에, 또는 충원함에 있어서의 규칙위반은, 그 규칙위반에 의하여 이의 측 당사자가 권리를 침해당한 경우에를 제외하고는, 내지는 평결의 제출 전에 당해 이의가 제기되는 경우에를 제외하고는, 평결을 무효화하기에 충분하지 아니하다.

HISTORY: 1962 Code Section 38-214; 1952 Code Section 38-214; 1942 Code Section 640; 1932 Code Section 640; Civ. P. '22 Section 580; Civ. C. '12 Section 4048; Civ. C. '02 Section 2947; G. S. 2266; R. S. 2407; 1797 (5) 358; 1986 Act No. 340, Section 3, eff March 10, 1986.

ARTICLE 11 Service as Jurors and Compensation
배심원들로서의 복무 및 보수

https://law.justia.com/codes/south-carolina/2019/title-14/chapter-7/section-14-7-1310/

Section 14-7-1310. Foreman.
배심장.

Universal Citation: SC Code § 14-7-1310 (2019)

일반적 인용: SC Code § 14-7-1310 (2019)

The foreman of each jury, after the jury has been empanelled, may be appointed by the court or the jury may retire and choose its foreman.

개개 배심의 배심장은 당해 배심이 충원구성되고 난 뒤에 법원에 의하여 지명될 수 있거나, 또는 자신의 배심장을 배심이 배심실로 물러가서 뽑을 수 있다.

HISTORY: 1962 Code Section 38-301; 1952 Code Section 38-301; 1942 Code Section 635; 1932 Code Section 635; Civ. P. '22 Section 575; Civ. C. '12 Section 4043; Civ. C. '02 Section 2941; G. S. 2253; R. S. 2396; 1905 (24) 846.

https://law.justia.com/codes/south-carolina/2019/title-14/chapter-7/section-14-7-1320/

Section 14-7-1320. Jury may view place, property, or thing; expenses.
장소를, 재산을, 또는 물건을 배심은 검증할 수 있음; 비용들.

Universal Citation: SC Code § 14-7-1320 (2019)

일반적 인용: SC Code § 14-7-1320 (2019)

The jury in any case may, at the request of either party, be taken to view the place or premises in question or any property, matter or thing relating to the controversy between the parties when it appears to the court that such view is necessary to a just decision, if the party making the motion advances a sum sufficient to pay the actual expenses of the jury and the officers who attend them in taking the view, which shall be afterwards taxed like other legal costs if the party who advanced them prevails in the suit.

올바른 결정을 위하여 당사자들 사이의 분쟁에 관련되는 문제의 장소를 또는 구내를 또는 재산을, 물체를 또는 물건을 검증함이 필요한 것으로 법원에 드러나는 경우에, 이를 실시함에 있어서의 배심의 및 배심을 수행하는 공무원들의 실제의 비용들을 지불하기에 충분한 금액을 신청 당사자가 선납하면, 어떤 사건에서든지 당사자 한 쪽의 요청에 따라서 배심은 이를 검증하도록 조치될 수 있는바, 만약 그 비용들을 선납한 당사자가 당해 소송에서 승소하면 그 금액은 나중에 여타의 법적 비용들이에 준하여 청구되어야 한다.

HISTORY: 1962 Code Section 38-302; 1952 Code Section 38-302; 1942 Code Section 643; 1932 Code Section 643; Civ. P. '22 Section 583; Civ. C. '12 Section 4051; Civ. C. '02 Section 2950; G. S. 2271; R. S. 2410; 1871 (14) 693.

https://law.justia.com/codes/south-carolina/2019/title-14/chapter-7/section-14-7-1330/

Section 14-7-1330. Procedure when jury fails to agree.
배심이 합의하지 못하는 경우에의 절차.

Universal Citation: SC Code § 14-7-1330 (2019)

일반적 인용: SC Code § 14-7-1330 (2019)

When a jury, after due and thorough deliberation upon any cause, returns into court without having agreed upon a verdict, the court may state anew the evidence or any part of it and explain to it anew the law applicable to the case and may send it out for further deliberation. But if it returns a second time without having agreed upon a verdict, it shall not be sent out again without its own consent unless it shall ask from the court some further explanation of the law.

어떤 사건에 대하여든지의 마땅한 및 철저한 숙의 뒤에 한 개의 평결에 합의하지 못한 상태로 법정에 배심이 돌아오면, 법원은 증거를 내지는 증거의 어느 부분이든지를 다시 설명할 수 있고 사건에 적용되는 법을 배심에게 다시 설명할 수 있으며 더 이상의 숙의를 위하여 배심을 내보낼 수 있다. 그러나 한 개의 평결에 합의하지 못한 채로 배심이 두 번째로 돌아오면, 법에 관한 추가적 설명을 법원에게 배심이 요청하는 경우에를 제외하고는, 배심 스스로의 동의 없이는 배심은 다시 내보내져서는 안 된다.

HISTORY: 1962 Code Section 38-303; 1952 Code Section 38-303; 1942 Code Section 642; 1932 Code Section 642; Civ. P. '22 Section 582; Civ. C. '12 Section 4050; Civ. C. '02 Section 2949; G. S. 2268; R. S. 2409; 1797 (5) 358.

https://law.justia.com/codes/south-carolina/2019/title-14/chapter-7/section-14-7-1340/

Section 14-7-1340. Duties and service of alternate jurors.
예비배심원들의 의무들 및 복무.

Universal Citation: SC Code § 14-7-1340 (2019)

일반적 인용: SC Code § 14-7-1340 (2019)

Such alternate jurors shall sit near the jury panel charged with the case, shall have the same opportunities for seeing and hearing the proceedings in the case, and shall take the same oath as the jurors already sworn and shall attend at all times the trial of the cause in company with the other jurors. They shall obey the orders of, and be bound by, the admonition of the court upon each adjournment of the court and, if the regular jurors are ordered to be kept in custody by the court during the trial of the cause, such alternate jurors shall also be kept in confinement with the other jurors and, except as hereinafter provided, shall be discharged upon the final submission of the case to the jury. If, before the final submission of the case to the jury, a juror thereon dies or becomes so ill or disabled as to be unable in the judgment of the court to perform his duties thereon, the court shall order him to be discharged and draw the name of one of the alternates, if there be more than one, by ballot to serve in the place of such dead or discharged juror throughout the remainder of the proceedings, being subject to the same rules and regulations as applied to the remainder of jurors, just as though he had been one of the original jurors. If there be but one alternate, he shall be placed upon the jury panel for all further proceedings in such cause.

예비배심원들은 당해 사건이 맡겨진 배심원단 가까이에 착석하여야 하고, 당해 사건에서의 절차들을 볼 및 들을, 이미 선서절차를 거친 배심원들이 가지는 기회들을에의 동일한 기회들을 가져야 하며, 그 동일한 선서를 하여야 하고, 여타의 배심원들이에 동반하여 당해 사건의 정식사실심리에 항상 출석해 있어야 한다. 그들은 법정의 매 휴정 때마다의 법원의 경고의 명령들에 복종하여야 하고 이에 구속되어야 하는바, 만약 당해 사건의 정식사실심리 동안에 법원의 보호에 놓여 있도록 정규 배심원들이 명령되면, 예비배심원들은도 여타의 배심원들이에 더불어 마찬가지로 구금 상태에 놓여 있어야 하고, 이하에서 규정되는 바에 따라서를 제외하고는, 배심에게의 당해 사건의 마지막 위탁 때에 임무로부터 해제된다. 만약 배심에게의 당해 사건의 마지막 위탁 전에 당해 배심의 한 명의 배심원이 사망하면 내지는 법원의 판단으로 배심에서의 그의 임무들을 수행할 수 없을 정도로 병들거나 장애가 생기면, 법원은 그를 임무해제 조치하도록 명령하여야 하고, 만약 예비배심원들이 한 명을 넘으면 그들 중에서 한 명의 이름을 추첨에 의하여 추출하여야 하며, 그로 하여금 그 사망한 내지는 임무해제된 배심원에 갈음하여 나머지 절차들의 끝까지 복무하게 하여야 하는바, 여타의 배심원들에게 적용되는 규칙들에의 및 규정들에의 동일한 규칙들의 및 규정들의 적용을, 마치 그가 최초의 배심원들 중 한 명이었을 경우에 준하여, 그는 받아야 한다. 만약 예비배심원이 오직 한 명이면, 그러한 사건의 향후의 모든 절차들을 위하여 배심원단에 그는 올려져야 한다.

HISTORY: 1962 Code Section 38-304; 1952 Code Section 38-304; 1942 Code Section 626-2; 1937 (40) 300.

https://law.justia.com/codes/south-carolina/2019/title-14/chapter-7/section-14-7-1350/

Section 14-7-1350. Petit jurors may be held beyond period for which summoned.

소배심원들은 그 소환된 대상기간을 넘어서까지 붙들릴 수 있음.

Universal Citation: SC Code § 14-7-1350 (2019)

일반적 인용: SC Code § 14-7-1350 (2019)

All jurors summoned to serve at any term of the courts of general sessions or common pleas may be held beyond the period for which they were summoned until all cases in both of such courts to be tried by jury are disposed of or until another jury shall have been empanelled to try such cases.

치안재판소의 내지는 국민간 소송법원의 어느 특정 개정기에 복무하도록 소환되는 모든 배심원들은, 그들이 소환된 대상 기간을 넘어서, 그러한 법원들 둘 다에서의 배심에 의하여 정식사실심리 되어야 할 모든 사건들이 처분될 때까지, 또는 그러한 사건들을 정식사실심리하도록 별도의 배심이 충원구성되고 났을 때까지, 붙들릴 수 있다.

HISTORY: 1962 Code Section 38-305; 1952 Code Section 38-305; 1942 Code Section 636; 1932 Code Section 636; Civ. P. '22 Section 576; Civ. C. '12 Section 4044; Civ. C. '02 Section 2942; 1896 (22) 18.

https://law.justia.com/codes/south-carolina/2019/title-14/chapter-7/section-14-7-1360/

Section 14-7-1360. Verdict may be set aside on gratuity given to juror by party.

당사자에 의하여 배심원에게 제공된 선물로 인하여 평결이 무효화 될 수 있음.

Universal Citation: SC Code § 14-7-1360 (2019)

일반적 인용: SC Code § 14-7-1360 (2019)

If either party in a case in which a verdict is returned during the same term of the court, before the trial, gives to any of the jurors who try the cause anything by way of treat or gratuity the court may, on the motion of the adverse party, set aside the verdict and award a new trial of the cause.

만약 법원의 동일 개정기 동안에 한 개의 평결이 제출되는 한 개의 사건에서의 당사자 어느 쪽이든지가, 당해 사건을 정식사실심리 하는 배심원들 중 어느 누구에게라도 대접의 또는 선물의 목적으로 그 무엇을이라도 정식사실심리 전에 제공하면, 당해 평결을 상대방 당사자의 신청에 따라서 법원은 무효화 할 수 있고 사건에 대한 새로운 정식사실심리를 부여할 수 있다.

HISTORY: 1962 Code Section 38-307; 1952 Code Section 38-307; 1942 Code Section 641; 1932 Code Section 641; Civ. P. '22 Section 581; Civ. C. '12 Section 4049; Civ. C. '02 Section 2948; G. S. 2267; R. S. 2408; 1797 (5) 358.

https://law.justia.com/codes/south-carolina/2019/title-14/chapter-7/section-14-7-1370/

Section 14-7-1370. Compensation of jurors in circuit courts.
순회구 지방법원들에서의 배심원들의 보수.

Universal Citation: SC Code § 14-7-1370 (2019)

일반적 인용: SC Code § 14-7-1370 (2019)

Jurors serving in the circuit courts of this State shall, in addition to mileage at the rate of five cents per mile going to and returning from court, receive a per diem in the several counties of this State, as follows:

이 주의 순회구 지방법원들에서 복무하는 배심원들은, 법원을 오가는 마일 당 5센트 요율의 여비수당을에 더하여 일당을 이 주 개개 카운티들에서 아래에 따라서 수령하여야 한다:

(1) In the counties of Anderson, Calhoun, Clarendon, Dillon, Edgefield, Greenville, Greenwood, Lancaster, Laurens, Marion, Marlboro, Richland and York, two dollars; provided, that in Marlboro County petit jurors shall receive, in addition to the per diem, two dollars for each night when detained on jury duty after ten o'clock P.M.;

앤더슨 카운티에서는, 칼하운 카운티에서는, 클라렌던 카운티에서는, 딜런 카운티에서는, 에지필드 카운티에서는, 그린빌 카운티에서는, 그린우드 카운티에서는, 랭카스터 카운티에서는, 로렌스 카운티에서는, 마리온 카운티에서는, 말버러 카운티에서는, 리치랜드 카운티에서는 및 요크 카운티에서는 2불; 단, 말버러 카운티 소배심원들은 오후 10시 뒤에까지 배심의무에 붙들리는 경우에는 일당을에 더하여 밤 한 번마다 2불을 수령하여야 한다;

(2) In Union County, two dollars and fifty cents; provided, that petit jurors shall receive, in addition to the per diem, two dollars and fifty cents for each night when detained on jury duty after ten o'clock P. M.;

유니언 카운티에서는 2불 50센트; 단, 소배심원들은 오후 10시 뒤에까지 배심의무에 붙들리는 경우에는 일당을에 더하여 밤 한 차례마다 2불 50센트를 수령하여야 한다;

(3) In the counties of Bamberg, Barnwell, Cherokee, Chester, Colleton, Fairfield, Jasper, Lexington, Oconee and Orangeburg, three dollars; provided, that if any juror in Chester County is kept on duty after eleven o'clock at night, he shall be paid for an additional day; provided, further, that in Orangeburg County each juror shall receive mileage for going to and returning from court for each day of attendance at court;

뱀버그 카운티에서는, 반웰 카운티에서는, 체로키 카운티에서는, 체스터 카운티에서는, 콜레턴 카운티에서는, 페어필드 카운티에서는, 재스퍼 카운티에서는, 렉싱턴 카운티에서는 및 오코니 카운터에서는 오렌지버그 카운티에서는 3불; 단 만약 체스터 카운티에서의 배심원 어느 누구든지가 밤 11시 뒤에까지 배심의무에 붙들리는 경우에는 그에게는 하루분이 추가로 지급되어야 한다; 또한 다만, 오렌지 카운티에서는 법원을 오가는 여비수당을 법원에의 출석일에마다 매 배심원은 수령하여야 한다.

(4) In Kershaw and Spartanburg Counties, four dollars;

커쇼 카운티에서는 및 스파탄버그 카운티에서는 4불;

(5) In Abbeville County, ten dollars;

애브빌 카운티에서는 10불;

(6) In Berkeley, Fairfield, Horry, McCormick, Newberry and Sumter Counties, five dollars; provided, however, that:

버클리 카운티에서는, 페어필드 카운티에서는, 호리 카운티에서는, 매코믹 카운티에서는, 뉴베리 카운티에서는 및 섬터 카운티에서는 5불; 그러나 다만:

(a) Jurors in Berkeley County shall be paid mileage at the rate of ten cents per mile going to and returning from court;

버클리 카운티에서의 배심원들에게는 법원을 오가는 마일 당 10센트의 여비수당이 지급되어야 한다;

(b) If in Newberry County any juror serving upon any case is detained by such jury service after twelve o'clock midnight, it shall be considered that the jury shall have entered into a new day of jury service; and if a juror in either such county is discharged from jury service before one o'clock P. M. on any day he shall be paid only two dollars and fifty cents;

뉴베리 카운티에서는 만약 어떤 사건에서든 복무하는 배심원이 그러한 배심복무에 의하여 자정 열두 시 뒤에까지 붙들리면, 배심복무의 새로운 하루에 당해 배심이 들어간 것으로 간주되어야 한다; 그리고 만약 그러한 카운티에서의 배심원이 어느 날에든 배심복무로부터 오후 1시 전에 임무해제 되면 그에게는 2불 50센트만이 지급되어야 한다.

(c) Jurors in Chesterfield County shall be paid mileage at seven cents per mile for each day's attendance on court;

체스터필드에서의 배심원들에게는 법원에의 출석일에마다 마일 당 7센트의 여비수당이 지급되어야 한다.

(d) In Horry County petit jurors shall receive an additional five dollars per night when detained on jury duty after eleven o'clock P. M.; and if any juror in Horry County is excused from jury service at his own request he shall not be paid compensation as a juror but shall only be entitled to receive compensation for mileage;

호리 카운티에서 소배심원들은 오후 11시 뒤에까지 배심복무에 붙들리면 밤마다에 대하여 추가적 5불을 수령하여야 한다; 그리고 만약 호리 카운티에서의 배심원 누구든지가 그 자신의 요청에 따라서 배심복무로부터 면제되면 그에게는 배심원으로서의 보수가 지급되지 아니하는바, 오직 여비수당에 대한 보수를 수령할 권리만을 그는 지닌다;

(e) In Georgetown County, jurors shall be paid mileage at the rate of seven cents per mile going to and from court;

조지타운 카운티에서는 배심원들에게 법원을 오가는 마일 당 7센트 요율의 여비수당이 지급되어야 한다;

(7) The pay for all jurors of Darlington County shall be as follows: The foreman of a grand jury, five dollars per day and ten cents mileage one way; all other jurors, grand and petit, three dollars per day and ten cents mileage one way, and the county auditor of Darlington County shall levy and the treasurer and the tax collector shall collect sufficient funds for the purposes of this paragraph;

달링턴 카운티의 모든 배심원들에 대한 지급은 아래에 따른다: 대배심의 배심장에게는 하루 당 5불 및 10센트의 편도 여비수당이고; 대배심원들에게를 및 소배심원들에게를 포함하는 그 밖의 모든 배심원들에게는 하루 당 3불 및 10센트의 편도 여비수당인바, 이 단락의 목적들을 위한 충분한 기금을 달링턴 카운티의 회계감사관은 할당하여야 하고 출납관은 및 세금징수관은 징수하여야 한다.

(8) In Saluda County, seven dollars per day and mileage for each trip going to and returning from court;

살루다 카운티에서는 하루 당 7불 및 법원을 오가는 매 여행을 위한 여비수당;

(9) In Aiken County, six dollars; and

아이켄 카운티에서는 6불; 그리고

(10) In Allendale County, seven dollars;

알렌데일 카운티에서는 7불;

(11) In Charleston County the circuit court grand and petit jurors shall receive seven dollars per day whether or not they are discharged from jury service before one

o'clock P. M. on any day, and mileage at the rate of ten cents per mile for going to and returning from court for each day of attendance at court;

찰스턴 카운티에서는 순회구 지방법원 대배심원들은 및 소배심원들은 어느 날에든 오후 1시 전에 배심복무로부터 그들이 임무해제 되는지 안 되는지 여부에 상관없이 하루 당 7불을, 및 법원에의 출석일에마다 법원을 오가는 마일 당 10센트의 여비수당을 수령하여야 한다;

(12) In Beaufort County, twelve dollars and fifty cents, and if any juror serving upon any case is detained by such jury service after twelve o'clock midnight, it shall be considered that the jury shall have entered into a new day of jury service. In addition jurors shall be paid mileage for going to and returning from court for each day of attendance at court at the same rate as authorized by law for an employee of the State. Such mileage shall be paid each day.

보포트 카운티에서는, 12불 50센트, 및 만약 어떤 사건에서든 복무하는 배심원 어느 누구든지가 그러한 배심복무에 의하여 자정 12시 뒤에까지 붙들리면, 배심복무의 새로운 하루에 당해 배심이 들어간 것으로 간주되어야 한다. 이에 더하여 배심원들에게는 법원에의 출석일에마다 법원을 오가는 여비수당이 주(State) 피용자를 위하여 법에 의하여 허가되는 요율에의 동일 요율에 따라서 지급되어야 한다. 그러한 여비수당은 개개 날에 지급되어야 한다.

(13) In Chesterfield County, eight dollars;

체스터필드 카운티에서는 8불;

(14) In Hampton and Georgetown Counties, ten dollars; and

햄턴 카운티에서는 및 조지타운 카운티에서는 10불; 그리고

(15) In Lee County, seven dollars.

리 카운티에서는 7불.

(16) In Pickens and Florence Counties, ten dollars and if any juror serving upon any case is detained by such jury service after twelve o'clock midnight, it shall be considered that the jury shall have entered into a new day of jury service. Jurors shall

be paid mileage at the rate of ten cents per mile for going to and returning from court for each day of attendance at court.

피켄스 카운티에서는 및 플로렌스 카운티에서는 10불 및 만약 어떤 사건에서든 복무하는 어느 배심원이든지가 그러한 배심복무에 의하여 자정 12시 뒤에까지 붙들리면, 배심복무의 새로운 하루에 당해 배심이 들어간 것으로 간주되어야 한다. 배심원들에게는 법원에의 출석일에마다 법원을 오가는 마일 당 10센트의 요율에 따라서 여비수당이 지급되어야 한다.

(17) In Edgefield County ten dollars and mileage at the rate of ten cents per mile going to and returning from court for each day's attendance at court.

에지필드 카운티에서는 10불 및 법원에의 출석일에마다 법원을 오가는 마일 당 10센트의 요율에 의한 여비수당.

(18) In Dorchester County ten dollars per day and mileage at the rate of ten cents per mile going to and returning from court for each weekly session.

도체스터 카운티에서는 하루 당 10불 및 주간(weekly) 회기마다에 대하여 법원을 오가는 마일 당 10센트의 요율에 의한 여비수당.

(19) In Williamsburg County, twelve dollars, and if any juror serving upon any case is detained by such jury service after twelve o'clock midnight, it shall be considered that the jury shall have entered into a new day of jury service. In addition jurors shall be paid mileage for going to and returning from court for each day of attendance at court at the rate of ten cents per mile. Such mileage shall be paid each day.

윌리엄스버그 카운티에서는 12불, 및 만약 어떤 사건에서든 복무하는 어느 배심원이든지가 그러한 배심복무에 의하여 자정 12시 뒤에까지 붙들리면, 배심복무의 새로운 하루에 당해 배심이 들어간 것으로 간주되어야 한다. 이에 더하여, 배심원들에게는 법원에의 출석일에마다 법원을 오가는 마일 당 10센트의 요율에 따라서 여비수당이 지급되어야 한다. 그러한 여비수당은 개개 날에 지급되어야 한다.

HISTORY: 1962 Code Section 38-308; 1952 Code Section 38-308; 1942 Code Section 632; 1932 Code Section 632; Civ. P. '22 Section 572; Civ. C. '12 Section 4040; Civ. C. '02 Section 2938; G. S. 2269; R. S. 2384; 1874 (15) 608; 1878 (16) 630; 1907 (25) 518; 1911 (27) 86; 1920 (31) 735; 1925 (34) 233; 1933 (38) 8, 14, 76, 111; 1934 (38) 1598; 1935 (39) 220; 1936

(39); 1936 (39) 1304, 1315, 1321, 1544; 1937 (40) 36, 45, 177, 190, 209, 385; 1938 (40) 1563, 1590, 1602, 1698; 1939 (41) 415; 1940 (41) 1938; 1942 (42) 1577; 1943 (43) 13; 1945 (44) 20, 44, 49, 77, 87; 1946 (44) 1356; 1947 (45) 1, 82; 1948 (45) 1722, 1830; 1949 (46) 110, 224; 1950 (46) 2391; 1951 (47) 39, 237; 1952 (47) 1914; 1953 (48) 184, 300; 1954 (48) 1749; 1956 (49) 1750; 1957 (50) 98, 565; 1959 (51) 297, 339; 1960 (51) 1984; 1962 (52) 2220; 1963 (53) 234; 1964 (53) 1739, 2068, 2340; 1966 (54) 3242; 1967 (55) 55, 224, 1014; 1968 (55) 2295, 3530; 1970 (56) 1989; 1971 (57) 1065; 1972 (57) 2647; 1973 (58) 781; 1974 (58) 1938, 2988; 1976 Act No. 504 Sections 1, 2; 1978 Act No. 407 Section 1.

https://law.justia.com/codes/south-carolina/2019/title-14/chapter-7/section-14-7-1380/

Section 14-7-1380. Cost of feeding juries paid by county.
배심들의 식사비는 카운티에 의하여 지불되어야 함.

Universal Citation: SC Code § 14-7-1380 (2019)

일반적 인용: SC Code § 14-7-1380 (2019)

Whenever any circuit judge shall order food to be furnished by the sheriff to any jury charged with the consideration of a case, the expenses connected therewith shall be paid by the governing body of the county in which such case is being tried, upon presentation of the bill of the sheriff certified as correct by the presiding judge.

한 개의 사건의 심리를 맡은 배심에게 집행관에 의하여 음식이 제공되게 하도록 순회구 지방법원 판사 누구나가 명령하는 때에는 언제든지, 이에 관련되는 비용들은 그러한 사건이 정식 사실심리 되고 있는 카운티의 관리부에 의하여 지급되어야 하는바, 법원장에 의하여 그 정확한 것임이 증명되는 집행관의 청구서의 제출에 의한다.

HISTORY: 1962 Code Section 38-310; 1952 Code Section 38-310; 1942 Code Section 647; 1932 Code Section 647; Civ. P. '22 Section 587; Civ. C. '12 Section 4055; Civ. C. '02 Section 2954; R. S. 2414; 1891 (20) 1053.

https://law.justia.com/codes/south-carolina/2019/title-14/chapter-7/section-14-7-1390/

Section 14-7-1390. Penalty for nonattendance.
불출석에 대한 벌칙.

Universal Citation: SC Code § 14-7-1390 (2019)

일반적 인용: SC Code § 14-7-1390 (2019)

If a person duly drawn and summoned to attend as a juror in any court neglects to attend, without sufficient excuse, he shall pay a civil penalty not exceeding one hundred dollars which must be imposed by the court to which the juror was summoned and paid into the county treasury.

어떤 법원에든 한 명의 배심원(후보)으로서 출석하도록 적법하게 추출된 및 소환된 사람이 그 출석하기를 충분한 이유 없이 태만히 하면, 100불 이하의 민사벌금을 그는 물어야 하는 바, 그것은 당해 배심원(후보)이 소환된 법원에 의하여 부과되지 않으면 안 되고, 카운티 재정회계에 납입되지 않으면 안 된다.

HISTORY: 1962 Code Section 38-311; 1952 Code Section 38-311; 1942 Code Section 644; 1932 Code Section 644; Civ. P. '22 Section 584; Civ. C. '12 Section 4052; Civ. C. '02 Section 2951; G. S. 2272; R. S. 2411; 1871 (14) 694; 1997 Act No. 64, Section 1, eff June 10, 1997.

ARTICLE 13 Grand Juries
대배심들

https://law.justia.com/codes/south-carolina/2019/title-14/chapter-7/section-14-7-1510/

Section 14-7-1510. Six grand jurors to be selected for second year; periodic exemption from further service.
2차 연도를 위한 여섯 명의 대배심원들이 선정되어야 함; 추후의 복무로부터의 일정 기간 동안의 제외.

Universal Citation: SC Code § 14-7-1510 (2019)

일반적 인용: SC Code § 14-7-1510 (2019)

(A) During the last term of the court of general sessions held in each county for any year, the clerk of court shall randomly draw from the twelve members serving their first year on the grand jury the names of six of the grand jurors who, together with twelve grand jurors selected in the manner prescribed in this article, shall constitute the grand jury for the succeeding year. The drawing of these names by the clerk of court has the same force and effect as if the names of the six grand jurors had been drawn in the presence of the presiding judge.

어느 해를 위해서든지 개개 카운티에 열리는 치안재판소의 마지막 개정기 동안에, 당해 대배심에 1차 연도를 복무하고 있는 열두 명의 구성원들 중에서 여섯 명의 대배심원들의 이름들을 법원서기는 무작위로 추출하여야 하는바, 이 조에서 규정되는 방법으로 선정되는 열두 명의 대배심원들이에 더불어 그들은 차기연도를 위한 대배심을 구성한다. 그 여섯 명의 대배심원들의 이름들이 법원장의 면전에서 추출되었더라면 지녔을 효력에의 및 효과에의 동일한 효력을 및 효과를 법원서기에 의한 이 이름들의 추출은 지닌다.

(B) No person shall serve as a grand juror for more than two consecutive years.

사람은 연속 2년을 넘는 기간 동안 대배심원으로 근무하여서는 안 된다.

(C) A person completing service as a grand juror under the provisions of this article, including any service as a holdover grand juror, is exempt from any further jury service in any court of this State for a period of five calendar years.

잔류 대배심원으로서의 복무를을 포함하여 이 조의 규정들 아래서의 대배심원으로서의 복무를 완료한 사람은 5역년의 기간 동안 이 주의 어떤 법원에서의 추후의 어떠한 배심 복무로부터도 제외된다.

HISTORY: 1962 Code Section 38-401; 1952 Code Section 38-401; 1942 Code Section 973; 1932 Code Section 973; Cr. P. '22 Section 64; Cr. C. '12 Section 62; Cr. C. '02 Section 38; 1901 (23) 634; 1903 (24) 108; 1939 (41) 27; 1941 (42) 70; 1943 (43) 263; 1986 Act No. 340, Section 4, eff March 10, 1986; 1998 Act No. 373, Section 1, eff May 26, 1998.

Section 14-7-1520. Drawing of juror names; writits of venire facias; issuance and delivery of writs.

배심원(후보)의 이름들의 추출; 배심소집영장들; 영장들의 발부 및 교부.

Universal Citation: SC Code § 14-7-1520 (2019)

일반적 인용: SC Code § 14-7-1520 (2019)

Not less than fifteen days before the convening of the first term of the court of general sessions for the calendar year, the jury commissioners shall proceed to draw from the jury box the number of grand jurors which the clerk of court or chief administrative judge for the circuit has determined to be sufficient in order to impanel a grand jury. The grand jurors must be randomly drawn and listed as are jurors for trials, and the jury commissioners shall not disqualify or excuse any juror drawn. Immediately after these grand jurors are drawn, the clerk of court shall issue writs of venire facias for these grand jurors, requiring their attendance on the first day of the first week of criminal court in the county or at such other time as the clerk of court may designate. These writs of venire facias must be delivered immediately to the sheriff of the county or otherwise served as provided by law.

한 개의 대배심을 충원구성하는 데에 충분할 것으로 당해 순회구 지방법원의 서기가 또는 법원장이 판단해 놓은 숫자의 대배심원(후보)들을 배심원후보상자로부터 추출하기 위한 절차에, 당해 역년을 위한 치안재판소의 첫 번째 개정기의 소집일 전에 15일 이상의 여유를 두고서, 배심위원들은 착수하여야 한다. 정식사실심리들을 위한 배심원(후보)들이 그러하듯 대배심원(후보)들은 무작위로 추출되지 않으면 안 되고 명부에 등재되지 않으면 안 되는바, 그 추출되는 어떤 배심원(후보)을도 배심위원들은 결격으로 판정하거나 면제시켜서는 안 된다. 이러한 대배심원(후보)들을 위한 배심소집영장들을, 이 대배심원(후보)들이 추출되고 난 직후에 법원서기는 발부하여야 하는바, 카운티 내의 형사법정의 첫째 주 첫째 날에의 내지는 법원서기가 지정하는 그 밖의 시간에의, 그들의 출석을 요구하여야 한다. 이 배심소집영장들은 즉시 카운티 집행관에게 교부되지 않으면 내지는 달리 법에 의하여 규정되는 바에 따라서 송달되지 않으면 안 된다.

HISTORY: 1962 Code Section 38-402; 1952 Code Section 38-402; 1942 Code Section 973; 1932 Code Section 973; Cr. P. '22 Section 64; Cr. C. '12 Section 62; Cr. C. '02 Section 38; 1901 (23) 634; 1903 (24) 108; 1939 (41) 27; 1941 (42) 70; 1943 (43) 263; 1986 Act No. 340, Section 4, eff March 10, 1986; 1998 Act No. 373, Section 1, eff May 26, 1998.

https://law.justia.com/codes/south-carolina/2019/title-14/chapter-7/section-14-7-1530/

Section 14-7-1530. Judge to ascertain qualifications of jurors; lists of excused or disqualified jurors; jurors not served writs.

배심원(후보)들의 자격조건들을 판사는 확인하여야 함; 면제된 내지는 결격처리된 배심원(후보)들의 명부들; 영장들을 송달받지 못한 배심원(후보)들의 경우.

Universal Citation: SC Code § 14-7-1530 (2019)

일반적 인용: SC Code § 14-7-1530 (2019)

On the first day of the term of court, the presiding judge shall ascertain the qualifications of those jurors who have appeared pursuant to the writs of venire facias. No juror may be excused or disqualified except in accordance with existing law as determined by the presiding judge. The clerk of court shall maintain a list of all jurors who are excused or disqualified by the presiding judge and state the reasons given by the presiding judge for excusing or disqualifying the jurors. The sheriff of the county also shall report to the presiding judge the names of those persons who were not served with writs of venire facias, and that reasonable effort was made to obtain service. The clerk of court shall maintain a list of the jurors who were not served with the writs of venire facias and the reasons service was not effected.

배심소집영장들에 따라서 출석해 있는 배심원(후보)들의 자격조건들을 법원 개정기의 첫째 날에 법원장은 확인하여야 한다. 법원장에 의하여 판단되는 것으로서의 현행법에 따라서를 제외하고는, 배심원(후보)은 면제되어서는 내지는 결격처리되어서는 안 된다. 법원장에 의하여 면제된 내지는 결격처리된 모든 배심원(후보)들의 명부를 법원서기는 보관하여야 하고 당해 배심원(후보)들을 면제함을 위하여 내지는 결격으로 판정함을 위하여 법원장에 의하여 적시된 이유들을 법원서기는 기술하여야 한다. 배심소집영장들이 송달되지 아니한 사람들의 이름들을, 및 송달을 달성하기 위한 합리적 노력이 이루어졌음을 법원장에게 카운티의 집행관은 또한 보고하여야 한다. 배심소집영장들이 송달되지 아니한 배심원(후보)들의, 및 송달이 달성되지 못한 이유들의, 명부를 법원서기는 보관하여야 한다.

HISTORY: 1962 Code Section 38-403; 1952 Code Section 38-403; 1942 Code Section 975; 1932 Code Section 975; Cr. P. '22 Section 66; Cr. C. '12 Section 64; Cr. C. '02 Section 38; 1903 (24) 108; 1986 Act No. 340, Section 4, eff March 10, 1986; 1998 Act No. 373, Section 1, eff May 26, 1998.

https://law.justia.com/codes/south-carolina/2019/title-14/chapter-7/section-14-7-1540/

Section 14-7-1540. Drawing of grand jurors and alternates.
대배심원들의 및 예비배심원들의 추출.

Universal Citation: SC Code § 14-7-1540 (2019)

일반적 인용: SC Code § 14-7-1540 (2019)

After the grand jury venire has been duly qualified by the presiding judge, the clerk of court shall place the names of all qualified grand jurors in a container from which twelve grand jurors must be chosen. The clerk of court shall randomly draw twelve jurors from the container, and those twelve jurors drawn shall serve as grand jurors, together with those grand jurors selected as provided under Section 14-7-1510(A). The clerk of court shall randomly draw three or more additional jurors, with those three or more jurors serving as alternate grand jurors in the event one or more of the original grand jurors are incapacitated, excused, or disqualified during their term. The names of the alternate grand jurors must be kept separate and numbered in the order drawn and in this order, unless excused by the presiding judge, shall serve when necessary. The remainder of the grand jury venire may be discharged.

소집된 대배심후보단에 대하여 법원장에 의하여 적법하게 자격심사가 이루어지고 난 뒤에, 자격이 인정된 모든 대배심원(후보)들의 이름들을 한 개의 용기 안에 법원서기는 넣어야 하는바, 거기로부터 열두 명의 대배심원들이 뽑히지 않으면 안 된다. 열두 명의 배심원들을 용기로부터 무작위로 법원서기는 추출하여야 하는바, 그 추출된 열두 명의 배심원들이, 제 14-7-1515(A)절 아래서 규정되는 바대로 선정된 대배심원들이에 더불어, 대배심원들로서 복무하여야 한다. 세 명 이상의 추가적 배심원들을 법원서기는 무작위로 추출하여야 하는바, 그 세 명 이상의 배심원들은 한 명 이상의 당초의 대배심원들이 그들의 복무기간 중에 무능력이 될 경우에, 면제될 경우에, 또는 결격처리 될 경우에 예비대배심원들로서 복무하여야 한다. 예비대배심원들의 이름들은 따로 따로 보관되지 않으면 안 되고 그 추출되는 순서대로 번호가 먹여지지 않으면 안 되는바, 법원장에 의하여 면제되는 경우에를 제외하고는 그 필요한 경우에 이 순서대로 그들은 복무하여야 한다. 소집된 대배심후보단의 나머지 사람들은 임무해제 될 수 있다.

HISTORY: 1962 Code Section 38-404; 1952 Code Section 38-404; 1942 Code Section 974; 1932 Code Section 974; Cr. P. '22 Section 65; Cr. C. '12 Section 63; Cr. C. '02 Section 38, Subdivision d; 1903 (24) 108; 1986 Act No. 340, Section 4, eff March 10, 1986; 1998 Act No. 373, Section 1, eff May 26, 1998.

https://law.justia.com/codes/south-carolina/2019/title-14/chapter-7/section-14-7-1550/

Section 14-7-1550. Authority of grand jury foreman to swear witnesses; procedures to obtain attendance of witnesses.

증인들을 선서시킬 대배심의 배심장의 권한; 증인들의 출석을 얻기 위한 절차들.

Universal Citation: SC Code § 14-7-1550 (2019)

일반적 인용: SC Code § 14-7-1550 (2019)

The foreman of the grand jury or acting foreman in the circuit courts of any county of the State may swear the witnesses whose names shall appear on the bill of indictment in the grand jury room. No witnesses shall be sworn except those who have been bound over or subpoenaed in the manner provided by law. In order to obtain attendance of any witness, the grand jury may proceed as provided by the South Carolina Rules of Civil Procedure and Sections 19-9-10 through 19-9-130.

대배심 검사기소장안 위에 그 이름들이 나타나는 증인들을 대배심실에서 선서절차에, 주 카운티의 순회구 지방법원들에서의 대배심의 배심장은 또는 배심장 대행은 처할 수 있다. 법에 의하여 규정되는 방법에 따라서 서약에 처해져 있는 내지는 벌칙부로 소환되어 있는 증인들이를 제외하고는 증인들은 선서절차에 처해져서는 안 된다. 증인의 출석을 얻기 위하여, 사우스캐럴라이나 민사소송규칙에 의하여 및 제19-9-10절에서부터 제19-9-130절에까지에 의하여 규정되는 바에 따라서 절차를 대배심은 취할 수 있다.

HISTORY: 1962 Code Section 38-405; 1952 Code Section 38-405; 1942 Code Section 976; 1932 Code Section 976; Cr. P. '22 Section 67; Cr. C. '12 Section 65; Cr. C. '02 Section 39; G. S. 2630; R. S. 39; 1871 (14) 694; 1986 Act No. 340, Section 4, eff March 10, 1986; 1992 Act No. 483, Section 4, eff July 1, 1992; 1998 Act No. 373, Section 1, eff May 26, 1998.

https://law.justia.com/codes/south-carolina/2019/title-14/chapter-7/section-14-7-1560/

Section 14-7-1560. Employment of expert accountants.
전문회계사의 사용.

Universal Citation: SC Code § 14-7-1560 (2019)

일반적 인용: SC Code § 14-7-1560 (2019)

Grand juries may, whenever in their judgment it becomes necessary, employ one or more expert accountants to aid them to examine and investigate the offices, books, papers, vouchers, and accounts of any public officer of their respective counties and to fix the amount of compensation or per diem to be paid therefor, upon the approval of the presiding or circuit judge given before any expert is employed.

대배심들 각각의 카운티들의 공무소들을, 공무원의 장부들을, 서류들을, 증서들을, 그리고 회계들을 검사하도록 및 조사하도록 자신들을 조력할 전문회계사들이 필요하다는 것이 대배심의 판단인 경우에는 언제든지, 그리고 그 지급되어야 할 보수의 내지는 일당의 액수를 정하기 위하여 전문가에 대한 사용 전에 내려지는 순회구 지방법원장의 내지는 순회구 지방법원 판사의 승인을 얻어서, 한 명 이상의 전문회계사들을 대배심들은 사용할 수 있다.

HISTORY: 1962 Code Section 38-406; 1952 Code Section 38-406; 1942 Code Section 626-1; 1936 (39) 1458; 1969 (56) 216; 1986 Act No. 340, Section 4, eff March 10, 1986; 1998 Act No. 373, Section 1, eff May 26, 1998.

ARTICLE 15 State Grand Jury Act

스테이트 대배심법

https://law.justia.com/codes/south-carolina/2019/title-14/chapter-7/section-14-7-1600/

Section 14-7-1600. Short title; State Grand Jury of South Carolina defined.

약칭; 사우스캐럴라이나주 스테이트 대배심의 개념규정.

Universal Citation: SC Code § 14-7-1600 (2019)

일반적 인용: SC Code § 14-7-1600 (2019)

This article may be cited as the "State Grand Jury Act", and any state grand jury which may be convened as provided herein to be known as a "State Grand Jury of South Carolina".

"스테이트 대배심법"으로 이 조는 인용될 수 있으며, 여기에 규정되는 바에 따라서 소집될 수 있는 스테이트 대배심 어느 것이든지는 "사우스캐럴라이나주 스테이트 대배심"으로 칭해진다.

HISTORY: 1987 Act No. 150, Section 1, eff from and after February 8, 1989 (the date the amendments to Article I, Section 11, and Article V, Section 22, of the South Carolina Constitution were ratified and declared to be part of the Constitution); 1992 Act No. 335, Section 1, eff May 4, 1992.

Editor's Note

편집자 주해

Laws 1987 Act No. 150, Section 3, provides as follows:

1987년 법률 제150호 제3절은 이렇게 규정한다:

"Section 3. This act takes effect upon the ratification of amendments to Article 1 and Article V of the Constitution of this State, permitting the establishment of a state grand jury and indictments to be issued by same." The amendments to Article I, Section 11, and Article V, Section 22, of the South Carolina Constitution were ratified and declared to be part of the Constitution on February 8, 1989. See 1989 Act No. 5, Sections 1 and 2, 1989 Act No. 7, Section 1, and 1989 Act No. 8, Section 1.

"Section 3. 스테이트 대배심의 설치를 허용하는 및 이에 의하여 발부되는 대배심 검사기소장들을 허용하는 이 주 헌법 제1조의 및 제5조의 개정안들에 대한 비준으로써 이 법은 발효한다." 사우스캐럴라이나주 헌법 제1조 제11절에 대한 및 제5조 제22절에 대한 개정안들은 1989년 2월 8일에 비준되었고 헌법의 일부임이 선언되었다. 1989년 법률 제5호 제1절을 및 제2절을, 1989년 법률 제7호 제1절을, 그리고 1989년 법률 제8호 제1절을 보라.

https://law.justia.com/codes/south-carolina/2019/title-14/chapter-7/section-14-7-1610/

Section 14-7-1610. Legislative findings and intent; applicability.
입법부의 확인사항들 및 의도; 적용범위.

Universal Citation: SC Code § 14-7-1610 (2019)

일반적 인용: SC Code § 14-7-1610 (2019)

(A) It is the intent of the General Assembly to enhance the grand jury system and to improve the ability of the State to detect and eliminate criminal activity. The General Assembly recognizes the great importance of having the federal authorities available for certain investigations. The General Assembly finds that crimes involving narcotics, dangerous drugs, or controlled substances, trafficking in persons, as well as crimes involving obscenity, often transpire or have significance in more than one county of this State. When this occurs, these crimes are most effectively detected and investigated by a grand jury system with the authority to cross county lines.

대배심 제도를 증강시려는 데, 및 범죄적 활동을 적발할 및 제거할 주의 능력을 향상시키려는 데, 의회의 의도는 있다. 특정의 조사들에 연방기관들이 이용될 수 있게 함의 커다란 중요성을 의회는 인정한다. 마약류를, 위험약물류를, 금제물류를, 인신매매를 포함하는 범죄들은, 음란물을 포함하는 범죄들이에 더불어, 이 주의 한 개를 넘는 카운티들에서 자주 발생함을 내지는 중요함을 의회는 확인한다. 이것이 발생할 경우에, 카운티 경계선들을 넘을 권한을 지니는 한 개의 대배심 제도에 의하여 이 범죄들은 가장 효율적으로 적발되고 조사된다.

(B) The General Assembly finds that there is a critical need to enhance the grand jury system to improve the ability of the State to prevent, detect, investigate, and prosecute crimes involving criminal gang activity or a pattern of criminal gang activity pursuant to the provisions of Article 3 of Chapter 8, Title 16. Crimes involving criminal gang activity or a pattern of criminal gang activity transpire at times in a single county, but often transpire or have significance in more than one county of this State. The General Assembly believes criminal gang activity poses an immediate, serious, and unacceptable threat to the citizens of the State and therefore warrants the state grand jury possessing considerably broader investigative authority.

제16편 제8장 제3조의 규정들에 따르는 범죄적 조직활동을 포함하는 내지는 일정 패턴의 범죄적 조직활동을 포함하는 범죄들을 예방할, 적발할, 조사할 및 소추할 주의 능력을 향상시키기 위하여 대배심 제도를 증강시킬 중대한 필요가 있음을 의회는 확인한다. 범죄적 조직활동을 포함하는 내지는 일정 패턴의 범죄적 조직활동을 포함하는 범죄들은 때때로 한 개의 단일 카운티에서 발생하지만, 그러나 흔히는 이 주의 한 개를 넘는 카운티들에서 그것들은 발생하고 중요하다. 즉각적인, 중대한, 및 용납될 수 없는 위협을 주 시민들에게 범죄적 조직활동은 가함을, 따라서 상당히 더 넓은 조사권한을 보유하는 스테이트 대배심을 그것은 정당화함을 의회는 믿는다.

(C) The General Assembly finds that there is a need to enhance the grand jury system to improve the ability of the State to detect and eliminate public corruption. Crimes involving public corruption transpire at times in a single county, but often transpire or have significance in more than one county of this State. The General Assembly believes that a state grand jury, possessing considerably broader investigative authority than individual county grand juries, should be available to investigate public corruption offenses in South Carolina.

공직부패를 적발할 및 제거할 주의 능력을 향상시키기 위하여 대배심 제도를 증강시킬 필요가 있음을 의회는 확인한다. 공직부패를 포함하는 범죄들은 때때로 한 개의 단일 카운티에서 발생하지만, 흔히는 이 주의 한 개를 넘는 카운티들에서 그것들은 발생하고 중요하다. 개개의 카운티 대배심들이 지니는 조사권한을보다는 상당히 더 넓은 조사권한을 보유하는 스테이트 대배심이, 사우스캐럴라이나주에서의 공직부패 범죄들을 조사하기 위하여 동원될 수 있어야 함을 의회는 믿는다.

(D) The General Assembly finds it fundamentally necessary to improve the ability of the State to prevent, detect, investigate, and prosecute crimes that involve the depiction of children under the age of eighteen in sexual activity, and obscenity crimes that are directed toward or involve children under the age of eighteen. The serious and unacceptable threat that these crimes pose to children is self-evident and impacts the State as a whole even if the actual criminal act occurs only in one county of the State. An effective effort to eliminate these heinous crimes requires a coordinated effort, which is accomplished more effectively through the state grand jury system. The effective prevention, detection, investigation, and prosecution of these crimes may require the use and application of state obscenity statutes or common law offenses not specifically directed toward the prevention and punishment of obscenity crimes involving children. Because many of these crimes involve computers, statewide jurisdiction over these crimes is consistent with the jurisdiction of a state grand jury over offenses defined in the Computer Crime Act. The General Assembly concludes that a state grand jury must be available to employ its broad investigative powers in the investigation of child-related obscenity by enabling the state grand jury to investigate all obscenity offenses, regardless of their multi-county impact, or whether they transpire or have significance in more than one county of this State.

성행위에 있어서의 18세 미만의 아동들의 묘사를 포함하는 범죄들을, 그리고 18세 미만의 아동들에 겨냥되는 내지는 18세 미만의 아동들을 포함하는 음란범죄들을 예방할, 적발할, 조사할, 및 소추할 주의 능력을 향상시킴이 기본적으로 필요함을 의회는 확인한다. 아동들에게 그 범죄들이 가하는 중대한 및 용납될 수 없는 위협은 자명하고, 설령 실제의 범죄활동이 주 내의 오직 단 한 개의 카운티에서만 발생하더라도, 전체로서의 주에게 나쁜 영향을 그것들은 미친다. 이 가증스런 범죄들을 제거하기 위한 효율적인 노력은 한 개의 통합적 노력을 요구하는바, 스테이트 대배심 제도를 통할 때에 그것은 보다 더 효율적으로 달성된다. 아동들을 포함하는 음란물 범죄들의 예방에 및 처벌에 특별히 향해져 있지 아니한 음란물 관련 주 제정법들의 내지는 보통법 범죄들의 사용을 및 적용을, 이 범죄들에 대한 효율적인 예방은, 적발은, 조사는, 및 소추는 요구할 수 있다. 컴퓨터들을 이 범죄들 다수는 포함하기 때문에, 이 범죄들에 대한 주 전체에 걸치는 관할권은 컴퓨터범죄단속법에 규정된 범죄들에 대한 한 개의 스테이트 대배심의 관할권에 부합된다. 스테이트 대배심으로 하여금 모든 음란범죄들을, 그것들의 복수 카운티들간의 충돌에 상관없이, 내지는 이 주의 한 개를 넘는 카운티들에서 그것들이 발생하는지 내지는 중요한지 여부에 상관없이, 조사할 수 있게 함으로써 아동관련 음란범죄의 조사에 있어서의 그것의 넓은 조사권한들을 이용하기 위하여 스테이트 대배심이 동원될 수 있지 않으면 안 된다고 의회는 결론짓는다.

(E) The General Assembly finds that there is a need to enhance the grand jury system to improve the ability of the State to detect and investigate crimes involving the election laws including, but not limited to, those named offenses as specified in Title 7, or common law crimes involving the election laws where not superseded, or a crime arising out of or in connection with the election laws, or attempt, aiding, abetting, solicitation, or conspiracy to commit a crime involving the election laws.

제7편에 명시된 것들로서의 특정범죄들을 포함하되 이에 한정되지 아니하는, 선거법들에 관련되는 범죄들을 적발할 및 조사할 주의 능력을, 또는 선거법들을 포함하는, 그 폐

지되지 아니한 것들로서의 보통법 범죄들을 적발할 및 조사할 주의 능력을, 또는 선거법들로부터 발생하는 또는 선거법들에의 연관 속에서 발생하는 한 개의 범죄를 적발할 및 조사할 주의 능력을, 또는 선거법들을 포함하는 한 개의 범죄를 저지르기 위한 시도를, 방조를, 교사를, 유도를, 또는 공모를 적발할 및 조사할 주의 능력을, 향상시키기 위하여 대배심 제도를 증강시킬 필요가 있음을 의회는 확인한다.

(F) The General Assembly finds that there is a need to enhance the grand jury system to improve the ability of the State to detect and investigate knowing and wilful crimes which result in actual and substantial harm to the environment. These crimes include knowing and wilful offenses specified in Titles 13, 44, and 48, or any knowing and wilful crime arising out of or in connection with environmental laws, or any attempt, aiding, abetting, solicitation, or conspiracy to commit a knowing and wilful crime involving the environment if the anticipated actual damages including, but not limited to, the cost of remediation, are two million dollars or more, as certified by an independent environmental engineer who shall be contracted by the Department of Health and Environmental Control.

환경에 대한 실제의 및 중대한 위해에 귀결되는 고의의 및 의도적인 범죄들을 적발할 및 조사할 주의 능력을 향상시키기 위하여 대배심 제도를 증강시킬 필요가 있음을 의회는 확인한다. 제13편에, 제44편에, 및 제48편에 명시된 고의의 및 의도적인 범죄들을 이 범죄들은 포함하고, 회복의 비용을 포함하되 이에 한정되지 아니하는 것으로서의 그 예상되는 실제의 손해액이 200만불 이상인 것으로 건강환경통제부에 의하여 계약되는 독립의 환경기사에 의하여 확인되는, 환경관련의 법들로부터 발생하는 내지는 환경관련의 법들에의 연관 속에서 발생하는 고의의 및 의도적인 범죄를 이 범죄들은 포함하며, 또는 그렇게 확인되는 경우에로서의 환경을 포함하는 고의의 및 의도적인 범죄를 저지르기 위한 시도를, 방조를, 교사를, 유도를, 또는 공모를 이 범죄들은 포함한다.

(1) The General Assembly finds that the South Carolina Department of Health and Environmental Control possesses the expertise and knowledge to determine whether there has occurred an alleged environmental offense as defined in this article.

이 조에서 개념정의 되는 것으로서의 한 개의 주장되는 환경범죄가 발생하였는지 여부를 판정할 전문적 기술을 및 지식을 사우스캐럴라이나주 건강환경통제부는 보유함을 의회는 확인한다.

(2) The General Assembly finds that, because of its expertise and knowledge, the Department of Health and Environmental Control must play a substantial role in the investigation of any such alleged environmental offense.

그러한 주장되는 환경범죄의 조사에 있어서의 중요한 역할을 그 전문적 기술로 및 지식으로 인하여 건강환경통제부는 수행하지 않으면 안 됨을 의회는 확인한다.

(3) The General Assembly finds that, while the Department of Health and Environmental Control must not make prosecutorial decisions regarding such alleged environmental offense as defined in this article, the department must be integrally involved in the investigation of any such alleged environmental offense before and after the impaneling of a state grand jury pursuant to Section 14-7-1630.

이 조에서 개념정의되는 바에 따르는 그러한 주장되는 환경범죄에 관한 소추적 결정들을 건강환경통제부가 내려서는 안 됨에도 불구하고 그러한 주장되는 환경범죄의 조사에 건강환경통제부는, 제14-7-1630절에 따르는 한 개의 스테이트 대배심의 충원구성 이전에도 이후에도, 필수적으로 관여하지 않으면 안 됨을 의회는 확인한다.

(4) The General Assembly finds that it is in the public interest to avoid duplicative and overlapping prosecutions to the extent that the Attorney General considers possible. Therefore, the Attorney General shall consult with and advise the Environmental Protection and Enforcement Coordinating Subcommittee and cooperate with other state and federal prosecutorial authorities having jurisdiction over environmental enforcement in order to carry out the provisions of Sections 14-7-1630(A)(8) and 14-7-1630(C).

그 가능하다고 검찰총장이 간주하는 한도껏 중복의 및 중첩의 소추들을 회피함이 공중의 이익에 부합됨을 의회는 확인한다. 따라서 환경보호및집행조정소위원회에 더불어 검찰총장은 협의하여야 하고 조언하여야 하며, 제14-7-1630(A)(8)절의 및 제14-7-1630(C)절의 규정들을 실시하기 위하여 환경집행에 대한 관할을 지니는 그 밖의 주 소추기관들에게 및 연방 소추기관들에게 검찰총장은 협력하여야 한다.

(G) The General Assembly finds that related criminal activity often arises out of or in connection with crimes involving narcotics, dangerous drugs or controlled substances, criminal gang activity, obscenity, public corruption, or environmental offenses and that the mechanism for detecting and investigating these related crimes must be improved.

마약류를, 위험약물류를 내지는 금제물류를, 범죄조직 활동을, 음란물을, 공직부패를, 또는 환경범죄들을 포함하는 범죄들로부터 내지는 이에의 연관 속에서 관련 범죄활동은 자주 발생함을, 그리고 이 관련범죄들을 적발하기 위한 및 조사하기 위한 제도가 향상되지 않으면 안 됨을 의회는확인한다.

(H) Accordingly, the General Assembly concludes that a state grand jury should be allowed to investigate certain crimes related to narcotics, dangerous drugs, or controlled substances, criminal gang activity, trafficking in persons, and obscenity and also should be allowed to investigate crimes involving public corruption, election laws, and environmental offenses.

한 개의 스테이트 대배심은 마약류에, 위험약물류에, 또는 금제물류에, 범죄조직 활동에, 인신매매에, 그리고 음란물에 관련되는 특정범죄들을 조사하도록 허용되어야 한다고, 그리고 또한 공직부패를 포함하는 및 선거법들을 및 환경범죄들을 포함하는 범죄들을 조사하도록 허용되어야 한다고 따라서 의회는 결론짓는다.

(I) This section does not limit the authority of a county grand jury, solicitor, or other appropriate law enforcement personnel to investigate, indict, or prosecute offenses within the jurisdiction of the state grand jury.

스테이트 대배심의 관할 내의 범죄들을 조사할, 대배심 검사기소에 처할, 또는 소추할 한 개의 카운티 대배심의, 법무관의, 또는 그 밖의 해당 법집행 요원의 권한을 이 절은 제한하지 아니한다.

HISTORY: 1987 Act No. 150, Section 1, eff from and after February 8, 1989 (the date the amendments to Article I, Section 11, and Article V, Section 22, of the South Carolina Constitution was ratified and declared to be part of the Constitution); 1992 Act No. 335, Section 1, eff May 4, 1992; 2004 Act No. 208, Section 1, eff April 26, 2004; 2005 Act No. 75, Section 1, eff May 24, 2005; 2007 Act No. 82, Section 2, eff June 12, 2007; 2015 Act No. 7 (S.196), Section 1, eff April 2, 2015.

https://law.justia.com/codes/south-carolina/2019/title-14/chapter-7/section-14-7-1615/

Section 14-7-1615. Definitions.
개념정의들.

Universal Citation: SC Code § 14-7-1615 (2019)

일반적 인용: SC Code § 14-7-1615 (2019)

For purposes of this article:

이 조의 목적상으로:

(A) the phrase "Attorney General or his designee" also includes:

"검찰총장 또는 그의 피지명인"이라는 용어는 아래를 포함한다:

(1) the Attorney General or his designees;

검찰총장 또는 그의 피지명인들;

(2) the Attorney General and his designee or designees.

검찰총장 및 그의 피지명인 또는 피지명인들.

(B) The term "public corruption" means any unlawful activity, under color of or in connection with any public office or employment, of:

"공직부패"라는 용어는 아래 사람들의 공무상의 직위의 구실 아래서의 내지는 공무상의 근무의 구실 아래서의 내지는 그 연관 속에서의 불법적 활동을 의미한다:

(1) any public official, public member, or public employee, or the agent, servant, assignee, consultant, contractor, vendor, designee, appointee, representative, or

any other person of like relationship, by whatever designation known, of any public official, public member, or public employee under color of or in connection with any public office or employment; or

공무원, 공적 구성원, 공적 피용자; 또는 공무원의, 공공 구성원의, 또는 공적 피용자의 대행자, 부하, 수탁자, 고문, 계약자, 매각인, 피지명인, 피지명자, 대리인; 또는 공무원의, 공공 구성원의, 또는 공적 피용자의 공무상의 직위의 내지는 근무의 구실 아래서의 내지는 그 연관 속에서의, 그 알려진 여하한 지명에 의한 것이든 상관없이, 이에 유사한 관계에 있는 그 밖의 사람; 또는

(2) any candidate for public office or the agent, servant, assignee, consultant, contractor, vendor, designee, appointee, representative of, or any other person of like relationship, by whatever name known, of any candidate for public office.

공직을 위한 후보, 또는 공직을 위한 후보의 대행자, 부하, 수탁자, 고문, 계약자, 매각인, 피지명인, 피지명자, 대리인 또는 그 알려진 명칭 여하에 상관없이 이에 유사한 관계에 있는 그 밖의 사람.

HISTORY: 1989 Act No. 2, Section 1, eff February 8, 1989 (the date the amendments to Article I, Section 11, and Article V, Section 22, of the South Carolina Constitution were ratified and declared to be part of the Constitution; See 1989 Act No. 5, Sections 1 and 2, 1989 Act No. 7, Section 1, and 1989 Act No. 8, Section 1.); 1992 Act No. 335, Section 1, eff May 4, 1992.

https://law.justia.com/codes/south-carolina/2019/title-14/chapter-7/section-14-7-1620/

Section 14-7-1620. State grand jury system established; meeting place; quorum.
스테이트 대배심의 설치; 회합장소; 의사정족수.

Universal Citation: SC Code § 14-7-1620 (2019)

일반적 인용: SC Code § 14-7-1620 (2019)

There is established a state grand jury system, each state grand jury consisting of eighteen persons who shall meet in Columbia or at another suitable place in this State designated by the chief administrative judge of the judicial circuit in which the Attorney General seeks to impanel a state grand jury for a term hereinafter provided. Twelve members of a state grand jury constitute a quorum.

한 개의 스테이트 대배심이 설치되는바, 콜럼비아에서 회합하는, 또는 이하에서 규정되는 기간을 위한 한 개의 스테이트 대배심을 충원구성하기를 검찰총장이 바라는 재판순회구 법원장에 의하여 지정되는 이 주 내의 다른 적당한 장소에서 회합하는, 18명으로 개개의 스테이트 대배심은 구성된다. 한 개의 스테이트 대배심의 구성원 열두 명은 의사정족수를 구성한다.

HISTORY: 1987 Act No. 150, Section 1, eff from and after February 8, 1989 (the date the amendments to Article I, Section 11, and Article V, Section 22, of the South Carolina Constitution were ratified and declared to be part of the Constitution); 1992 Act No. 335, Section 1, eff May 4, 1992.

https://law.justia.com/codes/south-carolina/2019/title-14/chapter-7/section-14-7-1630/

Section 14-7-1630. Jurisdiction of juries; notification to impanel juries; powers and duties of impaneling and presiding judges; transfer of incomplete investigations; effective date and notice requirements with respect to orders of judge; appeals.

배심들의 관할; 배심들을 충원구성하기 위한 통지; 충원구성할 권한들 및 의무들 및 법원장들; 종결되지 아니한 조사들의 이관; 판사의 명령들에 관한 발효일 및 통지요구들; 항소들.

Universal Citation: SC Code § 14-7-1630 (2019)

일반적 인용: SC Code § 14-7-1630 (2019)

(A) The jurisdiction of a state grand jury impaneled pursuant to this article extends throughout the State. The subject matter jurisdiction of a state grand jury in all cases is limited to the following offenses:

이 조에 따라서 충원구성되는 스테이트 대배심의 관할은 주 전체에 걸쳐서 미친다. 모든 사건들에서의 스테이트 대배심의 소송물관할은 아래의 범죄들에 한정된다:

(1) a crime involving narcotics, dangerous drugs, or controlled substances, or a crime arising out of or in connection with a crime involving narcotics, dangerous drugs, or controlled substances, including, but not limited to, money laundering as specified in Section 44-53-475, obstruction of justice, perjury or subornation of perjury, or any attempt, aiding, abetting, solicitation, or conspiracy to commit one of the aforementioned crimes, if the crime is of a multi-county nature or has transpired or is transpiring or has significance in more than one county of this State;

마약류를, 위험약물류를, 또는 금제물류를 포함하는 범죄이면서; 또는 마약류를 포함하는 범죄로부터 또는 그러한 범죄에의 연관 속에서, 위험약물류를 포함하는 범죄로부터 또는 그러한 범죄에의 연관 속에서, 또는 제44-53-475절에 규정되는 돈세탁을을 포함하되 돈세탁을에 한정되지 아니하는 것으로서의 금제물류를, 사법방해를, 위증을 내지는 위증교사를 포함하는 범죄로부터 또는 그러한 범죄에의 연관 속에서 발생하는 범죄이면서; 또는 위에서 언급된 범죄들 중 한 개를 저지르기 위한 시도이면서, 방조이면서, 교사이면서, 유도이면서, 또는 공모이면서; 그 범죄가 복수 카운티적 성격의 것인 경우 내지는 이 주의 한 개를 넘는 카운티에서 발생해 있는 내지는 발생하는 중인 또는 중요한 경우;

(2) a crime involving criminal gang activity or a pattern of criminal gang activity pursuant to Article 3, Chapter 8, Title 16;

제16편 제8장 제3조에 따르는 범죄적 조직활동을 또는 일정 패턴의 범죄적 조직활동을 포함하는 범죄;

(3) a crime, statutory, common law or other, involving public corruption as defined in Section 14-7-1615, a crime, statutory, common law or other, arising out of or in connection with a crime involving public corruption as defined in Section 14-7-1615, and any attempt, aiding, abetting, solicitation, or conspiracy to commit a crime, statutory, common law or other, involving public corruption as defined in Section 14-7-1615;

제정법 상의 것이든 보통법 상의 것이든 그 밖의 것이든 제14-7-1615절에 개념정의 된 공직부패를 포함하는 범죄, 제정법 상의 것이든 보통법 상의 것이든 그 밖의 것이든 제14-7-1615절에 개념정의 된 공직부패를 포함하는 범죄로부터 또는 그러한 범죄에의 연관 속에서 발생하는 범죄, 및 제정법 상의 것이든 보통법 상의 것이든 그 밖의 것이든 제14-7-1615절에 개념정의 된 공직부패를 포함하는 범죄를 저지르기 위한 시도, 방조, 교사, 유도, 또는 공모;

(4) a crime involving the election laws, including, but not limited to, those named offenses specified in Title 7, or a common law crime involving the election laws if not superseded, or a crime arising out of or in connection with the election laws, or any attempt, aiding, abetting, solicitation, or conspiracy to commit a crime involving the election laws;

제7편에 규정된 특정 범죄들을 포함하되 이에 한정되지 아니하는 것으로서의 선거법들을 포함하는 범죄, 선거법들을 포함하는 그 폐지되지 아니한 경우에의 보통법 상의 범죄, 또는 선거법들로부터 또는 선거법들에의 연관 속에서 발생하는 범죄, 또는 선거법들을 포함하는 범죄를 저지르기 위한 시도, 방조, 교사, 유도, 또는 공모;

(5) a crime involving computer crimes, pursuant to Chapter 16, Title 16, or a conspiracy or solicitation to commit a crime involving computer crimes;

제16편 제16장에 따르는 컴퓨터 범죄들을 포함하는 범죄, 또는 컴퓨터 범죄들을 포함하는 범죄를 저지르기 위한 공모 내지는 유도;

(6) a crime involving terrorism, or a conspiracy or solicitation to commit a crime involving terrorism. Terrorism includes an activity that:

테러행위를 포함하는 범죄, 또는 테러행위를 포함하는 범죄를 저지르기 위한 공모 내지 유도. 아래의 활동을 테러행위는 포함한다:

(a) involves an act dangerous to human life that is a violation of the criminal laws of this State;

이 주의 형사법들에 대한 위반인, 사람의 생명에 위험한 행위를 포함하는 활동;

(b) appears to be intended to:

아래의 의도를 지니는 것으로 나타나는 활동:

(i) intimidate or coerce a civilian population;

민간 주민들을 겁박하려는 또는 강박하려는 의도;

(ii) influence the policy of a government by intimidation or coercion; or

겁박에 내지는 강박에 의하여 정부의 정책에 영향력을 가하려는 의도; 또는

(iii) affect the conduct of a government by mass destruction, assassination, or kidnapping; and

대량파괴에, 요인암살에, 또는 유괴에 의하여 정부의 행동에 영향을 미치려는 의도; 및

(c) occurs primarily within the territorial jurisdiction of this State;

주로 이 주의 토지관할 내에서 발생하는 활동;

(7) a crime involving a violation of Chapter 1, Title 35 of the Uniform Securities Act, or a crime related to securities fraud or a violation of the securities laws;

통일증권법인 제35편 제1장에 대한 위반을 포함하는 범죄 또는 증권사기에 또는 증권법들의 위반에 관련되는 범죄;

(8) a crime involving obscenity, including, but not limited to, a crime as provided in Article 3, Chapter 15, Title 16, or any attempt, aiding, abetting, solicitation, or conspiracy to commit a crime involving obscenity;

제16편 제15장 제3조에 규정된 범죄를 포함하되 이에 한정되지 아니하는 것으로서의 음란물을 포함하는 범죄, 또는 음란물을 포함하는 범죄를 저지르기 위한 시도, 방조, 교사, 유도, 또는 공모;

(9) a crime involving the knowing and wilful making of, aiding and abetting in the making of, or soliciting or conspiring to make a false, fictitious, or fraudulent statement or representation in an affidavit regarding an alien's lawful presence in the United States, as defined by law, if the number of violations exceeds twenty or if the public benefit received by a person from a violation or combination of violations exceeds twenty thousand dollars;

법에 의하여 개념정의 되는 외국인의 합중국 내에서의 적법한 현존에 관한 한 개의 선서진술서에 있어서의 허위의, 가짜의, 또는 기망적인 진술을 내지는 표시를 고의로 및 의도적으로 하기를 포함하는, 또는 그 하기에 있어서의 방조하기를 및 교사

하기를 내지는 유도하기를 내지는 공모하기를 포함하는 범죄로서, 그 위반행위들의 숫자가 20을 초과하는 또는 그 위반으로 인하여 내지는 위반들의 결합으로 인하여 사람에 의하여 수령된 공공 급부금이 2만불을 초과하는 경우;

(10) a crime involving financial identity fraud or identity fraud involving the false, fictitious, or fraudulent creation or use of documents used in an immigration matter as defined in Section 16-13-525, if the number of violations exceeds twenty, or if the value of the ascertainable loss of money or property suffered by a person or persons from a violation or combination of violations exceeds twenty thousand dollars;

금융거래 상의 신원기망을 포함하는 범죄로서, 또는 제16-13-525절에 개념정의된 것으로서의 이민문제에서 사용된 문서들에 대한 허위의, 가짜의, 또는 기망적 창출을 내지는 사용을 포함하는 신원기망을 포함하는 범죄로서, 그 위반행위들의 숫자가 20을 초과하는 경우 또는 그 위반으로 인하여 또는 위반들의 결합으로 인하여 사람에게 또는 사람들에게 가해진 확인될 수 있는 금전상실의 또는 재산상실의 가치가 2만불을 초과하는 경우;

(11) a crime involving the knowing and wilful making of, aiding or abetting in the making of, or soliciting or conspiring to make a false, fictitious, or fraudulent statement or representation in a document prepared or executed as part of the provision of immigration assistance services in an immigration matter, as defined by law, if the number of violations exceeds twenty, or if a benefit received by a person from a violation or combination of violations exceeds twenty thousand dollars;

법에 의하여 개념정의 되는 것으로서의 한 개의 이민문제에 있어서의 이민관련 조력업무 제공의 일부분으로서 조제되는 내지는 작성되는 문서에서의 허위의, 가짜의, 또는 기망적인 진술을 내지는 표시를 고의로 및 의도적으로 하기를 포함하는, 내지는 그 하기에 있어서의 방조하기를 내지는 교사하기를 포함하는, 또는 그 하기를 유도하기를 또는 공모하기를 포함하는 범죄로서, 그 위반행위들의 숫자가 20을 초과하는 경우 또는 그 위반으로 인하여 또는 위반들의 결합으로 인하여 사람에 의하여 수령된 이익이 2만불을 초과하는 경우;

(12) a knowing and wilful crime involving actual and substantial harm to the water, ambient air, soil or land, or both soil and land. This crime includes a knowing and wilful violation of the Pollution Control Act, the Atomic Energy and Radiation Control Act, the State Underground Petroleum Environmental Response Bank Act, the State Safe Drinking Water Act, the Hazardous Waste Management Act, the Infectious Waste Management Act, the Solid Waste Policy and Management Act, the Erosion and Sediment Control Act, the South Carolina Mining Act, and the Coastal Zone Management Act, or a knowing and wilful crime arising out of or in connection with environmental laws, or any attempt, aiding, abetting, solicitation, or conspiracy to commit a knowing and wilful crime involving the environment if the anticipated actual damages, including, but not limited to, the cost of remediation, is two million dollars or more, as certified by an independent environmental engineer who must be contracted by the Department of Health and Environmental Control. If the knowing and wilful crime is a violation of federal law, a conviction or an acquittal pursuant to federal law for the same act is a bar to the impaneling of a state grand jury pursuant to this section;

물에의, 주변 공기에의, 토양에의 내지는 땅에의, 또는 토양 및 땅 둘 다에의 실제의 및 실질적인 위해를 포함하는 고의의 및 의도적인 범죄. 오염통제법에 대한, 원자력에너지및복사통제법에 대한, 주 지하석유환경대응은행법에 대한, 주 안전음료수법에 대한, 위험폐기물관리법에 대한, 전염성폐기물관리법에 대한, 고체폐기물정책및관리법에 대한, 부식및침전통제법에 대한, 사우스캐럴라이나주광업법에 대한, 연안관리법에 대한 고의의 및 의도적인 위반을; 또는 회복의 비용을 포함하되 이에 한정되지 아니하는 것으로서의 그 예상되는 실제의 손해액이 200만불 이상인 것으로 건강환경통제부에 의하여 계약되지 않으면 안 되는 독립의 환경기사에 의하여 확인되는, 환경관련의 법들로부터 또는 이에의 연관 속에서 발생하는 고의의 및 의도적인 범죄를 또는 환경을 포함하는 고의의 및 의도적인 범죄를 저지르기 위한 시도를, 방조를, 교사를, 유도를, 내지는 공모를 이 범죄는 포함한다. 만약 그 고의의 및 의도적인 범죄가 연방법에 대한 한 개의 위반이면, 그 동일 행위에 대한 연방법에 따른 유죄판정은 내지는 무죄방면은 이 절에 따르는 스테이트 대배심의 충원구성을 막는 한 개의 장해이다;

(13) a crime involving or relating to the offense of trafficking in persons, as defined in Section 16-3-2020, when a victim is trafficked in more than one county or a trafficker commits the offense of trafficking in persons in more than one county; and

제16-3-2020절에 개념정의 되는 것으로서의 인신매매의 범죄를 포함하는 내지는 이에 관련되는 범죄로서, 한 개를 넘는 카운티에서 피해자가 매매되는 경우 또는 한 개를 넘는 카운티에서 인신매매 범죄를 밀매자가 저지르는 경우; 그리고

(14) a crime involving a violation of the South Carolina Anti-Money Laundering Act as set forth in Chapter 11, Title 35, or a crime related to a violation of the Anti-Money Laundering Act.

제35편 제11장에 규정된 것으로서의 사우스캐럴라이나주 돈세탁금지법에 대한 위반을 포함하는 범죄, 또는 돈세탁금지법의 위반에 관련되는 범죄.

(B) When the Attorney General and the Chief of the South Carolina Law Enforcement Division consider a state grand jury necessary to enhance the effectiveness of investigative or prosecutorial procedures, the Attorney General may notify in writing to the chief administrative judge for general sessions in the judicial circuit in which he seeks to impanel a state grand jury that a state grand jury investigation is being initiated. This judge is referred to in this article as the presiding judge. The notification must allege the type of offenses to be inquired into and, in the case of those offenses contained in subsection (A)(1), must allege that these offenses may be of a multicounty nature or have transpired or are transpiring or have significance in more than one county of the State. The notification in all instances must specify that the public interest is served by the impanelment.

조사절차의 내지는 소추절차의 효율성을 향상시키기 위하여 한 개의 스테이트 대배심이 필요하다고 검찰총장이 및 사우스캐럴라이나주 법집행국 국장이 간주하는 경우에는, 한 개의 스테이트 대배심이 설치될 것임을, 그것을 그가 충원구성하고자 하는 재판순회구 내의 치안재판소 법원장에게 서면으로 검찰총장은 통지할 수 있다. 이 판사는 이 조에서 법원장으로 칭해진다. 조사대상인 범죄들의 유형을 통지는 주장하지 않으면 안 되는바, 소절 (A)(1)에 포함된 범죄들의 경우에는 이 범죄들이 복수카운티적 성격의 것들일 수 있

음을 내지는 이 주의 한 개를 넘는 카운티에서 그것들이 발생하였음을 또는 발생하고 있음을 내지는 중요함을 통지는 주장하지 않으면 안 된다. 그 충원구성에 의하여 공공의 이익이 보호된다는 점을 모든 경우들에서의 통지는 명시하지 않으면 안 된다.

(C) In all investigations of crimes specified in subsection (A)(12), except in matters where the Department of Health and Environmental Control or its officers or employees are the subjects of the investigation, the Commissioner of the Department of Health and Environmental Control must consult with and, after investigation, provide a formal written recommendation to the Attorney General and the Chief of the South Carolina Law Enforcement Division. The Attorney General and the Chief of the South Carolina Law Enforcement Division must consider the impaneling of a state grand jury necessary and the commissioner must sign a written recommendation before the Attorney General notifies the chief administrative judge pursuant to subsection (B).

건강및환경통제부가 또는 그 공무원들이 내지는 피용자들이 조사대상들인 사안들에서를 제외하고는, 소절 (A)(12)에 명시된 범죄들에 대한 모든 조사들에서 건강및환경통제부 장관은 검찰총장에게 및 사우스캐럴라이나주 법집행국 국장에게 상의하지 않으면 안 되고, 조사 뒤에는 공식의 서면권고를 그들에게 제공하지 않으면 안 된다. 소절 (b)에 따라서 법원장에게 검찰총장이 통지하기 위하여는 이에 앞서서, 한 개의 스테이트 대배심을 충원구성함이 필요하다고 검찰총장은 및 사우스캐럴라이나주 법집행국 국장은 간주하지 않으면 안 되고, 한 개의 서면권고에 건강및환경통제부 장관은 서명하지 않으면 안 된다.

(1) In the case of evidence brought to the attention of the Attorney General, the Chief of the South Carolina Law Enforcement Division, or the Department of Health and Environmental Control by an employee or former employee of the alleged violating entity, there also must be separate, credible evidence of the violation in addition to the testimony or documents provided by the employee or former employee of the alleged violating entity.

그 주장되는 위반행위의 법주체의 피용자에 의하여 내지는 과거의 피용자에 의하여 검찰총장의, 사우스캐럴라이나주 법집행국 국장의, 또는 건강및환경통제부의 주목에 가져다 놓인 증거의 경우에, 그 주장되는 위반행위의 법주체의 피용자에 내지는 과거의 피용자에 의하여 제공되는 증언이에 내지는 문서들이에 추가하여 그 위반행위에 대한 별도의 믿을 만한 증거가 또한 있지 않으면 안 된다.

(2) When an individual employee performs a criminal violation of the environmental laws that results in actual and substantial harm pursuant to subsection (A)(12) and which prompts an investigation authorized by this article, only the individual employee is subject to the investigation unless or until there is separate, credible evidence that the individual's employer knew of, concealed, directed, or condoned the employee's action.

소절 (A)(12)에 따른 실제의 및 중대한 위해에 귀결되는, 및 이 조에 의하여 허가되는 한 개의 조사를 유발하는, 환경관련의 법들에 대한 범죄적 위반행위를 한 명의 개별적 피용자가 수행하는 경우에, 그 개별적 피용자의 행위를 그의 고용주가 알았음에 대한, 감추었음에 대한, 지시하였음에 대한, 또는 너그럽게 봐 주었음에 대한 별도의 믿을 만한 증거가 있는 경우에를 제외하고는 및 그러한 증거가 있을 때까지는, 오직 그 개별적 피용자만이 조사의 대상이 된다.

(D) If the notification properly alleges inquiry into crimes within the jurisdiction of the state grand jury and the notification is otherwise in order pursuant to the requirements of this section, the presiding judge must impanel a state grand jury. State grand juries are impaneled for a term of twelve calendar months. Upon the request by the Attorney General, the then chief administrative judge for general sessions in the judicial circuit in which a state grand jury was impaneled, by order, must extend the term of that state grand jury for a period of six months but the term of that state grand jury, including an extension of the term, must not exceed two years. If at the conclusion of a state grand jury's term a particular investigation is not completed, the Attorney General may notify the presiding judge in writing that the investigation is being transferred to the subsequently impaneled state grand jury.

스테이트 대배심의 관할 내의 범죄들에 대한 조사를 만약 통지가 적절하게 주장하면, 및 여타의 점에서 이 절의 요구사항들에 비추어 통지가 합당하면, 한 개의 스테이트 대배심을 법원장은 충원구성 하지 않으면 안 된다. 12역월의 기간을 위하여 스테이트 대배심들은 충원구성 된다. 스테이트 대배심의 기간을 검찰총장의 요청에 따라서 6개월 동안, 당해 스테이트 대배심이 충원구성된 재판순회구 내의 치안재판소의 그 요청 시점의 법원장은 명령에 의하여 연장하지 않으면 안 되는바, 그러나 스테이트 대배심의 복무기간은 그 연장되는 기간을 포함하여 2년을 초과하여서는 안 된다. 만약 스테이트 대배심의 종료 때에 한 개의 특정의 조사가 완료되어 있지 않으면, 뒤이어서 충원구성되는 스테이트 대배심에 그 조사가 이관될 것임을 서면으로 법원장에게 검찰총장은 통지할 수 있다.

A decision by the presiding judge not to impanel a state grand jury after notification by the Attorney General may be appealed to the Supreme Court and shall be handled in an expedited fashion.

검찰총장의 통지 뒤의, 한 개의 스테이트 대배심을 충원구성하지 아니하기로 하는 법원장에 의한 결정은 대법원에 항소될 수 있는바, 급속처리 절차에 따라서 그것은 다루어져야 한다.

(E) The chief administrative judge of the circuit wherein a state grand jury is sitting shall preside over that state grand jury during his tenure as chief administrative judge. The successor chief administrative judge shall assume all duties and responsibilities with regard to a state grand jury impaneled before his term including, but not limited to, presiding over the state grand jury and ruling on petitions to extend its term.

한 개의 스테이트 대배심이 착석하고 있는 순회구 지방법원의 법원장은 당해 스테이트 대배심을 법원장으로서의 그의 임기 동안에 지휘하여야 한다. 그의 임기 전에 충원구성된 한 개의 스테이트 대배심에 관한 모든 임무들을 및 책임들을 후임 법원장은 떠맡아야 하는바, 당해 스테이트 대배심을 지휘함을 및 그 복무기간을 연장하여 달라는 청구들에 대하여 결정함을 이는 포함하되 그것들에 한정되지 아니한다.

(F) Upon the request of the Attorney General, the presiding judge may discharge a state grand jury prior to the end of its original term or an extension of the term.

검찰총장의 요청에 따라서 그 본래의 복무기한의 또는 연장된 복무기한의 만료 전에 스테이트 대배심을 법원장은 임무해제 할 수 있다.

(G) An order limiting or ending a state grand jury investigation only shall be granted upon a finding of arbitrary action, compelling circumstances, or serious abuses of law or procedure by or before the state grand jury, and does not become effective less than ten days after the date on which it is issued and actual notice given to the Attorney General and the foreman of the state grand jury, and may be appealed by the Attorney General or the legal advisor to the state grand jury to the Supreme Court. If an appeal from the order is made, the state grand jury, except as is otherwise ordered by the Supreme Court, shall continue to exercise its powers pending disposition of the appeal. Appeals by the Attorney General or the legal advisor to the state grand jury of orders limiting or ending a state grand jury investigation, and appeals from orders granting or denying motions to quash or contempt citations therefrom which are immediately appealable under the law, must be handled by the South Carolina Supreme Court in an expedited fashion.

스테이트 대배심 조사를 제한하는 내지는 종료시키는 명령은 오직 당해 스테이트 대배심에 의한 또는 당해 스테이트 대배심 앞에서의, 자의적 행위에 대한, 강제적 상황들에 대한, 또는 법의 내지는 절차의 중대한 남용들에 대한, 인정 위에서만 내려져야 하는바, 그것이 발령된 날 뒤 및 검찰총장에게 및 당해 스테이트 대배심의 배심장에게 부여되는 실제의 통지일 뒤 10일 이내에는 효력을 지니지 아니하며, 검찰총장에 의하여 또는 당해 스테이트 대배심의 법률고문에 의하여 대법원에 항소될 수 있다. 만약 명령에 대한 항소가 이루어지면, 당해 스테이트 대배심은, 대법원에 의하여 달리 명령되는 경우에를 제외하고는, 그 자신의 권한들을 행사하기를 항소심의 처분이 내려지기까지 계속하여야 한다. 스테이트 대배심의 조사를 제한하는 내지는 종료시키는 명령들에 대한 검찰총장에 의한 또는 스테이트 대배심의 법률고문에 의한 항소들은, 그리고 대배심 검사기소장들에 대한 각하신청들을 인용하는 내지는 기각하는, 법에 따라서 즉시 항소 가능한 명령들에 대한 내지는 법원모독 출정통고서들에 대한 항소들은, 사우스캐럴라이나주 대법원에 의하여 급속처리 절차에 따라서 다루어지지 않으면 안 된다.

HISTORY: 1987 Act No. 150, Section 1, eff from and after February 8, 1989 (the date the amendments to Article I, Section 11, and Article V, Section 22, of the South Carolina Constitution were ratified and declared to be part of the Constitution); 1989 Act No. 2, Section 3, eff February 8, 1989 (the date the amendments to Article I, Section 11, and Article V, Section 22, of the South Carolina Constitution were ratified and declared to be part of the Constitution); 1992 Act No. 335, Section 1, eff May 4, 1992; 2002 Act No. 339, Section 7, eff July 2, 2002; 2003 Act No. 78, Section 1, eff June 4, 2003; 2004 Act No. 208, Section 2, eff April 26, 2004; 2005 Act No. 75, Section 2, eff May 24, 2005; 2007 Act No. 82, Section 3, eff June 12, 2007; 2008 Act No. 280, Section 14, eff June 4, 2008; 2015 Act No. 7 (S.196), Section 2, eff April 2, 2015; 2015 Act No. 45 (S.268), Section 1, eff June 3, 2015; 2016 Act No. 266 (H.4554), Section 2, eff May 25, 2018.

Editor's Note

편집자 주해

2016 Act No. 266, Section 5, provides:

2016년 법률 제266호 제5절은 규정한다:

"SECTION 5. This act takes effect one year after approval of this act by the Governor or upon the publication in the State Register of final regulations implementing the act, whichever occurs later. The commissioner is authorized to begin promulgating these regulations upon approval of this act by the Governor which shall take effect when this act takes effect as provided in this section."

"제5절. 주지사에 의한 이 법에 대한 승인이 있은 1년 뒤인 날의, 또는 이 법률을 시행하기 위한 최종의 규칙들의 주 관보에의 공포일의, 그 둘 중 어느 쪽이든 더 늦은 날에 이 법률은 발효한다. 주지사에 의한 이 법률의 승인 즉시로 이 규칙들의 공포를 개시할 권한이 국장에게 부여되는바, 이 절에 규정되는 바에 따라서 이 법률이 발효하는 때에 이 규칙들은 발효한다."

2016 Act No. 266, Section 2, in (A), added (14), related to the Anti-Money Laundering Act.

2016년 법률 제266호 제2절은 (A)에서 (14)를 추가하였는바, 돈세탁금지법에 관련된다.

https://law.justia.com/codes/south-carolina/2019/title-14/chapter-7/section-14-7-1640/

Section 14-7-1640. Indictment by state grand jury; powers and duties of state grand jury.

스테이트 대배심에 의한 대배심 검사기소; 스테이트 대배심의 권한들 및 의무들.

Universal Citation: SC Code § 14-7-1640 (2019)

일반적 인용: SC Code § 14-7-1640 (2019)

A state grand jury may return indictments irrespective of the county or judicial circuit where the offense is committed or triable. If an indictment is returned, it must be certified and transferred for prosecution to the county where the offense was committed in accordance with Section 14-7-1750. The powers and duties of and the law applicable to county grand juries apply to a state grand jury, except when these are inconsistent with the provisions of this article.

당해 범죄가 저질러진 내지는 당해 범죄의 정식사실심리가 가능한 카운티에 또는 재판순회구에 상관없이, 대배심 검사기소장들을 스테이트 대배심은 제출할 수 있다. 만약 한 개의 대배심 검사기소장이 제출되면, 제14-7-1750절에 따라서 그 범죄가 저질러진 카운티에 그것은 소송추행을 위하여 보증되지 않으면 및 이관되지 않으면 안 된다. 카운티 대배심들의 권한들은 및 의무들은 및 카운티 대배심들에 적용되는 법은, 이 조의 규정들에 이것들이 배치되는 경우에를 제외하고는, 스테이트 대배심에 적용된다.

HISTORY: 1987 Act No. 150, Section 1, eff from and after February 8, 1989 (the date the amendments to Article I, Section 11, and Article V, Section 22, of the South Carolina Constitution were ratified and declared to be part of the Constitution); 1992 Act No. 335, Section 1, eff May 4, 1992.

https://law.justia.com/codes/south-carolina/2019/title-14/chapter-7/section-14-7-1650/

Section 14-7-1650. Duties and obligations of Attorney General; recusal; motion to disqualify.

검찰총장의 의무들 및 임무들; 기피; 결격으로 처리하여 달라는 신청.

Universal Citation: SC Code § 14-7-1650 (2019)

일반적 인용: SC Code § 14-7-1650 (2019)

(A) The Attorney General or his designee shall attend sessions of a state grand jury and shall serve as its legal advisor. The Attorney General or his designee shall examine witnesses, present evidence, and draft indictments and reports upon the direction of a state grand jury.

스테이트 대배심의 회합들에 검찰총장은 또는 그의 피지명인은 출석하여야 하고 그 법률 고문으로서의 역할을 수행하여야 한다. 검찰총장은 또는 그의 피지명인은 증인들을 신문하여야 하고, 증거를 제출하여야 하며, 대배심 검사기소장들을 및 보고서들을 스테이트 대배심의 명령에 따라서 초안하여야 한다.

(B) In all investigations of the crimes specified in Section 14-7-1630, except in matters where the solicitor(s) or his staff are the subject(s) of such investigation, the Attorney General shall consult with the appropriate solicitor(s) of the jurisdiction(s) where the crime or crimes occurred. After consultation, the Attorney General shall determine whether the investigation should be presented to a county grand jury or whether to initiate, under Section 14-7-1630(B), a state grand jury investigation.

제14-7-1630절에 규정된 범죄들에 대한 모든 조사들에서는, 법무관(들)이 또는 그의 직원이 그러한 조사의 대상(들)인 사항들에서를 제외하고는, 당해 범죄가 내지는 범죄들이 발생한 관할(들)의 적절한 법무관(들)에게 검찰총장은 상의하여야 한다. 한 개의 카운티 대배심에게 당해 조사가 제출되어야 할지 여부를 또는 제14-7-1630(B)절에 따라서 한 개의 스테이트 대배심 조사를 개시하여야 할지 여부를, 상의 뒤에 검찰총장은 결정하여야 한다.

(C) When the Attorney General determines that he should recuse himself from participation in a state grand jury investigation and prosecution, the Attorney General may either refer the matter to a solicitor for investigation and prosecution, or remove himself entirely from any involvement in the case and designate a prosecutor to assume his functions and duties pursuant to this article. When a solicitor determines that he should recuse himself from participation in a state grand jury matter, the Attorney General shall conduct such investigation and prosecution but the Attorney General, in his discretion, may designate another solicitor or appoint a special prosecutor not subject to a conflict to handle or assist him in the state grand jury investigation as the Attorney General deems appropriate.

한 개의 스테이트 대배심 조사에의 및 소송추행에의 참여로부터 스스로 회피하기로 검찰총장이 결정하는 경우에, 검찰총장은 조사를 및 소송추행을 위하여 당해 사안을 한 명의 법무관에게 위임할 수 있거나, 또는 자기 자신을 당해 사건에의 어떠한 관여로부터도 완전하게 제거하고서 그의 직무들을 및 의무들을 떠맡도록 한 명의 검사를 이 조에 따라서 지명할 수 있다. 한 개의 스테이트 대배심 사안에의 참여로부터 스스로 회피하기로 한 명의 법무관이 결정하면, 검찰총장은 그러한 조사를 및 소송추행을 수행하여야 하는바, 다만 당해 스테이트 대배심 조사를 다루게 하기 위한 내지는 그 조사에서 검찰총장 자신을 조력하게 하기 위한 충돌되지 아니하는 다른 법무관을 검찰총장은 그의 재량으로, 그 적절하다고 검찰총장이 간주하는 바에 따라서 지명할 수 있거나 또는 특별검사를 지명할 수 있다.

(D) (1) A hearing on a motion to disqualify the Attorney General or legal advisor for the state grand jury from a state grand jury investigation shall be held in public, however the presiding judge must conduct the hearing in a manner to insure the secrecy and integrity of the investigation. The presiding judge shall protect the identity of the person or persons being investigated to the extent practicable. In order to disqualify the Attorney General or legal advisor for the state grand jury, the presiding judge must find an actual conflict of interest resulting in actual prejudice against the moving party. If the Attorney General or legal advisor for the state grand jury or a member of the staff is disqualified then the Attorney General must refer the matter to a circuit solicitor for investigation and prosecution. If a circuit solicitor or special prosecutor, or member of their staff, is disqualified, the matter must be referred to the Office of the Attorney General for investigation or prosecution.

검찰총장을 또는 당해 스테이트 대배심의 법률고문을 스테이트 대배심 조사에의 결격으로 판단해 달라는 신청에 대한 심문은 공개리에 열려야 하는바, 다만 조사의 비밀성을 및 성실성을 보장하는 방향으로 그 심문을 법원장은 실시하지 않으면 안 된다. 조사대상인 사람의 내지는 사람들의 신원을 가능한 한도껏 법원장은 보호하여야 한다. 검찰총장을 내지는 스테이트 대배심의 법률고문을 결격으로 판단하기 위하여는 신청 측 당사자의 실제의 불이익에 귀결되는 실제의 이익충돌을 법원장은 인정하지 않으면 안 된다. 만약 검찰총장이 내지는 스테이트 대배심의 법률고문이 또는 그 직원진의 구성원이 결격으로 판정되면, 조사를 및 소송추행을 위하여 당해 사안을 한 명의 순회구 법무관에게 그 때에 검찰총장은 위탁하지 않으면 안 된다. 만약 순회구 법무관이 또는 특별검사가, 또는 그들의 직원진 구성원이 결격으로 판정되면, 당해 사안은 조사를 내지는 소송추행을 위하여 검찰총장실에 위탁되지 않으면 안 된다.

(2) An order to disqualify the Attorney General or legal advisor for the state grand jury from a state grand jury investigation, issued prior to the issuance of an indictment or arrest warrant, shall not become effective less than ten days after the date issued and notice is given to the opposing parties unless appealed. If an appeal from the order is made, the state grand jury and the Attorney General or legal advisor for the state grand jury, except as is otherwise ordered by the Supreme Court, shall continue to exercise their powers pending disposition of the appeal. The Supreme Court must handle all appeals from this section in an expedited manner.

대배심 검사기소장의 내지는 체포영장의 발부 전에 발부되는, 검찰총장을 내지는 스테이트 대배심의 법률고문을 스테이트 대배심 조사에의 결격으로 판정하는 명령은, 항소된 경우에를 제외하고는, 그 발부된 뒤 및 상대방 당사자들에게 통지가 부여된 뒤 10일 이내에는 유효한 것이 되지 아니한다. 만약 명령에 대한 항소가 제기되면, 스테이트 대배심은 및 검찰총장은 내지는 당해 스테이트 대배심의 법률고문은, 대법원에 의하여 달리 명령되는 경우에를 제외하고는, 항소에 대한 처분이 있기까지 그들의 권한들을 행사하기를 계속하여야 한다. 이 절로부터 생기는 모든 항소들을 급속처리 절차에 따라서 대법원은 다루지 않으면 안 된다.

(3) The state grand jury may continue with its investigation and the Attorney General or the solicitor or his designee may continue to serve as legal advisor to the state grand jury with all authority, functions, and responsibilities set forth in this article, until the final order becomes effective or upon the issuance of the final order of the Supreme Court if appealed, whichever occurs later.

종국의 명령이 효력을 지니게 될 때까지의, 또는 항소되는 경우에는 대법원의 종국적 명령의 발부가 있기까지의 그 둘 중 어느 쪽이든지 더 늦은 시점까지, 그 자신의 조사를 스테이트 대배심은 계속할 수 있고, 스테이트 대배심에의 법률고문으로서 이 조에 규정되는 모든 권한을, 직무들을, 그리고 책임들을 지닌 채로 복무하기를 검찰총장은 또는 법무관은 또는 그의 피지명인은 계속할 수 있다.

HISTORY: 1987 Act No. 150, Section 1, eff from and after February 8, 1989 (the date the amendments to Article I, Section 11, and Article V, Section 22, of the South Carolina Constitution were ratified and declared to be part of the Constitution); 1992 Act No. 335, Section 1, eff May 4, 1992; 2015 Act No. 45 (S.268), Section 2, eff June 3, 2015.

https://law.justia.com/codes/south-carolina/2019/title-14/chapter-7/section-14-7-1660/

Section 14-7-1660. Selection of grand jurors.
대배심원들의 선정.

Universal Citation: SC Code § 14-7-1660 (2019)

일반적 인용: SC Code § 14-7-1660 (2019)

(A) In the January following the effective date of this article and each January thereafter, the jury commissioners for each county shall proceed to draw at random from the jury box the name of one person for each one thousand residents or fraction thereof of the county as determined by the latest United States census but following the effective date of this article, the presiding judge may authorize an interim procedure for the selection of state grand jurors to constitute the first state grand jury established pursuant to this article. The jury commissioners shall not disqualify or excuse any individual whose name is drawn. When the list is compiled, the clerk of court shall forward the list to the person designated as the clerk of the state grand jury by the presiding judge. Upon receipt of all the lists from the clerks of court, the clerk of the state grand jury shall draw therefrom at random a list of seven hundred eligible state grand jurors, this list to be known as the master list. The clerk of the state grand jury shall mail to every person whose name is drawn a juror qualification form, the form and the manner of qualifying potential state grand jurors to be determined by the Supreme Court. Based upon these inquiries, the presiding judge shall determine whether an individual is unqualified for, or exempt, or to be excused from jury service. The clerk of the state grand jury shall prepare annually a jury list of persons qualified to serve as state grand jurors, this list to be known as the qualified state grand jury list. No state grand juror may be excused or disqualified except in accordance with existing law.

최신의 합중국 인구조사에 의하여 결정되는 것으로서의 카운티의 거주자들 매 1,000명당 또는 그 우수리 숫자에 대하여 한 명의 이름을 배심원후보상자로부터 무작위로 추출하는 데 이 조의 발효일에 이은 1월에 및 그 뒤 매년 1월에 개개 카운티의 배심위원들은 착수하여야 하는바, 그러나 이 조에 따라서 설치되는 최초의 스테이트 대배심을 구성할 스테이트 대배심원들의 선정을 위한 임시적 절차를 이 조의 발효일 뒤에 법원장은 허가할 수 있다. 그 이름이 추출되는 어떤 개인을도 배심위원들은 결격으로 판정하여서도 면제하여서도 안 된다. 명부가 조제되는 때에, 그 명부를 당해 스테이트 대배심의 서기로 법원장에 의하여 지명되는 사람에게 법원서기는 제출하여야 한다. 법원서기들로부터의 모든 명부들의 수령이 이루어지면, 700명의 적격인 스테이트 대배심원(후보)들의 명부를 거기에서 무작위로 스테이트 대배심의 서기는 추출하여야 하는바, 이 명부는 종합명부라고 칭해진다. 배심원 자격심사 서식을 그 이름이 추출되는 모든 사람에게 스테이트 대배심의 서기는 발송하여야 하는바, 잠재적 스테이트 대배심원(후보)들의 자격심사의 서식은 및 방법은 대법원에 의하여 결정되어야 한다. 한 명의 개인이 배심복무에 대하여 부적격으로 인정되는지, 또는 제외되어 있는지 또는 면제처리 되어야 하는지 여부를 이 질문들에 터잡아서 법원장은 판정하여야 한다. 스테이트 대배심원들로서 복무할 자격이 인정되는 사람들의 한 개의 배심명부를 해마다 스테이트 대배심의 서기는 작성하여야 하는바, 이 명부는 유자격 스테이트 대배심명부라고 칭해진다. 현행의 법에 따라서를 제외하고는, 스테이트 대배심원(후보)은 면제되어서는 내지는 결격으로 판정되어서는 안 된다.

(B) Upon the presiding judge ordering a term of a state grand jury upon notification of initiation of a state grand jury investigation by the Attorney General, the clerk of the state grand jury, upon the random drawing of the names of sixty persons from the qualified jury list, shall summon these individuals to attend the jury selection process for the state grand jury. The jury selection process must be conducted by the presiding judge. The clerk of the state grand jury shall issue his writ of venire facias for these persons, requiring their attendance at the time designated. The writ of venire facias must be delivered immediately to the sheriff of the county where the person resides and served as provided by law. From the sixty persons so summoned, a state grand jury for that term of eighteen persons plus four alternates must be drawn in the same manner as jurors are drawn for service on the county grand jury. Nothing in this section may be construed to limit the right of the Attorney General or his designee to request that a potential state grand juror be excused for cause. Jurors of a state grand jury shall receive a daily subsistence expense equal to the maximum allowable for the Columbia, South Carolina area, by regulation of the Internal Revenue Code when summoned or serving, and also must be paid the same per diem and mileage as are members of state boards, commissions, and committees.

한 개의 스테이트 대배심의 복무기간을 한 개의 스테이트 대배심 조사의 개시에 대한 검찰총장에 의한 통지 위에서 법원장이 명령하면, 당해 스테이트 대배심의 서기는 유자격 배심명부로부터의 60명의 이름들을 무작위로 추출한 위에 당해 스테이트 대배심을 위한 배심선정 절차에 출석하도록 이 개인들을 소환하여야 한다. 배심선정 절차는 법원장에 의하여 실시되지 않으면 안 된다. 이 사람들을 위한 그 자신의 배심소집영장을 스테이트 대배심의 서기는 발부하여야 하는바, 그 지정된 때에의 그들의 출석을 그것은 요구하여야 한다. 배심소집영장은 그 사람이 거주하는 카운티의 집행관에게 즉시로 교부되지 않으면 안 되고 법에 의하여 규정되는 대로 송달되지 않으면 안 된다. 그렇게 소환된 60명 중에서, 18명으로 및 이에 더하여 4명의 예비배심원들로 구성되는 이 기간을 위한 스테이트 대배심이, 카운티 대배심에의 복무를 위하여 배심원들이 추출되는 방법에의 동일한 방법에 따라서, 추출되지 않으면 안 된다. 스테이트 대배심원 후보를 이유부로 면제하여 줄 것을 요청할 검찰총장의 내지는 그의 피지명인의 권리를 제한하는 것으로 이 절 안의 것은 해석되어서는 안 된다. 그 소환되는 내지는 복무하는 경우에 사우스캐럴라이나주 콜럼비아 지구를 위하여 내국세법 규칙에 의하여 지급될 수 있는 최대액수에 동등한 매

일의 급양비를 스테이트 대배심의 배심원들은 수령하는바, 주 위원회들의 구성원들에게 지급되는 일당에의 및 여비수당에의 동일한 일당이 및 여비수당이 아울러 지급되지 않으면 안 된다.

HISTORY: 1987 Act No. 150, Section 1, eff from and after February 8, 1989 (the date the amendments to Article I, Section 11, and Article V, Section 22, of the South Carolina Constitution were ratified and declared to be part of the Constitution); 1989 Act No. 2, Section 4, eff February 8, 1989 (the date the amendments to Article I, Section 11, and Article V, Section 22, of the South Carolina Constitution were ratified and declared to be part of the Constitution); 1992 Act No. 335, Section 1, eff May 4, 1992; 2015 Act No. 45 (S.268), Section 3, eff June 3, 2015.

https://law.justia.com/codes/south-carolina/2019/title-14/chapter-7/section-14-7-1670/

Section 14-7-1670. Appointment of foreman and deputy foreman.
배심장의 및 부배심장의 지명.

Universal Citation: SC Code § 14-7-1670 (2019)

일반적 인용: SC Code § 14-7-1670 (2019)

The presiding judge shall appoint one of the jurors to be foreman and another to be deputy foreman. During the absence of the foreman, the deputy foreman shall act as foreman.

배심원들 중 한 명을 배심장으로 및 다른 한 명을 부배심장으로 법원장은 지명하여야 한다. 배심장의 부재 동안에 부배심장은 배심장으로서 활동하여야 한다.

HISTORY: 1987 Act No. 150, Section 1, eff from and after February 8, 1989 (the date the amendments to Article I, Section 11, and Article V, Section 22, of the South Carolina Constitution were ratified and declared to be part of the Constitution); 1992 Act No. 335, Section 1, eff May 4, 1992.

https://law.justia.com/codes/south-carolina/2019/title-14/chapter-7/section-14-7-1680/

Section 14-7-1680. Issuance of subpoenas and subpoenas duces tecum; contempt for failure to respond.

벌칙부소환장들의 및 문서제출명령 벌칙부소환장들의 발부; 응답 불이행의 경우에의 법원모독.

Universal Citation: SC Code § 14-7-1680 (2019)

일반적 인용: SC Code § 14-7-1680 (2019)

The clerk of the state grand jury, upon the request of the Attorney General or his designee, shall issue subpoenas or subpoenas duces tecum to compel individuals, documents, or other materials to be brought from anywhere in this State to a state grand jury. In addition, a state grand jury may proceed in the same manner as provided by the subpoena rules of the South Carolina Rules of Civil Procedure and Sections 19-9-10 through 19-9-130, except where either is inconsistent with the provisions of this article; provided the subpoena rules of the South Carolina Rules of Civil Procedure and Sections 19-9-10 through 19-9-130 are not considered a limitation upon this section, but supplemental thereto. The subpoenas and subpoenas duces tecum may be for investigative purposes and for the retention of documents or other materials so subpoenaed for proper criminal proceedings. Any law enforcement officer with appropriate jurisdiction is empowered to serve these subpoenas and subpoenas duces tecum and receive these documents and other materials for return to a state grand jury. Any person violating a subpoena or subpoena duces tecum issued pursuant to this article, or who fails to fully answer all questions put to him before proceedings of a state grand jury where the response thereto is not privileged or otherwise protected by law, including the granting of immunity as authorized by Section 14-7-1760, may be punished by the presiding judge for contempt. To this end, where the violation or failure to answer is alleged to have occurred, the Attorney General or his designee may petition the presiding judge to compel compliance by the person alleged to have committed the violation or who has failed to answer. If the presiding judge considers compliance is warranted, he may order this compliance and may punish the individual for contempt where the compliance does not occur.

이 주 내의 어디로부터든 한 개의 스테이트 대배심에 개인들이, 문서들이, 또는 여타의 자료들이 불려오도록 강제하기 위하여 벌칙부소환장들을 내지는 문서제출명령 벌칙부소환장들을 검찰총장의 내지는 그의 피지명인의 요청에 따라서 스테이트 대배심의 서기는 발부하여야 한다. 이에 더하여, 사우스캐럴라이나 민사소송법의 벌칙부소환장 규칙들에 및 제19-9-10절에서부터 제19-9-130절에까지에 규정되는 방법에의 동일한 방법에 따라서 한 개의 스테이트 대배심은 절차를 개시할 수 있는바, 이 조의 규정들에 그 어느 것이든지가 배치되는 경우에는 그러하지 아니하다; 다만 사우스캐럴라이나주 민사소송법의 벌칙부소환장 규칙들은 및 제19-9-10절부터 제19-9-130절까지는 이 절에 대한 한 개의 제한으로 간주되지 아니하며 이에 대한 보칙으로 간주된다. 벌칙부소환장들은 및 문서제출명령 벌칙부소환장들은 조사적 목적들을 위한 것일 수 및 적절한 형사절차들을 위하여 그렇게 벌칙부소환장에 의하여 제출된 문서들의 내지는 여타의 자료들의 유치를 위한 것일 수 있다. 적절한 관할권을 지니는 법집행 공무원 어느 누구든지에게는 이 벌칙부소환장들을 및 문서제출명령 벌칙부소환장들을 송달할 및 이 문서들을 및 여타의 자료들을 스테이트 대배심에의 제출을 위하여 수령할 권한이 부여된다. 이 조에 따라서 발부되는 한 개의 벌칙부소환장을 또는 문서제출명령 벌칙부소환장을 위반하는 사람 누구든지는 또는 한 개의 스테이트 대배심 앞에서 그에게 제기되는 모든 질문들에 완전하게 답변하기를, 이에 대한 답변이 제14-7-1760절에 의하여 허가되는 면제의 부여에 의하여를 포함하여 증거캐기 금지특권의 대상이 아닌 내지는 달리 법에 의하여 보호되지 아니하는 경우에 불이행하는 사람 누구든지는 법원장에 의하여 법원모독으로 처벌될 수 있다. 이 목적을 위하여, 답변하기에 대한 위반이 내지는 불이행이 발생하였다고 주장되는 경우에, 그 위반을 저지른 것으로 주장되는 사람에 의한 내지는 그 답변하기를 불이행한 사람에 의한 준수를 강제하여 줄 것을 법원장에게 검찰총장은 내지는 그의 피지명인은 청구할 수 있다. 준수를 명령함이 정당화된다고 만약 법원장이 간주하면, 이 준수를 그는 명령할 수 있고 그 준수가 이루어지지 아니하는 경우에 그 개인을 법원모독으로 그는 처벌할 수 있다.

The clerk of the state grand jury also may issue subpoenas and subpoenas duces tecum to compel individuals, documents, or other materials to be brought from anywhere in this State to the trial of any indictment returned by a state grand jury or the trial of any civil forfeiture action arising out of an investigation conducted by a state grand jury.

한 개의 스테이트 대배심에 의하여 제출된 대배심 검사기소에 대한 정식사실심리에, 또는 한 개의 스테이트 대배심에 의하여 수행된 조사로부터 발생하는 민사몰수 소송의 정식사실심리에, 개인들이, 문서들이, 또는 여타의 자료들이 이 주의 어디로부터든 불려오도록 강제하기 위하여, 벌칙부소환장들을 및 문서제출명령 벌칙부소환장들을 또한 스테이트 대배심의 서기는 발부할 수 있다.

HISTORY: 1987 Act No. 150, Section 1, eff from and after February 8, 1989 (the date the amendments to Article I, Section 11, and Article V, Section 22, of the South Carolina Constitution were ratified and declared to be part of the Constitution); 1992 Act No. 335, Section 1, eff May 4, 1992.

https://law.justia.com/codes/south-carolina/2019/title-14/chapter-7/section-14-7-1690/

Section 14-7-1690. Notification of expansion of areas of inquiry.
조사영역들의 확대의 통지.

Universal Citation: SC Code § 14-7-1690 (2019)

일반적 인용: SC Code § 14-7-1690 (2019)

Once a state grand jury has entered into a term, the Attorney General or solicitor, in the appropriate case, may notify the presiding judge in writing as often as is necessary and appropriate that the state grand jury's areas of inquiry have been expanded or additional areas of inquiry have been added thereto.

일단 한 개의 스테이트 대배심이 회기에 들어가고 나면, 당해 스테이트 대배심의 조사영역들이 확대된 터임을 또는 추가적 조사영역들이 이에 보태졌음을 그 적절한 경우에 그 필요한 및 적절한 만큼 자주 법원장에게 서면으로 검찰총장은 또는 법무관은 통지할 수 있다.

HISTORY: 1987 Act No. 150, Section 1, eff from and after February 8, 1989 (the date the amendments to Article I, Section 11, and Article V, Section 22, of the South Carolina Constitution were ratified and declared to be part of the Constitution); 1992 Act No. 335, Section 1, eff May 4, 1992; 2015 Act No. 45 (S.268), Section 4, eff June 3, 2015.

https://law.justia.com/codes/south-carolina/2019/title-14/chapter-7/section-14-7-1700/

Section 14-7-1700. Record of testimony and other proceedings of grand jury; furnishing of copy to defendant; transcripts, reporter's notes and all other documents to remain in custody and control of Attorney General.

증언에 대한 또는 대배심의 여타의 절차들에 대한 기록; 피고인에게의 사본의 제공; 녹취록들은, 속기사의 메모들은 및 그 밖의 모든 문서들은 검찰총장의 보관에 및 통제에 남아 있어야 함.

Universal Citation: SC Code § 14-7-1700 (2019)

일반적 인용: SC Code § 14-7-1700 (2019)

A court reporter shall record, either stenographically or by use of an electronic recording device, all proceedings except when a state grand jury is deliberating or voting. Subject to the limitations of Section 14-7-1720(A) and (D) and Rule 5, South Carolina Rules of Criminal Procedure, a defendant has the right to review and to reproduce the stenographically or electronically recorded materials. Transcripts of the recorded testimony or proceedings must be made when requested by the Attorney General or his designee. Subject to the limitations of Section 14-7-1720(A) and (D) and Rule 5, South Carolina Rules of Criminal Procedure, a copy of the transcript of the recorded testimony or proceedings requested by the Attorney General or his designee shall be provided to the defendant by the court reporter, upon request, at the transcript rate established by the Office of Court Administration. An unintentional failure of any recording to reproduce all or any portion of the testimony or proceedings does not affect the validity of the prosecution. The recording or reporter's notes or any transcript prepared therefrom and all books, papers, records, correspondence, or other documents produced before a state grand jury must remain in the custody and control of the Attorney General or his designee unless otherwise ordered by the court in a particular case.

한 개의 스테이트 대배심이 숙의 중인 내지는 표결 중인 경우에를 제외하고는, 모든 절차들을 속기적으로든 또는 전자적 녹음장비의 사용에 의해서든 법원속기사는 기록하여야 한다.

그 속기적으로 또는 전자적으로 기록된 자료들을 검토할 및 복제할 권리를 제14-7-1720(A)절의 및 (D)절의 및 사우스캐럴라이나주 형사소송규칙 Rule 5의 제한들에 종속되는 가운데서 피고인은 지닌다. 검찰총장에 의한 내지는 그의 피지명인에 의한 요청이 있는 경우에는 그 기록된 증언의 내지는 절차들의 녹취록들이 만들어지지 않으면 안 된다. 제14-7-1720(A)절의 및 (D)절의 및 사우스캐럴라이나주 형사소송규칙 Rule 5의 제한들에 종속되는 가운데서, 검찰총장에 의하여 내지는 그의 피지명인에 의하여 요청된 그 기록된 증언의 내지는 절차들의 녹취록 사본이 법원사무국에 의하여 정해지는 녹취요금으로 법원 속기사에 의하여 피고인에게, 요청에 따라서, 제공되어야 한다. 증언의 내지는 절차들의 전부를 내지는 일부를 재생하기 위한 기록하기에 대한 의도되지 아니한 불이행은 소송추행의 유효성에 영향을 미치지 아니한다. 기록은 또는 속기사의 메모들은 또는 그것들로부터 작성되는 녹취록은 및 한 개의 스테이트 대배심 앞에 제출되는 모든 장부들은, 서류들은, 기록들은, 통신은, 또는 그 밖의 문서들은, 한 개의 특정의 사건에서 법원에 의하여 달리 명령되는 경우에를 제외하고는, 검찰총장의 또는 그의 피지명인의 보관 내에 및 통제 내에 남아 있지 않으면 안 된다.

HISTORY: 1987 Act No. 150 Section 1, eff from and after February 8, 1989 (the date the amendments to Article I, Section 11, and Article V, Section 22, of the South Carolina Constitution were ratified and declared to be part of the Constitution); 1989 Act No. 2, Section 5, eff February 8, 1989 (the date the amendments to Article I, Section 11, and Article V, Section 22, of the South Carolina Constitution were ratified and declared to be part of the Constitution); 1992 Act No. 335, Section 1, eff May 4, 1992.

https://law.justia.com/codes/south-carolina/2019/title-14/chapter-7/section-14-7-1710/

Section 14-7-1710. Administrating oath or affirmation by foreman.
선서의 내지는 무선서확약의 배심장에 의한 실시.

Universal Citation: SC Code § 14-7-1710 (2019)

일반적 인용: SC Code § 14-7-1710 (2019)

The foreman shall administer an oath or affirmation in the manner prescribed by law to any witness who testifies before a state grand jury.

선서를 내지는 무선서확약을 스테이트 대배심 앞에서 증언하는 증인 어느 누구에 대하여든지 법에 의하여 규정되는 방법에 따라서 배심장은 실시하여야 한다.

HISTORY: 1987 Act No. 150, Section 1, eff from and after February 8, 1989 (the date the amendments to Article I, Section 11, and Article V, Section 22, of the South Carolina Constitution were ratified and declared to be part of the Constitution); 1992 Act No. 335, Section 1, eff May 4, 1992.

https://law.justia.com/codes/south-carolina/2019/title-14/chapter-7/section-14-7-1720/

Section 14-7-1720. Proceedings to be secret; juror not to disclose; persons entitled to attend grand jury session; persons attending not to disclose; exceptions; penalties.

절차들의 비밀성; 배심원에 의한 공개의 금지; 대배심 회합에 참석할 권리를 지니는 사람들; 참석자들에 의한 공개의 금지; 예외들; 벌칙들.

Universal Citation: SC Code § 14-7-1720 (2019)

일반적 인용: SC Code § 14-7-1720 (2019)

(A) State grand jury proceedings are secret, and a state grand juror shall not disclose the nature or substance of the deliberations or vote of the state grand jury. The only persons who may be present in the state grand jury room when a state grand jury is in session, except for deliberations and voting, are the state grand jurors, the Attorney General or his designee, the court reporter, an interpreter if necessary, and the witness testifying. A state grand juror, the Attorney General or his designee, any interpreter used, the court reporter, and any person to whom disclosure is made pursuant to subsection (B)(2) of this section may not disclose the testimony of a witness examined before a state grand jury or other evidence received by it except when directed by a court for the purpose of:

스테이트 대배심 절차들은 비밀이고, 따라서 스테이트 대배심의 숙의들의 내지는 표결의 성격을 내지는 내용을 한 명의 스테이트 대배심원은 공개하여서는 안 된다. 그 숙의들을 위한 또는 표결을 위한 경우에를 제외하고는 한 개의 스테이트 대배심이 회합 중일 때에 스테이트 대배심실에 출석해 있어도 되는 유일한 사람들은 당해 스테이트 대배심원들이고, 검찰총장 또는 그의 피지명인이고, 법원속기사이고, 그 필요한 경우에의 통역인이고, 그 증언하는 증인이다. 스테이트 대배심원은, 검찰총장은 또는 그의 피지명인은, 그 사용될 경우에의 통역인은, 법원 속기사는, 그리고 이 절의 소절 (B)(2)에 따라서 공개를 제공받는 사람 어느 누구든지는 한 개의 스테이트 대배심 앞에서 신문되는 증인의 증언을 또는 당해 스테이트 대배심에 의하여 수령되는 그 밖의 증거를, 아래의 목적을 위하여 법원에 의하여 명령되는 경우에를 제외하고는, 공개하여서는 안 된다:

(1) ascertaining whether it is consistent with the testimony given by the witness before the court in any subsequent criminal proceeding;

추후의 형사절차들에서의 법원 앞에서 당해 증인에 의하여 이루어진 증언에 그것이 일치하는지 여부를 확인하기 위한 경우;

(2) determining whether the witness is guilty of perjury;

위증을 당해 증인이 저질렀는지 여부를 판단하기 위한 경우;

(3) assisting local, state, other state or federal law enforcement or investigating agencies, including another grand jury, in investigating crimes under their investigative jurisdiction;

그들의 조사적 관할권 아래의 범죄들을 조사함에 있어서의, 다른 대배심을을 포함하여, 지역의, 주의, 다른 주의 또는 연방의 법집행기관들을 또는 조사기관들을 조력하기 위한 경우;

(4) providing the defendant the materials to which he is entitled pursuant to Section 14-7-1700;

제14-7-1700절에 따라서 그 권리를 피고인이 지니는 자료들을 피고인에게 제공하기 위한 경우;

(5) complying with constitutional, statutory, or other legal requirements or to further justice.

헌법상의, 제정법상의 또는 그 밖의 법적 요구들을 준수하기 위한 경우 또는 사법을 증진시키기 위한 경우.

If the court orders disclosure of matters occurring before a state grand jury, the disclosure must be made in that manner, at that time, and under those conditions as the court directs. The court must grant a request made by the Attorney General pursuant to this subsection in an expedited manner so as to not interfere with or delay the operation of the state grand jury or its legal advisor when the requested disclosure is authorized by this subsection.

한 개의 스테이트 대배심 앞에서 발생한 사항들의 공개를 만약 법원이 명령하면, 법원이 명령하는 방법으로, 때에, 및 조건들 아래서 그 공개는 이루어지지 않으면 안 된다. 이 소절에 따라서 검찰총장에 의하여 제기되는 요청에 대하여는, 그 요청되는 공개가 이 소절에 의하여 허용되는 것일 경우에, 당해 스테이트 대배심의 내지는 그것의 법률고문의 업무수행을 방해하지 아니하도록 내지는 지체시키지 아니하도록 급속처리 절차에 의하여 법원은 허가하지 않으면 안 된다.

(B) In addition, disclosure of testimony of a witness examined before a state grand jury or other evidence received by it may be made without being directed by a court to:

이에 더하여, 한 개의 스테이트 대배심 앞에서 신문된 한 명의 증인의 증언의, 내지는 그 대배심에 의하여 수령된 여타의 증거의, 공개는 아래의 사람에게 법원의 명령이 없이도 이루어질 수 있다:

(1) the Attorney General or his designee for use in the performance of their duties; and

그들의 임무들의 수행에 있어서의 사용을 위한 검찰총장 또는 그의 피지명인; 그리고

(2) those governmental personnel, including personnel of the State or its political subdivisions, as are considered necessary by the Attorney General or his designee to assist in the performance of their duties to enforce the criminal laws of the State; provided that any person to whom matters are disclosed under this item shall not

utilize that state grand jury material for purposes other than assisting the Attorney General or his designee in the performance of their duties to enforce the criminal laws of the State. The Attorney General or his designee promptly shall provide the presiding judge before whom was impaneled the state grand jury whose material has been disclosed, the names of the persons to whom the disclosure has been made, and shall certify that he has advised these persons of their obligation of secrecy under this section.

주 형사법들을 집행할 그들의 임무들의 수행에 있어서 조력하기 위하여 필요하다고 검찰총장에 의하여 또는 그의 피지명인에 의하여 간주되는 사람들로서의, 주(State)의 또는 주의 정치적 하부단위들의 직원을 포함하는 정부직원; 다만 이 항목 아래서 사안들을 공개받는 사람 어느 누구든지는, 주 형사법들을 시행할 그들의 임무들의 수행에 있어서 검찰총장을 내지는 그의 피지명인을 조력함의 목적 이외의 목적으로 당해 스테이트 대배심 자료를 사용하여서는 안 된다. 누구의 자료가 공개되었는지를, 공개를 제공받은 사람들의 이름들을, 당해 스테이트 대배심의 충원구성을 주재한 법원장에게 검찰총장은 내지는 그의 피지명인은 신속하게 제공하여야 하고, 이 절 아래서의 그들의 비밀준수 의무에 관하여 이 사람들에게 자신이 고지한 터임을 그는 보증하여야 한다.

(C) Nothing in this section affects the attorney-client relationship. A client has the right to communicate to his attorney any testimony given by the client to a state grand jury, any matters involving the client discussed in the client's presence before a state grand jury, and evidence involving the client received by or proffered to a state grand jury in the client's presence.

변호사-의뢰인 관계에 이 절 안의 것은 영향을 미치지 아니한다. 의뢰인 자신에 의하여 스테이트 대배심에게 이루어진 증언을, 스테이트 대배심 앞에서의 의뢰인 자신의 면전에서 논의된 의뢰인 자신을 포함하는 사항들을, 의뢰인 자신의 출석 가운데서 한 개의 스테이트 대배심에 수령된 내지는 제출된 의뢰인 자신을 포함하는 증거를, 의뢰인 자신의 변호사에게 알릴 권리를 의뢰인은 지닌다.

(D) Any person violating the provisions of this section is guilty of a misdemeanor and, upon conviction, must be punished by a fine not exceeding five thousand dollars or by a term of imprisonment not exceeding one year, or both.

이 절의 규정들을 위반하는 사람 어느 누구든지는 한 개의 경죄를 저지르는 것이 되고, 유죄판정에 따라서 5천불 이하의 벌금에 의하여 또는 1년 이하의 구금에 의하여 또는 그 병과에 의하여 처벌되지 않으면 안 된다.

(E) State grand jurors, the Attorney General or his designee, the court reporter, any interpreter used, and the clerk of the state grand jury must be sworn to secrecy and also may be punished for criminal contempt for violations of this section. Once he is sworn to secrecy, the clerk of the state grand jury is authorized, only if requested by the Attorney General or his designee, to give the oath of secrecy to members of the Attorney General's staff; experts or other individuals contracted by the Attorney General or law enforcement for assistance in a state grand jury investigation; federal, state, or local prosecutors and their staff; and federal, state, or local law enforcement officers and their staff. Once he is sworn, the clerk of the state grand jury is authorized at any time to give the oath of secrecy to members of his own staff or to the court reporter.

비밀준수에 대한 선서절차에 스테이트 대배심원들은, 검찰총장은 내지는 그의 피지명인은, 법원 속기사는, 그 사용되는 경우에의 통역인은, 그리고 스테이트 대배심의 서기는 처해지지 않으면 안 되는바, 또한 이 절에 대한 위반행위들에 대하여는 형사적 법원모독으로 그들은 처벌될 수 있다. 비밀준수의 선서에 일단 스테이트 대배심의 서기가 처해지면, 검찰총장에 의하여 내지는 그의 피지명인에 의하여 요청될 경우에 한하여, 비밀준수 선서를 검찰총장의 직원진 구성원들에게; 한 개의 스테이트 대배심 조사에 있어서의 조력을 위하여 검찰총장에 의하여 또는 법집행 기관에 의하여 계약되는 전문가들에게 또는 그 밖의 개인들에게; 연방의, 주의, 또는 지역의 검사들에게 및 그들의 직원진에게; 그리고 연방의, 주의 또는 지역의 법집행 공무원들에게 및 그들의 직원진에게 실시할 권한을, 당해 서기는 지닌다. 선서에 일단 그가 처해지면, 비밀준수 선서를 그 자신의 직원진 구성원들에게 또는 법원 속기사에게 실시할 권한을 언제든지 당해 스테이트 대배심의 서기는 지닌다.

HISTORY: 1987 Act No. 150, Section 1, eff from and after February 8, 1989 (the date the amendments to Article I, Section 11, and Article V, Section 22, of the South Carolina Constitution were ratified and declared to be part of the Constitution; 1989 Act No. 2, Section 6, eff February 8, 1989 (the date the amendments to Article I, Section 11, and Article V, Section 22, of the South Carolina Constitution were ratified and declared to be part of the Constitution); 1992 Act No. 335, Section 1, eff May 4, 1992; 2015 Act No. 45 (S.268), Section 5, eff June 3, 2015.

https://law.justia.com/codes/south-carolina/2019/title-14/chapter-7/section-14-7-1730/

Section 14-7-1730. Jurisdiction of presiding judge.
법원장의 관할권.

Universal Citation: SC Code § 14-7-1730 (2019)

일반적 인용: SC Code § 14-7-1730 (2019)

(A) Except for the prosecution of cases arising from indictments issued by the state grand jury, and subject to the provisions and standards provided in Sections 14-7-1630 and 14-7-1650, the presiding judge has jurisdiction to hear all matters arising from the proceedings of a state grand jury, including, but not limited to, matters relating to the impanelment or removal of state grand jurors, the quashing of subpoenas, the punishment for contempt, and the matter of bail for persons indicted by a state grand jury.

스테이트 대배심에 의하여 발부되는 대배심 검사기소장들에서 발생하는 사건들의 소송추행에서를 제외하고는, 그리고 제14-7-1630절에서 및 제14-7-1650절에서 제공되는 규정들의 및 기준들의 적용을 받는 가운데, 한 개의 스테이트 대배심의 절차들로부터 생기는 모든 사항들을 심리할 관할권을 법원장은 지니는바, 스테이트 대배심원들의 충원에 내지는 해임에 관련되는 문제들을, 벌칙부소환장들에 대한 무효화 조치에 관련되는 문제들을, 법원모독에 대한 처벌에 관련되는 문제들을, 그리고 한 개의 스테이트 대배심에 의하여 대배심 검사기소되는 사람들을 위한 보석에 관련되는 문제들을 이는 포함하되 이에 한정되지 아니한다.

(B) A person indicted by a state grand jury for a bailable offense must have a bond hearing before the end of the second business day following the day he was arrested in the State of South Carolina for that offense or the day he was delivered within the State of South Carolina following extradition for that offense from another State or jurisdiction, and must be released within a reasonable time, not to exceed four hours, after the bond is delivered to the incarcerating facility. If the presiding judge or acting presiding judge is not available, the initial bond hearing following arrest for a state grand jury indictment may be conducted by any circuit judge of competent jurisdiction in the county where the grand jury was impaneled. A "business day" pursuant to this subsection is any day in which the county courthouse is open in the county where the grand jury was impaneled.

보석이 가능한 범죄로 한 개의 스테이트 대배심에 의하여 대배심 검사기소 되는 사람은 출석담보금증서 심문을, 그 범죄로 사우스캐럴라이나주에서 그가 체포된 날에 이은 또는 그 범죄로 인한 타 주로부터의 내지는 타 관할로부터의 송환에 따라서 사우스캐럴라이나주 내에 그가 인도된 날에 이은 두 번째 근무일의 종료 전에, 거치지 않으면 안 되고, 구금기관에 당해 출석담보금증서가 교부된 뒤 4시간을 초과하지 아니하는 합리적 시간 내에 석방되지 않으면 안 된다. 만약 법원장이 또는 법원장 대행이 이 업무를 맡을 수 없으면, 스테이트 대배심 검사기소장을 위한 체포에 이은 최초의 출석담보금증서 심문은 당해 스테이트 대배심이 충원구성된 카운티 내의 자격 있는 관할의 순회구 지방법원 판사 누구나에 의하여든 실시될 수 있다. 이 절에 따르는 "근무일"은 당해 대배심이 충원구성된 카운티에 카운티 법정이 열려 있는 어느 날이든지다.

HISTORY: 1987 Act No. 150, Section 1, eff from and after February 8, 1989 (the date the amendments to Article I, Section 11, and Article V, Section 22, of the South Carolina Constitution were ratified and declared to be part of the Constitution); 1992 Act No. 335, Section 1, eff May 4, 1992; 2015 Act No. 45 (S.268), Section 6, eff June 3, 2015.

https://law.justia.com/codes/south-carolina/2019/title-14/chapter-7/section-14-7-1740/

Section 14-7-1740. Scheduling of activities of state grand jury.
스테이트 대배심의 활동들을 위한 기일배정.

Universal Citation: SC Code § 14-7-1740 (2019)

일반적 인용: SC Code § 14-7-1740 (2019)

The Attorney General or his designee shall coordinate the scheduling of activities of any state grand jury.

스테이트 대배심의 활동들의 기일배정을 검찰총장은 내지는 그의 피지명인은 조정하여야 한다.

HISTORY: 1987 Act No. 150, Section 1, eff from and after February 8, 1989 (the date the amendments to Article I, Section 11, and Article V, Section 22, of the South Carolina Constitution were ratified and declared to be part of the Constitution); 1992 Act No. 335, Section 1, eff May 4, 1992.

https://law.justia.com/codes/south-carolina/2019/title-14/chapter-7/section-14-7-1750/

Section 14-7-1750. Indictment by state grand jury; sealed indictment.

스테이트 대배심에 의한 대배심 검사기소; 대배심 검사기소장의 봉인.

Universal Citation: SC Code § 14-7-1750 (2019)

일반적 인용: SC Code § 14-7-1750 (2019)

In order to return a “true bill” of indictment, twelve or more state grand jurors must find that probable cause exists for the indictment and vote in favor of it. Upon indictment by a state grand jury, the indictment must be returned to the presiding judge. If the presiding judge considers the indictment to be within the authority of the state grand jury and otherwise in accordance with the provisions of this article, he shall return the indictment by order to the county where venue is appropriate under South Carolina law for prosecution by the Attorney General or his designee. The presiding judge may direct that the indictment be kept secret until the defendant is in custody or has been released pending trial. Thereupon, the clerk of the state grand jury shall seal the indictment, and no person shall disclose the return of the indictment except when necessary for the issuance and execution of a warrant.

한 개의 대배심 검사기소장안에 대한 "기소평결"을 제출하기 위하여는 열두 명 이상의 스테이트 대배심원들이 그 대배심 검사기소를 위한 상당한 이유가 존재함을 인정하지 않으면 안 되고 그것을 위한 찬성투표를 하지 않으면 안 된다. 스테이트 대배심에 의한 대배심 검사기소가 있으면 그 대배심 검사기소장은 법원장에게 제출되지 않으면 안 된다. 당해 스테이트 대배심의 권한 내에 당해 대배심 검사기소장이 있다고 및 여타의 점에서 이 조의 규정들에 부합된다고 만약 법원장이 간주하면, 사우스캐럴라이나주 법에 따라서 검찰총장에 의한 또는 그의 피지명인에 의한 소송추행을 위한 적절한 재판지인 카운티에 그 대배심 검사기소장을 명령에 의하여 그는 제출하여야 한다. 피고인이 구금될 때까지 또는 정식사실심리 전 석방에 처해지고 났을 때까지 그 대배심 검사기소장을 비밀리에 보관되게 하도록 법원장은 명령할 수 있다. 당해 대배심 검사기소장을 이에 따라서 당해 스테이트 대배심의 서기는 봉인하여야 하는바, 영장의 발부를 및 집행을 위하여 필요한 경우에를 제외하고는, 당해 대배심 검사기소장의 제출을 어느 누구가도 공개하여서는 안 된다.

HISTORY: 1987 Act No. 150, Section 1, eff from and after February 8, 1989 (the date the amendments to Article I, Section 11, and Article V, Section 22, of the South Carolina Constitution were ratified and declared to be part of the Constitution); 1989 Act No. 2, Section 7, eff February 8, 1989 (the date the amendments to Article I, Section 11, and Article V, Section 22, of the South Carolina Constitution were ratified and declared to be part of the Constitution); 1992 Act No. 335, Section 1, eff May 4, 1992.

https://law.justia.com/codes/south-carolina/2019/title-14/chapter-7/section-14-7-1760/

Section 14-7-1760. Evidence given or information derived from evidence not to be received against witness in criminal prosecution; waiver of immunity; perjury.

증인에게 불리한 증거가 내지는 그러한 증거로부터 도출되는 정보가 형사소추에서 수령되어서는 안 되는 경우; 면제의 포기; 위증.

Universal Citation: SC Code § 14-7-1760 (2019)

일반적 인용: SC Code § 14-7-1760 (2019)

If any person asks to be excused from testifying before a state grand jury or from producing any books, papers, records, correspondence, or other documents before a state grand jury on the ground that the testimony or evidence required of him may tend to incriminate him or subject him to any penalty or forfeiture and is notwithstanding directed by the presiding judge to give the testimony or produce the evidence, he must comply with this direction, but no testimony so given or other information produced, or any information directly or indirectly derived from such testimony or such other information, may be received against him in any criminal action, criminal investigation, or criminal proceeding. No individual testifying or producing evidence or documents is exempt from prosecution or punishment for any perjury committed by him while so testifying, and the testimony or evidence given or produced is admissible against him upon any criminal action, criminal investigation, or criminal proceeding concerning this perjury; provided that any individual may execute, acknowledge, and file a statement with the appropriate court expressly waiving immunity or privilege in respect to any testimony or evidence given or produced and thereupon the testimony or evidence given or produced may be received or produced before any judge or justice, court, tribunal, grand jury, or otherwise, and if so received or produced, the individual is not entitled to any immunity or privilege on account of any testimony he may give or evidence produced.

한 개의 스테이트 대배심 앞에서 증언함으로부터, 또는 장부들을, 서류들을, 기록들을, 통신을, 또는 여타의 문서들을 한 개의 스테이트 대배심 앞에 제출함으로부터 면제되게 하여 줄 것을, 그 자신에게 유죄를 씌우는 데 또는 그 자신을 처벌에 내지는 몰수에 처하는 데 그 자신에게서 요구되는 그 증언이 내지는 증거가 보탬이 될 수 있다는 이유로 만약 어느 누구든지가 요청하면, 그런데도 불구하고 그 증언을 하도록 내지는 그 증거를 제출하도록 법원장에 의하여 그가 명령되면, 이 명령에 그는 복종하지 않으면 안 되는바, 그러나 그렇게 이루어지는 증언은 내지는 그렇게 제출되는 여타의 정보는 또는 그러한 증언으로부터 내지는 그러한 여타의 정보로부터 직접으로든 간접으로든 도출되는 정보는 어떤 형사소송에서도, 범죄조사에서도, 또는 형사절차에서도 그에게 불리하게는 수령되어서는 안 된다. 그 증언하는 내지는 증거를 내지는 문서들을 제출하는 개인은 그렇게 증언하는 동안에 그에 의하여 저질러진 위증에 대하여는 소추로부터 내지는 처벌로부터 제외되지 아니하는바, 그 이루어진 내지는 제출된 증언은 내지는 증거는 이 위증에 관한 어떤 형사소송에서도, 범죄조사에서도 내지는 형사절차에서도 그에게 불리한 증거로서 증거능력이 있다; 다만, 그 이루어지는 내지는 제출되는 어떤 증언에 내지는 증거에 관하여도 면제를 내지는 특권을 명시적으로 포기하는 한 개의 진술서를 개인 누구든지는 작성할 수 있고, 승인할 수 있고, 적절한 법원에 제출할 수 있으며, 이에 따라서 그 이루어지는 내지는 제출되는 증언은 내지는 증거는 판사 앞에서, 치안판사 앞에서, 법원 앞에서, 재판소 앞에서, 대배심 앞에서, 또는 여타의 기관 앞에서 수령될 수 있거나 제출될 수 있는바, 만약 그렇게 수령되면 내지는 제출되면, 그가 하는 증언에 관련한 내지는 그 제출되는 증거에 관련한 면제에의 내지는 특권에의 권리를 그 개인은 지니지 아니한다.

HISTORY: 1987 Act No. 150, Section 1, eff from and after February 8, 1989 (the date the amendments to Article I, Section 11, and Article V, Section 22, of the South Carolina Constitution were ratified and declared to be part of the Constitution); 1992 Act No. 335, Section 1, eff May 4, 1992.

https://law.justia.com/codes/south-carolina/2019/title-14/chapter-7/section-14-7-1770/

Section 14-7-1770. Sealing of records, orders, and subpoenas.
기록들의, 명령들의, 및 벌칙부소환장들의 봉인.

Universal Citation: SC Code § 14-7-1770 (2019)

일반적 인용: SC Code § 14-7-1770 (2019)

Records, orders, and subpoenas relating to state grand jury proceedings must be kept under seal to the extent and for that time as is necessary to prevent disclosure of matters occurring before a state grand jury.

스테이트 대배심 절차들에 관련되는 기록들은, 명령들은, 및 벌칙부소환장들은 한 개의 스테이트 대배심 앞에서 발생하는 사안들의 공개를 방지하기 위하여 필요한 정도만큼 및 기간 동안 봉인 아래에 보관되지 않으면 안 된다.

HISTORY: 1987 Act No. 150, Section 1, eff from and after February 8, 1989 (the date the amendments to Article I, Section 11, and Article V, Section 22, of the South Carolina Constitution were ratified and declared to be part of the Constitution); 1992 Act No. 335, Section 1, eff May 4, 1992.

https://law.justia.com/codes/south-carolina/2019/title-14/chapter-7/section-14-7-1780/

Section 14-7-1780. Availability of space for grand jury; State Law Enforcement Division to provide services; cost of state grand juries.

대배심을 위한 공간의 제공; 복무들을 제공할 주 법집행국의 의무; 스테이트 대배심들의 비용.

Universal Citation: SC Code § 14-7-1780 (2019)

일반적 인용: SC Code § 14-7-1780 (2019)

The Attorney General shall make available suitable space for state grand juries to meet. The State Law Enforcement Division also shall provide service as the state grand juries require. The other costs associated with the state grand jury system, including juror per diem, mileage, and subsistence must be paid from funds appropriated to the Attorney General's office for this purpose by the General Assembly in the annual general appropriations act. Nothing herein authorizes the Attorney General to expend general funds above the level of appropriations authorized annually in the general appropriations act or acts supplemental thereto.

스테이트 대배심들이 회합하기 위한 적당한 공간을 검찰총장은 제공하여야 한다. 스테이트 대배심들이 요구하는 서비스를 주 법집행국은 제공하여야 한다. 연례적인 일반적 예산법률에서 의회에 의하여 이 목적을 위하여 검찰총장실에 할당된 기금으로부터, 배심원 일당이를, 여비수당이를, 그리고 급양비가를 포함하여 스테이트 대배심 업무에 관련되는 여타의 비용들이 지급되지 않으면 안 된다. 일반적 예산법률에서 또는 이에 대한 보충법률에서 연례적으로 허가된 예산수준을 초과하여 일반적 기금을 지출할 권한을 검찰총장에게 여기에 들어 있는 것은 부여하지 아니한다.

HISTORY: 1987 Act No. 150, Section 1, eff from and after February 8, 1989 (the date the amendments to Article I, Section 11, and Article V, Section 22, of the South Carolina Constitution were ratified and declared to be part of the Constitution); 1992 Act No. 335, Section 1, eff May 4, 1992.

https://law.justia.com/codes/south-carolina/2019/title-14/chapter-7/section-14-7-1790/

Section 14-7-1790. Employment of experts by state grand jury.
스테이트 대배심에 의한 전문가들의 사용.

Universal Citation: SC Code § 14-7-1790 (2019)

일반적 인용: SC Code § 14-7-1790 (2019)

A state grand jury, whenever it considers necessary, may employ experts to assist it and fix the amount of compensation or per diem to be paid therefor, upon the approval of the presiding judge as to the amount being given before any expert is employed and upon appropriation of sufficient funds therefor by the General Assembly as provided in Section 14-7-1780.

자신을 조력하여 줄, 및 이에 대하여 지급되어야 할 보수액을 내지는 일당을 정하여 줄 전문가들이 필요하다고 스테이트 대배심 자신이 간주하는 때에는 언제든지 전문가들을 스테이트 대배심은 사용할 수 있는바, 전문가가 사용되기 전에 그에게 지급될 액수에 관하여 법원장의 승인을 얻어야 하고 제14-7-1780절에 규정되는 바에 따라서의 이를 위한 충분한 기금의 의회에 의한 배정을 거쳐야 한다.

HISTORY: 1987 Act No. 150, Section 1, eff from and after February 8, 1989 (the date the amendments to Article I, Section 11, and Article V, Section 22, of the South Carolina Constitution were ratified and declared to be part of the Constitution); 1992 Act No. 335, Section 1, eff May 4, 1992.

https://law.justia.com/codes/south-carolina/2019/title-14/chapter-7/section-14-7-1800/

Section 14-7-1800. Rules for operation of state grand jury system.
스테이트 대배심 체계의 운영을 위한 규칙들.

Universal Citation: SC Code § 14-7-1800 (2019)

일반적 인용: SC Code § 14-7-1800 (2019)

The Supreme Court may promulgate rules as are necessary for the operation of the state grand jury system established herein.

여기에서 설치되는 스테이트 대배심 체계의 운영을 위하여 필요한 규칙들을 대법원은 공포할 수 있다.

HISTORY: 1987 Act No. 150, Section 1, eff from and after February 8, 1989 (the date the amendments to Article I, Section 11, and Article V, Section 22, of the South Carolina Constitution were ratified and declared to be part of the Constitution); 1992 Act No. 335, Section 1, eff May 4, 1992.

https://law.justia.com/codes/south-carolina/2019/title-14/chapter-7/section-14-7-1810/

Section 14-7-1810. Severability clause.
분리 가능함의 선언.

Universal Citation: SC Code § 14-7-1810 (2019)

일반적 인용: SC Code § 14-7-1810 (2019)

If any part of this article is declared invalid, unenforceable, or unconstitutional by a court of competent jurisdiction, it is hereby declared severable from the remaining portions of this article which portions shall remain in full force and effect as if the invalid, unenforceable, or unconstitutional portion were omitted.

자격 있는 관할권을 지닌 한 개의 법원에 의하여 이 조의 어느 부분이든지가 무효임이, 집행될 수 없음이, 또는 위헌임이 선언되면, 그 부분은 이 조의 나머지 부분들로부터 분리될 수 있음이 이로써 선언되는바, 마치 그 무효인, 집행될 수 없는, 또는 위헌인 부분이 생략되었을 경우에 준하여 완전한 효력 속에 및 효과 속에 그 부분들은 남아야 한다.

HISTORY: 1987 Act No. 150, Section 1, eff from and after February 8, 1989 (the date the amendments to Article I, Section 11, and Article V, Section 22, of the South Carolina Constitution were ratified and declared to be part of the Constitution); 1992 Act No. 335, Section 1, eff May 4, 1992.

https://law.justia.com/codes/south-carolina/2019/title-14/chapter-7/section-14-7-1820/

Section 14-7-1820. Application of article.
이 조의 적용.

Universal Citation: SC Code § 14-7-1820 (2019)

일반적 인용: SC Code § 14-7-1820 (2019)

This article applies to offenses committed both before and after its effective date.

이 조의 발효일 전에 및 뒤에 저질러지는 범죄들에 다 같이 이 조는 적용된다.

HISTORY: 1989 Act No. 2, Section 2, eff February 8, 1989 (the date the amendments to Article I, Section 11, and Article V, Section 22, of the South Carolina Constitution were ratified and declared to be part of the Constitution; See 1989 Act No. 5, Sections 1 and 2, 1989 Act No. 7, Section 1, and 1989 Act No. 8, Section 1.); 1992 Act No. 335, Section 1, eff May 4, 1992.

Editor's Note

편집자 주해

1992 Act No. 335 Section 2, eff May 4, 1992, provides as follows:

1992년 5월 4일에 발효한 1992년 법률 제335호 제2절은 규정한다:

"SECTION 2. The expanded jurisdiction of the state grand jury system applies to offenses committed both before and after the effective date of this act."

"제2절. 스테이트 대배심 체계의 확대된 관할은 이 법률의 발효일 전에 및 뒤에 저질러지는 범죄들에 다 같이 적용된다."

ARTICLE 17 Alternative Method of Selecting and Impaneling Grand Juries

대배심들을 선정하는 및 충원구성하는 대체적 방법

https://law.justia.com/codes/south-carolina/2019/title-14/chapter-7/section-14-7-1910/

Section 14-7-1910. Six month terms with possible additional term; drawing of member names; maximum terms.

6개월의 복무기간들에는 6개월이 추가될 수 있음; 구성원들의 이름들의 추출; 복무 가능 최대기간.

Universal Citation: SC Code § 14-7-1910 (2019)

일반적 인용: SC Code § 14-7-1910 (2019)

(A) Grand jurors shall serve terms of six months and may be held over for one additional six-month term.

대배심원들은 6개월을 복무하여야 하되, 한 번의 추가적 6개월 기간 동안 잔류조치 될 수 있다.

(B) During the last term of the court of general sessions held in each county before December thirty-first of each year, the clerk of court shall randomly draw from the twelve members serving their first six-month term on the grand jury the names of six of the grand jurors who have not served two consecutive six-month terms. Those six members together with twelve grand jurors selected in the manner prescribed in this article shall constitute the grand jury for the six-month period beginning on January first of the succeeding year and ending on June thirtieth of that year.

그들의 첫 번째 여섯 달 기간을 대배심에 복무하는 열두 명의 구성원들 중에서 두 번 연속의 여섯 달 기간들을 복무하지 아니한 대배심원들 여섯 명의 이름들을, 매년 12월 31일 전에 개개 카운티에서 열리는 치안재판소의 마지막 개정기 동안에, 그 법원의 서기는 무작위로 추출하여야 한다. 다음 해 1월 1일에 시작하여 그 해 6월 30일에 끝나는 6개월 기간을 위한 대배심을 그 여섯 명들은, 이 조에서 규정되는 방법으로 선정되는 열두 명의 대배심원들이에 더불어, 구성하여야 한다.

(C) During the last term of the court of general sessions held in each county before July first of each year, the clerk of court shall randomly draw from the twelve members serving their first six-month term on the grand jury the names of six of the grand jurors who have not served two consecutive six-month terms. Those six members together with twelve grand jurors selected in the manner prescribed in this article shall constitute the grand jury for the ensuing period beginning on July first and ending on December thirty-first of that year.

그들의 첫 여섯 달 기간을 대배심에서 복무하고 있는 열두 명의 구성원들 중에서 두 번 연속의 여섯 달 기간들을 복무하지 아니한 대배심원들 여섯 명의 이름들을, 매년 7월 1일 전에 개개 카운티에서 열리는 치안재판소의 마지막 개정기 동안에, 그 법원의 서기는 무작위로 추출하여야 한다. 그 해 7월 1일에 시작하여 그 해 12월 31일에 끝나는 차회의 기간을 위한 대배심을 그 여섯 명들은, 이 조에서 규정되는 방법으로 선정되는 열두 명의 대배심원들이에 더불어, 구성하여야 한다.

(D) The drawing of these names by the clerk of court has the same force and effect as if the names of the six grand jurors had been drawn in the presence of the presiding judge.

그 여섯 명의 대배심원들의 이름들이 법원장의 면전에서 추출되었을 경우에 지니는 효력에의 및 효과에의 동일한 효력을 및 효과를 법원서기에 의한 이 이름들의 추출은 지닌다.

(E) No person shall serve as a grand juror for more than two consecutive six-month terms.

사람은 두 번의 연속되는 6개월 기간들을 초과하여서는 대배심원으로 복무하여서는 안 된다.

HISTORY: 1998 Act No. 373, Section 2, eff May 26, 1998.

Section 14-7-1920. Impanelment of grand jurors; issuance and delivery of writs of venire facias.

대배심원들의 충원구성; 배심소집영장들의 발부 및 교부.

Universal Citation: SC Code § 14-7-1920 (2019)

일반적 인용: SC Code § 14-7-1920 (2019)

Not less than fifteen days before the convening of the first term of the court of general sessions on or after January first and July first of each year, the jury commissioners shall proceed to draw from the jury box the number of grand jurors which the clerk of court or chief administrative judge for the circuit has determined to be sufficient in order to impanel a grand jury. The grand jurors must be randomly drawn and listed as are jurors for trials, and the jury commissioners shall not disqualify or excuse any juror drawn. Immediately after these grand jurors are drawn, the clerk of court shall issue writs of venire facias for these grand jurors, requiring their attendance on the first day of the first week of criminal court in the county on or after January first or July first of each year or at such other time as the clerk of court may designate. These writs of venire facias must be delivered immediately to the sheriff of the county or otherwise served as provided by law.

한 개의 대배심을 충원구성하기 위하여 충분하다고 순회구 지방법원의 서기가 또는 법원장이 판단 내린 숫자의 대배심원(후보)들을 배심원후보상자로부터 추출하는 데에, 매년 1월 1일의 또는 그 뒤의, 및 7월 1일의 또는 그 뒤의, 치안재판소의 첫 번째 개정기를 소집하기 전에 15일 이상의 여유를 두고서, 배심위원들은 착수하여야 한다. 대배심원(후보)들은 무작위로 추출되지 않으면 안 되고, 정식사실심리 배심원(후보)들이 명부에 등재되는 방법에의 동일한 방법으로 명부에 등재되지 않으면 안 되는바, 그 추출되는 배심원(후보) 어느 누구를이라도 배심위원들은 결격으로 판단하여서도 면제하여서도 안 된다. 매년 1월 1일의 또는 그 뒤의, 내지는 매년 7월 1일의 내지는 그 뒤의, 카운티 내의 형사법원의 첫 번째 주의 첫 번째 날에의, 또는 법원서기가 지정하는 다른 시간에의 그들의 출석을 요구하는, 이 대배심원(후보)들을 위한 배심소집영장들을, 그들이 추출되고 난 직후에 그 법원서기는 발부하여야 한다. 이 배심소집영장들은 즉시 카운티 집행관에게 교부되지 않으면 안 되고, 내지는 달리 법에 규정되는 바에 따라서 송달되지 않으면 안 된다.

HISTORY: 1998 Act No. 373, Section 2, eff May 26, 1998.

https://law.justia.com/codes/south-carolina/2019/title-14/chapter-7/section-14-7-1930/

Section 14-7-1930. Judge to ascertain juror qualifications; lists of excused or disqualified jurors; jurors not served with writs.

배심원 자격조건들을 확인할 판사의 의무; 면제된 내지는 자격이 불인정된 배심원(후보)들의 명부들; 영장을 송달받지 못한 배심원(후보)들.

Universal Citation: SC Code § 14-7-1930 (2019)

일반적 인용: SC Code § 14-7-1930 (2019)

On the first day of the term of court on or after January first and July first of each year, the presiding judge shall ascertain the qualifications of those jurors as have appeared pursuant to the writs of venire facias. No juror may be excused or disqualified except in accordance with existing law as determined by the presiding judge. The clerk of court shall maintain a list of all jurors who are excused or disqualified by the presiding judge and state the reasons given by the presiding judge for excusing or disqualifying the jurors. The sheriff of the county also shall report to the presiding judge the names of those persons who were not served with writs of venire facias, and that reasonable effort was made to obtain service. The clerk of court shall maintain a list of the jurors who were not served with the writs of venire facias and the reasons service was not effected.

배심소집영장들에 따라서 출석해 있는 배심원(후보)들의 자격조건들을 매년 1월 1일의 또는 그 뒤의, 및 7월 1일의 또는 그 뒤의, 법원 개정기의 첫 번째 날에 법원장은 확인하여야 한다. 법원장에 의하여 판단되는 것으로서의 현행의 법에의 부합 속에서를 제외하고는, 배심원(후보)은 면제되어서는 내지는 결격으로 처리되어서는 안 된다. 법원장에 의하여 면제되는 내지는 결격으로 판정되는 모든 배심원(후보)들의 한 개의 명부를 법원서기는 보관하여야 하고 당해 배심원(후보)들을 면제하기 위하여 내지는 결격으로 판정하기 위하여 법원장에 의하여 적시된 이유들을 법원서기는 기재하여야 한다. 배심소집영장들을 송달받지 아니한 사람들의 이름들을, 및 송달을 실시하기 위한 합리적 노력이 이루어졌음을 법원장에게 카운티 집행관은 아울러 보고하여야 한다. 배심소집영장들을 송달받지 아니한 배심원(후보)들의 및 송달이 실시되지 못한 이유들의 명부를 법원서기는 보관하여야 한다.

HISTORY: 1998 Act No. 373, Section 2, eff May 26, 1998.

https://law.justia.com/codes/south-carolina/2019/title-14/chapter-7/section-14-7-1940/

Section 14-7-1940. Drawing of grand juror and alternate names; discharge of remaining jury venire.

대배심원 이름들의 및 예비대배심원 이름들의 추출; 소집된 배심원후보단 중의 나머지 사람들의 해임.

Universal Citation: SC Code § 14-7-1940 (2019)

일반적 인용: SC Code § 14-7-1940 (2019)

After the grand jury venire has been duly qualified by the presiding judge, the clerk of court shall place the names of all qualified grand jurors in a container from which twelve grand jurors must be chosen. The clerk of court shall randomly draw twelve jurors from the container, and those twelve jurors drawn shall serve as grand jurors, together with those grand jurors selected as provided under Section 14-7-1910. The clerk of court shall randomly draw three or more additional jurors, with those three or more jurors serving as alternate grand jurors in the event one or more of the original grand jurors are incapacitated, excused, or disqualified during their term. The names of the alternate grand jurors must be kept separate and numbered in the order drawn and in this order, unless excused by the presiding judge, shall serve when necessary. The remainder of the grand jury venire may be discharged.

소집된 대배심후보단에 대하여 법원장에 의하여 적법하게 자격심사가 이루어지고 난 뒤에, 자격이 인정된 대배심원(후보)들의 이름들을 한 개의 용기 안에 법원서기는 넣어야 하는바, 그 용기로부터 열두 명의 대배심원들이 선정되지 않으면 안 된다. 열두 명의 배심원(후보)들을 용기로부터 법원서기는 무작위로 추출하여야 하는바, 그 추출되는 열두 명의 배심원들이, 제14-7-1910절에 규정되는 바에 따라서 선정된 대배심원들이에 더불어, 대배심원들로서 복무하여야 한다. 세 명 이상의 추가적 배심원들을 법원서기는 무작위로 추출하여야 하는바, 그 세 명 이상의 배심원들은 한 명 이상의 당초의 대배심원들이 그들의 복무기간 중에 무능력이 될 경우에, 면제될 경우에, 또는 결격이될 경우에 예비대배심원들로서 복무하여야 한다. 예비대배심원들의 이름들은 따로 따로 보관되지 않으면 안 되고 그 추출되는 순서대로 번호가 먹여지지 않으면 안 되는바, 법원장에 의하여 면제되는 경우에를 제외하고는 그 필요한 경우에 이 순서대로 그들은 복무하여야 한다. 소집된 대배심후보단의 나머지 사람들은 임무해제 될 수 있다.

HISTORY: 1998 Act No. 373, Section 2, eff May 26, 1998.

https://law.justia.com/codes/south-carolina/2019/title-14/chapter-7/section-14-7-1950/

Section 14-7-1950. Application of other law relating to grand juries and jurors.

대배심들에 및 대배심원들에 관련되는 여타의 법의 적용.

Universal Citation: SC Code § 14-7-1950 (2019)

일반적 인용: SC Code § 14-7-1950 (2019)

Except for the alternative method of selecting and impaneling grand jurors as provided in this article, all other provisions of law relating to grand juries and grand jurors shall continue to apply.

이 조에서 규정되는 대배심원(후보)들을 선정하는 및 충원구성하는 대체적 방법을 위한 규정들이를 제외하고는, 대배심들에 및 대배심원(후보)들에 관련되는 법의 여타의 모든 규정들은 계속 적용되어야 한다.

HISTORY: 1998 Act No. 373, Section 2, eff May 26, 1998.

https://law.justia.com/codes/south-carolina/2019/title-14/chapter-7/section-14-7-1960/

Section 14-7-1960. Election of alternate provisions by county ordinance.

카운티 조례에 의한 대체적 규정들의 선택.

Universal Citation: SC Code § 14-7-1960 (2019)

일반적 인용: SC Code § 14-7-1960 (2019)

A county governing body, by ordinance, may elect to use the provisions of this article as the method of selecting and impaneling grand juries and grand jurors in that county based on its determination that grand jury case loads, length of time persons must serve as grand jurors, and other similar concerns require this alternative method.

대배심 사건의 업무량이, 대배심원들로서 사람들이 복무하지 않으면 안 될 시간적 길이가, 및 여타의 유사한 문제들이 이 대체적 방법을 요구한다는 자신의 판단에 토대하여, 한 개의 카운티에서의 대배심들을 및 대배심원(후보)들을 선정하는 및 충원구성하는 방법으로서 이 조의 규정들을 사용하기로 조례에 의하여 당해 카운티 관리부는 선택할 수 있다.

HISTORY: 1998 Act No. 373, Section 2, eff May 26, 1998.

https://law.justia.com/codes/south-carolina/2019/title-14/chapter-7/section-14-7-1970/

Section 14-7-1970. Periodic exemption of jurors from subsequent duty.

일정기간 동안의 배심원들의 추후의 의무로부터의 제외.

Universal Citation: SC Code § 14-7-1970 (2019)

일반적 인용: SC Code § 14-7-1970 (2019)

A person completing service as a grand juror under the alternative method provided by this article, including any service as a holdover grand juror, is exempt from any further jury service in any court of this State for a period of five calendar years.

잔류 대배심원으로서의 복무를을 포함하여 이 조에 의하여 규정되는 대체적 방법에 따라서의 대배심원으로서의 복무를 완료한 사람은 5역년의 기간 동안 이 주의 어떤 법원에서의 추후의 어떠한 배심복무로부터도 제외된다.

HISTORY: 1998 Act No. 373, Section 2, eff May 26, 1998.

아리조나주
대배심 규정

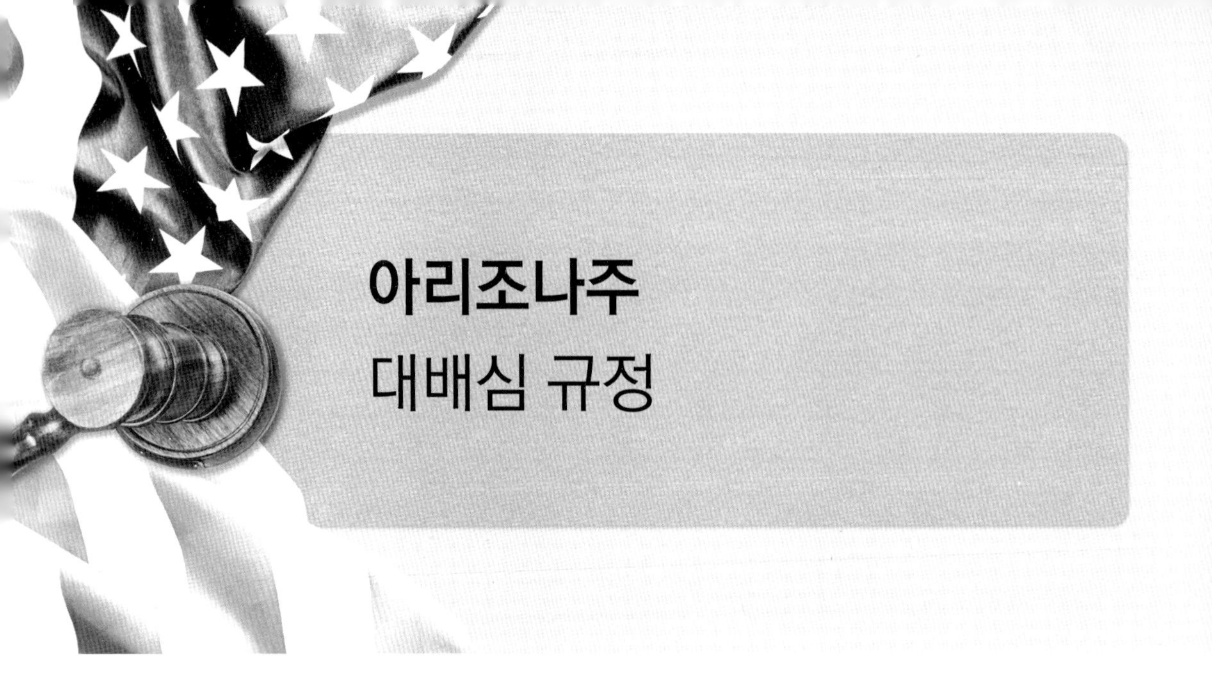

아리조나주 대배심 규정

https://govt.westlaw.com/azrules/Browse/Home/Arizona/ArizonaCourtRules/Arizona Statutes CourtRules?guid=NCB1EB43070CB11DAA16E8D4AC7636430& originationContext=documenttoc&transitionType=Default&contextData=(sc.Default)

Rules of Criminal Procedure

AZ ST Rcrp Refs & Annos

Prefatory Comment to the 2018 Amendments

I. General Provisions

II. Preliminary Proceedings

III. Rights of Parties

IV. Pretrial Procedures

V. Pleas of Guilty and NO Contest

VI. Trial

VII. Post–Verdict Proceedings

VIII. Appeal and Other Post–Conviction Relief

IX. Miscellaneous

https://govt.westlaw.com/azrules/Browse/Home/Arizona/ArizonaCourtRules/Arizona Statutes CourtRules?guid=NDFB69D9070CB11DAA16E8D4AC7636430 &originationContext=documenttoc&transitionType=Default&contextData=(sc.Default)

IV. Pretrial Procedures

Rule 12. The Grand Jury

Rule 13. Indictment and Information

Rule 14. Arraignment

Rule 15. Disclosure

Rule 16. Pretrial Motions and Hearings

https://govt.westlaw.com/azrules/Browse/Home/Arizona/ArizonaCourtRules/Arizona Statutes CourtRules?guid=NDFFAD28070CB11DAA16E8D4AC7636430& originationContext=documenttoc&transitionType =Default&contextData=(sc.Default)

Rule 12. The Grand Jury

AZ ST Rcrp IV. Pretrial Procedures, R. 12, Refs & Annos

Section One. Rules for Grand Juries

Section Two. Rules for State Grand Juries

https://govt.westlaw.com/azrules/Browse/Home/Arizona/ArizonaCourtRules/ArizonaStatutesCourtRules?guid=N059D9CD0AFBB11E78573E8543236298F&originationContext= documenttoc&transitionType=Default&contextData=(sc.Default)

Section One. Rules for Grand Juries

Rule 12.1. Selecting and Preparing Grand Jurors

Rule 12.2. Grounds to Disqualify a Grand Juror

Rule 12.3. Grand Jury Foreperson

Rule 12.4. Who May be Present During Grand Jury Sessions

Rule 12.5. Appearance of a Person Under Investigation

Rule 12.6. Indictment

Rule 12.7. Record of Grand Jury Proceedings

Rule 12.8. Challenge to a Grand Jury or a Grand Juror

Rule 12.9. Challenge to Grand Jury Proceedings

Rule 12.10. Abrogated Aug. 31, 2017, Effective Jan. 1, 2018

https://govt.westlaw.com/azrules/Document/NF9FD00A0717911DAA16E8D4AC7636430? viewType=FullText&originationContext=documenttoc&transitionType=CategoryPageItem&contextData=(sc.Default)

Rule 12.1. Selecting and Preparing Grand Jurors
대배심원들의 선정 및 준비

(a) Summons. Grand jurors are summoned and impaneled as provided by law.

소환장. 법에 의하여 규정되는 바에 따라서 대배심원들은 소환되고 충원된다.

(b) Voir Dire. Each prospective grand juror must be examined under oath or affirmation to confirm that the prospective juror will act impartially and without prejudice, and that the prospective juror is qualified under A.R.S. § 21-201. Inquiry also may be made about other relevant subjects.

배심원자격 예비심문. 공정하게 및 선입견 없이 그가 행동할 것인지를, 및 아리조나주 제정법 제21-201절 아래서의 자격을 그가 지니는지를, 확인하기 위하여 선서 아래서 또는 무선서확약 아래서 개개 대배심원 후보는 신문되지 않으면 안 된다. 여타의 관련성 있는 사항들에 관하여도 조사가 이루어질 수 있다.

(c) Oath. Each grand juror must take the following oath: "I swear (or affirm) that I will give careful attention to the proceedings, abide by the court's instructions, and decide matters placed before the grand jury in accordance with the law and evidence presented to me (so help me God)."

선서. 아래의 선서를 개개 대배심원은 하지 않으면 안 된다: "신중한 주의를 절차들에 기울이겠음을, 법원의 명령들을 준수하겠음을, 그리고 대배심 앞에 놓이는 사안들을 법에의 및 제게 제출되는 증거의에 부합 속에서 판단하겠음을 저는 선서하는 바, 하오니 신께서는 저를 도우소서(또는 무선서로 확약합니다)."

(d) Instructions. The court must inform the grand jurors of:

지시사항들. 아래 사항들을 대배심원들에게 법원은 고지하지 않으면 안 된다:

(1) the duty to be present at each grand jury session;

대배심 회합 때에마다 출석할 의무;

(2) the duty to inquire into every offense that is presented;

제출되는 모든 범죄를 파헤칠 의무;

(3) the duty of a grand juror to disqualify himself or herself in a particular matter for any of the reasons listed in Rule 12.2;

한 개의 특정의 사안에 있어서의 그 자신을 또는 그녀 자신을 Rule 12.2에 열거된 사유들 중 어느 것에 따라서도 실격시킬 대배심원의 의무;

(4) the duty to return an indictment only if they are convinced there is probable cause to believe an offense has been committed and the person under investigation committed it;

한 개의 대배심 검사기소장을, 한 개의 범죄가 저질러져 있다고 및 그것을 조사 대상인 사람이 저질렀다고 믿을 상당한 이유가 있음을 그 자신들이 확신하는 경우에만 제출할 의무;

(5) the right to ask the State to present additional evidence; and

추가적 증거를 제출하라고 주에게 요구할 권리; 그리고

(6) the confidentiality of grand jury matters and materials, and the penalties for unlawful disclosure.

대배심 사안들에 및 자료들에 대한 비밀준수 의무 및 불법적 공개에 대한 처벌들.

https://govt.westlaw.com/azrules/Document/NFA572E90717911DAA16E8D4AC7636430?viewType=FullText&originationContext=documenttoc&transitionType=CategoryPageItem&contextData=(sc.Default)

Rule 12.2. Grounds to Disqualify a Grand Juror
대배심원의 결격사유들

A grand juror is disqualified from serving in any particular matter if the juror is:

어떤 특정의 사안에서든 아래에 해당하는 대배심원은 복무결격이 된다:

(a) a witness in the matter;

당해 사안에 있어서의 증인인 경우;

(b) interested directly or indirectly in the matter under investigation;

조사 대상인 사안에 직접으로 또는 간접으로 이해관계를 지니는 경우;

(c) related within the fourth degree by either consanguinity or affinity to a person under investigation, a victim, or a witness; or

조사 대상인 사람에 대하여, 피해자에 대하여, 또는 증인에 대하여 4촌 이내의 혈족관계에 또는 인척관계에 있는 경우;

(d) biased or prejudiced in favor of either the State or a person under investigation.

주에게든 조사 대상인 사람에게든 유리한 편견을 내지는 선입견을 지니는 경우.

https://govt.westlaw.com/azrules/Document/NFA9FA940717911DAA16E8D4AC7636430?viewType=FullText&originationContext=documenttoc&transitionType=CategoryPageItem&contextData=(sc.Default)

Rule 12.3. Grand Jury Foreperson
대배심의 배심장

(a) Appointment and Powers. The court must appoint a foreperson and an acting foreperson to serve in the foreperson's absence. The foreperson will preside over the grand jury's proceedings and act as the court's representative in maintaining order, administering oaths, excluding unauthorized persons and persons acting in an unauthorized manner, appointing officers within the grand jury as necessary for its orderly functioning, and performing other duties as may be imposed on the foreperson by law or by court order.

지명 및 권한들. 한 명의 배심장을, 내지는 배심장의 부재 때에 복무할 한 명의 배심장 대행을, 법원은 지명하지 않으면 안 된다. 배심장은 대배심의 절차들을 주재하여야 하고 질서를 유지함에 있어서, 선서들을 실시함에 있어서, 허가되지 아니하는 사람들을 및 허가되지 아니하는 방법으로 행동하는 사람들을 배제시킴에 있어서, 대배심의 질서정연한 임무수행을 위하여 필요한 바에 따라서 대배심 내의 임원들을 지명함에 있어서, 그리고 법에 의하여 또는 법원명령에 의하여 배심장 위에 부과될 수 있는 여타의 의무들을 이행함에 있어서, 법원의 대리인으로서 행동하여야 한다.

(b) Request for Contempt Proceeding. The foreperson may request the court to initiate a contempt proceeding against a person whose conduct violates these rules or disrupts grand jury proceedings.

법원모독 절차들의 요청. 이 규칙들을 위반하는 행동을 또는 대배심 절차들을 어지럽히는 행동을 하는 사람을 징벌하기 위한 한 개의 법원모독 절차를 개시하도록 법원에 배심장은 요청할 수 있다.

https://govt.westlaw.com/azrules/Document/NFADCD950717911DAA16E8D4AC7636430?viewType=FullText&originationContext=documenttoc&transitionType=CategoryPageItem&contextData=(sc.Default)&bhcp=1

Rule 12.4. Who May Be Present During Grand Jury Sessions
대배심 회합들 도중에 출석해 있을 수 있는 사람들

(a) General. Only the following individuals may be present during grand jury sessions:

일반원칙. 대배심 회합들 동안에는 아래의 개인들만이 출석해 있을 수 있다:

(1) the witness under examination;

신문 대상인 증인;

(2) counsel for a witness if the witness is a person under investigation by the grand jury;

증인이 대배심에 의한 조사에 놓인 사람이면 그 증인을 위한 변호인;

(3) a law enforcement officer or detention officer accompanying an in-custody witness;

구금 상태인 증인을 수행하는 법집행 공무원 내지는 구금담당 공무원;

(4) prosecutors authorized to present evidence to the grand jury;

증거를 대배심에 제출할 권한을 지니는 검사들;

(5) a certified court reporter; and

공인된 법원속기사; 그리고

(6) an interpreter, if any.

통역인이 있을 경우에의 그 통역인.

(b) Deliberations. Only grand jurors may be present during their deliberation and voting.

숙의들. 자신들의 숙의 동안에는 및 표결 동안에는 오직 대배심원들만이 출석해 있을 수 있다.

https://govt.westlaw.com/azrules/Document/NA877207038861 1E480F7C166FF7F8F21?viewType=FullText&originationContext=documenttoc&transitionType=CategoryPageItem&contextData=(sc.Default)

Rule 12.5. Appearance of a Person Under Investigation
조사대상인 사람의 출석

(a) The Person. A person under investigation by the grand jury may be compelled to appear before the grand jury, or may be permitted to appear upon the person's written request. The person must be advised of the right to remain silent and the right to have counsel present to advise the person while giving testimony.

그 본인. 대배심에 의한 조사에 놓인 사람은 대배심 앞에 출석하도록 강제될 수 있거나, 또는 출석하도록 그 사람의 서면요청에 따라서 허가될 수 있다. 침묵 상태로 있을 권리가 및 증언하는 동안에 그 자신을 조언하도록 변호인을 출석시킬 권리가 그 사람에게 고지되지 않으면 안 된다.

(b) Counsel. If counsel accompanies the person under investigation, counsel may not communicate, or attempt to communicate, with anyone other than the person. The foreperson may expel counsel from the grand jury session if counsel violates this rule.

변호인. 조사 대상인 사람을 만약 변호인이 동행하면, 그 사람에 더불어서를 제외한 어느 누구에 더불어서도 변호인은 의사소통 하여서도 또는 의사소통 하고자 시도하여서도 안 된다. 이 규칙을 변호인이 위반하면, 그를 대배심 회합으로부터 배심장은 축출할 수 있다.

https://govt.westlaw.com/azrules/Document/NFB475AF0717911DAA16E8D4AC7636430?viewType=FullText&originationContext=documenttoc&transitionType=CategoryPageItem&contextData=(sc.Default)

Rule 12.6. Indictment
대배심 검사기소

(a) Number of Grand Jurors Necessary to Indict. An indictment requires the concurrence of at least 9 grand jurors, regardless of the number of grand jurors hearing a matter.

대배심 검사기소에 처하는 데 필요한 대배심원들의 숫자. 적어도 9명의 대배심원들의 찬성을 한 개의 대배심 검사기소는 요구하는바, 한 개의 사안을 심리하는 대배심원들 숫자에는 상관이 없다.

(b) Return of Indictment. The indictment must be returned by the foreperson in open court and in the presence of the grand jury and the prosecutor.

대배심 검사기소장의 제출. 대배심 검사기소장은 배심장에 의하여 공개법정에서 그리고 당해 대배심의 및 검사의 출석 가운데서 제출되지 않으면 안 된다.

(c) Notice of Supervening Indictment. If the defendant previously has had an initial appearance under Rule 4.2, the court must prepare and send to the defendant and defense counsel a notice of supervening indictment instead of issuing a warrant or summons.

최초의 출석에 이어지는 대배심 검사기소의 경우. Rule 4.2 아래서의 최초의 출석을 이미 피고인이 만약 가진 상태이면, 이에 이은 대배심 검사기소의 통지서를 법원은 작성하여 피고인에게 및 피고인의 변호인에게 보내지 않으면 안 되는바, 한 개의 영장을 내지는 소환장을 작성하여 보낼 필요가 없다.

(d) No Indictment Returned. If a person is in custody or has posted bond on a matter presented to the grand jury and no indictment is returned, the foreperson through the prosecutor must promptly inform the court in writing that the grand jury did not return an indictment.

대배심 검사기소장이 제출되지 아니하는 경우. 대배심에 제출된 한 개의 사안으로 만약 사람이 구금되어 있으면 내지는 출석담보금증서에 기입하였으면, 그런데 대배심 검사기소장이 제출되지 아니하면, 한 개의 대배심 검사기소장을 대배심이 제출하지 아니하였음을 검사를 통하여 법원에 서면으로 신속하게 배심장은 보고하지 않으면 안 된다.

https://govt.westlaw.com/azrules/Document/NFB7B8A50717911DAA16E8D4AC7636430?viewType=FullText&originationContext=documenttoc&transitionType=CategoryPageItem&contextData=(sc.Default)&bhcp=1

Rule 12.7. Record of Grand Jury Proceedings
대배심 절차들의 기록

(a) Court Reporter. The presiding or impaneling judge must assign a certified court reporter to record all grand jury proceedings, except its deliberations.

법원속기사. 대배심의 숙의들을을 제외한 모든 대배심 절차들을 기록할 한 명의 공인된 법원속기사를 법원장 판사는 또는 충원구성 판사는 배정하지 않으면 안 된다.

(b) Foreperson. The foreperson must keep a record of how many grand jurors voted for and against an indictment, but must not record how each grand juror voted. If the grand jury returns an indictment, the foreperson's record of the vote must be transcribed by the court reporter and filed with the court no later than 20 days after the return of the indictment, and may be made available only to the court, the State, and the defendant.

배심장. 한 개의 대배심 검사기소의 표결에서 몇 명의 대배심원들이 찬성하였는지 및 반대하였는지의 기록을 배심장은 유지하지 않으면 안 되는바, 그러나 개개 대배심원이 어떻게 투표하였는지를 배심장은 기록하여서는 안 된다. 한 개의 대배심 검사기소장을 만약 대배심이 제출하면, 표결에 대한 배심장의 기록은 법원속기사에 의하여 정식글자로 옮겨지지 않으면 안 되고 당해 대배심 검사기소장의 제출 뒤 20일 이내에 법원에 제출되지 않으면 안 되는바, 오직 법원에만, 주에게만, 그리고 피고인에만 그것은 제공될 수 있다.

(c) Filing the Transcript and Minutes. The court reporter's record of grand jury proceedings must be transcribed and filed with the superior court clerk no later than 20 days after return of the indictment, and may be made available only to the court, the State, and the defendant.

녹취록의 및 의사록의 제출. 대배심 절차들에 대한 법원속기사의 기록은 정식글자로 옮겨지지 않으면 안 되고 대배심 검사기소장의 제출 뒤 20일 이내에 상위 지방법원 서기에게 제출되지 않으면 안 되는바, 오직 법원에만, 주에게만, 그리고 피고인에만 그것은 제공될 수 있다.

https://govt.westlaw.com/azrules/Document/NFBA95110717911DAA16E8D4AC7636430?viewType=FullText&originationContext=documenttoc&transitionType=CategoryPageItem&contextData=(sc.Default)&bhcp=1

Rule 12.8. Challenge to a Grand Jury or a Grand Juror
대배심에 대한 내지는 대배심원에 대한 기피

(a) Grounds for a Challenge.

기피의 사유들.

(1) The grand jury may be challenged only on the ground that the grand jurors were not drawn or selected according to law.

법에 따라서 대배심원들이 추출되지 않았음을 내지는 선정되지 않았음을 이유로 해서만 대배심은 기피될 수 있다.

(2) An individual grand juror may be challenged on the ground that the juror is not qualified to sit on the grand jury or on a particular matter.

당해 대배심에 또는 특정의 사안에 착석할 자격을 한 명의 개별 대배심원이 지니지 아니하였음을 이유로 그 배심원은 기피될 수 있다.

(b) Method of Challenge.

기피의 방법.

(1) A challenge by the State to a grand jury or a grand juror must be directed to the presiding or impaneling judge.

한 개의 대배심에 대한 내지는 한 명의 대배심원에 대한 주에 의한 기피는 법원장 판사에게 또는 충원구성 판사에게 제기되지 않으면 안 된다.

(2) A defendant may challenge a grand jury or grand juror only after the indictment has been returned.

한 개의 대배심을 내지는 한 명의 대배심원을 대배심 검사기소장이 제출되고 난 뒤에만 피고인은 기피할 수 있다.

(3) Any challenge made after the grand jurors are sworn must be in writing.

대배심원들이 선서절차에 처해지고 난 뒤에 제기되는 기피신청은 서면에 의하지 않으면 안 된다.

(c) Effect of Sustaining a Challenge.

기피를 인용함의 효과.

(1) If a challenge to the grand jury is sustained, the grand jury must be discharged.

만약 대배심에 대한 한 개의 기피가 인용되면, 그 대배심은 임무해제 되지 않으면 안 된다.

(2) If a challenge to an individual juror is sustained, the juror must be discharged or excluded from deliberation on the particular matter that was the subject of the challenge.

만약 한 명의 개별 배심원에 대한 기피가 인용되면, 그 배심원은 임무해제 되지 않으면 내지는 기피의 대상인 특정 사안에 대한 숙의로부터 배제되지 않으면 안 된다.

https://govt.westlaw.com/azrules/Document/NFBFCA130717911DAA16E8D4AC7636430?viewType=FullText&originationContext=documenttoc&transitionType=CategoryPageItem&contextData=(sc.Default)&bhcp=1

Rule 12.9. Challenge to Grand Jury Proceedings
대배심 절차들에 대한 이의

(a) Grounds. A defendant may challenge a grand jury proceeding only by filing a motion for a new finding of probable cause alleging that the defendant was denied a substantial procedural right or that an insufficient number of qualified grand jurors concurred in the indictment.

사유들. 오직 중대한 절차적 권리를 자신이 박탈당하였음을 주장하면서, 내지는 당해 대배심 검사기소에 찬성한 유자격 대배심원들의 숫자가 불충분하였음을 주장하면서, 상당한 이유에 대한 한 개의 새로운 판단을 구하는 한 개의 신청서를 피고인이 제출함에 의하여서만, 한 개의 대배심 절차에 대하여 피고인은 이의할 수 있다.

(b) Timing. A defendant must file a motion under (a) no later than 45 days after the certified transcript and minutes of the grand jury proceedings are filed or no later than 45 days after the defendant's arraignment, whichever is later.

기한. 당해 대배심 절차들의 인증된 녹취록이 내지는 의사록이 제출된 뒤 45일 내에서의, 또는 피고인의 기소인부 신문 뒤 45일 내에서의 그 둘 중 더 늦은 쪽 내에서, (a) 아래서의 신청서를 피고인은 제출하지 않으면 안 된다.

(c) Relief. If the court grants a motion for a new finding of probable cause, the State may proceed with the prosecution of the case by filing a complaint under Rule 2 or by resubmitting the matter to the same or another grand jury. On motion or on its own, the court must dismiss the case without prejudice unless a complaint is filed, or a grand jury's consideration begins, no later than 15 days after entry of the order granting the motion for a new finding of probable cause.

구제. 상당한 이유에 대한 새로운 판단을 구하는 신청을 만약 법원이 받아들이면, Rule 2

아래서의 한 개의 소추청구장을 제출함에 의하여 내지는 당해 사안을 동일한 대배심에 또는 다른 대배심에 제출함에 의하여 당해 사건의 소송추행에 주는 나아갈 수 있다. 한 개의 소추청구장이 제출되는 경우에를 제외하고는 내지는 한 개의 대배심의 검토가 시작되는 경우에를 제외하고는, 상당한 이유에 대한 새로운 판단을 구하는 신청을 인용하는 명령의 기입 뒤 15일 내에, 신청에 따라서든 또는 그 자신의 직권으로든, 당해 사건을 기판력의 불이익 없이 법원은 각하하지 않으면 안 된다.

https://govt.westlaw.com/azrules/Document/NFCA84A80717911DAA16E8D4AC7636430?viewType=FullText&originationContext=documenttoc&transitionType=CategoryPageItem&contextData=(sc.Default)

Rule 12.10. Abrogated Aug. 31, 2017, effective Jan. 1, 2018
2017년 8월 31일 폐지됨; 폐지는 2018년 1월 1일 발효

https://govt.westlaw.com/azrules/Browse/Home/Arizona/ArizonaCourtRules/ArizonaStatutesCourtRules?guid=NE56D79C070CB11DAA16E8D4AC7636430&originationContext=documenttoc&transitionType=Default&contextData=(sc.Default)

Rule 13. Indictment and Information
대배심 검사기소장 및 검사 독자기소장

AZ ST Rcrp IV. Pretrial Procedures, R. 13, Refs & Annos

Rule 13.1. Definitions and Construction

Rule 13.2. Timeliness of an Information and Dismissal

Rule 13.3. Joinder

Rule 13.4. Severance

Rule 13.5. Amending Charges; Defects in the Charging Document

https://govt.westlaw.com/azrules/Document/NA83E34E0D62411DF9086963550A313A4?viewType=FullText&originationContext=documenttoc&transitionType=CategoryPageItem&contextData=(sc.Default)

Rule 13.1. Definitions and Construction
개념정의들 및 해석

(a) General Definition. An "indictment" or "information" is a plain, concise statement of the facts sufficiently definite to inform the defendant of a charged offense.

일반적 개념정의. "대배심 검사기소장"은 또는 "검사 독자기소장"은 한 개의 기소되는 범죄를 피고인에게 알려줄 수 있을 만큼의 충분히 명확한 사실관계에 대한 한 개의 평이한, 간결한 서술이다.

(b) Indictment Defined. An "indictment" is a written statement charging the defendant with the commission of a public offense, endorsed as a "true bill," signed by a grand jury foreperson, and presented to the court by a grand jury.

대배심 검사기소장의 개념정의. "대배심 검사기소장"은 피고인을 한 개의 범죄의 범행으로 기소하는, "기소평결"이 기입된, 대배심의 배심장에 의하여 서명된, 그리고 대배심에 의하여 법원에 제출되는, 한 개의 서면에 의한 서술이다.

(c) Information Defined. An "information" is a written statement charging the defendant with the commission of a public offense, signed and presented to the court by the State.

검사 독자기소장의 개념정의. "검사 독자기소장"은 피고인을 한 개의 범죄의 범행으로 기소하는, 주에 의하여 서명된 및 법원에 제출되는, 한 개의 서면에 의한 서술이다.

(d) Charging the Offense. Each count of an indictment or information must state the official or customary citation of the statute, rule, regulation or other provision of law the defendant allegedly violated.

범죄의 기소. 피고인이 위반한 것으로 주장되는 당해 제정법에 대한, 규칙에 대한, 조례에 대한 또는 여타의 법 규정에 대한 공식의 내지는 관례상의 인용을 한 개의 대배심 검사기소장의 내지는 검사 독자기소장의 개개 소인은 서술하지 않으면 안 된다.

(e) Necessarily Included Offenses. An offense specified in an indictment, information, or complaint is a charge of that offense and all necessarily included offenses.

필수적으로 포함되는 범죄들. 한 개의 대배심 검사기소장에, 검사 독자기소장에, 또는 소추청구장에 명시되는 한 개의 범죄는 당해 범죄에 대한 및 이에 필수적으로 포함되는 범죄들 전부에 대한 한 개의 기소이다.

https://govt.westlaw.com/azrules/Document/NFEC64880717911DAA16E8D4AC7636430?viewType=FullText&originationContext=documenttoc&transitionType=CategoryPageItem&contextData=(sc.Default)&bhcp=1

Rule 13.2. Timeliness of an Information and Dismissal
검사 독자기소장의 적시성의 요건 및 각하

The State must file an information in superior court no later than 10 days after a magistrate finds probable cause or the defendant waives a preliminary hearing. If the State fails to file a timely information, a court must dismiss the information if the defendant files a motion seeking that relief under Rule 16.1(b). A dismissal under this rule is without prejudice, but if the prosecution is refiled, the time limits under Rule 8.2 must be computed from the defendant's initial appearance on the original complaint.

상당한 이유를 치안판사가 인정한 뒤 10일 내에 또는 예비심문을 피고인이 포기한 뒤 10일 내에 검사 독자기소장을 상위 지방법원에 주는 제출하지 않으면 안 된다. 적시의 검사 독자기소장을 제출하기를 만약 주가 불이행하면, Rule 16.1(b) 아래서의 구제를 구하는 신청을 피고인이 제출하는 경우에, 당해 검사 독자기소장을 법원은 각하하지 않으면 안 된다. 이 규칙 아래서의 각하는 기판력을 지니지 아니하지만, 만약 소추가 다시 제기되면 Rule 8.2 아래서의 시간적 한계들은 당초의 소추청구장에 따른 피고인의 최초의 출석 때로부터 계산되지 않으면 안 된다.

https://govt.westlaw.com/azrules/Document/NFFF7C3A0717911DAA16E8D4AC7636430?viewType=FullText&originationContext=documenttoc&transitionType=CategoryPageItem&contextData=(sc.Default)

Rule 13.3. Joinder
병합

(a) Of Offenses. Two or more offenses may be joined in an indictment, information, or complaint if they are each stated in a separate count and if they:

범죄들의 병합. 두 개 이상의 범죄들은 별개의 소인에서 그것들 각각이 서술되는 경우에는 및 아래에 해당되는 경우에는, 한 개의 대배심 검사기소장 안에, 검사 독자기소장 안에, 또는 소추청구장 안에 병합될 수 있다:

(1) are of the same or similar character;

동일한 내지는 유사한 성격의 것들일 것;

(2) are based on the same conduct or are otherwise connected together in their commission; or

동일한 행위에 기초하는 것들일 것 또는 그 밖에도 그 범죄들의 범행에 있어서 함께 연결되는 것들일 것; 또는

(3) are alleged to have been a part of a common scheme or plan.

공통되는 책략의 내지는 계획의 일부였다고 주장되는 것들일 것.

(b) Of Defendants. Two or more defendants may be joined if each defendant is charged with each alleged offense, or if the alleged offenses are part of an alleged common conspiracy, scheme, or plan, or are otherwise so closely connected that it would be difficult to separate proof of one from proof of the others.

피고인들의 병합. 그 각각에 대하여 주장되는 범죄로 피고인 각각이 기소되는 경우에는 내지는 그 주장되는 범죄들이 한 개의 주장되는 공통의 공모의, 책략의, 내지는 계획의 일부

분인 경우에는, 내지는 그것들이 매우 밀접하게 연결되어 있어서 한 개의 증거를 다른 것들의 증거로부터 분리하기가 어려운 경우에는, 두 명 이상의 피고인들은 병합될 수 있다.

(c) Consolidation. If offenses or defendants are charged in separate proceedings, the court, on motion or on its own, may wholly or partly consolidate the proceedings in the interests of justice.

소송들의 병합. 만약 따로따로의 절차들로써 범죄들이 내지는 피고인들이 기소되면, 신청에 따라서 또는 자신의 직권으로, 사법의 이익 속에서 전체적으로든 또는 부분적으로든 절차들을 법원은 병합할 수 있다.

https://govt.westlaw.com/azrules/Document/N00E0C410717A11DAA16E8D4AC7636430?viewType=FullText&originationContext=documenttoc&transitionType=CategoryPageItem&contextData=(sc.Default)&bhcp=1

Rule 13.4. Severance
분리

(a) Generally. On motion or on its own, and if necessary to promote a fair determination of any defendant's guilt or innocence of any offense, a court must order a severance of counts, defendants, or both.

일반원칙. 신청에 따라서 또는 직권으로, 그리고 어느 피고인의 어떤 범죄에 대하여든지의 유죄에 내지는 무죄에 대한 공정한 판단을 증진시키기 위하여 만약 필요하면, 소인들의, 피고인들의, 또는 둘 다의 분리를 법원은 명령하지 않으면 안 된다.

(b) As of Right. A defendant is entitled to a severance of offenses joined solely under Rule 13.3(a)(1), unless evidence of the other offense or offenses would be admissible if the offenses were tried separately.

권리사항인 경우. 오직 Rule 13.3(a)(1)을 이유로 하여서만 병합된 범죄들에 대하여는, 만약 그 범죄들이 따로따로 정식사실심리 된다면 그 다른 범죄의 내지는 범죄들의 증거가 증거로서 허용되게 될 경우에를 제외하고는, 범죄들의 분리를 누릴 권리를 피고인은 지닌다.

(c) Timeliness and Waiver. A defendant must move to sever at least 20 days before trial or as the court otherwise orders. If the motion is denied, the defendant must renew the motion during trial before or at the close of evidence. If a ground for severance previously unknown to a defendant arises during trial, the defendant must move for severance before or at the close of evidence. The right to severance is waived if the defendant fails to timely file and renew a proper motion for severance.

적시성의 요건 및 포기. 분리신청을 정식사실심리가 있기 적어도 20일 전에, 또는 달리 법원이 명령하는 바에 따라서, 피고인은 제기하지 않으면 안 된다. 만약 신청이 기각되면, 새로운 신청을 정식사실심리 동안의 증거절차의 종결 전에 또는 그 종결 때에 피고인은 제기하지 않으면 안 된다. 만약 이전에는 피고인에게 알려지지 아니하였던 한 개의 분리의 사유가 정식사실심리 동안에 발생하면, 분리신청을 증거절차의 종결 전에 또는 그 종결 때에 피고인은 제기하지 않으면 안 된다. 적법한 분리신청을 적시에 제기하기를 내지는 새로이 제기하기를 만약 피고인이 불이행하면, 분리를 누릴 권리는 포기된다.

(d) Jeopardy. The court may not grant the State's motion to sever offenses after trial begins unless the defendant consents. Offenses severed during trial on the defendant's motion or with the defendant's consent will not bar a later trial of that defendant on the severed offenses.

위험. 범죄들을 분리하여 달라는 주(State)의 신청을, 정식사실심리가 시작된 뒤에는, 피고인이 동의하는 경우에를 제외하고는, 법원은 허가하여서는 안 된다. 정식사실심리 동안에 피고인의 신청에 따라서 또는 피고인의 동의를 얻어서 분리된 범죄들은 그 분리된 범죄들에 대한 그 피고인의 더 나중의 정식사실심리를 방해하지 아니한다.

https://govt.westlaw.com/azrules/Document/N02281120717A11DAA16E8D4AC7636430?viewType=FullText&originationContext=documenttoc&transitionType=CategoryPageItem&contextData=(sc.Default)

Rule 13.5. Amending Charges; Defects in the Charging Document
공소사실들의 변경; 공소장들에서의 흠결들

(a) Prior Convictions and Other Noncapital Sentencing Allegations; Challenges. Within the time limits of Rule 16.1(b), the State may amend an indictment, information, or complaint to add allegations of one or more prior convictions and other noncapital sentencing allegations that must be found by a jury. A defendant may challenge the legal sufficiency of the State's allegations by filing a motion under Rule 16.

과거의 유죄판정들에 대한 및 사형에 해당하지 아니하는 여타의 양형상의 주장들; 이의들. 배심에 의하여 판단되지 않으면 안 되는 경우에로서의, 한 개 이상의 과거의 유죄판정들에 대한 주장들을 추가하기 위하여 및 사형에 해당되지 아니하는 여타의 양형 상의 주장들을 추가하기 위하여, 한 개의 대배심 검사기소장을, 검사 독자기소장을, 또는 소추청구장을, Rule 16.1(b)의 시간적 제한들의 범위 내에서 주는 변경할 수 있다. Rule 16 아래서의 신청서를 제출함에 의하여 주 측의 주장들의 법적 충분성을 피고인은 다툴 수 있다.

(b) Altering Charges; Amending to Conform to the Evidence. A preliminary hearing or grand jury indictment limits the trial to the specific charge or charges stated in the magistrate's order or the grand jury indictment. Unless the defendant consents, a charge may be amended only to correct mistakes of fact or remedy formal or technical defects. The charging document is deemed amended to conform to the evidence admitted during any court proceeding. Nothing in this rule precludes the defendant from consenting to the addition of a charge as part of a plea agreement.

공소사실들의 변경; 증거에 합치시키기 위한 변경. 정식사실심리를, 치안판사의 명령에 내지는 대배심 검사기소장에 서술된 특정의 공소사실의 내지는 공소사실들의 범위 내로, 한 개의 예비심문은 내지는 한 개의 대배심 검사기소장은 제한한다. 피고인이 동의하는 경우에를 제외하고는, 사실의 착오들을 정정하기 위해서만 또는 형식적 내지는 기술적 흠결들을 교정하기 위해서만 공소사실은 변경될 수 있다. 그 어떤 법원절차 동안에든 받아들여진 증거에 합치되도록 공소장은 변경되는 것으로 간주된다. 한 개의 답변합의의 일부분으로서의 한 개의 공소사실의 추가에 대하여 피고인이 동의함을 이 규칙 내의 것은 금지하지 아니한다.

(c) Amending to Conform to Capital Sentencing Allegation; Challenges. The filing of a notice to seek the death penalty that includes aggravating circumstances amends the charging document, and the State is not required to file any further pleading. A defendant may challenge the legal sufficiency of the State's allegation by filing a motion under Rule 16.

사형을 구하는 양형 상의 주장에 합치시키기 위한 변경; 이의들. 가중적 상황들을 포함하는, 사형을 구하는 한 개의 통고서의 제출은 당해 공소장을 변경시키는바, 더 이상의 주장서면을 제출하도록 주는 요구되지 아니한다. Rule 16 아래서의 신청서를 제출함에 의하여 주 측의 주장의 법적 충분성을 피고인은 다툴 수 있다.

(d) Defects in Charging Document. A defendant may object to a defect in the charging document only by filing a motion under Rule 16.

공소장에서의 흠결들. 공소장에서의 흠결에 대하여는 Rule 16 아래서의 신청서를 제출함에 의하여서만 피고인은 이의할 수 있다.

https://govt.westlaw.com/azrules/Browse/Home/Arizona/ArizonaCourtRules/ArizonaStatutesCourtRules?guid=NE6F0704070CB11DAA16E8D4AC7636430&originationContext=documenttoc&transitionType=Default&contextData=(sc.Default)

Rule 14. Arraignment
기소인부신문

AZ ST Rcrp IV. Pretrial Procedures, R. 14, Refs & Annos

https://govt.westlaw.com/azrules/Document/N04694E90717A11DAA16E8D4AC7636430?viewType=FullText&originationContext=documenttoc&transitionType=CategoryPageItem&contextData=(sc.Default)

Rule 14.1. General Provisions
총칙

The purpose of an arraignment is to formally advise defendants of the charges against them and their legal rights, to assure they are provided counsel if applicable, to enter a plea, and to set a trial date or a later court date. At an arraignment, a magistrate informs defendants of the matters in Rule 14.4.

피고인들에 대한 공소사실들을 및 그들의 법적 권리들을 피고인들에게 공식적으로 고지하는 데에, 만약 그 해당되는 경우이면 그들에게 변호인이 제공되도록 보장하는 데에, 한 개의 답변을 기입하는 데에, 그리고 정식사실심리 기일을 또는 나중의 법정기일을 정하는 데에 기소인부신문의 목적은 있다. Rule 14.4에 열거된 사항들에 관하여 기소인부신문 때에 피고인들에게 치안판사는 고지한다.

https://govt.westlaw.com/azrules/Document/N5828FB505C0911E5B20B93FD2464DF90?viewType=FullText&originationContext=documenttoc&transitionType=CategoryPageItem&contextData=(sc.Default)

Rule 14.2. When an Arraignment Is Held
언제 기소인부신문이 실시되는가

(a) Generally. An arraignment must be held:

일반원칙. 아래의 때에 한 개의 기소인부신문은 실시되지 않으면 안 된다:

(1) for defendants in custody, no later than 10 days after the filing of an indictment, information, or complaint; and

구금된 피고인들에 대하여는 한 개의 대배심 검사기소장의, 검사 독자기소장의, 또는 소추청구장의 제출 뒤 10일 내; 그리고

(2) for defendants not in custody, no later than 30 days after the filing of an indictment, information, or complaint.

구금되지 아니한 피고인들에 대하여는 한 개의 대배심 검사기소장의, 검사 독자기소장의, 또는 소추청구장의 제출 뒤 30일 내.

(b) Exception for Special Situations. If the court cannot hold the arraignment within the time specified in (a) because the defendant has not yet been arrested or summoned, or is in custody elsewhere, the court must hold the arraignment as soon as possible after those time periods.

특별한 상황들에서의 예외. 피고인이 아직 체포되어 있지 아니함으로 내지는 소환되어 있지 아니함으로 인하여, 내지는 다른 곳에 구금되어 있음으로 인하여 기소인부신문을 (a)에 규정된 기한 내에 만약 법원이 실시할 수 없으면, 위 기한들 뒤에 가능한 한 빨리 기소인부신문을 법원은 실시하지 않으면 안 된다.

(c) Exceptions for Limited Jurisdiction Courts. An arraignment is not necessary if:

제한된 관할을 지니는 법원들을 위한 예외들. 아래의 경우에는 기소인부신문은 필요하지 아니하다:

(1) the defense counsel has entered a plea of not guilty; or

무죄답변을 변호인이 기입한 경우; 또는

(2) the court permits a defendant to enter a not-guilty plea by mail and to receive notice of a court date by mail. Delivery of the notice is presumed if the notice is deposited in the U.S. mail, addressed to the defendant's last known address, and the notice is not returned to the court.

무죄답변을 우편으로 기입하도록 및 법원의 기일통지를 우편으로 수령하도록 피고인에게 법원이 허가하는 경우. 피고인의 알려진 최후의 주소를 기재하여 합중국 우편에 만약 통지서가 맡겨지면 및 그 통지서가 법원에 반송되지 아니하면, 통지서의 교부는 추정된다.

(d) Exception for Superior Court. The superior court is not required to conduct an arraignment after the filing of an indictment or information if the presiding judge issues an order that Rule 14 does not apply to superior court cases in that county.

상위 지방법원을 위한 예외. 당해 카운티 내의 상위지방법원 사건들에 Rule 14는 적용되지 아니한다는 명령을 만약 그 법원장이 내리면, 대배심 검사기소장의 내지는 검사 독자기소장의 제출 뒤의 기소인부신문을 실시하도록 그 상위 지방법원은 요구되지 아니한다.

(e) Combined Proceedings. If the defendant's first court appearance occurs after the State files a complaint and if the initial appearance is held in the trial court, the court may hold the arraignment in conjunction with the initial appearance before the magistrate. If the initial appearance is not held in the trial court, the court must order the defendant to appear for arraignment in the trial court no later than 10 days after the initial appearance, and a written notice of the arraignment date must be delivered to the defendant.

병합된 절차들. 한 개의 소추청구장을 주가 제출한 뒤에 만약 피고인의 최초의 법원출석이 이루어지면, 및 정식사실심리 법원에서 그 최초의 출석이 열리면, 기소인부신문을 치안판사 앞에의 최초의 출석에의 병합 속에서 그 법원은 실시할 수 있다. 최초의 출석이 정식사실심리 법원에서 실시되지 않으면, 그 최초의 출석 뒤 10일 내에 기소인부신문을 위하여 정식사실심리 법원에 출석하도록 피고인에게 그 법원은 명령하지 않으면 안 되고 기소인부신문 통지서가 피고인에게 교부되지 않으면 안 된다.

https://govt.westlaw.com/azrules/Document/N981015005C0911E5B20B93FD2464DF90?viewType=FullText&originationContext=documenttoc&transitionType=CategoryPageItem&contextData=(sc.Default)&bhcp=1

Rule 14.3. The Defendant's Presence
피고인의 출석

(a) Personal Presence Required. A defendant must be arraigned personally before the trial court or by an interactive video appearance under Rule 1.5.

직접의 출석이 요구됨. 직접 정식사실심리 법원 앞에서 또는 Rule 1.5 아래서의 양 방향 대화식 비디오 출석에 의하여 피고인은 기소인부신문 되지 않으면 안 된다.

(b) Personal Presence Not Required if Waived. A defendant who personally appeared at an initial appearance may waive personal presence at an arraignment by filing a written waiver at least two days before the arraignment date. The defendant and defense counsel must sign and notarize the waiver. A defendant also must file a notarized affidavit no later than 20 days after arraignment stating that the defendant is aware of all scheduled court appearances and understands that failure to appear at sentencing may result in losing the right to a direct appeal.

포기되는 경우에는 직접의 출석이 요구되지 아니함. 최초의 출석 때에 직접 출석한 피고인은 기소인부신문 기일의 적어도 2일 전에의 포기서의 제출에 의하여 기소인부신문에의 직접의 출석을 포기할 수 있다. 피고인은 및 변호인은 포기서에 서명하지 않으면 안 되고 그것을 공증인에게서 인증받지 않으면 안 된다. 모든 법원출석 기일들에 대하여 자신이 알고 있음을 서술하는, 및 직접항소의 권리의 상실에 형 선고기일에의 출석 불이행이 귀결될 수 있음을 자신이 이해함을 서술하는, 공증인에 의하여 인증된 선서진술서를 기소인부신문 뒤 20일 내에 피고인은 또한 제출하지 않으면 안 된다.

https://govt.westlaw.com/azrules/Document/NA57800A0AFC611E78853E4D7DC747407?viewType=FullText&originationContext=documenttoc&transitionType=CategoryPageItem&contextData=(sc.Default)

Rule 14.4. Proceedings at Arraignment
기소인부신문에서의 절차

At an arraignment, the court must:

한 개의 기소인부신문에서 법원은:

(a) enter the defendant's plea of not guilty, unless the defendant pleads guilty or no contest and the court accepts the plea;

유죄로 또는 불항쟁으로 피고인이 답변하는 경우에를 및 그 답변을 법원이 수락하는 경우에를 제외하고는, 피고인의 무죄답변을 기입하지 않으면 안 된다;

(b) decide motions concerning release conditions under Rule 7 if:

Rule 7 아래서의 석방조건들에 관한 신청들을 아래의 경우에 결정하지 않으면 안 된다:

(1) the arraignment is held with the defendant's initial appearance under Rule 4.2;

Rule 4.2 아래서의 피고인의 최초의 출석이에 더불어 당해 기소인부신문이 실시되는 경우;

(2) the moving party provides 5 days' notice of a contested release motion; or

다투어지는 석방신청에 대한 5일의 통지를 신청 당사자가 제공하는 경우; 또는

(3) all parties agree;

모든 당사자들이 동의하는 경우;

(c) set the date for trial or a pretrial conference;

정식사실심리를 위한 내지는 정식사실심리 전 협의를 위한 기일을 정하지 않으면 안 된다;

(d) provide written notice of the dates of further proceedings and other important deadlines;

추후의 절차들의 날짜들에 대한 및 여타의 중요한 만료기한들에 대한 서면통지를 제공하지 않으면 안 된다;

(e) inform the defendant of the following:

아래의 것들을 피고인에게 고지하지 않으면 안 된다:

(1) the right to counsel and the right to court-appointed counsel if eligible;

변호인의 조력을 받을 권리 및 만약 요건에 해당되는 경우이면 법원지정의 변호인을 가질 권리;

(2) the right to jury trial, if applicable;

요건에 해당되는 경우이면 배심에 의한 정식사실심리를 누릴 권리;

(3) the right to be present at all future proceedings;

추후의 모든 절차들에 출석할 권리;

(4) the failure to appear at future proceedings may result in the defendant being charged with a new offense and the court issuing an arrest warrant;

새로운 범죄에의 피고인에 대한 기소에 및 법원의 체포영장 발부에, 장래의 절차들에의 출석불이행이 귀결될 수 있다는 점;

(5) all proceedings may be held in the defendant's absence, other than sentencing; and

형 선고 이외의 모든 절차들이 피고인의 결석 상태에서 실시될 수 있다는 점; 그리고

(6) the defendant may lose the right to a direct appeal if the defendant's absence from sentencing causes sentencing to occur more than 90 days after any conviction;

유죄판정 뒤 90일이 넘어서 형 선고가 실시되는 결과를 만약 형 선고 때에의 피고인의 결석이 초래하면, 직접항소의 권리를 피고인이 상실할 수 있다는 점;

(f) appoint counsel if applicable;

요건에 해당되는 경우이면 변호인을 지정하지 않으면 안 된다;

(g) order a summoned defendant to be 10-print fingerprinted no later than 20 calendar days by the appropriate law enforcement agency at a designated time and place if:

아래의 경우에는 20 역일 내에 특정의 때에 및 장소에서 윈도우 10-print 프로그램에 의한 적절한 법집행 공무원의 지문채취에 응하도록 그 소환된 피고인에게 명령하지 않으면 안 된다:

(1) the defendant is charged with a felony offense, a violation of A.R.S. §§ 13-1401 et seq. or A.R.S. §§ 28-1301 et seq., or a domestic violence offense as defined in A.R.S. § 13-3601; and

한 개의 중죄로, 아리조나주 현행제정법집 제13-1401절의 및 그 이하의 내지는 아리조나주 현행제정법집 제28-1301절의 및 그 이하의 위반으로, 또는 아리조나주 현행제정법집 제13-3601절에 의하여 개념정의 되는 가정폭력범죄로 피고인이 기소되는 경우; 그리고

(2) the defendant does not present a completed mandatory fingerprint compliance form to the court, or if the court has not received the process control number.

의무적 지문제출 용지를 완성하여 법원에 피고인이 제출하지 아니하는 경우 또는 그 처리 통제번호를 법원이 수령하지 못한 경우.

https://govt.westlaw.com/azrules/Document/NA4F6C2B0AFC611E79F40E78587611902?viewType=FullText&originationContext=documenttoc&transitionType=CategoryPageItem&contextData=(sc.Default)&bhcp=1

Rule 14.5. Proceedings in Counties Where No Arraignment Is Held
기소인부신문이 열리지 아니하는 카운티들에서의 절차들

In a county where an arraignment is not held as provided in Rule 14.2(d), a defendant must be brought before a magistrate no later than 10 days after the indictment is returned. The defendant may waive personal presence under Rule 14.3(b). The magistrate must comply with Rule 14.4.

Rule 14.2(d)에 규정되는 바에 따라서 기소인부신문이 열리지 아니하는 카운티에서는 대배심 검사기소장이 제출된 뒤 10일 내에 한 명의 치안판사 앞에 피고인은 데려다 놓이지 않으면 안 된다. 직접의 출석을 Rule 14.3(b)에 따라서 피고인은 포기할 수 있다. Rule 14.4를 치안판사는 준수하지 않으면 안 된다.

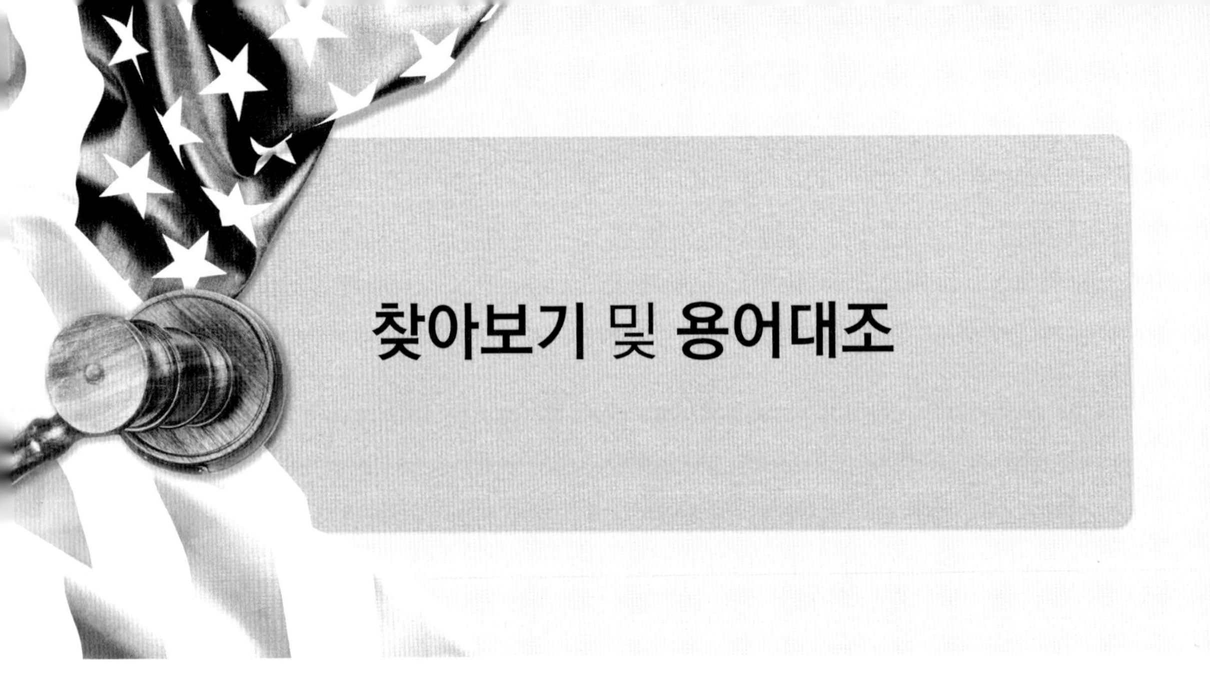

찾아보기 및 용어대조

ㅁ

면제(특권)의 포기, 면제포기서 waiver of immunity / 2321, 2333, 2475, 3033, 3051, 3052

면제(하다) excuse / 1750, 1751, 1752, 1754, 1755, 1756, 1825, 1879, 1942, 1946, 2018, 2021, 2024, 2025, 2048, 2049, 2098, 2116, 2128, 2134, 2135, 2136, 2138, 2188, 2202, 2205, 2234, 2243, 2244, 2260, 2273, 2274, 2277, 2316, 2321, 2341, 2354, 2355, 2360, 2361, 2379, 2387, 2390, 2391, 2394, 2395, 2396, 2397, 2398, 2399, 2420, 2421, 2427, 2428, 2429, 2458, 2459, 2460, 2476, 2484, 2485, 2486, 2487, 2541, 2544, 2545, 2547, 2548, 2593, 2612, 2613, 2617, 2618, 2654, 2655, 2672, 2673, 2675, 2676, 2686, 2687, 2688, 2689, 2715, 2788, 2797, 2826, 2852, 2853, 2871, 2872, 2882, 2889, 2892, 2895, 2896, 2909, 2941, 2958, 2966, 2988, 2989, 3023, 3067, 3074, 3075, 3076, 3077, 3078, 3079, 3080, 3102, 3127, 3141, 3170, 3192, 3197, 3207, 3230, 3232, 3233, 3236, 3237, 3238, 3243, 3244, 3313

명예훼손적인 defamatory / 2949

모살 murder / 1995, 1996, 2410, 2711, 2738, 2816

목사 Christian Science Practitioner / 2022, 2023

몫 quotient / 2885, 2886

몰수(당하다) forfeit, forfeiture / 1853, 2226, 2299, 2402, 2464, 2476, 2574, 2575, 2576, 2577, 2969, 3194, 3339, 3340, 3343, 3344, 3345

무능력 incapacity, incompetency/ 2913, 2925, 3066

무료의 검사 examination without charge / 1802, 1882, 2330, 2570, 2620, 2805

무선서확약(에 처하다) affirm, affirmation / 1785, 1842, 1843, 1844, 1845, 1848, 1853, 1861, 1883, 1923, 1924, 1947, 2033, 2051, 2071, 2082, 2083, 2205, 2206, 2171, 2172, 2173, 2181, 2280, 2307, 2326, 2327, 2412, 2466, 2467, 2494, 2495, 2588, 2591, 2592, 2837, 2840, 2856, 2859, 2894, 2934, 2935, 2958, 2960, 2961, 2962, 2963, 2996, 3061, 3065, 3066, 3068, 3102, 3182, 3205, 3206, 3207, 3208, 3227

무이유부 기피 peremptory challenge / 1995, 1999, 2129, 2136, 2152, 2153, 2177, 2178, 2410, 2411, 2467, 2690, 2701, 2703, 2704, 2707, 2710, 2711, 2712, 3061 3170, 3171

무이유부 삭제 peremptory strike / 2894

무작위 선정 random selection / 1753, 1754, 2201, 2351, 2352, 2662, 2664, 2667, 2670, 2671, 2680, 2681, 2871, 2883, 3162, 3163, 3164, 3166

무죄방면 acquit, acquittal / 1918, 1919, 2222, 2224, 2225, 2447, 2740, 2747, 2754, 2755, 2772, 2778, 3129, 3130, 3152

무죄임을 해명하여 주는 exculpatory / 1884, 2091, 2994, 3006, 3012, 3013, 3319

무해한 오류 harmless error / 2952

문서비방 libel / 2787

문서제출명령 벌칙부소환장 subpoena duces tecum / 2462, 2463, 2600, 3033, 3044, 3047, 3293, 3294, 3302, 3303

문서제출명령 벌칙부소환장에 의하여 제출된 자료 Subpoenaed material / 2923, 2924

문서증거 documentary evidence / 1790, 2567, 2625, 2803

물적 증거 physical evidence / 1808, 1809, 3142

미국 법률가협회 ABA / 2263

미성년(자) minor / 2792, 2947, 3002, 3003, 3004

미수 attempt / 1946, 2777

민사벌금, 민사적 벌칙 civil penalty → civil penalty

민사적 법원모독 civil contempt / 2888, 2911, 2912, 2932, 2933, 3316, 3317, 3318

ㅂ

반대신문 cross examination / 1795, 2954, 2963, 2964, 2971

방어 측 내부문서 internal defense document / 2761

방첩활동 counterintelligence / 3186, 3187, 3195

방화 arson / 2410, 2777, 2816

배달증명우편에 의한 certified / 1758, 1760, 1761, 1766, 2384, 2538, 2539, 3169

배심관리인 jury administrator / 3058 3062, 3063, 3064, 3065

배심매수죄 jury tampering / 3178

(기본) 배심명부 base jury list / 2845

배심명부, (대)배심 명부 jury list / 1893, 1894, 2201, 2250, 2251, 2262, 2269, 2270, 2348, 2349, 2350, 2352, 2353, 2354, 2355, 2366, 2369, 2374, 2376, 2377, 2386, 2406, 2459, 2460, 2522, 2528, 2531, 2532, 2533, 2534, 2535, 2536, 2537, 2538, 2546, 2548, 2617, 2650, 2824, 2845, 2863, 2889, 2890, 2957, 2958, 2985, 3074, 3075, 3081, 3089, 3092, 3095, 3096, 3100, 3101, 3118, 3119, 3123, 3214, 3220, 3221

(주 전체 종합) 배심명부 state-wide master jury list / 3075, 3089, 3095, 3096

(추가적) 배심명부 additional jury list / 2406

(특별) 배심명부 special jury list / 2369, 2374, 2376, 2377

배심(원) 보수 juror fee, jury fee / 1897, 2559, 2905, 3025, 3174

배심비용 jury cost / 2904, 2905, 2906

배심(원) 소집, 배심(원) 소집(영)장, 소집된 배심원후보단 venire, venire facias → venire, venire facias

배심에 의하지 아니하는 정식사실심리 nonjury trial / 2223

배심에 의한 정식사실심리, 배심재판 jury trial, trial by jury / 1975, 1993, 1997, 1998, 2130, 2136, 2154, 2176, 2177, 2222, 2223, 2518, 2557, 2644, 2648, 2649, 2671, 2740, 2747, 2748, 2787, 2834, 3072, 3160

배심에 의한 정식사실심리를 누릴 권리 right to (a) jury trial, ~를 지니다 be entitled to trial by jury / 2518, 3160

배심원(후보)단 jury panel, panel / 1754, 1755, 1757, 1758, 1759, 1760, 1874, 1875, 1939, 1942, 2018, 2023, 2050, 2177, 2204, 2250, 2260, 2323, 2358, 2359, 2376, 2377, 2378, 2385, 2397, 2398, 2403, 2404, 2406, 2409, 2415, 2416, 2528, 2532, 2538, 2541, 2545, 2546, 2561, 2589, 2612, 2613, 2615, 2617, 2667, 2672, 2679, 2680, 2681, 2682, 2686, 2688, 2701, 2703, 2706, 2711, 2771, 2791, 2792, 2795, 2796, 2800, 2826, 2871, 2874, 2875, 2887, 2893, 2894, 2904, 2976, 2988, 3032, 3035, 3036, 3059, 3060, 3061, 3063, 3069, 3204, 3236, 3249

배심원(후보)단, 소집대상 (소집된) 배심원후보단 array / 1783, 1784, 1971, 2032, 2152, 2154, 2180, 2275, 2320, 2324, 2326, 2371, 2372, 2599, 2603, 2613, 2615, 2616, 2617, 2701, 2702, 2854, 2934, 2990, 3073, 3230, 3233, 3235, 3244, 3245, 3248, 3249

(특별) 배심원(후보)단 extra or special panel / 2378, 2385

배심원들에게의 급여 allowance to jurors / 2872, 2907

배심원 자격심사 서식 juror questionnaire form, qualification questionnaire form / 2115, 2134, 2528, 2537, 2538, 2539, 2540, 2541, 2542, 2543, 2544, 2545, 2546, 2547, 2548

배심원 자격 예비심문 voire dire / 2178, 2224, 2495, 2658, 2700, 3073, 3086

배심원(후보) 자격심사 질문서, 질문서 juror questionnaire, juror qualification questionnaire, questionnaire / 1756, 1757, 1759, 1760, 2128, 2130, 2134, 2681, 2700, 2882, 2914, 2930, 2987, 3064, 3086, 3087, 3088

배심원후보 prospective juror / 1751, 1752, 1777, 1778, 1920, 2014, 2015, 2018, 2020, 2021, 2022, 2023, 2024, 2098, 2100, 2109, 2111, 2118, 2119, 2120, 2121, 2123, 2495, 2528, 2532, 2537, 2538, 2539, 2540, 2541, 2542, 2543, 2544, 2545, 2546, 2547, 2588, 2589, 2661, 2663, 2665, 2666, 2667, 2669, 2670, 2671, 2674, 2686, 2691, 2692, 2693, 2694, 2695, 2696, 2697, 2699, 2700, 2714, 2715, 2716, 2717, 2823, 2824, 2825, 2874, 2875, 2876, 2878, 2880, 2881, 2882, 2883, 2885, 2888, 2890, 2891, 2892, 2895, 2896, 2904, 2958, 2987, 3061, 3063, 3064, 3065, 3067, 3069, 3086, 3087, 3088, 3101, 3162, 3165, 3168, 3169, 3170, 3172, 3177, 3178, 3207, 3210, 3213, 3215, 3218, 3220, 3222

(특별소집) 배심원후보단 special venire / 2371, 2376

배심원후보 명부 prospective jury list / 2650, 2985

(증강된) 배심원후보 명부 enhanced prospective jury list / 2650

배심원후보 명부 저장장치 jury wheel / 2015, 2018, 2023, 2645, 2662, 2668, 2670, 2671, 2677, 2678, 2679, 2680, 2685, 2686, 2825, 2871, 2874, 2883, 2884, 2885, 2886, 2887, 2891, 2895, 2902, 2903, 2910, 2916, 3164

1958, 2005, 2006, 2007, 2055, 2183, 2184, 2188, 2228, 2337, 2472, 2473, 2614, 2622, 2640, 2742, 2745, 2746, 2768, 2787, 2830, 2841, 2849, 2866, 2867, 3009, 3017, 3037, 3137, 3138, 3150, 3209, 3217, 3224, 3295

보석금 몰수 bail forfeiture / 1904, 1905

보석금의 해방 exoneration of bail / 1958, 2622

보석이 가능하지 아니한 not bailable / 1908

보석이 가능한 bailable / 1908, 2473, 3150

보증인 surety / 1903, 1904, 1905, 2905, 2906, 3150

보증증서, 날인금전채무증서, 서약보증서, 출석담보금증서 bond → bond

보통법 common law / 1937, 2153, 2344, 2345, 2435, 2436, 2443, 2444, 3292

보호관찰 probation / 1937, 2737, 3132, 3167

복무기간 length of service, period of service, term, term of service, tenure, time / 1940, 1989, 2028, 2083, 2093, 2260, 2268, 2269, 2316, 2325, 2341, 2378, 2385, 2430, 2451, 2460, 2482, 2487, 2616, 2814, 2815, 2835, 2845, 2853, 2863, 2872, 2910, 2941, 2969, 3022, 3058, 3059, 3067, 3069, 3174, 3192, 3200, 3201, 3202, 3205, 3213, 3214, 3220, 3221, 3234, 3235, 3249, 3252, 3253, 3255, 3318

복무불능, 장애 disability → disability

복수카운티 관할 대배심 multicounty grand jury / 1983, 1986, 1987, 1988, 1989, 1990, 1991, 1992, 2239, 2810, 2811, 2812, 2813, 2814, 2815, 2816, 2817, 2818, 2819, 2820, 2821, 2822, 2823, 2824, 2825, 2826, 2827

복직 reinstatement / 1778, 2030, 2556, 2931, 2932, 3176

(대배심 검사기소장(들)의) 봉인 sealed indictment(s) → sealed indictment(s)

봉인, 관인 seal, sealed, sealing, → seal, sealed, sealing

봉인된 대배심 검사기소장 sealed indictment / 2314, 2474, 2855, 2939, 3190

부담보 collateral security / 1902

부당한 영향력 undue influence / 2089, 2253, 3002

(카운티의) 부동산거래증명등록관 county recorder / 1776

부모 parent / 2252, 2253, 2906, 2954, 2955, 3003, 3004

부배심장 deputy foreman, deputy foreperson, deputy presiding juror, vice foreman / 1785, 1802, 1876, 2033, 2087, 2088, 2181, 2188, 2307, 2315, 2326, 2327, 2461, 2593, 2856, 2935, 2996, 3182, 3191, 3192, 3194

부실기재, 부실표시, 거짓되게 설명하다 misrepresent, misrepresentation / 1765, 1766, 2160, 2164, 2528, 2537, 2538, 2539, 2540, 2542, 2881, 3169

부정(한, 행위) 부패(한, 행위), corrupt, corruption / 1830, 1882, 1892, 1893, 1895, 2246, 2435, 2439, 2440, 2443, 2444, 2577, 2578, 2580, 2581, 2789, 2805, 2811, 2812, 2813, 2814, 2817, 3037, 3131, 3245

부정행위 malfeasance / 2811, 3018

부죄적 증거, 부죄적 증언 incriminating evidence / 2564, 2573, 2574, 2575, 2576

부집행관 deputy sheriff / 2241, 2325

(공직)부패 public corruption / 2435, 2439, 2440, 2443, 2812, 2814, 2817

부패(한, 행위) 부정(한, 행위), corrupt, corruption / 1830, 1882, 1892, 1893, 1895, 2246, 2435, 2439, 2440, 2443, 2444, 2577, 2578, 2580, 2581, 2789, 2805, 2811, 2812, 2813, 2814, 2817, 3037, 3131, 3245

분리 separate, separation, sever, severance / 2154, 2155, 2480, 2508, 2509, 2510, 2154, 2480, 2509, 2510, 2719, 2726, 2743, 3334, 3062

불기소 평결, 불기소 평결된 (대배심 검사)기소장안 ignoramus, no bill, no-bill, not a true bill, not found, no true bill / 1847, 1862, 1955, 1956, 1957, 1958, 2005, 2053, 2054, 2085, 2602, 2293, 2294, 2315, 2769, 2920, 2921, 3129, 3152, 3205, 3206, 3292, 3294

불리한 기판력 없이, 기판력의 불이익 없이, 권리들에 대한 침해 없이 without prejudice → without prejudice

불법목적 침입 burglary / 2410, 2777

불필요한 문구 surplusage / 2042, 2217, 2606

불필요한 지체 unnecessary delay / 2766, 2767, 2850

불항쟁 답변 no contest / 1964, 2517, 2518

비공개(의, 의 것으로 하다) close, closed, closure, in camera, nondisclosure / 1784, 1814, 2186, 2206, 2207, 2228, 2229, 2314, 2588, 2620, 2861, 2940, 3014, 3191, 3204, 3205, 3213, 3214, 3221, 3248

비밀성, 비밀의무, 비밀준수 의무 confidentiality, obligation of secrecy, secrecy, secrecy obligation / 1815, 1817, 1845, 1886, 1895, 2007, 2034, 2035, 2054, 2056, 2084, 2182, 2184, 2188, 2195, 2212, 2258, 2309, 2311, 2337, 2467, 2470, 2496, 2572, 2597, 2599, 2620, 2838, 2841, 2842, 2843, 2847, 2849, 2857, 2860, 2861, 2865, 2866, 2867, 2928, 2936, 2937, 2995, 3011, 3069, 3184, 3186, 3233, 3242, 3260, 3270, 3324, 3325, 3329

비밀실 private room / 1877, 2051, 2244, 2329, 2799

비밀준수 서약서 nondisclosure statement / 2923, 2924,

비밀준수 의무, 비밀성, 비밀의무 confidentiality, obligation of secrecy, secrecy, secrecy obligation → 비밀성, 비밀의무, 비밀준수 의무 confidentiality, obligation of secrecy, secrecy, secrecy obligation

ㅅ

(통합형사)사건부 Unified Criminal Docket / 2185, 2186, 2197

사건일람표(에 등재하기), 심리예정표 docket / 1861, 1863, 2742

사단 association / 1777, 2817, 3135

사망, 사형 death, decease, die 사망, 사형 → death, decease, die

사망증명서 death certificate / 3092, 3093

사건일람표(에 등재하기), 심리예정표 docket / 1861, 1863, 2742

사면, 은사 pardon / 2101, 2122, 2123, 2124, 2387, 2651, 2695, 2696, 3094, 3095

사면 및 가석방 위원회 Board of Pardons and Paroles / 3094, 3095

(법원) 사무국장 court administrator / 2017, 2248, 2249, 2976

(주 법원) 사무처장 state court administrator / 3213, 3214, 3220, 3221, 3222

사법관 judicial officer, officer of a court / 3150, 3151, 3154

(합중국) 사법관회의 Judicial Conference of the United States / 3335

사법방해 obstruction of justice / 2243

사법심사 합의부 judicial review panel / 1924, 1925, 1928, 1929, 1944, 1945, 1951

사법의 목적 ends of justice / 3135, 3312

사법의 이익 interest(s) of justice / 1795, 1854, 1925, 1977, 1978, 2340, 2509, 2623, 2758, 2763, 3164

사실문제 matter of fact, questions of fact / 2523, 2653

사실의 쟁점들 issues of fact / 2713, 2746, 2747

사용면제 use immunity / 1949, 1950, 2252, 3033, 3047, 3048, 3049, 3050, 3051

사형, 사망 death, decease, die 사망, 사형 → death, decease, die

(전기)사형 death by electrocution / 2748

사형에 해당하는 capital / 1961, 1996, 1997, 1998, 2711, 2777, 3146

사형에 해당하지 아니하는 noncapital / 2511

사회보장 등록번호 social security number / 2349, 2350, 3090, 3091, 3092, 3093, 3094, 3095, 3242

사후공범 accessory after the fact / 3295

(무이유부) 삭제 peremptory strike / 2894

삭제(하다) strike / 2136, 2137, 2138, 2217, 2403, 2406, 2407, 2408, 2411, 2606, 2653, 2691, 2704, 2758, 2894, 3204, 3205

(변호인에 더불어) 상담할 합리적 기회 reasonable opportunity to consult with counsel / 2003

상당한 이유 probable cause / 1799, 1846, 1847, 1863, 1864, 1919, 1925, 1928, 1929, 1933, 1945, 1955, 1956, 2003, 2047, 2048, 2053, 2088, 2089, 2091, 2221, 2257, 2339, 2474, 2475, 2496, 2504,

(판사들의 대배심) 소집심사 합의부 panel, panel of judges / 1944, 1945, 1951, 2974, 2976, 2977, 2978, 2979, 2980, 2981, 2982

소추면제 immunity from prosecution / 2279, 2280, 2788

소추청구장, 소장 complaint / 1781, 1801, 1826, 1842, 1860, 1881, 2001, 2002, 2006, 2007, 2008, 2038, 2039, 2042, 2043, 2044, 2045, 2046, 2085, 2193, 2194, 2215, 2216, 2217, 2219, 2232, 2295, 2339, 2504, 2505, 2507, 2508, 2511, 2513, 2514, 2515, 2604, 2607, 2608, 2634, 2636, 2709, 2733, 2735, 2850, 2940, 2941, 2944, 2945, 2946, 2947, 2948, 2949, 2950, 2951, 2952, 2953, 2954, 2955, 2956, 2957, 2970, 2971, 3153, 3191, 3192, 3295, 3296, 3298, 3300, 3343, 3345

(증인을) 소환할 권리 right to call a witness / 1953

속기사 court reporter, reporter, stenographer, stenographic reporter / 1796, 1805, 1806, 1807, 1810, 1816, 1848, 1878, 1879, 1885, 1887, 1888, 1949, 1950, 1951, 2003, 2004, 2007, 2033, 2034, 2052, 2089, 2145, 2148, 2149, 2150, 2151, 2182, 2184, 2207, 2211, 2212, 2251, 2252, 2278, 2279, 2308, 2309, 2310, 2315, 2331, 2332, 2336, 2337, 2465, 2466, 2467, 2468, 2471, 2498, 2501, 2502, 2588, 2806, 2819, 2820, 2842, 2848, 2858, 2860, 2861, 2866, 2928, 2935, 2936, 2961, 2962, 2970, 2971, 3001, 3010, 3025, 3110, 3121, 3122, 3183, 3184, 3266, 3269, 3270, 3271

속달되다 be dispatched / 2673, 2674, 2675

송환, 범인인도 extradition / 2473, 2737, 3295

수감(영장) attachment / 2241, 3087, 3088, 3089, 3110, 3111, 3152, 3153

(연방의) 수권보조 판사 magistrate / 2042, 2045, 3197

수색영장 search warrant / 2229, 2230, 3296, 3297

수유 중인 breast-feeding / 2025, 2548

수표 check / 1794

수화 sign language / 1932, 1933, 2659, 2660, 2891

수화통역인 sign language interpreter / 2659, 2660

숙의 deliberation / 1806, 1810, 1814, 1815, 1844, 1847, 1849, 1885, 1886, 1896, 1920, 1947, 1948, 2033, 2034, 2052, 2054, 2085, 2088, 2089, 2092, 2137, 2182, 2183, 2187, 2207, 2212, 2247, 2252, 2253, 2258, 2259, 2262, 2308, 2309, 2310, 2328, 2332, 2336, 2337, 2415, 2465, 2467, 2499, 2501, 2503, 2587, 2594, 2596, 2599, 2660, 2661, 2719, 2723, 2724, 2725, 2726, 2728, 2772, 2773, 2794, 2819, 2820, 2839, 2842, 2848, 2858, 2860, 2865, 2866, 2894, 2928, 2929, 2935, 2936, 3001, 3009, 3010, 3035, 3038, 3042, 3055, 3056, 3062, 3104, 3143, 3144, 3171, 3183, 3184, 3185, 3201, 3258, 3266

스테이트 대배심 state grand jury / 제3,4권의 V, 1891, 1892, 1893, 1894, 1895, 1896, 1897, 2432, 2433, 2434, 2435, 2436, 2438, 2439, 2441, 2442, 2447, 2448, 2449, 2450, 2451, 2452, 2453, 2454, 2455, 2456, 2457, 2458, 2459, 2460, 2463, 2464, 2465, 2466, 2467, 2468, 2469, 2470, 2471, 2472, 2473, 2474, 2475, 2476, 2477, 2478, 2479, 2480, 2481, 2644, 2845, 2846, 2847, 2849, 2862, 2863, 2864, 2865, 2867, 3211, 3212, 3214, 3215, 3216, 3217

스테이트 대배심원(후보) state grand juror / 1894, 1897, 2458, 2459, 2460, 2467, 2468, 2471, 2472, 2474, 2475, 2863, 3213, 3214

시각 장애자 visually impaired / 2659

(합리적) 시간간격들 reasonable intervals / 1949, 1950

시간초과 주차위반 offense of overtime parking / 2655, 2656

시군 자치체 municipal corporation / 2897, 2898

시군 자치체 검사 municipal attorney / 2980, 2997, 2998, 2999

시기(심) envy / 1984, 1985, 2070, 2172, 2960, 3104, 3250, 3251

시티 검사 city attorney / 2979, 2980

(동일성, 동일인) 식별번호 identifying number / 2532, 2546, 2874, 2875, 2883, 2884, 2885, 2886, 3330

신고자 informant / 2950, 3005

신빙성 credibility, reliability, trustworthiness / 1933, 1979, 2091, 2751, 2947, 2949, 2950, 2995

신속한 정식사실심리 speedy trial / 3072

신원확인 정보 identifying information / 3074, 3075, 3090
신체적 장애 physical disability, physical handicap, physical infirmities / 1751, 2387, 2397, 2879, 2880, 3174
실당행위 misfeasance / 3018
실물증거 real evidence / 3329, 3330
실(제의)손해액 actual damages / 2437, 2447
실시간 자막제공 real-time captioning / 2659, 2660
실제의 선입견 actual bias / 2708, 2712
실질적 권리 substantial right / 2040, 2045, 2217, 2234, 2243, 2607, 2628, 2629, 2708, 2771, 2780, 3037
심리무효 mistrial / 2362, 2758, 2950
심리예정표, 사건일람표(에 등재하기) docket / 1861, 1863, 2742

ㅇ

아동 증인 child witness / 2090, 2252, 2253, 2598
아동학대 abuse of a child, child abuse / 1773, 1792
악의(의) malice, malicious / 1786, 1843, 1844, 1984, 1985, 2070, 2147, 2172, 2276, 2328, 2589, 2590, 2618, 2619, 2776, 2797, 2798, 2837, 2856, 2918, 2960, 2993, 3039, 3104, 3152, 3153, 3156, 3178, 3206, 3250, 3251
알려진 최후의 주소 last known address / 1905, 2514, 2668, 2669, 2677, 2678, 3149
알파벳 순서로, 알파벳 순서에 의한 alphabetical, alphabetizing, alphabetically / 2069, 2070, 2171, 2889, 2891
압류(영장) attachment / 2734, 3155
압류(하다), 압수(하다) seize, seizure / 2736, 2788, 3135, 3136, 3340, 3341, 3343, 3344, 3345
약식의 방법 summary manner / 2713, 3248
양형상의, 형선고 sentencing / 1911, 1912, 2511, 2512, 2516, 2518, 2737
어음 note / 2753
언어장애의 speech impaired / 2308, 2893, 2935, 3144, 3183,
업무기록 business record / 3302, 3303
여비수당 mileage / 1755, 1758, 1761, 2209, 2348, 2418, 2419, 2420, 2421, 2422, 2423, 2460, 2478, 2522, 2528, 2552, 2714, 2716, 2851, 2903, 2914, 2925, 2927, 3120
여행경비 travel expenses / 1771, 1773, 2533, 2552, 2851, 2903, 2925, 2926
연기속행(하다) continuance, continue / 1792, 1795, 1808, 2629, 2630, 2743, 2744, 2764
연방관보 Federal Register / 3193
연방 법무부 검찰업무 편람 Justice Manual / 3290
연방 형사소송법 Federal Rules of Criminal Procedure / 2190, 2194, 3301, 3320, 3322, 3324, 3326, 3335
연장된(되는) 기간 extended period of time / 2926, 3137, 3255, 3256
연장된 복무 extended service / 2270, 2271, 2451
열쇠 key / 2357, 2360, 2361, 2669
영구적으로 면제하다 excuse permanently / 1752, 1825, 1946, 2049, 2188, 2205, 2260, 2316, 2341, 2545, 2548, 2593, 2853, 2941, 3023, 3192, 3208
영구적으로 정신적 내지는 육체적 장애를 지닌, 영구적인 신체적 장애, 영구적인 신체적 내지는 정신적 장애 permanently mentally or physically disabled, permanent physical disability, permanent physical or mental disability / 1751, 1752, 3076, 2397
(법정출석)영장 attachment / 3274, 3275, 3276, 3277
영장권한 통합법 All Writs Act / 3297, 3298
(부당한) 영향력 undue influence / 2089, 2253, 3002
예비대배심원 alternate grand juror / 1757, 1758, 1759, 1760, 1761, 1788, 1825, 2144, 2268, 2269, 2270, 2429, 2430, 2486, 2487, 2687, 2689, 2800, 2801, 2916, 2917, 2986, 2988, 2989, 3034, 3035, 3036, 3099, 3100, 3204, 3207, 3208, 3237, 3249, 3253
예비배심장 alternate foreman / 3205
(배심원 자격) 예비심문 voire dire / 2178, 2224, 2495, 2658, 2700, 3073, 3086

예비심문 preliminary examination, preliminary hearing / 1798, 1799, 1828, 1881, 1890, 1891, 1912, 1913, 1934, 1935, 2226, 2228, 2339, 2507, 2511, 2597, 2603, 2802, 2803, 2957, 2979, 2991, 3006(구술의) 요약 oral summary / 2257

요약 의사록 brief minute / 2625

원격지 간 화상회의 video teleconferencing / 3261, 3266, 3270, 3271, 3281, 3282

원본문서 original document / 3329, 3330, 3332, 3333, 3334

원천명부 source list / 2014, 2015, 2017, 2018, 2020, 2668, 2876, 2877, 2878, 2889

원한 hatred / 1786, 1787, 1843, 1844, 1984, 1985, 2070, 2172, 2276, 2328, 2589, 2590, 2618, 2619, 2797, 2798, 2918, 2960, 2993, 3039, 3104, 3206, 3250, 3251

위법행위 misconduct / 1801, 1830, 1882, 1942, 2246, 2322, 2623, 2781, 2805, 2811, 3018, 3036, 3292, 3293

(카운티) 위원회 county commissioners court / 3257

위조 forgery / 2410

위증 / 2123, 2173, 2256, 2295, 2337, 2572, 2575, 2577, 2585, 2597, 2880, 2971, 3050, 3054, 3280

(가중)위증죄 aggravated perjury / 3280

위증(죄) perjury / 1796, 1829, 1830, 1846, 1853, 1887, 1888, 1950, 1973, 2123, 2173, 2247, 2248, 2256, 2295, 2336, 2337, 2410, 2443, 2468, 2475, 2476, 2564, 2572, 2573, 2574, 2575, 2576, 2584, 2585, 2592, 2597, 2808, 2809, 2816, 2880, 2892, 2970, 2971, 3043, 3050, 3054, 3226, 3280

위증교사 subornation of perjury / 2443

유괴 kidnapping / 2445

유권자, 투표권자 voter → voter

유도 solicitation / 1946, 2436, 2437, 2443, 2444, 2445, 2446, 2447

유언검인 법원 probate court / 3106, 3107, 3145

유언검인 판사 judge of probate, probate judge / 2348, 2388, 2389

유자격 배심원후보 명부 저장장치 qualified jury wheel / 2015, 2018, 2023

유죄판정 사후절차 postconviction proceeding / 3086

유형물 material object, tangible object / 1883, 1884, 2760, 2761

은사, 사면 pardon / 2101, 2122, 2123, 2124, 2387, 2651, 2695, 2696, 3094, 3095

(법원) 의사록 minutes of the court / 1913, 1914, 2375, 3130, 3255

의사록 minutes / 1849, 1875, 1878, 1879, 1913, 1914, 1982, 1986, 2051, 2175, 2176, 2244, 2277, 2278, 2327, 2375, 2502, 2504, 2621, 2625, 2626, 2627, 2630, 2631, 2632, 2794, 2799, 2961, 2968, 2970, 2971, 3018, 3019, 3032, 3035, 3038, 3130, 3138, 3255

의사정족수 quorum / 2238, 2251, 2321, 2338, 2339, 2441, 2442, 2560, 2561, 2587, 2853, 2913, 2917, 2933, 2978, 2979, 3035, 3203, 3234, 3252

(합리적) 의심 reasonable doubt / 2777, 2778

의회 Congress, General Assembly, House / 1781, 1831, 2434, 2435, 2436, 2437, 2438, 2439, 2478, 2479, 3211, 3297, 3327

(카운티) 의회 county quorum court / 2715, 2716, 2717

(진실한) 이름 true name / 2041

이민 immigration / 2446, 3186, 3187

이유를 제시하다 show cause / 1752, 1784, 1937, 2020, 2023, 2030, 2162, 2163, 2164, 2541, 2576, 2841, 2859, 2888, 2911, 2912, 3007, 3155, 3168, 3170

이유부 기피 challenge for cause / 1995, 2179, 2231, 2232, 2701, 2702, 2704, 2707, 2708, 2771, 3061, 3254

이유부 이의(들) objections for cause / 2405, 2406

(증명되는(된)) 이유에 따라서 for cause shown / 1825, 1946, 2049, 2188, 2205, 2260, 2341, 2394, 2395, 2821, 2853, 2941, 3207, 3208

이유제시 명령 show cause order / 1937

이익충돌 conflict of interest / 2456, 2457, 2963, 2964, 2998

이중위험 double jeopardy / 2787

이탈 departure / 2988

이혼 divorce / 2695

증거능력, 증거능력이 있는, 증거로서 허용될 수 있는 admissibility, admissible / 1884, 1932, 1933, 1934, 1950, 2255, 2256, 2257, 2279, 2281, 2283, 2297, 2476, 2477, 2509, 2567, 2747, 3133, 3343

(자백의) 증거능력 admissibility of a confession / 2747

증거물 exhibits / 1849, 1878, 1879, 2626, 2893, 2961, 2968, 3330, 3331, 3332, 3333

증거배제 suppression / 1927, 1931, 1934, 2228

증거(를) 배제(삭제)(하여 달라는) 신청 motion to suppress / 1896, 1926, 1927, 1934, 2228, 3135

증거 의사록 minute of evidence / 2626, 2627, 2631, 2632

증거의 우세 preponderance of the evidence / 2747, 3019

증거캐기 discovery / 제3,4권의 V, 1950, 1959, 2207, 2213, 2263, 2756, 2759, 2761, 2762, 2763, 2764, 2964, 3294

증거캐기 금지특권의 (보호)대상이 아닌 not privileged / 2462, 2463, 3007, 3008

증거캐기 금지특권의 (보호, 적용) 대상인, 증거캐기 금지특권을 지닌, 답변을 보류할 특권을 지닌 privileged / 2574, 2575, 2576, 2584, 3007, 3008

증거캐기 제한명령 protective order / 2254, 2263

증명되는(된) 이유에 따라서 for cause shown / 1825, 1946, 2049, 2188, 2205, 2260, 2341, 2394, 2395, 2821, 2853, 2941, 3207, 3208

(공범의) 증언 testimony of an accomplice / 2751, 2752

증언(하기를) 거부(하기) refusal to testify, refuse to testify / 1803, 1831, 1832, 1857, 1858, 1860, 2288, 2289, 2564, 2583, 2621, 2841, 2859, 3008, 3261, 3277, 3313, 3317

(진실한) 증언 truthful testimony / 1977

(최초의) 증인 first witness / 2223, 3110, 3141

(피해자) 증인 조력인, 조력인 (victim witness) advocate, supportive person / 2090, 2253, 2598

증인들의 출석을 강제하기 compel the attendance of witnesses / 2818

증인으로서 출석할 권리 right to appear as a witness / 1953, 3051

증인을 소환할 권리 right to call a witness / 1953

증인(의) 보수 witness fees / 1918, 1919, 2214, 2740, 2764, 2850, 2851

지문감정인 fingerprint technician / 2255

지문제출, 지문채취 fingerprint / 2518, 2519

(직접의) 지식 personal knowledge / 1945, 3062

(변호사가, 변호인이) 지정되다 attorney be appointed, counsel be appointed / 1858, 2334, 2821

(불필요한) 지체 unnecessary delay / 2766, 2767, 2850

직근상관 immediate superior / 2909

직무집행 영장 mandamus / 3110, 3111

직업학교 vocational school / 3076

직접의 지식 personal knowledge / 1945, 3062

직접항소 direct appeal / 2516, 2518

진실한 이름 true name / 2041

진실한 증언 truthful testimony / 1977

질문서, 배심원(후보) 자격심사 질문서 juror questionnaire, juror qualification questionnaire, questionnaire / 1756, 1757, 1759, 1760, 2128, 2130, 2134, 2681, 2700, 2882, 2914, 2930, 2987, 3064, 3086, 3087, 3088

집행관 sheriff / 1754, 1755, 1759, 1760, 1761, 1908, 1909, 1913, 1914, 1931, 1932, 1968, 1983, 2024, 2052, 2241, 2279, 2281, 2325, 2348, 2360, 2361, 2383, 2384, 2388, 2389, 2424, 2427, 2428, 2429, 2460, 2484, 2485, 2486, 2527, 2546, 2616, 2641, 2673, 2674, 2675, 2676, 2773, 2895, 2903, 2904, 2908, 2909, 3060, 3082, 3120, 3145, 3150, 3155, 3237, 3238, 3265, 3276

집행관보좌인 bailff / 2052, 2147, 2618, 2619, 2620, 3060, 3082, 3083, 3105, 3127, 3235, 3256, 3257, 3258, 3265, 3270, 3271, 3276

징계조치 disciplinary action / 3018

징벌적 손해배상 punitive damage / 2720, 2734, 2735

징수(하다) levy / 2155, 2157, 2158, 2421

ㅊ

차기연도 ensuing year, following calendar year, year next / 2060, 2061, 2356, 2366, 2426, 2663

(과반수) 찬성 majority vote / 2591, 2814, 2815, 2927, 3085

책임면제, 면제 immunity / 2336, 2337

(정식사실심리 전 석방) 처우과정 pretrial release program / 3098

첨부물 attachment / 3304

청각상실의, 청각장애의, 귀가 먼 deaf, hard of hearing, hearing impaired / 2300, 2308, 2659, 2893, 2935, 3144, 3183

체포영장 arrest warrant, warrant of arrest / 1826, 1899, 1909, 1938, 2055, 2215, 2457, 2518, 2947, 2949, 2975, 3017

체포절차 arrest processing / 1935

초등교사 primary teacher / 3077

총기감정사 firearms identification expert / 2255

최종변론 final arguments / 2770

최초의 증인 first witness / 2223, 3110, 3141

최초의 질문들 Initial questions / 2119, 2120

최초의 출석 initial appearance / 1899, 1911, 2500, 2507, 2515, 2516, 2517

(알려진) 최후의 주소 last known address / 1905, 2514, 2668, 2669, 2677, 2678, 3149

추가적 대배심 additional grand jury / 1946, 3178, 3179, 3202,

추가적 대배심원(후보) additional (prospective) grand jurors, further number of grand jurors / 2069, 2145, 2613, 2958, 3233, 3238, 3248

추가적 배심명부 additional jury list / 2406

추가적 증거 additional evidence / 1840, 1862, 1864, 2496, 2803, 3293, 3294, 3345

추정 presume, presumption / 1929, 2514, 2950, 2951, 2952

추천, 권고, 권고사항, 권유, recommendation → recommendation

축어적 기록 verbatim record / 2253, 2961

(증인들의) 출석(을) 강제(하기) compel the attendance of witnesses / 2818, 3111

(법정)출석영장 attachment / 3274, 3275, 3276, 3277

출석담보금증서 appearance bond / 1899

출석담보금증서, 서약보증서, 보증증서, 날인금전채무증서 bond → bond

출석담보금증서, 서약보증서 recognizance → recognizance

출석부 attendance roll / 2555

출석일람표 appearance docket / 1863

(증인으로서) 출석할 권리 right to appear as a witness / 1953, 3051

출신국 national origin / 1918, 2013, 2099, 2530, 2873, 3163, 3173, 3174

출정통고서 citation / 1937, 2452, 3101

(이익)충돌 conflict of interest / 2456, 2457, 2963, 2964, 2998

취하(하다) abatement, discharge, dismiss, dismissal, set aside / 2219, 2220, 2769, 2770

치과위생사 dental hygienist / 2397

(구금) 치안판사 committing magistrate / 2339, 2625

치안판사 justice, justice of the peace, magistrate / 1773, 1826, 1831, 1890, 1899, 1901, 1902, 1903, 1907, 1908, 1909, 1936, 2042, 2045, 2340, 2346, 2389, 2391, 2393, 2394, 2476, 2477, 2507, 2511, 2513, 2515, 2519, 2531, 2544, 2545, 2557, 2577, 2580, 2603, 2607, 2625, 2632, 2828, 2873, 2880, 2884, 2885, 2887, 2892, 2904, 2905, 2906, 2912, 2913, 2919, 2949, 3133, 3153

치안판사 법원, 치안(판사) 재판소 court of general sessions, justice court, magistrate court / 1771, 1772, 1775, 1781, 1790, 2351, 2352, 2369, 2375, 2385, 2417, 2426, 2427, 2448, 2450, 2451, 2482, 2483, 2484, 2873, 2880, 2884, 2845, 2887, 2892, 2904, 2905, 2906

카운티 대배심 county grand jury, grand jury for a county, grand jury of a county / 1894, 1895, 1986, 1911, 1987, 1989, 1990, 1991, 2074, 2076, 2077, 2078, 2079, 2080, 2081, 2150, 2435, 2439, 2454, 2455, 2460, 2813, 2822, 2823, 2824,

ㅎ

alphabetical, alphabetizing, alphabetically 알파벳 순서로, 알파벳 순서에 의한

alternate foreman 예비배심장

alternate grand juror 예비대배심원

amnesty 대사(大赦)

annual jury list 당해연도 배심명부

another grand jury 별도의(다른, 또 한 개의, 상이한) 대배심 / 1827, 1875, 2004, 2060, 2061, 2062, 2064, 2065, 2066, 2067, 2068, 2092, 2093, 2270, 2271, 2311, 2323, 2468, 2504, 2505, 2622, 2627, 2796, 2822, 2921, 2929, 2938, 3113, 3114, 3186, 3196, 3248, 3272, 3294

(direct) appeal 직접항소

(right) to appeal 항소할 권리

(initial) appearance 최초의 출석

appearance bond 출석담보금증서

appearance docket 출석일람표

(right to) appear as a witness 증인으로서 출석할 권리

(counsel be) appointed, attorney be appointed (변호사가(변호인이)) 지정되다

appointed public officer 임명직 공무원

(final) arguments 최종변론

armed robbery 흉기소지 강도

arraignment 기소인부 신문

array 배심원(후보)단, 소집대상 (소집된) 배심원 후보단

arrest of judgment 판결억지

arrest processing 체포절차

arrest warrant, warrant of arrest 체포영장

arson 방화

assault 폭행

association 사단

attachment 법정출석영장, 수감(영장), 압류(영장), 첨부물

attempt 미수

attendance roll 출석부

(compel the) attendance of witnesses 증인들의 출석을 강제하기

(Removal and replacement of) attorney 변호사의 배제 및 교체

attorney and client relationship, attorney-client relationship 변호인-의뢰인 관계

attorney general 검찰총장

attorney be appointed, (counsel be) appointed (변호사가(변호인이)) 지정되다

attorney of record, counsel of record정식기록 변호사, 정식기록 변호인

attorney's fee, attorney fee 변호사 보수

auditor 회계감사관

B

bail 보석금

bailable 보석이 가능한

(not) bailable 보석이 가능하지 아니한

bail forfeiture 보석금 몰수

(exoneration of) bail 보석금의 해방

bailiff 집행관보좌인

base jury list 기본 배심명부

beat 구타

benefits 급부(금)

(actual) bias 실제의 선입견

bias, prejudice 선입견, 편견

(implied) bias 함축된 선입견

bill of particulars 공소사실 명세서

blank 백지

blind 맹인인, 장님의

(legally) blind 법적으로 맹인인

blood test 혈액검사

Board of Elections, election commission 선거관리위원회

board of jury commissioners, jury commission 배심위원회

Board of Pardons and Paroles 사면 및 가석방 위원회

bona fide purchaser 선의의 매수인

bond 날인금전채무증서, 보증증서, 출석담보금증서 서약보증서 / 2299, 2473, 2501, 2905, 2906, 3146, 3150, 3285

box, jury box 배심원후보상자

breastfeeding 수유 증인

bribery 뇌물(죄)

brief minute 요약 의사록

burden of proof 입증책임

bureau of motor vehicles, Department of Motor Vehicles, Division of Motor Vehicles, Motor Vehicle Administration 자동차관리국

burglary 불법목적 침입

(newly established) business 새로이 설립된 사업체

business record 업무기록

bystander 구경꾼

C

(right to) call a witness 증인을 소환할 권리

(in) camera, close, closed, closure, nondisclosure 비공개(의, 의 것으로 하다)

capacity 권한, 능력, 자격 / 1879, 1993, 2206, 2242, 2539, 2807, 2879, 2880, 3161

capias 구인영장

capital 사형에 해당하는

(real-time) captioning 실시간 자막제공

(primary) caregiver, primary caretaker 주된 돌보미

case-in-chief 주된 주장, 주요주장

(challenge for) cause 이유부 기피

(for) cause shown 증명되는(된) 이유에 따라서

(objections for) cause 이유부 이의들

(show) cause 이유를 제시하다

(show) cause order 이유제시 명령

certified 배달증명우편에 의한

challenge for cause 이유부 기피

(peremptory) challenge 무이유부 기피

charge reductions 혐의감축

(examination without) charge (무료의) 검사

charter school 공립학교

check 수표

chemist 화학자

(case in) chief 주된 주장, 주요주장

Chief Justice 대법원장

chief justice 법원장

child abuse, abuse of a child 아동학대

child witness 아동 증인

children 자녀들

Christian Science Practitioner 목사

citation 출정통고서

city attorney 시티 검사

civil contempt 민사적 법원모독

civil penalty 민사벌금, 민사적 벌칙 / 2425, 3127

(attorney and) client relationship, attorney-client relationship 변호인-의뢰인 관계

(lawyer-)client privilege 변호사-의뢰인 특권

close, closed, closure, in camera, nondisclosure 비공개(의, 의 것으로 하다)

closing argument 최종변론

codefendant 공동피고인

(discharge of) codefendant 공동피고인에 대한 공소취하

collateral security 부담보

college 대학

color 피부색

jury commissioner 배심 위원

(county) commissioners court 카운티 의회

committing magistrate 구금 치안판사

(warrant) of commitment 구금영장

common law 보통법

(court of) common pleas 국민간소송 법원

compel the attendance of witnesses 증인들의 출석을 강제하기

complaint 소장, 소추청구장

computer 컴퓨터

(sentence) concession 형량양보

conclusion 종결변론

condition of release, release condition, 석방조건

(admissibility of a) confession 자백의 증거능력

confidentiality, obligation of secrecy, secrecy,

secrecy obligation 비밀준수 의무 비밀성, 비밀 의무
conflict of interest 이익충돌
Congress, General Assembly, House 의회
consanguinity 혈족관계
conspiracy 공모 / 1891, 1892, 1944, 1946, 2220, 2221, 2436, 2437, 2443, 2444, 2445, 2447, 2508, 2752, 2573, 2817, 3299, 3300
consult with counsel 변호인을(에 더불어) 상담(의)하다
(reasonable opportunity to step outside the grand jury room to) consult with counsel 대배심실 밖으로 나가서 변호인에게 상의할 합리적 기회
contempt 법원모독
continuance, continue 연기속행(하다)
controlled substance 규제약물, 금제물, 마약 / 1900, 2433, 2439, 2443,
coroner 검시관
coroner's jury 검시배심
corporation 법인
(municipal) corporation 시군 자치체 / 2897
correction 경정, 교정
correctional facility, correctional institution 교정시설
corroboration, corroborating 보강(증거), 보강적인
corrupt, corruption 부정(한, 행위) 부패(한, 행위)
(reasonable opportunity to step outside the grand jury room to consult with) counsel 대배심실 밖으로 나가서 변호인에게 상의할 합리적 기회
counsel be appointed, attorney be appointed (변호사가(변호인이)) 지정되다
(be represented by) counsel, represented 변호인의 대변을 누리다
counsel of record, attorney of record 정식기록 변호사, 정식기록 변호인
(have) counsel present 변호인을 출석시키다
(reasonable opportunity to consult with) counsel 변호인에 더불어 상담할 합리적 기회
(right to be represented by) counsel 변호인의 대변을 누릴 권리
(right to have) counsel present 변호인을 출석시킬 권리
(separate) count 별개의 소인
counterintelligence 방첩활동
county auditor 카운티 회계감사관
county commission, county commissioners court 카운티 위원회
county grand jury, grand jury for a county, grand jury of a county 카운티 대배심
county quorum court 카운티 의회
county recorder 카운티 부동산거래증명등록관
(Office of) Court Administration 법원사무국
court administrator 법원 사무국장
court of common pleas 국민간소송 법원
court of general sessions, justice court, magistrate court 치안판사 법원, 치안(판사) 재판소
court of limited jurisdiction, limited jurisdiction Courts 제한적 관할의(을 지니는) 법원
court of record 정식기록 법원
court reporter, reporter, stenographer, stenographic reporter 속기사
(officer of a) court, judicial officer 사법관
credibility, reliability trustworthiness 신빙성
(organized) crime 조직(적) 범죄
(organized) criminal activity 조직(적) 범죄활동
criminal conspiracy 범죄공모
criminal contempt 형사적 법원모독
(Unified) Criminal Docket 통합형사사건부
criminal forfeiture 형사적 몰수
cross examination 반대신문
cross section 횡단면
custodial interrogation 구금신문

D

dangerous weapon, deadly weapon 흉기
deaf, hard of hearing, hearing impaired 귀가 먼, 청각상실의, 청각장애의

death, decease, die 사망, 사형 / 1751, 1836, 1837, 1838, 1846, 1861, 2007, 2008, 2233, 2234, 2270, 2416, 2512, 2672, 2695, 2709, 2719, 2730, 2740, 2745, 2747, 2748, 2800, 2954, 2955, 3092, 3093, 3099, 3108, 3109, 3117, 3118, 3137, 3147, 3253

death by electrocution 전기사형

death certificate 사망증명서

decease die, death, 사망, 사형 / 1751, 1836, 1837, 1838, 1846, 1861, 2007, 2008, 2233, 2234, 2270, 2416, 2512, 2672, 2695, 2709, 2719, 2730, 2740, 2745, 2747, 2748, 2800, 2954, 2955, 3092, 3093, 3099, 3108, 3109, 3117, 3118, 3137, 3147, 3253

defamatory 명예훼손적인

default, absence 결석

default judgment 결석판결

(mental) defect 정신적 결함

(absence of the) defendant, defendant's absence 피고인의 결석

degree of offense 범죄등급

(unnecessary) delay 불필요한 지체

deliberation 숙의

dental hygienist 치과위생사

demurrer 주장불충분 항변

Department of Corrections 교정국

Department of Motor Vehicles, Division of Motor Vehicles, bureau of motor vehicles, Motor Vehicle Administration 자동차관리국

Department of Public Health 공중보건국

departure 이탈

deposition 법정 외 증언녹취(록, 서)

depository 공탁소

deputy presiding juror, deputy foreman, deputy foreperson, vice foreman 부배심장

deputy sheriff 부집행관

die, death, decease 사망, 사형 / 1751, 1836, 1837, 1838, 1846, 1861, 2007, 2008, 2233, 2234, 2270, 2416, 2512, 2672, 2695, 2709, 2719, 2730, 2740, 2745, 2747, 2748, 2800, 2954, 2955, 3092, 3093, 3099, 3108, 3109, 3117, 3118, 3137, 3147, 3253

diligence, due diligence, reasonable diligence 근면, 정당한 근면, 합리적 근면

diminish, reduction 감경

direct appeal 직접항소

Director of National Intelligence 국가정보원장

(severely) disabled person 중장애인

disability 복무불능, 장애 / 1751, 1752, 1943, 2022, 2099, 2101, 2122, 2123, 2251, 2252, 2258, 2262, 2397, 2528, 2539, 2543, 2544, 2545, 2652, 2873, 2879, 2880, 2891, 2893, 3066, 3172, 3182

(physical) disability, physical handicap, physical infirmities, / 신체적 장애

discharge, release 석방

discharge, dismiss, dismissal, removal 임무해제, 해고, 해임

discharge, abatement, dismiss, dismissal, set aside 취하

discharge of codefendant 공동피고인에 대한 공소취하

disciplinary action 징계조치

discovery 증거캐기

dismissal, dismiss, discharge, abatement, set aside 취하

dismiss, dismissal, discharge, removal 임무해제, 해고, 해임

dismiss, dismissal, abate 각하

(be) dispatched 속달되다

disqualification, disqualified, disqualify 결격, 부적격, 자격결여, 자격박탈, 자격불인정, 자격부정 / 1767, 1942, 2015, 2018, 2021, 2022, 2024, 2025, 2098, 2101, 2105, 2116, 2125, 2126, 2128, 2130, 2131, 2132, 2134, 2136, 2177, 2269, 2270, 2272, 2273, 2348, 2349, 2351, 2354, 2359, 2360, 2376, 2377, 2379, 2384, 2385, 2387, 2388, 2389, 2390, 2399, 2405, 2406, 2427, 2428, 2429, 2454, 2456, 2457, 2458, 2459, 2484, 2485, 2486, 2494, 2495, 2496, 2532, 2541, 2543, 2544, 2545, 2546, 2548, 2564, 2579, 2589, 2591, 2594, 2595, 2646, 2649, 2650, 2651, 2652, 2658, 2672, 2673, 2677, 2687, 2688, 2689, 2692, 2697, 2699, 2708, 2712, 2792, 2793, 2806, 2836, 2871, 2882, 2889, 2890, 2891, 2892, 2893, 2896, 2897, 2898, 2913, 2925, 2958, 2964, 3036, 3061, 3065, 3068, 3106,

3163, 3167, 3168, 3170, 3234, 3249, 3251, 3252, 3253
(general) disqualification 일반적 결격사유
(judicial) district grand jury 재판구 전체관할 대배심
Division of Motor Vehicles, Department of Motor Vehicles, bureau of motor vehicles, Motor Vehicle Administration 자동차관리국
divorce 이혼
docket 사건일람표(에 등재하기), 심리예정표/ 1861, 1863, 2742
(Unified Criminal) Docket 통합형사사건부 / 2185, 2186, 2197
documentary evidence 문서증거
domestic violence 가정폭력
double jeopardy 이중위험
(reasonable) doubt 합리적 의심
draft 환어음
due diligence, reasonable diligence 정당한 근면, 합리적 근면

E

economic status 경제적 지위
elected official, elected public official 선출직 공무원
election commission, Board of Elections 선거관리위원회
election laws 선거법
elective office 선출공직
(death by) electrocution 전기사형
electronic communication 전자(적, 적인) 통신
electronic recording device, electronic recording equipment 전자적 녹음장치
electronic signature 전자적 서명
electronic surveillance 전자적 감시
embezzlement 횡령
emergencies, emergency 긴급(상황)
employer, master 고용주
ends of justice 사법의 목적
enhanced misdemeanor 가중경죄
enhanced prospective jury list 증강된 배심원후보 명부
ensuing year, following calendar year, year next 차기연도
envy 시기(심)
escape, flight 도주, 빠져나가기, 탈옥 / 1813, 1901, 2744, 2745, 2981, 3052, 3291, 3295, 3296, 3312
evidence for defendant 피고인에게 유리한 증거, 피고인을 위한 증거, 피고인 측 증거
(minutes of) evidence 증거 의사록
(real) evidence 실물증거
examination without charge 무료의 검사
exclusive judge 배타적 판단자
exculpatory 무죄임을 해명하여 주는 / 1884, 2091, 2994, 3006, 3012, 3013, 3319
excuse 면제(하다)
excuse permanently 영구적으로 면제하다
exempt, exemtion 제외(된, 하다)
exhibits 증거물
exoneration of bail 보석금의 해방
ex parte 일방절차(로)
expedited, expeditiously 급속(처리)의, 급속으로
expert 전문가
expertise 전문적 기술
expert testimony 전문가 증언
expert witness 전문가 증인
extended period of time 연장된(되는) 기간
extended service 연장된 복무
extort, racketeer 갈취, 공갈
extradition 범인인도, 송환
extra panel, special panel 특별 배심원(후보)단

F

(accessory after the) fact 사후공범
(matter of) fact, (questions of) fact 사실문제
false swearing 허위선서
Federal Register 연방관보

Federal Rules of Criminal Procedure 연방 형사소송법
final arguments 최종변론
financial institution 금융기관
financial statement 재무제표
fingerprint 지문제출, 지문채취
fingerprint technician 지문감정인
firearms identification expert 총기감정사
first class mail 일급우편
first witness 최초의 증인
flight, escape 도주, 빠져나가기, 탈옥
following calendar year, year next ,ensuing year 차기연도
foreign intelligence information 국외정보 관련의 정보
foreman, foreperson, presiding juror 배심장
(deputy) foreman, vice foreman, deputy foreperson, deputy presiding juror, 부배심장
forfeit, forfeiture 몰수(당하다)
forgery 위조
(juror questionnaire) form, qualification questionnaire form, (배심원) 자격심사 서식
former prosecution 과거의 소추
free access 자유로운 접근
freeholder 자유토지보유권자
fugitive 도망자

G

gambling 도박
gender, sex 성별
General Assembly, House, Congress 의회
general disqualification 일반적 결격사유
general verdict 일반평결
good cause 타당한 이유 / 1795, 1807, 1849, 1866, 1879, 1892, 1932, 1933, 1942, 1978, 2075, 2137, 2139, 2141, 2162, 2163, 2164, 2184, 2254, 2262, 2263, 2394, 2586, 2593, 2599, 2607, 2622, 2634, 2682, 2707, 2795, 2822, 2843, 2852, 2862, 2888, 2911, 2979, 2980, 2981, 2998, 3020, 3075, 3137, 3168, 3170, 3171, 3192, 3202, 3203, 3211, 3219, 3243, 3253
government agent, government personnel 정부요원, 정부의 요원, 정부의 직원
(additional) grand jury 추가적 대배심
(additional) (prospective) grand jurors, further number of grand jurors 추가적 대배심원(후보)
(another) grand jury 별도의(다른, 또 한 개의, 상이한) 대배심 / 1827, 1875, 2004, 2060, 2061, 2062, 2064, 2065, 2066, 2067, 2068, 2092, 2093, 2270, 2271, 2311, 2323, 2468, 2504, 2505, 2622, 2627, 2796, 2822, 2921, 2929, 2938, 3113, 3114, 3186, 3196, 3248, 3272, 3294
(be present in the) grand jury room 대배심실에 출석하다
grand jury for a county, grand jury of a county, county grand jury, 카운티 대배심
(investigative) grand jury 조사대배심
(judicial district) grand jury 재판구 전체관할 대배심
(legal advisors of) grand jury (대배심의) 법적 조언자들
grand jury list 대배심 명부
grand jury report 대배심 보고서
grand jury reporter 대배심 속기사
(outside the) grand jury room 대배심실 밖에서, 대배심실 밖으로
(reasonable opportunity to step outside the) grand jury room to consult with counsel 대배심실 밖으로 나가서 변호인 에게 상의할 합리적 기회
grand-jury secrecy 대배심 비밀
grand jury transcript 대배심 녹취록(서)
grand larceny 중절도죄
gross misdemeanor 중경죄
Guam 괌
guardian 후견인
(relation of) guardian and ward 후견인-피후견인 관계

H

habeas corpus 인신보호영장

(physical) handicap, physical infirmities, physical disability, / 신체적 장애

hard of hearing, hearing-impaired, deaf 청각상실의, 청각장애의, 귀가 먼

hardship 곤경

harmless error 무해한 오류

hatred 원한

(Department of Public) Health 공중보건국

(hard of) hearing, hearing-impaired, deaf 청각상실의, 청각장애의, 귀가 먼

hearsay, hearsay evidence 전문증거

hearsay statement 전문진술

high school 고등학교

(institution of) higher learning 고등교육기관

(legal) holidays 법정공휴일

home study program 홈스터디 프로그램

hope 기대 / 1786, 1787, 1843, 1844, 1985, 2070, 2147, 2172, 2276, 2589, 2590, 2619, 2797, 2798, 2837, 2856, 2960, 2993, 3039, 3104, 3206, 3207, 3250, 3251

House, General Assembly, Congress 의회

I

identifying information 신원확인 정보

identifying number (동일인, 동일성) 식별번호

ignoramus, not found, no bill, no-bill, no true bill, not a true bill 불기소 평결, 불기소 평결된 (대배심 검사)기소장안

immediate superior 직근상관

immigration 이민

immunity 면제(특권)

immunity from prosecution 소추면제

(order of) immunity 면제명령

(qualified) immunity 제한적 면제

(waiver of) immunity 면제의 포기, 면제포기서

impeachment 탄핵

important witness, material witness 중요증인

(life) imprisonment 종신형

inadmissible 증거능력(이) 없는, 증거능력이 부정된

in camera, close, closed, closure, nondisclosure 비공개(의, 의 것으로 하다)

incapacity, incompetency 무능력

income tax return 소득세 신고서

incriminating evidence 부죄적 증거, 부죄적 증언

indigent accused, indigent defendant 가난한 피고인

(physical) infirmities, physical disability, physical handicap, / 신체적 장애

(undue) influence 부당한 영향력

informant 신고자

in forma pauperis 소송구조

information 검사 독자기소(장)

(trial) information (정식사실심리) 검사 독자기소장

initial appearance 최초의 출석

Initial questions 최초의 질문들

initials 머리글자들

(jury of) inquest 강제적 사실조사 배심

insane, insanity 정신이상

inspection 점검

(Director of National) Intelligence 국가정보원장

intercepted, interception 도청

(conflict of) interest 이익충돌

interests of justice 사법의 이익

internal state documents 주 측 내부문서

internal defense document 방어 측 내부문서

internet 인터넷

interpreter 통역인

(reasonable) intervals 합리적 시간간격들

investigative grand jury 조사대배심

investigative power 조사(적) 권한

investigative purposes 조사(적) 목적

investigator 조사관

irregularity 규칙위반

issues of fact 사실의 쟁점들

issues of law 법의 쟁점들

J

jail, prison 감옥

(double) jeopardy 이중위험

joint trial 병합에 의한 정식사실심리

judge of probate, probate judge 유언검인 판사

(arrest of) judgment 판결억지

Judicial Conference of the United States, Judicial Council (합중국) 사법관회의

judicial district grand jury 재판구 전체관할 대배심

judicial officer, officer of a court 사법관

judicial review panel 사법심사 합의부

juror fee, juror's fee, jury fee 배심원 보수

juror pool, jury poo l배심(원)(후보)풀

juror qualification questionnaire, juror questionnaire, questionnaire 배심원(후보) 자격심사 질문서

juror questionnaire form, qualification questionnaire form, (배심원) 자격심사 서식

jury administrator 배심관리인

jury book 배심장부

jury box, box 배심원후보상자

jury commission, board of jury commissioners 배심위원회

jury commissioner 배심위원

jury cost 배심비용

jury fee, juror fee 배심(원) 보수

jury instructions 배심 지시사항들

(additional) jury list 추가적 배심명부

(annual) jury list 당해연도 배심명부

(base) jury list 기본 배심명부

(enhanced prospective) jury list 증강된 배심원후보 명부

(grand) jury list 대배심 명부

jury list 배심명부

jury of inquest 강제적 사실조사 배심

jury panel, panel 배심원(후보)단

jury pool, juror pool 배심(원)(후보)풀

jury questionnaire 배심 질문서

jury tampering 배심매수죄

jury trial, trial by jury 배심에 의한 정식 사실심리, 배심재판

jury wheel 배심원후보 명부 저장장치

(master) jury wheel 종합 배심원후보 명부 저장장치

(ends of) justice 사법의 목적

(interest) of justice 사법의 이익

justice, justice of the peace, magistrate 치안판사

(obstruction of) justice 사법방해

Justice Manual 연방 법무부 검찰업무 편람

juvenile 소년

K

key 열쇠

kidnapping 유괴

(personal) knowledge 직접의 지식

(last) known address 알려진 최후의 주소

L

larceny, theft 절도

last known address 알려진 최후의 주소

(issues of) law 법의 쟁점들

lawyer-client privilege 변호사-의뢰인 특권

(sick) leave 병가

legal advisors of grand jury 대배심의 법적 조언자들

legal blindness, legally blind 법적(으로) 맹인(인)

legal holidays 법정공휴일

legal matter, matters of law, point of law, questions of law 법(의, 적) 문제

length of service, period of service, term, term of service, tenure, time 복무기간

levy 징수(하다)

libel 문서비방

life imprisonment 종신형

limitations period, period of limitations, Statute of limitations 공소시효

(courts of) limited jurisdiction, limited jurisdiction Courts 제한된(적) 관할의(을 지니는) 법원들

loan sharking 고리대금업

M

(committing) magistrate 구금 치안판사

magistrate (연방의) 수권보조 판사, ㈜ 치안판사

magistrate, justice, justice of the peace ㈜ 치안판사

magistrate court, justice court, court of general sessions 치안판사 법원, 치안(판사) 재판소

magnetic tape 마그네틱 테이프

majority vote 과반수(의) 찬성

malfeasance 부정행위

malice, malicious 악의(의)

mandamus 직무집행 영장

manslaughter 고살

marital, married 혼인의

master, employer 고용주

master jury wheel 종합 배심원후보 명부 저장장치

master list 종합명부

material object, tangible object 유형물

material witness, important witness 중요증인

matters of fact, questions of fact 사실문제들

matters of law, legal matter, point of law, questions of law 법(의, 적) 문제

mental defect 정신적 결함

mental disease 징신(적) 질환

mental examination 정신적 감정

mileage 여비수당

(Uniform Code of) Military Justice 군사법원 통일법전

minor 미성년(자)

(brief) minute 요약 의사록

minutes 의사록

minutes of evidence 증거 의사록

minutes of the court 법원 의사록

misconduct 위법행위

(enhanced) misdemeanor 가중경죄

(gross) misdemeanor 중경죄

(limitation of witness fees in) misdemeanor trials 경죄 정식사실심리들에서의 증인보수들의 제한

misdemeanor 경죄

misdemeanor theft, petit larceny 경절도

misfeasance 실당행위

misrepresent, misrepresentation 부실기재, 부실표시, 거짓되게 설명하다

mistrial 심리무효

(writ of) mittimus 수감영장

money laundering 자금세탁

Money Laundering Act 자금세탁방지법

mortgage fraud 담보대출사기, 담보권 사기

motion to dismiss an indictment 대배심 검사기소장(을) 각하(하여 달라는) 신청

motion to suppress 증거(를) 배제(삭제)(하여 달라는) 신청

Motor Vehicle Administration, bureau of motor vehicles, Department of Motor Vehicles, Division of Motor Vehicles 자동차관리국

multicounty grand jury 복수카운티 관할 대배심

municipal attorney 시군 자치체 검사

municipal corporation 시군 자치체

murder 모살

N

narcotic drug, narcotics 마약

national defense 국방

(Director of) National Intelligence 국가정보원장

national origin 출신국

new charge 새로운 공소

newly established business 새로이 설립된 사업체

new trial 새로운 정식사실심리

no bill, no-bill, ignoramus, not found, no true bill, not a true bill 불기소 평결, 불기소 평결된 (대배심 검사)기소장안

nolle prosequi 공소취하(서)

no contest 불항쟁 답변

noncapital 사형에 해당하지 아니하는

nondisclosure, in camera, close, closed, closure 비공개(의, 의 것으로 하다)

nondisclosure statement 비밀준수 서약서

nonjury trial 배심에 의하지 아니하는 정식사실심리

notarization, notarize 공증, 공증인에게서 인증받기

not a true bill, not found, no bill, no-bill, no true bill, ignoramus 불기소 평결, 불기소 평결된 (대배심 검사)기소장안

not bailable 보석이 가능하지 아니한

note 어음

not privileged 증거캐기 금지특권의 (보호)대상이 아닌

no true bill, not a true bill, not found, no bill, no-bill, ignoramus 불기소 평결, 불기소 평결된 (대배심 검사)기소장안

O

oath of jurors chosen for particular case 특정 사건을 위하여 선정된 배심원들의 선서

objections for cause 이유부 이의들

obligation of secrecy, confidentiality, secrecy, secrecy obligation 비밀준수 의무 비밀성, 비밀의무

obstruction of justice 사법방해

offense level 범죄등급

offense of overtime parking (시간초과) 주차위반

Office of Court Administration 법원사무국

officer 임원

(judicial) officer, officer of a court 사법관

official record 공문서, 공식기록, 공식의 기록 / 2015, 2255, 2531, 2874

one-day 하루

open court 공개법정, 공개의 법정

opening 개시변론

operator of a recording device 녹음장비 기사

(reasonable) opportunity to consult with counsel 변호인에 더불어 상담할 합리적 기회

(reasonable) opportunity to step outside the grand jury room to consult with counsel 대배심실 밖으로 나가서 변호인 에게 상의할 합리적 기회

oral statement 구두진술

oral summary 구술의 요약

order of immunity 면제명령

(show cause) order 이유제시 명령

organized crime 조직(적) 범죄

organized criminal activity 조직(적) 범죄활동

original documents 원본문서

outside the grand jury room 대배심실 밖에서, 대배심실 밖으로

(offense of) overtime parking (시간초과) 주차위반

ownership 소유권

P

(extra or special) panel 특별 배심원(후보)단

(jury) panel 배심원(후보)단

(judicial review) panel 사법심사 합의부

panel, panel of judges 판사들의 대배심 소집심사 합의부

(Board of) Pardons and Paroles 사면 및 가석방위원회

pardon 사면, 은사

parent 부모

(offense of overtime) parking (시간초과) 주차위반

parole, supervised release 가석방

partnership 조합

penitentiary 교도소

per diem 일당

peremptory challenge 무이유부 기피

peremptory strike 무이유부 삭제

period of service, length of service, term, term of

service, tenure, time 복무기간
(aggravated) perjury 가중위증죄
perjury 위증(죄)
(excuse) permanently 영구적으로 면제하다
permanent physical disability, permanent physical or mental disability, permanently mentally or physically disabled, 영구적인 신체적 장애, 영구적인 신체적 내지는 정신적 장애, 영구적으로 정신적 내지는 육체적 장애를 지닌
(subornation of) perjury 위증교사
personal knowledge 직접의 지식
petit jury 소배심
petit larceny, misdemeanor theft 경절도
physical disability, physical handicap, physical infirmities / 신체적 장애
physical evidence 물적 증거
physical handicap, physical infirmities, physical disability, / 신체적 장애
place of commission 범행장소
plea agreement 답변합의
pleading 주장(서면)
(court of common) pleas 국민간소송 법원
point of law, legal matter, matters of law, questions of law 법(의, 적) 문제
poll 배심투표 조사집계
postconviction procedure 유죄판정 사후절차
postsecondary school 중등학교
(Christian Science) Practitioner 목사
prejudice bias, 선입견, 편견 / 2400, 2495, 2497, 2653, 2708, 2709, 2712, 2987, 3021, 3036, 3162, 3246, 3247
(without) prejudice 기판력의 불이익 없이, 불리한 기판력 없이, 권리들에 대한 침해 없이 / 2005, 2006, 2234, 2243, 2504, 2505, 2507, 2708, 2793, 3037
preliminary examination, preliminary hearing 예비심문
preponderance of evidence 증거의 우세
(attorney's) presence 변호사의 출석
present, presentment 대배심 독자고발(에 처하다)
(right to have counsel) present 변호인을 출석시킬 권리
(deputy) presiding juror, (deputy) foreman, deputy foreperson, vice foreman 부배심장
presiding juror, foreman, foreperson 배심장
presume, presumption 추정(하다)
pretrial conference 정식사실심리 전 협의
pretrial motions 정식사실심리 전 신청들
pretrial proceeding 정식사실심리 전 절차
pretrial release, release before trial, release pending trial 정식사실심리 전 석방
pretrial release program 정식사실심리 이전 석방처우과정
prima facie 일응(의, 으로)
primary caregiver, primary caretaker 주된 돌보미
primary teacher 초등교사
prison, jail 감옥
prisoner 죄수
private room 비밀실
(lawyer-client) privilege 변호사-의뢰인 특권
privilege against self-incrimination 자기부죄 금지
(not) privileged 증거캐기 금지특권의 (보호)대상이 아닌
privileged 증거캐기 금지특권의 (보호, 적용)대상인, 증거캐기 금지특권을 지닌, 답변을 보류할 특권을 지닌
probable cause 상당한 이유
probate court 유언검인 법원
probate judge, judge of probate 유언검인 판사
probation 보호관찰
(enhanced) prospective jury list 증강된 배심원후보 명부
prospective juror 배심원후보
prospective jury list 배심원후보 명부
prostitution 매춘
protective order 증거캐기 제한명령
(be made) public, public announcement, publication, be published 공표(되기)
public agency, public authority, public institution 공공기관

public announcement, publication , (be made) public, be published 공표(되기)
public authority, public body, public agency, public institution 공공기관
public buildings 공공건물들
public corruption 공직부패
public defender 국선변호인
public document 공공문서
public employee 공공피용자, 공적 피용자
public event 공개적 행사
(Department of) Public Health 공중보건국
public inspection 공중의 점검
public institution, public agency, public authority 공공기관
public interest 공공의 이익, 공익, 공중의 이익 / 1756, 1784, 1890, 1892, 1893, 1896, 1972, 1975, 1976, 2002, 2031, 2032, 2049, 2203, 2204, 2250, 2438, 2448, 2449, 2574, 2576, 2578, 2579, 2583, 2584, 2588, 2612, 2801, 2812, 2815, 2819, 2820, 2842, 2843, 2844, 2848, 2852, 2853, 2860, 2862, 2866, 2941, 3022, 3101, 3180, 3181, 3192, 3211, 3219, 3226
public necessity 공공의 필요, 공익의 필요, 공중의 필요 / 1751, 2024, 2025, 2061, 2063, 2078, 2079, 2134, 2548, 2896, 3172
public office 공공 사무소, 공무상의 직위, 공적 직무, 공직 / 2440, 2441, 2811, 2817
public officer, public official 공무원, 공직자 / 1762, 1801, 1822, 1830, 1882, 1892, 1893, 1895, 2246, 2431, 2440, 2441, 2623, 2805, 2811, 2817, 2877, 2878, 3018, 3019, 3020, 3021, 3110, 3111, 3123, 3292, 3293
public record 공공기록
public transportation 대중교통
publication, be made public, public announcement, be published 공표(되기)
punitive damages 징벌적 손해배상

Q

qualification questionnaire form, juror questionnaire form (배심원) 자격심사 서식
qualified immunity 제한적 면제
qualified jury wheel 유자격 배심원후보자 명부 저장장치
(initial) questions 최초의 질문들
(qualification) questionnaire form, juror questionnaire form (배심원) 자격심사 서식
questionnaire, juror qualification questionnaire, juror questionnaire 배심원(후보) 자격심사 질문서
questions of fact, matter of fact 사실문제
questions of law, point of law, legal matter, matters of law 법(의, 적) 문제
(county) quorum court 카운티 의회
quorum 의사정족수
quotient 몫
quo warranto 권한개시(開示)영장

R

race 인종
racketeer, extort 갈취, 공갈
random selection 무작위 선정
rape 강간
real evidence 실물증거
real-time captioning 실시간 자막제공
reasonable diligence, due diligence 합리적 근면, 정당한 근면
reasonable doubt 합리적 의심
reasonable intervals 합리적 시간간격들
reasonable opportunity to consult with counsel 변호인에 더불어 상담할 합리적 기회
reasonable opportunity to step outside the grand jury room to consult with counsel 대배심실 밖으로 나가서 변호인 에게 상의할 합리적 기회
recognizance 서약보증서, 출석담보금증서 / 1864, 1865, 1899, 2226, 2243, 2274, 2705, 2969
recommendation 권고, 권고사항, 권유, 추천 / 1822, 1847, 1881, 1977, 2075, 2076, 2099, 2152, 2449, 3018, 3116, 3117, 3125, 3126
(counsel of) record, (attorney of) record 정식기록 변호사, 정식기록 변호인
(public) record 공공기록
(county) recorder 카운티 부동산거래증명등록관

recording device, recording equipment, electronic recroding device, electronic recording equipment 녹음장비, 전자적 녹음장비

redact, redaction 가리다, 가림처리 하다, 가리기

(charge) reductions 혐의감축

reduction, diminish 감경

refusal to testify, refuse to testify 증언(하기를) 거부(하기)

registered 등기우편에 의한

registered voters 등록유권자들

regular grand jury 정규 대배심

regular mail 정규우편

regular term 정규 개정기

reimburse, reimbursement 변상하다, 변상금

reinstatement 복직

relation of guardian and ward 후견인-피후견인 관계

(attorney and client) relationship, relation of attorney-client 변호인-의뢰인 관계

relationship, affinity 인척(관계)

release, discharge 석방

release, unlock 개봉

release before trial, release pending trial, pretrial release 정식사실심리 전 석방

release condition, conditions of release 석방조건

release pending trial, release before trial, pretrial release 정식사실심리 전 석방

reliability, credibility, trustworthiness 신빙성

removal and replacement of attorney 변호사의 배제 및 교체

removal, dismiss, dismissal, discharge 임무해제, 해고, 해임

(removal and) replacement of attorney 변호사의 배제 및 교체

(grand jury report) 대배심 보고서

reporter, court reporter, stenographer, stenographic reporter 속기사

(be) represented by counsel, represented 변호인의 대변을 누리다

(judicial) review panel 사법심사 합의부

right to (a) jury trial 배심에 의한 정식사실심리를 누릴 권리

right to appeal 항소할 권리

right to appear as a witness 증인으로서 출석할 권리

right to be represented by counsel 변호인의 대변을 누릴 권리

right to call a witness 증인을 소환할 권리

right to compel the attendance of witnesses 증인들의 출석을 강제할 권리

right to consult with counsel 변호인에 더불어 상의할 권리

right to counsel 변호인의 조력을 받을 권리

right to have counsel present 변호인을 출석시킬 권리

rule(s) of evidence 증거규칙

rumor 소문

S

(postsecondary) school 중등학교

(vocational) school 직업학교

scientific test 과학적 시험

seal, sealed, sealing 관인, 봉인 / 1817, 1826, 1848, 1896, 1897, 1948, 1949, 1959, 2084, 2182, 2227, 2228, 2229, 2230, 2314, 2315, 2336, 2337, 2474, 2475, 2477, 2596, 2599, 2600, 2602, 2762, 2763, 2830, 2841, 2849, 2855, 2861, 2866, 2867, 2924, 2939, 2940, 2982, 3013, 3014, 3016, 3019, 3021, 3022, 3030, 3032, 3086, 3122, 3187, 3188, 3189, 3190, 3191, 3196, 3209, 3216, 3217, 3223, 3224, 3248, 3300, 3339

sealed indictment 봉인된 대배심 검사기소장

search warrant 수색영장

second hearing 두 번째 심리

secrecy, secrecy obligation, obligation of secrecy, confidentiality 비밀준수 의무 비밀성, 비밀의무

seizure 압류(하다), 압수(하다)

(privilege against) self-incrimination 자기부죄 금지특권

seniority 선임자(로서의) 지위, 선임자 서열

sentence concession 형량양보
sentencing 양형상의, 형선고
separate, separation, sever, severance 분리
separate count 별개의 소인
sequester, sequestration 격리, 격리조치
(period of) service, length of service, term, term of service, tenure, time 복무기간
set aside, abatement, discharge, dismiss, dismissal 취하
sever, severance, separate, separation, 분리
severely disabled person 중장애인
sex, gender 성별
sex offense, sexual conduct, sexual offense, 성범죄
sheriff 집행관
show cause 이유를 제시하다
show cause order 이유제시 명령
(for cause) shown 증명되는(된) 이유에 따라서
sick leave 병가
sign language 수화
sign language interpreter 수화 통역인
social security number 사회보장 등록번호
solicitation 유도
source list 원천명부
source of information 정보원
special assistant 특별검사보
special counsel, special prosecuting attorney, special prosecutor 특별검사
special grand jury 특별대배심
special inquiry judge 특별조사 법관
special jury list 특별 배심명부
(extra or) special panel 특별 배심원(후보)단
special presentment 대배심 특별 독자고발장
special term 특별 개정기
special venire 특별소집 배심원후보단
special verdict 특별평결
speech impaired 언어장애의
speedy trial 신속한 정식사실심리
spouse 배우자
state court administrator 주 법원 사무처장
state grand juror 스테이트 대배심원(후보)
state grand jury 스테이트 대배심
statewide grand jury 주 전체관할 대배심
statewide master jury list 주 전체 종합 배심명부
statute of limitations 공소시효
stenographer, stenographic reporter, reporter, court reporter 속기사
(peremptory) strike 무이유부 삭제
strike 삭제(하다)
student 학생
subornation of perjury 위증교사
subpoena 벌칙부소환장
subpoena duces tecum 문서제출명령 벌칙부소환장
Subpoenaed material 문서제출명령 벌칙부소환장에 의하여 제출된 자료
substantial right 실질적 권리
(oral) summary 구술의 요약
summary manner 약식의 방법
Sunday 일요일
(immediate) superior 직근상관
supervised release, parole 가석방
supportive person, (victim witness) advocate 조력인, 피해자 증인 조력인
(motion to) suppress 증거(를) 배제(삭제)(하여 달라는) 신청
suppression 증거배제
surety 보증인
surplusage 불필요한 문구
false swearing 허위선서
sworn testimony, testimony under oath 선서증언

T

tales box 보결배심원후보상자
talesman 보결배심원
tangible objects, material object 유형물
target 표적
(income) tax return 소득세 신고서

(primary) teacher 초등교사

teacher 교사

technical college 전문대학

(video) teleconferencing 원격지 간 화상회의

telephone 전화

telephone standby 전화대기 상태

(special) term 특별 개정기

term, term of service, tenure, period of service, length of service, time 복무기간

territorial authority, territorial jurisdiction 토지관할

terrorism 테러

testimony of an accomplice 공범의 증언

testimony under oath, sworn testimony 선서증언

(truthful) testimony 진실한 증언

theft, larceny 절도

time, term, term of service, tenure, period of service, length of service, 복무기간

title 권원

transcript 녹취(록, 서)

travel expenses 여행경비

treasurer 회계출납관

treasury 재정회계

trial by jury, jury trial 배심에 의한 정식 사실심리, 배심재판

trial information (정식사실심리) 검사 독자기소장

true bill 기소평결부 대배심 검사기소장안, 대배심 검사기소평결, 기소평결 / 1847, 1862, 1889, 1896, 1919, 1936, 1955, 1956, 1957, 1958, 1959, 1963, 1969, 2005, 2016, 2053, 2293, 2294, 2315, 2339, 2474, 2506, 2625, 2788, 2806, 2828, 2836, 2855, 2920, 3056, 3115, 3151, 3203, 3205

true name 진실한 이름

trustworthiness, reliability, credibility 신빙성

truthful testimony 진실한 증언

typist 타이피스트

U

unanimous 만장일치의

undue influence 부당한 영향력

Unified Criminal Docket 통합형사사건부

Uniform Code of Military Justice 군사법원 통일법전

university 대학교

unlock, release 개봉

unnecessary delay 불필요한 지체

use immunity 사용면제

V

vacancy 결원, 공석, 궐석, 궐위 / 1860, 1880, 1940, 1941, 2250, 2348, 2351, 2800, 2913, 2921, 3117, 3118

vacation 폐정기

venire, venire facias 배심(원) 소집, 배심(원) 소집(영)장, 소집(환)된 배심원후보단, 소집대상 배심원후보단 / 1754, 1755, 1757, 1758, 1759, 1760, 1761, 1771, 1982, 1984, 2060, 2061, 2062, 2063, 2064, 2065, 2066, 2067, 2069, 2086, 2087, 2171, 2305, 2360, 2371, 2373, 2374, 2376, 2382, 2412, 2413, 2427, 2428, 2429, 2430, 2460, 2484, 2485, 2486, 2659, 2682, 3033, 3059, 3074, 3075, 3095

venireperson 배심원

venue 재판적, 재판지

verbatim record 축어적 기록

vice foreman, deputy foreman, deputy foreperson, deputy presiding juror, 부배심장

victim witness 피해자 증인

victim witness advocate, supportive person 피해자 증인 조력인, 조력인

video teleconferencing 원격지 간 화상회의

view 검증

visually impaired 시각 장애자

vocational school 직업학교

voir dire 배심원자격 예비심문

vote, voting 찬성, 투표, 표결

voter 유권자, 투표권자 / 1753, 1763, 1764, 1767, 1837, 1839, 2015, 2017, 2018, 2110, 2349, 2350, 2528, 2531, 2532, 2533, 2534, 2535, 2650, 2663, 2664, 2665, 2666, 2667, 2670, 2671, 2678, 2679, 2686, 2692, 2694, 2695, 2696, 2697, 2790, 3091, 3092, 3165

W

waiver of immunity 면제(특권)의 포기, 면제포기서

waiver of indictment 대배심 검사기소(장을 누릴 권리에 대한) 포기(서)

(relation of guardian and) ward 후견인-피후견인 관계

warden 교도소장

warrant of arrest, arrest warrant 체포영장

warrant of commitment 구금영장

(dangerous) weapon, deadly weapon 흉기

(examination) without charge 무료의) 검사

without prejudice 기판력의 불이익 없이, 불리한 기판력 없이, 권리들에 대한 침해 없이 / 2005, 2006, 2234, 2243, 2504, 2505, 2507, 2708, 2793, 3037

(compel the attendance of) witnesses 증인들의 출석을 강제하기

(first) witness 최초의 증인

(important) witness, material witness 중요증인

(right to appear as a) witness 증인으로서 출석할 권리

right to call a witness 증인을 소환할 권리

(limitation of) witness fees in misdemeanor trials 경죄 정식사실심리들에서의 증인보수들의 제한

witness's fees 증인 보수

witness for the prosecution 검찰 측 증인

writ of mittimus 수감영장

(All) Writs Act 영장권한 통합법

year next, following calendar year, ensuing year 차기연도

부록: 대배심 개설

1. 대배심(Grand Jury)이란 무엇인가?

대배심은 지역공동체 내의 사민들로부터 법원에 의하여 무작위로 선정되고 소집되어 자격심사를 거쳐 충원구성되는, 당해 지역 내에서의 범죄들을 또는 공공사안들을 조사하여 기소 여부를 평결하고 보고서를 작성하는 사람들의 통일체로서 법원의 일부를 구성한다. 법원은 자신이 부여하는 임무를 위하여 대배심이 필요로 하는 권한을 영장의 발부와 증인소환 등을 통하여와 법적 조언으로써 조력하고, 검사는 대배심의 조사에 출석하여 증인신문과 법적 조언 등으로써 조력하며, 대배심은 이러한 법원, 검찰의 후원과 조력 가운데 사안에 대한 결정을 독립적으로 내린다. 결국, 시민들이 법원·검찰에 결합되어 공공의 문제들을 조사하고 처분하는 권한을 행사하는 독립의 기관이 대배심이다. 이로써 사법은 국민의 것이 되고, 국민의 법치전선은 전진된 공간에서 국민 자신에 의하여 상시적으로 수호된다.

일정한 범죄의 기소에 대배심의 평결을 요구함에 의하여, 권력자(국가)의 또는 개인들의 불의한 또는 악의적인 기소로부터 시민들을 보호하는 방패로서의 역할을 대배심은 한다. 나아가, 지역 내의 범죄들을 조사하여 기소할 권한을 대배심원 후보 풀인 전체시민들로 하여금 상시적으로 가지게 함에 의하여, 개인들에 의한 것을이든, 공직자에 내지는 권력자에 의한 것을이든, 범죄를 다스리고 불의를 응징하는 시민들의 칼로서의 기능을 대배심은 발휘한다. 대배심은 국가사회의 정의실현을 위한 시민들의 대오이며 그들의 손에 시민들이 쥐는 무기이다.

2. 대배심의 기원 및 현재

대배심은 영국국왕 헨리 2세 때인 1166년의 클라렌덴법(the Assize of Clarendon)에 그 기원을 둔다. 각각의 주(州)에서, 순회법원의 지난 번 개정기 이래로 저질러진 모든 범죄들을 주 장관에게 보고하기 위하여 지역의 중요인물들의 조직체가 선서절차에 처해져, 재판에 넘길 피고인들을 결정하였다. 1215년 마그나카르타 제61조는 국왕의 불법에 대하여 귀족들 25명으로 구성되는 평의회가 국왕을 소추하고 재판하고 집행하도록 규정하였는데, 이것은 특히 공직자들을 포함하는 권력자에 대한 소추기능을 대배심이 지니게 된 배경이 되었다. 대배심 제도는 약 700여 년이 넘도록 영미법 국가에서 광범위하게 실시되어 왔고 법이 국민의 것으로 정립되는 데에 중요한 역할을 하였다. 국가검찰 제도가 수립되고 민주적 통제 아래서 신뢰성이 인정된 19세기 이후에 이르러 다른 나라들에서 점차로 대배심이 폐지되었으나, 미국의 연방과 콜럼비아 특별구에서와 주들에서 그것은 여전히 활발하게 작동하면서 법과 정의를 수호하고 있다. 대배심은 라이베리아에서, 그리고 문화적 역사적으로 우리에게 가까운 일본에서도 기능을 수행하고 있다.[1)]

3. 대배심을 소집할 권한 내지 의무는 법원에 있다.

3.가. 대배심의 소집은 판사의 직권에 의하여, 검사의 청구에 따라서 또는 일정수의 유권자들의 청구에 따라서 법원이 한다.

3.나. 공중의 이익이 요구하는 경우에는 대배심이 소집되도록 법원은 명령하지 않으면 안 된다.

검사가 범인을 재판에 넘기는 문제는 공중의 이익이 요구하는 사안에 해당하므로, 검사의 요청이 있으면 법원은 대배심을 소집하여야 한다. 지역 내의 범죄활동의 내지는 부패의 충분한 증거가 있다는 것이 지역 판사들 과반수의 의견인 때에는 법원은 대배심을 소집하여야 한다.[2)]

---

1) 박승옥, 박승옥 변호사가 말하는 사법개혁 쟁취의 길 시민배심원제 그리고 양형기준 (2018) 65쪽 이하의 위키피디아 Grand Jury 기사의 원문과 번역문을, 130쪽 이하의 마그나카르타 원문과 번역문을 참조하라.
2) Federal Rules of Criminal Procedure Rule 6(a)); Washington Revised Code 10.27.030

검사가 대배심 소집을 청구함에는 지방검사 회의의 적어도 3명의 위원회의 동의서를, 그리고 검찰총장의 동의서를 첨부한 청구서를 제출하도록 하고서, 대배심의 소집을 명령할지 여부를 판단하기 위한 대법원장에 의하여 지명된 세 명의 판사들의 대배심 소집심사 합의부의 판단에 따라서 대배심을 소집하게 하는 입법례가 있다.[3]

3.다. 유권자들의 청구에 의한 소집을 보장하는 입법례들

3.다.(1) 네바다주

다섯 명의 등록유권자들로 구성되는 청구인들의 위원회는 대배심의 소집의 필요성을 설명하는 선서진술서를 재판구 지방법원의 서기에게 제출한 뒤 180일 내에, 직전 총선거 때에 카운티 내에서 투표한 투표자들의 적어도 25% 숫자의 등록유권자들의 서명들을 담은 대배심소집 청구서를 서기에게 제출함으로써 대배심 소집을 법원에 청구할 수 있다. 청구서가 제출된 뒤 20일 내에 서기는 당해 청구서가 충분한지 또는 불충분한지 여부를 밝히는 검정서를 작성하여야 하고, 만약 청구서가 충분한 것으로 검정되면, 검정서 등본을 법원에 신속하게 제출하여야 하며, 한 개의 대배심을 법원은 소집하여야 한다. 청구서가 불충분한 것으로 검정되면, 당해 청구서가 불충분하다는 서기의 판정에 대한 법원의 검토를 구하는 요청서를 검정서 등본의 수령 뒤 2일 내에 법원에 위원회는 제출할 수 있다. 서기의 판정이 정확하였음을 만약 법원이 인정하면, 위원회는 대배심을 소집하기 위한 새로운 절차를 개시할 수 있거나 또는 불복절차를 취할 수 있다. 서기의 판정이 파기되지 않으면 안 된다고 만약 법원이 판단하면, 대배심을 법원은 소집하여야 한다.[4]

---

3) North Carolina General Statutes § 15A-622 (h)

4) Nevada Revised Statutes § 6.132

3.다.(2) 노스다코타주

주지사를 위한 직전의 총선거에서의 카운티 내의 전체 투표수의 적어도 25%에 해당하는 숫자의 카운티 유자격 유권자들에 의하여 서명된 청구서가 판사에게 제출되는 경우에는 - 서명자들의 숫자는 225명에 미달하여서도 5,000명을 초과하여서도 안 된다 - 언제든지 카운티의 재판구 지방법원 판사는 한 개의 대배심을 추출하도록 및 소환하여 출석시키도록 명령하지 않으면 안 된다.[5]

3.다.(3) 뉴멕시코주

카운티 내의 등록유권자 200명의 또는 등록유권자 2%의 그 둘 중 더 큰 숫자의 서명이 있으면 대배심의 소집은 명령되어야 한다.[6]

3.다.(4) 캔자스주

어떤 카운티에서든 100에다 직전의 주지사 선거에서의 당해 카운티 내에서의 전체 투표자수의 2%를 합산한 숫자의 유권자들의 서명들을 단 청구서가 재판구 지방법원에 제출된 뒤 60일 내에 한 개의 대배심이 소집되어야 한다.[7]

3.다.(5) 오클라호마주

오클라호마주 헌법 제5조 제5절에 규정된 발의청구서에 의한 카운티의 입법을 제안하기 위하여 요구되는 서명들의 숫자에 해당하는 카운티의 유자격 유권자들의 서명이 붙은 청구서의 제출이 있으면 재판구 지방법원 판사에 의하여 대배심은 명령되어야 하는바, 그 요구되는 서명들의 최소한도는 500으로, 최대한도는 5,000으로 한다.[8]

---

5) North Dakota Century Code 29-10.1-02
6) New Mexico Constitution Art. 2 Sec. 14
7) KS Stat § 22-3001 (c) (1)
8) Oklahoma Constitution Article II Section II-18

4. 배심원의 선정

4.가. 일반시민들로부터의 무작위선정

카운티를 위한 개개 배심은 카운티 내에 거주하는 주에 속한 성인 시민들의 공평한 횡단면으로부터 무작위로 선정되어야 한다.[9] 대배심원의 자격조건은 유무죄를 평결하는 소배심(petit jury)의 자격조건에 일반적으로 동일하게, 합중국의 시민일 것; 18세 이상일 것; 해당 카운티의 주민들일 것; 영어를 읽을 수, 말할 수 및 이해할 수 있을 것; 신체적 내지는 정신적 장애로 인하여 만족스러운 배심복무를 제공할 수 없는 경우가 아닐 것; 중죄들로 유죄판정 되고서 시민적 권리들이 회복되지 아니한 상태에 있지 아니할 것 등이 요구된다. 배심복무로부터의 결격인지 여부를 배심원 자격심사 서식 위에 제공되는 정보의 또는 당해 배심원후보와의 면담의 또는 여타의 상당한 증거의 토대 위에서 법원은 결정하여야 한다. 있을 수 있는 결격에 관하여 의사의 또는 목사의 증명서 등 증거를 제출하도록 배심원후보는 요구될 수 있는바, 그 의사는 내지는 목사는 법원의 재량에 따라서 법원에 의하여 질문에 처해진다.[10]

4.나. 판사가 또는 판사들이 조사대배심을 구성하는 입법례가 있다.

코네티컷주에서는, 판사들의 합의체에 한 명의 판사가 범죄조사를 신청함에 따라서 판사가/들이 조사대배심을 구성한다. 범죄조사를 구하는 신청을 수령하도록 지정된 판사들의 합의체에 그러한 신청을 상위 지방법원의, 항소법원의 내지는 대법원의 판사 누구나가 제기할 수 있고, 합의체가 신청을 승인하여 범죄조사를 명령하면, 범죄조사를 수행하도록 상위 지방법원의 한 명의 판사를, 주 헌법문제 담당 판사를, 또는 세 명의 판사들을 - 다만, 그 합의체에서 복무하도록 대법원장에 의하여 지명되는 한 명의 판사를 제외한다 - "조사대배심"으로 법원사무처장이 지정하여 그 조사대배심으로 하여금 범죄의 조사를 수행하게 하고 있다.[11]

---

9) 가령, MD Cts & Jud Pro Code § 8-104 등이다.
10) 가령, 10 DE Code § 4509, New Jersey Statutes 2B § 20-1 등이다.
11) Connecticut General Statutes § 54-47b

4.다. 대배심에 대한 또는 대배심원에 대한 기피신청

법에 따라서 대배심원들이 추출되지 않았음을 내지는 선정되지 않았음을 이유로 해서만 대배심은 기피될 수 있고, 당해 대배심에 또는 특정의 사안에 착석할 자격을 한 명의 개별 대배심원이 지니지 아니함을 이유로 그 배심원은 기피될 수 있다. 만약 대배심에 대한 기피가 인용되면, 그 대배심은 임무해제 되지 않으면 안 된다. 만약 한 명의 개별 배심원에 대한 기피가 인용되면, 그 배심원은 임무해제 되지 않으면 내지는 기피의 대상인 특정 사안에 대한 숙의로부터 배제되지 않으면 안 된다.[12)]

5. 대배심원의 숫자

5명 이상 7명 이하(버지니아주),[13)] 6명(인디애나주),[14)] 6명 이상 및 10명 이하(사우스다코다주),[15)] 7명 이상 11명 이하(버지니아주),[16)] 12명(켄터키주),[17)] 13명(테네시주),[18)] 13명 이상 및 23명 이하(로드아일랜드주),[19)] 15명(캔자스주[20)] 및 라이베리아[21)]), 15명 이상 21명 이하(플로리다주),[22)] 16명(아이다호주[23)] 및 웨스트버지니아주[24)]), 23 명 이하(뉴저지주),[25)] 16명 이상 23명 이하(연방,[26)] 뉴욕주[27)] 및 조지아주[28)]) 등 다양하다.

---

12) 아리조나주 Rules of Criminal Procedure Rule 12.8; MO Rev Stat § 540.060
13) Code of Virginia § 19.2-195
14) IN Code § 35-34-2-1
15) SD Codified L § 23A-5-1
16) Code of Virginia § 19.2-207 (특별대배심)
17) Kentucky Revised Statutes § 29A.200
18) Tennessee Code § 40-12-126
19) Rhode Island General Laws § 12-11-1
20) KS Stat § 22-3001(d)
21) 라이베리아 Criminal Procedure Law § 15.1
22) FL Stat § 905.01 (1)
23) ID Code § 2-103
24) WV Code § 52-2-3
25) New Jersey Statutes 2B § 21-2
26) Federal Rules of Criminal Procedure Rule 6(a)
27) New York Consolidated Laws, CPL § 190.05
28) Georgia Code § 15-12-61

6. 대배심원의 복무기간

뉴멕시코주의 경우, 3개월을 넘지 않는 기간 동안 대배심은 복무해야 한다.[29] 복무기간을 카운티에 따라서 4개월 또는 6개월로 하되 그 자신들을 대신할 다른 대배심이 충원구성되고 났을 때까지로 하는 입법례로서 매사추세츠주가;[30] 복무기간을 6개월로 하되, 단축시킬 수 있거나 또는 복무기간의 종료 전에 시작된 업무를 종결짓기 위하여 연장될 수 있게 하는 입법례로서 미주리주 및 뉴햄프셔주 등이;[31] 사람은 두 번의 연속되는 6개월 기간들을 초과하여서는 대배심원으로 복무하여서는 안 된다고 규정하는 입법례로서 사우스캐럴라이나주가 있다.[32] 연방의 경우에 복무기간은 원칙적으로 18개월의 범위 내에서 대배심의 임무를 법원이 해제할 때까지이다. 복무기간의 연장이 공익에 부합한다고 법원이 판단하고서 복무를 연장하는 경우에는 18개월보다도 더 길게 복무할 수 있는바, 연장이 허가될 수 있는 기간은 6개월 이하이지만, 다만 제정법에 의하여 달리 규정되는 경우에는 그러하지 아니하다.[33]

7. 대배심원의 복무방법

복무기간 중에 외부로부터 원칙적으로 단절되는 소배심원(petit juror)에 같지 아니하게, 대배심원들은 출퇴근을 하면서 복무한다. 재판구 지방법원 판사의 명령에 의하여 정해진 시간에, 그리고 카운티 검사의 요청에 따라서 또는 대배심원들 과반수의 요청에 따라서, 대배심은 회합하여야 한다.[34] 법원이 동의하는 경우에를 제외하고는 3 연속일을 초과하여 휴회하지 못하도록, 그러나 법원의 동의가 있으면 대배심은 더 오랜 기간 동안 휴회할 수 있도록, 그리고 대배심의 휴정들을 법원의 휴정들에 가능한 한 밀접하게 일치시키도록 규정하는 입법례로서 텍사스주가 있다.[35]

---

29) NM Stat § 31-6-1
30) MA Gen L ch 277 §§ 2d, 2f
31) MO Rev Stat § 540.021, 5; NH Rev Stat § 600-A:3
32) SC Code § 14-7-1910 (E)
33) Federal Rules of Criminal Procedure Rule 6(g)
34) 아이오와주, RULES OF CRIMINAL PROCEDURE Rule 2.3 (4))
35) Code of Criminal Procedure, Art. 20A.053

8. 대배심의 종류

8.가. 정규 대배심(regular grand jury)

통례적으로는 검사가 제출하는 대배심 검사기소장안을 심리하여 기소여부를 평결하지만, 스스로도 사안의 조사에 들어갈 권한을 지닌다. 공익이 요구하는 바에 따라서 개개 카운티를 위한 한 개 이상의 대배심들을 개개 카운티의 배정배심 판사는 충원구성 하여야 하고 개개 카운티에는 적어도 한 개의 대배심이 항상 복무 중에 있어야 하게 하는 입법례로서 뉴저지주 등이 있다.[36)]

8.나. 특별대배심 내지는 조사대배심

8.나.(1) 정규 대배심의 복무기간 중에는 적절히 다루어질 수 없는 장기간의 조사를 요구하는 상황에 대처하기 위한 특별대배심을 이유부로 순회구 지방법원장 판사가 소집할 수 있게 하는 입법례로서 가령 켄터키주가 있고;[37)] 수사를 내지는 소추를 제기하도록 검찰총장에게 주지사가 또는 의회가 명령하는 때에 특별대배심을 소환하도록 검찰총장의 서면요청에 따라서 국민간소송 법원이 내지는 그 소속의 판사가 명령하는 입법례로서 오하이오주가 있다.[38)] 피고인들에 의하여 수행된 사기가 또는 절도가 중요한 요소인 두 개 이상의 활동들이 있는 문제들을 조사할, 검토할, 또는 이에 대한 대배심 검사기소장을 발부할 권한을 가지는 주 전체관할의 특별대배심을 검찰총장으로 하여금 충원구성 할 수 있게 하는 입법례로서는 캘리포니아주가 있다.[39)]

8.나.(2) 지역사회에서의 것을이든 또는 정부의 권한에, 그 기관에 내지는 공무원에 의한 것을이든 범죄활동을 포함하는 상황을 내지는 범죄활동을 촉진시키는 데 보탬이 되는 상황을 조사하여 보고함을 목적으로 하여 충원구성되는 특별대배심의 입법례로서 버지니아주가 있다.[40)] 주장되는 주 법에 대한 위반행위를 내지는 여타의 사항을 조사함을 목적으로 하는 특별대배

36) New Jersey Statutes 2B § 21-1
37) Kentucky Revised Statutes § 29A.220
38) Ohio Revised Code § 2939.17
39) California Code § 923(c)
40) Code of Virginia § 19.2-191 (2)

심을 충원구성 하여 주도록 카운티의 상위 지방법원 판사들에게, 카운티의 상위 지방법원의 법원장이 그의 내지는 그녀의 발의로, 재판구 지방검사의 신청에 내지는 청구에 따라서, 또는 카운티의 내지는 전체로든 부분으로든 카운티 내에 소재하는 자치체의 선출직 공무원 어느 누구든지의 청구에 따라서 요청함에 의하여 한 개의 특별대배심이 충원구성 될 수 있게 하는 입법례로서 조지아주가 있다.[41]

8.나.(3) 노스캐럴라이나주에서, 재판구 지방검사에 의하여, 재판구 지방검사의 피지명 보조자에 의하여, 또는 특별검사에 의하여 대법원 서기에게 제출되는 청구서에 거명된 범죄들을 및 사람들을 조사하도록 한 개의 조사대배심으로서의 대배심을 소집하라는 대배심 소집심사 합의부의 명령은 청구서에 거명된 범죄들을 및 사람들을 조사하도록 당해 대배심에게 지시하여야 한다.[42]

8.다. 시민 대배심(citizen's grand jury)

위 3.다.의 일정 수 이상의 유권자들의 서명에 의한 소집청구에 따라서 법원이 소집하는 대배심이다.

8.라. 카운티 대배심(County GrandJury), 스테이트 대배심(State Grand Jury), 복수카운티 관할 대배심(Multi-County Grand Jury), 주 전체관할 대배심(Statewide Grand Jury)

단일 카운티 내에서의 범죄를 조사 평결하는 카운티 대배심(County Grand Jury)에 대조되는 개념으로서 단일카운티를 초과하는 범위를 다루기 위하여 소집되는 스테이트 대배심(State Grand Jury)을 두는 입법례로서 노스다코타주 등이,[43] 또는 복수카운티 관할 대배심(Multi-County Grand Jury)을 두는 입법례로서 뉴햄프셔주 등이,[44] 주 전체를 조사범위로 하는 대배심인 주 전체관할 대배심(Statewide Grand Jury)을 두는 입법례로로서 매사추세츠주 등이 있다.[45]

---

41) Georgia Code § 15-12-100(a)
42) North Carolina General Statutes § 15A-622 (h)
43) North Dakota Century Code 29-10.2-01
44) NH Rev Stat § 600-A:1
45) MA Gen L ch 277b § 1

9. 대배심의 개수

버지니아주에서, 조지아주에서 등의 경우에, 특정 개정기에 대배심에 의하여 심리되어야 할 사건들의 숫자가 너무 많아서 단일 대배심에 의하여는 이에 대한 분별 있는 심리를 곤란하게 하는 때에는 언제든지, 그 개정기 동안에 동시에 또는 다른 때에 따로 따로 착석하는 두 개 이상의 정규 대배심들이 충원구성 되게 하도록 법원은 명령할 수 있거나, 법원의 어떤 개정기에든 공공의 이익이 요구하는 경우에는, 한 개 이상의 동시적 대배심들을 재판구 지방검사의 신청에 따라서 법원은 충원구성할 수 있다.[46]

10. 대배심의 기관: 배심장, 부배심장, 서기

10.가. 대배심의 기관으로는 배심장, 부배심장, 서기 등이 있다.

배심원들 중 한 명을 배심장으로, 그리고 다른 한 명을 부배심장으로 재판구 지방법원 판사는 지명하여야 한다. 모든 대배심 검사기소 평결의 경우에 이에 찬성한 배심원들의 숫자의 기록을 배심장은 또는 배심장에 의하여 지명되는 다른 배심원은 보관하여야 하고 그 기록을 법원서기에게 제출하여야 한다. 배심장의 부재 동안에는 부배심장이 배심장을 대행한다.[47]

10.나. 배심장은 법원의 대리인으로서 대배심 절차를, 대배심의 회합들을 주재하여야 한다.

배심장은 대배심의 업무를 및 절차들을 질서정연한 방법으로 지휘하여야 하며, 한 명 이상의 대배심원들을 당해 대배심의 서기로서 복무하도록 지명할 수 있다.[48] 배심장은 질서를 유지함에 있어서, 선서들을 실시함에 있어서, 허가되지 아니하는 사람들을 및 허가되지 아니하는 방법으로 행동하는 사람들을 배제시킴에 있어서, 대배심의 질서정연한 임무수행을 위하여 필요한 바에 따라서 대배심 내의 임원들을 지명함에 있어서, 그리고 법에 의하여 또는 법

46) Code of Virginia 19.2-193; Georgia Code § 15-12-63
47) WYOMING RULES OF CRIMINAL PROCEDURE Rule 6(a)(7)(A)
48) TX Code of Criminal Procedure Art. 20A.052

원명령에 의하여 배심장 위에 부과될 수 있는 여타의 의무들을 이행함에 있어서, 법원의 대리인으로서 행동하여야 한다. 대배심 절차를 어지럽히는 누구나를 법원모독 절차에 처해 달라고 법원에 배심장은 요청할 수 있다.[49]

11. 대배심의 권한 및 의무: 기소·불기소의 평결, 대배심 보고서; 영장의 발부 등

11.가. 자신의 카운티 내에서 저질러진 내지는 정식사실심리 될 수 있는 모든 범죄들을 캐들어 갈, 그리고 그것들을 대배심 검사기소장에 의하여 순회구 지방법원에 고발할 권한을 및 의무를; 카운티 내의 공공 감옥들에의 모든 합리적인 시간대에의 자유로운 접근의 및 모든 공공기록들에 대한 무료의 검사의 권한을 대배심은 지닌다. 카운티 내의 모든 공무원들의 의도적인 및 부정한 직무상의 위법행위를 대배심은 파헤쳐야 한다.[50]

11.나. 캘리포니아주는 범죄를만이 아니라, 조사 대상 기관들의 임무사항들의 수행을 위한 관공서들의 폐지를 내지는 창출을, 장비의 구매를, 임차를, 매입을, 또는 방법에 내지는 체계에 있어서의 변경들을 포함하여, 카운티 공무원들의 수요 등등의 시민적 관심의 카운티 문제들을 조사하도록 내지는 파헤치도록 광범위한 임무를 대배심에게 부여한다.[51]

11.다. 대배심은 증거의 검토 뒤에 ① 사람을 범죄혐의로 기소하는 조치(기소평결)를 취할 수 있고, ② 고발을 기각하는 조치(불기소평결)를 취할 수 있다. ③ 그 이외에도, 검사 독자기소를 지방형사법원에 제기하도록 지방검사에게 명령하는 조치를; ④ 가정법원에의 이송을 위한 요청을 제기하도록 지방검사에게 명령하는 조치를 ⑤ 대배심 보고서를 제출하는 조치를 등 취할 수 있게 하는 입법례로서 뉴욕주가 있다.[52]

---

49) 아리조나주 Rules of Criminal Procedure Rule 12.3

50) SD Codified L § 23A-5-9; Minnesota Statutes 628.61; Nevada Revised Statutes § 172.105; North Dakota Century Code 29-10.1 23

51) CA Penal Code § 888

52) New York Consolidated Laws, CPL § 190.60

11.라. 출석을 및 증거의 제출을 벌칙부소환장에 의하여 요구할 대배심의 권한

자신 앞에의 증인들의 출석을 명령할 권한을, 자신의 조사에 관련 있는 모든 공공의 및 사적인 기록들의 내지는 여타의 증거의 제출을 요구할 권한을, 및 대배심을 소집하는 재판구 지방법원을 통하여 그 자신의 권한으로 발부되는, 및 재판구 지방법원의 법적 영장의 집행 책무를 맡는 공무원 아무나에 의하여 집행되는, 벌칙부소환영장에 의하여 그러한 권한을 시행할 권한을 대배심은 지닌다.[53]

12. 대배심에 대한 법원·검사의 조력

12.가. 법적 조언 등

법원과 검사는 대배심의 법적 조언자들이어야 한다. 법원과 검사의 조언을 대배심은 모든 합리적인 시간대에 요청할 수 있다. 그 밖의 어떠한 원천으로부터의 법적 조언을도 대배심은 추구하여서는 내지는 수령하여서는 안 된다.[54]

12.나. 검사의 대배심에의 출석, 증인신문 실시, 대배심에의 조언제공, 대배심 검사기소장 초안의 작성, 증인의 소환, 영장의 내지는 벌칙부소환장의 발부, 무죄임을 해명하는 증거의 제출 등

증인들을 대배심의 면전에서 신문하기 위하여 내지는 대배심 검사기소장들의 뼈대를 짜기 위하여 카운티 검사는 출석하여야 하고, 증인들을 그들의 면전에서 신문하기 위하여, 또는 법적 문제에 관하여 조언을 그들에게 제공하기 위하여, 대배심에 의하여 요구되는 경우에는 언제든지 그들에게 출석함은 카운티 내의, 내지는 카운티 내에 있지 아니한 시티 내의, 소추검사의 내지는 순회구 검사의 의무이다.[55] 대배심에 의하여 심리될 수 있는 그 어떤 사안에 대하여든 관련되는 정보를 제공함을 위하여 내지는 대배심이 요구할 수 있는 그 어떤 법 문제에 관하여든 대배심에게 조언을 제공함을 위하여 대배심 앞에 출석하도록 카운티 검사는 또는 카운티 검사보는 항상 허용되어야 하며, 그 필

---

53) NM Stat § 31-6-12
54) IN Code § 35-34-2-4 (k)
55) Minnesota Statutes Section 628.63; MO Rev Stat § 540.130

요하다고 대배심원들이, 카운티 검사가, 카운티 검사보가 간주하는 경우에는 대배심 앞의 증인들을 그러한 카운티 검사는 내지는 카운티 검사보는 신문할 수 있다.[56] 관련되는 정보를 내지는 지식을 보유하는 것으로 그 자신에 내지는 그녀 자신에 의하여 믿어지는 누구든지를 대배심 절차에서의 내지는 특별조사 법관 절차에서의 증인으로서 검사는 소환할 수 있고 그의 내지는 그녀의 출석을 및 증거제출을 강제하기 위한 법적 영장을 내지는 벌칙부소환장을 검사는 발부할 수 있다.[57] 증인들의 출석을 확보하기 위한 영장을 대배심의 요청이 있을 경우에 주 검사는 내지는 그의 내지는 그녀의 지정 보조자는 발부해야 한다.[58] 조사를 수행함에 있어서 조력하도록 지명되는 검사는 조사의 표적인 사람에 관련하여 그의 소지 내에, 보관 아래에, 또는 통제 안에 있는 무죄임을 해명하여 주는 정보를 내지는 자료를 대배심에게 공개해야 한다.[59] 자신에게 제출되는 모든 증거를 대배심은 비교교량 하여야 하는바, 무죄임을 해명하여 주는 증거가 자신의 권한범위 내에 있다고 믿을 이유를 자신이 지니는 경우에는 그 증거가 제출되게 하도록 대배심은 명령하여야 하고, 그러한 증거의 제출을 위한 영장을 발부하도록 그 목적을 위하여 검사에게 대배심은 요구할 수 있다.[60]

12.다. 법원의 영장, 벌칙부소환장 등의 발부

대배심 앞에서 증언하도록 증인들을 불러오기 위한 벌칙부소환장을 및 그 밖의 영장을, 대배심에 의하여 또는 그 배심장에 의하여 또는 소추검사에 내지는 순회구 검사에 의하여 요구되는 경우에는 언제든지 당해 대배심이 충원구성된 법원의 서기는 발부하여야 한다.[61] 캔자스주에서, “만약 조금이라도 귀하들 앞에 출석하도록 및 증언하도록 적법히 소환된 증인이 이에 복종하기를 불이행하면 내지는 거부하면, 그 증인의 출석을 강제하기 위한 강제영장이 이

56) Nebraska Revised Statutes § 29-1409
57) Washington Revised Code § 10.27.140
58) FL Stat § 905.185
59) Connecticut General Statutes § 54-47f (f)
60) North Dakota Century Code 29-10.1-27
61) Nebraska Revised Statutes § 29-1409; MO Rev Stat § 540.160; Ohio Revised Code § 2939.12; KS Stat § 22-3008

법원에 의하여 발부될 것입니다."라고, 유권자들의 서명들을 단 청구서에 의하여 소집된 대배심의 대배심원들에게, 판사는 설명하여야 한다.[62]

12.라. 처벌 등에 의한 강제

대배심 앞에 출석하도록 및 증언하도록 적법하게 소환된 증인이 이에 따르기를 불이행하거나 거부하면, 그 증인의 출석을 강제하기 위하여 강제영장이 발부되어야 하는바, 그 불이행자를 여타의 사건들에서 법원으로부터 발부되는 한 개의 벌칙부 소환영장의 부준수에 대하여 법에 의하여 규정되는 방법에의 및 절차들에의 동일한 방법으로 및 절차들에 따라서 법원은 처벌할 수 있다.[63] 가령 캘리포니아주에서, 조금이라도 소환된 대배심원으로서 그 출석하기를 의도적으로 및 정당한 이유 없이 불이행하는 사람은 구금되어 출석이 강제될 수 있고 50달러 이하의 벌금을 법원은 아울러 부과할 수 있는바, 이에 따라 강제집행영장이 발부될 수 있다.[64]

12.마. 특별검사의 지명

대배심은 그 업무의 수행에 있어서 일정한 경우에 특별검사를 제공받을 수 있다.

12.마.(1) 대배심이 요청하는 경우

일정 등급의 카운티에서의 경우에 대배심의 요청이 있으면, 한 명의 특별검사를 카운티 이름으로 대배심에게 상위 지방법원의 주재판사는 선임할 수 있음이 캘리포니아주 입법례이다.[65] 캔자스주에서, 대배심은 재판구 지방법원의 승인을 얻어서 조사관들을 사용할 수 있고, 일정한 예외의 경우에를 제외하고는 특별검사를 사용할 수 있다.[66] 워싱턴주의 경우에, 대배심에 출석할 특별검사를 지명하도록 법원의 승인을 수령한 뒤에 주지사에게 대배심은 요청할 수 있는바, 법원에 의하여 승인되는 세 명을 요청서에서 대배

62) KS Stat § 22-3001 (c)(4)(D)
63) KS Stat § 22-3008 (b)
64) CA Penal Code § 907
65) CA Penal Code § 936.7
66) KS Stat § 22-3006 (c)

심은 지명하여야 하며, 한 명의 특별검사를 그 피지명자들 중에서 주지사는 지명하여야 한다.[67]

12.마.(2) 카운티 검사가 또는 검찰총장이 조사대상인 경우

몬태나주에서, 카운티 검사가 또는 검찰총장이 대배심 조사의 대상인 경우에, 한 명의 특별검사를 재판구 지방법원은 지명하여야 한다. 특별검사가 지명되면, 그 카운티 검사의 내지는 검찰총장의 사무소는 공무상의 권한으로써 참여해서는 안 되는바, 다만 직원 구성원들은 증인들로서 출석 할 수 있다.[68]

12.마.(3) 카운티 공무원들이 조사대상인 경우

네브라스카주에서, 카운티 공무원들의 공무상의 행위들에 관하여 조사가 이루어져야 한다는 점이 재판구 지방법원의 판사에게 드러나는 경우에는, 즉시 주 지사에게 배심장은 통지하여야 하는바, 한 명의 특별검사를 주 지사는 즉시 지명하여야 한다. 그리고 그러한 특별검사가 지명된 대상인 당해 소송물에 관련되는 모든 절차들 동안 카운티 검사는 내지는 카운티 검사보는 배제되어야 한다. 다만 특별검사가 지명되어 있는 대배심 앞의 한 명의 증인으로서 카운티 검사로 하여금 내지는 카운티 검사보로 하여금 출석하지 못하도록 이 절 안의 것은 금지하지 아니한다.[69]

12.마.(4) 특별대배심이 요청하는 경우

버지니아주에서, 특별대배심의 요청에 따라서 그 업무에서 특별대배심을 조력할 특별검사를 법원은 지명할 수 있고, 적절한 전문요원을 조사적 목적들을 위하여 특별대배심에게 법원은 제공할 수 있다.[70]

12.마.(5) 법원이 승인하는 경우

몬태나주에서, 재판구 지방법원의 승인을 조건으로 한 명의 특별검사를, 조

---

67) Washington Revised Code § 10.27.070 (10)
68) Montana Code Annotated § 46-11-304
69) Nebraska Revised Statutes § 29-1408
70) Code of Virginia § 19.2-211

사관들을, 통역인들을, 그리고 전문가들을 먼저 법원에 의하여 승인이 이루어진 합의된 보수로 카운티 검사는 고용할 수 있다.[71]

12.마.(6) 스테이트 대배심에서 검찰총장을 조력하게 하기 위한 경우

사우스캐럴라이나주에서, 한 개의 스테이트 대배심 사안에의 참여로부터 스스로 회피하기로 한 명의 법무관이 결정하면, 검찰총장은 그러한 조사를 및 소송추행을 수행하여야 하는바, 다만 당해 스테이트 대배심 조사를 다루게 하기 위한 내지는 그 조사에서 검찰총장 자신을 조력하게 하기 위한 충돌되지 아니하는 다른 법무관을 검찰총장은 그의 재량으로, 그 적절하다고 검찰총장이 간주하는 바에 따라서 지명할 수 있거나 또는 특별검사를 지명할 수 있다.[72]

12.마.(7) 이익충돌을 법원이 인정하는 경우

유타주에서, 한 명의 특별검사가 필요한지를 감독판사는 판단하여야 한다. 증명되는 타당한 이유 위에서만, 및 당해 대배심 앞에서 주를 여타의 경우에라면 대변하였을 검찰총장 사무소 내에, 카운티 검사 사무소 내에, 재판구 지방검사 사무소 내에, 또는 시군자치체 검사 사무소 내에 이익충돌이 존재한다는 한 개의 확인서면을 감독판사가 작성한 뒤에만, 한 명의 특별검사는 지명될 수 있다.[73]

12.마.(8) 검찰총장의, 카운티 검사의, 재판구 지방검사의, 시군자치체 검사의 결정에 따라서 법원이 지명하는 경우

유타주에서, 감독판사에 의하여 지명되는 한 명의 특별검사를 제공받기로 검찰총장은, 카운티 검사는, 재판구 지방검사는, 또는 시군자치체 검사는 결정할 수 있는바, 그 결정에 대한 당해 검사로부터의 통지서의 수령 즉시로 한 명의 특별검사를 이 절에의 부합 속에서 감독판사는 지명하여야 한다.[74]

---

71) Montana Code Annotated § 46-11-315 (3)
72) SC Code § 14-7-1650(C)
73) UT Code § 77-10a-12 (2)
74) UT Code § 77-10a-12 (5)

13. 대배심 절차들의 녹음

대배심이 숙의 중인 동안을 내지는 표결 중인 동안을 제외하고는, 모든 절차들은 법원 속기사에 의하여 내지는 적절한 녹음장비에 의하여 녹음되지 않으면 안 된다. 법원이 다르게 명령하지 않는 한, 녹음의, 속기사의 메모들의, 및 조금이라도 그 메모들로부터 작성되는 녹취록의 통제권을 검사는 보유한다.[75] 녹음은 절차들의 공정성을 확보하는 데 기여한다.

14. 대배심 절차의 비밀성 및 공개의 제한

14.가. 대배심 절차의 진행은 원칙적으로 비밀이고, 비밀준수 의무를 배심원들을 진다. 가령 "귀하들 자신의 의논을 및 귀하들의 동료들의 및 주(state)의 의논을 비밀로 귀하들은 간직할 것임을 및 조금이라도 귀하들 앞에서 신문되는 증인의 증언을 법에 의하여 허가되는 경우에가 아닌 한 공개하지 아니할 것임을, 조금이라도 대배심원이 말한 바를, 내지는 조금이라도 귀하들 앞의 사안에 대하여 어떻게 대배심원이 표결하였는지를 귀하들은 공개하지 아니할 것임을" 루이지애나주에서 대배심원들은 한다.[76]

14.나. 대배심 절차의 비밀성은 대배심실에 출석할 수 있는 사람을 제한하는 데서 시작된다. 연방의 경우에, 대배심이 개정 중인 동안에는, 검사들이, 신문되는 증인이, 필요한 경우의 통역인들이, 및 법원 속기사가 또는 녹음장비 기사가 출석할 수 있는 이외에는, 다른 사람들은 출석할 수 없고, 대배심이 숙의 또는 표결 중인 동안에는, 배심원들 이외에는, 그리고 청각장애의 또는 언어장애의 배심원들을 조력하기 위하여 필요한 통역인 이외에는 어느 누구도 출석할 수 없다.[77]

대배심 절차의 비밀성으로 인하여, 대배심의 조사대상인 표적이라 하더라도 변호인을 대배심실에 대동할 수 없게 하는 주들이 있다. 그 경우에 변호인에

75) Federal Rules of Criminal Procedure Rule 6(e)(1)
76) Louisiana Code of Criminal Procedure, Art. 431
77) Federal Rules of Criminal Procedure Rule 6(d)

게서의 상담은 적절한 시간간격을 두고서 대배심실 밖에 나가서 받아야 한다.[78] 대배심 자료의 공개는 검사의 임무를 수행함에 있어서의 사용을 위한 경우의 검사에게 등 법률이 정하는 엄격히 한정된 범위 내에서만 허용되며, 그 경우에도 대배심의 숙의들은 및 대배심원 누구든지의 표결은 공개될 수 없다.[79]

15. 대배심 절차에서의 변호인의 조력

15.가. 대배심 절차에서 변호인의 조력은 일방적 소추기관으로서의 대배심의 성격에 본질적으로 저촉되는 한도 내에서 부분적으로 제한된다. 일방절차로서의 본질적 성격에 저촉되지 아니하는 여타의 범위에서는 변호인의 조력이 보장된다.

15.나.(1) 가령, 미시간주에서, 지체 없는 변호인의 조력을 받을 권리를 대배심 앞에 소환되는 증인은 항상 지닌다.[80]

워싱턴주에서 증인으로서든 주요 피조사자로서든 조금이라도 대배심 앞에서 내지는 특별조사 법관 앞에서 증언하도록 소환되는 개인에게는, 만약 그 대배심 앞에 내지는 그 특별조사 법관 앞에 그 증인을 대동하고서 출석하는 변호사에 의하여 그 개인이 대변되고 있지 아니하면, 그의 내지는 그녀의 자기부죄 금지특권에 관하여 고지가 이루어지지 않으면 안 되고; 대배심 앞에서의 내지는 특별조사 법관 앞에서의 그의 내지는 그녀의 권리들에, 책임사항들에 및 의무사항들에 관하여 그를 내지는 그녀를 조언하는 변호사에 의한 대변을 누릴 권리를 그러한 개인은 지니며, 이 권리에 관하여 그에게 고지가 이루어지 아니하면 안 된다. 그의 내지는 그녀의 의뢰인에 의하여 출석이 이루어지는 모든 절차들 동안 변호사는 출석할 수 있는바, 다만 워싱턴주 현행법전집(RCW) 10.27.130에 따라서 면제가 부여되어 있는 경우에는 변호사는 출석할 수 없다. 면제가

78) North Carolina General Statutes § 15A-623 (h); Washington Revised Code § 10.27.120
79) Federal Rules of Criminal Procedure Rule 6(e)(2)(A)
80) THE CODE OF CRIMINAL PROCEDURE (EXCERPT) 767.19 e

부여되고 난 뒤에는 변호인은 대배심실 밖에서 상담을 위하여 대기할 수 있으며, 그에게의 상담을 위하여 합리적인 시간간격을 두고서 대배심실을 그러한 개인은 떠날 수 있다.[81)]

15.나.(2) 펜실베니아주에서, 한 개의 조사대배심 앞에 출석하도록 및 증언하도록 또는 문서들을, 기록들을 또는 그 밖의 증거를 제출하도록 벌칙부로 소환되는 증인은 변호인의 조력을 받을 권리를 지니는바, 그 조사대배심의 출석 속에서 그 증인이 신문되는 동안의 조력을 이는 포함한다. 증인 선택의 변호인이 선임될 수 없는 경우에는 대배심의 업무가 진척될 수 있게끔 다른 변호인을 상당한 기간 내에 얻도록 그는 요구된다. 그러한 변호인은 증인에 의하여 선임될 수 있거나, 또는 법적 대변을 얻기 위한 충분한 자력을 획득할 수 없는 사람인 경우에는 지명되어야 한다. 그러한 변호인은 증인에 대한 신문 동안에 대배심실에 출석해 있도록 허용되어야 하고 그 증인을 조언하도록 허용되어야 하는바, 그는 이의들을 내지는 주장들을 제기하여서는 내지는 여타의 방법으로 대배심에게 또는 주 검사에게 말을 걸어서는 안 된다. 법원에 의하여 지명되는 국선변호인 규정을 복수관할카운티 조사대배심 절차를 위하여도 펜실베니아주 등은 두고 있다.[82)]

16. 증거규칙 내지는 위법수집 증거배제 법칙의 적용 여하

뉴멕시코주의 경우에, 대배심 절차에 증거규칙은 적용되지 아니한다고; 한 개의 대배심 검사기소장의 제출의 근거가 되는 증거의 충분성은 대배심을 조력한 검사 쪽의 악의에 대한 증명이 없이는 재심리에 종속되지 아니한다고 규정하지만, 그러나 그보다도 먼저, 한 개의 대배심 검사기소를 대배심이 평결할 수 있는 그 앞의 증거는 적법한, 자격 있는, 그리고 사안에 관련 있는 증거를 말함을 명시한다.[83)] 나아가, 증거능력 없는 증거의 제출에 검사 측의 악의가 개입된 경우에는 대배심 검사기소가 재심리에 종속될 수 있음을 이는 함축한다. 연방의 경우에,

81) Washington Revised Code § 10.27.120
82) https://www.legis.state.pa.us/WU01/LI/LI/CT/HTM/42/00.045..HTM § 4549(c); § 4553 (b)(2)
83) NM Stat § 31-6-11

개인의 헌법적 권리들에 대한 명백한 침해의 직접적 결과로서 얻어졌음을 검사가 직접 아는 증거를, 그렇게 침해되어 있는 사람에게 불리하게 사용하기 위하여 대배심에 검사는 제출하여서는 안 됨을 연방 법무부 검찰 업무편람(Justice Manual) 9-11.231은 규정한다.[84] 증거규칙들을 및 형사절차 일반에 관한 관련 사안들을 규율하는 규정들은 그 적절한 경우에 대배심 절차들에 적용될 수 있음을 뉴욕주는 명시하고 있고,[85] 증거의 효과를 판단할 배심원들의 권한은 재량적인 것이 아니라 법적 판단력으로써 및 증거규칙들에의 복종 속에서 행사되어야 함을 오레건주는 규정한다.[86] 일정한 예외를 제외하고는, 형사소송의 정식사실심리에서 이의를 누르고서 증거능력이 인정될 만한 것들 이외의 증거를 대배심은 수령해서는 안 됨을, 그러나 대배심 검사기소장을 뒷받침하는 충분한 자격 있는 증거가 대배심에 의하여 수령된 경우에는, 정식사실심리에서였다면 배제되었을 증거가 그 대배심에 의하여 수령되었다는 사실은 그 대배심 검사기소장을 무효로 만들지 아니함을 캘리포니아주는 규정한다.[87]

17. 자기부죄 금지특권(Privilege against Self-Incrimination)을 원용하는 증인에 대한 면제부여

17.가. 행위면제(transactional immunity; 소추면제)[88] 또는 사용면제(use immunity) 및 파생적 사용면제(derivative immunity)[89]

캔자스주에서, 증언하기를 내지는 답변하기를 대배심 앞에 출석하는 증인이 거부하면, 판사에게 서면으로 보고되어야 하는바, 그 보고서에는 답변이 거부되는 대상인 질문이 명시되어야 한다. 답변할 의무가 증인에게 있는지 없는지 여부를 그 경우에 판사는 판정해야 하고, 대배심에게 그 결정은 즉시 고지되

84) https://www.justice.gov/jm/jm-9-11000-grand-jury
85) New York Consolidated Laws, CPL § 190.30.1
86) Oregon Revised Statutes § 10.095
87) CA Penal Code § 939.6(b)
88) 그 증언이 관련을 지니는 증인의 해당 행위 자체를 처벌하지 아니하기로 하는, 즉 소추하지 아니하기로 하는 공식적 약속이다. 그 증언으로부터 도출되지 아니한 독립적 증거에 의하여서도 당해 증인을 소추할 수 없게 된다.
89) 그 증인의 증언을 그에게 불리한 증거로 사용하지 아니하겠다는 약속을 의미한다. 그 증언 자체를만이 아니라, 그 증언으로부터 파생되는 증거의 사용을 또한 하지 아니하겠다는 약속이 "파생적 사용면제"이다. 독립인 별개의 원천으로부터 입수된 증거에 의하여서는 그 증인은 소추될 수 있으나, 그 증거의 독립성을 검사는 입증하여야 한다.

어야 한다. 주를 위하여 카운티 검사는 내지는 지방검사는 내지는 검찰총장은, 그리고 사법의 이익이 요구한다는 판단 위에서 검사에게 고지한 뒤에 및 사안에 관한 검사의 권고사항들을 청취한 뒤에 재판구 지방법원 판사는, 행위면제를, 사용면제 및 파생적 사용면제를 어느 누구에게든 서면으로 부여할 수 있다. 행위면제를 부여받는 사람은 조금이라도 그 행위면제가 부여되는 대상인 그 저질러져 있는 범죄를 이유로 내지는 조금이라도 그 동일사건으로부터 생겨나는 그 밖의 행위들을 이유로 소추되어서는 안 된다. 사용면제를 및 파생적 사용면제를 부여받는 사람은 그 어떤 범죄를 이유로 해서든 소추될 수 있으나, 조금이라도 그러한 면제의 부여 아래서 제공되는 그 사람에게 불리한 증언을 내지는 조금이라도 그러한 증언으로부터 도출되는 증거를 주(state)는 사용해서는 안 된다. 그러한 면제부여 아래서 이루어진 증언의 내지는 진술들의 결과로서 증인 자신에게 거슬러서 증거가 도출되었다는 및 획득되었다는 이유들에 의거하여 그 증거를 주(state)로 하여금 사용하지 못하도록 금지해 달라는 신청을 서면으로 법원에 피고인은 제출할 수 있다. 그 주장들을 뒷받침하는 사실관계를 신청서는 서술해야 한다. 독립적으로 및 병행적 원천으로부터 그 증거가 얻어졌음을 명백한 및 설득력 있는 증거에 의하여 증명할 책임을 그러한 신청에 대한 청취 위에서 주(state)는 져야 한다. 면제를 부여받는 사람은 유죄를 자기 자신에게 증언이 씌울 수 있음을 이유로 그 증언하기를 거부할 수 없는바, 다만 한 개의 연방법 상의 범죄를 위한 토대를 그러한 증언이 구성할 수 있는 경우인데도 연방법에 따른 면제가 부여되지 아니한 때에는 그러하지 아니하다. 조금이라도 자기 자신이 피고인인 절차에서는 그 증언하도록 사람은 강제되어서는 안 된다.[90)]

면제부여의 범위는 입법례에 따라서 상이하다. 가령, 노스캐럴라이나주에서, 대배심에 출석한 증인이 자기부죄 금지특권을 원용하면서 증언을 거부하면, 검사는 사용면제를 그 증인에게 부여할 수 있다.[91)]

---

90) KS Stat § 22-3008 (e)
91) North Carolina General Statutes § 15A-623 (h)

18. 대배심의 의사정족수, 의결정족수

18.가. 의사정족수

요구되는 대배심원들의 숫자의 다양성 위에서, 다시 상이한 숫자의 의사정족수가 규정된다. 23명 이하로 및 16명 이상으로 대배심이 구성되는 미네소타주의 경우에, 대배심의 업무수행을 위한 의사정족수는 16명인바, 그 숫자의 구성원들이 출석해 있지 않으면 업무수행에 나아갈 수 없다.[92] 6명 이상의 및 10명 이하의 구성원들로 대배심이 구성되는 사우스다코다주의 경우에, 증거가 내지는 증언이 수령될 수 있으려면 내지는 여타의 업무가 처리될 수 있으려면 의사정족수인 여섯 명의 배심원들이 출석하지 않으면 안 된다.[93] 18명으로 개개의 스테이트 대배심이 구성되는 사우스캐럴라이나주의 경우에, 스테이트 대배심의 구성원 열두 명은 의사정족수를 구성한다. 대배심을 16명이 구성하는 아이다호주의 및 일리노이주의 경우에, 그 중 12명은 의사정족수를 구성한다. 의사정족수가 출석하면 대배심은 숙의할 수 있고 행동을 취할 수 있다.[94] 15명으로 대배심이 구성되는 캔자스주의 경우에 그 중 열두 명이 의사정족수를 구성한다.[95] 열두 명으로 대배심이 구성되는 와이오밍주의, 콜로라도주의 및 텍사스주의 경우에, 아홉 명 이상의 배심원들은 대배심으로서 행동할 수 있다.[96] 열여섯 명으로 대배심이 구성되는 웨스트버지니아주의 경우에, 15명 이상의 출석 대배심원들이 자격 있는 대배심이 된다.[97] 18명으로 주 전체관할 대배심이 구성되는 플로리다주의 경우에, 그 중 15명이 의사정족수를 구성한다.[98]

---

92) Minnesota Statutes Section 628.41.2
93) SD Codified L § 23A-5-18
94) FL Stat § 905.37 (3)
95) KS Stat § 22-3001 (d)
96) WYOMING RULES OF CRIMINAL PROCEDURE Rule 6(a)(4)(B); CO Rev Stat § 13-72-102; Texas Statutes 19A.251
97) WV Code § 52-2-4; Rules of Criminal Procedure Rule 6(a)
98) FL Stat § 905.37 (3)

18.나. 일반적 의결정족수

대배심의 일반적 의사결정은 재적 과반수의 찬성에 의하는 경우가 많다. 가령, 아이다호주에서 대배심은 자신 앞에서 증언하도록 소환되는 추가적 증인들을 위한 벌칙부소환장들의 발부를 대배심 과반수 찬성에 의하여 명령할 수 있고;[99] 아이오와주에서 대배심원들 과반수의 요청에 따라서 대배심은 회합하여야 하며;[100] 오클라호마주에서 복수카운티 관할 대배심 자신의 임무가 완료되었음을 과반수 찬성으로써 결정하고;[101] 유타주에서 공무원 등에 대한 해임의 권고 등을 위한 근거로서의 직무상의 비범죄적 위법행위 등에 관한 보고서를 과반수의 찬성으로 대배심은 제출할 수 있고;[102] 캔자스주에서 일정수 이상의 유권자들의 청구에 의하여 소집되는 대배심에서 특별검사는 내지는 조사관은 대배심의 과반수 찬성에 의하여 선정되어야 하고, 배정된 판사의 배제를 대배심의 과반수 찬성에 의하여 대배심은 추구할 수 있으며;[103] 일본에서 검찰심사회의의 의사는 과반수로 결정한다.[104]

19. 기소평결의 경우

19.가. 대배심 검사기소 평결을 위한 의결정족수

기소평결에 요구되는 숫자 또한 다양성을 보인다. 가령, 대배심원이 5명 이상 7명 이하인 버지니아주의 경우에 대배심 검사기소를 평결하는 데에는 내지는 대배심 독자고발을 제기하는 데에는 정규 대배심의 적어도 네 명이 찬성하지 않으면 안 된다.[105] 대배심원이 6명인 인디애나주의 경우에, 적어도 다섯 명의 대배심원들이 찬성하지 않으면 안 된다.[106] 대배심원이 12명인 켄터키주의 경우에, 9 명의 찬성으로 대배심 검사기소를 평결할 수 있다.[107] 대배심원이 6

99) Idaho Criminal Rules (I.C.R.) Rule 6 (d)(6)
100) https://www.legis.iowa.gov/docs/ACO/CR/LINC/06-30-2020.chapter.2.pdf Rule 2.3(4)j.
101) 2019 Oklahoma Statutes § 22-352. A.1
102) UT Code § 77-10a-17
103) KS Stat § 22-3001(c)(4)(C), KS Stat § 22-3016
104) 일본 검찰심사회법 제27조
105) Code of Virginia § 19.2-202
106) IN Code § 35-34-2-12 (b)
107) Kentucky Revised Statutes § 29A.200

명 이상 및 10명 이하인 사우스다코다주의 경우에, 여섯 명 이상의 배심원들의 찬성 위에서만 대배심 검사기소는 평결될 수 있다. 대배심원이 15명인 캔자스주에서와 라이베리아에서 12명 이상의 대배심원들의 찬성 위에서만 대배심 검사기소는 평결될 수 있다.[108] 대배심원이 15명 이상 21명 이하인 플로리다주에서, 12명의 대배심원들의 동의 없이는 대배심 검사기소는 평결되어서는 안 된다.[109] 대배심원이 16명인 아이다호주에서와 웨스트버지니아주에서, 열두 명 이상의 배심원들의 동의에 의하여서만 대배심 검사기소는 평결될 수 있다.[110] 대배심원이 16명 이상 23명인 연방에서와 조지아주에서의 경우, 적어도 12 명의 배심원들이 찬성할 경우에만 대배심 검사기소에 처해질 있다.[111] 워싱턴주의 경우에, 범죄를 주요 피조사자가 저질렀다고 믿을 상당한 이유가 있음을 모든 증거에 터잡아 배심원들의 적어도 4분의 3이 확신하는 경우에만 대배심 검사기소를 대배심은 평결해야 한다.[112]

19.나. 대배심원들의 출석의 정도에 따라서 제한되는 기소평결 자격 상의 제한들

뉴저지주의 경우에, 대배심 검사기소에 관련한 모든 절차들 동안 출석한, 내지는 그 모든 절차들의 기록을 읽고 난 내지는 청취하고 난, 및 그 대배심기소에 관련하여 제출된 모든 증거물들을 조사하고 난 12 명 이상의 대배심원들의 찬성에 의하여 대배심 검사기소는 평결될 수 있다.[113] 노스다코다주의 경우에, 결원을 보충하기 위한 대배심원으로 선정되는 사람은 그의 선정 시점에보다 앞서서 청취된 증거에 터잡는 사안에 관하여 표결하여서는 안 된다.[114] 뉴멕시코주에서는, 공소사실에 관하여 제출된 모든 증거를 그 배심원이 청취한 상태가 아니면 대배심 검사기소장에 대하여 그 배심원은 표결할 수 없다.[115] 오레건주에서의 경우에, 대배심 검사기소되는 사람에 내지는 대배심 독자고발되

---

108) KS Stat § 22-3011; 라이베리아 Criminal Procedure Law § 15.1
109) FL Stat § 905.23
110) Idaho Criminal Rule 6.5. (c); WV Code § 52-2-8
111) Federal Rule of Criminal Procedure Rule 6(f); Georgia Code § 15-12-61
112) Washington Revised Code § 10.27.150
113) New Jersey Statutes 2B § 21-7
114) North Dakota Century Code 29-10.1-20
115) NM Stat § 31-6-1

는 사실관계에 관련한 모든 증언을 대배심 검사기소에 내지는 대배심 독자고발에 찬성표를 던지는 적어도 다섯 명의 대배심원들이 만약 청취하였으면 그 구성원들 중 다섯 명의 찬성으로 지시를 구하여 사실관계를 대배심 검사기소에 처할 수 있거나 대배심 독자고발에 처할 수 있다.[116]

19.다. 기소평결에 필요한 심증의 기준

한 개의 범죄가 저질러져 있음을 및 그것을 피고인이 저질렀다고 믿을 상당한 이유가 있음을, 자신에게 증거가 제출되고 난 뒤에 대배심이 인정하는 경우에, 즉 대배심 자신의 판단으로 그 자신에 의하여 살펴진 증거가 만약 정식사실심리(trial)에서 해명되지 아니하는 경우에라면 및 반박되지 아니하는 경우에라면 한 개의 유죄판정을 뒷받침하는 것인 경우에; 자신들 앞의 모든 증거를 종합할 때, 만약 그 해명되지 아니한다면 내지는 반박되지 아니한다면 정식사실심리 배심에 의한 한 개의 유죄판정을 그것이 뒷받침하리라는 것이 그들의 판단인 경우에; 한 개의 대배심 검사기소를 대배심은 평결하여야 한다. 한 개의 범죄가 저질러져 있다고 및 그 범죄를 피고인이 아마도 저지른 터라고 믿도록 한 명의 합리적인 사람을 이끌어줄 정도의 증거를 자신 앞에 대배심이 지닐 때 상당한 이유는 존재한다.[117]

20. 불기소평결의 경우에의 재고발 가능 여하

뉴멕시코주에서, 그 자신에게 제출된 증거의 가치들에 터잡아 대배심이 결정을 내리고서 불기소 평결을 제출하고 나면, 동일 증거에 터잡아 그 대배심에게 또는 다른 대배심에게 그 사안은 다시 제기되어서는 안 된다.[118] 버지니아주에서, 비록 한 개의 대배심 검사기소장안이 불기소평결로 제출되더라도, 동일한 범죄를 이유로 동일한 사람을 겨냥하여 동일한 내지는 또 하나의 기소장안이 동일한 내지는 또 하나의 대배심에 의하여 보내질 수 있고 이에 따라 절차가 취해질

---

116) Oregon Revised Statutes § 132.360

117) Louisiana Code of Criminal Procedure, Art. 443; ID Code § 19-1107; Idaho Criminal Rule 6.5(a); SD Codified L § 23A-5-18

118) NM Stat § 31-6-11.1

수 있다.[119] 인디애나주에서, 과거의 대배심이 대배심 검사기소장을 발부할지 여부에 대한 숙의에 나아가 불기소하기로 표결한 바 있는 당해 과거의 대배심의 표적이었던 사람에 대하여, 과거의 대배심의 불기소 처분이 있기 전에 그 대배심에 제출되지 아니하였던, 새로이 발견된 중요한 증거에 의하여 대배심 기소평결을 대배심은 할 수 있다.[120]

21. 대배심 검사기소장을 각하하여 달라는 신청(Motion to Dismiss an Indictment)

대배심원들의 무자격을 이유로 하는 대배심 검사기소장의 각하신청이 제기될 수 있다. 가령, 사우스다코타주에서, 한 개의 대배심 검사기소장을 각하하여 달라는 신청은, 기피신청에 의하여 미리 판단된 바 없는 경우에, 배심원단에 대한 이의들에 또는 한 명의 배심원의 법적 자격들의 결여에 터잡을 수 있는바, 기소평결을 내리는 데에, 법적으로 자격 결여인 숫자를 찬성표들로부터 뺀 뒤의 5명 이상의 배심원들이 동의하였음이 기록으로부터 나타나는 경우에는 대배심의 한 명 이상의 구성원들이 법적으로 자격 결여였다는 이유로 대배심 검사기소장이 각하되어서는 안 된다.[121]

22. 배심원들의 보수, 여비수당 등

대배심원들은 소정의 보수를, 일당을, 여행경비를 지급받는다. 가령 웨스트버지니아주의 경우에 배심원(후보)에게는 당해 배심원(후보)의 주거로부터의 법원에까지의 내지는 법정이 소집되는 여타의 장소에까지의 왕복 여행경비들을 위하여 국무장관에 의하여 정해지는 요율에 의한 여비수당이 지급되어야 하고, 법원의 개정법정들에의 그의 내지는 그녀의 요구되는 출석의 결과로서 초래되는, 순회구 지방법원의 내지는 그 법원장의 재량에 따라서 정해지는, 그 요구되는 출석 하루마다의 15불 이상 40불 이하의 요율에 의한 여타의 지출경비들이 변상되어야 한다.[122]

---

119) Code of Virginia § 19.2-203
120) IN Code § 35-34-2-12 (d)
121) SD Codified L § 23A-5-5
122) WV Code § 52-1-17

23. 대배심의 독립성

일반적으로 법정에서 법원과 검사의 원조 아래서 대배심은 작동함에도 불구하고, 대배심은 본질적으로 법원으로부터도 검사로부터도 독립하여 기능한다. 대배심의 숙의는 및 평결은 검사를 및 판사를 배제한 완전한 비밀 속에서 대배심원들에 의하여 이루어진다. 일정수 이상의 유권자들의 청구에 따라서 충원구성되는 대배심에서의 경우에, 대배심에 배정된 판사의 배제를 대배심원들이 과반수 찬성에 의하여 추구할 수 있게 하는, 그리고 대배심이 기소평결 하는 사건을 만약 검사가 근면하게 소송추행하지 아니하리라는 것이 대배심의 의견인 경우에는 그 사건을 검찰총장더러 추행하도록 대배심이 요청할 수 있게 하는 캔자스주 입법례가 있다.[123)]

United States v. Williams, 504 U. S. 36, 47-50 (1992) 판결은 대배심의 기능과 권한의 독립성을 이렇게 설명한다:

"여러 세기에 걸친 앵글로 어메리칸 역사 속에 깊이 뿌리잡힌 것이면서도, 연방헌법 본문에서가 아니라 권리장전(the Bill of Rights)에서 대배심은 언급된다. 그리하여 연방헌법 첫 세 조항들에 규정된 부서들 중의 어느 것에도 그것은 원문상으로 배정되어 있지 아니한 상태이다. 그것은 그 자체로 헌법적 장치이다. 실제로, 정부기관의 어느 부서에도 그것이 속하지 않는다는 데에, 정부의 및 국민의 양자 사이의 완충제로서 내지는 심판으로서 그것이 기능한다는 데에 그것의 기능에 관한 전체 이론은 있다. 비록 일반적으로 법정에서 및 법원의 원조 아래서 대배심이 작동함에도 불구하고, 대배심의 사법부에게의 헌법적 관계는 전통적으로, 이를테면 거리를 둔 것이 되어 왔다. 대배심의 기능에의 판사들의 직접적 관여는 대배심원들을 소환하여 소집하는 및 그들의 취임선서 절차들을 시행하는 구성단계의 것에 국한되어 왔다. …형사적 범죄를 조사하는 대배심의 권한의 범위에서도 그 권한이 행사되는 방법에서도 사법부로부터의 대배심의 기능적 독립은 뚜렷하다. 특정 사건에 내지는 분쟁에 대하여 관할이 미리 정해지는 한 개의 법원과는 다르게, 대배심은 법이 위반되고 있다는 의심만에 터잡아서도 또는 법이 어겨지지 아니하고 있다는 점에 대한 보장을 자신이 원한다

---

123) KS Stat § 22-3011(d) ; 각주 103)을 보라.

는 이유만으로도 조사할 수 있다. 자신의 의심하는 위반자를, 또는 심지어 자신이 조사하고 있는 범죄의 정확한 성격을조차도 대배심은 확인할 필요가 없다. 조사를 개시하는 데에 자신의 구성 법원으로부터의 허가를 대배심은 필요로 하지도 않으며 …또한 대배심 기소장을 구하는 데에 법원의 허가를 검사는 필요로 하지도 않는다. 그리고 그것의 하루하루의 기능에서 일반적으로 재판장의 간섭 없이 대배심은 작동한다. …그 자신의 증인들을 대배심은 선서시키고, … 전적인 비밀 속에서 숙의한다. …참으로, 증인들의 출석을 그리고 증거의 제출을 대배심은 강제할 수 없으며, 그러한 강제가 요구될 때는 법원에 호소하지 아니하면 안 된다. …그리고 자신의 조력을 제공하기를 법원이 거절하고는 하는 경우는 연방헌법에 의하여 부여된 권리들을, 대배심이 추구하는 강제가 짓밟는 것이 될 경우이거나, see e.g., Gravel v. United States, 408 U. S. 606 (1972) (의원들의 말의 내지는 토론의 자유를 위한 면제(Speech or Debate Clause immunity)를 보전하기 위하여 신문을 제한하는 명령에 의하여 대배심 벌칙부 소환영장이 유효하게 제한됨), 또는 심지어 보통법에 의하여 인정되는 증언적 특권들을 그것이 짓밟는 것이 될 경우이거나이다. …그러나, 심지어 이 배경에서도, 자신 앞에 소환되는 증인의 적법한 권리들을 대배심이 침해하지 아니하는 한 외부적 영향에 내지는 감독에 의하여 방해됨이 없이 그 자신의 조사들을 자유로이 추구할 수 있도록 대배심은 남아야 함을 우리는 고집해 왔다. 이 독립의 전통을 인정하여, '검사에게서도 판사에게서도 독립하여 행동하는' 한 개의 조사기관을 연방헌법 수정 제5조의 헌법적 보장은 전제한다. …고 우리는 말한 바 있다. 형사적 소송추행의 구성요소와는 별개로서의 대배심 절차의 지위에 비추어, 형사절차들에서 피고인들에게 부여되는 특정의 헌법적 보장들은 대배심 앞에는 적용되지 아니한다고 우리가 말한 바 있음은 의문의 여지가 없다. 대배심기소장을 제출하기를 이전의 대배심이 거부하여 놓은 경우에 대배심 기소장을 대배심이 제출함을 연방헌법 수정 제5조의 이중위험 금지조항(the Double Jeopardy Clause)은 저지하여 주지 않는다. …대배심 앞에 출석하도록 개인이 소환될 때는, 설령 그가 그 조사의 대상이라고 하더라도 연방헌법 수정 제6조상의 변호인의 조력을 받을 권리가 적용되지 아니함을 우리는 두 차례에 걸쳐, 비록 판시하지는 않았으나 시사한 바 있다. …그리고 비록 자기부죄를 금지하는 연방헌법 수정 제5조상의 보장의 침해 속에서 질문들에 답변하도록 증인을 대배심은 강제할 수 없다 하더라도, …자기부죄 금지특권의 침해 속에서 이전에 얻어진 증거를 통한 대배심기소는 이에도 불구하고 유효함을 우리의 선례들은 시사한다. 그 자신의 구성법원으로부터의 대배심의 기능적 분리를 고려할 때, 대배심 절차의 방법들을 규정하기 위한 토대로서의 법원의 감독권한을 동원하기를 우리가 꺼려왔다는 점은 놀라운 일이 될 수 없다. 대배심의 증거확보 절차에 대한 감독을 행사해 달라는 요청들을 오랜 세월에 걸쳐 우리는 받아왔으나, 오늘 제기되는 것을보다도 더 호소력 있는 것들을 포함하여 그 호소들 전부를 우리는 거부한 터이다. 연방헌법 수정 제4조의 위반을 통하여 연방정부가 획득해 놓은 물리적 증거에 터잡은 것으로 주장된 질문들에 United States v. Calandra, [414 U. S. 338 (1974)] 판결에서 대배심 증인은 직면하였다; 대배심 절차들에 위법수집 증거배제 원칙(the exclusionary rule)이 적용되어야 한다는 제의를 우리는 배척하였는데, 대배심의 역사적 역할에의 및 기능들에의 잠재적 손상을 그 이유로 하였다. …전문증거 규칙을 대배심 절차에 시행하기를 Costello v. United States, 350 U. S. 359 (1956)에서 우리는 거부하였는데, 기술적 규칙들에 의하여 방해받지 않으면서 그들의 조사들을 보통사람들이 수행하는 대배심 제도의 전체적 역사에 그것은 어긋날 것이기 때문이었다. …대배심 절차 규칙들을 그들 자신의 주도 위에서 형성하는 데에 조금이라도 연방법원들이 가질 수 있는 권한들은 모종의 매우 제한적인 것임을, 그들 자신의 절차들에 대하여 그들이 보유하는 권한에는 멀찌감치만큼이라도 비교될 수 없는 것임을 선례들은 시사한다. …검사의, 구성법원의 및 대배심 자체의 3자 사이의 전통적 관계들을 중대하게 변경하는 대배심 제도의 재구성을 그것이 허용하지 아니할 것임은 확실하다." (내부인용 등은 일부 생략됨)

| 역자 소개 |

박승옥

경력

- 서울대학교 법과대학 졸업
- 대한변협 인권위원
- 조선대학교 법과대학 초빙객원교수
- 전남대학교 법학전문대학원 겸임교수
- 배심제도연구회 회장
- 전관예우 근절을 위한 헌법개정 운동본부 회장

저서

- 국제인권원칙과 한국의 행형(1993년, 공저)
- 법률가의 초상(2004년)
- 연방대법원판례에서 읽는 영미 형사법의 전통과 민주주의(2006년)
- 미국 연방대법원 판례시리즈 I 미란다원칙(2007년)
- 미국 연방대법원 판례시리즈 II 변호인의 조력을 받을 권리(2008년)
- 미국 연방대법원 판례시리즈 III-1 위법수집 증거배제 원칙(2009년)
- 미국 연방대법원 판례시리즈 III-2 위법수집 증거배제 원칙(2009년)
- 미국 연방대법원 판례시리즈 I 미란다원칙(개정증보판)(2010년)
- 미국 법률가협회 법조전문직 행동준칙 모범규정(2010년)
- 한국의 공익인권 소송(2010년, 공저)
- 미국 연방대법원 판례시리즈 IV 적법절차; 자기부죄 금지특권(2013년)
- 미국 연방대법원 판례시리즈 V 적법절차; 자백배제법칙, 배심제도, 이중위험금지원칙(2013년)
- 미국 연방대법원 판례시리즈 VI 미국 형사판례 90선(2013년)
- 박승옥 변호사가 말하는 사법개혁 쟁취의 길 시민배심원제 그리고 양형기준 (2018년)
- 미국 연방대법원 판례시리즈 II 변호인의 조력을 받을 권리 개정판 (2018년)
- 미국 연방대법원 판례시리즈 VII 표현의 자유 (Freedom of Expression) (2019년)
- 세계의 대배심 규정들 ① (2020년)
- 세계의 대배심 규정들 ② (2020년)

세계의 대배심 규정들 (3)

초판 1쇄 인쇄 2021년 5월 10일
초판 1쇄 발행 2021년 5월 15일

역 자 박 승 옥
펴낸이 임 순 재
펴낸곳 **(주)한올출판사**
등 록 제11-403호
주 소 서울시 마포구 모래내로 83(한올빌딩 3층)
전 화 (02) 376-4298(대표)
팩 스 (02) 302-8073
홈페이지 www.hanol.co.kr
e-메일 hanol@hanol.co.kr
ISBN **979-11-6647-082-0**
ISBN **979-11-6647-081-3**(세트)

- © 2020 박승옥, 배심제도연구회 회장
- 이 책의 내용은 저작권법의 보호를 받고 있습니다.
- 잘못 만들어진 책은 본사나 구입하신 서점에서 바꾸어 드립니다.
- 역자와의 협의 하에 인지가 생략되었습니다.
- 책 값은 뒷표지에 있습니다.